La France moderne
1498-1789

Lucien Bély

La France moderne
1498-1789

QUADRIGE / PUF

DU MÊME AUTEUR

Espions et ambassadeurs au temps de Louis XIV, Paris, Fayard, 1990.
Les relations internationales en Europe, XVIIe-XVIIIe siècles, Paris, PUF, 1992 ; 2e éd., 1998.
Dictionnaire de l'Ancien Régime (direction du), Paris, PUF, 1996.
Histoire de France, Paris, Gisserot, 1997.
L'invention de la diplomatie (direction, avec la collaboration d'Isabelle Richefort), Paris, PUF, 1998.
La société des princes, Paris, Fayard, 1999.
L'Europe des traités de Westphalie. Esprit de la diplomatie et diplomatie de l'esprit (direction, avec le concours d'Isabelle Richefort), Paris, PUF, 2000.
L'information à l'époque moderne (coordination), Paris, 2001.
La présence des Bourbons en Europe (direction), à paraître.

ISBN 978-2-13-053844-8
ISSN 0291-0489

Dépôt légal - 1re édition : 1994
1re édition « Quadrige » : 2003, octobre
5e tirage : 2009, juillet

Premier Cycle
6, avenue Reille, 75014 Paris

Sommaire

Introduction

Les trois siècles, qui séparent l'avènement de Louis XII de la Révolution française, correspondent à ce que la tradition historique française désigne comme l'époque moderne. Le monde, à la fin du XVe siècle, trouvait ses racines dans la longue histoire du Moyen Âge : la plupart des institutions, l'organisation du pouvoir et du travail, les valeurs morales et les convictions religieuses étaient anciennes. Il n'y eut pas vers 1500 de rupture en France, même si l'Europe découvrait alors des mondes nouveaux et même si, avec l'imprimerie, le savoir et les idées pouvaient circuler plus rapidement. En revanche, en 1789, tout l'ordre ancien de la société fut balayé en une nuit. Désormais le monde qui avait disparu devenait l' « ancien régime » face au monde « nouveau » que la Révolution allait faire naître. L'ancien régime, cela signifiait d'abord un ordre politique, fondé sur la monarchie de droit divin : les Français étaient les « sujets » d'un roi et ce mot même indique qu'ils lui devaient obéissance. Le respect des autorités faisait partie des devoirs et une surveillance plus ou moins lourde s'exerçait sur les écrits ou sur les paroles. La foi chrétienne était la religion du roi et théoriquement de tous les Français : elle était la base de la monarchie comme de la société. Cette dernière était divisée traditionnellement en trois « ordres », inégaux en nombre. Le clergé et la noblesse avaient des privilèges, des droits que les autres sujets n'avaient pas, car ils avaient une fonction dans la société : la défense du royaume pour les gentilshommes et la prière pour les hommes de Dieu. Ainsi l'inégalité entre les sujets était un fait juridique. L'organisation du travail artisanal reposait le plus souvent sur une organisation verticale, du compagnon au maître et, dans les campagnes, le paysan n'était pas complètement propriétaire de la terre si elle appartenait à une seigneurie.

Pour aborder ces trois siècles de l'histoire de France, un double choix a été fait ici : d'une part, donner un simple récit des événements, d'autre part, y introduire les préoccupations internationales de la France. Très souvent, les ouvrages consacrés à la France adoptent une méthode thématique, regroupant les faits et les exemples autour d'idées générales, et ajoutent un tableau chronologique pour situer dans le temps ces faits et ces exemples. Ici le parti a été pris de donner un récit chronologique. Cela conduit à privilégier l'histoire politique donc, au temps de la monarchie, l'action des rois, ou de leurs proches conseillers. Mais les souverains n'étaient pas des personnes solitaires et indépendantes. Leurs initiatives avaient souvent des répercussions sur la vie des sujets et, dans les sociétés anciennes, les peuples étaient solidaires de leurs souverains qui avaient besoin d'eux pour mener à bien leurs ambitions ou leurs rêves. L'événement politique est souvent une rupture plus nette et plus claire que l'événement dans le domaine économique, social ou culturel, et une telle rupture avait un écho dans toutes les couches de la société. L'événement nourrit donc le récit historique. Mais une suite d'événements est difficile à comprendre si n'est pas reconstituée la logique, qui enchaîne les événements et entraîne les sociétés. Le récit permet de redonner sa place au temps et, en en suivant le fil, il est peut-être plus facile d'éviter le déterminisme historique qui finit par considérer que les évolutions étaient inéluctables et qui gomme l'effort des hommes et des femmes, la force des convictions, des passions et des intérêts, et finalement le tremblement de l'histoire. Le choix des événements et des personnages historiques, qui les ont subis ou préparés, est toujours un peu arbitraire, mais ici il a obéi à deux critères : un souci de culture générale et une volonté de retenir ce qui a marqué notre mémoire collective. En mettant l'accent sur les faits politiques, c'est donc l'histoire de l'État qui est au centre du propos, mais cet État n'est pas montré seulement comme une somme d'institutions : il est mis en rapport avec la foi religieuse, les créations intellectuelles, les forces sociales, la conjoncture économique, les données démographiques. Cela conduit à présenter ce qu'il est convenu d'appeler les structures, c'est-à-dire à montrer l'organisation de la vie des hommes dans le domaine administratif, judiciaire, religieux, social et économique. Un tableau de la France des années 1500 est proposé aux chapitres 1, 2 et 3. Les évolutions historiques seront présentées dans des chapitres de synthèse : la première moitié du XVIe siècle (chap. 6), le royaume dans les guerres de religion (chap. 11), la France au XVIIe siècle (chap. 15), la monarchie au temps de Louis XIV (chap. 17), la France au XVIIIe siècle (chap. 26). À travers l'histoire même de la monarchie, il est possible de suivre des évolutions majeures : les interventions de l'État en matière religieuse et les rapports avec l'Église de France, le dialogue ou les affrontements entre le pouvoir royal et les sujets, la construction d'une administration royale, l'exercice de la justice et la place des magistrats dans la société, l'organisation et les difficultés des finances publiques, les initiatives monarchiques dans le domaine éco-

nomique, le besoin de défendre et d'aménager le territoire, les encouragements à l'art ou à la recherche scientifique...

La seconde préoccupation de ce livre a été de replacer le royaume dans son contexte international. Très souvent, l'histoire de France est présentée, sans allusion à ses relations avec les puissances étrangères : le royaume est comme isolé. C'est oublier que le souci et la vocation des rois étaient de fixer une ligne de conduite à l'égard de leurs voisins. Le souverain se faisait ainsi le guide d'une communauté, celle de ses sujets, qu'il entraînait dans son sillage, et il s'appuyait sur ce qui commençait à être une nation. Pour organiser cette action il avait besoin d'un État qui se renforça peu à peu sous la pression des besoins. Comment comprendre la place d'un Richelieu ou d'un Mazarin sans insister sur leur capacité de maîtriser les affaires étrangères et sans montrer que le premier tint peu compte des résistances à l'intérieur du royaume et que le second ne connaissait guère en 1643 le pays qu'il allait gouverner ? La guerre fut une constante pendant ces trois siècles, car elle était le recours naturel en matière de relations internationales. Au XVIIe siècle, la France connut en moyenne la guerre deux années sur trois. Notre histoire peut apparaître comme une série de conflits. Il est possible de n'en voir que les conséquences directes (la place des places-fortes dans le pays, le poids des hommes de guerre dans la société, l'impact des affrontements sur l'économie et la démographie) ou indirectes (le gonflement de l'impôt ou la mobilisation des esprits). Néanmoins cette réalité de la guerre serait esquivée si les causes et les péripéties des combats n'étaient rappelées, car ce fut aussi le tissu de l'histoire française, la source des peurs et des espérances d'autrefois. Même si cet engrenage de campagnes, de batailles et de paix ne plaît guère à notre sensibilité contemporaine, il ne paraît guère possible de l'écarter. C'est aussi un moyen de replacer la France dans l'espace européen, voire mondial.

Bien sûr, parce que cette vision favorise la vision monarchique, avec une vue globale des Français, cela conduit malheureusement à négliger la diversité des provinces, des « pays », des villages, les multiples facettes de la France, sur lesquelles les historiens ont beaucoup apporté. Peut-être vaut-il mieux commencer par un regard plus large, avant d'analyser ensuite les originalités locales ou régionales.

Pour connaître ces trois siècles de l'histoire de France, il faut pénétrer dans un monde différent du nôtre. Les mots mêmes n'ont pas le même sens qu'aujourd'hui. Il faut donc découvrir ces notions et ce vocabulaire ancien, en se gardant des faux-sens ou des sens multiples. Un clerc était un membre du clergé ; un officier était le titulaire d'un « office », un magistrat souvent, mais il y avait aussi des officiers de guerre, de marine et de police. Il ne faut pas confondre les parlements qui étaient des tribunaux, proches de nos cours d'appel, et le Parlement anglais qui regroupait des députés et des seigneurs.

Quant aux commissaires, c'étaient des agents de l'État chargés d'une « commission », c'est-à-dire d'une mission temporaire. Pour les rois, on ne parlait pas d'une dynastie, mais d'une « maison », et la noblesse désignait ainsi un lignage, laissant la bourgeoisie utiliser le mot « famille ». La maison du roi était aussi l'ensemble de ses gardes et de ses « officiers », qui avaient des fonctions « domestiques » auprès de lui et étaient souvent des gentilshommes. Les princes, les grands seigneurs et les ministres avaient aussi des maisons.

Il faut rappeler également que les gentilshommes changeaient volontiers de nom lorsqu'ils obtenaient une dignité ou un titre nouveau. Richelieu fut appelé M. de Luçon parce qu'il était évêque de ce diocèse et lorsqu'il devint cardinal, il reprit le nom de son père. Maximilien de Béthune était baron de Rosny lorsqu'il combattait aux côtés de Henri IV et ce ne fut qu'à la fin du règne de ce roi qu'il devint le duc de Sully, nom qui lui est resté pour l'histoire. Combien de Phelypeaux ont été ministres ou secrétaires d'État, mais ils portaient des noms différents de terres (La Vrillière, Saint-Florentin, Châteauneuf, Pontchartrain, Maurepas), qui faisaient oublier leur patronyme commun !

S'il est nécessaire de se familiariser avec ce vocabulaire ou avec ces traditions, c'est que cela permet aussi de mieux comprendre comment les hommes d'autrefois voyaient leur univers. La nécessité de définir les institutions et les réalités anciennes et de suivre leur évolution, invite aussi à réfléchir sur la méthode historique, car ces institutions et ces réalités nous échappent souvent. Le regard qui est proposé ici, sur trois siècles, est une synthèse qui regroupe les conclusions de travaux historiques : eux-mêmes marquaient des étapes dans la recherche. Toute synthèse déforme pour simplifier. C'est dire si nombre d'affirmations mériteraient d'être commentées, étayées, nuancées, et même contestées. Les connaissances sont toujours fragiles et imparfaites lorsqu'il s'agit d'évoquer le passé.

Ce qui est proposé ici, ce n'est pas une vision globale et achevée des trois derniers siècles de la monarchie, c'est plutôt un cheminement au rythme des années. C'est une invitation à entrer, par l'esprit, dans un monde, à la fois ordonné et troublé, qui a disparu, et, après avoir regardé vivre ces femmes et ces hommes, il faudrait aller plus avant. Avec Montesquieu, il serait possible de dire : « Ici, bien des vérités ne se feront sentir qu'après qu'on aura vu la chaîne qui les lie à d'autres. »

NB. — *Dans le texte, les noms d'historiens contemporains, dont les travaux sont utilisés, seront donnés entre parenthèses et en italiques.*

1. La France, une monarchie parmi d'autres

Au début du XVIe siècle, ce n'était pas tant la France qui était une réalité, c'était le royaume de France. Ce qui définissait les Français, c'était qu'ils se reconnaissaient comme sujets du roi de France.

Il faut donc préciser la nature du pouvoir monarchique et les fondements de l'État royal. Mais la France n'était pas une société isolée du monde et le roi devait tenir compte des puissances voisines, donc du contexte européen.

Or le XVe siècle avait vu se multiplier les grands changements. À l'est de l'Europe, Constantinople, dernier bastion de la chrétienté orientale de rite grec, s'était effondrée sous l'assaut des Turcs, qui étaient musulmans. Désormais, ce serait une menace pour les pays chrétiens.

En revanche, l'Europe s'était ouvert de nouveaux horizons dans le monde. Le Portugal avait envoyé des navigateurs de plus en plus loin, le long des côtes de l'Afrique, et Vasco de Gama atteignit l'Inde. Quant à Colomb, au service de la reine de Castille, il découvrit à l'ouest des terres qui allaient se révéler un continent.

La France avait survécu aux déchirements de la guerre de Cent ans face à l'envahisseur anglais. La monarchie française avait alors couru de grands risques et, pour sauver le pays et le restaurer, elle avait dû créer une armée permanente et instaurer des impôts tout aussi permanents.

Le Roi Très Chrétien

Il faut tout de suite distinguer les notions : la royauté, c'est le fait d'être roi ; la monarchie, c'est le système politique qui suppose à son sommet un seul homme, le roi ; la tyrannie, c'est un système injuste où le « tyran » abuse de ses pouvoirs, comme le fait le despote.

Le roi sacré

Le roi de France, dès le Moyen Âge, s'était dégagé de toute dépendance, il était « empereur dans son royaume », ce qui signifiait qu'il n'avait pas de comptes à rendre à l'empereur, le chef du Saint-Empire. François Ier fut désigné le premier comme « Sa Majesté le roi », alors que seul l'empereur jusqu'alors avait droit à cette qualification qui soulignait la grandeur du souverain.

Le roi ne devait obéissance qu'à Dieu, car il avait été choisi par Dieu. Il tenait son pouvoir de Dieu seul, car, dans l'esprit des chrétiens, c'était le Créateur de toutes choses qui avait institué les monarchies. Le roi régnait dès le moment où son prédécesseur rendait l'âme.

La cérémonie. — Néanmoins, pour concrétiser cet avènement, il était sacré à Reims. Le sacre était une cérémonie qui se rapprochait de l'ordination des prêtres et, comme eux, le roi communiait sous les deux « espèces », c'est-à-dire qu'il mangeait le pain et buvait le pain lors de la communion. Il recevait les signes de la chevalerie, les éperons d'or et l'épée. Puis l'archevêque qui conduisait la cérémonie procédait à l'onction à sept endroits différents du corps royal. Il appliquait alors le chrême, mélange d'huile et de baume, auquel était ajouté un peu de l'huile contenue dans la Sainte Ampoule : cette fiole aurait été apportée du ciel par une colombe pour le baptême de Clovis. Le roi devenait ainsi l' « oint du Seigneur », comme l'avaient été les rois dans la Bible. Puis étaient remis les insignes royaux : le sceptre, qui symbolisait l'autorité du souverain, et la main de justice. Enfin le roi était couronné.

Le roi thaumaturge. — Lors du sacre, le roi touchait les « écrouelles », abcès de malades atteints d'une maladie tuberculeuse, et, selon la tradition, il avait le pouvoir de les guérir. Il était donc capable de faire des miracles – le roi était « thaumaturge ». Il disait : « Le Roi te touche, Dieu te guérit. » Tout au long de sa vie, aux grandes fêtes religieuses, il devait renouveler ce geste miraculeux.

Le roi de France était dit « Très Chrétien ». Il s'engageait par serment, le jour du sacre, à défendre l'Église et à exterminer les hérétiques. Il était donc à la fois le reflet du Christ et son instrument sur terre.

Le roi étant sacré, tout attentat contre sa personne était un crime puni avec la dernière sévérité. Un homme qui était accusé de régicide, même si le souverain n'était pas mort, était exécuté après de terribles tortures. Toute atteinte à l'autorité du roi, comme la haute trahison ou le complot, pouvait être considérée comme un crime de « lèse-majesté », d'offense à la majesté royale, et cette notion ne cessa de s'élargir, en particulier au temps de Richelieu.

Les limites du pouvoir royal. — Mais le pouvoir n'était ni illimité, ni arbitraire, ni délié des lois : « ... la puissance absolue des princes et seigneuries souveraines ne s'étend aucunement aux lois de Dieu et de nature », écrivit plus tard le juriste Jean Bodin. Les lois divines étaient définies, et rappelées au besoin, par l'Église, par les prédicateurs ou les théologiens. Les lois naturelles, elles, pouvaient être évoquées par tous les sujets, comme limites nécessaires à l'action royale : le souverain devait être juste et sage. La monarchie n'était pas regardée comme une tyrannie ou un despotisme, sauf dans les affrontements polémiques.

Le roi ne pouvait pas non plus violer les lois fondamentales de son royaume, bien que celles-ci ne fussent pas écrites. En effet la monarchie française était « coutumière » : elle respectait les traditions et les coutumes que l'histoire avait fait naître. Il est même possible de parler d'une « constitution coutumière » qui fixait les règles du pouvoir. Avant tout, la monarchie devait respecter celles qui régissaient la succession au trône.

La succession des rois

Le roi était l'héritier d'une suite de monarques, ininterrompue, en théorie, au moins depuis Hugues Capet. La monarchie était donc perpétuelle, comme éternelle. Dès qu'un roi mourait, son héritier devenait aussitôt roi : « Le roi en France ne meurt jamais. » Cette continuité était marquée par le fameux cri : « Le roi est mort, vive le roi », lancé lorsqu'un monarque disparaissait.

La continuité de l'État. — Derrière la personne mortelle du prince, s'imposait peu à peu l'idée de la continuité de l'État. Un souverain avait bien sûr le droit d'annuler des décisions de son prédécesseur, mais la plupart des lois anciennes et des institutions restaient valables, et les hommes en place conservaient leurs fonctions si le nouveau souverain ne les désavouait pas.

Les règles de succession. — La loi de succession obéissait en France à la tradition, issue de l'histoire : le droit du sang conduisait à choisir le plus proche parent ; la règle de primogéniture obligeait à choisir toujours l'aîné, plutôt que le cadet, quelles que fussent les qualités personnelles de l'un ou de l'autre. L'histoire avait imposé la loi de la masculinité, qui écartait les femmes et leurs descendants. C'était la loi dite « salique », par allusion aux Francs saliens qui, croyait-on, était à l'origine de cette tradition. Derrière cette loi, il faut deviner surtout le refus de voir un « étranger » au royaume, allié par mariage à la maison de France, venir s'asseoir sur le trône de France, voire unir la France à son propre domaine. La collatéralité conduisait à choisir, s'il n'y avait de descendance directe, l'aîné de la lignée ayant avec le roi l'ancêtre commun le plus proche. Lorsque la chrétienté se divisa au XVIe siècle, l'idée s'imposa que le roi de France ne pouvait être que catholique. Enfin selon le serment du sacre, le roi ne devait aliéner (c'est-à-dire vendre ou donner) aucune partie de son royaume : c'était l'inaliénabilité du domaine royal.

La fin des principautés. — Cela confirmait qu'un roi n'héritait pas de son royaume, qu'il n'en était pas propriétaire, mais qu'il en avait l'usufruit. Il succédait à un autre roi : la couronne n'était pas héréditaire, mais successive. Le testament d'un roi n'avait guère de valeur et n'engageait nullement son successeur et le cours de l'histoire vint le prouver. Au Moyen Âge, le roi avait abandonné à des proches de larges portions du pays, des apanages, où ils avaient presque tous les pouvoirs du souverain et dont leur descendance héritait. Cela conduisait à un possible éclatement du royaume ou à la perte définitive de provinces. La monarchie s'efforça de réintégrer dans le domaine royal ces terres qui avaient acquis une forme d'indépendance, et si les apanages continuèrent à exister, les princes apanagistes n'eurent plus que des droits limités.

Même s'il n'y avait pas de rupture possible, des inquiétudes naissaient à propos de l'avenir de la lignée : lorsqu'un roi n'avait pas d'héritier mâle proche et qu'il était hostile à son successeur naturel, ou bien lorsque l'héritier de la couronne était trop jeune et qu'il fallait recourir à une régence – souvent occasion de troubles politiques. En effet, dans ce cas, la tradition ne disait pas nettement qui devait assumer la régence : la femme du roi défunt, ou bien le premier prince du sang, c'est-à-dire le plus proche parent de la famille royale ?

La nature de la royauté

Le roi de droit divin et l'État. — D'un côté, le roi très chrétien s'appuyait sur la nature divine de son pouvoir pour le fortifier. Il y eut même une célébration organisée de la personne royale. Et paradoxalement tous les moyens étaient alors utilisés : d'abord la tradition chrétienne trouvait en Saint Louis une référence pour la dynastie. Ensuite, la Renaissance redécouvrit la culture antique et, en rendant hommage au roi, des sujets, pleins de zèle, n'hésitaient pas à le comparer à un demi-dieu comme Hercule. De surcroît, toute une symbolique était mise à contribution pour renforcer le culte du roi, souvent présenté comme un astre ou comme une image du soleil.

D'un autre côté, la continuité dynastique permettait d'assurer la continuité de l'État, cette notion vague et abstraite. Là, les juristes retrouvaient les fondements de la civilisation romaine qui se fondait sur l'intérêt public, au-delà des intérêts particuliers. Le roi devenait une incarnation vivante de l'État, que les peuples pouvaient ainsi mieux comprendre. Cet État se confondait avec la puissance publique, car il pouvait exiger des efforts, voire des sacrifices : chacun devait se mettre au service de tous et admettre des décisions dont l'utilité n'apparaissaient pas toujours, ou pas tout de suite.

Le roi, sommet d'une pyramide sociale. — Ces deux composantes de la royauté donnaient un poids singulier à la position royale dans la pyramide féodale. Car la féodalité au Moyen Âge avait organisé la société en privilégiant les relations d'homme à homme, qui donnait à tout homme un suzerain. Le roi était ainsi le suzerain des suzerains, le seigneur des seigneurs. Le mot même de « souverain » découlait de cette assimilation. Mais l'autorité royale s'était dégagée du champ de la féodalité. Le droit romain avait permis aux juristes d'introduire cette supériorité radicale, celle du *princeps* romain, du prince qui était l'égal de l'empereur. Ainsi, face au roi, tous les sujets étaient placés sur le même plan.

La naissance de la nation. — Cette royauté s'appuyait aussi sur un sentiment national. Le mot « nation » avait alors des sens divers : ce pouvait être une province ou bien une minorité vivant dans un pays étranger (la nation française à Lisbonne). Mais une « nation France » *(Colette Beaune)* était née peu à peu au Moyen Âge, et avec elle un sentiment national dont Jeanne d'Arc avait été le symbole. Ce sentiment se marquait par la fidélité au roi et au royaume, mais aussi par l'attachement au sol natal, à la terre des ancêtres, à la « patrie ». Enfin, la langue française devint un signe fondamental d'unité, même si d'autres langues ou dialectes existaient en France.

Les droits régaliens

Le pouvoir du roi était bien absolu : il pouvait demander conseil, mais ne devait être contrôlé par personne. Théoriquement il rassemblait tous les pouvoirs. Néanmoins, le mot « absolutisme » est ignoré. Dans la pratique, la souveraineté s'incarnait dans une personne, un homme en France, et le gouvernement du pays dépendait donc forcément du caractère et des capacités du souverain.

Le roi est la loi. — La volonté du roi avait valeur de loi, il l'exprimait par des édits (un texte qui traitait une seule matière) ou des ordonnances (un ensemble de décisions qui touchaient plusieurs domaines) : édits et ordonnances portaient la signature royale. C'était ce principe que les juristes du XVIe siècle commentèrent souvent : *Lex Rex,* le roi est la loi. Cette loi s'exprimait par les édits et les ordonnances. La liberté de décision était bien marquée dans les édits : la formule employée – « Car tel est notre bon plaisir... » – signifiait non un caprice, mais une volonté inébranlable.

Le souverain choisissait les hommes qui exécutaient ses ordres : les grands officiers de la couronne, les gouverneurs des provinces, les chefs des armées et des flottes... Il proposait souvent les évêques, donc les cadres de l'Église, alors que théoriquement ils étaient élus. C'est lui qui créait des « offices » dont les titulaires disposaient d'une partie de la puissance publique. Il pouvait aussi anoblir des roturiers : il était donc le maître de sa noblesse et la source de toute promotion dans la société.

Le défenseur du royaume. — Mais si le roi avait des droits, ils étaient toujours accompagnés de devoirs.

Son pouvoir, le roi devait l'utiliser d'abord pour défendre ses vassaux et ses sujets. Il était donc d'abord un guerrier, car il faut s'armer pour défendre un territoire. Il devait combattre pour faire reconnaître des droits lésés par des puissances voisines. Le roi avait donc le droit de faire la guerre et la paix, et de signer des alliances. La guerre était ainsi une manière de demander justice à Dieu, juge de toutes choses.

Le roi justicier. — Dans son royaume, le roi était le juge suprême, il devait la justice à ses sujets. Il pouvait évoquer, en dernier ressort, tout litige devant lui. C'était une définition simple de la souveraineté et de la nationalité : un sujet du roi de France, c'était un homme qui devait, en dernier recours, se tourner vers ce prince et ses officiers, pour obtenir un jugement dans une querelle ou la punition d'un délit ou d'un crime. La justice royale s'imposait progressivement face aux autres justices, celle des seigneurs ou celle de l'Église. Le souverain pouvait emprisonner et punir qui il voulait, mais il pouvait tout aussi bien faire grâce. Comme il était « débiteur de justice », il devait être accessible et il était toujours possible de lui présenter un « placet », une requête par écrit.

La monnaie. — Le roi seul avait le droit de battre monnaie. La monarchie avait réussi à interdire toute fabrication de monnaie qui ne fût pas royale. Mais, en contrepartie, le roi était garant de la valeur de la monnaie, de son poids en métal précieux, et il devait éviter toute création de monnaie qui aurait pu le faire considérer comme un faux-monnayeur à son tour. À chaque fabrication de monnaie, il percevait une partie du métal, le « seigneuriage ».

Pourtant les « mutations » monétaires furent toujours une tentation de la monarchie. Au nom du roi, des pièces étaient fabriquées en métal précieux : elles étaient reconnaissables, mais aucune valeur n'était gravée sur ces pièces. C'était le pouvoir royal qui fixait cette valeur en « monnaie de compte », la livre (avec ses fractions : une livre valant vingt sous et un sou valant douze deniers). Lorsque le roi manquait d'argent (et ce fut bien sûr le cas le plus souvent), il était tenté de faire des « mutations » monétaires. Deux méthodes étaient possibles. Soit la pièce gardait la même valeur nominale, mais comportait moins de métal précieux. Les anciennes pièces ne devaient plus circuler et devaient être refrappées. Soit une valeur plus grande (en monnaie de compte) était donnée aux pièces que les ateliers monétaires frappaient. Le roi réglait ainsi des dettes (en monnaie de compte) plus facilement. Dans le second cas, le plus fréquent, une pièce correspondait à un plus grand nombre de livres, la livre correspondait à moins de métal précieux. Il y avait une hausse de la valeur des pièces qui signifiait une dévaluation de la monnaie de compte.

Cette dépréciation de la livre était aussitôt intégrée dans la vie économique : les producteurs, pour maintenir leur pouvoir d'achat en or ou en argent, intégrait cette baisse de la livre, en augmentant le prix de leurs produits, exprimé en monnaie de compte : la dépréciation de la livre entraînait une hausse des prix, une inflation. Mais les mutations monétaires pouvaient aller dans l'autre sens. La valeur nominale des pièces était diminuée, il y avait donc une réévaluation de la monnaie de compte : c'était une politique de baisse des prix, de déflation.

À la tête de son royaume et de ses sujets, le roi de France disposait d'une puissance, qu'il pouvait utiliser dans les relations qu'il entretenait avec les autres princes souverains.

Le roi de France et ses « collègues »

Même s'il avait des caractères originaux, le royaume de France n'était pas un cas particulier et ne peut se comprendre que dans son contexte européen, voire mondial. Le roi de France était intégré à un système européen où des princes incarnaient des États. L'historienne anglaise Ragnhild Hatton a parlé des « collègues » du roi de France pour bien montrer la nature des relations internationales à l'époque moderne.

L'empereur et les Habsbourg

L'empereur était le chef élu du Saint-Empire romain : c'était en théorie l'héritier des Césars de l'Antiquité, comme le Saint-Empire était l'héritier de l'Empire de Charlemagne et à travers lui de l'Empire romain. Lorsqu'un empereur voulait installer son successeur, il le faisait élire roi des Romains. Il s'agissait surtout d'une prééminence honorifique qui plaçait l'empereur à la première place en Europe. Mais, de plus en plus, cela signifia une emprise sur le domaine allemand. Néanmoins l'empereur conservait une suzeraineté sur une bonne part de l'Italie du Nord. En revanche, il avait abandonné sa souveraineté sur le Dauphiné au fils aîné du roi de France qui prenait le titre de dauphin. Et la Provence, terre impériale, avait été léguée au roi de France en 1481.

La mosaïque du Saint-Empire. — Le Saint-Empire de nation allemande était un assemblage hétéroclite d'unités politiques, presque indépendantes : villes impériales, grands duchés, margraviats (le titre de margrave signifie « gouverneur d'une marche », c'est-à-dire d'un territoire frontalier), landgraviats (comtés), évêchés, abbayes... L'Empire avait été organisé en 1356, par la Bulle d'or (on appelait bulles les décisions du pape ou de l'empereur). Au sommet de la hiérarchie, il y avait les « Électeurs » de l'empereur : le roi de Bohème, le comte palatin du Rhin (de la famille de Wittelsbach), le margrave de Brandebourg (de la famille de Hohenzollern), le duc de Saxe, mais aussi les archevêques de Trèves, de Cologne et de Mayence, donc des princes ecclésiastiques. La Confédération helvétique, dont les cantons (treize en 1513) fournissaient à toute l'Europe de redoutables soldats, s'était libérée de l'autorité impériale et se considérait comme indépendante.

Maximilien d'Autriche et l'héritage bourguignon. — Au premier rang des États du Saint-Empire, venaient ceux des Habsbourg. Depuis 1438, ils avaient réussi à conserver la couronne impériale qui restait néanmoins élective. Mais ils disposaient aussi de territoires dits « héréditaires » : Haute et Basse Autriches, Tyrol, Styrie, Carinthie, Carniole et une partie de l'Alsace. Maximilien d'Autriche (ou de Habsbourg) avait rétabli l'unité de ces domaines et il était aussi empereur depuis 1493. Par son mariage avec Marie de Bourgogne, fille de Charles le Téméraire, il avait acquis aussi une bonne partie du domaine bourguignon, constitué par les ducs de Bourgogne, issus d'une branche cadette de la maison de France.

Les Pays-Bas. — Le fleuron de cet héritage, les Pays-Bas (qu'il faut distinguer des Pays-Bas actuels qui n'en sont qu'une partie), fut confié au fils de Maximilien, Philippe le Beau. Parmi les provinces des Pays-Bas, certaines étaient impériales (par exemple Brabant, Hainaut, Hollande, Zélande, Luxembourg, Limbourg, Franche-Comté), mais d'autres relevaient féodalement du roi de France (Artois, Flandre). Louis XI avait conservé la Bourgogne et les Habsbourg acceptaient mal ce qu'ils considéraient comme une spoliation. Ces Pays-Bas était, au XVIe siècle, la région la plus développée d'Europe, tant économiquement que socialement : agriculture moderne et prospère, villes puissantes, industries textiles et métallurgiques, administration bien organisée...

La papauté et l'Italie divisée

L'Italie était aussi un modèle au XVIe siècle. Les villes étaient riches et peuplées : Naples, Venise, Milan dépassaient 100 000 habitants, alors que seul Paris atteignait ce chiffre dans le reste de l'Europe. Les Italiens avaient inventé des techniques commerciales et financières nouvelles ; ils étaient souvent les banquiers de l'Europe. Dans les campagnes, les innovations s'étaient multipliées pour améliorer l'agriculture. De nouvelles plantes cultivées y furent aussi acclimatées, comme le riz, la luzerne ou le mûrier blanc pour la soie.

La Renaissance italienne. — Surtout l'Italie avait été le foyer d'une renaissance intellectuelle. La réflexion s'y était renouvelée au XVe siècle grâce à la redécouverte des textes de l'Antiquité : elle fut encore favorisée par la prise de Constantinople par les Turcs ottomans en 1453 et par l'afflux de Grecs apportant avec eux de nombreux manuscrits. La philosophie de Platon était admirée et avait inspiré une philosophie nouvelle, un idéalisme, qui s'imposa avec Marsile Ficin ou Pic de La Mirandole. L'Italie émerveilla aussi le monde par ses créations architecturales audacieuses, par les chefs-d'œuvre de ses peintres et de ses sculpteurs. Dans cette Italie de la fin du XVe siècle, il n'y avait pas de frontière entre le savoir et l'art :

Léonard de Vinci était à la fois un esprit visionnaire, un ingénieur réputé et un peintre admirable. C'était aussi tout un art de vivre qui allait servir de modèle à l'Europe, comme le montra l'influence du livre de Balthazar Castiglione : *Le Courtisan* publié en 1528.

Les divisions et les affrontements politiques. — L'Italie était une mosaïque de républiques urbaines comme Venise, Gênes, Sienne, de duchés comme le Piémont (associé à la Savoie), Mantoue, Milan, Ferrare... À Florence, la république expirait et une famille de grands banquiers, les Médicis, avait pris le pouvoir dans la cité. Les conflits entre ces États, dont certains étaient minuscules, avaient favorisé les ambitions d'hommes de guerre, les *condottieri :* ils n'avaient pas hésité à confisquer le pouvoir, ainsi, à Milan, Sforza, d'humble naissance, avait succédé aux Visconti. Mais de telles divisions attirèrent l'attention de princes étrangers qui voulurent s'implanter en Italie, tentés par ces villes prospères et belles.

Venise et Rome. — Deux États se distinguaient pourtant. La République de Venise avait été la principale puissance économique de l'Europe au Moyen Âge. Elle avait élaboré des institutions originales, avec un Doge élu, et des pratiques politiques nouvelles, en particulier dans la diplomatie. Elle disposait d'une flotte puissante. Outre sa cité sur la lagune, elle contrôlait des territoires appelés la Terre ferme et un empire colonial en Méditerranée. Quant aux États de l'Église, ils étaient gouvernés par le pape, l'évêque de Rome. Ce souverain était élu par les cardinaux, réunis en conclave. C'était la plus haute autorité de la chrétienté, à la tête d'une organisation internationale ; mais c'était aussi, au XVIe siècle, un prince qui possédait un large territoire en Italie centrale.

Les Espagnes, le Portugal et la découverte des nouveaux mondes

La fin de la reconquête. — Au XVe siècle, le mariage d'Isabelle de Castille et de Ferdinand d'Aragon, les rois catholiques, avait permis de regrouper des royaumes de la péninsule Ibérique, tout en leur conservant leurs institutions et leur personnalité. La Castille avait intégré en 1492 le dernier État musulman, Grenade. C'était la fin de la reconquête, la *Reconquista :* les chrétiens avaient chassé les arabes de la péninsule Ibérique. En même temps, Isabelle avait en 1492 décidé l'expulsion des juifs qui n'acceptaient pas de se convertir.

Un fabuleux héritage. — À la mort d'Isabelle la Catholique, la couronne de Castille revint à sa fille Jeanne : elle avait épousé le fils de l'empereur, de la maison de Habsbourg, Philippe le Beau, qui gouvernait les Pays-Bas. En réalité, Ferdinand d'Aragon assura presque sans interruption la régence, sa fille ayant sombré dans la folie. Plus tard, en 1516, à la mort de Ferdinand, ce fut Charles, le futur empereur Charles Quint, fils de Jeanne, qui devint roi de Castille avec sa mère, tout en régnant sur l'Aragon et sur les Pays-Bas.

L'Aragon et la Méditerranée occidentale. — Le roi de France avait rendu à l'Aragon le Roussillon et la Cerdagne. Ce royaume d'Aragon (avec la Catalogne et Valence) était aussi orienté vers la Méditerranée et avait acquis la Sardaigne et la Sicile. C'était une branche bâtarde de la maison d'Aragon qui possédait le royaume de Naples. Le roi de France Charles VIII, qui avait des prétentions dynastiques sur Naples, avait voulu s'en emparer, mais avait dû abandonner sa conquête. Ferdinand d'Aragon avait pu alors rétablir la précédente dynastie et il avait l'ambition de s'emparer de Naples.

La découverte de l'Amérique. — Isabelle de Castille avait accepté le projet du Génois Christophe Colomb et ce fut au nom de l'Espagne que se fit la découverte du Nouveau Monde – appelé plus tard Amérique. Les Antilles, puis le Mexique à partir de 1519, le Pérou à partir de 1531 furent conquis par des Espagnols. Les grands empires américains, aztèque ou inca, disparaissaient. Les conquérants étaient allés chercher des trésors au-delà des mers : les mines d'or et d'argent permirent bientôt un afflux de métaux précieux en Espagne, surtout après la découverte de l'argent du Potosi (aujourd'hui en Bolivie). Sur ces métaux, le souverain prélevait sa part, ce qui permit à l'Espagne de jouer à partir du XVIe siècle un rôle essentiel en Europe grâce à ses armées et à son argent.

L'Empire portugais. — Le Portugal avait montré l'exemple et se construisait rapidement un empire commercial dans le monde. Une bulle pontificale de 1493 et le traité de Tordesillas en 1494 avait partagé ces mondes lointains entre la Castille et le Portugal, qui put s'emparer de la côte brésilienne. En longeant les côtes africaines, les navigateurs du Portugal s'étaient ouvert la route de l'Inde et assuraient le commerce des épices, qui étaient un élément essentiel de l'alimentation européenne.

Les autres puissances européennes

L'effacement temporaire de l'Angleterre. — Le roi de France avait eu longtemps le roi d'Angleterre pour principal ennemi, mais le territoire avait été libéré d'une longue occupation : seul Calais et ses environs restaient dans les mains anglaises. L'Angleterre fut affaiblie par une longue guerre civile, dite « guerre des Deux-Roses », qui s'était terminée en 1485 et qui avait permis l'avènement d'une nouvelle dynastie, les Tudor, avec Henri VII (1485-1509). Alors commença le temps de la reconstruction politique. L'Irlande n'était pas totalement soumise. L'Écosse, farouchement indépendante, était souvent en guerre avec le pays voisin. En Europe occidentale, l'Angleterre apparaissait néanmoins comme une grande puissance, qui pouvait jouer un rôle d'arbitre.

À l'est de l'Europe. — À l'est de l'Europe, la Pologne était une monarchie élective, mais les Jagellon, originaire de Lituanie, s'y étaient installés durablement. Plus à l'est encore, le grand-prince de Moscou était un rassembleur de terres et allait bientôt se considérer comme empereur, « tsar » (c'est-à-dire César). Mais la grande menace qui pesait sur la chrétienté venait de l'Empire ottoman, l'Empire turc des Osmanlis ou Ottomans. Après avoir pris Constantinople, les Turcs submergèrent les Balkans. Ils dominaient aussi la Méditerranée orientale. En Europe occidentale, l'idée de croisade restait vivace et l'ennemi des chrétiens, c'était l'Infidèle, le musulman, d'autant que le Sultan regardait toujours vers l'ouest. Soliman le Magnifique (1520-1566) allait porter cette puissance à son apogée.

Des États qui s'affirmaient, d'autres qui déclinaient ; des monarchies de droit divin, d'autres qui procédaient de l'élection, quelques rares républiques, gouvernées par des oligarchies, voici le visage politique de l'Europe. Comme le royaume de France, et avec la France, ces territoires allaient connaître bien des bouleversements.

Les tensions en Europe

Il ne faut pas imaginer une Europe stable. Au contraire, les souverains, dès qu'ils le pouvaient, cherchaient à augmenter leur puissance ou leur zone d'influence, et ainsi ébranlaient en permanence l'ordre européen. Le roi de France, en raison de la situation centrale du pays, était un des premiers à s'engager dans de telles entreprises, et il était entraîné, et avec lui son royaume, dans celles des autres princes.

Des frontières complexes

À la fin du Moyen Âge, le dessin des frontières n'était jamais définitif, ni rectiligne. Les définitions territoriales tenaient compte des réalités féodales : une terre ou une ville étaient acquises avec ses « dépendances ». La suzeraineté et la souveraineté ne se confondaient nullement : le roi de France était suzerain de l'Artois et de la Flandre, pour lesquels Philippe le Beau devait hommage au roi de France, mais il n'en était nullement souverain, puisque le pouvoir appartenait au seul Philippe.

Les querelles à propos des frontières étaient donc porteuses de tensions. Il n'y a qu'à songer aux limites de la France où des enclaves multiples dépendaient de princes voisins. Mais cette complexité était respectée car elle était le fruit d'une longue histoire et des coutumes locales.

Des États en formation

Les États étaient constitués d'éléments disparates qui entretenaient des traditions originales et qui défendaient des libertés anciennes. À la première occasion, une province pouvait avoir la tentation de se séparer de l'ensemble dont elle faisait partie. Par exemple le roi de France, au début du XVIe siècle, craignait que la Bourgogne ne se tournât vers les descendants de ses anciens maîtres, les ducs de Bourgogne, donc vers les Habsbourg.

Dans de nombreux États, le pouvoir n'était pas assuré contre les oppositions et les révoltes, et il n'était pas rare de voir des opposants de l'intérieur demander le soutien d'une puissance étrangère. Louis d'Orléans, le futur Louis XII, s'était ainsi révolté contre son cousin Charles VIII, s'était allié aux Bretons et aux Anglais, mais avait été battu à Saint-Aubin-du-Cormier (28 juillet 1488). Un grand seigneur, qui s'estimait mal récompensé ou lésé par son souverain, ne craignait pas de se mettre au service d'un autre.

Les querelles dynastiques

Deux souverains n'étaient pas simplement voisins, ils souhaitaient être alliés s'ils n'étaient pas ennemis. Les traités se multipliaient, qui souvent restaient lettre morte. Les dynasties concrétisaient volontiers leurs alliances par des mariages. Et l'organisation européenne ressemblait donc à celle d'une grande famille des princes. Les relations internationales ressemblaient à des relations familiales, qui seraient privées de tous les sentiments personnels. Les crises les plus graves naissaient lors de successions difficiles : lorsqu'une dynastie s'éteignait, les autres rappelaient des liens même lointains, pour faire valoir leurs « prétentions » qui n'étaient jamais oubliées. La guerre au besoin était le moyen de faire entendre ces droits. Charles VIII avait préféré faire valoir ses droits sur Naples et pour cela renonça à l'Artois et à la Franche-Comté, comme il rendit le Roussillon.

Les espaces convoités

La France avait acquis, après bien des déboires, une stabilité politique à la fin du XVe siècle.

La France, de la défensive à l'offensive. — Elle était au cœur de l'Europe et contrôlait bien des voies essentielles sur le continent, routes ou rivières. C'était aussi un pays très peuplé qui pouvait, grâce à l'impôt, contribuer aux opérations militaires de son roi.

Elle s'était débarrassée de la présence anglaise et Louis XI avait donné des coups très rudes à son redoutable voisin, le duc de Bourgogne, Charles le Téméraire. Le rêve bourguignon était mort, d'un grand duché d'Occident, appuyé sur les riches Pays-Bas.

Désormais, au début du XVIe siècle, c'était l'Italie qui était une proie convoitée par la France depuis que Charles VIII y avait lancé une grande offensive. C'était aussi, pour les gentilshommes français, l'occasion rêvée d'acquérir de la gloire et des richesses. Pour l'État, c'était un moyen de mettre à contribution des terres conquises.

Vers un affrontement avec les Habsbourg. — Peu à peu devait néanmoins apparaître ce qui fut une constante de l'histoire européenne : l'affrontement entre la maison de France et la maison d'Autriche. Il n'y avait pas d'hostilité ancienne entre la France et le Saint-Empire, mais ce fut une rivalité entre le roi de France et l'empereur qui s'imposa. Car un empire nouveau se construisait avec Charles Quint : il hérita des richesses et du rêve bourguignons, des royaumes espagnols et des ambitions aragonaises, des terres autrichiennes et de la couronne impériale (1519), qui le conduiraient à regarder vers l'Italie du Nord, enfin des espaces américains. Après le règne de Charles Quint, le rêve impérial prit deux dimensions : d'un côté le chef du Saint-Empire chercha toujours, mais en vain, à mieux contrôler l'Allemagne ; d'un autre côté, le roi d'Espagne se fit le champion du catholicisme et semblait aspirer à l'empire universel.

Les enjeux économiques

La maîtrise du grand commerce international était une source d'enrichissement pour un pays, et les bourgeoisies des ports, lorsqu'elles existaient, poussaient les monarques à défendre des marchés économiques. Mais ce commerce était aussi vital pour la vie quotidienne : nombre de produits rares ou exotiques n'étaient pas produits sur place et il fallait les importer.

La Méditerranée. — La Méditerranée avait été au Moyen Âge essentielle pour le commerce vers l'Orient et l'Extrême-Orient. La France avait des ports qui cherchaient à faire du commerce avec le Levant, c'est-à-dire des terres que les Turcs contrôlaient peu à peu, comme la Syrie et l'Égypte. Ce fut le cas de Marseille dont le développement s'affirma au XVIe siècle. Mais la navigation en Méditerranée était dangereuse : les pirates barbaresques, installés sur la côte de l'Afrique du Nord (à Alger, Tunis ou Tripoli), et les habitants des côtes avaient appris à les redouter. La Méditerranée n'était plus un lac chrétien. Les Vénitiens avaient réussi à maintenir leur présence en Méditerranée, tout comme les chevaliers de Saint-Jean de Jérusalem à Rhodes (plus tard à Malte). La puissance aragonaise, elle, cherchait à contrôler toute la Méditerranée occidentale. Le roi et les marchands français furent tentés de chercher des accords avec les autorités ottomanes.

L'Atlantique et la Baltique. — Dans l'Atlantique, le commerce était actif. La France exportait à partir de ses ports le sel des pays de l'Ouest ou les vins du Bordelais. L'enjeu essentiel fut bientôt le commerce avec l'Amérique. La France fut présente par la pêche vers Terre-Neuve. Il devint tentant de prendre pied sur le continent américain, pour mieux rivaliser avec les Espagnols et les Portugais. Autre espace convoité : la Baltique. Les pays scandinaves fournissaient le bois, le fer, le goudron, et des grains, mais les ports de la Hanse autour de Hambourg et de Lübeck monopolisaient encore ce commerce.

La France, une des grandes puissances européennes

En France, il faut distinguer, selon la tradition, le « domaine » du royaume. Le domaine avait un sens féodal et familial : c'étaient les biens propres du roi et de sa lignée. Le royaume, c'était le territoire sur lequel il étendait son autorité. Le royaume de France s'était constitué peu à peu à partir du petit domaine des Capétiens, autour de Paris. Petit à petit, les rois rassemblèrent des provinces dispersées et reprirent celles qui avaient été distribuées à des fils de rois. Le domaine finit par se confondre avec le royaume au XVIIe siècle.

Le territoire et la gloire

L'une des charges essentielles de la monarchie était de défendre et d'étendre le territoire qui avait, pour la France, le mérite d'avoir une forte cohésion géographique. Traditionnellement, les juristes

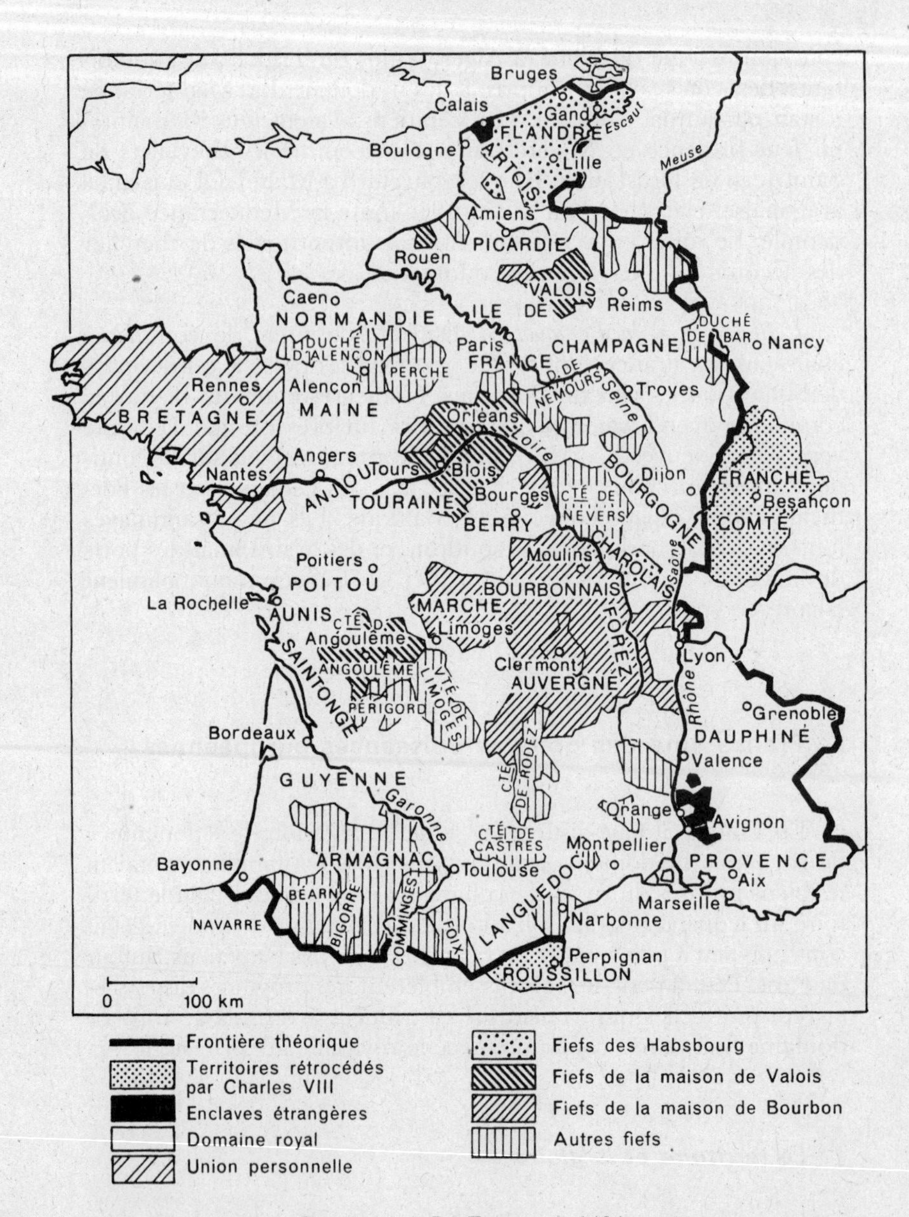

CARTE 1. — La France en 1494

D'après Henri Lapeyre, *Les monarchies européennes du XVIe siècle. Les relations internationales,* Paris, PUF, 1967.

considéraient que la France avaient pour limites quatre fleuves : l'Escaut, la Meuse, la Saône et le Rhône.

L'étendue du territoire. — La France du XVIe siècle est différente de la nôtre (450 000 à 460 000 km² contre 550 000 km² d'aujourd'hui). Elle ne comptait ni la Lorraine, ni l'Alsace, liées à l'Empire. En revanche le duc de Lorraine prêtait hommage au roi de France pour le Barrois mouvant (Bar-le-Duc). La Flandre et l'Artois faisaient partie des Pays-Bas, auxquels était aussi rattachée la Franche-Comté. Mais Tournai était français. Le Roussillon et la Cerdagne étaient à l'Aragon, et Calais à l'Angleterre. La Savoie appartenait, avec la Bresse, le Bugey, le Valromey et le pays de Gex, à la dynastie qui possédait aussi le Piémont et le comté de Nice. L'est du Rhône était théoriquement terre d'Empire mais la France avait acquis le Dauphiné et la Provence. Quant à la Bretagne, c'était la reine de France, Anne de Bretagne, épouse de Charles VIII depuis 1491, qui en était duchesse, et presque souveraine.

Les enclaves. — À l'intérieur même du territoire, des enclaves étrangères se maintenaient : Avignon et le Comtat Venaissin qui appartenaient au pape, la principauté d'Orange à la maison de Nassau après 1525. Au sud, la Navarre était un petit royaume, à cheval sur les Pyrénées, royaume qui n'était pas soumis à la loi salique et qui était à moitié ibérique, avec pour ville principale Pampelune. Il était allé à la maison d'Albret, avec la vicomté de Béarn (autour de Pau) et le comté de Foix – ces deux territoires étant éloignés l'un de l'autre.

Les grands fiefs. — À l'intérieur même du royaume, de grands seigneurs étaient presque indépendants sur leurs domaines, des « fiefs » pour lesquels ils prêtaient hommage au roi, mais où ils disposaient de prérogatives quasi souveraines. C'était le cas des Bourbons, qui descendaient de Saint Louis et dont une branche contrôlait le centre de la France autour de Moulins (avec le Bourbonnais, le duché d'Auvergne, et outre-Saône la principauté de Dombes). C'était aussi le cas du duché d'Alençon réuni à la couronne en 1525. Quant à Orléans et à Blois, l'avènement de Louis XII, duc d'Orléans, les intégra au domaine royal ; François Ier de même ramena Angoulême.

Les atouts de la France en Europe. — L'effort de Louis XI (1461-1483) avait été de regrouper sous sa férule les terres dispersées et de préparer des alliances dynastiques, ainsi avec la Savoie ou la Bretagne. L'extension du territoire, par tous les moyens possibles, était bien une préoccupation majeure du roi de France.

L'autre souci du monarque était d'acquérir la gloire militaire qui devait s'associer au pouvoir royal : le roi, le premier des gentilshommes et le premier des chevaliers, devait être avant tout un guerrier. Son autorité devait être assurée par son courage au combat, par son habileté au métier des armes et par sa capacité à commander aux autres hommes. Ainsi la tradition féodale qui voyait dans le suzerain un protecteur du vassal s'associait bien à la vision antique qui faisait du héros guerrier un intermédiaire entre les dieux et les hommes.

Pays d'étendue moyenne, mais pays peuplé, la France s'appuyait sur une solide économie rurale pour s'engager dans les conflits européens.

Vers les armées permanentes

Le système féodal voulait que le prince appelât le ban et l'arrière-ban de ses vassaux pour l'aider à se défendre contre toute attaque. Mais ces traditions héritées du Moyen Âge avaient évolué. Des armées permanentes s'étaient mises en place qui n'obéissaient qu'aux ordres du roi.

La vocation militaire de la noblesse. — La noblesse s'était intégrée dans une telle organisation. Pour un lignage noble, le service militaire restait le meilleur moyen de faire fortune et d'accroître par des faits d'armes son pouvoir et sa réputation. Ainsi les hiérarchies sociales se prolongeaient. Les privilèges de la noblesse avaient été fondés au Moyen Âge sur la capacité du seigneur à défendre ses vassaux et ses paysans ; au XVIe siècle, ils étaient justifiés par les services rendus au roi, et d'abord pendant la guerre.

Maison du roi et compagnies d'ordonnances. — L'armée française était composée des compagnies d'ordonnances (la « gendarmerie ») : des volontaires de la noblesse regroupés en « lances ». Chaque lance comptait un homme d'armes à cheval, lourdement protégé de son armure, deux archers et des auxiliaires ; quatre chevaux étaient destinés à l'homme d'armes, deux à chaque cavalier. Dans une compagnie, on comptait cinquante ou soixante lances, et chaque compagnie était commandée par un capitaine, toujours de grande naissance, ou par un lieutenant. À cela s'ajoutait la Maison du roi qui était constituée des unités d'élite. Comme les jeunes nobles rejoignaient les compagnies d'ordonnances, le ban et l'arrière-ban, la levée féodale, étaient surtout composés de vieux combattants.

L'infanterie dépendait de volontaires ou aventuriers, recrutés par des capitaines qui recevaient pour cela une commission du roi. Ces mercenaires, qu'il fallait payer, étaient recrutés dans toute l'Europe : c'étaient surtout des soldats suisses, des fantassins allemands, ou lansquenets (pour *Landknechte,* serviteurs du pays) ou bien des reîtres (pour *Reitern,* cavaliers). Avec leurs très longues piques, les fantassins formaient un carré semblable à un hérisson auquel il était difficile de résister.

Les progrès de l'artillerie. — Les progrès techniques changeaient aussi la nature de la guerre. La poudre avait permis l'utilisation des canons qui se perfectionnèrent, devinrent plus légers et n'éclatèrent plus. La composition idéale du bronze d'artillerie permit aux canons français de faire la différence lors des guerres d'Italie. Ces canons changeaient aussi la guerre sur mer. Longtemps les vaisseaux, qui dépendaient du vent, avaient été désarmés face aux galères, plus maniables, qui pouvaient les aborder. Les canons permirent aux vaisseaux d'écraser les galères. Les armes à feu devinrent aussi portatives grâce à la fourche ou fourchette qui permettait de supporter le poids de l'arquebuse au moment du tir. Mais la mise à feu et la précision restaient médiocres : néanmoins les arquebuses à mèche des Espagnols brisèrent l'assaut des cavaliers français à Pavie. En revanche l'arme à feu était encore considérée comme peu chevaleresque, car elle frappait de loin.

L'évolution des fortifications. — Ces mutations techniques favorisèrent le développement de la métallurgie, et elles entraînèrent des transformations dans les fortifications. Les hautes murailles étaient fragiles face aux boulets de canon : il apparut plus utile d'enfoncer les murs dans le sol, de les rendre plus épais et de leur donner un tracé qui évitât toute surprise. C'était le triomphe du bastion polygonal qui fut inventé à la fin du XVe siècle en Italie et que les villes fortifiées d'Europe adoptèrent peu à peu. Les sièges devinrent ainsi les moments cruciaux des guerres car ils nécessitaient la mobilisation d'hommes, soldats et ingénieurs, et de moyens importants.

Avec une armée permanente, la France était encore une exception en Europe. Cela lui donnait la puissance politique, avec l'envie de s'en servir, mais cela la contraignait aussi à financer cet instrument militaire.

L'impôt royal

Dans la tradition monarchique, le souverain devait vivre de son propre domaine. Il ne devait avoir recours à ses vassaux et à ses sujets qu'en cas de guerre. Depuis le Moyen Âge, les prélèvements royaux, d'exceptionnels, étaient devenus permanents. Créés en temps de guerre, ils se prolongeaient en temps de paix. Par ce biais-là, l'ensemble du royaume participait à sa défense.

Mais l'impôt n'était jamais accepté de gaieté de cœur par les sujets, ce qui explique la complexité du système fiscal. On y distinguait les finances ordinaires (avec des recettes ordinaires et des recettes extraordinaires), et de plus en plus souvent, au cours de l'Ancien Régime, des finances extraordinaires.

Les revenus du domaine royal. — Les revenus ordinaires, c'étaient les revenus du domaine royal. Le domaine « corporel », le territoire qui appartenait au roi, était difficile à gérer. Il subissait des démembrements en raison des apanages, qui assuraient à des membres de la famille royale des revenus dignes de leur rang (sans risque désormais pour l'intégrité de la souveraineté). Il était aussi frappé par des « engagements » : ils servaient de garantie à des particuliers qui prêtaient de l'argent à l'État.

Le domaine regroupait aussi des droits divers : des droits féodaux sur des terres, aussi des sommes versées au roi comme souverain, c'était le domaine « incorporel ». Le roi héritait des personnes mortes intestat et des étrangers morts en France (droit d'aubaine). Il recevait les biens des traîtres et des faux-monnayeurs. Lorsqu'un roturier achetait une terre noble, il devait payer le franc-fief puisqu'il ne pourrait pas servir militairement le roi. Les communautés ecclésiastiques ou laïques étaient des propriétaires collectifs : comme elles ne payaient pas par définition de droits de mutation, elles étaient donc soumises à un droit d'amortissement.

Ces revenus ordinaires étaient gérés dans le cadre du Trésor par les trésoriers de France. Ils pouvaient affermer ces revenus, c'est-à-dire confier à des « fermiers » le soin de collecter l'impôt après avoir versé une avance substantielle aux agents de l'État. La responsabilité des trésoriers s'établissait sur l'une des quatre charges ou zones (Languedoïl, Languedoc, Normandie, outre-Seine et Yonne) qui ne couvraient pas tout le royaume. Ces trésoriers contrôlaient l'ensemble, mais ne collectaient pas les sommes : c'était la tâche des receveurs ordinaires dans chaque bailliage ou sénéchaussée. Le responsable de la comptabilité, le receveur général des revenus ordinaires était le changeur du Trésor. Mais le gouvernement se déchargeait de ses dettes par des décharges qui étaient payées localement.

Les recettes extraordinaires : l'impôt royal. — Mais à côté des recettes ordinaires existaient les recettes extraordinaires : des impôts, à l'origine temporaires. Le plus important était la taille, ou mieux en raison de la diversité des situations, les tailles. La taille était « réelle » lorsqu'elle était fixée sur la terre, quel que fût le propriétaire, surtout en Provence et Languedoc. Elle était « personnelle » lorsqu'elle portait sur des terres dont les propriétaires ou tenanciers étaient roturiers. Mais des catégories sociales étaient exemptée : les officiers du roi, le personnel militaire ; les hommes de loi, les professeurs d'université et les étudiants. Des villes étaient aussi exemptées – des villes franches nombreuses, dont Paris.

La taille pesait surtout sur les paysans. C'était l'impôt le plus productif pour la monarchie : près de la moitié du revenu de la monarchie au début du règne de François Ier. C'était un impôt de répartition. La somme globale était fixée chaque année par la monarchie, puis répartie finalement entre les paroisses. Des asséeurs fixaient, dans chaque paroisse, la charge de chaque famille, et des collecteurs regroupaient les sommes dues. Asséeurs et collecteurs étaient responsables sur leurs biens. Les généraux des finances étaient chargés des finances extraordinaires. Chacun avait une généralité sous ses ordres. Il y avait aussi 85 « élections ». Les élus étaient chargés de missions, les chevauchées, pour régler les litiges dans la répartition de l'impôt. Élus autrefois, ils achetèrent très vite leur office.

Les officiers des finances. — Trésoriers de France et généraux des finances constituaient un comité financier, depuis le milieu du XVe siècle : il était chargé de dresser une sorte de budget, l'état général par estimation.

Trésoriers et généraux étaient des « officiers » du roi, ils étaient titulaires d'un office, et ils disposaient d'une partie de la puissance publique qu'ils exerçaient au nom du roi. Dès 1483, il fut permis d'acheter des offices de finances. C'était la « vénalité des offices » : ce qui était une dignité et une fonction publique devenait objet d'échanges et propriété privée. La question de la vénalité fut l'une des plus cruciales de l'Ancien Régime. En effet, comme ils étaient propriétaires, ces officiers étaient tentés de prendre une grande indépendance et d'oublier parfois qu'ils ne devaient leur pouvoir qu'au roi. Mais ce système permettait aussi à la monarchie d'avoir à moindres frais une administration pour les finances, comme pour la justice. Puisque certains sujets payaient pour avoir des offices, c'est qu'ils y trouvaient leur compte, et d'abord parce qu'ils obtenaient une parcelle de pouvoir. Et si ces offices devaient être payés par leurs titulaires, ceux-ci trouvaient aussi dans leur tâche les moyens de faire fortune. Leurs bonnes informations leur permettaient d'abord de faire de bonnes affaires. Mais surtout ils savaient prêter de l'argent au roi par des avances sur les recettes et ils se remboursaient largement sur les produits de l'impôt.

Les gabelles, les aides et les traites. — À côté de la taille, l'impôt sur le sel avait une place importante : c'était la gabelle (6 % des revenus royaux). Le royaume était divisé en zones et la gabelle pesait surtout sur les pays de grandes gabelles, les provinces du Nord et du Centre. Le sel était stocké dans des entrepôts royaux, les greniers à sel. Chaque famille devait acheter au grenier le sel dont elle avait besoin. Il s'agissait d'éviter l'importante contrebande sur ce produit, précieux parce qu'il permettait de conserver des denrées périssables. Les aides étaient des taxes perçues lors de la vente de marchandises, en particulier les boissons. Les traites correspondaient aux droits de douane à l'entrée et à la sortie du royaume, mais aussi entre les provinces.

Pour nombre d'impôts indirects, à commencer par la gabelle, la monarchie allait avoir recours à des financiers, qui signaient un contrat, un bail à ferme. Ces fermiers avançaient au roi en bloc la somme qui était attendue de l'impôt et se chargeaient de le percevoir. Mais le pouvoir royal chargea les financiers de s'occuper de toutes sortes d'affaires financières difficiles : ils signaient des traités – d'où leur nom de traitants – et avançaient immédiatement 10 % de la somme à recouvrer.

Les finances extraordinaires. — Enfin l'État avait souvent recours à des « finances extraordinaires » : des emprunts par exemple auprès des grands banquiers européens, mais l'un des expédients préférés fut justement de créer des offices (pour les finances, mais aussi et surtout pour la justice). Leur nombre, selon l'historien Roland Mousnier, fut multiplié par onze de 1515 à 1665.

L'organisation de l'État et même la vie politique intérieure étaient désormais liés aux questions financières et à la façon de les résoudre.

Il est important de rappeler la situation de la France en Europe et dans le monde, car trop longtemps on a considéré les structures économiques et sociales sans tenir compte des réalités internationales et de l'état de guerre presque permanent. La guerre a conduit à un renforcement de la monarchie. Elle a conduit aussi à une transformation de l'État : à l'origine le roi dispensait à ses sujets la justice au nom de Dieu, mais les exigences militaires ont entraîné la création d'armées permanentes et d'impôts durables : l'État de justice se transforma en État de finances.

2. Le roi et ses sujets

Après avoir considéré la monarchie française dans un contexte international, il convient d'en considérer les structures internes, en étudiant le rapport du roi avec ses sujets.

D'emblée, Il faut souligner les limites naturelles de l'action monarchique. La médiocrité des voies et des moyens de communication rendait difficiles la transmission des décisions royales et le contrôle de leur application. La diversité des provinces ou des « pays » en France était un obstacle à l'unité du royaume : les « coutumes » locales, c'est-à-dire le droit local, étaient défendues avec vigueur et étaient autant d'obstacles à l'application d'une même loi sur tout le territoire. Au sud du royaume néanmoins, le droit écrit prévalait qui prolongeait le droit romain. Il faut ajouter que le français ne s'était pas partout imposé comme la langue principale. L'obligation de répéter les décisions royales révèle bien qu'elles n'étaient pas toutes, ni tout de suite, appliquées et que toute volonté politique avait besoin de temps pour entrer dans les faits. Il faut insister sur le fait que le nombre des agents royaux, tout au long de l'Ancien Régime, fut faible, tant au sommet de l'État que dans les provinces mêmes.

Enfin il convient de signaler l'enchevêtrement des divisions territoriales dont les limites ne coïncidaient que rarement. Il en est d'origine ancienne : les diocèses pour les affaires ecclésiastiques, les châtellenies et les seigneuries qui fixaient les relations entre le seigneur d'un côté, les paysans, les communautés rurales et les villes de l'autre côté, les provinces qui se caractérisaient par une histoire ou des traditions originales. D'autres divisions ont été créées par la monarchie pour l'exercice de la justice (bailliages, sénéchaussées, ressorts des parlements) ou pour la perception de l'impôt (généralités).

Le gouvernement monarchique

Longtemps l'administration royale fut légère. Elle se limitait aux serviteurs et aux conseillers du roi, et à ses envoyés dans les provinces. Elle suivait en partie le souverain dans ses déplacements. Le roi avait de multiples tâches à assurer. Il devait légiférer, c'est-à-dire prendre des décisions valables pour tous les sujets, en particulier dans les domaines où le droit hésitait. Il devait rendre la justice en dernier ressort, en répondant à l'appel des Français qui se tournaient vers lui. Il devait assurer la perception des finances nécessaires à la guerre et à la négociation. Cela demandait aussi de trancher les litiges liés à l'impôt. Au Moyen Âge, cette action monarchique s'exerça dans le cadre de la cour et avec l'aide des grands officiers de la couronne (XIe et XIIe siècles), puis la complexité et le nombre des affaires exigèrent le recours au chancelier et au Conseil du roi (XIVe et XVe siècles). Néanmoins, à l'aube des temps modernes, la France n'avait qu' « une bureaucratie aux écritures imparfaites, au contrôle difficile et à la fraude prometteuse » *(Bernard Guenée)*.

La cour

Près du roi, vivait la cour, en quelque sorte les familiers du roi. C'était d'abord la famille royale, et les princes du sang qui avaient un ancêtre commun avec le roi.

Les serviteurs du roi. — Le roi avait aussi une maison ou hôtel du roi, réunissant tous ceux qui étaient à son service domestique. Ils étaient déjà 540 en 1523. Pour le salut spirituel du monarque, on comptait le confesseur, le Grand Aumônier, des aumôniers, des chapelains ; pour sa santé, intervenaient le premier médecin, des médecins, des chirurgiens, un apothicaire. Le Grand Chambellan dirigeait la chambre du roi avec le premier gentilhomme de la chambre : les valets de chambre, compagnons du roi, devinrent des gentilshommes de la chambre après 1515. D'autres services étaient nés pour assurer les repas – c'était la bouche du roi (par exemple des panetiers pour le pain, des échansons pour le vin) – ou pour les cérémonies. Comme la chasse était une des occupations royales par excellence, il fallait s'occuper de la vénerie (avec un Grand Veneur, un Grand Louvetier et un Grand Fauconnier), de l'écurie (avec un Grand Écuyer). L'ordre à la cour était assuré par le prévôt de l'hôtel et toute la maison du roi était sous les ordres du Grand Maître de France. Son poids dans le système monarchique fut longtemps immense : le connétable de Montmorency le fut pendant trente ans. Malgré les apparences, nombre de ces fonctions étaient assurées soit par des membres de la famille royale, soit par des proches du roi, et par des gentilshommes même pour des fonctions subalternes. Les membres de la famille royale disposaient aussi de leur propre maison domestique.

La maison militaire du roi. — À la maison civile du roi, s'ajoutait une maison militaire, véritable troupe d'élite, avec les compagnies de gardes du corps – la garde écossaise et les deux compagnies françaises (une troisième sous François Ier) –, les Cent-Suisses, les Deux-Cents gentilshommes de l'hôtel. Au XVIe siècle vinrent s'ajouter les gardes françaises et les chevau-légers de la garde, et la maison militaire passa en un siècle de 600 hommes à 2 700.

Les grands officiers de la couronne. — Le Grand Maître et le Grand Chambellan étaient des « grands officiers de la couronne ». Mais il en était d'autres. Le connétable était le premier de ces grands officiers : il était le chef des armées après le roi, il tenait l'épée lors du sacre. Le chancelier était le chef de la justice royale : il avait à sa disposition les sceaux qui attestaient l'authenticité des actes royaux. Il était inamovible, mais pouvait démissionner. Lorsque le roi voulait l'écarter, il confiait les sceaux à un garde des Sceaux, à partir du XVIe siècle. L'Amiral de France commandait en chef aux flottes. Enfin venaient les maréchaux de France. Le nombre de ces grands officiers évolua : à partir de 1627, il n'y eut plus de connétable ; le nombre des maréchaux augmenta. Henri III créa un colonel général de l'infanterie, Henri IV fit grands officiers de la couronne le Grand Écuyer et le Grand Maître de l'Artillerie. Ces dignités étaient un moyen de récompenser des amis du roi ou de satisfaire les ambitions de grands seigneurs. Elles étaient liées à des fonctions essentielles dans l'État dont les grands officiers devenaient les responsables. Mais cela leur donnait un poids considérable qui les amenait à se dresser parfois contre des décisions royales, contre les ministres du roi, voire contre le roi lui-même. Ils pouvaient alors être tentés d'entrer dans des conspirations.

Le Conseil du roi

Au Moyen Âge, le souverain était entouré de la *curia regis* (la cour du roi ou, comme l'on disait, « la cour le roi ») qui assurait toutes les fonctions de l'État.

Il est bien évident que le monarque ne s'occupait pas de toutes les décisions qui étaient prises en son nom puisque l'action monarchique touchait aussi bien l'économie, l'ordre public, la justice, la société, l'art. Certes, les affaires étrangères, la guerre ou la paix, étaient, nous l'avons vu, sa prérogative essentielle et restaient le domaine réservé du souverain. Néanmoins, dans de nombreux domaines, des conseillers et des conseils préparaient les décisions : l'ensemble constituait le Conseil du roi.

L'un des devoirs du roi, c'était de rendre la justice. Le Conseil du roi ne pouvait assurer cette tâche immense. Progressivement des rouages de la *curia regis* avaient pris leur indépendance (le parlement, la chambre des comptes, la cour des aides) et furent qualifiés de « cours souveraines » (voir p. 39 leurs attributions). Ces cours siégeaient au nom du roi, et sans le roi. Elles jugeaient donc en dernier ressort, mais les sujets pouvaient encore se tourner vers le souverain. À la fin du XVe siècle, une nouvelle cour fut créée : le Grand Conseil. La cour des monnaies ne fut cour souveraine qu'en 1552. Peu à peu, des parlements, des chambres des comptes, des cours des aides existèrent dans les provinces du royaume.

Le conseil étroit ou conseil des affaires. — Le souverain eut toujours un conseil étroit ou secret, appelé plus tard conseil des affaires. Rien d'officiel en réalité. Quelques personnes discutaient des grandes orientations politiques : quatre ou cinq tout au plus, avec parfois un membre de la famille royale comme Louise de Savoie, la mère de François Ier, pendant le règne de ce roi. Le roi appelait qui il voulait auprès de lui. Une personnalité prenait parfois les allures d'un premier ministre, comme le cardinal Georges d'Amboise sous le règne de Louis XII. Mais ce conseil étroit pouvait s'ouvrir aussi plus largement à des princes du sang, à des cardinaux, à de grands officiers de la couronne : 15 membres à la fin du règne de François Ier, 21 au début de celui d'Henri II.

Le Conseil d'État privé. — Le Conseil d'État ou Conseil ordinaire préparait les décisions royales. Il comportait 50 ou 60 membres et était dirigé en fait par le chancelier. Il avait aussi des fonctions judiciaires et servait alors de tribunal de cassation : cette section judiciaire du Conseil d'État prit, sous le roi Henri II, le nom de « Conseil des parties ». Il jugeait, au nom du roi, les affaires que le monarque avait évoquées devant lui et les litiges opposant des particuliers à des institutions royales. Une section spéciale fut aussi chargée au XVIe siècle des affaires financières, ce fut le Conseil des Finances puis Conseil d'État et finances. Tous les « conseillers » du roi entraient au Conseil d'État, mais les grands seigneurs s'en abstenaient souvent, laissant l'essentiel du travail à des juristes. À la fin du XVIe siècle, ces derniers furent appelés conseillers d'État. Ils préparaient les édits et ordonnances royaux. Le Conseil d'État préparait aussi des décisions appelées « arrêts du conseil » qui n'avaient pas à être enregistrés par le parlement, donc n'étaient pas soumis au contrôle de cette cour.

Les auxiliaires du pouvoir exécutif

Comme le chancelier était le surintendant de la justice et contrôlait ce Conseil d'État, il avait besoin de collaborateurs.

Les secrétaires du roi. — Des secrétaires étaient choisis dans la Compagnie des notaires et secrétaires du roi, corporation établie en 1352 et redéfinie par Louis XI en 1482. Ils étaient 120 à l'origine. Il fallut bientôt acheter cette charge, mais elle avait un grand avantage : elle anoblissait la descendance de l'acheteur ; c'était donc une des voies communes vers l'anoblissement, d'où son surnom de « savonnette à vilain ».

Parmi ces secrétaires du roi, se détachèrent des clercs du secret, devenus secrétaires des commandements dont la signature authentifiait les décisions du roi ou des conseils. Bientôt connus sous le nom de secrétaires des finances, ils devinrent, au milieu du XVIe siècle, les secrétaires d'État. Déjà l'un d'eux, Florimond Robertet, secrétaire de Charles VIII, puis de Louis XII, prit assez d'importance pour s'échapper de la tutelle du chancelier au début du XVIe siècle et pour jouer le rôle d'un conseiller essentiel du roi. Le rôle de ces secrétaires grandit dans les trois derniers siècles de l'Ancien Régime : les secrétaires d'État devinrent de véritables ministres.

Les maîtres des requêtes. — Les maîtres des requêtes virent aussi leur rôle grandir au long du XVIe siècle. À l'origine, ils étaient liés à l'Hôtel du roi et avaient une fonction judiciaire. L'édit de 1493 leur donna le droit de présider des cours provinciales de justice et d'entendre les plaintes formulées contre des agents du roi. Au nombre de six sous Louis XII, leur nombre tripla sous François Ier. Ils étaient souvent choisis pour conduire des missions financières ou diplomatiques. À partir de 1553, ils eurent à faire des chevauchées à travers le royaume, c'est-à-dire des inspections. Ils avaient aussi le droit de siéger dans les parlements. Ils furent ainsi des agents efficaces et disponibles du pouvoir exécutif, et ce fut parmi eux que furent recrutés plus tard les « commissaires » envoyés dans les provinces, les futurs intendants (voir p. 37).

Les représentants du roi dans les provinces

Les gouverneurs. — Dans les provinces, les gouverneurs représentaient le roi et s'identifiaient même à lui. Au début du XVIe siècle, il y avait 11 gouvernements correspondant aux provinces frontalières. Les gouverneurs étaient le plus souvent choisis dans la famille royale, parmi les princes du sang ou les proches du roi. Comme ils étaient souvent absents de leur gouvernement – ils faisaient la guerre ou vivaient près du roi –, ils se faisaient représenter par des « lieutenants ». Pourtant, ils restaient souvent attentifs aux doléances de leurs administrés et défendaient leurs intérêts auprès du roi et de ses conseillers. Le gouverneur pouvait ainsi s'appuyer sur une « clientèle » dans sa province. Les historiens emploient ce mot pour définir le groupe des fidèles et des amis autour d'un homme puissant, comme les « clients » dans la Rome antique. Comme le gouverneur était souvent un homme de guerre, il recrutait des gens d'armes pour la compagnie dont il était le capitaine. Il se constituait une maison avec des officiers domestiques et des pages, et employait ainsi des membres des familles locales. Enfin, il avait le pouvoir de favoriser la carrière des gentilshommes de la province. Le champ d'intervention des gouverneurs était universel et certains d'entre eux furent au XVIe siècle de véritables vice-rois. Mais la monarchie craignait le trop grand poids de ces gouverneurs et s'efforça, au cours des temps, de limiter, toujours plus, leur pouvoir, le restreignant aux affaires militaires et à la police générale.

Les commissaires. — Le roi pouvait aussi recourir à des « commissaires » dont la mission était bien définie par une « commission » temporaire : elle était précisée dans la lettre royale qui les nommait. Ils étaient soumis à la seule volonté royale. Ces agents du monarque furent choisis parmi des évêques, des présidents au parlement, des conseillers d'État, et, de plus en plus souvent, parmi les maîtres des requêtes. Ils avaient à exécuter des chevauchées, mais ils veillaient surtout à ce que les ordres royaux fussent exécutés. Dès le temps d'Henri II, ils furent appelés intendants dans les armées ou dans les provinces.

Le pouvoir central s'appuyait aussi sur toute une armature d'officiers de justice dans les tribunaux, et d'officiers de finances (voir chap. 1), pour affirmer son autorité.

Les libertés du royaume

Le pouvoir monarchique rencontrait naturellement des résistances, et n'était ni un despotisme, ni une tyrannie. Il devait tenir compte des institutions qui représentaient, selon la tradition française, les sujets. Il devait aussi s'appuyer sur des officiers royaux dont les charges étaient créées par le roi, qui détenaient une parcelle de puissance publique. Mais, de plus en plus, ces officiers, ayant acheté leurs offices, savaient acquérir une grande indépendance.

Les États

La monarchie avait recours à des assemblées, ou États, qui étaient supposés représenter la société française. Bien sûr, cette représentation était imparfaite et inégalitaire, mais elle existait et elle permettait un dialogue politique entre le roi et ses sujets.

Les États généraux. — Traditionnellement, le souverain pouvait faire appel, en cas de nécessité, aux États généraux. Cette assemblée rassemblait des représentants des trois « ordres » de la nation – le clergé, la noblesse et le tiers état, qui regroupait ceux qui n'étaient ni clercs, ni nobles. Des cahiers de doléances étaient rédigés à cette occasion. Pour la monarchie, il s'agissait le plus souvent d'obtenir l'accord pour lever de nouveaux impôts, qu'une situation financière critique rendait nécessaires. La réunion de ces États avait correspondu à des temps de crise : par exemple la captivité de Jean le Bon pendant la guerre de Cent ans. Ils furent réunis aussi en 1484. C'était toujours l'occasion pour les députés de demander des réformes de l'État.

La désignation des députés était complexe. Pour la noblesse, tout possesseur d'un fief, c'est-à-dire un bien qualifié de noble, pouvait voter. Pour le clergé, tous ceux qui percevaient un revenu ecclésiastique (donc possédaient un « bénéfice ») le pouvaient aussi. L'élection avait lieu dans le cadre judiciaire du bailliage et de la sénéchaussée. Pour le tiers état, dans le cadre de la paroisse, les chefs de famille choisissaient un délégué ; les délégués rédigeaient un cahier de doléances et désignaient leur député. Dans les villes, les électeurs étaient les membres des métiers, ils désignaient les délégués du métier qui rédigeaient les cahiers et qui élisaient les électeurs de la ville : ces derniers se rendaient à l'assemblée du bailliage pour participer au choix du député. Les délibérations avaient lieu séparément, par ordre : les États généraux ne représentaient pas l'ensemble des sujets et ne parlaient pas d'une seule voix, mais ils incarnaient l'ordre et les distinctions traditionnelles de la société.

Les États généraux étaient regardés avec méfiance par le gouvernement royal qui préféra parfois réunir des assemblées de notables, désignés par le monarque, donc plus dociles.

Les États provinciaux. — Il y avait aussi des assemblées des trois ordres par bailliage ou des assemblées de noblesse seule. Surtout certaines provinces conservèrent le droit de réunir des États où les trois ordres étaient représentés ; c'étaient le plus souvent des provinces récemment rattachées au royaume (Bretagne, Languedoc, Bourgogne, Dauphiné, Provence), ou de petits pays ou provinces isolés (Bigorre, Béarn, Soule). Leur rôle consistait pour l'essentiel à fixer le montant de l'impôt que la province verserait au roi et à en répartir la perception. Les États disposaient donc de leurs propres

« officiers » pour lever l'impôt. Ils étaient convoqués par le roi et présidés par un archevêque ou par un prince du sang, mais aussi contrôlés par des commissaires du roi. Au XVIe siècle déjà, des États provinciaux disparurent (Anjou, Bourbonnais, Guyenne, Limousin, Maine, Marche, Orléanais, Touraine). L'État royal en effet s'efforça d'introduire partout la taille, l'impôt direct sur les terres roturières – taille réelle – ou sur les roturiers – taille personnelle. Et pour contrôler la répartition de la taille, le roi créait des « élections » et des « élus » qui rendaient inutile la convocation des États.

Au XVIe siècle, il existait parfois des « élections » dans les pays d'États, mais plus tard la distinction s'imposa entre les pays d'États, où les élus n'étaient pas admis, et les pays d'élections.

Les cours souveraines

Parmi les cours souveraines, il faut considérer surtout les parlements, mais aussi les chambres des comptes et les cours des aides. Ces assemblées d'officiers royaux ne tenaient leur pouvoir que d'une délégation royale, et les offices ne devaient leur existence qu'à la volonté du roi. Néanmoins les parlements, et surtout le parlement de Paris, avaient les moyens de résister aux décisions royales.

Les juridictions, cadres de la justice. — L'armature judiciaire était composée, à la base, d'une multitude de juridictions seigneuriales, ecclésiastiques, municipales. À cela s'ajoutaient des juridictions royales : prévôtés et vicomtés en Normandie et en Ile-de-France, vigueries dans le Sud... À l'échelon supérieur, la justice royale était rendue dans le cadre des bailliages surtout dans le Nord, et des sénéchaussées dans le Sud, en tout quelque 86 juridictions au début du XVIe siècle. Baillis et sénéchaux étaient choisis dans la noblesse d'épée (ils étaient dits « de robe courte ») et ils favorisèrent l'affirmation de la justice royale face aux justices locales, mais leur rôle était devenu honorifique avec le temps. Le tribunal était présidé par un lieutenant-général (qui n'était pas d'épée, mais de robe longue), lui-même assisté d'un lieutenant civil et d'un lieutenant criminel, et d'autres officiers. En 1552, des bailliages furent érigés en présidiaux.

Les parlements. — Pour faire appel d'une décision de justice, les sujets se tournaient vers les parlements. Le parlement de Paris avait été le premier, suivi de ceux de Toulouse (1443), Grenoble (1453), Bordeaux (1462), Dijon (1477), Aix (1501)... Le ressort du parlement de Paris, c'est-à-dire le territoire sur lequel s'étendait sa juridiction, représentait le tiers du royaume, jusqu'à Lyon par exemple. Le parlement jugeait aussi en première instance les procès qui touchaient la noblesse. Le parlement était présidé par un premier président, nommé par le roi, et les intérêts du souverain étaient défendus par un procureur général. Dans un parlement, il y avait la Grand-Chambre avec des présidents à mortier (c'était le nom de leur couvre-chef), mais aussi une chambre (ou des chambres) des enquêtes et une chambre des requêtes ; la Tournelle s'occupa des affaires criminelles à partir de 1515.

Le parlement avait aussi un rôle administratif. À Paris, il contrôlait le Châtelet, qui était la prévôté royale de la capitale. Il s'occupait aussi de l'administration et de la police générale, surveillait les livres ou les cabarets, mais aussi le prix des denrées ou l'approvisionnement de la ville.

Le rôle politique des parlements. — Mais les parlements et surtout celui de Paris avaient aussi un rôle politique. Ils devaient « vérifier » et enregistrer (mettre dans leurs registres) les édits et les ordonnances royaux, qui avaient valeur de loi et en fonction desquels la justice serait rendue. Mais les parlementaires avaient le droit et le devoir de donner leur sentiment sur ces textes royaux, c'était le droit de remontrances. À l'origine, il s'agissait surtout de vérifier que les textes étaient bien rédigés et n'étaient pas incompatibles avec d'autres lois. Mais peu à peu la tentation fut grande de donner un avis politique, en arguant par exemple des lois fondamentales ou des coutumes du royaume. Si le gouvernement refusait de prendre en compte l'avis du parlement, il lui envoyait des « lettres de jussion », qui lui commandaient d'enregistrer la décision royale. Le parlement pouvait alors « réitérer » ses remontrances.

Pour surmonter cette opposition, le monarque devait en personne assister à l'enregistrement des ordonnances lors d'un « lit de justice ». Ce terme s'imposa peut-être au XVIe siècle. Ainsi une distinction s'opéra avec la « séance royale », pendant laquelle le roi n'imposait pas d'édit particulier mais venait rappeler aux magistrats leur devoir d'obéissance. Dans ces conditions, on comprend que les parlements se soient considérés comme des conseillers de la monarchie et aient été tentés d'avoir un rôle politique.

Le parlement avait restreint aussi les droits des tribunaux ecclésiastiques. Il se fit juge des affaires qui touchait l'Église et devint le défenseur farouche des libertés gallicanes (de l'Église de France) face au pouvoir pontifical de Rome (voir p. 52).

Les pairs du royaume au parlement. — Au parlement de Paris, lors des séances solennelles, le roi se faisait aussi accompagner des princes du sang et des pairs de France. Le parlement devenait cour des pairs. Pourquoi des pairs ? C'était le souvenir des temps anciens de la monarchie où le roi n'était que le *primus inter pares* – le premier parmi des égaux. Des ecclésiastiques l'étaient de droit (archevêques ou évêques de Reims, Beauvais, Laon, Langres). Les pairs laïcs étaient les aînés des plus grands lignages français, les « ducs et pairs ». Ils étaient classés selon leur rang d'accession à la pairie, car eux-mêmes étaient reçus solennellement au parlement.

Les officiers de justice. — Les premiers présidents étaient nommés par le roi. De lui aussi dépendaient les « gens du roi » qui parlaient en son nom : le procureur général et les avocats généraux. Les conseillers du parlement étaient à l'origine élus et cooptés, mais ils tenaient du roi leur office, puisque c'était une part de la puissance publique. Au début du XVIe siècle, s'imposa la pratique de la vénalité des offices. Pour disposer d'argent, le monarque vendit les charges de parlementaires. Pour des familles riches, cette charge était aussi une dignité, source de prestige social. Puis, au cours du XVIe siècle, l'habitude fut prise par les officiers de désigner leur successeur, fils ou parent. C'était la *resignatio ad favorem* : elle devait intervenir au moins quarante jours avant la mort du titulaire. L'office devenait donc héréditaire. Ainsi les parlementaires formèrent des lignages qui, souvent, avaient acquis des terres et des seigneuries : ce fut ce que l'on appela plus tard la « noblesse de robe », qui ne craignait pas de s'allier avec des familles de la noblesse dite « d'épée ». Ce statut professionnel et social des « robins » leur donnait une grande indépendance dont ils surent profiter. En revanche, les gages des officiers étaient minces ; ils devaient se faire payer par les justiciables grâce au versement d' « épices » et ils n'hésitèrent pas à se mêler aux affaires de finances.

Leur poids était d'autant plus grand que les Français avaient volontiers recours à la justice. Dans une société où la terre était la richesse essentielle, où les coutumes variaient d'une région à l'autre (pour les successions par exemple), où le découpage administratif était complexe, les procès étaient fréquents. La justice du roi était le recours essentiel et les parlements jugeaient en dernier ressort. Autour des parlements, tout un monde judiciaire vivait de cette activité : des avocats, des procureurs, des greffiers. Ce monde était sensible aux attaques contre l'autorité des parlements et s'enflammait vite dans le sillage des magistrats en robe rouge.

La vénalité des offices ne se limita pas aux parlements, mais devint un mode d'administration dans la monarchie et une source de revenus, les « parties casuelles ». Le phénomène exista dans presque toute l'Europe.

À côté des parlements, la chambre des comptes enregistrait les édits royaux concernant le domaine et les finances du roi, mais aussi les lettres d'anoblissement, les lettres accordant la « naturalité » (nationalité) française, les lettres créant des foires et des marchés. La chambre des comptes de Paris avait le droit de présenter des remontrances, mais elle ne pratiqua pas d'opposition systématique au roi. Elle fut présidée, de 1509 à la Révolution, par des membres d'une même famille, les Nicolaÿ. Il exista des chambres des comptes dans d'autres villes que Paris : par exemple Dijon, Montpellier, Nantes ou Rouen. Quant à la cour des aides, elle examinait les appels des contribuables. Outre celle de Paris, il en existait ailleurs, mais elles furent ensuite réunies à un parlement (en 1715, demeuraient, outre celle de Paris, les cours de Bordeaux, Clermont et Montauban).

Quant à la cour des monnaies, elle enregistrait les édits et jugeait les conflits en matière monétaire.

Les résistances à la volonté royale

En France, les résistances tenaient à l'histoire et à la diversité du royaume. Déjà le roi et son gouvernement devaient tenir compte de l'organisation de la société, en ordres ou en corps (voir chap. 3).

Hommes d'Église et hommes d'épée. — Les deux premiers « ordres » – clergé et noblesse – utilisaient leur fonction dans la société – la célébration de Dieu d'un côté et la défense du royaume de l'autre – pour tenir tête au pouvoir royal.

L'Église de France faisait partie de l'Église universelle. Les hommes d'Église avaient à leur disposition d'immenses pouvoirs spirituels et de grands biens fonciers, et ils pouvaient être tentés d'aller chercher à Rome des arguments pour résister aux décisions du roi.

Le roi se considérait comme le premier gentilhomme de son royaume et les grandes familles nobles étaient, aux dires de Jean Bodin, les « piliers de la République » – République ayant ici le sens d'État. Mais le roi devait tenir compte de l'ancienneté des lignages et des services qu'ils avaient rendus à la monarchie. Les grands seigneurs se comportaient parfois comme les égaux du roi. Ils savaient trouver des soutiens, grâce aux liens d'amitié et de fidélité qu'ils entretenaient sur leurs propres domaines avec leurs vassaux, mais aussi grâce à leurs grandes richesses.

Les franchises municipales et les libertés provinciales. — Le tiers état, c'est-à-dire la majorité des sujets qui n'appartenaient ni au clergé ni à la noblesse, avait aussi des moyens de s'affirmer face au roi.

Depuis le Moyen Âge, les « bonnes villes » (plus de deux cents au début du XVIe siècle) s'étaient émancipées du pouvoir seigneurial, en s'appuyant sur l'autorité royale. Elles avaient obtenu la reconnaissance de leurs droits, de leurs « franchises », et les défendaient farouchement. Elles choisissaient les municipalités, se chargeaient de leur propre défense militaire, assuraient la justice à l'intérieur de leurs remparts, maintenaient l'ordre public, s'occupaient de la voirie, des hôpitaux, de l'instruction publique... Devant tant d'indépendance, le pouvoir royal s'efforça désormais de revenir sur ces acquis et de contrôler de plus en plus l'administration municipale.

Lorsque le roi de France annexait une ville ou une province, il promettait solennellement de conserver les coutumes locales, le système fiscal existant, les assemblées représentatives. En acquérant la Provence, à la fin du XVe siècle, Charles VIII déclara « aucunement nuire, préjudicier ou déroger aux privilèges, libertés, franchises, lois, coutumes, droits et manières de vivre de la province ». Ainsi le royaume était la somme de ces libertés, franchises et privilèges. Car les « libertés » étaient avant tout des privilèges, c'est-à-dire des droits que tous les sujets n'avaient pas.

S'il ne respectait pas ces droits, le monarque avait toujours à craindre les « émotions » populaires, c'est-à-dire les révoltes. Elles éclataient aussi bien dans les villes, toujours sensibles à la cherté de la nourriture et aux abus de l'administration royale, que dans les campagnes, vite effrayées par les impôts royaux.

En définitive, les provinces françaises avaient gardé leurs particularismes, leur langue, leur droit coutumier, leurs institutions. La monarchie s'imposa alors comme un facteur fondamental d'unité pour des hommes et des femmes qui apprirent à vivre ensemble sous le contrôle du monarque. Mais elle profitait aussi d'une organisation sociale singulière, la société d'ordres.

3. Une société d'ordres

La monarchie était garante de l'ordre social, mais elle s'appuyait aussi sur lui. Cet ordre social, fruit d'une longue histoire, était fondé sur des hiérarchies, sur une cohésion religieuse forte, sur une organisation rurale stable, sur des corporations ou compagnies nombreuses et diverses.

Quelle était la masse globale de la population française au début du XVIe siècle ? Peut-être 16 millions en 1515, 17 millions en 1547, 20 millions vers 1560. Ainsi le royaume retrouvait la situation du XIIIe siècle avant la Peste noire et la guerre de Cent ans. Cette progression démographique était permise par le reçul des épidémies et des guerres.

Les hiérarchies sociales

La société était très hiérarchisée, parce que la naissance ou la fonction sociale introduisaient des distinctions entre les hommes.

Les trois ordres

Depuis le Moyen Âge, la population était divisée traditionnellement en trois « ordres » qui correspondaient à trois fonctions : le service de Dieu, la défense de la société, le travail. Mais ces ordres n'étaient pas des castes fermées : tout chrétien pouvait choisir une carrière ecclésiastique, s'il avait la vocation, et rien ne l'empêchait, en théorie, d'accéder au sommet de la hiérarchie de l'Église, s'il en avait les qualités ou les talents. L'anoblissement était aussi toujours possible : il dépendait de la volonté du roi, même si peu à peu il fut possible d'accéder à la noblesse par le biais de l'argent. Les Français étaient sensibles à ces hiérarchies sociales qui étaient marquées par des règles strictes pour le rang et les préséances, dans les cérémonies civiles ou religieuses. Au sommet de la hiérarchie sociale, le monarque était aussi le lien entre les trois ordres : il était l'homme choisi par Dieu, le premier des guerriers, le père de tous ses sujets. Mais cette définition juridique ne suffit pas à caractériser la société d'autrefois.

L'héritage de la société féodale

La société française était marquée par l'héritage de la féodalité. C'était un lien d'honneur, d'homme à homme : le vassal rendait hommage et jurait d'être fidèle à son seigneur, qui lui-même le faisait à l'égard de son suzerain, qui était ainsi le seigneur du seigneur. Le roi était le suzerain suprême. De son seigneur, le vassal recevait un fief – d'où le mot féodalité – et aussi protection et défense. En échange le vassal devait apporter de l'aide à son seigneur : elle était constituée avant tout de services personnels. Le fief était le plus souvent une terre, mais il existait aussi des fiefs-argent qui correspondaient au droit de percevoir des taxes. En cas de vente ou de mutation, le possesseur d'un fief payait les droits de quint et de requint (en fait 1/15 du prix environ et non 1/5 comme « quint » le signifie). En cas de mariage ou de succession, il fallait payer le relief ou le rachat. Un roturier qui achetait un fief devait payer le droit de franc-fief. Si les liens féodaux devinrent plus lâches, il en demeurait des traces : les grands seigneurs comptaient en cas d'urgence ou de danger sur la fidélité de leurs vassaux qui s'engageaient derrière eux, parfois même contre le roi. Mais l'affermissement de la monarchie affaiblit la féodalité : à partir de la fin du Moyen Âge, et de Louis XI surtout, l'obéissance qui était due au roi l'emporta sur celle qu'un vassal devait à son seigneur. Tous les Français étaient d'abord des sujets d'un même roi.

Il ne faut pas confondre le fief avec la seigneurie, même si la plupart des fiefs étaient des seigneuries et même si la langue courante a souvent confondu obligations féodales et obligations seigneuriales (voir plus loin). La seigneurie était née, avant même la féodalité, et liait le paysan à la terre qu'il cultivait, sous la protection d'un seigneur qui possédait cette terre. Il ne s'agissait pas d'un rapport personnel, mais d'une organisation de la propriété et de l'exploitation rurales.

Enfin, d'autres hiérarchies se mettaient en place, fondées surtout sur les richesses. Déjà Claude de Seyssel, au temps de Louis XII, distinguait trois ordres : la noblesse, le peuple gras (riches marchands, officiers de justice, officiers de finance) et le peuple menu. Le clergé n'était pas un ordre séparé : il reflétait les autres.

Une société chrétienne

La foi, un ciment de la société

La foi chrétienne tenait une place essentielle dans le royaume de France et ce fut un des ciments de la société.

La place de Dieu et du Christ. — Cela signifiait que Dieu, qui avait fait le monde, le conservait et protégeait les hommes. Il fallait donc le louer et placer son espérance en lui : c'était la Providence divine qui expliquait l'histoire des peuples. Dieu était capable de changer la réalité par des miracles qui avaient lieu surtout dans les grands sanctuaires. Il avait envoyé son fils Jésus-Christ que tout chrétien devait imiter dans sa vie. Il avait donné sa vie volontairement, pour assurer le salut éternel de tous, sur la Croix dont le signe rappelait aux fidèles ce sacrifice, ce miracle et leurs devoirs. L'image du Christ douloureux marqua la fin du Moyen Âge. Le signe de la croix ou l'invocation de Dieu accompagnaient les gestes communs de la vie quotidienne, comme les actes les plus graves de la vie. Le chrétien avait aussi, pour prier Dieu, recours à des intercesseurs. La Vierge était la principale, et des sanctuaires médiévaux lui étaient consacrés : Notre-Dame de Paris, Notre-Dame du Puy, Notre-Dame de Liesse, Notre-Dame de Cléry. La dévotion mariale était très intense au début du XVIe siècle. Puis venait le cortège des saints innombrables. Il y avait toujours des pèlerins sur les chemins de Saint-Jacques-de-Compostelle et le Mont Saint-Michel attira des foules, et en particulier des troupes d'adolescents et d'enfants. La vie sur terre pour les chrétiens n'était qu'un passage : il fallait en permanence préparer la vie dans l'au-delà, gagner la vie éternelle, et éternellement heureuse, et éviter à tout prix la condamnation, et même cette attente malheureuse au Purgatoire, où le pécheur expiait ses péchés, en attendant le pardon.

La religion dans la vie quotidienne. — La vie quotidienne était marquée par la religion. La paroisse était la division territoriale de base de la France (l'ancêtre de nos communes). Les cloches de l'église donnaient les heures de la journée et invitaient à la prière, par exemple pour l'angélus.

L'instruction religieuse était la première des obligations chrétiennes, avec la connaissance des principales prières, le *Pater,* l'*Ave* pour la Vierge et le *Credo* qui donnait les principales définitions du dogme.

Le curé était le guide spirituel de la communauté qu'il conseillait à travers ses sermons.

Les sacrements. — C'était le curé qui accordait les principaux sacrements, marquant les étapes de la vie de chaque personne. Le baptême était nécessaire pour assurer le salut dans l'au-delà ; le parrain et la marraine qui portaient l'enfant sur les fonts baptismaux seraient ses guides spirituels. Chaque année, une fête commémorerait l'anniversaire du baptême.

Plus tard, venait le mariage : selon la doctrine traditionnelle de l'Église, le consentement des deux époux suffisait, et nul ne pouvait briser ce lien jusqu'à la mort d'un des conjoints. S'il n'y avait pas eu publication de « bans » ou si le mariage n'avait pas été béni par un prêtre, le mariage restait valable, mais clandestin. Des fiançailles, suivies de relations sexuelles, formaient également un mariage présumé. Mais des voix s'élevaient pour que le mariage fût mieux contrôlé, qu'il ne fût plus possible de faire des mariages clandestins : pour cela, il fallait la présence du curé et de témoins. Car les parents étaient très hostiles à ces mariages clandestins qui avaient lieu sans leur consentement. Le « rapt de séduction » était une menace pour les familles, car il permettait d'enlever une jeune fille, de préférence riche héritière, et de l'épouser de force sans le consentement des parents.

L'encadrement des populations passait par la confession : le fidèle devait avouer ses péchés, au moins une fois par an, à son curé, mais la confession, au début du XVIe siècle, était menacée dans des régions entières. Après s'être confessé, le chrétien pouvait communier, car la communion avec le corps présent du Christ était au centre de la pratique religieuse – même si la communion restait peu fréquente. Le sacrement de l'Eucharistie rappelait le dernier repas du Christ. Il s'agissait de « commémorer » les dernières paroles de Jésus à ses apôtres, mais cette Cène, ou repas, allait bien au-delà, puisqu'elle rappelait le sacrifice sur la Croix. Le pain et le vin devenaient, dans les mains du prêtre, le corps et le sang réels du Christ. Il y avait donc un miracle à chaque célébration, d'où le dogme fondamental de la transsubstantiation ou de la « présence réelle ». L'excommunication était donc un châtiment redouté, car elle interdisait au chrétien excommunié d'avoir accès aux sacrements, l'excluait de la communauté chrétienne et mettait en péril son salut dans l'au-delà.

Quant à l'extrême-onction, elle devait soulager le mourant : après la confession et la communion sous forme de viatique (l'aliment spirituel pour le voyage), de l'huile consacrée était appliquée à plusieurs endroits sur le corps du malade. La préparation de la mort, d'une bonne mort, faisait partie du souci du chrétien.

L'évêque donnait deux autres sacrements : la confirmation (pour confirmer le chrétien dans la grâce du baptême) et l'ordination pour les prêtres.

Les fêtes religieuses. — Les fêtes chômées (c'est-à-dire les jours où l'on ne travaillait pas) s'imposaient à tous et elles étaient nombreuses autour des grands moments de l'année liturgique. Noël, pour la naissance du Christ, ouvrait une période de bombances, souvent familiales, qui correspondaient à l'hiver : après la fête des Saints-Innocents (31 décembre), venaient l'Épiphanie ou jour des Rois, la Chandeleur ou relevailles de la Vierge, et cela durait jusqu'à la fin du carnaval. Avec le mercredi des Cendres, s'ouvrait la période de Carême, quarante jours avant Pâques. C'était le souvenir des quarante jours que Jésus passa dans le désert, et c'était une préparation à la fête de Pâques. Pendant cette période, comme pour les veilles de fêtes religieuses, il fallait jeûner, c'est-à-dire se contenter d'un seul repas, et surtout s'abstenir de viande et d'œufs, comme on le faisait aussi le vendredi. Au-delà de Pâques, c'était le printemps et arrivaient les fêtes de la jeunesse. Puis de nouvelles fêtes rythmaient les travaux agricoles.

Le poids de l'Église

L'Église était une communauté puissante. Elle était organisée en diocèses (101 à la fin du XVIe siècle, 110 en 1700, 130 en 1789), chacun ayant à sa tête un évêque ; les diocèses étaient regroupés en provinces, ayant à leur tête un archevêque dont la préséance était surtout honorifique. L'étendue des diocèses était variable : ceux du sud n'étaient souvent constitués que de quelques paroisses.

Clergé séculier et clergé régulier. — Depuis le Moyen Âge, des hommes se consacraient au service de Dieu. D'un côté, il fallait aider les chrétiens à réussir leur vie religieuse, en les instruisant dans la vraie foi et en leur donnant les sacrements, mais aussi en les conseillant et en les guidant. C'était le travail du clergé séculier (peut-être 100 000 personnes au début du XVIe siècle).

Le clergé séculier vivait dans le « siècle », parmi les hommes : les curés et leurs vicaires, ou remplaçants, encadraient les fidèles. Les chanoines, titulaires d'un canonicat et vivant grâce à une « prébende », constituaient des chapitres dont la fonction traditionnelle était d'élire les évêques.

Mais la grande vocation de l'Église était de prier. Les réguliers y consacraient tout leur temps – ils étaient plusieurs dizaines de milliers. Ils donnaient plus de force à leur prière, en l'approfondissant par l'étude des textes sacrés, fondements du christianisme, et en embellissant les cérémonies pour les rendre agréables à Dieu et aux croyants. Le clergé régulier vivait selon une règle stricte, souvent hors du monde, dans la solitude et le silence de la clôture. Ils avaient prononcé des vœux de pauvreté, de chasteté et d'obéissance à leur abbé. Seuls étaient prêtres, dans la communauté, ceux qui avaient reçu le sacrement de l'ordination. Parmi les ordres monastiques, les bénédictins (de saint Benoît) et les ordres contemplatifs vivaient surtout dans les campagnes et se consacraient à l'exploitation de leurs terres et à l'étude. D'autres ordres étaient installés dans les villes et se consacraient à la prédication : dominicains, ou frères prêcheurs, appelés aussi jacobins, et franciscains ou frères mendiants, appelés aussi cordeliers.

Les revenus du clergé. — La dîme assurait une partie des revenus du clergé : elle était prélevée en nature sur les produits de la terre (grosses dîmes), sur les légumes et les fruits (menues dîmes) et sur l'accroissement des troupeaux (dîmes de charnage). La dîme devait permettre de subvenir aux frais du culte dans chaque paroisse. Le « décimateur » prélevait un pourcentage, dès que la récolte était faite (une gerbe sur douze le plus souvent, et non un dixième, comme le mot « dîme » le signifiait à l'origine). Les évêchés et abbayes s'étaient aussi constitués de puissants domaines fonciers. Nombre d'abbayes avaient également des seigneuries et la communauté monastique était ainsi un seigneur collectif.

Le clergé acceptait de verser lui-même au roi des « décimes », des taxes sur le clergé, avec l'accord de Rome. Il accepta, à partir du XVIe siècle, de verser un impôt global au roi, le « don gratuit ».

La diversité du clergé. — Le clergé était très divers. Le bas-clergé des campagnes vivait au contact des paysans. Les moines avaient parfois oublié les contraintes de la règle et vivaient dans l'ignorance, le luxe, voire le concubinage. Les abbés étaient les chefs des communautés monastiques, mais nombre d'entre eux ne l'étaient que de nom : par le système de la « commende », ils se contentaient de toucher une part des revenus de leur abbaye et n'y vivaient pas. Il en allait de même pour des curés qui n'exerçaient pas de fonctions spirituelles, mais percevaient les revenus de leur cure : un tiers des curés autour de Paris vers le milieu du XVe siècle étaient dans ce cas. Rabelais, médecin et écrivain, fut ainsi, à la fin de sa vie, curé de Meudon. Parmi les évêques, certains étaient résidents et consacraient leur temps et leur argent aux pauvres, mais d'autres avaient plusieurs diocèses dont ils cumulaient les revenus et ils étaient surtout au service du roi, devenant ambassadeurs ou conseillers, sans parler des cardinaux français, princes de l'Église, car électeurs du pape. Souvent leur nom était proposé par le roi au souverain pontife qui écoutait de même les avis des autres princes chrétiens.

Ainsi s'opérait une distinction entre l'office – les tâches liturgiques et spirituelles – et le bénéfice – les revenus qui permettaient de les assurer. Il fallait des autorisations pour un homme d'Église, disposant de plusieurs bénéfices, car ce cumul rendait difficile la résidence : les dispenses de résidence se multiplièrent donc à la fin du Moyen Âge. Mais il ne faut pas exagérer ces « abus », souvent dénoncés dans les ouvrages du temps. Un bénéfice nourrissait donc deux hommes : le bénéficier grassement, et plus médiocrement le remplaçant qu'il devait prendre sur place et qui était payé par la

« portion congrue ». Cette pension annuelle fut fixée à 120 livres en 1571 et à 300 en 1629.

Les autres fonctions de l'Église. — Les fonctions de l'Église étaient multiples. Au nom de la charité, l'Église redistribuait une partie des revenus et des aumônes qu'elle recevait : elle se chargeait de recueillir les enfants abandonnés, de soigner les malades, de secourir les mendiants, de surveiller les fous et même de garder les prisonniers. Elle avait la charge de l'éducation.

Les universités. — Les universités étaient des institutions qui devaient avoir l'approbation de Rome. Si celle de Paris dominait, sous la pression des princes, elles s'étaient multipliées dans les provinces : ainsi au XVe siècle, Aix, Dole, Poitiers, Caen, Bordeaux, Valence, Nantes... L'université était en fait une corporation, un rassemblement organisé d'étudiants ou écoliers, et de professeurs, avec des responsables élus et un conseil. L'enseignement néanmoins avait lieu avant tout dans le cadre des collèges comme celui de Sorbonne qui donna son nom à la Faculté de Théologie de Paris. Seuls, les grades étaient décernés par l'université elle-même. Elle comportait une Faculté des Arts qui préparait aux facultés supérieures : Droit canon, droit romain, médecine et théologie, pour former des juristes, des médecins, des clercs. Le droit canon était le droit ecclésiastique. Chaque Faculté avait un doyen qui était élu par les docteurs et chaque université avait son recteur. Longtemps, les historiens ont considéré que l'université était en crise à la fin du Moyen Âge. En réalité, si les clercs étaient encore nombreux, des laïcs la fréquentaient de plus en plus volontiers . Ces laïcs instruits pourraient entrer plus tard au service du roi, mais cet apport ne suffisait pas... La monarchie était toujours obligée de se tourner vers des hommes d'Église, pour disposer de conseillers lettrés ou d'administrateurs savants.

L'Église et le roi

L'Église de France devait tenir compte des rapports entre le roi de France et le pape. Deux ordonnances de 1407 affirmaient les libertés « gallicanes » (de *gallicanus,* gaulois), c'est-à-dire de l'Église de France, et interdisaient toute interférence de la papauté dans les affaires de bénéfices ecclésiastiques. Néanmoins le mot « gallicanisme » qui caractérise cette politique n'est né qu'au XIXe siècle.

La Pragmatique Sanction de Bourges. — Puis était venu le temps de la Pragmatique Sanction de Bourges, le 7 juillet 1438. Cet édit royal affirmait que les décisions d'un concile étaient supérieures à celles du pape. Il affranchissait l'Église de France de la tutelle pontificale. Par la Pragmatique Sanction, le principe de l'élection dans l'Église était réaffirmé : les évêques étaient élus par les chapitres, constitués des chanoines, et les abbés étaient choisis par les moines. Mais cet édit sauvegardait les droits de ceux qui étaient autorisés traditionnellement à nommer à des bénéfices moindres. La Pragmatique diminuait le paiement des annates à Rome, c'est-à-dire l'obligation pour tout nouveau titulaire de bénéfice de payer à Rome une année de revenu. Le parlement avait enregistré sans difficulté cet édit et il considérait que toute limitation du pouvoir romain en France était à encourager.

Le contrôle reconnu du roi. — La France, et en particulier l'université de Paris, était donc le berceau de la doctrine conciliaire, ce qui inquiétait l'autorité pontificale. Rome souhaitait l'abrogation de la Pragmatique Sanction. Le roi de France nommait en réalité à de nombreux évêchés et abbayes, mais aussi à de nombreux archidiaconés (pour les archidiacres qui contrôlaient plusieurs paroisses) ou à des canonicats (pour les chanoines). Ou simplement il suggérait des noms aux chapitres ou aux monastères qui pliaient. En 1515, le contrôle royal sur la hiérarchie ecclésiastique était un fait reconnu.

La situation de l'Église de France au début du XVIe siècle

Un clergé pléthorique. — Le début du XVIe siècle est caractérisé par un clergé pléthorique. Le nombre de prêtres, d'hommes « ordonnés », était grand. Il n'était pas rare de trouver plus de dix prêtres par paroisse (dans le diocèse de Nantes, au milieu du XVIe siècle, sur 135 paroisses visitées, 53 ont de 5 à 10 prêtres, 33 de 10 à 20 et 6 plus de 20). Ces prêtres nombreux étaient souvent oisifs et faméliques, parfois ivrognes ou voleurs. Ils s'attiraient le mépris des fidèles et les condamnations des autorités. Dans les paroisses, les curés titulaires (recteurs, prieurs) étaient souvent absents et remplacés par des vicaires, appelés aussi curés. Ils étaient jugés plus favorablement par les fidèles, même si certains vivaient en concubinage et avaient des enfants, malgré l'obligation du célibat. Ce que les paroissiens demandaient, c'était la célébration des offices et l'administration des sacrements. Mais les évêques rappelaient aussi que trop de curés étaient ignorants et ne connaissaient pas assez bien les articles de la foi. Les critiques les plus féroces venaient des savants humanistes.

Les obligations minimales du chrétien. — Aux fidèles, l'Église demandait d'assister tous les dimanches et fêtes à la messe, de se confesser et de communier quatre fois l'an, en tout cas au moins une fois à Pâques. Ce qu'ils devaient connaître, c'étaient les douze articles de la foi, les dix commandements de Dieu, les sept sacrements et les sept péchés mortels. Il fallait aussi participer aux cérémonies collectives, et prier au moment de l'angélus, ou lorsque le prêtre portait le viatique à un mourant. Parmi les cérémonies, les processions, comme celle de la Fête-Dieu, rassemblaient toute la communauté.

Les confréries. — Le vie religieuse des laïcs était de plus en plus encadrée par des confréries qui s'étaient multipliées à la fin du XVe siècle (dans le diocèse de Rouen, de 1480 à 1499, 273 confréries nouvelles, 236 de 1500 à 1519, 173 de 1520 à 1539, 93 de 1540 à 1559). Ces confréries avaient pour fin de développer la solidarité et l'entraide. Des confréries de pénitents se répandaient, au tournant du XVe et du XVIe siècle, surtout en Provence. Elles proposaient un programme de vie spirituelle, centré autour de la Passion du Christ et sur l'Eucharistie, avec des pratiques pénitentielles, des réunions de prière et le souci d'une vie irréprochable. Le pouvoir royal craignait que les confréries d'artisans ne fussent des abris pour des révoltes, et les autorités ecclésiastiques redoutaient qu'elles ne détournassent les fidèles de la simple pratique religieuse. Ce qui fait qu'au début les confréries furent regardées avec suspicion avant de se poser « en antidote du protestantisme » *(Marc Venard)*.

Les vocations religieuses. — Chez les religieux contemplatifs, une crise des vocations existait peut-être, au début du XVIe siècle. Seuls les monastères, où avaient lieu des pèlerinages, comme le Mont Saint-Michel, attiraient encore les fidèles. Les monastères de femmes accueillaient les jeunes filles de la noblesse auxquelles leurs parents ne pouvaient donner une dot pour les marier. Mais cette crise n'existait pas dans les ordres mendiants : dans le duché de Bretagne, vers 1520, on comptait 23 couvents de franciscains (430 religieux), 7 de dominicains (235 religieux), 8 de carmes (170 religieux), 4 d'ermites de Saint-Augustin et 5 de trinitaires. Leur influence était grande à travers la prédication dans les villes, lors de l'avent ou du carême, ou lors des grandes cérémonies publiques. La piété était intense dans nombre de couvents : à Strasbourg, au XVIe siècle, celui de Saint-Nicolas-des-Ondes résista obstinément à la Réforme qui pourtant l'environnait dans la ville.

Une spiritualité de la peur. — La spiritualité restait dominée par la peur : peur du péché et du Jugement dernier, peur de la mort et de l'enfer. Mais l'Église proposa aussi ses remèdes à la peur. Il fallait pour les fidèles comptabiliser les bonnes œuvres, les actes de bonté et de charité et les gestes de piété : cette comptabilité permettait d'obtenir des « indulgences », c'est-à-dire des diminutions du châtiment dans l'au-delà. Il y avait aussi tout un peuple de saints intercesseurs et guérisseurs auxquels il fallait recourir, avec, à leur tête, la Vierge Marie. Enfin le recours essentiel, c'étaient le Corps et le Sang du Christ, présentés à l'adoration des chrétiens.

La vie des campagnes

Si la paroisse était le cadre religieux, elle ne se confondait pas avec la communauté qui organisait le travail des paysans ou avec la seigneurie qui était le cadre juridique de l'exploitation de la terre.

La communauté villageoise

Les Français vivaient en majorité (de 85 à 90 %) à la campagne. Forts d'une expérience séculaire, ils cultivaient la terre, en produisant surtout des céréales pour le pain, base de l'alimentation.

Les archaïsmes de l'agriculture. — Cette agriculture souffrait d'archaïsmes. Parce que l'élevage était rare, il était difficile d'enrichir le sol avec du fumier : il devait donc se reposer en jachère. Cela contraignait à un assolement triennal (blés d'hiver avec plusieurs labours préalables, blés de printemps avec orge ou avoine, puis jachère), ou biennal dans le sud (blés d'hiver et jachère). Faute d'espace pour les prés, il fallait recourir à la vaine pâture sur les chaumes et les communaux : les animaux domestiques pouvaient paître lorsque les champs avaient été fauchés. Par manque d'engrais, les rendements céréaliers étaient faibles. Quant à l'outillage, il n'évoluait guère : simplement peu à peu la charrue remplaça l'araire : elle avait un soc en fer, souvent fragile. La faux remplaça la faucille.

Mais le paysan produisait aussi des matières premières, comme le chanvre, le lin et, s'il avait des moutons, de la laine. Les plantes tinctoriales et la viticulture permettaient aussi de participer aux échanges à longue distance, dans le royaume et au-delà, dans toute l'Europe.

Le village. — Le paysan vivait le plus souvent dans le cadre du village qu'il ne quittait guère et où il fondait son foyer. La communauté villageoise fixait le calendrier des travaux agricoles, entretenait l'église, le presbytère et le cimetière, payait le maître d'école, les gardes champêtres, les bergers, et secourait les pauvres. À la fin du XVe siècle, elle s'était organisée pour défendre ses droits face aux seigneurs et pour mieux utiliser les communaux, terres communes avec des bois ou des landes. Au XVIe siècle, les communautés connurent des difficultés, et parfois s'endettèrent. Mais elles continuèrent à organiser la vie rurale et à en rassembler tous les acteurs, du riche fermier à l'artisan ou au paysan pauvre.

L'organisation familiale. — Lorsque la communauté ou le seigneur étaient lointains, des organisations familiales prévalaient : toutes les générations vivaient sous un même toit. Ou bien des affrèrements, des associations entre frères, existaient, comme dans les Cévennes ou la Provence, pour exploiter la terre en commun. La croissance démographique de la fin du XVe siècle brisa parfois ces communautés familiales. Et le danger apparut de voir les enfants partager les terres à tel point qu'elles ne pourraient plus les nourrir. À la fin du Moyen Âge, des paysans moyens ont existé, mais la division des héritages transforma souvent leurs descendants en paysans pauvres.

La place de la seigneurie

La seigneurie venait du fond des âges, parallèlement à l'organisation féodale, et était omniprésente dans les campagnes.

Les seigneuries et les alleux. — Le principe était simple : nulle terre sans seigneur. La seule exception était constituée par l'alleu, ou franc-alleu, terre noble ou roturière, qui n'était frappée d'aucune redevance féodale ou seigneuriale. Il y avait une « allodialité » de fait (une réalité de franc-alleu), lorsqu'il était impossible de savoir de quel seigneur dépendait une terre. Au XVIe siècle, l'alleu progressa faute de titres seigneuriaux, puis il recula au XVIIe siècle, car le roi imposait alors son droit seigneurial sur toute terre française. L'alleu était plus fréquent dans le sud, car le droit écrit inversait le principe énoncé : toute terre était réputée libre, et nul n'était seigneur sans titre écrit.

Les droits seigneuriaux. — Pour les terres qui faisaient partie de la seigneurie et qu'il exploitait, le cultivateur n'était pas pleinement propriétaire : il devait payer des droits seigneuriaux. Le cens était une rente modique et fixe qui reconnaissait la propriété « éminente » du seigneur dit « censier ». On disait que le seigneur conservait sa « directe » sur les censives. Ce cens était « recognitif de seigneurie » ; la terre était appelée censive. Le cens avait perdu de la valeur, car, fixé depuis longtemps en monnaie, il n'avait plus guère de poids, en raison de la dépréciation monétaire.

À cela s'ajoutaient des redevances si le tenancier vendait sa censive, c'étaient les lods et ventes (3 à 8 % du prix de vente). Le tenancier avait, dans certaines régions, à payer un droit seigneurial en nature comme le champart (ou terrage en Poitou). Le paysan n'avait pas la pleine propriété de sa terre, il en avait seulement la propriété utile. Néanmoins le tenancier ou censitaire avait le plus souvent le droit de vendre sa terre, de la diviser, de la louer, et il ne pouvait en être privé s'il avait réglé les redevances au seigneur.

L'autorité du seigneur. — Le seigneur avait des droits personnels et honorifiques, en particulier un banc pour sa famille et des marques de déférence, à l'église, lors des cérémonies et des messes. Il avait le monopole de la chasse, de la pêche et de colombier. Il disposait du droit de banvin pour faire vendre son vin avant celui de ses paysans. Des services en travail lui étaient dus, les corvées, par exemple pour l'entretien des chemins et des fossés, ou pour les moissons. Il disposait aussi des banalités, c'est-à-dire que les paysans avaient l'obligation de passer par le moulin, le four, voire le pressoir, du seigneur : ce dernier percevait à chaque fois alors une taxe en nature.

Le seigneur avait aussi fréquemment le droit de rendre la justice, surtout pour des affaires peu importantes, car la justice royale avait réduit les attributions de la justice seigneuriale. Mais des seigneurs disposaient encore de la haute justice, c'est-à-dire du droit d'examiner les affaires criminelles et de condamner à mort : elle se marquait par la présence des fourches patibulaires, où étaient suspendus les suppliciés, de la geôle, du pilori, pilier où était placé le condamné à l'exposition publique.

Le seigneur pouvait être un noble, une abbaye ou un bourgeois.

La mainmorte. — Les droits du seigneur sur la terre et les hommes étaient encore très lourds. Même si le servage avait disparu, dans certaines régions (centre, sud, est de la France), la pratique de la mainmorte restait en vigueur. Alors, la terre était confisquée si le paysan n'avait pas d'héritier direct. Le paysan devait demander l'autorisation au seigneur, et lui payer une taxe, pour se marier, ainsi que pour tout transfert de sa terre (les lods et ventes qui existaient parfois pour les paysans libres aussi). L'héritier d'une terre devait payer au seigneur le rachat. Mais, au XVIe siècle, la mainmorte fut l'objet de critiques de la part de juristes qui l'assimilaient à une forme de dépendance personnelle, donc de servage. La quevaise en Bretagne était ainsi une forme de mainmorte.

Fermiers et métayers. — La seigneurie se composait aussi d'une réserve, un domaine proche, qui était exploité par un personnel domestique. Les corvées, fournies par les paysans, aidaient à exploiter cette réserve. Mais elle était surtout confiée à des fermiers ou à des métayers. Les fermiers payaient un fermage en argent, une somme fixe ; ils étaient surtout présents en Normandie, en Picardie et en Île-de-France. Dans le Midi et l'Ouest, les métayers étaient plus fréquents : le seigneur avançait les semences et prêtait la charrue, le métayer partageait avec lui les fruits de la terre, souvent la moitié de la récolte.

Néanmoins, le système seigneurial avait évolué avec la conjoncture. La guerre de Cent ans et la dépression démographique qui l'avait accompagnée avaient contraint les seigneurs à offrir leurs terres à des conditions favorables pour le tenancier, faute de main-d'œuvre. La réserve seigneuriale avait été cédée aux paysans, à vie, voire sur plusieurs générations, les champs avaient été partagés, les bois laissés aux communautés, les banalités abandonnées pour des paiements en argent.

Évolution et survie de la seigneurie

Il y avait sans doute, au début du XVIe siècle, une crise dans le monde des seigneurs. Ils avaient souvent abandonné le contrôle de leurs revenus seigneuriaux, ils avaient multiplié les dépenses à la fois pour participer aux guerres d'Italie et pour mener un train de vie luxueux dans des châteaux embellis, ils comptaient sur les pensions royales pour continuer à vivre selon leurs goûts.

Les ventes de seigneuries. — Comme ils accumulaient les dettes, ils durent parfois céder leurs biens à leurs créanciers, souvent des roturiers. Autour des grandes villes surtout, les seigneuries furent achetées par de grands financiers ou des officiers du roi, non nobles ou anoblis. Un exemple parmi bien d'autres : Antoine de Gondi, homme d'affaires et financier, acheta près de Lyon la seigneurie du Perron et y fit construire un luxueux château. Lorsque les seigneuries du connétable de Bourbon furent vendues, 37 sur 40 furent vendues à des non-nobles. Mais l'achat d'une seigneurie était aussi un moyen de s'approcher de la noblesse et bientôt d'être agrégé à elle.

La réorganisation des seigneuries. — La conjoncture renforçait les difficultés seigneuriales. Le cens rapportait peu, à peine 1 % de la valeur foncière en Limousin, 5 % du revenu annuel de la récolte en Languedoc sous Louis XII. Des membres de la noblesse réagirent.

Ils reprirent des terres abandonnées par les tenanciers et reconstituèrent leur domaine proche, afin de le confier à des métayers. De grandes métairies remplacèrent les petites tenures paysannes : comme les métayers versaient une partie des récoltes (ou sa valeur en argent), le seigneur participait au profit dû à la hausse des prix. Le métayage était plus lourd à porter pour le paysan. Là où longtemps avaient travaillé plusieurs familles, une seule les remplaçait et les redevances étaient les mêmes. La situation du métayer était aussi plus fragile, car il n'avait pas un droit perpétuel sur la terre, mais un contrat temporaire. Enfin, ces contrats étaient devenus léonins, puisqu'il y avait le plus souvent partage égal du produit agricole entre le propriétaire et son métayer.

Les rentes constituées. — Les exigences seigneuriales devenant plus lourdes, les paysans étaient conduits à s'endetter. Ainsi se répandit la pratique des rentes au début du XVIe siècle : de l'argent était donné à un paysan, qui n'avait pas à le rembourser, mais devait payer une rente qui était en général garantie sur un bien foncier. C'était la rente constituée et cet argent était souvent prêté par les bourgeois des villes. D'autres rentes étaient perçues, lorsqu'une propriété rurale était cédée définitivement à un exploitant, contre un paiement annuel perpétuel. Alors que l'Église interdisait le prêt à intérêt, ce placement était considéré comme licite.

Le circuit de l'argent. — Ces prêts d'argent et ces rentes montraient aussi que le monde paysan connaissait la circulation monétaire. Bien sûr, l'autoconsommation tenait une grande place dans les campagnes et le troc permettait de se procurer ce que l'on ne produisait pas. Mais il fallait aussi payer les droits seigneuriaux et surtout l'impôt royal. Pour cela, il fallait disposer de monnaie, donc commercialiser une partie de la production. Ainsi l'économie paysanne s'ouvrait sur les échanges. Comme le paysan parfois était obligé de s'endetter, il s'enfonçait alors plus encore dans une dépendance vis-à-vis des pourvoyeurs d'argent, les prêteurs, surtout des citadins.

La société des campagnes

Le monde paysan n'était pas homogène et ses caractères changeaient selon les provinces.

Le fermier, dans les plaines parisiennes, était parfois un laboureur aisé qui avait des domestiques, possédait un attelage de chevaux, gérait les biens d'un seigneur, dirigeait des artisans ruraux. Au contraire, le métayer était dans une situation plus fragile.

La paysannerie moyenne avait profité de la faiblesse démographique après la guerre de Cent ans. Au contraire, elle eut en général à souffrir de l'accroissement démographique du XVIe siècle qui rendait les terres cultivables plus rares. Les exploitations étaient alors trop modestes pour être rentables et pour bien nourrir une famille.

Il y avait aussi tout un monde de paysans pauvres, mais aussi d'ouvriers agricoles, qui se louaient à la journée – journaliers – et qui ne possédaient que la force de leurs bras – ils étaient appelés brassiers en Guyenne.

Les crises et les révoltes

Les campagnes étaient parcourues par des crises cycliques où le mauvais temps, les maigres récoltes, la malnutrition et les épidémies conjuguaient leurs effets. Les morts se multipliaient et les naissances diminuaient. Souvent, la « soudure » entre les provisions d'une année et les nouvelles récoltes était un moment de difficultés. Que la récolte fût mauvaise et la disette s'installait. Pourtant en général les conditions climatiques furent bonnes jusqu'au milieu du XVIe siècle.

Le paysan supportait trois prélèvements essentiels : l'impôt royal (chap. 1), les droits seigneuriaux, la dîme. Il y avait donc une concurrence naturelle entre ceux qui les percevaient. Le seigneur n'était pas favorable à l'accroissement de l'impôt du roi qui décourageait les paysans de payer leurs redevances au seigneur : ce dernier était donc conduit à soutenir leurs plaintes, voire à prendre la tête d'une révolte ou à la soutenir en secret. Les révoltes paysannes eurent souvent pour origine un nouvel impôt royal. Pourtant, pendant un siècle après la guerre de Cent ans, elles furent peu nombreuses.

Le monde rural se caractérisait donc par des cadres juridiques qui étaient un héritage du passé et qui assuraient l'autorité des seigneurs sur les campagnes, ces seigneurs étant des gentilshommes, des communautés religieuses ou des bourgeois riches. Mais les campagnes bénéficiaient aussi de solidarités anciennes à travers la paroisse, cadre de la pratique religieuse, et la communauté, cadre du travail. Ces structures anciennes subissaient la marque de la conjoncture économique et de l'évolution démographique.

Les privilégiés de la naissance

La noblesse était partout présente dans la société et l'État, malgré le nombre limité des nobles (évalué de 120 000 à 200 000 personnes). Les gentilshommes (c'était la façon commune de désigner les membres de la noblesse) étaient intégrés aux circuits de la décision politique et à l'entourage du roi. C'était dans la noblesse qu'étaient souvent recrutés les dignitaires de l'Église. Les nobles étaient à la base de l'organisation féodale et seigneuriale du pays. Ils furent aussi les acteurs de son histoire. D'immenses domaines étaient tenus par de grands vassaux du roi, ce qui menaça parfois l'unité du royaume. La vocation militaire des nobles les plaçait aux postes de commandement pendant la guerre. Ils avaient aussi des traditions d'indépendance, qui allaient parfois jusqu'à la conspiration, mettant en péril la monarchie. La noblesse joua donc un rôle trop important dans la vie politique de la France pour ne pas être présentée en elle-même.

Définition de la noblesse

Il n'y avait pas de définition simple de la noblesse. Pour quelques familles, elle plongeait ses racines dans le plus lointain passé : elle était immémoriale (les Montmorency, La Trémoille, La Rochefoucauld, Rochechouart, Rohan...). En général, elle était essentiellement associée à un mode de vie, et la noblesse était d'abord une reconnaissance sociale : était noble celui qui vivait noblement et était reconnu comme tel. Ce style de vie conduisait à la notion de « dérogeance » : un noble perdait sa qualité s'il se consacrait à des activités « viles » – surtout l'artisanat et le commerce. Le gentilhomme ne devait pas être obligé de travailler pour vivre. Néanmoins, les gentilshommes pouvaient être maîtres de forges ou verriers. Il était même admis qu'ils fissent valoir directement leur terre.

Ce qui comptait dans la noblesse, c'était le « lignage », c'est-à-dire cette suite de parents descendants d'une même souche. On préférait le mot de « maison » dans la noblesse, alors que la bourgeoisie parlait de « famille ». En se référant à un ancêtre commun, un lignage s'enracinait dans le passé ; en protégeant les biens familiaux et en évitant leur vente, en favorisant des mariages utiles et en aidant la carrière de ses parents, un gentilhomme songeait à la survie de son lignage et de son nom pour l'avenir.

C'était surtout par son pouvoir, économique et politique, sur les autres hommes, comme seigneur, que le noble se reconnaissait. Enfin, toute une mentalité s'associait à la noblesse, liée au passé d'un lignage, aux alliances à contracter, au service du roi, au maniement des armes, au goût de la prouesse et de l'exploit, à l'honneur. Le gentilhomme restait un homme de guerre, soit comme soldat dans la gendarmerie (ou compagnies d'ordonnances), soit comme officier dans les autres régiments.

Les privilèges

Le noble ne payait pas la taille, l'impôt royal direct, dans les pays de taille personnelle. En revanche, dans les provinces de taille réelle, il devait la payer lorsqu'il possédait une terre roturière, donc non noble (voir chap. 1). Le gentilhomme ne payait pas la taxe de franc-fief, qui était due par tout roturier possédant une terre noble. Il avait des droits honorifiques – l'épée au côté, la particule devant le nom d'une terre, les armoiries, surtout « timbrées », c'est-à-dire surmontées d'ornements.

On pouvait être noble sans avoir de titre. La particule ne prouvait nullement la noblesse. Un titre (duc, comte, baron) était attribué par le roi à une seigneurie et c'était la seigneurie qui donnait le titre à un lignage, qui ne le cédait pas en vendant la seigneurie. En portant le nom d'une seigneurie, un gentilhomme se distinguait de ses frères et des autres membres de son lignage. Dans la hiérarchie de cour, les ducs et pairs venaient après les princes du sang (eux-mêmes portaient des titres de prince, de duc ou de comte) et après les princes étrangers, c'est-à-dire des branches cadettes de familles souveraines étrangères, installées en France. À la cour, seuls les ducs et les duchesses étaient reconnus comme personnes titrées et dans une famille ducale, seul l'aîné prenait le titre. Un duc était dit « à brevet », si sa qualité de duc n'avait pas été enregistrée au parlement. Ce qui désignait un noble, dans les registres du curé ou les papiers du notaire, c'était la qualification d'écuyer, ou parfois de chevalier, avec « Messire » devant le nom. Un bourgeois était dit « Noble homme ».

L'anoblissement

Des roturiers pouvaient lentement s'agréger à la noblesse par leur mode de vie et les « usurpations » ne manquaient pas. Afin d'être anobli, il devint possible d'acheter un office anoblissant. En effet des offices assuraient la noblesse immédiatement et la transmettaient aux descendants (chancelier, conseiller d'État, maître des requêtes, président d'une cour souveraine, notaire ou secrétaire du roi). Les autres offices apportaient la noblesse en plusieurs générations.

En même temps, l'anoblissement était considéré parfois comme une nécessité : les guerres creusaient les rangs des combattants et des lignages s'éteignaient naturellement. Louis XI avait cherché à imiter les élites des villes italiennes où la noblesse urbaine se consacrait au commerce et accumulait par là des richesses. Mais, après lui, une réaction chevaleresque se fit jour au temps de François Ier, roi chevalier. Il devint moins habituel pour la noblesse d'assumer des fonctions d'officiers royaux. Cela ouvrit d'autant plus facilement la voie aux fils de riches marchands : par l'achat d'un office royal et de terres nobles, en vivant noblement, il était possible d'être reconnu comme noble. Des carrières exceptionnelles marquèrent le début du XVIe siècle : Antoine Duprat fut tour à tour lieutenant du bailliage de Montferrand (1490), avocat général au parlement de Toulouse (1495), maître des requêtes (1503), premier président du parlement de Paris (1508), chancelier de France (1515), archevêque de Sens (1525) et cardinal-légat (1530). Par l'achat de seigneuries et par des mariages dans des familles proches, s'établirent de véritables lignées chez les secrétaires d'État, les grands financiers, les parlementaires.

La diversité de la noblesse

Enfin la distance était grande entre un gentilhomme campagnard qui vivait comme ses paysans, un comte qui avait de grandes terres et dominait une partie de province et un grand seigneur qui vivait près du roi et tenait fortune, honneurs et pouvoir de cette faveur.

Les villes

La ville se distingua longtemps par ses remparts : elle était donc d'abord une place forte, avec parfois une citadelle : les habitants du plat pays y pouvaient trouver refuge et la place forte contrôlait stratégiquement les campagnes aux alentours. C'était vrai pour les villes de frontière, et les guerres de Religion montrèrent que c'était vrai aussi pour les villes de l'intérieur.

Le réseau urbain de la France

La diversité des statuts juridiques. — Les statuts juridiques des villes étaient très divers.

Un petit nombre de cités restaient soumises à l'autorité d'un seigneur. Ailleurs, des « communes » étaient nées au Moyen Âge, fondées sur une charte d'association jurée (Angoulême, Bayonne, mais surtout les villes au nord de la France, comme Laon ou Beauvais). Face au seigneur local, elles avaient été de véritables petites républiques autonomes, même si elles avaient désormais en face d'elles les représentants du roi et ses officiers. Les guerres de Religion montrèrent qu'elles avaient gardé la nostalgie de cette indépendance.

Les villes de « bourgeoisie » ou de « consulat » avaient une plus grande autonomie encore. Les assemblées générales d'habitants ne regroupaient déjà plus, au XVIe siècle, que les notables. Les gens de robe l'emportaient sur les marchands et écartaient désormais les maîtres-artisans. L'administration était dans les mains de quelques élus : les échevins dans le Nord, avec le maire à leur tête, alors que les consuls à Lyon, les jurats à Bordeaux ou les capitouls à Toulouse n'avaient pas de chef. Le mode d'élection était divers selon les villes : parfois élection populaire, parfois scrutin indirect, parfois nomination par les anciens élus. Louis XI en général avait favorisé les notables au détriment des droits des plus modestes : en particulier il avait permis l'anoblissement des échevins et des maires : c'était la noblesse dite de cloche.

L'évolution de l'histoire urbaine. — Une double évolution marqua donc l'histoire urbaine. La première, ce fut que le pouvoir municipal fut confisqué par une poignée de familles dont les membres alternativement occupaient les fonctions municipales. La seconde tendance fut l'intervention de plus en plus fréquente du pouvoir royal. À Paris, le maire ou prévôt des marchands était élu tous les deux ans, ainsi que deux des quatre échevins, par les seize quarteniers qui administraient les seize quartiers et par des bourgeois. Il n'était pas rare de voir le roi imposer un de ses candidats. La ville était dispensée du logement des gens de guerre et avait une milice ; mais la prévôté royale, ou Châtelet, était aussi chargée de l'ordre public. Le parlement s'en occupait également. Dans bien des villes, les officiers du roi faisaient partie des municipalités qui se soumettaient volontiers à l'autorité des institutions royales.

La hiérarchie des villes françaises. — Paris comptait peut-être 150 000 habitants sous François Ier et 220 000 habitants en 1547. C'était déjà une grande ville, avec de larges faubourgs surtout autour de l'abbaye de Saint-Germain-des-Prés. Rouen avait 50 000 habitants vers 1550, mais Lyon la dépassa avec 70 000 habitants au même moment. Toulouse, Bordeaux, Orléans et bientôt Marseille venaient ensuite avec une quinzaine de grandes villes autour de 20 000 habitants. Mais il faut surtout compter une centaine de villes de 6 000 à 12 000 habitants, chacune au centre d'un « pays ».

Les fonctions de la ville

Les activités administratives. — La ville était le plus souvent un centre administratif, un centre judiciaire, si elle comptait un tribunal (bailliage ou sénéchaussée, parlement, cour des aides, chambre des comptes), un centre religieux si un évêque y résidait et s'il y existait de grandes communautés religieuses.

Les villes étaient aussi le lieu de l'enseignement, en particulier universitaire, mais aussi des échanges intellectuels, à travers la lecture des livres ou à travers la prédication. La Réforme naquit dans les villes.

Surtout, à la fin du XVe siècle et au début du XVIe siècle, les villes furent au cœur du développement économique.

L'activité artisanale. — L'essentiel de l'activité était toujours l'artisanat. Le maître-artisan travaillait avec des compagnons et des apprentis. Le cadre du travail était la boutique ou le petit atelier. L'artisan dépendait souvent d'un marchand qui lui fournissait la matière première et lui achetait sa production pour la vendre. Il appartenait, mais pas toujours, à une (ou corporation) « jurande ». L'industrie textile dominait avec, comme centre principal, Rouen, avec les villes sur la Somme ou sur l'Oise. Tours et Lyon se spécialisèrent dans les textiles de luxe. L'imprimerie s'installa à Paris en 1470, et en 1473 à Lyon – les imprimeurs y étaient au nombre de 160 avant la fin du XVe siècle.

L'activité commerciale. — Ce fut surtout le commerce qui favorisa le développement économique des villes : villes de foires ou de marchés, villes près d'un pont, villes à un carrefour de routes, ports. Les marchands s'organisaient en guildes. Bordeaux et Nantes s'imposaient pour le commerce du vin, La Rochelle pour l'importation de la laine espagnole, mais Rouen était le principal port français, par exemple pour les épices. En général, les villes drainaient les produits de la terre (blés, vins, produits de teinture...) et importaient des produits étrangers (laines, poissons séchés). C'était là aussi que résidaient les manieurs d'argent. Lyon fut au XVIe siècle la principale place financière de France, voire d'Europe.

Les marchands locaux négociaient toutes les marchandises possibles, mais ils prêtaient aussi de l'argent aux paysans et peu à peu ils se constituaient des domaines fonciers, en particulier lorsque leurs débiteurs (seigneurs ou paysans) ne pouvaient pas rembourser leurs dettes. Souvent, leurs enfants abandonnaient le négoce, faisaient des études universitaires, entraient dans le monde des officiers, pour gagner, en passant, la noblesse. Il existait aussi des marchands fabricants, surtout pour les textiles : ils distribuaient dans les villes et les campagnes des matières premières et rassemblaient la production qu'ils négociaient ensuite. C'est d'eux que dépendaient les grandes entreprises : ils avaient assez de capitaux pour lancer des productions à grande échelle et assez d'expérience pour en assurer la commercialisation, qu'il s'agisse de soies, de livres, de fonte ou d'acier.

Les villes dominaient ainsi les campagnes qui les entouraient, le « plat pays », car les juges, les marchands, les gens du roi et du fisc, voire les seigneurs y séjournaient.

L'organisation des métiers

Le travail était organisé dans le cadre des métiers (ce qui fut appelé plus tard les corporations). Une distinction s'était établie entre les métiers libres ou réglés d'une part et les métiers jurés d'autre part. Les premiers étaient contrôlés par la municipalité et par les juges royaux. Les métiers jurés établissaient eux-mêmes leur règlement. Ils étaient dirigés par des jurés – d'où le nom de jurande qui a été donné aux métiers, en raison du serment qui était prêté.

C'était une organisation qui était dirigée par les maîtres-artisans : elle avait le monopole d'une production et en contrôlait la qualité. La jurande était composée des apprentis, des compagnons et des maîtres, eux-mêmes classés selon leur ancienneté. Pour devenir maître, il fallait réaliser un chef-d'œuvre, mais de plus en plus l'accès à la maîtrise fut réservé aux fils de maîtres. Les maîtres, les compagnons et les apprentis se regroupaient aussi en confréries, sous l'invocation d'un saint, afin d'établir une assistance mutuelle.

Le métier juré était un « corps », une communauté, dans la ville. Il participait comme personne morale à la vie de la cité, aux processions ; il avait des biens. Pour contrôler la qualité de la production, il recherchait les malfaçons et les contrefaçons. Il s'efforçait de surveiller l'apprentissage et de sanctionner la formation des artisans, d'élaborer les règles de travail, de lutter contre la concurrence d'autres métiers et de protéger une forme de monopole. L'attitude de la monarchie fut ambiguë à l'égard des métiers. D'un côté, elle fut tentée de favoriser le travail hors de ce cadre juridique, en profitant de la croissance économique : ainsi étaient créés des marchands et artisans suivant la cour qui étaient ainsi dégagés de tout lien corporatif. D'un autre côté, elle fut tentée de vendre des maîtrises, ce qui était une source de revenu commode et elle facilita l'extension des jurandes dans les villes.

La société des villes

Dans les villes, il fallait tenir compte des diverses noblesses urbaines : noblesse de cloche lorsque les échevins avaient été anoblis et noblesse de robe lorsque des parlementaires dominaient la ville. Enfin nombre de gentilshommes campagnards avaient aussi des « hôtels » en ville.

La bourgeoisie des hommes de loi, des commerçants, des médecins, des financiers, des universitaires imposait son rôle économique et social.

La masse de la population était composée de petites gens. Les domestiques étaient nombreux dans la société ancienne et représentaient 10 % de la population des villes. Souvent, c'étaient des ruraux venus à la ville. Ils étaient logés et nourris par leurs maîtres. Au contraire, les artisans modestes, les petits boutiquiers étaient toujours à la merci de mauvaises affaires. Les ouvriers urbains dépendaient de leurs patrons et subissaient de longues journées de travail.

La révolte était toujours possible, quand le prix du pain montait trop : le pouvoir royal ou municipal devait alors distribuer de la nourriture, ou réprimer l'émeute. La fête collective faisait aussi partie de la vie citadine pour l'entrée d'un haut personnage ou la fête d'un saint.

Les villes avaient encore leur aspect médiéval : elles étaient cernées d'une muraille et, aux portes, les commerçants payaient l'octroi. Elles souffraient des épidémies et des incendies.

Ces institutions, ces distinctions sociales, ces règles économiques allaient rester vivaces tout au long des temps modernes. Mais elles évoluèrent sous la pression des événements et sous l'influence du renforcement administratif et politique de la monarchie.

4. Louis XII, le père du peuple (1498-1515)

Louis XII régna de 1498 à 1515. De son vivant, ce roi a été qualifié de « père du peuple », ce qui montrait sa popularité qu'il avait soigneusement entretenue. Dans sa pratique politique, le roi mit souvent en avant sa clémence et sa modération.

Ce début du XVIe siècle fut sans doute pour la France une période heureuse, en raison d'une bonne conjoncture économique, d'une démographie dynamique et d'une météorologie favorable. Ce fut aussi un temps de tranquillité à l'intérieur. La paix civile s'imposa, car l'autorité royale ne fut guère contestée : ni conspirations, ni révoltes ne marquèrent ces années-là. Quant au royaume lui-même, il semblait en sécurité, rarement menacé par des interventions étrangères.

Pourtant tout l'effort du roi et du pays se porta vers l'étranger, vers l'Italie. La guerre fut une ambition française, sans être une réalité pour la France. Il s'agissait avant tout d'illustrer la dynastie en ajoutant au patrimoine royal de riches terres italiennes.

Comme la santé du roi n'était pas florissante et qu'il n'eut que des filles, la question de sa succession fut vite un enjeu politique à l'intérieur comme à l'extérieur du royaume.

L'avènement de Louis XII

Le 7 avril 1498, le roi de France Charles VIII mourut brutalement à 27 ans. Comme il n'avait pas de descendance mâle, son cousin Louis d'Orléans lui succéda. C'était le fils de Charles d'Orléans, le prince-poète, qui avait été longtemps prisonnier en Angleterre pendant la guerre de Cent ans.

La vie tumultueuse d'un prince du sang

Louis était né en 1462 et avait épousé en 1476 Jeanne de France, dite Jeanne la Boiteuse, la fille handicapée de Louis XI – ce roi souhaitait peut-être que son cousin n'eût de descendance. Après la mort de Louis XI, Louis d'Orléans avait participé à la « guerre folle » avec le duc François II de Bretagne. La bataille de Saint-Aubin-du-Cormier le 28 juillet 1488 avait marqué la fin de la révolte contre le pouvoir royal. Louis d'Orléans avait alors connu une longue captivité jusqu'en 1491. À 36 ans, il semblait déjà âgé d'autant que sa santé n'était pas bonne.

Comme il n'avait jamais accepté son mariage avec la malheureuse Jeanne, il entreprit dès son avènement d'en obtenir la dissolution. Le pape Alexandre VI accepta, d'autant plus volontiers qu'il avait besoin de la France pour soutenir les ambitions de son fils, César Borgia. Mais Jeanne la Boiteuse résistait. Le pape créa un tribunal ecclésiastique spécial qui aboutit à l'annulation du mariage (17 décembre 1498). Jeanne de France, comme femme, sœur ou fille de trois rois, reçut le Berry. Elle fonda une congrégation de religieuses, les Annonciades de Bourges, sous l'influence de François de Paule, fondateur des Minimes : elle fut, plus tard, canonisée par l'Église.

Le mariage avec Anne de Bretagne

Louis XII voulait épouser la femme de son prédécesseur, Anne, duchesse de Bretagne, qui avait 22 ans. C'était le moyen de ne pas perdre la Bretagne car, aussitôt veuve, Anne avait rappelé l'indépendance de son duché et sa propre souveraineté. Il était prévu, dans le traité de Langeais (1491), que la reine Anne, en cas de veuvage, ne pourrait épouser que le successeur de son mari. Le contrat fut signé le 7 janvier 1499. La succession était prévue de façon à conserver l'indépendance du duché. Et le roi de France accéda à la requête des États de Bretagne : il respecterait les droits et privilèges de la province, comme au temps des anciens ducs. C'était un retour à une relative indépendance, perdue lors du premier mariage d'Anne.

Anne de Bretagne eut toute sa vie un grand attachement pour la Bretagne, n'hésitant pas à imaginer des stratégies matrimoniales complexes pour la faire échapper à la France. En effet en 1499, elle eut une fille, Claude, ainsi qu'une autre fille née en 1510, Renée, plus tard duchesse de Ferrare. Le couple royal eut des fils (1503 et 1513) mais ils ne vécurent pas longtemps.

Les conseillers de Louis XII

Pour gouverner, Louis XII conserva certains conseillers de Charles VIII : Guillaume Briçonnet, qui, issu d'un milieu de marchands, était devenu, après son veuvage, archevêque de Narbonne et cardinal, ou bien Pierre de Rohan, maréchal de Gié, grand seigneur, redoutable homme de guerre, fin politique. Mais Louis XII choisit aussi des hommes nouveaux. Le plus important fut le cardinal Georges d'Amboise qui fut un véritable premier ministre (comme plus tard Richelieu ou Mazarin). Ce prélat avait été dès 1483 l'ami intime de Louis d'Orléans et le resta jusqu'à sa propre mort ; lorsqu'il devint cardinal, il espéra être choisi comme pape. Dans son sillage, s'affirma Florimond Robertet : il devint secrétaire de Charles VIII, puis de Louis XII, l'homme de confiance du roi, à la fois travailleur et corrompu, mais expert aussi bien dans les affaires étrangères que dans les affaires intérieures.

Le gouvernement prudent du royaume

L'œuvre judiciaire et juridique

Louis XII et ses conseillers continuèrent l'œuvre entamée par la monarchie en matière de justice. Il s'agissait de préciser la nature et les attributions de quelques institutions – cour des aides, chambre des comptes, parlement, Châtelet de Paris, trésoriers de France... Et si ces dispositions reprenaient des décisions antérieures, cela montrait d'une part que ces dernières n'avaient pas été exécutées, ou en tout cas pas totalement, d'autre part que la monarchie ne renonçait pas à les voir appliquer.

La rédaction des coutumes. — Sous Louis XII, pour préciser le droit en France, l'entreprise se poursuivit, qui visait à rédiger les coutumes dans les pays de droit non écrit. Elle avait pour origine l'édit de Montils-lès-Tours, pris en 1454. Des commissaires choisis dans le parlement de Paris furent chargés de cet immense travail qui fut mené avec zèle. Cette rédaction permettait aussi d'améliorer, dans le détail, les dispositions du droit coutumier. De nombreuses coutumes locales furent ainsi rédigées, depuis celle de Tours en 1505 jusqu'à celle de Paris en 1511, mais la tâche n'était pas terminée. Un tel effort de clarification et de simplification permettait de mieux connaître le droit et renforçait les bases même de la justice dont le roi était désormais le principal gardien par l'intermédiaire de ses officiers de justice.

L'ordonnance de Blois et les bons juges. — Louis XII organisa définitivement le Grand Conseil, véritable concurrent du parlement de Paris, car c'était une cour souveraine (juillet 1498). Quant à la grande ordonnance de Blois, de mars 1499, elle cherchait un meilleur fonctionnement de la justice, une défense des justiciables, un meilleur recrutement et une formation plus solide des juges, tout en condamnant la vénalité des offices, à laquelle la couronne cédait trop facilement. Néanmoins, en 1499, le roi reconnut qu'il conférait à Jean Le Coq contre argent une charge de conseiller, malgré toutes ses résolutions, ce qui aurait été la première vente officielle d'un office royal par le roi.

Le devoir de justice. — Louis XII n'hésita pas, dans la pratique, à entendre les plaintes de ses sujets, comme les Vaudois persécutés. C'étaient les disciples de Pierre Valdo, fondateur d'une secte au XIIe siècle. Encadrés par des prédicateurs itinérants, les « barbes », les Vaudois s'étaient réfugiés dans les hautes vallées du Dauphiné ou du Piémont. Ils étaient présents dans le Lubéron, au nord de la Durance. Les persécutions ne leur avaient pas été épargnées au cours des âges et elles reprirent en 1488. En 1501, le roi envoya deux commissaires pour mener une enquête et en 1509 il fit réhabiliter les Vaudois condamnés. La justice royale se montrait plus tolérante que celle d'Église.

Le souci d'économie

Un choix politique. — Louis XII fut un roi économe, accusé même parfois d'avarice – la générosité étant considérée comme une vertu royale. Il limita le luxe de ses vêtements, les effectifs de la Maison du roi, les gages de certains officiers. De telles mesures servaient surtout sa propagande pour montrer qu'il limitait les dépenses publiques. Soucieux de bonne comptabilité, il recommanda la rigueur aux chambres des comptes, chargées des contrôles. Il avait conservé une idée féodale de l'État et cherchait à vivre sur son propre domaine, et à ne pas trop recourir aux finances extraordinaires.

La diminution des tailles. — En 1503, il refusa une crue, c'est-à-dire une augmentation, de la taille, et il eut recours à des emprunts. Et les guerres d'Italie devaient nourrir les armées françaises en Italie. Les indemnités de guerre ou les contributions versées par les pays occupés entretenaient les soldats qui dépensaient en grande partie leur solde sur place. Pour les Français, ces guerres ne coûtèrent guère, et même elles rapportèrent au royaume. La taille connut une baisse sensible : après les 5 millions de livres annuels du temps de Louis XI et avant les 5 millions du règne de François Ier, la taille ne dépassa guère en moyenne 1,5 million de livres. En valeur réelle, la baisse de l'impôt était moindre selon l'historien Pierre Chaunu, en raison de l'évolution monétaire, mais elle n'en avait pas moins une « signification psychologique ». Le 11 novembre 1508, une ordonnance s'efforça d'éviter les abus commis dans la perception des impôts : les collecteurs devaient être mieux contrôlés par les élus que le roi rappelait à l'ordre. Ce souci de ménager le contribuable ne pouvait qu'être populaire. Si Louis XII sut soutenir cette politique, c'est aussi que la conjoncture économique était favorable et que les rentrées d'argent se faisaient bien. Mais en 1511, l'impôt augmenta, avec une moyenne de 2,7 millions de livres pour les trois dernières années du règne : le royaume devait faire face alors à une coalition européenne.

La propagande habile. — Le roi eut le talent de mettre en valeur ses décisions lorsqu'elles étaient favorables à ses sujets. Il acquit la réputation d'un souverain sage et équitable, qui savait pardonner. Il n'hésita pas à utiliser des écrivains pour célébrer cette sagesse, comme le poète Pierre Gringoire, le polémiste Jean Lemaire des Belges ou le jurisconsulte et humaniste Claude de Seyssel.

La poursuite du rêve italien

La cible nouvelle : le Milanais

Louis XII reprit sans hésiter les rêves italiens de son prédécesseur. Charles VIII avait, lui, revendiqué le royaume de Naples, au nom de la maison d'Anjou, qui y avait régné et dont il avait hérité. Louis XII, quant à lui, était petit-fils de Valentine Visconti, d'une maison qui avait régné à Milan : il considérait donc qu'il avait des droits à réclamer le Milanais. Là Louis devait affronter Ludovic Sforza, Ludovic le More, qui gouvernait le duché de Milan depuis 1479.

Les alliances. — Dès qu'il monta sur le trône, Louis XII se proclama duc de Milan. Comme son prédécesseur, il chercha à obtenir l'alliance ou la neutralité des puissances européennes. Une ligue se constitua même sous l'égide de la France. Le général en était un Milanais, Trivulce (Trivulzio) qui chercha à répandre l'effroi en Italie pour faire céder plus vite les places fortes.

La conquête. — En un mois à peine, le Milanais fut conquis et Milan capitulait le 14 septembre 1499. Gênes, rattachée à Milan depuis 1487, tombait aussi. Mais l'occupation française était impopulaire et des soulèvements éclatèrent. Ludovic le More s'était réfugié auprès de l'empereur Maximilien. Il rentra dans le duché et Louis XII prépara des renforts. La bataille eut lieu le 10 avril 1500 à Novare. Ludovic Sforza, abandonné par ses troupes, fut fait prisonnier et conduit en France où il termina sa vie dans la sinistre tour de Loches.

Comme l'Europe était en paix, la chrétienté avait l'occasion de se tourner vers son ennemi, l'Infidèle, l'Empire ottoman. Louis XII entendit l'appel en 1501 et une flotte fut envoyée contre Mytilène, île de la mer Égée. Les Turcs résistèrent et repoussèrent les attaquants. Une tempête vint à bout des navires qui rentraient en France.

Naples

Ce qui intéressait les Français, c'était toujours le royaume de Naples. Nombre de seigneurs, anciens compagnons de Charles VIII, regrettaient d'avoir abandonné cette Italie méridionale où ils avaient dû laisser des terres ou de hautes charges. Louis XII prépara cette nouvelle entreprise. À Naples régnait Frédéric III, d'une branche bâtarde de la maison d'Aragon. Son lointain cousin, Ferdinand d'Aragon, revendiquait aussi le royaume.

Le temps du partage. — Le roi de France s'accorda avec lui pour conquérir le royaume de Naples et le partager en deux parties égales : Louis serait roi de Naples, Ferdinand roi de Sicile (traité secret de Grenade, 11 novembre 1500). Un corps expéditionnaire gagna Naples en 1501. Des troupes françaises occupaient la partie promise du territoire napolitain, et l'armée espagnole le reste. Avec ses possessions italiennes, jamais le territoire dépendant du roi de France n'avait été aussi vaste, jamais il ne le fut autant, jusqu'à la Révolution.

Le recul français. — Néanmoins Français et Espagnols s'affrontaient déjà autour de provinces et de places contestées. Louis XII vint en juillet 1502 en Italie pour tenter de redresser la situation, mais il ne gagna pas Naples. En 1503, la situation française empira brutalement. Dès mars 1504, Louis XII signa une trêve et reconnaissait la domination espagnole sur le royaume de Naples qui dura deux siècles.

Le pape Jules II. — En 1503, Julien della Rovere devint pape sous le nom de Jules II : un pape très soucieux de la grandeur temporelle de l'Église, de sa présence internationale et de son prestige artistique. Il passait alors pour l'un des soutiens de Louis XII, mais était surtout soucieux de l'indépendance pontificale et voulait sans doute chasser d'Italie les princes étrangers pour mieux y imposer l'autorité de l'Église.

L'épineuse question de la succession

Les incertitudes du royaume

Louis XII avait une santé délicate et, à de nombreuses reprises, il sembla aux portes de la mort. Ces alertes suscitaient dans le royaume une grande émotion tant le roi était populaire. Prières, processions et pèlerinages se multipliaient pour la santé du monarque.

La solution française. — Très tôt, la succession de Louis XII occupa les esprits. En 1496, son cousin germain, Charles d'Angoulême était mort, laissant à sa femme, Louise de Savoie, la garde de ses deux enfants : Marguerite et François. Louis XII, comme aîné de la branche d'Orléans, plaça la maison d'Angoulême sous sa tutelle. Le jeune François, devenu duc de Valois en 1499, était donc son plus proche parent mâle (c'est le futur François Ier). Le « gouverneur » du jeune garçon, qui dirigeait son éducation, était le maréchal de Gié et il était favorable à l'union entre Claude de France, fille de Louis XII et François d'Angoulême. Et Louis XII dès 1501 accepta secrètement cette solution familiale.

Deux logiques opposées. — Mais la reine Anne n'en voulait pas et cherchait plutôt pour sa fille une union avec Charles de Gand ou de Luxembourg (le futur Charles-Quint), né en 1500. Il était d'un côté le petit-fils de l'empereur Maximilien (de la maison de Habsbourg), et de l'autre côté le petit-fils des rois catholiques Ferdinand d'Aragon et Isabelle de Castille. Il n'y avait pas de plus beau parti en Europe. Claude apporterait à son mari la Bretagne et la Bourgogne : c'était détruire les efforts de la monarchie, soutenus pendant plusieurs décennies.

Ainsi s'affrontaient deux logiques : l'une était familiale, féodale ou dynastique, elle visait un mariage éclatant de Claude, pour illustrer la maison de Valois-Orléans, l'autre était nationale et elle cherchait à défendre à tout prix l'intégrité du territoire. Mais il y avait aussi une manœuvre de politique internationale : ces fiançailles permettaient un rapprochement apparent avec les Habs-

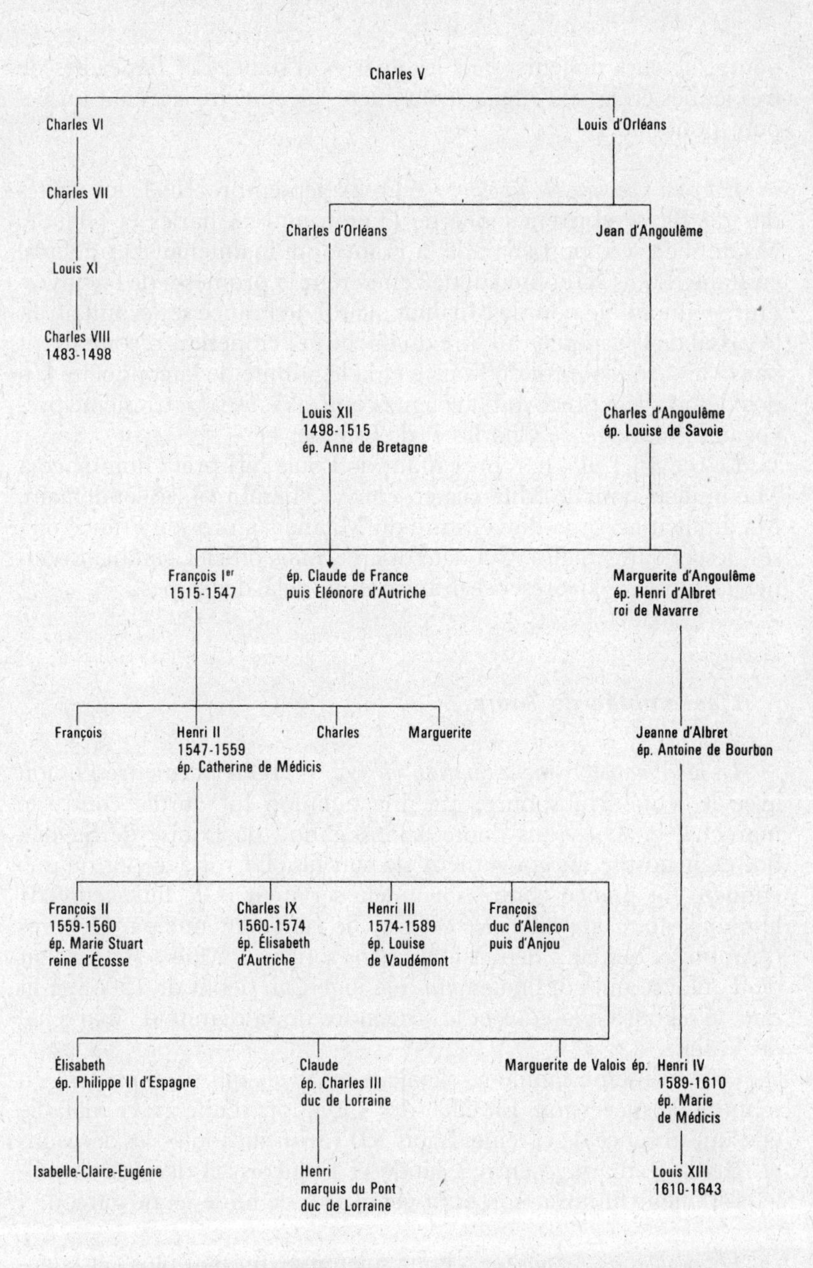

La maison de Valois-Orléans et la maison de Valois-Angoulême

bourg, acteurs majeurs dans les guerres d'Italie. Les fiançailles de très jeunes enfants n'engageaient guère l'avenir, mais c'était un bel outil politique.

L'accord avec les Habsbourg. — Le 22 septembre 1504, les traités dits de Blois reprirent l'idée de l'union entre Charles et Claude. Maximilien se rapprochait de la France qui maintenait sa présence en Italie. Louis XII obtenait de l'empereur la promesse de l' « investiture » impériale pour le Milanais : le roi de France se reconnaîtrait le vassal de l'empereur au titre du duché et l'empereur reconnaissait par là les droits du roi de France et la légitimité de la conquête. Un deuxième traité prévoyait une ligue contre Venise. Le troisième prévoyait le mariage de Charles et de Claude.

Le 6 avril 1505, le représentant de Louis XII prêta hommage à Maximilien pour le Milanais et « en sa chambre », le lendemain, Maximilien accorda l'investiture du Milanais au roi de France et à ses descendants mâles. Cet acte discret, mais officiel, semblait donner la durée à la présence française au-delà des Alpes.

L'assemblée de Tours

La machination contre le maréchal de Gié. — Pour permettre l'union avec le jeune Habsbourg, une machination fut ourdie contre le maréchal de Gié, sans doute à l'instigation de Louise de Savoie, qui était hostile au gouverneur de son fils. Le roi accepta qu'une enquête fût menée contre son fidèle serviteur. Gié fut accusé de lèse-majesté. Cette offensive contre Gié était soutenue par Georges d'Amboise, qui était depuis longtemps son rival. Mais le parlement de Toulouse qui eut finalement à le juger, au début de 1506, ne fit que l'éloigner de la cour et le suspendre de sa dignité de maréchal de France.

Car au même moment, c'étaient ses idées qui triomphaient en matière de succession. En effet, dès 1505, lors d'une grave maladie et d'une absence de la reine, Louis XII revint sur toutes ses décisions et décida le mariage entre Claude et François : il déclara en juillet 1505 leur future union et fit venir près de lui le jeune garçon.

Les députés du royaume. — Pour solenniser un peu plus cet engagement, le roi rassembla, au Plessis-lès-Tours, des députés du royaume en mai 1506. Comme premier prince du sang, en 1484, Louis XII avait connu des États généraux. Il ne voulut pas en convoquer de nouveaux de crainte d'avoir à répondre à leurs doléances. Il souhaitait une assemblée qui entérinerait ses décisions, en semblant les lui demander. En réalité, il n'y eut pas d'élection, mais généralement un noble et un bourgeois furent désignés par les autorités dans chaque bonne ville.

Ils demandèrent aussitôt le mariage de Claude avec François, que l'opinion publique semblait préférer à un « étranger » comme l'était Charles de Gand. Lors de la réception des députés, le 14 mai 1506, un professeur de philosophie de Paris déclara que le roi Louis XII devait être appelé « Père du Peuple » pour tout ce qu'il avait fait pour son royaume : il l'avait maintenu en sécurité, avait diminué le poids de la taille et lui avait donné de bons juges. Les députés des bonnes villes comme les princes et comme les barons du royaume jurèrent de tout faire pour que le mariage entre Claude et François se fît, dès qu'ils en auraient l'âge. Les délégués de Bretagne se joignirent aux autres.

Ces États de Tours annulaient de fait le projet de mariage avec Charles de Habsbourg, prévoyaient le mariage de la fille de Louis XII avec l'héritier présomptif du royaume, maintenaient les règles traditionnelles de la succession capétienne, sauvegardaient l'intégrité territoriale du royaume, enfin montraient l'unité du royaume et l'accord entre le souverain et ses sujets *(Bernard Quilliet)*.

Le royaume en péril

Une paix relative se maintenait en Europe. Mais en 1506, un soulèvement éclata dans Gênes contre la noblesse. Louis XII vint en personne soumettre la ville en avril 1507 et tout en l'humiliant, il montra de la clémence.

Les intrigues italiennes

L'union contre la République de Venise. — La France fut bientôt entraînée dans les entreprises pontificales. Jules II voulut créer une coalition contre la puissante et riche République de Venise. Ce fut la France qui fit l'effort essentiel. Les troupes de Venise furent battues (bataille d'Agnadel sur l'Adda, mai 1509). La République avait tout abandonné sauf sa lagune mais elle sut négocier avec habilité : en 1510, Jules II, qui avait obtenu pour l'Église les territoires qu'il convoitait, accorda son absolution à la République.

La lutte contre le pape Jules II. — Ce fut contre la France que Jules II porta désormais ses attaques. Il réussit à brouiller Henri VIII, roi d'Angleterre depuis 1509, avec la France. Il gagna Ferdinand d'Aragon en lui donnant l'investiture du royaume de Naples. Il encouragea l'évêque de Sion, en Suisse, Mathieu Schiner, bientôt cardinal, qui avait une grande influence : le pape signa un accord avec les cantons qui s'engageaient à lui envoyer des soldats.

Après la mort du cardinal d'Amboise (1510), Louis XII semble avoir gouverné seul, mais en maintenant la même ligne politique : ménager les populations françaises et défendre à tout prix les possessions milanaises. Il porta le combat sur le plan spirituel. En septembre 1510, tous les évêques français furent convoqués à Tours. Un terrible réquisitoire fut prononcé contre les crimes, les erreurs et les trahisons du pape. Les évêques prévoyaient la convocation d'un concile général et acceptaient d'aider financièrement le roi.

Le concile de Pise et le concile de Latran. — En 1511, en Lombardie, l'armée française avait un chef de 22 ans qui était un remarquable capitaine, c'était le propre neveu du roi, Gaston de Foix, duc de Nemours. Il se dirigea vers Bologne que le pape quitta en toute hâte et où la population se souleva pour accueillir les Français. Contre ce pape guerrier, l'empereur Maximilien et le roi Louis XII convoquèrent un concile à Pise pour le 1er septembre et demandaient au pape de comparaître devant lui. Aussitôt le souverain pontife convoqua un autre concile à Saint-Jean-de-Latran à Rome et il pouvait compter sur la fidélité des cardinaux italiens. Et il organisait la Sainte Ligue avec l'Espagne, Venise et les cantons suisses, contre la France (5 octobre 1511). L'ambitieux Henri VIII profita de l'occasion pour reprendre les prétentions anglaises sur la France, qui avaient été à l'origine de la guerre de Cent ans.

Le concile de Pise ne réunit que quelques cardinaux et évêques français, il se vit interdire l'entrée de la cathédrale et dut bientôt se replier sur Milan. Au contraire le concile de Latran permit au pape de réaffirmer sa suprématie sur les conciles et de condamner les libertés des églises nationales. C'était donc l'échec pour Louis XII en matière ecclésiastique.

Les défaites françaises

Gaston de Foix réussit à attirer l'armée de la Ligue à Ravenne et la força à livrer combat. Ce fut une victoire française (11 avril 1512), mais Gaston était mort au combat.

Les échecs en Italie. — Le gouvernement français n'exploita pas la victoire car il souhaitait un apaisement avec le pape qui, lui, en profita pour se rapprocher de Maximilien. Et l'empereur rejoignit la Sainte Ligue le 19 novembre 1512. Des troupes suisses, vénitiennes et espagnoles convergèrent vers le Milanais qui se souleva contre l'occupant français. Maximilien Sforza, le fils de Ludovic, retrouvait son duché. Mais les membres de la Ligue commençaient à s'opposer entre eux, tant ils voulaient profiter de la victoire.

Au sud de la France, Jean d'Albret et sa femme Catherine de Foix contrôlaient le royaume de Navarre, un territoire à cheval sur les Pyrénées. Ferdinand d'Aragon, qui avait épousé Germaine de Foix, d'une autre branche de la famille, fit valoir les droits de sa femme, occupa la partie méridionale du royaume de Navarre et s'en proclama roi. Louis XII ne parvint pas à aider ces princes méridionaux. Il y aurait désormais deux royaumes et deux rois de Navarre.

En 1513, Jules II mourait et était remplacé par Jean de Médicis, Léon X, qui mit sur pied une nouvelle coalition, la ligue de Malines, contre la France. Les Vénitiens en revanche quittèrent l'alliance avec le pape et s'accordèrent avec Louis XII. Mais la double offensive franco-vénitienne en Lombardie fut écrasée par l'intervention foudroyante des Suisses à Novare (juin 1513). Le Milanais était perdu et désormais le royaume de France était attaqué.

Les menaces sur le territoire. — Les Anglais pénétraient sur le territoire à partir de Calais. Ils mirent le siège devant la ville de Thérouanne. Louis XII dépêcha des secours, mais ils furent défaits par les Anglais lors de la bataille de Guinegatte (16 août 1513) et Thérouanne tomba.

Les Suisses vinrent mettre le siège devant Dijon. La Trémoille, pour dégager la ville, signa un humiliant traité le 14 septembre 1513 que son roi ne ratifia pas. Les soldats suisses, bien payés, quittèrent en tout cas le royaume.

Les dernières décisions. — Quant à Louis XII, il reprit les négociations. Avec Léon X d'abord, puisqu'il abandonna l'idée du concile, alors replié à Lyon. La reine Anne mourut au début de 1514. Et Louis XII autorisa enfin le mariage de sa fille Claude avec son héritier présomptif, François d'Angoulême. Celui-ci reçut bientôt l'administration du duché de Bretagne, qui appartenait à sa femme.

Comme Henri VIII restait le seul ennemi, un traité fut signé le 7 août 1514 et Louis XII épousa la sœur du roi anglais, Marie Tudor. Il espérait peut-être avoir enfin un fils, mais il mourut le 1er janvier 1515.

« Le bon temps du roi Louis XII rejoint le bon temps du roi Saint Louis dans l'idéalisation collective du passé » a écrit l'historien Pierre Chaunu pour qui les années 1485-1515 furent comme « un des âges d'or (relatifs) de la société traditionnelle ».

5. Le règne de François Ier (1515-1547)

Le temps de François Ier fut encore marqué pendant de nombreuses années par le rêve italien. L'Italie attirait car elle semblait un modèle par ses structures économiques, par la beauté et la richesse de ses villes, par la gloire de ses savants et de ses artistes. Les États italiens demeuraient des proies faciles par les conflits qui les opposaient et par les divisions internes qui les affaiblissaient. Quant au nouvel empereur Charles Quint, il entretenait un rêve bourguignon : il désirait retrouver la Bourgogne de son arrière-grand-père Charles le Téméraire. C'étaient, dans les deux cas, des aspirations d'un autre temps, mais elles entraînaient la France dans des guerres et des expéditions militaires coûteuses, dont le financement supposa des exigences plus lourdes à l'égard des sujets, donc un renforcement du pouvoir royal pour les imposer. Mais cette politique étrangère, tour à tour glorieuse et aventureuse, ne put à la fin dissimuler les tensions politiques et religieuses qui secouèrent la France, comme elles divisèrent le Saint-Empire. La « Réforme », vaste mouvement de critique à l'égard de l'Église de Rome et volonté de transformer la foi et la pratique religieuse, entraînait une cassure dans la chrétienté, et une division dans la société française.

L'expédition d'Italie

Dès son avènement, François Ier, roi chevalier, roi de la Renaissance, voulut rétablir la présence française en Italie. Sa victoire permit un accord militaire avec les cantons suisses et religieux avec le pape. Ces succès le conduisirent à rêver de la couronne impériale, puis d'un accord durable avec l'Angleterre contre le nouvel empereur.

L'avènement de François Ier

L'éducation d'un héritier de la couronne. — Né le 12 septembre 1494, le nouveau roi François Ier avait 20 ans et quatre mois à son avènement. Il n'était pas, par sa naissance, destiné à la couronne : il avait fallu la mort inattendue de Charles VIII et celle de Louis XII, il avait fallu que ces deux rois n'eussent pas de fils. François d'Angoulême fut élevé à Cognac puis à Amboise, par sa mère, Louise de Savoie, qui le désignait comme son « César », et avec sa sœur, Marguerite d'Angoulême. Ces deux femmes supérieures allaient entourer François d'une affection et d'un dévouement permanents. Louise de Savoie s'était heurtée à de nombreuses reprises au maréchal de Gié, le gouverneur choisi par Louis XII, mais elle avait réussi à s'en débarrasser : le maréchal fut remplacé par Artus de Gouffier, seigneur de Boisy. Le jeune François reçut une bonne éducation et ses compagnons de jeu devinrent plus tard ses compagnons d'armes (Fleuranges, Chabot de Brion, Anne de Montmorency, Bonnivet). De son éducation et de son séjour à la cour de Louis XII, François garda le goût des lettres et des arts, une admiration pour les chefs-d'œuvre d'Italie et il hérita des rêves italiens de ses prédécesseurs. À son avènement néanmoins, il n'avait encore que peu d'expérience de la guerre, de la diplomatie ou du gouvernement, mais il était jeune et ardent. Sa forte carrure et sa haute taille le faisaient admirer de tous : il allait incarner à merveille le prince de la Renaissance, habile cavalier, soldat valeureux, amateur de musique, de peinture et d'architecture, mais aussi grand séducteur. Louise et Marguerite avaient toujours espéré que François deviendrait roi. Elles lui avaient inculqué l'idée qu'il était appelé à tous les bonheurs, ce qui pourrait expliquer ses maladresses futures et son égoïsme. Le 25 janvier, François Ier fut « oint et sacré » à Reims.

L'entourage du roi. — À chaque avènement, le nouveau roi devait confirmer les privilèges accordés aux individus comme aux collectivités. François Ier alla bien au-delà et il distribua largement les dignités et les récompenses à ses proches.

Près de François Ier, Louise de Savoie tint la première place : elle entra au Conseil du roi, et elle fut régente plus tard lors de l'absence de son fils. Elle avait le goût du gouvernement et s'intéressa avec passion aux affaires étrangères : c'était à elle que les ambassadeurs étrangers s'adressaient volontiers. Elle travailla sans relâche à la gloire de son fils. Elle garda près d'elle Florimond Robertet dont la fonction modeste de secrétaire cachait l'influence réelle. Louise de Savoie, qui n'était pas désintéressée, reçut de grands biens, ainsi les duchés d'Angoulême et d'Anjou, tout comme Marguerite et son mari, le duc d'Alençon, ou le demi-frère bâtard de Louise, René de Savoie. Le gouverneur du roi, Boisy, devenait Grand Maître de l'Hôtel, et entrait au Conseil. Bonnivet reçut bientôt la dignité prestigieuse d'Amiral de France.

Grâce à l'influence de Louise de Savoie, Antoine Duprat, qui avait participé au procès contre le maréchal de Gié et qui était premier président du parlement de Paris, devint chancelier, le chef de la justice française, en fait de l'administration royale. François choisit comme connétable de France, chef des armées après le roi, un descendant de Saint Louis, Charles de Bourbon, considéré comme l'un des meilleurs capitaines du royaume.

Le roi de la Renaissance. — François Ier profita de tout le courant humaniste qui avait retrouvé, dans la tradition antique, l'image de l'empereur romain. Cette célébration du souverain faisait « passer François Ier de la condition mortelle, pécheresse et donc propice à la “remonstrance”, au rang de demi-dieu séparé de l'humanité ordinaire, et cela à ses propres yeux, aux yeux aussi de ses deux témoins privilégiés, sa mère et sa sœur » *(Marc Fumaroli)*. La mère et la sœur du roi utilisèrent tous les thèmes symboliques tirés de la magie, de l'astrologie, de la mystique pour consolider leurs espérances et leur faim de pouvoir.

Ainsi la pratique monarchique changeait : « C'est de l'Italie – bien avant Machiavel –, de son culte humaniste du Prince, de son néo-platonisme magico-mystique, de ses dévotions “extraordinaires”, que s'est nourrie la vitalité impérieuse et dévorante du “roi de la Renaissance française”, et c'est ce feu démonique venu d'Italie qui a éteint sur son visage la gravité morale et l'humilité chrétienne qui tenaient en lisières ses prédécesseurs » *(Marc Fumaroli)*.

Marignan, 1515

D'emblée François Ier se fit céder par sa femme Claude ses droits sur le Milanais, puisque c'était elle qui était l'héritière des Orléans, donc de Valentine Visconti. François Ier n'avait sans cela aucun droit personnel sur le Milanais.

Les négociations préalables. — L'Italie était un terrain idéal pour que le nouveau roi y prouvât ses qualités de héros guerrier. Pour les vieux soldats des guerres d'Italie, François Ier, par sa jeunesse et son ardeur, devait permettre une revanche militaire. Pour les jeunes nobles, ce serait une belle occasion d'acquérir gloire et fortune. François Ier s'assura de la neutralité de son voisin Charles de Gand ou de Luxembourg. Ce jeune homme de 15 ans était le fils de l'archiduc Philippe le Beau, le petit-fils de l'empereur Maximilien et aussi de Ferdinand d'Aragon. À la mort de son père, en 1506, il avait hérité des domaines bourguignons sans la Bourgogne. En mars 1515, conseillé par le francophile Guillaume de Chièvres, il signa le traité de Paris. François négocia aussi avec le roi d'Angleterre, Henri VIII, pour prolonger les effets du traité signé par Louis XII. Le roi de France bénéficiait de l'alliance avec Venise et avec Gênes, mais ce n'était guère suffisant. En effet les Suisses protégeaient le duché de Milan : armés de leurs longues piques, les soldats des cantons étaient redoutés, car ils brisaient toute offensive de cavalerie.

Comme François Ier ne pouvait plus avoir recours à des mercenaires suisses, il fit appel à des lansquenets allemands. L'artillerie française avait fait d'étonnants progrès au XVe siècle. Elle était placée sous l'autorité de Galiot de Genouillac et elle comportait 60 canons de bronze.

La victoire de Marignan. — Le roi laissa à sa mère la régence du royaume. En face de lui, une coalition s'était formée avec le pape, le duc de Milan, l'empereur et le roi d'Aragon. François Ier avança vers Milan et les Français installaient leur camp à Marignan.

Des troupes suisses, galvanisées par le cardinal Schiner, se précipitèrent le 13 septembre 1515 hors de Milan, en trois carrés de piquiers, chaque carré comportant 7 à 8 000 hommes. Les Suisses eurent d'abord l'avantage, mais les lansquenets tinrent le choc jusqu'à minuit, l'heure où le combat s'arrêta. À l'aube, François avait placé toutes ses troupes en ligne, et les Suisses mirent leurs trois carrés en ligne aussi. L'artillerie fit des brèches dans la masse des piquiers, le roi et la gendarmerie multiplièrent les attaques. Le flanc gauche des Français était affaibli, lorsque des cris annoncèrent l'arrivée d'un renfort vénitien. Cela redonna du courage aux combattants et à 11 heures, le 14 septembre, les Suisses refluaient en désordre vers Milan.

Sur le champ de bataille, François Ier voulut être fait chevalier par un héros du jour, Pierre du Terrail, seigneur de Bayard, un gentilhomme dauphinois qui était devenu un des grands capitaines de ce temps-là. Le roi rendait ainsi un hommage à sa noblesse et il mettait en valeur les traditions chevaleresques qui unissaient le prince et ses soldats, le roi et ses gentilshommes. Une fois Milan pris, le duc Maximilien Sforza se retira en France où il mourut en 1530.

Le traité de Genève et le Concordat. — François Ier, comme les princes de son temps, connaissait le rôle des cantons suisses. Il voulait avoir la possibilité d'y recruter des soldats et souhaitait qu'ils n'eussent plus d'engagement avec ses ennemis. Il fallut offrir et promettre beaucoup d'argent. Le 7 novembre 1515, fut signé le traité de Genève qui engagea finalement huit cantons, mais les autres se mirent au service de l'empereur.

Léon X craignait la suite de cette expédition française, mais François Ier devinait que, sans l'accord du pape, il ne pourrait contrôler longtemps ses conquêtes et seul le pape pouvait autoriser le roi de France à percevoir des décimes sur le clergé. Un rendez-vous fut fixé à Bologne en décembre. La rencontre dura quatre jours. Le chancelier Duprat fut chargé de négocier les nouvelles relations entre la couronne de France et la papauté. Ce fut le Concordat de Bologne (voir chapitre suivant).

Les grandes ambitions de François Ier

En 1516, Ferdinand d'Aragon mourut, laissant l'Aragon et le royaume de Naples à son petit-fils, l'archiduc Charles, qui régna aussi sur la Castille. C'était un redoutable voisin pour la France puisqu'il disposait aussi des Pays-Bas et qu'il dominait la Méditerranée occidentale. Mais il fallait encore que le jeune Charles prît possession de ses nouveaux royaumes. Le 13 août 1516, il signa avec François Ier le traité de Noyon pour gagner sa neutralité. L'empereur Maximilien, quant à lui, ne réussit pas à renverser la situation en Italie du Nord et il décampa. Le 29 novembre 1516 était signée entre la France et les cantons suisses la paix de Fribourg – paix « perpétuelle » qui resta en vigueur jusqu'à Louis XVI. Les Suisses promettaient de ne pas s'engager contre la France qui avait désormais la faculté de recruter des soldats en Suisse. Le 11 mars 1517, François Ier, Charles et Maximilien signèrent une paix à Cambrai, qui mettait fin à cette phase des guerres d'Italie.

La tentation de la couronne impériale. — Le 12 janvier 1519, l'empereur Maximilien mourait. Il n'avait pas eu le temps ou le pouvoir de désigner comme son successeur son petit-fils, Charles de Habsbourg, le roi des Espagnes. Il n'y avait aucune obligation de choisir comme empereur un membre de la famille de Habsbourg, ni même un Allemand. Il fallait convaincre les Électeurs qui étaient au nombre de sept. François Ier fut tenté par la couronne impériale, dont le prestige était immense. Il craignait le regain de puissance pour Charles d'autant que celui-ci deviendrait le suzerain de François pour le Milanais. Les princes allemands voulurent surtout profiter de la rivalité entre François et Charles pour s'enrichir à leurs dépens.

Il fallut pour le roi de France trouver de l'argent. Une comparaison a été faite sur les sommes globales engagées : pour François, 1,5 t d'or, pour Charles, 2 t. Une idée commune veut que François ait commis l'erreur de verser l'argent tout de suite, alors que Charles ne faisait que promettre. En réalité, la difficulté pour le roi de France fut de faire parvenir ses dons à leurs bénéficiaires. Or Jacob Fugger, le grand banquier d'Augsbourg, refusa de se charger de ce transfert, et en revanche il prêta de l'argent au Habsbourg – les Fugger étaient les banquiers des archiducs d'Autriche à qui ils devaient tout et qui les soutenaient.

Le 28 juin 1519, Charles était élu empereur : il devenait Charles Quint, c'est-à-dire Charles V, et il était aussi souverain des Espagnes avec Castille et Aragon, des Pays-Bas, de la Franche-Comté, des Autriches, de Naples, mais aussi des territoires américains, les Indes espagnoles.

Le camp du Drap d'or. — Cette puissance nouvelle inquiétait Henri VIII d'Angleterre qui voulait jouer le rôle d'arbitre en Europe. En janvier 1520, le roi d'Angleterre reprit l'idée, déjà ancienne, d'une rencontre avec François Ier.

L'entrevue entre les rois de France et d'Angleterre eut lieu au val Doré, une vallée entre Ardres et Guines, sur le sol anglais, non loin de Calais, anglais depuis 1347. Un village de tentes fut installé à Ardres pour la cour de France, un palais de bois pour les Anglais à Guines. Des fêtes fastueuses furent organisées avec des tournois et des festins (juin 1520). Les deux princes rivalisèrent d'amitié et de faste. Cette mise en scène spectaculaire ne déboucha sur aucun engagement durable. Après avoir quitté François, Henri VIII rencontra Charles Quint à Gravelines. Cela signifiait que le rapprochement franco-anglais au « camp du Drap d'or » (cette formule s'imposa pour marquer la splendeur de l'entrevue) était sans lendemain et que le ministre anglais Wolsey cherchait plutôt une paix générale grâce à un arbitrage anglais. Le 23 octobre, Charles Quint était couronné empereur à Aix-la-Chapelle.

La captivité du roi

La tension entre le roi de France et l'empereur déboucha sur une crise intérieure, marquée d'abord par la trahison du connétable de Bourbon, le premier officier de la couronne. Cette crise devint dramatique lorsque François Ier fut fait prisonnier à Pavie. Louise de Savoie sut à la fois maintenir le calme dans le royaume et négocier la libération de son fils.

La guerre contre Charles Quint

Les incidents se multipliaient entre François Ier et Charles Quint. Le 1er avril 1521, répondant aux reproches de l'ambassadeur impérial, François Ier nia toute responsabilité mais se déclara prêt à se défendre. La guerre commençait.

L'empereur lança une attaque contre la frontière orientale de la France. Bayard, qui commandait la garnison de Mézières, résista au siège. Ce qui permit à François de réunir une armée. Les troupes impériales se replièrent, semant la destruction : le sac d'Aubenton souleva l'indignation en France.

Une conférence à Calais entre négociateurs français et anglais échoua, car Henri VIII se rapprochait de l'empereur. Le

24 novembre 1521, Wolsey signait le traité de Bruges entre l'empereur et le roi d'Angleterre. Désormais la France devait redouter aussi une invasion anglaise.

Lautrec, frère d'une maîtresse de François Ier, provoqua par ses maladresses une insurrection à Milan. Et lorsque l'armée française attaqua des troupes impériales, installées à la Bicoque, près de Milan, elle subit une sévère défaite (27 avril 1522) et les mercenaires suisses regagnèrent leurs montagnes. Lautrec abandonna l'Italie du Nord et François-Marie Sforza, frère du dernier duc, retrouvait Milan.

L'affaire Bourbon

Les difficultés à l'extérieur furent aggravées par les risques de trahison à l'intérieur, et d'abord celle du connétable de Bourbon.

Le duc de Bourbon était devenu connétable à l'avènement de François Ier qui voulait honorer ce descendant de Saint Louis. Le connétable de Bourbon appartenait à un lignage, la maison de Bourbon, qui n'avait cessé d'accroître sa puissance par des alliances, et souvent avec la famille royale. Il avait épousé sa cousine Suzanne de Bourbon, petite-fille de Louis XI par sa mère Anne de France. Ainsi le connétable contrôlait un immense domaine : il était duc de Bourbon, d'Auvergne, comte de la Marche, comte de Clermont d'Auvergne comme de Clermont-en-Beauvaisis, seigneur du Beaujolais, du Forez, des Dombes, en terre d'Empire, de Châtellerault. Il était presque souverain sur nombre de ses terres : il pouvait lever des taxes et des troupes, convoquer des États, rendre la justice. Mais Charles et Suzanne n'avaient pas de descendance.

Les relations du connétable et du roi furent bonnes, en apparence au moins, jusqu'en 1521, même si François Ier se méfiait sans doute de ce cousin taciturne à qui il ne confia pas de commandement cette année-là, malgré sa charge de connétable.

Lorsque Suzanne de Bourbon mourut le 28 avril 1521, suivie bientôt par sa mère en novembre 1522, elles avaient désigné comme héritier l'une son mari et l'autre son gendre : Charles de Bourbon. Mais Louise de Savoie, mère de François Ier, était elle-même cousine germaine de Suzanne et elle contesta la succession parce que le couple des Bourbon n'avait pas d'enfants. Peut-être avait-elle envisagé un remariage avec le connétable. Elle avait le soutien de son fils à qui elle rendit hommage pour certains des domaines contestés, comme si déjà ils étaient à elle. Il fallait encore que le parlement tranchât comme cour des pairs – Charles de Bourbon avait réuni cinq titres de pairs sur sa personne. Le parlement décida de mettre sous séquestre les biens contestés, sous l'influence de Louise déclarée alors régente pendant que son fils partait combattre en Italie.

Charles de Bourbon, approché par des émissaires impériaux, proposa son aide aux ennemis de François. Ce fut une véritable conspiration qui fut préparée le 11 juillet 1523 : Charles de Bourbon prendrait la tête d'une armée ennemie lorsque le roi serait en Italie et il livrerait Dijon à l'empereur. Ce qui nous apparaît comme une trahison s'inscrivait néanmoins dans la logique féodale : ce vassal s'estimait lésé par son suzerain et offrait sa fidélité à un autre prince. Mais dès août, François Ier fut prévenu des intrigues du connétable : une entrevue à Moulins ne résolut rien. Le 5 septembre, François, qui attendait à Lyon avant de passer en Italie, ordonna l'arrestation de son cousin. Mais déjà le connétable avait décidé de franchir le pas lorsqu'il avait appris que ses biens avaient été placés sous séquestre. Il signa encore un accord avec un envoyé d'Henri VIII, puis prit la fuite dans la nuit du 7 au 8 septembre. Malgré les recherches des hommes du roi, il parvint à franchir le Rhône et le 9 octobre il déclara officiellement qu'il se mettait au service de Charles Quint.

Ainsi un grand seigneur s'engageait contre son souverain, du côté de ses ennemis, en pleine guerre européenne. Il pouvait proclamer qu'il avait été victime de l'avidité de Louise de Savoie, ce qui devait lui gagner la sympathie d'une opinion publique mécontente des exigences fiscales de François Ier et de sa politique belliqueuse. En revanche, l'appui de la noblesse fit défaut à Charles de Bourbon. Les compagnons du connétable furent jugés mais le parlement fut indulgent à leur égard, malgré les manœuvres royales. Quant au seul condamné à mort, Saint-Vallier, père de la future Diane de Poitiers, il fut gracié par le roi sur l'échafaud. En fait le connétable ne fut condamné qu'après sa mort et certains de ses biens alors définitivement confisqués (juillet 1527).

Le désastre de Pavie (1525)

Les menaces sur le royaume. — Sur la frontière pyrénéenne, l'armée espagnole assiégea, à partir de novembre 1522, Fontarabie qui tint plus d'un an, provoquant l'admiration du royaume, mais qui finit par céder. Des troupes allemandes furent arrêtées sur la Meuse par Claude de Guise – issu d'une branche cadette de la maison de Lorraine, il était français depuis peu. Plus à l'ouest, une armée, composée d'Anglais et d'Allemands pénétra en Picardie, fit naître la peur dans Paris, mais finit par se disloquer. La population parisienne fut mécontente d'avoir été laissée sans défense par François Ier, trop occupé par ses aventures italiennes.

Le roi était en effet à Lyon avec la principale armée, destinée à l'Italie. Mais cette fois une véritable coalition réunit les États italiens, même Venise. Le pape Adrien VI, ancien précepteur de Charles Quint, puis son successeur Clément VII (Jules de Médicis), étaient favorables à la cause impériale. Néanmoins l'armée passa les Alpes alors que François Ier, malade, restait à Lyon. En 1523, les opérations furent indécises. Au printemps 1524, l'armée française, qui avait souffert de l'hiver, dut se replier. Au passage de la Sesia, près de Romagnano, Bayard fut mortellement blessé le 30 avril 1524.

Une vaste offensive se préparait contre la France : Henri VIII devait lancer une attaque vers Paris, le frère de Charles Quint, Ferdinand, envoyer des troupes allemandes contre la Bourgogne, et Bourbon, avec l'armée impériale d'Italie, envahir la Provence et offrir la couronne de France à Henri VIII. Bourbon reçut la soumission d'Aix-en-Provence. Mais ses alliés ne l'avaient pas suivi. Louise de Savoie négociait avec les Anglais tandis que Charles Quint devait faire face à de nombreux périls : la pression turque en Hongrie, le soulèvement des chevaliers dans la vallée du Rhin et surtout l'agitation paysanne, fortifiée par les espoirs de la religion réformée. Marseille fut assiégée mais était prête à une farouche résistance. François Ier eut cette fois le temps de rassembler des troupes. Les soldats de Bourbon refusèrent de lancer l'assaut contre la ville et le siège fut levé en septembre 1524.

La capture d'un roi. — Malgré les conseils de sa mère, François Ier décida de poursuivre ses ennemis et franchit une fois de plus les Alpes, en laissant la régence à Louise. Le 26 octobre 1524, François entrait dans la capitale du Milanais abandonnée par les Impériaux. Comme les troupes ennemies étaient intactes, elles se replièrent dans Lodi et Pavie. Le roi, conseillé par Bonnivet, choisit d'assiéger la grande et forte citadelle de Pavie. Après avoir tenté de détourner le cours du Tessin qui protégeait la ville, les Français se contentèrent de la bloquer pendant l'hiver 1524-1525. Si la coalition se délitait peu à peu, les armées ennemies reçurent néanmoins des renforts de l'Empire. Or François Ier envoya une partie de ses troupes vers Naples pour attaquer ce royaume. Les Impériaux décidèrent donc de risquer une bataille.

Les Français n'avaient pas occupé le grand parc du château de Mirabello, ce fut par là que l'armée ennemie se glissa dans la nuit du 23 au 24 février 1525 pour surprendre le camp français. L'artillerie française réagit, mais elle dut bientôt se taire, pour ne pas gêner l'attaque de la gendarmerie. Celle-ci s'engagea trop loin et elle fut balayée par les arquebusiers du marquis de Pescara. L'arquebuse, qui était négligée et méprisée par François Ier comme une arme peu chevaleresque, avait prouvé son efficacité. François Ier, qui continuait de se battre à pied, fut enveloppé par des hommes d'armes. Le roi de France dut finalement se rendre au vice-roi de Naples, Lannoy. De nombreux gentilshommes furent tués au combat dont Bonnivet et La Palice (« Un quart d'heure avant sa mort / Il était encore en vie », disait la chanson en son honneur).

C'étaient les plus lourdes pertes depuis Azincourt pour la noblesse française. François reçut la permission d'écrire à sa mère : « ... de toutes choses ne m'est demeuré que l'honneur et la vie sauve... » Le désastre était immense pour la France : le roi était prisonnier comme un grand nombre de ses compagnons.

Le traité de Madrid

L'incertaine victoire de Charles Quint. — En réalité, le vainqueur ne put guère profiter de sa victoire. Charles Quint n'avait guère confiance dans le roi d'Angleterre qui craignait lui-même la trop grande puissance de l'empereur. Charles Quint restait préoccupé par la situation en Allemagne : le réformateur Luther avait demandé lui-même aux seigneurs de prendre les armes pour venir à bout des paysans qui s'étaient révoltés au nom de la réforme religieuse et qui furent écrasés le 15 mai 1525, à Frankenhausen. Le sultan Soliman le Magnifique préparait l'assaut définitif contre le royaume de Hongrie dont le souverain, Louis II, était le beau-frère de Charles Quint. En 1526, à Mohacs, l'artillerie turque allait venir à bout de la cavalerie hongroise et Louis II fut tué : une grande partie de la Hongrie tombait pour longtemps sous le joug du sultan.

La négociation. — C'est Louise de Savoie qui prit les choses en main depuis Lyon où elle se trouvait : elle avait à défendre le royaume contre l'invasion étrangère, à maintenir l'autorité du roi à l'intérieur, à préparer la libération de son fils. La discussion s'engagea avec Charles Quint.

L'empereur rêvait avant tout de retrouver la Bourgogne de Charles le Téméraire, et ajoutait à cela bien d'autres exigences exorbitantes. La régente envoya en Espagne des négociateurs.

La prison de François Ier. — François Ier demanda à être conduit en Espagne, souhaitant discuter directement avec l'empereur. Il demanda aussi la venue de sa sœur. François arriva à Madrid et fut installé dans un logis étroit et fort surveillé. Il demeura à Madrid d'août 1525 à février 1526. Charles Quint esquiva toute discussion avec son prisonnier. Dès le 16 août, le roi de France signa un acte où il protestait contre toutes les concessions qu'il pourrait faire afin de retrouver sa liberté. Lorsqu'il tomba gravement malade, l'empereur vint lui rendre visite. Mais Charles ne céda rien. François Ier décida que son fils François, âgé de 7 ans et demi, serait couronné et sacré roi de France, que Louise serait régente et, après elle, Marguerite, enfin que si le roi était libéré, il retrouverait sa couronne. Cette déclaration était envoyée en France, mais restait secrète.

Louise de Savoie avait su conduire une négociation habile dans ce contexte dramatique. Comme Henri VIII se méfiait de Charles Quint et qu'il manquait d'argent, il se rapprocha de la France. Louise promit de lui verser une indemnité de guerre de deux millions d'écus. Les conventions de More furent signées le 11 août 1525.

Mais l'absence du roi était dangereuse et les succès diplomatiques en Europe ne suffisaient pas. Louise accepta de céder le duché de Bourgogne pour conserver le royaume.

Les concessions. — Louise de Savoie donna l'ordre à ses envoyés de négocier à tout prix. Ce qui comptait, c'était que François pût rentrer. Simplement, la Bourgogne ne serait livrée à Charles Quint qu'après le retour du roi en France. Le chancelier Gattinara était hostile à cette condition, mais l'empereur faisait confiance à son prisonnier. Le traité de Madrid fut accepté le 14 janvier 1526. La Bourgogne et Tournai étaient abandonnés, François renonçait à ses droits en Italie, il réhabilitait son cousin Bourbon. Les deux fils de François prendraient sa place en prison comme otages. François épouserait Éléonore, sœur de Charles Quint et veuve du roi du Portugal – la reine Claude de France était morte en 1524. Mais avant même de signer le traité, dans sa prison, François déclara à ses compagnons que toutes les concessions qu'il allait faire étaient nulles et de nul effet. Le 17 mars 1526, le roi était échangé contre ses fils à la frontière franco-espagnole.

La régence de Louise de Savoie

Pendant l'absence du roi, Louise de Savoie avait été une nouvelle fois régente, mais cette fois-ci dans des conditions dramatiques qui rappelaient la captivité de Jean le Bon pendant la guerre de Cent ans. Elle avait l'expérience du pouvoir et elle sut mener les négociations. Mais tout était à craindre en 1525 : une invasion étrangère et des troubles intérieurs. « Madame », comme on l'appelait, resta à Lyon et elle convoqua près d'elle les grands du royaume qui n'étaient pas prisonniers. Les troupes qui avaient échappé à la défaite permirent de garder la frontière alpine et des précautions furent prises pour surveiller la Bourgogne.

À Paris, le parlement et le Bureau de ville se chargèrent d'assurer l'ordre, et une assemblée d'officiers royaux, de représentants de la Ville, de l'Université et de l'Église se réunit sous le nom d' « assemblée de la chambre verte ». Il s'agissait de résister à une éventuelle invasion venue du Nord.

Le parlement voulut profiter alors de la situation pour réaffirmer son rôle et contester la pratique gouvernementale de François Ier qui prenait ses décisions avec seulement quelques conseillers. Des remontrances furent adressées à la régente : les parlementaires se plaignaient de la protection accordée aux adeptes de la réforme religieuse, demandaient l'abrogation du Concordat, critiquaient l'évocation des affaires judiciaires devant le Grand Conseil ou le Conseil privé, s'en prenaient à la politique financière : ils dénonçaient des « pilleries notoires ».

Louise de Savoie accepta une politique de répression contre les réformés car elle trouvait ainsi des « boucs émissaires » dans un moment de difficultés. François Ier, de sa prison, tenta pourtant de protéger de loin les adeptes des idées nouvelles.

La régente connut aussi des difficultés avec le parlement lorsque le chancelier Duprat voulut être à la fois archevêque de Sens et abbé de Fleury-sur-Loire, ce que la régente accorda. Cela provoqua l'indignation du parlement qui entrait ainsi en conflit avec l'homme qui était à la tête de l'organisation judiciaire du royaume.

La situation de la régente devint plus solide lorsqu'il apparut qu'il n'y aurait pas d'invasion, que le pays était calme et attentif au sort du roi, que les grands du royaume ne tentaient pas de profiter de la situation pour mettre en tutelle le pays. Elle put répondre avec vigueur aux reproches des parlementaires. Mais elle devait encore négocier pied à pied : Henri VIII, pour être sûr d'être payé, avait demandé la garantie des États provinciaux de Normandie et du Languedoc, de neuf villes, de huit grands seigneurs et l'enregistrement du traité par quatre parlements, dont celui de Paris. C'était le royaume qui était garant puisque la parole du roi ou de la régente ne suffisait pas. Or les libertés provinciales, urbaines, parlementaires et nobiliaires étaient contraires à de tels engagements, et Louise dut essuyer des refus ou des résistances.

La reprise en main du royaume

Libéré, François Ier, par des gestes symboliques, montra que l'autorité royale était intacte et, après une nouvelle guerre, il effaça, contre une rançon, l'humiliation de sa captivité.

La Ligue de Cognac et le sac de Rome

Dès son retour en France, François Ier fut pressé par les envoyés de Charles Quint de respecter ses engagements. François reçut avec faste le vice-roi Lannoy qui était devenu son ami, mais lui annonça qu'il ne pouvait renoncer à la Bourgogne et qu'il fallait l'approbation des États de la province et des États généraux. En effet les États de Bourgogne et ceux d'Auxonne se réunirent en juin et refusèrent de ratifier le traité de Madrid comme le Conseil royal l'avait déjà décidé : ils demandèrent de demeurer sujets du roi de France.

À l'extérieur, Henri VIII encaissait l'argent français et les puissances italiennes se tournaient vers la France car tous étaient inquiets de la puissance impériale. Le 22 mai 1526, un accord était signé : la Ligue de Cognac rassemblait la France, le pape Clément VII, Venise, Florence et Francesco Sforza. Le roi d'Angleterre était protecteur de cette union qui voulait pacifier l'Europe et mener la croisade. Charles Quint fut même invité à se joindre à la ligue s'il consentait à libérer les fils de François.

Mais les États italiens entrèrent trop vite en guerre. Louise de Savoie, qui conduisait toujours la politique française, n'était pas prête à les assister. La France n'envoya ni soldats, ni vaisseaux, ni argent. C'était le pape qui payait les troupes de la ligue. Une armée impériale de lansquenets descendit du Nord, elle était commandée par Bourbon et elle entraîna ses généraux vers Rome. L'assaut fut décidé le 5 mai 1527 et, le lendemain, la ville était occupée. Le pape et les cardinaux s'étaient réfugiés au château Saint-Ange et durent assister au pillage de la ville, alors que Bourbon avait été blessé mortellement. Les mercenaires allemands, parmi lesquels étaient des adeptes du luthéranisme, auraient été contents, a-t-on dit, de mettre à sac la ville qui symbolisait la richesse, la puissance et le luxe de l'Église. Pendant huit jours, la ville fut livrée à la soldatesque. Ce « sac de Rome » fut une étape dans l'histoire de l'art de la Renaissance : il mit fin à un quart de siècle où tous les talents s'étaient réunis dans la Ville éternelle. Le 5 juin 1527, le pape signait un humiliant traité avec l'empereur.

L'affirmation brutale de l'autorité royale

Lorsque François Ier rentra en France, il réorganisa sa Maison décimée par la défaite, et l'influence d'Anne de Montmorency, premier baron de France, grandit : déjà maréchal de France, il devint Grand Maître de l'Hôtel et gouverneur du Languedoc. Le roi réaffirma son pouvoir. Il suspendit les poursuites contre les partisans de la réforme religieuse et Lefèvre d'Étaples, l'un des partisans des idées nouvelles, fut nommé précepteur des enfants royaux.

L'humiliation du parlement de Paris. — Le roi chercha à tout prix à humilier le parlement et les parlementaires qui avaient combattu son chancelier et affaibli le pouvoir de sa mère. Le 24 juillet 1527, il tint un « lit de justice ». Le « lit » à l'origine évoquait les ornements qui étaient utilisés lorsque le roi se déplaçait en personne pour tenir (ou présider) son parlement : une couche de bois, en haut d'une estrade, un « dais » au-dessus, comme un « ciel » de lit, le tout tendu de draps avec des fleurs de lys. Puis l'expression « tenir un lit de justice » caractérisa cette séance solennelle. En 1527, il y avait sept marches pour atteindre ce trône singulier. Le velours bleu, semé de fleurs de lys d'or, recouvrait l'estrade et le dais, mais aussi le siège du chancelier.

Le premier président répéta les vœux du parlement : il fallait lutter contre l'hérésie, contre la vénalité des charges publiques, contre l'évocation des affaires au Conseil. Si le roi était bien au-dessus des lois, il ne devait exercer son pouvoir que dans le sens de la justice. Le parlement, selon son chef, tenait son pouvoir du peuple et non du roi. Le roi, ulcéré, quitta la Grand-Chambre et, par un édit aussitôt enregistré, il confirma les décisions de sa mère, rappela que le parlement ne devait s'occuper que de rendre la justice, qu'il ne pouvait pas modifier les ordonnances royales, mais qu'il devait simplement donner des avertissements, qu'il n'avait aucune juridiction sur le chancelier de France. Deux nouvelles réunions, les 26 et 27 juillet, permirent de condamner solennellement Charles de Bourbon, mort à Rome, et de confisquer ses biens.

Le procès de Semblançay. — La monarchie s'efforça aussi de remettre au pas le monde des financiers. Issus souvent du val de Loire, ils y avaient multiplié les belles constructions : Gilles Berthelot à Azay-le-Rideau, Thomas Bohier à Chenonceaux. Le plus puissant était Jacques de Beaune, baron de Semblançay, l'argentier de Louise de Savoie. Longtemps, il avait été sollicité pour rassembler les fonds nécessaires à la politique royale en particulier pour financer les guerres, et il ne manquait pas de se servir au passage. Depuis 1521, des enquêtes avaient été menées sur ses affaires. Les enquêteurs constatèrent que le roi devait plus d'un million à son général des finances qui, lui-même, devait 700 000 livres à Louise de Savoie. Tout au plus pouvait-on lui reprocher d'avoir confondu la bourse du roi et celle de sa mère, mais l'un et l'autre l'avaient assuré que c'était la même. À partir de 1525, il ne fut plus guère sollicité par la couronne. Ce qui ne l'empêchait pas de réclamer le remboursement de ses prêts auprès de ses créditeurs. En janvier 1527, Semblançay fut arrêté. Une commission extraordinaire mena l'instruction et les preuves furent apportées de toutes les irrégularités comptables qui bénéficiaient aux financiers. Les juges condamnèrent à mort Semblançay qui fit appel. Mais François ordonna l'exécution de son serviteur qui fut pendu le 12 août 1527. La commission, dite de la Tour carrée, continua ses recherches. Berthelot s'enfuit, Bohier donna Chenonceaux au roi. Les poursuites durèrent jusqu'en 1535 : « La puissance politique de l'oligarchie des officiers de finances était brisée » *(Jean Jacquart).*

La paix des Dames

François Ier et Henri VIII renforcèrent leur alliance, d'autant plus que Henri VIII voulait le soutien de François au moment où, amoureux d'Anne Boleyn, il souhaitait se débarrasser de sa femme, Catherine d'Aragon, tante de Charles Quint. L'alliance franco-anglaise signée en 1527, ne fut rompue qu'en 1543.

Du côté de l'Empire, la situation était difficile pour les Habsbourg, même si le frère de Charles Quint s'était fait proclamer roi de Bohême (octobre 1526) et roi d'une Hongrie au territoire bien réduit. François Ier soutenait le sultan.

L'assemblée des notables. — François Ier voulait avoir le soutien moral et financier du pays. Il renonça à réunir des États généraux, mais se contenta de désigner les notables qui se réunirent, en décembre 1527, dans le vieux palais de la cité. Il y avait là les pairs, vingt-trois prélats, tous les membres du parlement de Paris et des délégués des autres cours souveraines, le Bureau de Ville de Paris au nom des bonnes villes. Après le discours du roi, l'assemblée déclara que le roi ne devait pas céder la Bourgogne, qu'il ne devait pas retourner en Espagne, qu'il devait payer une rançon jusqu'à deux millions pour retrouver ses enfants et que le royaume l'aiderait. Mais il fallut encore bien des négociations, par exemple à Paris pour obtenir de la ville les sommes promises.

Pendant ce temps, le roi de France avait enfin porté secours à ses alliés italiens. Lautrec, en juin 1527, retrouvait la Lombardie, pillait Pavie. Le duc de Ferrare accepta le mariage de son fils et héritier, avec la fille de Louis XII, Renée de France. Puis Lautrec poursuivit l'armée impériale dans le sud de l'Italie, à la satisfaction du pape. En janvier 1528, Henri VIII et François Ier déclarèrent la guerre à Charles Quint. Pour cette deuxième guerre, l'empereur et le roi de France se lancèrent des défis chevaleresques, retrouvant la tradition médiévale.

Les Dames à Cambrai. — Plus sages, Louise de Savoie et Marguerite d'Autriche, tante de Charles Quint et belle-sœur de Louise (elle était veuve du duc de Savoie), qui gouvernait les Pays-Bas, parvenaient à une trêve pour maintenir la paix sur le front septentrional. Au contraire, la situation française en Italie se détériora vite. Lautrec ne put prendre Naples et les troupes qui restaient en

Italie du Nord furent finalement écrasées à Landriano le 21 juin 1529.

La guerre durait depuis trop longtemps. Louise de Savoie en était consciente, comme Marguerite d'Autriche. Les deux « Dames » conduisirent de discrètes négociations, à la fin de 1528, sans consulter en apparence les deux souverains, François et Charles, qui pouvaient toujours les désavouer. Charles Quint était victorieux en Italie qu'il contrôlait, et il renonçait à la Bourgogne, car il comprenait que la France, par sa richesse, pouvait mener une longue guerre. Il souhaitait se consacrer à la lutte contre les Turcs et contre les luthériens, et il n'était pas indifférent aux belles sommes promises pour la rançon de François. La négociation pouvait continuer officiellement. Louise et Marguerite se rendirent au début de juillet 1529 à Cambrai, ville libre d'Empire et neutralisée pendant la guerre.

Le paiement de la rançon. — L'avancée de Soliman faisait alors trembler l'Empire et cela accéléra la négociation. Le 3 août 1529, la paix était signée, c'était la « paix des Dames ». François rendait Hesdin et Tournai, il abandonnait toute suzeraineté sur la Flandre et l'Artois – l'empereur ne serait pas le vassal du roi de France pour ces deux provinces. Il conservait la Bourgogne et les villes de la Somme, mais il renonçait à toutes ses prétentions sur le royaume de Naples et le duché de Milan. Il abandonnait ses alliés italiens. Marguerite d'Autriche recevait en viager le comté de Charolais que Charles Quint tiendrait après elle. Les procédures contre Bourbon seraient cassées. La France devait payer deux millions d'écus d'or dont 1 200 000 pour la délivrance des deux princes, et la réconciliation entre les souverains passerait par le mariage entre Éléonore d'Autriche et François. En France, il fallut demander des secours à tous les sujets : Rome autorisa une contribution du clergé, la noblesse versa un dixième des revenus de ses fiefs, les paysans se virent imposer une « crue » (augmentation) exceptionnelle de la taille, les villes et les États provinciaux furent sollicités. Et la rançon s'accumula à Bayonne : « Plus de quatre tonnes de métal jaune contre une reine et deux enfants » *(Jean Jacquart)*. Après bien des retards, l'échange eut lieu le 1er juillet 1530.

L'empereur Charles, maître de l'Europe. — Charles Quint apparaissait comme le maître de l'Europe. Soliman avait finalement levé le siège de Vienne en octobre 1529. Lors de la diète d'Augsbourg pendant l'été 1530, Charles avait évité une rupture complète avec les partisans de la Réforme et il avait obtenu du pape la promesse d'un concile pour régler les querelles religieuses. En janvier 1531, Charles réussissait à faire élire son frère Ferdinand comme roi des Romains, ce qui lui assurait la succession impériale. Derrière ces apparences favorables, les dangers s'accumulaient.

La question religieuse devenait cruciale dans l'Empire. À la Diète de Spire en avril 1529, Charles Quint avait demandé un retour des hérétiques à la vraie foi catholique. Mais la doctrine de Luther avait séduit désormais des princes qui « protestèrent », d'où le nom de « protestants » qui fut donné aux partisans de la Réforme.

Ils n'avaient pas accepté de se soumettre et de rendre les biens ecclésiastiques confisqués et ils s'inquiétaient de l'élection de Ferdinand : ils formèrent la ligue de Smalkalde le 16 février 1531, ce qui était une atteinte à l'autorité impériale. Soliman se préparait à une nouvelle offensive pour 1532. Toutes les puissances inquiètes de la puissance impériale se tournaient vers la France qui, seule, pouvait résister. Henri VIII avait besoin de l'approbation de la Sorbonne pour répudier sa femme et épouser Anne Boleyn. Ainsi commençait une guerre froide qui ne rompit pas la paix.

Dans les années 1530, toute une génération d'hommes et de femmes d'État disparaissait : Florimond Robertet (1527), Mercurino Gattinara, chancelier d'Empire, le cardinal Wolsey (novembre 1530), Marguerite d'Autriche (30 novembre 1530), Louise de Savoie (22 septembre 1531). Près de François Ier, l'influence du cardinal Duprat se maintint intacte et celle de Montmorency s'accrut : tous deux étaient favorables à la paix. Mais d'autres hommes eurent une influence croissante, comme l'amiral de France Chabot de Brion, la famille Du Bellay et celle des Guise – Claude de Guise et son frère le cardinal Jean de Lorraine.

Un royaume en crise dans une Europe déchirée

François Ier, sur les conseils de Montmorency, tenta d'éviter la guerre. La France se tournait encore vers l'Italie, tout en défendant son territoire, tour à tour attaqué au sud et au nord.

Crise religieuse et crise sociale

La crise religieuse, qui s'aggravait dans le royaume (voir chapitre suivant), s'accompagnait d'une crise économique et sociale. Même si la conjoncture générale du début du siècle était favorable, cela n'empêchait pas des difficultés temporaires. De mauvaises récoltes entraînèrent une hausse du prix du blé. C'est à Lyon, capitale économique du royaume, qu'éclata l'émeute, la « grande rebeyne ». À la fin de 1528, le pain manquait. Des placards sur les murs appelèrent au soulèvement. Le dimanche 25 avril, la foule se réunit sur la place des Cordeliers, elle envahit le couvent voisin, pilla des maisons de riches bourgeois. Les jours suivants, les émeutiers cherchèrent des grains dans les greniers, en particulier chez les moines de l'abbaye de l'Ile-Barbe. Le roi offrit son aide, mais les bourgeois menèrent eux-mêmes la répression : onze hommes pendus, des femmes au pilori. Il s'agissait donc d'une émeute du menu peuple, une émeute des grains. Mais il faut constater aussi une dégradation de la condition des salariés, la présence à Lyon d'une masse d'étrangers et d'immigrés de fraîche date, venus des campagnes voisines, les maladresses de la bourgeoisie et de la municipalité. Malgré quelques statues brisées, aucune motivation religieuse n'a été démontrée.

Guerre ou paix ?

La politique française visa jusqu'en 1535 à éviter la guerre contre l'empereur tout en lui suscitant des difficultés, et à maintenir l'alliance avec l'Angleterre. Une telle action supposait des négociateurs officiels ou secrets : parmi eux, nombre d'ecclésiastiques qui constituèrent une ébauche d'organisation diplomatique.

François Ier se garda bien de porter aide ou secours à Charles Quint face aux Turcs dont les offensives au contraire étaient appuyées en secret, mais il resta neutre lorsque Charles lança une expédition contre Tunis.

Les alliances fragiles. — François Ier, qui rencontra en octobre 1532 son allié Henri VIII, assista, impuissant, à la rupture entre le roi d'Angleterre et la papauté. En janvier 1533, Henri se maria avec sa maîtresse qui fut couronnée reine en juin : il était bigame et condamné par l'Église. Dès novembre 1534, l'Église d'Angleterre fut placée sous l'autorité du roi qui nomma les évêques et persécuta les catholiques fidèles à Rome. Les monastères furent sécularisés, ce qui donnait au roi une source de revenus et des récompenses pour ses amis.

François s'était rapproché du pape et avait accepté l'idée d'un mariage de son fils Henri, duc d'Orléans, avec la nièce du pape, Catherine de Médicis. Clément VII et François Ier se rencontrèrent à Marseille en 1533 et le mariage d'Henri et de Catherine fut célébré. Mais Clément VII mourut le 25 septembre 1534. Son successeur Paul III Farnèse inaugurait une politique bien différente : la pacification de la chrétienté, la réunion d'un concile et la lutte contre les Turcs.

François Ier avait promis sa neutralité dans les affaires de l'Empire, mais il souhaitait intervenir, en théorie pour défendre les « libertés germaniques ». Il restait en contact avec les princes protestants, que l'empereur et son frère Ferdinand souhaitaient ramener dans le giron de l'Église. Ainsi se construisait une opposition aux Habsbourg au sein même de l'Empire. Et François Ier travaillait au dialogue entre les réformés et l'Église.

Le rapprochement avec le sultan. — La diplomatie française alla plus loin en s'alliant, d'abord secrètement puis ouvertement, avec le sultan. Pour un chrétien, l'Infidèle était l'ennemi, et la chrétienté avait pour vocation de l'écraser, pour en débarrasser Jérusalem. Le Turc avait détruit Byzance, opprimait les pays des Balkans, et les corsaires barbaresques d'Alger répandaient la terreur sur les côtes. Une ambassade turque arriva en France en novembre 1534. En février 1535, François Ier chargea un gentilhomme auvergnat, Jean de La Forest, de gagner Constantinople après être passé par Alger. À l'automne 1535, l'envoyé obtenait un accord militaire avec la puissance ottomane. Cette mission montrait que la France et l'Empire ottoman avaient des ennemis communs et pouvaient mener des actions coordonnées. On a daté aussi de 1535 ou de février 1536 les « capitulations », qui favorisaient les marchands français dans les ports de l'ensemble de l'Empire grâce à des privilèges commerciaux et consulaires.

En revanche, l'affaire des placards (voir chapitre suivant) avait entraîné la persécution des réformés, donc aigrit les relations du roi avec les princes protestants.

Les nouveaux affrontements. — François Ier était désireux de reprendre la guerre et il décida d'intervenir lorsque François Sforza mourut le 1er novembre 1535. Aussitôt il réclama le Milanais pour son deuxième fils Henri, mais l'empereur n'était pas favorable à cette solution, tout en laissant des espoirs à Charles, le troisième fils de François. Ce fut le duc de Savoie Charles III, l'oncle de François, qui fit les frais d'une nouvelle intervention militaire : les Français s'emparèrent de la Bresse et de la Savoie, et prirent le Piémont – seul le comté de Nice resta aux mains du duc de Savoie, qui était également beau-frère de l'empereur.

François espérait encore obtenir le Milanais par la négociation, mais finalement la guerre éclata en juin 1536. L'empereur lança une double invasion contre la France. À la fin de juillet 1536, le Piémont était repris. La stratégie de Montmorency était strictement défensive : il surveillait la situation depuis un camp installé près d'Avignon. L'empereur envahit la Provence, mais il découvrit une province abandonnée et ravagée par la pratique de la terre brûlée ou « gast » : puits bouchés, récoltes incendiées, moulins dévastés, réserves de sel détruites, tonneaux de vin brisés. Aix fut évacuée et Marseille fortifiée. L'armée impériale ne trouva plus de vivres. Charles Quint décida la retraite à la mi-septembre. Le 10 août, le dauphin de France était mort brutalement à Tournon et c'était son frère cadet, Henri, qui devenait l'héritier de la couronne de France. Le comte de Nassau avait envahi le nord de la France, mais Péronne avait résisté plus d'un mois et l'ennemi s'était replié.

En 1537, les attaques impériales au nord furent repoussées par le nouveau dauphin et Montmorency, qui reçut l'épée de connétable en février 1538 et dirigeait désormais la politique extérieure de la France.

La recherche d'une trêve générale. — Les deux camps ennemis n'avaient plus d'argent. À Nice eut lieu une réunion entre les deux princes ennemis : ce fut le pape qui la présida et qui alla de l'un à l'autre. La papauté désirait établir la paix pour lutter contre les Infidèles et pour permettre un concile général. Et les deux princes se rencontrèrent à Aigues-Mortes le 14 juillet 1538, l'un venant par voie de terre, l'autre sur ses galères. La paix était rétablie. François Ier pensait obtenir par la conciliation ce qu'il n'avait pas obtenu par la guerre. Le roi avait abandonné ses alliés allemands et il ne perdait pas l'espoir d'obtenir le Milanais pour un prince français. Il n'hésita pas à soutenir Charles Quint qui voulait châtier lui-même Gand. Les bourgeois de cette ville s'étaient révoltés en 1539 contre les exigences fiscales de l'empereur et ils avaient fait appel à la France, en vain. Au contraire, puisque l'empereur avait décidé, non sans appréhension, de traverser la France pour gagner les Pays-Bas, le roi de France lui réserva un accueil somptueux. Le 1er janvier 1540, Charles Quint faisait son entrée solennelle à Paris.

Les tensions d'une fin de règne

La chute de Montmorency annonça un regain de la politique belliqueuse du roi, mais aussi des tensions au sein de la cour, autour d'un roi gagné par la maladie.

Les choix de la politique extérieure

La chute de Montmorency. — Malgré le voyage impérial, les négociations n'avancèrent guère, car François Ier s'obstinait à réclamer Milan que Charles lui refusait. En octobre 1540, l'empereur donna même l'investiture de Milan à son propre fils, Philippe. Cela précipita la chute de Montmorency : en effet la politique recommandée par le connétable n'avait pas porté ses fruits. Les attaques étaient menées par la duchesse d'Étampes, maîtresse de François Ier. Le roi se tournait désormais plus volontiers vers le chancelier Poyet et le cardinal de Tournon. En juin 1541, Montmorency quitta la cour pour n'y plus revenir du vivant du roi.

La reprise de la guerre. — En 1541, Rincon, qui était l'agent de François Ier à Constantinople, fut assassiné alors qu'il traversait la Lombardie. Le 12 juillet 1542, François Ier déclarait la guerre à Charles Quint.

La situation diplomatique avait évolué. L'Écosse, alliée traditionnelle de la France, avait désormais pour reine une enfant, Marie Stuart. Henri VIII était tenté d'y intervenir. Et, pour cela, il était décidé à s'allier à l'empereur. Avec lui, il déclara la guerre à François le 22 juin 1543. François Ier sut résister aux opérations anglaise et impériale. Une flotte turque de 110 galères arriva à Marseille pour aider les Français : la ville de Nice se rendit. Les Turcs de Barberousse – on surnommait ainsi le pirate d'Alger Khayr al-Din – s'installèrent même à Toulon, avec l'autorisation du roi. Cette alliance entre les Infidèles et des chrétiens face à d'autres chrétiens couvrait François d'opprobre aux yeux des autres nations chrétiennes. Barberousse quitta Toulon en mai 1544.

François Ier se laissa convaincre de tenter une bataille au Piémont. Ce fut la victoire inattendue de Cérisoles le 14 avril 1544. Mais le royaume était sous la menace d'une invasion anglo-impériale. Les armées devaient converger vers Paris. Le général de l'empereur, Ferrante Gonzagua, lança une proclamation où il affirmait ne pas vouloir le démembrement de la France, mais l'éviction d'un tyran qui s'alliait aux Turcs. Gonzague et Charles Quint mirent le siège devant Saint-Dizier, et Henri VIII devant Boulogne et Montreuil. Le 17 août 1544, la place de Saint-Dizier capitulait, mais sa belle résistance avait brisé le choc de l'invasion. Charles Quint renonça à franchir la Marne, mais prit des villes comme Soissons. Il n'avait plus d'argent, il n'avait pas obtenu l'aide qu'il espérait d'Henri VIII, il était inquiet des affaires allemandes, ses soldats se débandaient.

Les traités de Crépy et d'Ardres. — Charles Quint se résigna à la négociation. La paix fut signée le 18 septembre 1544 à Crépy-en-Laonnais. Des combinaisons matrimoniales étaient prévues : le duc d'Orléans, troisième fils de François Ier, épouserait soit la fille de Charles, soit une des filles de son frère Ferdinand. Dans un cas, il recevrait Pays-Bas et Franche-Comté ; dans le second Milan. Mais le duc d'Orléans mourut brutalement le 9 septembre 1545, ruinant ces combinaisons diplomatiques.

La guerre continuait entre François Ier et Henri VIII qui avait pris Boulogne. Une double opération fut prévue : une attaque par la flotte française contre les côtes anglaises et une offensive des alliés écossais contre le nord de l'Angleterre. Les résultats furent médiocres. Finalement, le traité d'Ardres fut signé le 7 juin 1546 : la France devait racheter Boulogne en huit ans pour deux millions d'écus et, en attendant, Henri occuperait la ville.

Pendant ce temps, la guerre avait éclaté entre l'empereur et les princes protestants. François cherchait surtout à récupérer Boulogne et ne voulait pas risquer une nouvelle rupture avec Charles

Quint. Le 28 janvier 1547, Henri VIII mourait, peu de temps avant François Ier. Et le 24 avril, Charles Quint défaisait les protestants de la Ligue de Smalkalde à Mühlberg. C'était la fin d'un espoir pour la France : s'appuyer sur les princes protestants pour affaiblir la puissance impériale. Mais face à son rival en Europe, le roi de France avait montré sa capacité de résister, voire de vaincre. La France, compacte et unie, était capable d'équilibrer Charles Quint et son immense empire, composite et éclaté.

Le 13 décembre 1545, le concile s'était enfin ouvert à Trente, en Italie du Nord.

Le temps des factions

Depuis longtemps, François Ier était malade et souffrait, mais son étonnante énergie lui permettait de franchir ces moments difficiles et de reprendre sa vie ordinaire d'où les fêtes, la chasse, l'amour n'étaient jamais absents.

Le dauphin et son frère. — La fin du règne fut néanmoins marquée par des conflits dans l'entourage du monarque et dans le gouvernement. Une rivalité exista entre les deux fils du roi, Henri, le dauphin, et Charles, duc d'Orléans : rivalité sur les champs de bataille, rivalité dynastique puisque Charles fut au centre de la paix de Crépy, rivalité politique aussi. Comme Henri resta fidèle à Montmorency après sa disgrâce, il fut soutenu par les amis du connétable. Charles au contraire se rangeait du côté de la duchesse d'Étampes, maîtresse du roi et hostile à Montmorency. Le dauphin était, quant à lui, dominé par la personnalité de sa maîtresse, Diane de Poitiers, veuve du sénéchal de Normandie, de vingt ans son aînée. Sa femme, Catherine de Médicis, avait craint d'être répudiée car elle ne donnait pas d'héritier au dauphin, mais en 1544, elle mit au monde un garçon. Après la mort du duc d'Orléans, le roi se rapprocha du dauphin qui resta néanmoins volontairement à l'écart. La reine Éléonore se mêlait peu des affaires d'État et Marguerite vivait surtout à Nérac où elle écrivait ses contes, l'*Heptameron*.

Le procès du chancelier. — La chute de Montmorency permit le retour de Chabot de Brion. En effet, l'amiral de France, ami de toujours du roi, avait été attaqué, quelques années auparavant, pour sa gestion et des malversations. Il fut jugé en 1541 par une commission exceptionnelle, dépouillé de toutes ses dignités, et même enfermé à Vincennes. Une fois le connétable écarté, Chabot refit surface et retrouva sa place au Conseil jusqu'à sa mort en 1543. Cela signifiait des difficultés pour le chancelier Poyet, créature du connétable, qui fut lui aussi jugé par une commission extraordinaire. Ce fut un long procès où l'on ne trouva guère de charges contre le chancelier qui se défendit avec talent et vigueur. Privé de la chancellerie et condamné à une lourde amende il fut libéré après s'en être acquitté en donnant ses biens.

À la fin du règne, les deux principaux conseillers de François furent le successeur de Chabot comme amiral, Claude d'Annebault, et le cardinal de Tournon, expert en matière financière et lié aux milieux bancaires de Lyon. Mais ce prélat était aussi partisan d'une lutte acharnée contre l'hérésie protestante.

Ces rivalités au sommet de l'État ont été attribuées à la maladie du roi ou à son vieillissement. Elles ont été peut-être attisées par François Ier, qui divisait pour mieux régner en maître et qui ne souffrait guère la contestation. En tout cas, elles laissaient présager des changements brutaux, une révolution de palais, à la mort du monarque. Le 31 mars 1547, François Ier mourait.

Le règne de François Ier fut marqué par la continuité et la rupture avec les traditions médiévales. Le roi lui-même était chevaleresque, soucieux de gloire militaire et de bravoure, sensible à l'honneur et au faste. Mais après le succès de Marignan, la défaite de Pavie montrait que les actions d'éclat ne suffisaient plus, qu'il fallait s'habituer à une guerre plus moderne, mobiliser en permanence les ressources du royaume, mener des négociations subtiles et longues dans l'Europe et même avec l'Empire ottoman. Car les perspectives européennes avaient changé : la France, sortie renforcée de la guerre de Cent ans, n'avait pas réussi à s'installer durablement en Italie. Au contraire, la puissance de Charles Quint et de son frère s'était construite depuis les Espagnes jusqu'aux Pays-Bas espagnols, en passant par Naples, le Milanais, le Saint-Empire, la Hongrie et la Bohême. La résistance à cette menace universelle passait par une guerre permanente, à peine entrecoupée de trêves.

Le rêve italien s'était révélé une aventure dangereuse pour la monarchie. La captivité du roi l'avait ébranlée et François Ier avait dû rappeler à l'ordre le parlement de Paris. Mais le royaume même avait été mis en danger par les concessions que la diplomatie française avait faites à Charles Quint. Transformées en rançon, elles pesèrent sur les finances royales d'autant plus qu'il fallut assurer les autres dépenses diplomatiques et militaires.

Le pouvoir royal chercha à se renforcer (voir chapitre suivant), mais François Ier n'avait pas réussi à éviter la trahison du connétable dont les conséquences auraient pu être immenses, ni les querelles de factions dans le gouvernement et à la Cour, ni les divisions religieuses qui allaient peser d'un poids de plus en plus lourd sur le pays.

6. La France au temps de François Ier

Le long règne de François Ier a peut-être correspondu à une façon nouvelle de gouverner. La monarchie dut affronter aussi la question religieuse qui commençait à diviser le royaume. Quant aux conditions de vie, elles s'améliorèrent sans doute pour les Français, dans ce « beau XVIe siècle ».

Un renforcement de l'État au temps de François Ier ?

Cette question a passionné et divisé les historiens : certains ont insisté sur la puissance du roi de France face aux autres monarques de son temps et sur un nouveau style de gouvernement, plus absolu et autoritaire, au temps de François Ier. D'autres ont pensé que le changement venait de plus loin, du début du siècle. Enfin des historiens considèrent au contraire que la monarchie entretenait toujours un dialogue permanent avec les institutions locales et provinciales et cédait souvent devant les obstacles ou les oppositions : il ne faudrait pas décrire le gouvernement de la France à la lumière de ce qu'il fut plus tard au temps de Louis XIV.

Dès le XVIe siècle, les avis divergeaient. Les étrangers jugeaient que le roi de France avait des pouvoirs très étendus au service de sa puissance militaire et qu'il pouvait gouverner en tyran. Des théoriciens comme Claude de Seyssel considéraient que le pouvoir royal devait être paternel, freiné par les lois divines et naturelles. En revanche des humanistes, nourris des exemples de l'Antiquité, allaient plus loin : le roi pouvait ériger sa volonté en loi suprême et violer, si nécessaire, les coutumes, les traditions, les privilèges et les lois existantes.

Dans la pratique, pour imposer ses décisions, le roi devait tenir compte des traditions issues du Moyen Âge, de l'autonomie des provinces, des libertés du royaume, des privilèges sociaux. Il disposait d'une administration encore peu nombreuse : environ 5 000 officiers de finances ou de justice, soit 1 pour 3 000 habitants, soit, avec les commis, 7 à 8 000 personnes, un administrateur royal pour 60 km^2. François Ier montra néanmoins, au cours de son règne, une nette tendance autoritaire, appuyée sur une plus grande centralisation et, en 1527, il rappela à l'ordre avec rudesse le parlement de Paris (voir chap. 5). « L'État moderne fait, incontestablement, des progrès importants entre 1515 et 1547. Il n'est encore qu'un projet, une série d'entreprises, de tentatives. Plus un devenir qu'une réalité » *(Jean Jacquart)*.

Le Concordat de Bologne et le contrôle de l'Église de France

Les caractères du Concordat. — Le Concordat fut approuvé par le pape Léon X le 18 août 1516. En décembre 1516, le concile de Latran l'approuva. Les évêques, les abbés et les prieurs, qui autrefois étaient élus par les chapitres, seraient désormais nommés par le roi et recevraient du pape l'institution canonique, c'est-à-dire le pouvoir religieux. Le roi de France était bien le maître de son église : 10 archevêchés, près de 80 évêchés, 527 abbayes, près de 1 000 prieurés. Il y avait des cas où l'élection était maintenue mais ils disparurent en 1532. Bien sûr des conditions d'âge (27 ans pour un évêque et 23 ans pour un abbé) et de savoir étaient imposées, mais elles n'étaient pas valables pour des personnes « sublimes », celles que leur haute naissance dispensait de telles contraintes. La monarchie française de son côté cessait de soutenir la doctrine établie aux conciles de Bâle et de Constance, selon laquelle l'autorité du concile l'emportait sur celle du pape.

Les résistances parlementaires et universitaires. — Le parlement était mécontent. Car les parlementaires profitaient du système d'élection pour des bénéfices et le système nouveau de nomination les en priverait. Ils craignaient aussi les empiétements de l'administration pontificale, alors que la Pragmatique sanction avait réduit les appels à Rome : désormais les principales affaires ecclésiastiques seraient jugées par la papauté. L'Université de Paris était hostile aussi à la suppression de la Pragmatique. Le 5 février 1517, le roi alla au parlement et lui reprocha de résister à l'enregistrement du Concordat. En mars, 52 représentants des « bonnes villes » furent invités à Paris et informés des dispositions qui avaient été prises. Des députés du parlement furent envoyés à Amboise où se trouvait alors le souverain : ils présentèrent leurs critiques du Concordat. Ils voulaient la réunion d'un concile général ou d'une assemblée de l'Église gallicane pour discuter du Concordat. La discussion fut houleuse avec le monarque qui les renvoya avec brutalité. C'était le rôle politique du parlement que le roi contestait. Le 22 mars 1518, le parlement publia enfin le Concordat. Le mécontentement resta vivace dans les milieux universitaires.

Par le Concordat, François Ier disposait du choix des évêques et de la répartition d'une partie des bénéfices ecclésiastiques. Il ne serait pas tenté, comme d'autres princes européens, par une rupture avec Rome qui lui aurait permis de faire main basse sur les richesses de l'Église de France.

Il disposait aussi d'un instrument de pouvoir. En effet il pouvait récompenser ses fidèles par des évêchés ou des bénéfices. Cela explique que tant de prélats aient été employés au Conseil, dans les ambassades, dans les provinces. Le roi levait aussi des décimes sur le clergé. Avec le temps, le roi se dispensa de l'autorisation pontificale : une cinquantaine de décimes furent levés de 1516 à 1547, soit plus de 17 millions de livres tournois. Les évêques avaient à percevoir ces subsides qui étaient imposés, sans discussion, à leur diocèse.

La Bretagne française

L'affirmation du pouvoir royal entraîna une meilleure maîtrise du territoire. La trahison du connétable de Bourbon permit d'abord à Louise de Savoie de faire main basse sur ses domaines, puis à son fils de les réunir à la couronne. Néanmoins il fallut en rendre une partie à la branche des Bourbon-Vendôme.

La reine Claude de France avait hérité de sa mère Anne de Bretagne le duché de Bretagne que son mari François Ier administrait depuis 1515. Dans son testament, Claude laissait le duché à son fils aîné François. Le roi de France avait la tutelle de son fils et l'usufruit des revenus du duché. Il fallait donc régulariser la situation politique du duché. Des États de Bretagne furent réunis en 1532. Les discussions furent vives entre partisans de l'union et partisans de l'indépendance. Les députés demandèrent que le dauphin devînt duc de Bretagne, qu'il y eût une « union perpétuelle » entre le duché et la France, et enfin que les droits et privilèges du duché fussent préservés. Le dauphin fut couronné comme duc François III et, à sa mort, en 1536, la Bretagne devint une province comme les autres. L'État breton, indépendant mais vassal, du roi de France n'existait plus et désormais toute la côte atlantique était française.

L'œuvre législative et l'ordonnance de Villers-Cotterêts

Ce qui a donné l'impression d'un renforcement du pouvoir royal, ce fut d'abord l'abondance de la législation – ordonnances ou édits. Mais il faut tenir compte du fait que les décisions royales, si elles avaient force de loi, n'étaient pas totalement ou durablement appliquées. Il fallait répéter cette législation.

Le règne de François Ier vit l'aboutissement de l'effort commencé en 1454 par l'ordonnance de Montils-lès-Tours : la rédaction des coutumes. À la mort de Louis XII, l'entreprise était presque achevée.

Une série d'ordonnances s'intéressa aux forêts, car François Ier aimait la chasse et voulait que ce fût un plaisir réservé aux gentilshommes. Les ordonnances visèrent à l'interdire aux roturiers et à les punir sévèrement en cas d'infraction. Mais, au-delà de ces interdictions, il s'agissait aussi de conserver et de développer les forêts royales. C'était le premier code pénal forestier. Des officiers royaux nouveaux furent installés pour appliquer ces mesures qui furent étendues aux forêts ecclésiastiques ou seigneuriales.

L'ordonnance de Villers-Cotterêts d'août 1539 fut avant tout l'œuvre du chancelier Guillaume Poyet qui s'était fait remarquer dans le procès contre le connétable de Bourbon. Il s'agissait de réformer le système judiciaire, et sur 192 clauses, quelques-unes furent essentielles. Pour contrôler les nominations à des bénéfices ecclésiastiques, il fallait contrôler l'âge des candidats. Pour cela, des registres devaient être tenus par les curés et indiqueraient les baptêmes (clause 51) et les sépultures. La bonne tenue des registres devait être garantie par la signature d'un notaire. Ainsi était étendue à tout le royaume une pratique qui existait déjà – et qui est à l'origine de notre « état civil ». La clause 111 instituait le français comme langue officielle pour les documents juridiques – actes, contrats, arrêts – pour éviter toute ambiguïté dans les affaires judiciaires. Le français devenait bien la langue de l'État, même si le latin continua à être employé jusqu'au XVIIe siècle. La clause 185 interdisait « toute confrérie de gens de métier et artisans ». À l'origine de cette interdiction, il y avait sans doute les grèves de Lyon chez les ouvriers imprimeurs. Le sénéchal avait alors interdit toute réunion de plus de cinq ouvriers et le roi entérina la décision qui fut intégrée dans l'ordonnance. Quant aux confréries d'aide mutuelle, elles survécurent.

La cour et la découverte du royaume

La cour de François Ier fut plus large que celle de ses prédécesseurs et très influencée par les goûts italiens, d'autant que des Italiens s'y installèrent et que nombre de Français eurent l'occasion d'observer en Italie la vie de cour. Ces habitudes ne furent pas sans provoquer sarcasmes et critiques. C'était toujours une cour ambulante : Provence en 1516, Picardie en 1517, Anjou et Bretagne en 1518, Poitou et Angoumois en 1519, Picardie en 1520, Bourgogne en 1521. Et au cours de ces voyages, les joyeuses entrées étaient pour le roi le moyen traditionnel depuis le Moyen Âge de se faire connaître de ses sujets. Le souverain était reçu à l'extérieur de la ville. Il s'engageait à respecter les libertés de la ville et les autorités municipales lui juraient obéissance. Le cortège se formait, le roi étant sous un dais. Des arcs de triomphe, des mises en scène allégoriques, des tableaux vivants, des décors permettaient, le long des rues, de célébrer le souverain par des comparaisons mythologiques ou des représentations symboliques. Ces spectacles suivaient un programme précis qui devait flatter le monarque et être compris des spectateurs. Puis le roi assistait à un *Te Deum* et à un banquet. Au cours du règne, dans ces fêtes, les références à l'Antiquité devinrent plus nombreuses.

Le gouvernement du pays

Les gouverneurs et les commissaires. — François Ier étendit le système des gouvernements qui ne fut plus limité aux provinces frontalières : Anjou (1516), Bourbonnais et Auvergne (1523), La Rochelle et Poitou (1528). Il choisit les gouverneurs dans sa famille ou parmi ses favoris. La monarchie était tentée d'accroître le pouvoir des gouverneurs, au-delà de leurs attributions militaires. Mais, en même temps, elle craignait que leur puissance ne portât ombrage au monarque puisque ces grands seigneurs pouvaient se constituer une clientèle dans leur province. Il fallait redouter aussi la tentation d'un gouverneur de laisser son gouvernement à ses descendants. À la mort de François Ier, le monarque n'avait toujours pas de représentant permanent et sûr dans chaque province.

Le roi disposait aussi de commissaires, qui recevaient une « commission » pour une mission et un temps précis. Même s'ils étaient souvent choisis parmi les titulaires d'offices royaux, ils étaient, dans le cadre de leur fonction, révocables selon la volonté du prince. Leurs tâches étaient diverses : le contrôle des forêts royales, la réforme des hôpitaux, la tenue des États provinciaux...

Les parlements. — François Ier pouvait s'appuyer sur ses parlements. Il transforma l'ancien Échiquier de Rouen en parlement en 1515, en créa un pour la Dombes, lorsqu'il annexa cette principauté en 1523, et en installa un autre à Chambéry lorsque la Savoie fut occupée. En 1533, après le rattachement de la Bretagne au royaume, sa Cour de justice devint parlement. Mais François Ier rappela avec fermeté aux parlements qu'ils n'avaient pas à discuter les décisions royales. Ce fut le cas à Paris pour le Concordat. Il en alla de même à Rouen où l'édit de Villers-Cotterêts avait rencontré bien des résistances : le roi suspendit le parlement en 1540. Des « Grands Jours » se tinrent à Bayeux : c'étaient des commissions de parlementaires qui se transportaient dans les provinces pour rendre la justice et rétablir l'ordre. Ceux de Bayeux eurent un immense travail à accomplir en trois mois. Puis le parlement fut réinstallé. En général, les parlementaires, par le biais de la vénalité et de l'hérédité progressive des offices, échappaient à l'emprise du pouvoir.

Les officiers du roi. — Le roi multiplia aussi les offices royaux selon un triple souci : il vendait ces emplois lorsqu'il avait besoin d'argent ; il distribuait aussi des parcelles de la puissance publique et renforçait ainsi son emprise sur son royaume ; il assurait la promotion sociale et des débouchés pour les notables. Cette consolidation de l'État se fit en deux vagues : 1522-1523, 1542-1547. Cette vente d'offices fut aussi le moyen pour la monarchie, comme l'a montré Pierre Chaunu, de se construire une administration plus étoffée : le roi ne payait guère ses officiers qui, eux, payaient pour disposer de la puissance publique.

Les États. — François Ier en revanche ne réunit pas d'États généraux sans doute parce qu'il n'en sentit pas la nécessité. En 1527, il réunit néanmoins une assemblée de notables qu'il désigna pour éviter les dérives : cette assemblée hésitait entre le lit de justice et les États généraux.

Le roi réunit cependant les États provinciaux, souvent avec régularité, mais le dialogue fut toujours strictement encadré. François refusa d'écouter les doléances des États de Normandie en 1538 avant qu'ils eussent accordé l'impôt demandé.

Les États protestaient souvent des expédients fiscaux que trouvait la monarchie, comme la création d'offices nouveaux et ils proposaient d'indemniser le roi pour éviter de telles créations.

La noblesse. — François Ier pouvait compter aussi sur la noblesse, comme il contrôlait le clergé. D'un côté, il affectait d'être le premier gentilhomme de son royaume et de servir les idéaux de la chevalerie. Les guerres qu'il entreprit étaient autant d'occasions pour les gentilshommes de s'illustrer et de s'enrichir. La monarchie elle-même réservait ses plus grands emplois à la noblesse. Mais d'un autre côté François comptait sur une obéissance stricte. Le sort des dignitaires ne dépendait que de la faveur royale et les disgrâces étaient aussi spectaculaires que les ascensions. La noblesse devait subir aussi le ban et l'arrière-ban, parfois plusieurs fois par an.

Les finances royales

Tout au long du règne, la question financière fut liée étroitement aux campagnes militaires et aux opérations diplomatiques, puisque les ambitions politiques du roi étaient limitées par sa capacité à recruter et à entretenir des armées. La construction et la réforme des finances publiques étaient vécues dans l'urgence de la guerre.

Les méthodes traditionnelles. — François Ier ne changea pas la structure du système fiscal, même si ses revenus passèrent de 5 millions de livres en 1515 à 9 millions en 1546, soit une augmentation de 2,2 % en moyenne par an sur trente-deux ans. La taille augmenta en valeur absolue, mais les revenus du domaine n'augmentèrent pas. En revanche nombre des revenus étaient dépensés avant d'arriver au trésor royal, les dettes du roi étant payées directement par les receveurs des bailliages. Pour des dépenses nouvelles, le roi n'avait guère d'argent disponible. Il lui fallait emprunter à des banquiers, les Italiens de Lyon ou de Londres, et pour les rembourser, ceux de Lyon par exemple en 1515, il abandonna des droits de douane. Les emprunts à des particuliers n'étaient pas rares et il faut noter aussi le rôle des confiscations. Le roi pouvait aussi imposer des emprunts aux villes : elles se remboursaient parfois en percevant une taxe locale ou « octroi », ainsi Paris en 1516 leva une taxe sur le vin. Le roi empruntait aussi à ses propres financiers qui lui avançaient le revenu des impôts. Il dispensait contre argent les titres de noblesse (peut-être 153 lettres de noblesse vendues, sur 183 au total). Surtout François Ier fit de la vénalité des offices un « système » *(R. J. Knecht)*. Il vendait des offices royaux (voir p. 118). Il vendait aussi résignations et survivances qui permettaient aux titulaires de désigner leurs successeurs. Et le roi créait de nouveaux offices : 20 conseillers au parlement en 1522. Le roi n'hésitait pas non plus, à aliéner des terres du domaine royal. Il pouvait aussi exiger le paiement du franc-fief, une taxe payée par les roturiers qui achetaient une terre noble, ou le droit d'amortissement, payé sur les terres qui tombaient en « mainmorte » lorsqu'elles étaient données à des institutions ecclésiastiques.

En septembre 1522, furent créées les rentes de l'Hôtel de Ville de Paris. Les emprunts étaient garantis sur les revenus de la municipalité et rapportaient une rente pour la vie de 8 1/3 %. Les prêteurs appartenaient au même milieu que ceux qui devaient payer les rentes, ce qui était une garantie fondée sur la confiance. Cette innovation fut d'une grande importance pour l'Ancien Régime car ces rentes eurent un succès durable. François Ier n'en abusa pas.

La réforme des institutions. — De ces déboires, le roi conçut la nécessité d'avoir des liquidités pour les besoins urgents, la guerre en particulier. Le Conseil du roi – Conseil d'État et des finances – eut désormais la charge des finances royales. Et l'un des membres du Conseil étroit du roi fut aussi chargé de suivre ces affaires. En 1523 était institué un trésorier de l'Épargne. Il prêtait serment dans les mains du roi et ne dépendait ni des trésoriers, ni des généraux des finances. Il fut bientôt chargé de s'occuper de tous les paiements à partir des finances royales, une fois réglées les dépenses locales traditionnelles. Mais il fallut lui associer un trésorier des parties casuelles qui fut chargé des finances extraordinaires – essentiellement les ventes d'offices – (1522) et qui fut subordonné au trésorier de l'Épargne. Le roi avait le pouvoir de mieux connaître et de contrôler ses revenus et ses dépenses. Cette centralisation signifiait aussi un renforcement du travail royal. Le roi était informé chaque semaine de ce dont il disposait comme liquidités. L'influence des trésoriers de France et des généraux des finances était brutalement réduite.

La rationalisation géographique fut aussi une préoccupation du temps. En décembre 1542, furent créées seize recettes générales au lieu des quatre circonscriptions d'autrefois. Le nombre des officiers de finances doubla au cours du règne.

Le patron des arts et des lettres

Les châteaux de la Loire. — L'influence de la Renaissance italienne se fit sentir tôt dans l'architecture : Charles VIII employa des artisans italiens à Amboise et Georges d'Amboise mit son château de Gaillon en Normandie à la mode italienne. En 1516, Léonard de Vinci vint s'installer au manoir de Cloux, près d'Amboise. Il est difficile de savoir quelle mission lui fut confiée : un château pour la mère du roi à Romorantin ? une ville nouvelle ? le plan de Chambord ? En tout cas, la véritable construction de Chambord commença après 1526. Le plan était encore médiéval avec quatre grosses tours rondes, mais le donjon comportait un grand escalier double en spirale. Même si François ne vint, semble-t-il, que trente-six jours en tout à Chambord, ce château devait être destiné avant tout aux parties de chasse du roi. Des travaux importants furent aussi conduits à Blois. Dans toute la France, les constructions nouvelles ou les embellissements de châteaux se multipliaient.

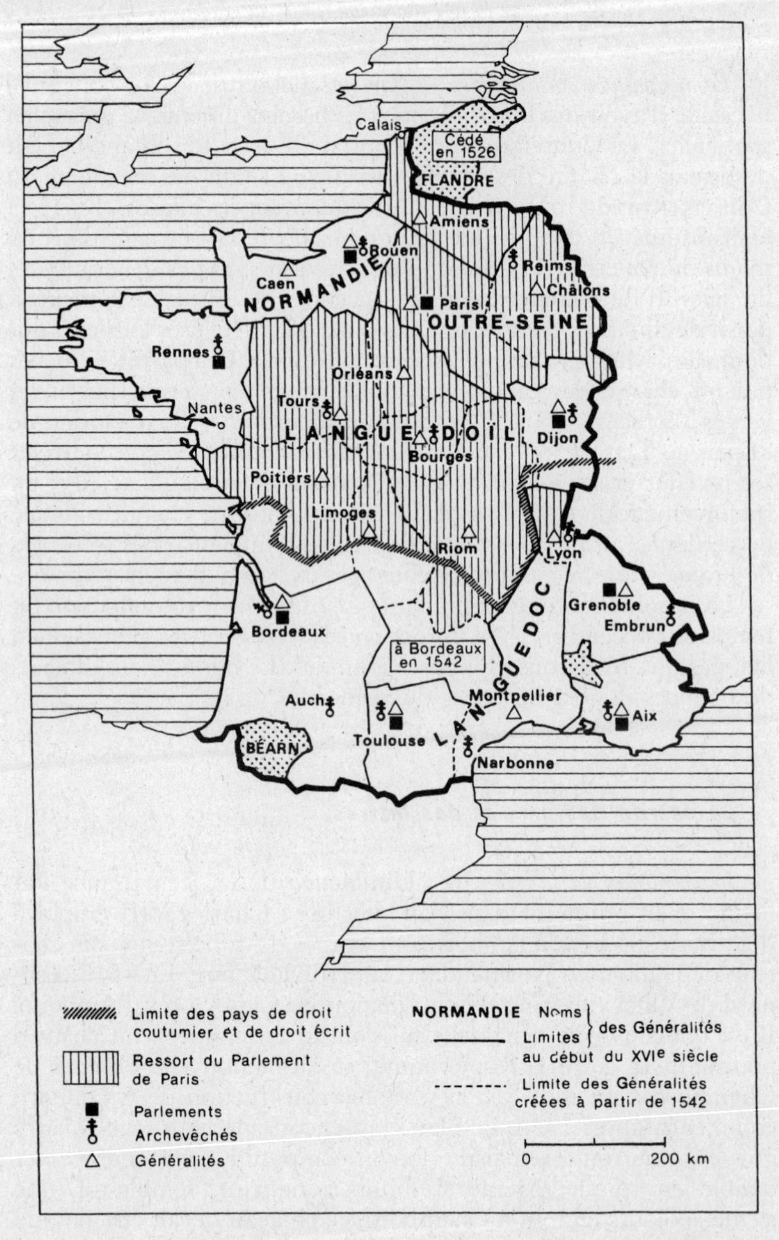

CARTE 2. — La France au XVIe siècle

D'après André Corvisier, *Précis d'histoire moderne,* 2e édition mise à jour, Paris, PUF, 1981.

L'école de Fontainebleau. — À Fontainebleau, l'art italien s'adapta au goût français et fit naître une véritable « école de Fontainebleau ». Le donjon médiéval fut conservé, mais, peu à peu, une vaste demeure fut élaborée par Le Breton, avec une nouvelle porte, la Porte dorée. Mais ce fut la décoration intérieure qui fit l'originalité de la création artistique. Ce qui nous en est resté c'est avant tout la galerie François Ier : elle fut décorée de stucs de 1534 à 1538 par l'artiste florentin Rosso, nommé premier peintre par le roi. Toutes les peintures présentent peut-être, de façon allégorique et symbolique, la fonction royale et la vie du roi lui-même, même si le sens précis de ces représentations nous échappe aujourd'hui. Dans la chambre de la duchesse d'Étampes, s'affirmait le goût pour les silhouettes de femmes très élancées avec des têtes petites et des cous minces, qui marqua cette école de Fontainebleau. À Fontainebleau, travailla aussi Francesco Primaticcio, le Primatice, qui réalisa plus tard la Salle de bal et la galerie d'Ulysse.

François Ier attira aussi en France l'architecte et théoricien Serlio, il invita Michel-Ange qui refusa, il combla d'honneurs l'orfèvre Benvenuto Cellini, il fit venir d'Italie de nombreuses œuvres d'art, antiques ou modernes.

Le collège royal. — En 1530, sur les conseils de l'humaniste Guillaume Budé, François Ier voulut fonder un collège pour l'enseignement des langues anciennes. Il institua quatre chaires pour des professeurs ou lecteurs royaux, deux pour le grec et deux d'hébreu. Ainsi un enseignement érudit naissait à l'écart de la Sorbonne, sous le seul patronage du roi, même si celui-ci payait mal ses professeurs et ne leur attribuait aucun lieu particulier pour enseigner. Ensuite le roi nomma un professeur de mathématiques, un troisième d'hébreu et un lecteur de latin. Le collège royal est l'ancêtre de l'actuel Collège de France.

De la tolérance religieuse à la répression

Le contrôle du roi sur son Église avait été renforcé par le Concordat : ce pouvoir devint crucial au moment où des idées nouvelles s'imposaient en matière de foi et de pratique religieuses, bouleversant les consciences avant de diviser le royaume.

L'Église de France au temps de la Réforme

Le Concordat de Bologne avait fait dépendre un peu plus encore l'Église de France du pouvoir royal. Même si les résistances du parlement et de l'Université de Paris furent durables, le Concordat ne faisait que confirmer un état de fait : les évêques étaient aussi les hommes du roi. Les Valois nommèrent d'abord plutôt des Italiens pour se constituer des fidèles dans leurs campagnes au-delà des Alpes. Pour récompenser ses conseillers, le roi leur permit de cumuler des évêchés. Ceux-ci et leurs revenus tendirent à faire partie du patrimoine familial : lorsqu'un titulaire mourait, on s'efforçait de trouver un parent proche pour le remplacer. Sous François Ier, 8 grands prélats sont passés sur 52 sièges. Lorsque l'évêque était absent de son diocèse, il était remplacé par un vicaire général. « Toutefois, à côté de trop de prélats scandaleux ou absents, il existe aussi des évêques consciencieux. Ils sont même plus nombreux qu'on ne le dit d'ordinaire » *(Marc Venard)*.

Le début du XVIe siècle fut un temps de construction ou d'embellissement des églises, où l'on intégra les nouveautés décoratives imitées de l'Italie, mais les conflits religieux vinrent interrompre souvent cet élan artistique.

L'Église de France eut à affronter l'offensive de la Réforme protestante. Mais ce mot de « réforme » était partout prononcé au début du XVIe siècle. L'historien Marc Venard a ainsi parlé du « réformisme humaniste des évêques du début du XVIe siècle ». La réforme devait mettre fin à tous les « abus ». Les évêques devaient demeurer dans leurs diocèses et s'en occuper. Il fallait que le clergé séculier résidât et qu'il fût plus savant ou moins ignorant, pour mieux enseigner la foi à ses ouailles. Il fallait que les moines fussent soumis au contrôle des évêques. La réforme de l'Église était aussi une vision sévère de la foi : « Un vent de rigorisme souffle sur l'Église, qui bannit pêle-mêle les fêtes des Innocents et les fêtes des Fous, les mystères et les processions de confréries, comme autant de "superstitions" ou de profanations » *(Marc Venard)*.

Aux origines de la Réforme en France

Face aux aspirations spirituelles des chrétiens, le recours à une simple comptabilité des actes et des gestes ne suffisait plus (voir chap. 3). Face au rigorisme nouveau du monde des clercs, la réponse romaine ne convenait pas. C'est pourquoi les idées « réformées » commencèrent à séduire le monde des savants et des religieux, puis se répandirent ensuite dans toute la société. La papauté ne sut pas réagir à temps et proposer des idées et des pratiques nouvelles aux chrétiens. Elle a condamné comme hérétiques les réformateurs qui ont néanmoins survécu, car ils étaient soutenus par des puissances politiques, des princes ou des villes, et parce qu'ils répondaient aux aspirations de larges couches de la population.

Les voies nouvelles de la foi. — Le renouveau religieux subit deux influences. D'abord celle de la *devotio moderna* (dévotion moderne) qui s'était imposée dans le monde du Rhin et des Flandres : « Exercice méthodique d'une piété nourrie de l'Évangile, rejet des gloires mondaines, ascétisme lié à la contemplation de la Passion du Christ » *(Jean Jacquart)*. C'est dans ce milieu que Thomas a Kempis rédigea le plus célèbre des livres de spiritualité : l'*Imitation de Jésus-Christ.* L'autre courant était inspiré par une redécouverte de la philosophie de Platon, et des penseurs tentèrent de concilier la philosophie grecque idéaliste et le christianisme. Il s'agissait alors de comprendre les choses divines à partir de l'effort de l'esprit humain.

La Réforme s'inspira aussi d'une nouvelle attitude face aux textes sacrés. Les chrétiens cherchaient à savoir ce que le Christ avait vraiment dit à travers les Écritures. Le souci d'exactitude s'appuya sur des travaux érudits qui cherchèrent à connaître les sources chrétiennes les plus fidèles et à comparer les versions grâce à la connaissance du grec ou de l'hébreu. Cet effort s'accompagnait du souci de mettre ces textes à la portée du plus grand nombre, par des traductions en langues vernaculaires.

L'essor de l'imprimerie donna une immense ampleur à ces débats spirituels qui n'étaient plus cantonnés au monde étroit des savants et des clercs, mais qui pouvaient toucher des strates plus larges de la population. Et le livre mettait les textes sacrés à la portée de tous ceux qui savaient lire (encore une minorité bien sûr).

276Le modèle des humanistes chrétiens fut Didier Érasme (1469-1536) qui dominait la vie intellectuelle européenne au début du XVIe siècle. Il se moquait des faiblesses de l'Église, mais lui resta fidèle. En France, une figure semblable s'imposa : Lefebvre d'Étaples avait publié en 1494 l'*Hermes trismegiste.* Il s'était lié avec Guillaume Briçonnet : celui-ci était le fils d'un ministre de Charles VIII et allait animer un groupe de pensée à Meaux, dont il était évêque. En 1509, Lefebvre publiait le *Psautier quintuple* montrant les versions différentes d'un même texte, puis en 1512 il donna une traduction des épîtres de saint Paul.

L'exemple de Martin Luther. — Martin Luther, né vers 1483 à Eisleben, était devenu moine augustin à Erfurt. Il avait été envoyé en mission à Rome, puis s'installa à Wittenberg où il devint docteur en théologie et professeur à l'Université. Luther était convaincu que l'homme reste pécheur quoiqu'il fasse. Face aux contradictions des théologiens à propos de la question du salut éternel, il s'appuya sur l'*Épître aux Romains* de saint Paul : « L'homme est justifié par la foi, indépendamment des œuvres de la loi... » La doctrine de la justification par la foi devint la clef de voûte de la pensée de Luther et du protestantisme. Les sacrements perdaient de leur valeur, les œuvres de charité et les actes de foi ne permettaient pas d'obtenir la grâce de Dieu. Le dialogue personnel entre Dieu et le fidèle était l'essentiel et Dieu accordait gratuitement et librement son pardon des péchés. Luther attaquait le culte des reliques et le commerce des indulgences : l'Église accordait des années d'indulgence (et non pas de pardon) en échange des dons que les chrétiens pouvaient lui faire (voir p. 55). En publiant ses *95 Thèses,* peut-être affichées le 31 octobre 1517, Luther lançait sa première attaque contre l'Église et mettait l'accent sur l'Évangile, seul vrai trésor du chrétien. Le succès de ce texte fut inouï. Sommé d'aller à Rome pour se soumettre, Luther ne s'y rendit pas et son maître, l'Électeur de Saxe, le pieux Frédéric le Sage, refusa de le livrer. Après un affrontement théologique à Leipzig, Luther définit la théorie du « sacerdoce universel » qui contredisait l'idée d'une hiérarchie ecclésiastique nécessaire. En revanche, la conception de l'Eucharistie fut vite une source de division entre les protestants. Selon l'historien Jean Delumeau, Luther « avait retrouvé les accents de saint Bernard pour parler de la toute-puissance divine ; il avait insisté sur la confiance que le fidèle doit avoir dans l'infinie bonté de Dieu ; il avait rendu les offices plus intelligibles aux gens simples, largement contribué à la diffusion de la Bible, enseigné le catéchisme », même s'il fut, après 1525, « trop despotique, trop doctoral, trop allemand aussi ».

Le pape Léon X déclara hérétiques 41 formules de Luther et l'excommunia. La rupture était consommée. Luther avait trouvé des soutiens dans la petite noblesse allemande et dans les bourgeoisies des villes qui adoptèrent la Réforme (Nuremberg, Erfurt, Magdebourg, Halberstadt, Breslau, Brême). Des princes suivirent aussi ce mouvement.

Dès 1520, les livres de Luther étaient achetés avec avidité en France. La propagande « évangélique » pénétrait partout : Bordeaux (1523), Lyon (1524), Montpellier (1526).

L'autorité royale face à la Réforme

L'expérience de Briçonnet à Meaux. — L'espoir de réforme dans l'église de France passa par l'action de Briçonnet à Meaux. Mais le 15 avril 1521, la Sorbonne condamnait les idées de Luther. Les fidèles disciples de Lefebvre d'Étaples s'installèrent à Meaux avec leur maître et ils y jouissaient de la protection de Briçonnet qui était devenu, en 1521, le directeur spirituel de Marguerite d'Angoulême, sœur du roi. Le conflit avec la Sorbonne était inévitable, car Lefebvre mettait à la disposition des fidèles les Évangiles dont il donnait une traduction. Il insistait sur le salut par la foi et minimisait le rôle des œuvres. À Meaux même, le mouvement de réforme religieuse déboucha sur une forme d'agitation dans les milieux populaires. En représailles, des poursuites furent engagées contre un gentilhomme picard, Louis de Berquin, qui fut considéré comme hérétique par les théologiens et emprisonné : pour le sauver, François Ier dut évoquer l'affaire devant lui, et on se contenta de brûler devant le parvis de Notre-Dame des livres condamnés. Finalement le groupe de Meaux se disloqua. Guillaume Farel, disciple de Lefèvre, gagna Bâle et Briçonnet se démarqua des idées de Luther.

Les hésitations du pouvoir. — Lors de la captivité de François Ier, Louise de Savoie céda facilement sur la question religieuse, et accepta une politique de répression. Briçonnet et le groupe de Meaux étaient au cœur de la polémique. Les livres d'Érasme furent condamnés. Les procès se multiplièrent pendant l'été 1525. Lefèvre préféra gagner Strasbourg. Briçonnet fut soupçonné. Le Parlement reprit les poursuites contre Berquin. Si le roi depuis Madrid continuait à protéger les émules de Lefèvre, la répression n'épargnait pas les petites gens, comme les clercs passés aux idées nouvelles.

François Ier, à son retour, revint sur cette politique. Il intervint une fois encore en faveur des suspects. Lefèvre devint bibliothécaire à Blois et les exilés rentrèrent en France. Le Parlement se soumettait, mais il en alla autrement pour la Sorbonne qui condamna l'œuvre de Lefèvre en 1526 et celle d'Érasme en 1527. François Ier n'était pas forcément favorable à la diffusion des nouvelles idées religieuses, mais il tenait à montrer qu'il reprenait toutes les affaires en main.

La crise religieuse. — En France, la Réforme faisait de grands progrès. Bien sûr, Briçonnet était revenu à la plus stricte orthodoxie, et ses amis restaient très prudents. En revanche la doctrine luthérienne trouvait des adeptes dans toutes les provinces et dans tous les milieux, chez les clercs, les professeurs, les robins, et les idées nouvelles se répandaient grâce aux imprimeurs et aux colporteurs. La Sorbonne demandait des poursuites et les tribunaux condamnaient parfois à la prison ou au bûcher. Duprat, devenu cardinal, réunit un concile provincial à Paris (février-octobre 1528). Ainsi furent réaffirmées les grandes lignes de la doctrine catholique : la tradition (et non les seules Écritures) était une des sources de la foi, l'homme disposait de son libre arbitre, la Grâce divine n'était pas tout, l'Église était infaillible, les sept sacrements étaient valables, les œuvres étaient nécessaires pour obtenir le salut, le culte des saints était utile, le Purgatoire existait. Ce rappel clair obligea les fidèles à choisir leur camp : il y eut « cristallisation des opinions » selon la formule de l'historien Jean Jacquart. Un scandale éclata lorsque dans la nuit du 1er juin 1528 une statue de la Vierge fut détruite. Le roi lui-même vint en déposer une nouvelle tandis que la statue mutilée était l'objet de la vénération populaire. L'indignation devant cet acte permit au parlement de reprendre la persécution. Berquin fut alors jugé, fit appel devant le parlement qui ordonna pourtant qu'il fût brûlé. Le roi, absent de la capitale, n'avait pu intervenir.

Le tournant religieux des années 1540

Désormais les disciples de Luther étaient présents dans tous les milieux sociaux et dans toutes les parties du royaume. Néanmoins, nombre de chrétiens hésitaient à rompre avec l'Église et la foi traditionnelle. Ils voulaient conserver l'héritage d'Érasme et de Lefebvre d'Étaples. Ce courant a été qualifié par les historiens d' « évangélisme ». Il s'appuyait sur les hésitations même du pouvoir royal. François Ier était influencé par sa sœur Marguerite qui, veuve, avait épousé en 1527 Henri d'Albret, roi de Navarre. Un livre qu'elle publia anonymement en 1531, le *Miroir de l'âme pécheresse,* fut condamné en 1533 par la Sorbonne qui recula finalement devant la colère du roi. Marguerite restait fidèle à la foi traditionnelle, mais elle protégeait les partisans des idées nouvelles. Elle imposait, dans les années 1530, un climat de tolérance à la cour, accueillait Lefebvre d'Étaples à Nérac, faisait nommer comme évêques des disciples du vieux maître. En 1533, pour la rentrée solennelle de l'Université, le recteur Cop prononça un discours qui rappelait les idées des protestants. Le scandale provoqua une enquête. Le recteur prit la fuite, ainsi que le jeune théologien qui était soupçonné d'avoir rédigé le discours : Jean Calvin. Le parlement fit procéder à des arrestations et la Sorbonne faisait des recherches parmi les membres de l'Université. Mais les autorités épiscopales étaient beaucoup plus prudentes d'autant que l'évêque de Paris, Jean du Bellay, avait été lui-même accusé d'hérésie. François Ier devait aussi ménager ses alliés allemands qui soutenaient Luther. Il rêvait en fait d'une réconciliation de tous les chrétiens.

L'affaire des placards. — La rupture eut lieu dans la nuit du 17 au 18 octobre 1534. En plusieurs points de Paris, d'Orléans, de Blois, d'Amboise, où résidait la cour, furent affichés des textes imprimés, des « placards ». Le titre en était : « Articles véritables sur les horribles, grands et insupportables abus de la messe papale ». Le sacrifice du Christ sur la croix était regardé comme unique et n'était pas renouvelé dans l'Eucharistie, si bien que le dogme de la transsubstantiation était contesté avec violence comme une invention humaine. Et le sacrement de la communion était regardé comme une commémoration et non comme un miracle. Cette fois, François Ier eut conscience d'une opération organisée à grande échelle depuis Neuchâtel où le texte avait été imprimé – l'auteur était un exilé français Antoine Marcourt. Une tradition veut que l'un des placards ait été affiché sur la porte même de la chambre du roi à Amboise. La foi populaire était bafouée. Une « vague d'hystérie » *(R. J. Knecht)* éclata. L'initiative de la répression vint sans doute du parlement, agissant au nom du roi. Cette fois celui-ci ne put que confirmer les décisions puisque la provocation était destinée à l'ensemble de la population. À Paris, une trentaine de réformés montèrent sur le bûcher. Clément Marot, le poète qui avait traduit les psaumes, quitta la France, tout comme Jean Calvin. Le 13 janvier, un nouvel écrit hérétique fut trouvé dans les rues de Paris. Le roi interdit l'imprimerie, mais il dut adoucir sa décision. Le 21 janvier 1535, une grande procession se déroula à Paris, conduite par le roi : le souverain alla jusqu'à dire que, si ses enfants étaient touchés par ces erreurs de la foi, il était prêt à les immoler, il en appela à la délation. Six personnes de plus furent brûlées ce jour-là. L'affaire des placards a été une étape dans l'histoire de la Réforme. François Ier était toujours resté fidèle à Rome. Tout au plus avait-il protégé des lettrés ou des familiers. D'autant plus que longtemps les limites furent floues entre l'humanisme et la Réforme. Désormais la doctrine réformée défiait clairement les dogmes catholiques.

Calvin et la Réforme française.

Jean Cauvain (Calvinus en latin, d'où Calvin) était né à Noyon en 1508 où son père était secrétaire de l'évêque. Calvin, destiné à l'Église, avait reçu tout jeune des bénéfices qui lui permirent de faire des études, au collège de Montaigu à Paris. Mais le père de Calvin fut accusé de mauvaise gestion, ne put rendre des comptes acceptables et fut excommunié par son évêque, ce qui était une sanction terrible. Son fils s'orienta alors vers le droit et cela lui fut utile plus tard, à Genève et il s'initia aussi au grec. Vers 1533, il commença à s'afficher comme protestant et il dut prendre la fuite et voyager, puis il gagna Bâle. En 1534, il renonça à ses bénéfices ecclésiastiques. Devant les persécutions, Calvin choisit de défendre les réformés. Il rédigea en latin la première version de l'*Institution chrétienne*, publiée en 1536, et l'ouvrage était précédé d'une épître à François Ier.

En 1536, il s'installa à Genève. Calvin composa des textes pour organiser l'église locale et définir la foi nouvelle. Il négocia avec les autorités de Genève les *Ordonnances ecclésiastiques*, « le code légal et moral de Genève pendant deux siècles » *(Jean Delumeau)*. Jusqu'en 1555, Calvin dut lutter pour imposer ses idées et son organisation dans la ville, car on en redoutait la rigueur et l'intolérance.

Calvin avait donné une forte charpente à l'église genevoise. Il insistait sur la nécessité d'une « Église visible », c'est-à-dire d'une structure ecclésiastique et d'une stricte discipline. Les nouveaux pasteurs étaient élus par les pasteurs de la ville, avec l'accord des autorités civiles, puis ils étaient présentés au peuple. Des docteurs devaient enseigner et des professeurs d'élite constituèrent avec Théodore de Bèze l'Académie de Genève fondée en 1559. Les pasteurs formaient le consistoire, avec les « anciens », des laïcs : le consistoire surveillait les fidèles et était chargé de les ramener, si nécessaire, dans le droit chemin. Calvin se chargea de rédiger un *Catéchisme* pour les enfants. Comme Luther, Calvin considérait que l'Écriture, la Bible, était le seul message divin aux hommes, en dehors de toute autorité et de toute tradition. Le Réformateur de Genève insistait sur le péché originel et la déchéance de l'homme. Il en vint à penser que Dieu avait voulu cette chute et que Dieu seul pouvait sauver les hommes en toute liberté : c'est la prédestination. Seule la foi sauve : si le chrétien l'a, c'est déjà un signe que Dieu l'a choisi. Calvin conserva le baptême des enfants, et aussi la Cène. Pour lui, le pain et le vin n'étaient pas des symboles, comme le voulait un autre réformateur, celui de Zurich, Zwingli. Pour Calvin, la Cène permettait de participer à la substance du Christ.

L'influence du calvinisme ne se fit sentir en France qu'à partir de 1541 et ne devint prédominante que vers 1550.

Les moyens de la répression religieuse. — La question religieuse en France s'inscrivait dans le contexte européen : François Ier cherchait à ménager à tout prix les princes protestants allemands. Mais il fut conduit peu à peu à durcir son attitude face aux réformés qui, eux, protestaient de leur loyalisme à l'égard du pouvoir royal.

Le 16 juillet 1535, l'édit de Coucy suspendit les poursuites : il fallait éviter de blesser les alliés protestants en Allemagne, que la persécution en France indignait. Les prisonniers devaient être libérés et les exilés pouvaient rentrer. Tous, sauf les sacramentaires (qui ne voyaient qu'un symbole dans l'Eucharistie). Mais les relaps (ceux qui retourneraient à l'hérésie) seraient condamnés à être pendus. Des négociations furent lancées avec des réformateurs comme Mélanchton, le compagnon de Luther, pour trouver des terrains d'entente en matière de doctrine. En 1536, François accorda son pardon à tous les hérétiques, même les sacramentaires, mais ils devaient abjurer leur erreur. Ce n'était en réalité qu'une pause.

Le 1er juin 1540, l'édit de Fontainebleau renforça la répression. Les parlements en obtenaient le contrôle total. Tous les officiers royaux furent appelés à travailler avec diligence contre l'hérésie, les seigneurs hauts justiciers aussi. Les tribunaux ecclésiastiques conservaient leur juridiction sur les clercs. Chacun devait dénoncer les hérétiques et nul ne pouvait les protéger sous peine de lèse-majesté. C'était la justice du roi qui se chargeait d'extirper l'hérésie et la population était appelée à l'aider. Tout un ensemble de décisions vint compléter au fil des mois et des ans ce dispositif répressif. La Sorbonne rédigea une liste de vingt-cinq articles qui résumaient le dogme et l'organisation catholiques. Le roi ordonna la publication de ces articles dans tout le royaume. C'était un guide commode pour engager des poursuites. En 1542, les livres furent frappés. Il fallait dans les vingt-quatre heures livrer les livres interdits. La Sorbonne rédigea la première liste, ou index, des ouvrages interdits. Des livres furent brûlés solennellement. Tout le commerce du livre était désormais sous haute surveillance. Un imprimeur de Lyon, Étienne Dolet, avait été déjà condamné, pour ses idées hétérodoxes, puis pardonné ; de nouveau arrêté, il fut brûlé place Maubert à Paris, le 3 août 1546. La répression frappait le bas clergé, surtout les ordres mendiants où l'hérésie s'était infiltrée, mais aussi la population des villes. Cette répression était inégale selon les provinces. Dans le ressort du parlement de Paris, des commissaires furent désignés avec des pleins pouvoirs et ils se signalèrent par leur cruauté. En revanche, les parlements de Normandie, de Guyenne et de Dauphiné se montrèrent indulgents. Au contraire les parlements à Toulouse et à Aix furent terribles. Pourtant, avant 1550, les condamnations au bûcher restèrent relativement rares. Et la poursuite des hérétiques n'était pas aisée. Il fallait obtenir des preuves ou des aveux, les tribunaux se contredisaient, les peines n'étaient pas uniformes.

Le massacre des Vaudois. — En Provence, la persécution frappait aussi les Vaudois. Certains aspects de leur foi rejoignaient les idées des protestants. Le réformateur Guillaume Farel s'intéressa à ces communautés et les Vaudois adoptèrent une nouvelle profession de foi qui incluait la prédestination. Ils adoptèrent la vision sacramentaire de l'Eucharistie. Ce ralliement des Vaudois à la Réforme appela de nouveau l'attention des autorités sur eux. François Ier confia l'enquête au parlement de Provence. Le 18 novembre 1540, dix-neuf suspects étaient condamnés à mort, les femmes et les enfants seraient exilés : c'était « l'arrêt de Mérindol ». Devant l'indignation des princes allemands, ces mesures furent suspendues. Au printemps 1545, les autorités judiciaires et ecclésiastiques revinrent à la charge. François mit des troupes à la disposition du premier président du Parlement, Meynier d'Oppède, qui avait évoqué le risque de sédition. Des gentilshommes se joignirent aux soldats. Du 13 au 23 avril 1545, plus de trente villages vaudois autour de Mérindol furent pillés et incendiés. À Cabrières, dans le Comtat-

Venaissin, des femmes et des enfants furent brûlés vifs dans l'église. Au total, plusieurs centaines de morts. Ce massacre émut l'Europe entière.

Le « beau XVIe siècle » ?

Les hommes du XVIe siècle pensaient que la France était un pays riche. Et les historiens ont montré l'existence d'un « beau XVIe siècle », en réalité la période heureuse commença dans les années 1450 et se termina dans les années 1560.

La progression démographique

Après les souffrances du Moyen Âge, les épidémies reculèrent, la peste surtout, mais la lèpre aussi. La guerre ne toucha plus que des provinces frontalières, entre la guerre de Cent ans et les guerres de Religion. Il n'y eut guère de famines entre 1440 et 1520. Néanmoins il y eut des années consécutives de mauvaises récoltes en 1495-1497 et 1513-1515, et la peste réapparut brièvement à la fin des années 1520.

Claude de Seyssel, dans sa *Grande monarchie de France* de 1519, notait la multitude du peuple, « la copiosité du populaire ». Au-delà de ces affirmations qualitatives, les informations quantitatives restent incertaines, faute de sources sûres. La population globale augmenta sans doute : 16 millions de Français en 1515 et 20 millions en 1560, mais elle retrouvait en réalité vers 1560 le niveau de la population française avant la Grande Peste de 1348. Il s'agirait donc surtout d'une « récupération » après la saignée démographique, due aux pestes et aux guerres à la fin du Moyen Âge. Avant 1500, la croissance s'était accompagnée de mouvements de populations, véritables migrations depuis les régions les plus pauvres vers les plus riches ou les plus dévastées. Après 1500, la population des villages s'accrut surtout parce que le nombre des naissances l'emportait sur celui des décès. Les contemporains eurent conscience d'une véritable pression qui s'exerçait sur la terre et sur les ressources, et y voyaient une des raisons de la hausse des prix.

L'âge au mariage était encore précoce (pour les filles entre 19 et 22 ans), le taux de natalité plus élevé et celui de mortalité moins fort par le recul des épidémies et des guerres.

La hausse des prix

Le XVIe siècle fut marqué par une hausse générale des prix. Les hommes du temps constatèrent le phénomène et en cherchèrent les raisons. Ils y virent d'abord la conséquence des « mutations » que le gouvernement royal faisait sur les monnaies : elles modifiaient la valeur des pièces en circulation et entraînaient une dévaluation de la livre, la monnaie de compte, donc une augmentation des prix exprimés en livres. Puis une autre raison avancée fut l'abondance des métaux précieux, surtout après les arrivées d'or et d'argent américains. Les Espagnols de la péninsule et des colonies américaines, qui en disposèrent, achetèrent des produits agricoles et manufacturés à l'étranger, en les payant en définitive avec ces métaux précieux. Cette demande espagnole stimula la production à l'étranger, donc la croissance économique. Elle entraîna une hausse des prix, car l'offre de produits ne suivait pas cette demande nouvelle.

Surtout l'augmentation globale de la population provoqua une plus grande demande de grains, mais aussi de toutes les marchandises, et la production eut du mal à suivre, ce qui provoquait la montée des prix. Cette explication fut pressentie par les contemporains et confirmée par les historiens.

La vie rurale

L'augmentation et la diversification de la production agricole. — La production agricole augmenta. Elle devait nourrir une population plus nombreuse. Pour cela, elle profita de bonnes conditions climatiques, en particulier d'étés secs, ensuite elle bénéficia d'une main-d'œuvre plus nombreuse. Les terres abandonnées étaient reconquises par les paysans et le défrichement reprit. Il y eut une reconstruction des campagnes. La grande masse des Français était composée de ruraux (de 85 à 90 %) et l'essentiel de la production était destiné à la consommation, et avant tout le blé, ou plutôt les céréales diverses, pour le pain.

Il y eut néanmoins une diversification D'autres récoltes que le blé étaient possibles : la châtaigne dans le Massif central, l'olive en Languedoc. Des productions plus spécialisées s'imposaient dans certaines régions : le pastel qui faisait de Toulouse un centre de commerce international et qui exigeait des soins infinis et une main-d'œuvre abondante, le chanvre autour du Mans, la vigne en Bourgogne, en Ile-de-France, en Languedoc, sur la côte atlantique. Les eaux-de-vie et le sel étaient, avec le blé, les principaux produits d'exportation. Les paysans complétèrent souvent leurs revenus en filant ou tissant à domicile, pendant les mois d'hiver, pour des marchands-fabriquants de la ville.

Le besoin de terres arables conduisait encore à limiter les pâtures, donc l'élevage. Cette absence de progrès a été constatée pour le Languedoc *(E. Le Roy Ladurie)* comme pour la région parisienne *(Jean Jacquart)*. La jachère demeurait donc une obligation, faute d'engrais, ce qui, à son tour, réduisait encore la surface disponible. Néanmoins la vaine pâture restait un élément d'équilibre rural où les plus pauvres pouvaient trouver des ressources complémentaires, les produits de la cueillette et le bois de chauffage.

Les instruments de labour restaient rudimentaires, surtout dans le Sud, mais dans le Bassin parisien, le paysan disposait d'une charrue efficace.

La conjoncture et l'agriculture. — Globalement l'agriculture française semblait prospère au début du XVIe siècle. Mais la population continua à augmenter, alors que la production ne pouvait plus suivre cette évolution, faute d'innovations techniques et fautes de terres disponibles. La hausse de la production agricole s'essouffla dès les années 1525-1530. De là la hausse du prix du grain (la demande étant plus forte que l'offre), et à terme des famines qui conduisaient à des crises de mortalité, mais elles étaient encore localisées et courtes. « Il semble qu'une foule grandissante se presse autour d'un tas de grain qui lui n'augmente pas au rythme des besoins de cette foule » *(E. Le Roy Ladurie)*.

Bien que le règne de François Ier correspondît pour les paysans à une augmentation de la taille, la conjoncture étant bonne et la monnaie perdant de sa valeur en argent, les prélèvements en espèces étaient moins lourds qu'ils ne semblaient parfois.

Seigneurs et paysans. — Pour certains historiens, la vie rurale fut marquée par un effritement de la richesse et de l'autorité des seigneurs. Pour d'autres, les difficultés des seigneurs provoquèrent une réaction qui permit à la seigneurie de connaître un regain de vigueur pour les trois siècles à venir (voir p. 59).

Lorsque la population avait diminué à la fin du Moyen Âge, les seigneurs avaient été conduits à confier des terres aux paysans à des conditions favorables, pour mieux les retenir. Et les droits seigneuriaux avaient été souvent fixés non en nature, mais en monnaie : or la hausse des prix avait signifié une baisse de la valeur réelle de la monnaie, donc des charges moins lourdes pour le paysan. La justice seigneuriale reculait devant les progrès de la justice royale. Et la taille, impôt royal, venait concurrencer les redevances dues au seigneur, d'autant plus que la communauté villageoise était responsable collectivement de son versement. Ces contraintes obligèrent les seigneurs à mieux exploiter leurs domaines propres. Et lorsque la prospérité agricole réapparut, ils augmentèrent leurs exigences à l'égard de leurs tenanciers.

Le début du XVIe siècle vit aussi l'affirmation de paysans aisés, les fermiers. Ils disposaient de profits supérieurs aux sommes qu'ils devaient verser aux propriétaires ou aux seigneurs ; ils s'établissaient comme éleveurs de bétail et marchands de grains. Ils payaient mal les manouvriers, ces salariés agricoles qu'ils employaient. Ce fut le cas par exemple de Guillaume Masenx, fermier-usurier à Gaillac, en Languedoc ; il s'occupait des terres d'une commanderie, il prêtait de l'argent, à des taux de 400 % par an, ou du grain, parfois contre des journées de travail, il faisait du négoce et il accueillit favorablement les idées de la Réforme. Mais plus tard ou dans d'autres provinces, les fermages augmentèrent et la situation des fermiers fut moins favorable.

La plupart des paysans disposaient d'un lopin de terre (parfois jusqu'à 1 ha) et ils y consacraient tous leurs soins, y introduisant des cultures textiles ou des légumes. L'évolution favorable de la conjoncture et la moindre pression seigneuriale, voire royale, permirent, au moins jusque dans les années 1520, une amélioration de la vie quotidienne des paysans : une meilleure alimentation, des fermes reconstruites et agrandies, des meubles plus nombreux. Mais l'augmentation du nombre des hommes conduisit à une fragmentation des exploitations, malgré les règles successorales qui favorisaient l'aîné. Bientôt les difficultés réapparurent.

Parallèlement, il semblerait que le sort des plus pauvres ne s'améliorât pas malgré l'amélioration de la conjoncture, car ils étaient « acheteurs de grains et vendeurs de travail » *(P. Guignet et*

F. Bayard). Or les prix augmentaient, alors que les salaires payés aux journaliers n'augmentèrent guère entre 1450 et 1550. La croissance démographique tendit à rendre la main-d'œuvre plus abondante, donc moins chère.

L'essor commercial et manufacturier

Les expéditions lointaines. — Au XVIe siècle, l'Europe s'ouvrait sur le monde, surtout sur l'Amérique, mais la France n'en profita qu'indirectement.

L'aventurier normand Béthancourt avait bien, au début du XVe siècle, abordé aux Canaries mais il s'était mis sous la protection de la couronne de Castille. Après la découverte de Colomb, puis la conquête du Mexique et du Pérou, la Castille contrôla les routes maritimes de l'Atlantique. La monarchie française encouragea pourtant les initiatives. En 1517, le premier « havre de grâce » fut fondé par Bonnivet : François Ier vint visiter Le Havre en 1540 et ordonna l'agrandissement de la ville. Honfleur en face était toujours un port de grande importance. Jean Ango, né en 1480, fut à Dieppe le grand armateur de ce temps-là : il envoyait des navires pêcher sur les bancs de Terre-Neuve, poursuivre des bateaux espagnols en temps de guerre ou trafiquer sur les côtes d'Europe, d'Afrique ou du Brésil. Ce fut Ango qui arma des bateaux pour le Génois Verrazano lorsque celui-ci proposa en 1523 à François Ier de chercher une route directe vers la Chine, en contournant par le nord le continent américain. Verrazano suivit le rivage de l'Amérique, cherchant un passage : il découvrit ainsi l'embouchure de l'Hudson qu'il baptisa Nouvelle-Angoulême, en l'honneur du roi, puis il crut avoir trouvé un passage : c'était la baie d'Hudson. Il rentra par Terre-Neuve, puis prépara une nouvelle expédition dont il ne revint pas. Jean Ango envoya encore une expédition vers la Chine, cette fois par le cap de Bonne-Espérance, en suivant la voie portugaise, mais les deux navires ne dépassèrent pas Sumatra.

En 1534, le roi soutint et finança Jacques Cartier, de Saint-Malo, qui longea les côtes du Labrador ; l'année suivante, il contourna Terre-Neuve, reconnut l'embouchure du Saint-Laurent et le remonta jusqu'au site d'Hochelaga (futur Montréal). L'idée d'une installation s'imposa et François Ier défendit ses droits face aux récriminations espagnoles qui se fondaient sur le traité de Tordesillas. François Ier aurait demandé à « voir la clause du testament d'Adam » qui l'excluait du partage du monde. En fait, il fallut recourir à des prisonniers pour trouver des marins et des colons. Cartier partit en 1541, et fut rejoint par un gentilhomme, Roberval, qui devait être lieutenant-général pour le roi et prendre possession de cette Nouvelle-France, mais le froid contraignit à rapatrier les survivants en 1543. Il n'y eut donc pas d'installation durable sur des terres lointaines.

Les activités commerciales. — Ces expéditions restaient des exceptions. Les ports de la façade atlantique (Rouen, Nantes, Bordeaux) augmentèrent leur trafic, mais faisaient surtout du commerce avec le nord de l'Europe et avec les ports espagnols. En temps de guerre, les corsaires pouvaient attaquer les navires marchands de l'ennemi : ils réussirent à malmener des convois espagnols et à grappiller ainsi des miettes du festin colonial. En tout cas, les ports français ne pouvaient pas rivaliser avec Lisbonne, Séville ou même Anvers.

C'était donc la Méditerranée qui comptait encore le plus. Mais Montpellier et Aigues-Mortes s'ensablant, ce fut Marseille qui devint le port essentiel. Les traités signés par François Ier avec le sultan aidèrent les commerçants français qui fréquentèrent alors les « Échelles du Levant », des ports où ils purent établir des comptoirs (les « échelles » étaient à l'origine des jetées sur pilotis pour les marchandises).

La primauté commerciale et bancaire de Lyon. — La principale place bancaire et commerciale du royaume, et peut-être d'Europe, était, au XVIe siècle, Lyon. Les quatre foires, autorisées par Louis XI en 1464, avaient une triple fonction commerciale. D'abord l'importation de produits étrangers (soieries et soies, articles de luxe des cités italiennes, toiles, cuivre et argent d'Allemagne, plomb et étain d'Angleterre), et c'étaient bien les soieries et les soies qui étaient, au milieu du siècle, selon des estimations du temps, le poste le plus important : 40 % des importations. Lyon assurait aussi l'exportation des marchandises françaises (draps, toiles, quincaillerie) et, troisième fonction, c'était un lieu de transit entre les pays du Nord et les pays méditerranéens.

Il fallait régler les paiements des échanges commerciaux : ce fut la dimension bancaire et financière de Lyon. Deux procédés s'imposèrent : l'obligation et la lettre de change. L'obligation était une reconnaissance de dette qui fixait la date future du paiement de la somme due, et le terme choisi était souvent une foire de Lyon. Cette obligation « demeure, tout au long des XVIe et XVIIe siècle, le principal moyen de paiement et de crédit chez la plupart des marchands français, et l'outil essentiel du commerce intérieur » *(Richard Gascon)*. Pour les transactions internationales où plusieurs monnaies étaient en cause, c'était la lettre de change qui dominait, et en raison de l'intensification du commerce international, on y eut de plus en plus recours.

Elle avait pris au XVe siècle sa forme classique. Il y avait un « donneur » d'argent, sur une première place financière, qui voulait faire payer, sur une autre place financière, une somme qu'il avait apportée ; un « preneur » ou « tireur » qui était l'établissement qui avait reçu ladite somme ; un « tiré » qui était le correspondant de cet établissement dans la seconde place financière ; enfin un « bénéficiaire » qui recevait l'équivalent de la somme en monnaie locale, sur la seconde place financière. La lettre de change évitait la circulation, toujours dangereuse, d'espèces à travers l'Europe, mais c'était aussi un instrument de crédit, puisqu'il fallait jouer avec le temps et avec l'espace. Il fallait aussi tenir compte des changements dans le cours des monnaies et des manipulations que les gouvernements faisaient sur les pièces.

Les foires étaient l'occasion de régler les paiements et celles de Lyon devinrent le rendez-vous des grands négociants, ce qui, à son tour, détournait vers cette ville des courants commerciaux ou des activités liées au commerce, comme l'assurance maritime : « C'est le propre des marchés financiers qui ont réussi que de commander des trafics commerciaux qui *réellement* se tiennent à distance » *(Richard Gascon)*. La « foire des paiements » s'ouvrait après la clôture de la foire marchande. Les sommes en question étaient immenses et il fallait vérifier la validité des lettres de change avant de procéder aux compensations entre marchands et entre places financières. Le crédit courait de foire en foire : s'il était de 4 %, cela représentait 16 % en un an, puisqu'il y avait 4 foires. Cette activité bancaire attira donc à Lyon des banquiers étrangers, surtout italiens (les Gadagne), mais aussi allemands (Kléberger). Ces succursales ou filiales de « compagnies » étrangères se regroupaient en nations, et elles devaient tenir compte des événements extérieurs. Ainsi parvenaient en France les organisations et les habitudes qui avaient été inventées en Italie surtout, à la fin du Moyen Âge, ce que l'historien Jean Delumeau a qualifié de « premier capitalisme ». L'attitude ambiguë de Gênes conduisit François Ier à expulser les Génois et ceux-ci établirent une foire, rivale de Lyon, dès 1535 à Besançon, en se faisant ainsi les banquiers de Charles Quint (cette foire se déplaça à la fin du siècle vers Plaisance en Italie du Nord).

La place de Lyon s'engagea aussi dans les aides financières au roi. L'essor des emprunts royaux à Lyon commença en 1536. Ils mobilisaient les capitaux des banquiers et de leurs déposants. C'était pour la couronne de France le moyen de rassembler des sommes considérables par l'intermédiaire des banquiers installés à Lyon. Les principaux créanciers du roi étaient des Italiens et des Allemands.

L'activité manufacturière et la poussée urbaine. — L'essor commercial favorisa la production artisanale et industrielle. D'abord celle des tissus qui existait dans de nombreuses provinces et qui était souvent destinée aux marchés étrangers. Pour concurrencer les soieries italiennes, la manufacture de la soie s'était installée à Tours dès 1466. François Ier accorda un privilège aux soieries de Lyon en 1536. Mais les ventes ne dépassèrent pas les limites du marché intérieur et la production resta de qualité médiocre.

Les mines et la métallurgie existaient aussi. Le haut fourneau avait fait son apparition dans la seconde moitié du XIVe siècle, soit à Liège, soit sur les bords du Rhin. « Les migrations d'ouvriers répandirent peu à peu la technique nouvelle. Lorraine, Champagne, Nivernais et Normandie semblent l'avoir connue dès la fin du XVe siècle ; l'Alsace, la Franche-Comté et la Bretagne l'ont sans doute possédée au milieu du XVIe. Cependant les hauts fourneaux avec forges auxiliaires restèrent rares en Europe jusque vers 1540. Après cette date ils se multiplièrent » *(Jean Delumeau).*

La papeterie et l'imprimerie étaient des activités nouvelles, en pleine croissance : au XVIe siècle, 25 000 livres furent imprimés à Paris et 15 000 à Lyon.

L'essor commercial et industriel, la progression démographique et l'arrivée de population venue des campagnes provoquèrent un net essor des villes, du milieu du XVe siècle jusqu'aux guerres civiles, mais le nombre total des citadins vers 1560 n'était guère que de 2 millions d'habitants (soit environ 10 % de la population).

La France avait changé au XVIe siècle. Elle s'était ouverte largement aux influences venues d'ailleurs. Les guerres d'Italie avaient révélé aux gentilshommes français des villes riches, un artisanat et un commerce prospères, un art éblouissant, une façon de vivre raffinée. Les élites sociales – noblesse et bourgeoisie urbaine – cherchèrent à imiter l'Italie et les Italiens.

La découverte de l'Amérique et la navigation vers l'Asie avaient fait rêver à des horizons lointains. Même si la France ne put pas concurrencer la Castille ou le Portugal, ces découvertes s'accompagnèrent d'échanges commerciaux, et offraient aux hommes une nouvelle vision de leur univers.

L'imprimerie avait facilité aussi la circulation des savoirs et des idées à travers l'espace, et leur diffusion à travers la population. La vie de l'esprit s'était ainsi accélérée. La réputation des artistes, des ingénieurs, des érudits, des poètes était européenne. Mais les audaces intellectuelles se propagèrent tout aussi vite à l'échelle de l'Europe : elles conduisirent à remettre en cause les habitudes et les traditions. La Réforme était la fille de la Renaissance. Et la Réforme ébranlait tout l'ordre européen, l'Église de Rome et les églises nationales, mais les États aussi, puisque la foi était une des bases de la société.

7. La transition sous Henri II : stabilisation internationale et offensive anti-protestante

Henri II était né en 1519, mais n'était devenu dauphin qu'à la mort de son frère aîné en 1536, à 17 ans. À son avènement, il avait 28 ans, il avait combattu, il avait appris les détours de la vie de cour. Majestueux, il sut s'imposer à sa noblesse et à son peuple ; vigoureux, il aimait la chasse, comme les tournois.

Avec Henri II, la monarchie chercha encore à se fortifier, selon le modèle ébauché au temps de François Ier. Le nouveau roi utilisa toutes les ressources dont il disposait pour imposer sa volonté. Il changea le gouvernement par une révolution de palais ; il rétablit l'ordre public, menacé par des révoltes d'origine fiscale ; il maintint la politique de faste monarchique et de mécénat autour de lui et de la cour.

La France continua une politique de grande puissance en Europe, par la négociation ou par des interventions ponctuelles. Elle s'engagea dans un nouvel affrontement avec l'empereur qui aboutit enfin à une stabilisation de l'Europe et à la paix.

Cette politique de paix fut peut-être favorisée par la volonté d'Henri II de venir à bout du protestantisme en France. Car la crise religieuse divisait le royaume. La persécution ne parvint pas à rétablir l'unité de religion en France. Le roi considéra que la division religieuse était désormais une atteinte à son autorité et qu'il fallait réagir.

Le changement à la cour de France

La récompense des fidèles : Montmorency et Guise

Le nouveau roi Henri II, qui s'était tenu à l'écart à la fin du règne de son père, fit une révolution de palais. Les conseillers de François Ier, soutenus par la duchesse d'Étampes, furent écartés. Depuis son adolescence, Henri vivait sous la protection affectueuse de la belle Diane de Poitiers. La faveur de la maîtresse du roi, qui fut créée duchesse de Valentinois en 1548, devint éclatante. La cour séjourna souvent dans son beau château d'Anet.

Surtout le roi rappela le connétable Anne de Montmorency, alors en disgrâce, et le combla d'honneurs : il devint duc et pair en 1551. Et il fit la fortune de ses trois neveux, de la maison de Châtillon : Odet de Châtillon, cardinal et archevêque de Toulouse, Gaspard de Coligny, colonel général de l'infanterie, puis amiral de France, François d'Andelot enfin. Henri II favorisa aussi la maison de Guise, les fils du vieux duc Claude de Guise, en particulier François, duc d'Aumale, puis duc de Guise à la mort de son père, et son frère, l'archevêque et futur cardinal Charles de Lorraine.

Les amis intimes du roi reçurent des bienfaits et des missions : ainsi Charles de Cossé-Brissac, capitaine général de l'artillerie, ou Jacques de Saint-André, premier gentilhomme de la chambre, qui devint maréchal et dont le père entra aussi au Conseil. Henri négligeait les princes de son sang pour leur préférer ces hommes nouveaux sur lesquels s'accumulaient dignités et récompenses financières.

Deux de ces lignages – Montmorency et Guise – jouèrent désormais un rôle essentiel dans la vie du royaume au point de porter parfois ombrage au pouvoir royal. Mais la personnalité d'Henri II permettait aux deux familles de servir le roi tout en s'opposant. La reine Catherine de Médicis ne fut pas oubliée dans ces largesses ainsi que ses amis italiens, les Strozzi par exemple.

Les princes du sang

Le premier prince du sang était Antoine de Bourbon, duc de Vendôme (1518-1562) ; il avait deux frères, Charles, bientôt cardinal de Bourbon, et Louis, prince de Condé. Bourbon était un descendant de Saint Louis, d'une branche cadette des Bourbons, puisque la branche aînée s'était éteinte avec le connétable félon. Si les Bourbons avaient une réputation d'hommes de guerre, leurs biens étaient dispersés, ainsi Vendôme, Condé-en-Brie, Enghien, Soissons. En octobre 1548, Henri II imposa le mariage d'Antoine de Bourbon, duc de Vendôme, avec Jeanne d'Albret, fille unique du roi de Navarre, Henri d'Albret, et de Marguerite, la sœur de François Ier. Henri d'Albret n'avait conservé, avec le titre de roi, que la partie septentrionale de la Navarre, au nord des Pyrénées. Outre les domaines d'Albret, il possédait aussi le Béarn, terre qui ne dépendait pas du roi de France et qui avait été liée au comté de Foix au XIIIe siècle. La couronne de France avait tout à redouter d'une réconciliation entre l'Espagne et les Albret. Le mariage de cette fille unique était un enjeu politique pour le royaume, car il ne fallait pas qu'elle apportât son héritage à un prince étranger. De ce mariage naquit le futur Henri IV. Bientôt le couple allait se rallier à la religion réformée : Jeanne, en secret dès 1555, et Antoine en 1557.

Le contentieux de Boulogne

L'aide à l'Écosse. — D'emblée Henri II dut affronter le contentieux avec l'Angleterre. Le roi Édouard VI étant trop jeune, le pouvoir y était aux mains d'un régent. L'Écosse voisine était au contraire une alliée traditionnelle de la France. Comme la reine Marie Stuart était une enfant, sa mère gouvernait, qui était la sœur des Guise, conseillers du roi Henri II. Elle devait lutter contre les manœuvres des Anglais et une révolte des Écossais. Une expédition française ne permit pas d'affaiblir l'Angleterre et de soutenir la reine d'Écosse. Finalement, Marie Stuart, âgée de 6 ans, fut conduite en France où elle allait être élevée avec les enfants du roi. Elle fut destinée à épouser le dauphin François, fils aîné du roi.

La diplomatie française devait d'abord assurer la position du nouveau roi. La défaite des princes protestants avait renforcé le pouvoir de l'empereur. Charles Quint souhaitait donner une nouvelle organisation à l'Empire et trouver un compromis sur la question religieuse, dans l'attente des décisions du concile général dont les réunions avaient commencé en 1545, dans la ville de Trente, au nord de l'Italie.

Le voyage en Piémont. — Henri II se rapprocha donc des puissances qui pourraient contrebalancer celle de l'empereur. Le pape Paul III Farnèse avait besoin de la France pour installer son ambitieuse famille. En mars 1547, le pontife avait décidé de transférer le concile de Trente à Bologne, avant de le suspendre en septembre 1549 : néanmoins le travail sur la foi et la discipline était déjà largement ébauché. Henri II décida de gagner le Piémont, en août 1548, dont il s'estimait le légitime possesseur désormais : en effet, contrairement à ses engagements, son père François Ier n'avait pas rendu ce territoire de l'autre côté des Alpes. Les Piémontais réservèrent au roi un accueil chaleureux. De nouveaux accords furent aussi signés avec les Suisses.

Le roi Henri II souhaitait aussi recouvrer Boulogne. La guerre contre l'Angleterre fut déclarée le 8 août 1549 et elle visait avant tout cette cité. Des négociations s'engagèrent pendant l'hiver. Il s'agissait surtout d'apurer le contentieux financier, lié aux promesses successives faites entre Henri VIII et François Ier : Henri II acceptait de payer 300 000 écus. Le traité fut signé le 24 mars 1550 et la ville fut évacuée par les Anglais.

La répression religieuse

Dès son avènement, Henri II institua une juridiction formée de vingt et un membres des divers parlements, dite « Chambre de la Reine », pour juger les responsables du massacre des Vaudois. Mais les juges étaient favorables aux accusés. Ceux-ci furent finalement acquittés par le parlement de Paris en 1552 et ce fut l'accusateur, un avocat de Provence, qui fut exécuté en 1554.

La volonté royale

En réalité, avec Henri II, l'attitude du pouvoir se durcit encore contre les protestants. Le roi réaffirma la validité des décisions prises par François Ier et il disposait ainsi d'un arsenal de lois répressives. À la différence de son père, Henri II n'avait aucune indulgence à l'égard du mouvement réformé et nul ne pouvait lui en donner, sa tante Marguerite étant bien loin, à Nérac. Au parlement, une chambre spéciale, vite appelée la « Chambre ardente », fut érigée en 1547 et elle envoya au bûcher des centaines d'hérétiques, rendant en trois ans plus de cinq cents arrêts contre eux. La persécution se fit terrible de 1547 à 1549. Elle frappa des prêtres ou des moines, des artisans ou des bourgeois. Il suffisait d'avoir des livres prohibés ou de participer à des réunions de prière où l'on commentait l'Évangile. Ceux qui promettaient de ne pas récidiver, étaient relâchés après une humiliante cérémonie ; ceux qui persistaient dans leurs idées, étaient condamnés à la torture et au bûcher. Certains prenaient la fuite en abandonnant tout et se réfugiaient à Genève. Les passeurs qui aidaient les fuyards étaient poursuivis avec la dernière vigueur. Le roi assistait parfois à ces supplices, alors que Marguerite de Navarre et Renée de Ferrare, fille de Louis XII, envoyaient des aumônes à Genève. Il y avait donc assimilation entre le crime de lèse-majesté et la réfutation du dogme catholique.

Les nouveaux édits

Henri rendit aux juges ecclésiastiques une partie de leurs pouvoirs (édit de Paris, 19 novembre 1549). Lorsqu'il y avait hérésie simple, par « erreur, infirmité et fragilité humaine », les juges laïcs faisaient arrêter les suspects et menaient l'enquête. Puis les juges de l'Église terminaient le procès. Lorsque l'accusé avouait publiquement sa foi hérétique, il y avait « offense publique » et cette fois les juges ecclésiastiques passaient d'abord, les juges laïcs ensuite. Le parlement recevait les appels. Cette distinction trahissait sans doute une volonté d'indulgence, la justice ecclésiastique étant plus modérée que celle du roi. Mais la monarchie favorisait surtout une mobilisation générale : le parlement pouvait créer des commissions spéciales (11 février 1550).

L'édit de Chateaubriant (27 juin 1551) fut une nouvelle étape puisqu'il s'attaquait aux fuyards et à l'influence de Genève. L'introduction de livres genevois serait punie de peines corporelles. Pour la procédure, les juges civils avaient à nouveau la connaissance essentielle des crimes d'hérésie. Les juges d'Église continueraient à juger les cas sans scandale public et instruiraient les affaires de clercs. Dans les présidiaux, ces nouveaux tribunaux créés par Henri II (voir p. 156), on rendrait des arrêts qui seraient exécutés sans appel. Une surveillance s'exerçait sur le recrutement dans les tribunaux et dans les municipalités, mais aussi sur celui des maîtres d'école. Il était interdit de discuter d'affaires de religion entre personnes non instruites. Il était prohibé de se rendre à Genève et d'en recevoir des lettres. L'édit de Compiègne (24 juillet 1557) alla encore dans le sens d'une plus forte répression.

L'affaire de la rue Saint-Jacques

En septembre 1557, en plein Paris, rue Saint-Jacques, dans le quartier de l'Université, eut lieu une assemblée de protestants et elle fut dénoncée. Il y avait là des gens du peuple, des étudiants, des gentilshommes et une trentaine de dames nobles parmi les 130 personnes dont les noms nous sont parvenus. Des bruits circulèrent selon lesquels les « luthériens » s'assemblaient pour comploter. La foule accourut et menaça la maison. Des gentilshommes dégagèrent la plupart de leurs coreligionnaires. Les magistrats étaient tentés par l'indulgence puisque la réunion était discrète et que les assistants appartenaient souvent à la bonne société. Mais la réaction violente de la population parisienne montrait à quel point la haine dressait les catholiques contre les hérétiques.

Il y eut donc des condamnations à mort : le courage des condamnés face à la mort en firent des martyrs de la foi réformée. La tension grandissait comme le montra une tentative d'attentat avortée contre le roi (septembre 1557). Les interventions s'étaient multipliées pour sauver les inculpés de la rue Saint-Jacques. La reine Catherine obtint le pardon pour des femmes de la grande noblesse. Calvin soutenait ses fidèles et il suscita une protestation des cantons suisses, puis des princes protestants allemands.

Les résistances

Forts des clameurs venues de l'étranger, le 13 mai 1558, les protestants firent une procession pacifique au Pré-au-Clercs, sur les bords de la Seine. 4 à 6 000 personnes se rassemblèrent, Antoine de Bourbon était présent avec des gentilshommes et des étudiants, tous chantaient des hymnes. La scène se renouvela les jours suivants. La Sorbonne protesta, le parlement interdit ces manifestations et fit disperser la foule. Le roi furieux fit arrêter d'Andelot, le neveu du connétable : dénoncé par le cardinal de Lorraine, il avait affirmé bien haut que la messe était une invention des hommes. Il fut vite relâché. Car le roi repartait à la guerre, mais cette fois il avait la sensation que c'était son autorité même qui était menacée et qu'il devrait réagir, une fois les questions extérieures réglées.

C'est pour avoir les mains libres qu'il fit la paix du Cateau-Cambrésis en 1559 (voir p. 154). L'édit d'Écouen (2 juin 1559) prévoyait que tout réformé révolté ou en fuite serait abattu sans jugement. La répression était désormais confiée aux hommes de guerre. Henri II souhaitait intimider les parlements et les forcer à être encore plus sévères. Il se rendit au parlement de Paris, le 10 juin 1559, écouta un débat sur la répression religieuse et ordonna finalement l'arrestation de deux parlementaires, Louis du Four et Anne du Bourg qui avaient défendu avec chaleur les protestants martyrisés. Anne du Bourg avoua avoir les mêmes idées que Luther et Zwingli ; l'évêque de Paris le déclara hérétique. Il fit appel. Avant le jugement final, Henri II était mort.

L'ordre social et l'ordre international

De plus en plus, au cours de son règne, Henri II eut conscience que, pour rétablir l'unité religieuse du royaume, il fallait renforcer le pouvoir royal, maintenir l'ordre social et obtenir à l'extérieur une paix honorable.

La révolte des Pitauds

Les origines du mécontentement. — François Ier, par l'édit de Châtellerault de 1541, s'était efforcé d'étendre la gabelle à des provinces qui ne la connaissait pas, l'Angoumois (autour d'Angoulême) et la Saintonge. Pour percevoir la gabelle, le gouvernement avait établi des greniers à sel. Chacun devait y acheter du sel qui était payé plus cher en raison de l'impôt perçu par le roi. Or cette région de marais salants était productrice de sel que les producteurs avaient l'habitude de vendre librement ; quant aux consommateurs, ils disposaient d'un sel bon marché. La nouvelle organisation, imposée par la monarchie, changeait les habitudes, simplement pour faciliter le paiement de l'impôt. Des « officiers » des gabelles surveillaient sa levée régulière et faisaient contrôler sur les routes la circulation des marchands de sel. Ceux qui n'étaient pas en règle et n'avaient pas de passeports, étaient considérés comme faux-sauniers, c'est-à-dire contrebandiers du sel. Ainsi sous François Ier, Marennes et La Rochelle s'étaient insurgées et avaient chassé les gabeleurs. Le roi était venu rétablir l'ordre, sans drame, en décembre 1542. La contrebande des faux-sauniers devint systématique et elle suscita des mesures de répression de la part des gabeleurs, et de leurs « chevaucheurs du sel ».

L'Angoumois et la Saintonge. — Des émeutes éclatèrent en Angoumois en 1548 pour obtenir la libération des contrebandiers emprisonnés. Le gouverneur envoya des hommes d'armes qui furent mis en déroute par les troupes de paysans, que l'on appelait les « pitauds ». L'insurrection se répandit et les révoltés, bientôt 20 000 hommes, se placèrent sous la conduite d'un petit seigneur. Des prêtres se joignirent aux insurgés, qui tuaient des gabeleurs, pillaient des châteaux et entrèrent dans Saintes et dans Cognac. Le roi était alors en Piémont : après avoir tenté d'offrir l'amnistie, il s'orienta vers la répression.

Bordeaux et la Guyenne. — Les habitants de Bordeaux se révoltaient à leur tour. Quoique exemptés de gabelle, ils souffraient d'une taxe pour le paiement de soldats. Ils présentèrent leurs exigences au lieutenant du gouverneur, mais celui-ci fut massacré par la foule des émeutiers, ainsi que 20 officiers des gabelles (21 août 1548). Quelques jours plus tard, le parlement de Bordeaux poursuivit les chefs des émeutiers qu'il fit exécuter.

L'autorité royale avait été bafouée à travers ses représentants. On avait crié *Vive Guyenne* au lieu de *Vive France* et le bruit courut que le roi d'Angleterre s'intéressait à ce soulèvement. Henri II prépara une riposte militaire et choisit de punir ceux qui avaient provoqué l'émeute comme ceux qui ne l'avaient pas empêchée. Il décida de bloquer Bordeaux pour éviter l'arrivée d'une aide anglaise. Ce fut le connétable de Montmorency qui conduisit la répression. La ville fut d'abord désarmée et le parlement suspendu. Puis des magistrats venus de toute la France prononcèrent leur jugement. La ville perdait ses libertés et devait verser une amende ; les notables subissaient une humiliante cérémonie d'expiation, 140 personnes étaient condamnées à mort. Puis la répression s'abattit sur les autres provinces révoltées : les meneurs subirent des supplices terribles, qu'ils fussent prêtres ou gentilshommes, les comparses furent pendus. Des amendes frappèrent les paroisses rebelles et 4 000 soldats vécurent sur le pays, multipliant les exactions.

Puis vint le temps du pardon royal. Henri II avait promis l'abolition de la gabelle. En juin 1549, il réunit les États des provinces de Poitou, Saintonge, Angoumois, Limousin, Marche et Périgord. La gabelle fut supprimée et le système antérieur était rétabli avec une taxe modérée sur le sel, que les États eux-mêmes devaient percevoir. Ces provinces étaient dites « pays rédimés ». À l'automne 1549, le roi accorda une amnistie générale et la ville de Bordeaux fut pardonnée.

Le voyage d'Allemagne

Dans l'Empire, la défaite des princes allemands n'avait pas apporté de solution définitive : ils avaient repris leurs intrigues contre l'empereur et cherchèrent l'appui de la France. Le traité secret de Chambord (15 janvier 1552) prévoyait que Henri II verserait des subsides à ses alliés allemands et qu'il recevrait d'eux l'autorisation d'occuper trois villes impériales, Metz, Toul et Verdun, en qualité de « vicaire d'Empire ». C'était le premier traité entre la France et les princes allemands.

Henri II n'eut aucune difficulté à s'emparer de Toul et Metz, et s'avança en Alsace. La campagne avait été organisée par Montmorency Les alliés de la France avancèrent vers l'Allemagne du Sud, contraignant Charles Quint à fuir d'Innsbruck. Comme la présence française dans l'Empire commençait à inquiéter, Henri II se replia et termina ce « voyage d'Allemagne » par la prise de Verdun. Charles Quint voulut assiéger Metz, mais le duc de Guise défendit bien la ville et l'empereur, qui était ruiné et dont l'armée se décomposait, dut lever le siège. Sur le duc de Guise rejaillit la gloire de cette retraite impériale.

Ces trois villes, terres de langue française, placées sous la « protection » de la France, étaient des points stratégiques de premier ordre puisqu'ils permettaient de prendre position sur la Meuse et la Moselle. Les territoires dépendant de ces villes étaient vastes et allaient repousser bien à l'est la frontière française, tout en facilitant la surveillance du duché de Lorraine. Ils permettaient aussi de contrôler les liaisons entre la Franche-Comté, la Lorraine et les Pays-Bas : c'était une garantie contre toute renaissance de la Lotharingie médiévale, ou du domaine bourguignon. Cet échec de Metz enfin accéléra l'effacement de Charles Quint. Comme les trois villes étaient aussi des sièges épiscopaux – les évêques administrant un temporel indépendant –, la question de la souveraineté se posait pour ces « trois évêchés ».

L'effacement de Charles Quint

En Italie, le nouveau pape Jules III (1550-1555) était favorable à la cause impériale. Il avait convoqué de nouveau les évêques à Trente pour 1551, au grand mécontentement du roi de France qui se considérait très capable de réformer lui-même son Église. Le pape passa à l'offensive en menaçant la maison Farnèse, celle de son prédécesseur, qui était protégée de la France. Henri II avait aussi maintenu d'excellentes relations avec le sultan Soliman et il reçut de lui en 1551 l'aide d'une flotte. Finalement le pape capitula devant les menaces françaises. La pression de la France et la menace des armées luthériennes qui s'approchaient de Trente conduisirent à une nouvelle suspension du concile. Ainsi la politique d'Henri II avait tenu en échec le pape et l'empereur à la fois, et affirmé la présence et l'influence françaises dans le Saint-Empire et en Italie, tant par des opérations militaires que par des manœuvres diplomatiques.

Mais la situation internationale restait instable. En Italie, la ville de Sienne avait chassé sa garnison espagnole le 26 juillet 1552 et demandé l'intervention française. C'était pour la France l'occasion d'ouvrir un nouveau front : cette guerre de Sienne dura trois ans. La ville, défendue par Monluc, dut finalement capituler en 1555. Les Espagnols s'installaient sur la côte de la Toscane. C'était pour la France la fin d'un rêve toscan.

Charles Quint reprit l'offensive au printemps 1553 au nord de la France. Après des opérations indécises en 1553 et 1554, l'empereur accepta la trêve de Vaucelles (15 février 1556) : il laissait à Henri II la Savoie, le Piémont, Metz, Toul et Verdun, comme la Corse qui avait été conquise.

Car Charles Quint préparait sa propre succession. Il voulut régler les querelles religieuses et, après deux ans de négociations, fut signée la paix d'Augsbourg (25 septembre 1555). Les princes d'Allemagne étaient presque souverains. Ils imposaient désormais à leurs sujets ou vassaux leur propre choix religieux. C'est le principe *cujus regio, ejus religio,* « tel prince, telle religion ». La volonté politique, le pouvoir du prince, l'emportait sur la liberté de foi du chrétien. C'était aussi la reconnaissance officielle du luthéranisme, mais pas du calvinisme, car alors nul prince n'était calviniste. C'était reconnaître également qu'il n'y aurait plus d'unité de religion. Les confiscations de biens ecclésiastiques qui avaient eu lieu avant 1552 étaient confirmées.

Charles Quint souhaitait laisser une situation plus favorable dans les Pays-Bas et en Espagne. Il engagea donc des négociations avec l'Angleterre où Marie Tudor, reine depuis 1553, entreprenait la restauration du catholicisme. Elle épousa en 1554 Philippe d'Espagne, le fils de Charles Quint. La même année, Philippe avait reçu de son père les royaumes de Naples et de Sicile, et le duché de Milan. Le 25 octobre 1555, Charles Quint laissa à son fils les Pays-Bas, puis en janvier 1556 l'Espagne et ses colonies. Il se retira dans le monastère espagnol de Yuste en 1557 et y mourut le 21 septembre 1558, après s'être dépouillé de la couronne impériale en faveur de son frère Ferdinand.

La victoire espagnole de Saint-Quentin et les États généraux

La trêve de Vaucelles, si favorable à la France, fut rompue par les intrigues du pape Paul IV Carafa (1555-1559). C'était un Napolitain très hostile à l'occupation espagnole. Il souhaitait donc s'allier aux Français contre les Habsbourg qu'il frappa même d'excommunication. Le duc François de Guise arriva en Italie au début de 1557, mais cette expédition se révéla vaine et ruineuse pour l'État. Le pape fut contraint dès l'automne 1557 de faire la paix avec l'Espagne, dont la présence en Italie était solide.

En rompant la trêve, Henri II s'exposait à une reprise de la guerre au nord (31 janvier 1557). La reine Marie Tudor suivit son mari Philippe II dans l'affrontement. L'armée espagnole trompa la vigilance des Français et réussit à assiéger Saint-Quentin qui était dégarnie de défenseurs. L'amiral de Coligny réussit à s'y glisser. Pour aider son neveu, le connétable de Montmorency prépara une vaste opération de secours, qui échoua : l'armée fut décimée et le connétable prisonnier (10 août 1557). Cette « journée de saint Laurent » était une grande victoire espagnole, autant psychologique que stratégique. Ce fut en souvenir de cette journée que Philippe II fit construire son palais, à la fois mausolée et monastère, de Saint-Laurent de l'Escorial. La route de Paris était ouverte, mais les Espagnols préférèrent obtenir la capitulation de Saint-Quentin : après une résistance farouche, Coligny dut se rendre. Il avait néanmoins retardé l'avance espagnole et empêché l'invasion.

Le seul général qui restait à Henri II, c'était François de Guise qu'il fit revenir d'Italie. Celui-ci prit le 6 janvier 1558 par surprise Calais, anglais depuis 1347. La rivalité entre les Guise et les Montmorency s'aiguisait un peu plus.

Pour continuer la guerre, Henri II décida de réunir en janvier 1558 des États généraux ou plutôt une assemblée des notables selon l'historienne A. Jouanna. Pour aller plus vite, le clergé fut représenté par les évêques et les archevêques, la noblesse par les baillis et sénéchaux, le tiers état par les maires et échevins, et comme les premiers présidents des neuf parlements étaient présents, ils formèrent, avec les gens du roi, un état distinct, ou « ordre de la justice » à leur plus grande satisfaction. Le clergé accepta de verser 1 million d'écus, mais le roi voulait emprunter 3 millions. Les députés du tiers refusèrent de désigner les 2 000 plus riches bourgeois du royaume, qui seraient taxés, mais préférèrent que les sommes fussent réparties sur l'ensemble des provinces et des villes. La prise de Calais stimula les énergies.

La paix de Cateau-Cambrésis

Le roi se préoccupait de plus en plus de la situation religieuse du royaume. Philippe II voulait lui aussi lutter contre les progrès du protestantisme en Europe.

La mort de Marie Tudor et l'avènement d'Élisabeth Ire le 17 novembre 1558 affaiblissaient la position espagnole d'autant plus qu'Élisabeth refusait Philippe comme mari et rejoignait le protestantisme. Le 2 avril 1559, la France signait le traité avec l'Angleterre et le 3 avril celui avec l'Espagne et la Savoie : c'est la paix de Cateau-Cambrésis.

Ces traités ont été vécus comme un désastre pour la France par bien des contemporains, protestants comme catholiques. Les hommes de guerre jugeaient que les abandons étaient trop grands après des décennies d'efforts en Italie par exemple et que la situation militaire ne les justifiait pas. Et la noblesse sentait qu'elle perdait l'un de ses champs d'action : la péninsule italienne.

Pourtant les traités préparaient des mariages qui renforçaient la position de la France. La fille aînée d'Henri II, Élisabeth, devait épouser Philippe II d'Espagne. Ainsi était rompu le lien entre ce prince et l'Angleterre. Marguerite, sœur d'Henri II, épouserait Emmanuel-Philibert, duc de Savoie, depuis longtemps dépossédé de son duché et chef des armées espagnoles lors de la guerre.

Voilà la concession majeure : la France restituait à son duc légitime Bresse et Bugey, Valromey, Savoie et Piémont, terres intégrées dans le royaume et remarquable barrière alpine, en tout 198 forteresses écrivait Monluc. Seul demeurait à la France, de l'autre côté des Alpes, le marquisat de Saluces. La France abandonnait aussi la Corse qu'elle avait en partie conquise grâce à Sampiero Corso et elle abandonnait Sienne à son sort. Ainsi le roi de France renonçait au rêve italien qui avait mobilisé le royaume depuis la fin du XVe siècle.

Les traités prévoyaient des échanges de villes, mais ils n'évoquaient pas Metz, Toul et Verdun, terres d'Empire, qui demeuraient donc dans les mains des Français. La France conservait Calais pour huit ans.

Le roi de France et le roi d'Espagne, dans leur traité, avaient proposé un concile universel. Le pape allait le convoquer en 1560 et il se réunirait en 1562.

Pour fêter les mariages princiers, Henri II donna de grandes fêtes et, à cette occasion, des tournois, car il aimait ces prouesses physiques et ces défis chevaleresques. Lors d'un de ces affrontements, le roi fut blessé par la lance du jeune Gabriel de Montgomery : le 10 juillet 1559, il mourut, à 40 ans.

Le gouvernement de la France

Toutes les tendances, qui avaient marqué le règne de François Ier, s'accentuèrent au temps d'Henri II. Ce fut très net dans la répression contre les réformés. Ce fut vrai aussi pour les réformes de l'administration, pour les affaires financières ou pour l'éclat de la cour.

Les réformes dans l'État

L'émergence des secrétaires d'État. — Dès 1547, Henri II désigna, parmi les secrétaires des finances, quatre secrétaires chargés d'envoyer des dépêches pour le dedans et le dehors du royaume. Ils se répartissaient entre eux les provinces et les pays étrangers. Chargés de l'expédition des lettres, ils avaient aussi un regard global sur l'ensemble des affaires royales et sur les décisions, prises par le roi et préparées par ses conseillers. Leur rôle grandit vite. En 1559, ils étaient désignés par le roi comme « secrétaires d'État et de nos finances, secrétaires d'État des commandements et finances ». Il y avait réorganisation et clarification. Avec le temps, ils allaient devenir les principaux collaborateurs du souverain et les rouages essentiels de l'État.

Pour les finances, deux contrôleurs généraux avaient été créés et, en 1547, ils furent chargés de contrôler toute recette ou dépense de l'Épargne, le trésor royal. En 1552, pour préparer la campagne d'Allemagne, Henri II institua trois commissaires (donc révocables), qui furent appelés surintendants ou intendants des finances. Ils étaient chargés des ressources fiscales exceptionnelles, des ventes d'offices ou des emprunts, Ils avaient à rapporter des affaires devant les conseils du roi et ils ne tardèrent pas à en faire partie : leur rôle devint donc vite essentiel. L'un d'eux avait préséance sur les autres, et ce fut lui qui plus tard fut désigné comme le surintendant général.

La création des présidiaux. — L'attitude du parlement de Bordeaux, lors du soulèvement de 1548, avait semblé hésitante. Henri II décida de créer, par l'édit de Fontainebleau de 1551, un tribunal intermédiaire entre le bailliage (ou la sénéchaussée) et le parlement : ce fut le siège présidial ou, plus simplement, le présidial. Il s'agissait d'éviter au justiciable le voyage vers la grande ville où siégeait le parlement, mais il s'agissait aussi de diminuer l'influence de ce dernier. Soixante présidiaux étaient prévus. Ils devaient juger les appels des juridictions inférieures (prévôtés, bailliages et sénéchaussées). Au civil, ils décidaient en dernier ressort pour des litiges n'allant pas au-delà de 250 livres de capital. Au pénal, ils jugeaient, en dernier ressort, pour des délits qui n'entraînaient que des peines inférieures (fouet, bannissement, condamnation temporaire aux galères) et, en première instance, pour les cas qui pouvaient être punis de mort ou des galères à perpétuité.

La multiplication des présidiaux, malgré l'hostilité des parlements, pendant les siècles à venir (ils étaient cent vingt en 1789) montra qu'ils correspondaient bien à un besoin du royaume.

Pour l'administration des provinces, Henri II mit en avant, dès 1553, les maîtres des requêtes de l'hôtel du roi. Chaque année, ils devaient visiter les provinces : c'étaient les « chevauchées ». Il s'agissait d'inspecter, de juger et d'informer le roi. En 1555, il fut décidé que la chevauchée d'un maître des requêtes aurait pour cadre une « généralité » – circonscription financière correspondant à un « général des finances ».

Mais cette présence était épisodique. Pour les provinces récemment conquises ou pour des territoires occupés, le besoin se faisait sentir d'avoir, auprès du gouverneur ou du lieutenant-général qui représentait le roi, un spécialiste des finances et de la justice, comme un véritable ministre du gouverneur. Le mot « intendant » était parfois employé, parmi d'autres, et la fonction commençait à naître.

Le « grand parti »

Henri II mena une politique ruineuse : les bienfaits à ses favoris et à ses proches, la splendeur de la cour, les campagnes militaires coûtèrent cher.

Comme le roi était garant d'une bonne monnaie, il s'efforça d'assainir la circulation monétaire. Il fit frapper de belles pièces d'or, tenta d'empêcher la fuite de ces pièces vers l'étranger, frappa de nouvelles monnaies d'argent.

Surtout il eut recours à des emprunts. Dès le temps de François Ier, la place de Lyon avait fourni des capitaux italiens ou allemands, qui étaient venus secourir la monarchie française.

La dette royale devenait très lourde, d'autant que les intérêts étaient intégrés au capital parce qu'ils n'étaient pas payés par le roi. Déjà des syndicats de banquiers s'étaient constitués pour négocier les prêts avec des agents du roi. L'idée s'imposa de regrouper toutes les créances royales dans un contrat global avec un syndicat général des prêteurs. Cet arrangement eut lieu en 1555 : c'était le « grand parti ». Le roi reconnaissait l'ensemble de la dette, avec un intérêt de 16 % par an, et il acceptait de rembourser ensemble les intérêts et le capital, avec un calendrier précis jusqu'en 1565. Ces versements étaient garantis sur les recettes générales, donc sur l'impôt des Français. En échange le roi obtenait des prêts supplémentaires. « Le *grand party* revêtit donc un aspect de souscription publique. Des serviteurs apportèrent leurs économies, des femmes vendirent leurs bijoux pour prêter au roi » *(Jean Delumeau)*.

En réalité, des emprunts nouveaux furent ensuite intégrés au grand parti. Les remboursements étaient d'autant plus difficiles que les taux d'intérêt étaient très élevés. En 1557, la place de Lyon connut une première alerte car Philippe II d'Espagne, lui aussi lourdement endetté, cessa ses paiements : c'était la banqueroute. En 1558, la confiance des créanciers du roi s'effondra : c'était la faillite du « grand parti ». Le roi négocia avec ses créanciers : les paiements seraient réduits des trois quarts. Un nouveau contrat fut conclu en 1559, le « petit parti ». Il s'agissait donc d'une banqueroute partielle et déguisée. Le retour de la paix pouvait néanmoins faire espérer un redressement financier.

Cette politique d'emprunts avait renforcé le rôle européen de Lyon, mais les difficultés royales avaient aussi fragilisé la position de cette place financière et ébranlé des banques lyonnaises. Pour la monarchie, c'était une première expérience : « C'était la première fois qu'un roi réalisait de gros emprunts d'une façon permanente et qu'il en réglait l'amortissement » *(Ivan Cloulas)*. Le « grand parti » avait permis de financer la guerre sans aller jusqu'à la banqueroute déclarée. En revanche cet endettement chronique avait conduit à confier à des partis, des groupes de banquiers ou de financiers, des recettes fiscales, dont ils organisaient et contrôlaient la perception : « Les banquiers s'installaient dans l'État et y affirmaient leur puissance » *(Richard Gascon)*.

La cour et le temps de la Pléiade

La cour d'Henri II fut fastueuse. Les compétitions sportives étaient nombreuses autour de la chasse et du tournoi. Les fêtes y furent splendides. Philibert de l'Orme fut le surintendant des palais royaux : il dressa à Saint-Denis le tombeau de François Ier, acheva la Sainte-Chapelle du château de Vincennes, compléta le château de Saint-Germain-en-Laye par un château-neuf et surtout créa à Fontainebleau la salle de Bal qui, à travers les symboles des peintures, était un hommage du roi à sa maîtresse, Diane de Poitiers. Ce fut pour elle aussi que De l'Orme travailla : à Chenonceaux, où il imagina un pont pour prolonger le château, à Anet surtout où tout évoquait la déesse Diane et la chasse. Quant à Pierre Lescot, il créa un nouveau Louvre.

Ce fut aussi à la cour que triompha une poésie nouvelle. En 1549, Joachim du Bellay publiait une *Défense et illustration de la langue française*. Il s'agissait de préparer le renouveau de la poésie, en s'inspirant des poètes de l'Antiquité, tout en cherchant la beauté à travers la langue française. Pierre de Ronsard publia des *Odes* en utilisant une versification souple. Soutenu par la sœur du roi, Marguerite, et par le conseiller de cette princesse, Michel de l'Hospital, Ronsard triompha de ses détracteurs et inaugura un règne littéraire incontesté. Il chercha à exprimer avec fraîcheur et simplicité, franchise et pudeur, à la fois l'amour et les sentiments humains. Un groupe littéraire se réunit autour de lui. Par comparaison avec les sept poètes grecs anciens et les astres qui les représentaient, cette « Brigade » devint en 1556 « la Pléiade » : Du Bellay, Pontus de Tyard, Baïf, Peletier, Jodelle, Rémy Belleau. Et ces poètes n'hésitaient pas à célébrer le roi. La cour aimait aussi la musique qui accompagnait ces vers, celle de Goudimel ou de Clément Janequin.

Les écrivains et les artistes avaient la sensation d'inventer une Renaissance française, qui n'était plus la pâle copie de celle de l'Italie.

Ainsi, sous Henri II, les traits de la monarchie, qui s'étaient esquissés au début du siècle, se précisaient. L'État cherchait à s'organiser pour plus d'efficacité : en connaissant et en contrôlant mieux le royaume, il était plus facile d'obtenir de lui des secours financiers. La simplification s'était aussi imposée dans la négociation des emprunts avec les banquiers ou les financiers : ils rassemblaient des capitaux venus de toute la société française, mais aussi de l'étranger, et, en échange, ils obtenaient de se rembourser sur les rentrées fiscales de la monarchie. D'une part ces ressources nouvelles - impôts et emprunts - étaient destinées à maintenir la puissance française en Europe : la gloire du roi en dépendait, mais aussi la sécurité du territoire qui avait été améliorée par l'acquisition de Metz, Toul et Verdun. D'autre part le faste coûteux de la cour servait le prestige de la monarchie, mais soutenait aussi un vaste effort artistique, intellectuel et littéraire, qui faisait de la France une rivale pour l'Italie. L'affirmation de la monarchie n'excluait pas un dialogue avec les sujets. Si la révolte de 1548 avait été réprimée avec rudesse, elle avait aussi forcé le pouvoir royal à reculer. Dans les temps difficiles, Henri II avait eu recours aux États généraux. En revanche, dans le domaine religieux, le temps du dialogue était fini. Le roi n'avait pas réussi à rétablir l'unité religieuse du pays : il avait choisi d'y consacrer désormais tous les efforts de l'État, lorsque la mort le frappa. Ce choix mettait la question religieuse au premier plan et la mort d'Henri II ouvrit le temps des guerres de Religion.

8. Le temps de la Saint-Barthélemy (1559-1574)

Henri II avait favorisé la paix en Europe pour mener en France une politique de répression religieuse. Sa mort brutale laissa en réalité le royaume dans une situation difficile, d'abord par la jeunesse des fils du roi, et par l'occasion que cet accident offrait à la noblesse d'affirmer son indépendance face à l'autorité royale.

Les tensions politiques et religieuses

Les progrès du calvinisme en France

Il est évident que le facteur religieux a joué le rôle essentiel dans les guerres civiles qui accablèrent la France dans la seconde moitié du XVIe siècle. Mais les affrontements politiques entre la noblesse et la monarchie y tinrent aussi une grande place.

L'influence de Calvin. — Les conversions au protestantisme se multiplièrent au début des années 1560. L'élément nouveau fut pour la France l'influence de Genève et du modèle religieux et politique que Calvin y avait proposé et imposé, avec les consistoires et les « synodes », c'est-à-dire des assemblées provinciales ou nationales régulières. La présence de pasteurs formés à Genève favorisa la diffusion de la nouvelle foi en France : 88 communautés créées entre 1555 et 1562, peut-être 120 entre 1555 et 1565. Les églises étaient « dressées » lorsqu'elles avaient un pasteur et un consistoire, elles n'étaient que « plantées » lorsqu'elles n'avaient pas de pasteur à demeure.

Pour la monarchie qui n'avait pas hésité à s'allier aux princes luthériens dans l'Empire pour lutter contre l'empereur, le calvinisme était un danger d'une tout autre dimension parce que Calvin était un sujet français et que Genève était aux portes du royaume. On désigna volontiers les protestants français comme des « huguenots », déformation du mot allemand *eidgenossen* ou confédérés, qui venait de Genève.

Les conversions dans la noblesse. — Autour de la question religieuse, s'affrontèrent les grandes familles princières, même si la conviction des princes était parfois de façade. Des proches du roi se convertirent, comme Louis de Condé ou les neveux de Montmorency, l'amiral Gaspard de Coligny, François d'Andelot, colonel-général de l'infanterie, le cardinal Odet de Châtillon. Il faut souligner l'importance des femmes dans les conversions de la noblesse. Marguerite d'Angoulême avait protégé les réformateurs de Meaux, sa fille, Jeanne d'Albret annonça en 1560 sa conversion, alors secrète, pendant qu'un pasteur convertissait la noblesse de ses domaines – Béarn et Navarre.

Vers 1560, une bonne partie de la noblesse s'était convertie au calvinisme, 19 % en Beauce, un tiers en Quercy ou dans l'élection de Bayeux, « massivement » en Guyenne, en Haute-Provence, en Gascogne, en Gévaudan. Ces nobles étaient jeunes, et ils trouvaient dans leur foi nouvelle un puissant stimulant pour réaliser leurs ambitions sociales et politiques. La moyenne noblesse ou les simples gentilshommes furent aussi tentés par une forme d'anticléricalisme et par la tentation de s'emparer des biens ecclésiastiques.

La société face au protestantisme. — Ce qui est certain, c'est qu'il n'y eut pas de lien nécessaire entre l'origine sociale et professionnelle d'une part et l'engagement spirituel d'autre part. Mais quelques tendances peuvent être soulignées, qui néanmoins varièrent selon le lieu ou le moment.

Les membres des cours souveraines furent tentés par le protestantisme, et l'affrontement le plus marquant avait eu lieu, lorsque le conseiller Anne du Bourg eut l'audace de défier le roi Henri II. Malgré la mort de ce roi, Anne du Bourg fut exécuté, nous allons le voir. Les parlementaires rentrèrent alors dans le rang, d'autant plus que des attaques virulentes étaient lancées contre eux, en particulier parce que la vénalité des offices empêchait toute promotion sociale par le service du roi.

En revanche, nombre d'universitaires, surtout des juristes, choisirent le calvinisme. Hotman qui eut un rôle dans la conspiration d'Amboise passa par l'Université d'Orléans et eut un temps un emploi à Bourges, et ces professeurs eurent de l'influence dans les villes universitaires. Les notables des villes et les officiers d'un rang intermédiaire, ainsi que les avocats, les procureurs et les huissiers furent aussi favorables à la Réforme. La réforme séduisit également les artisans des villes. Remarquons pourtant qu'à Lyon, lorsque la ville fut prise par les réformés, le 30 avril 1562, les acteurs, autour du baron des Adrets, furent surtout des membres de la petite noblesse et des groupes de vignerons des campagnes environnantes.

Néanmoins la paysannerie semble avoir été moins tentée par le calvinisme. En tout cas, certains actes de violence rassemblèrent des paysans de toutes les religions, contre un seigneur cruel pour ses tenanciers, comme le baron de Fumel, un catholique, qui fut assassiné en 1561.

Vers la guerre civile. — Le cheminement vers la guerre civile – ou les guerres civiles – obéit à plusieurs facteurs. L'absence d'un roi capable de gouverner seul affaiblissait la monarchie, qui ne parvenait plus à faire taire les rivalités entre grands personnages et entre factions rivales, et qui ne pouvait plus imposer son arbitrage et des choix politiques durables. Il faut prendre en compte aussi une réaction politique, après le renforcement net du pouvoir royal, au temps de François Ier et d'Henri II : des juristes et des théoriciens réclamaient une limitation de la monarchie et le retour à une monarchie tempérée, supposée être un modèle d'autrefois. Comme une partie de la noblesse se laissa séduire par le calvinisme, elle ajoutait la revendication religieuse à d'autres plaintes : en effet le trésor royal n'était plus en mesure de dispenser des faveurs et la paix ne permettait plus de vivre de la guerre contre les puissances étrangères.

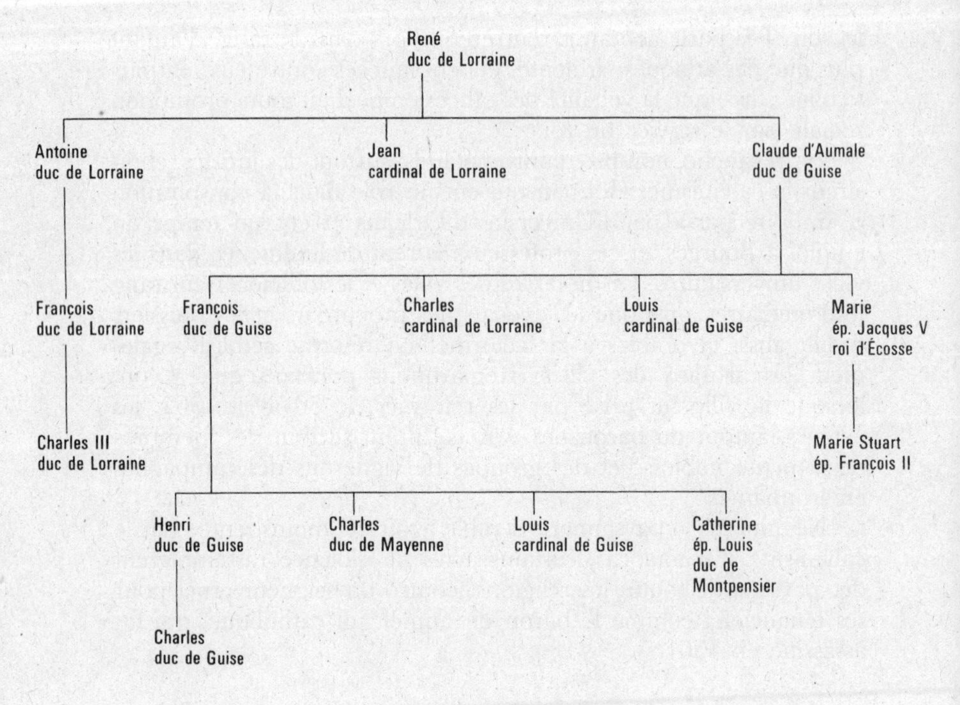

Les Lorraine et les Guise au XVIe siècle

Le gouvernement des Guise au temps de François II

Lorsque le roi Henri II mourut le 10 juillet 1559, son fils François II avait 15 ans : il était majeur selon les règles monarchiques. Il était marié à Marie Stuart, reine d'Écosse, et il laissa gouverner les oncles de sa femme, le duc de Guise, auréolé de ses victoires militaires, et le cardinal Charles de Lorraine, son frère. La reine-mère Catherine de Médicis n'avait pas d'influence sur son fils et ne put protéger les protestants qui le lui demandaient.

La mort du conseiller Du Bourg. — Les Guise continuèrent la politique de répression qu'avait engagée Henri II contre les partisans de la réforme religieuse. Le conseiller au parlement, Anne du Bourg, qui avait été emprisonné avant la mort d'Henri II, fut brûlé le 23 décembre 1559. La violence ultra-catholique des Guise inquiéta tous les réformés.

Une politique d'économies. — Les Guise tentèrent de mener une politique d'économies pour restaurer les finances royales : ils licencièrent les troupes royales, imposèrent des délais dans le paiement des soldes, supprimèrent des pensions accordées par le roi, révoquèrent des « aliénations » (ou cessions) gratuites du domaine royal, qui correspondaient à des dons royaux. Ils tentèrent aussi une baisse autoritaire de l'intérêt des dettes. Les mécontents étaient nombreux. Les Guise furent vite accusés de favoriser leurs amis et leurs partisans. Parmi les largesses royales, celles qui étaient accordées à leurs fidèles passèrent de 28 % du total en 1553 à 74 % en 1560 puis furent réduites à néant, en 1561, lorsque les Guise perdirent le pouvoir. Le roi n'avait plus la capacité d'équilibrer les différentes factions de la noblesse, qui s'inquiétait. Les fidèles des autres grands, comme les Montmorency, se sentaient lésés et abandonnés, exclus des bienfaits royaux. De plus, la fin de la guerre laissait planer l'incertitude pour tous ceux qui s'étaient consacrés au service militaire du roi.

La conjuration d'Amboise. — La conjuration d'Amboise fut préparée à partir de Genève par des gentilshommes qui s'y étaient réfugiés. Mais Calvin ne soutint pas ce complot. C'était une conspiration contre les Guise, plutôt qu'une révolte des protestants. Il s'agissait officiellement d'obtenir une audience du roi et de lui remettre les écrits justifiant la conjuration, mais il s'agissait aussi de s'emparer de la personne du roi et des ministres. Les Guise étaient des « tyrans » et le roi était considéré, malgré son âge, comme encore mineur. Le roi de Navarre, Antoine de Bourbon, premier prince du sang, refusa de s'engager, et Louis de Bourbon, prince de Condé, plus énergique, laissa agir un gentilhomme du Périgord, La Renaudie. Les acteurs furent des membres d'une noblesse moyenne et provinciale qui agit sans la protection des grands ni le secours moral des pasteurs.

Une assemblée se tint à Nantes le 1er février 1560 et un rassemblement devait avoir lieu à Blois, le 6 mars 1560, avec pour signe de ralliement une balle de jeu de paume, noire et blanche. Mais la cour, toujours itinérante, avait gagné Amboise dont les murailles étaient solides. Des avis parvinrent aux Guise qui firent procéder à des arrestations. Les conjurés tombèrent entre les mains des soldats du roi et les exécutions sommaires se multiplièrent. Les récits de telles violences marquèrent tout à la fois les gentilshommes et les réformés. « Ils ont décapité la France, les bourreaux », s'exclama le père du poète Agrippa d'Aubigné en voyant, avec son fils de 8 ans, les restes des compagnons d'Amboise. La répression déchaîna une tempête pamphlétaire et des troubles éclatèrent.

Le gouvernement modéré de Catherine de Médicis

Michel de l'Hospital et la fin de la répression

Avant même la conjuration, un changement s'était amorcé et le rôle de Catherine de Médicis s'affirmait. Les Guise lâchèrent du lest et acceptèrent comme chancelier Michel de l'Hospital, réputé modéré (avril 1560). Ce juriste avait été au service de Marguerite, la sœur d'Henri II, maître des requêtes, puis premier président de la Chambre des comptes. Cet humaniste avait été influencé par l'enseignement d'Érasme. Même s'il n'était pas favorable à une division religieuse de la France, il considérait que les protestants étaient nombreux et puissants. Il était impossible d'utiliser contre eux la force : face au pouvoir de l'esprit, il fallait utiliser la seule raison.

L'édit de Romorantin. — En mai 1560, l'édit de Romorantin accordait la liberté de conscience, mais refusait la liberté de culte : pourtant les assemblées protestantes continuèrent à se tenir. La persécution en tout cas prit fin. En effet le crime d'hérésie devait être jugé par les tribunaux ecclésiastiques, et celui d'assemblées interdites, par les présidiaux. Les parlements, souvent sévères, étaient ainsi contournés. Une assemblée de notables fut réunie à Fontainebleau le 21 août 1560, ce qui montrait que le mécontentement avait été pris en compte. Une réunion des États généraux fut prévue à Orléans pour le mois de décembre 1560.

L'iconoclasme. — Les troubles néanmoins continuaient : les chefs réformés s'emparaient de villes ou de places aux murailles solides derrière lesquels ils seraient en sécurité. Des paysans refusaient de payer la dîme. Bientôt les réformés pillèrent les églises en détruisant tous les éléments de l'art sacré, parce que ces représentations de Dieu ou du Christ étaient jugées païennes. C'était l'iconoclasme, le bris des images sacrées de la religion catholique.

Le pouvoir royal inquiet voulut faire un exemple : le second prince du sang, Condé, fut arrêté et condamné à la peine capitale par un tribunal d'exception, mais la mort de François II, le 5 décembre 1560, le sauva.

L'avènement de Charles IX et la régence de Catherine

La reine-mère. — Le nouveau roi, Charles IX, frère de François II, n'avait que 10 ans et était mineur : la reine-mère Catherine assura la régence.

Catherine de Médicis (1519-1589) allait gouverner ou participer au gouvernement jusqu'à sa mort, soit pendant vingt-neuf ans, toujours au nom de ses fils, parfois avec eux. Elle fut souvent critiquée avec violence de son vivant, car elle était jugée comme trop « florentine », trop habituée aux habitudes italiennes, cherchant à diviser ses ennemis et à multiplier les intrigues complexes. Elle aurait été le disciple en France de son compatriote de Florence, Nicolas Machiavel : dans *Le Prince*, publié en 1516, il avait défini la raison d'État qui ne doit pas hésiter à ordonner des massacres ou des assassinats. La littérature, après la mort de Catherine, a dessiné le portrait d'une femme intelligente, mais sans scrupules, utilisant le meurtre comme la trahison. Aujourd'hui les historiens sont plus mesurés. Catherine a tenté de sauver la tolérance et d'éviter la violence et la guerre civile. Pour cela, elle suivait l'exemple de François Ier et d'Henri II, en affirmant une volonté royale au-dessus des partis ou des confessions religieuses. Mais devant l'échec d'une telle politique, elle n'a pas hésité à frapper et à condamner. Surtout elle a été avant tout mère de rois. Elle a travaillé, discuté, décidé au nom de ses fils. Elle a entretenu une immense correspondance à travers la France. Elle a voyagé et négocié pour sauver l'autorité royale. Même si sa personnalité fut parfois inquiétante, elle a voulu conserver l'État monarchique au milieu du déferlement de la violence en France. Et s'inspirant de l'Italie, elle a voulu donner de l'éclat à la monarchie en entretenant une vie de cour brillante.

Les États généraux et l'ordonnance d'Orléans (1561). — Catherine tenta de calmer les esprits en créant Antoine de Bourbon lieutenant général du royaume et en libérant Condé. Les États généraux, convoqués par François II, siégèrent avec 107 députés du clergé, 74 de la noblesse et 224 du tiers état. Lors de la séance d'ouverture, le 13 décembre 1560, le chancelier de l'Hospital fit appel à l'esprit de tolérance, s'efforçant de rallier tous les chrétiens.

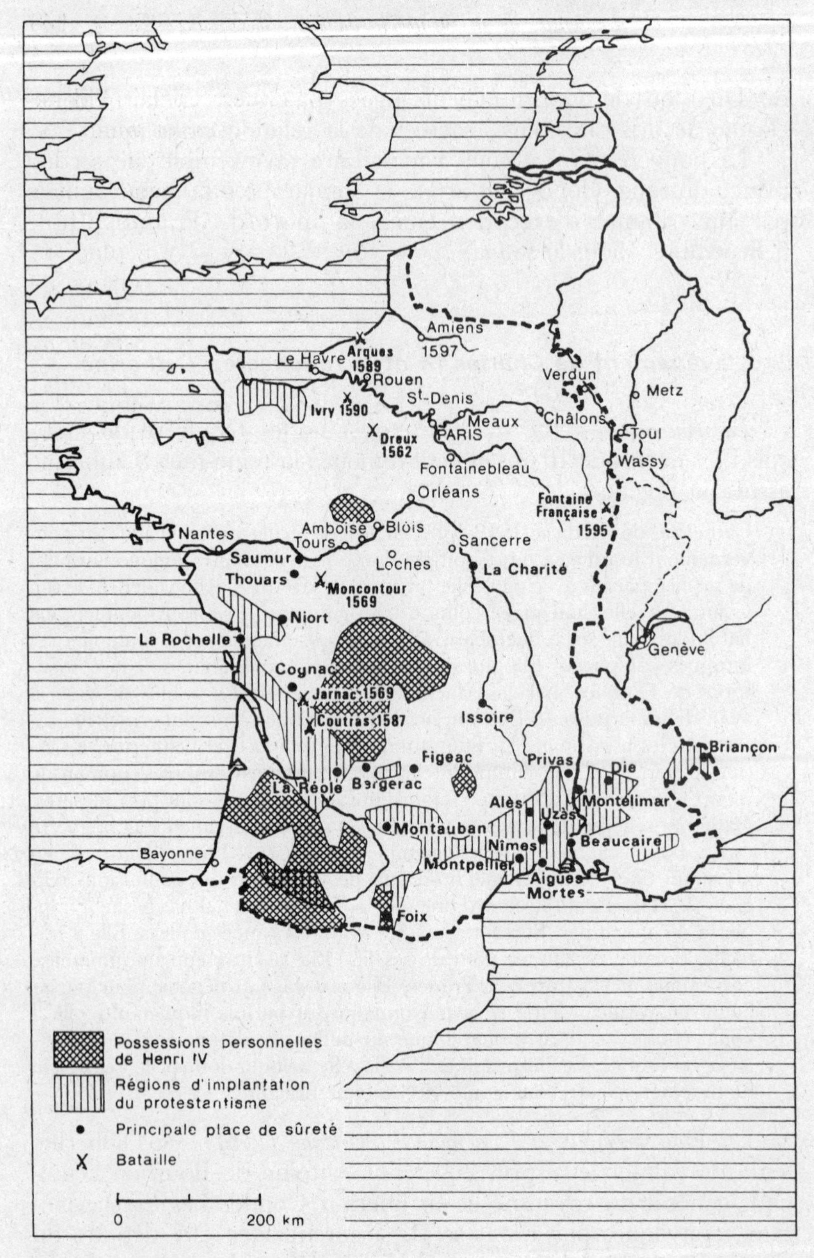

CARTE 3. — Les guerres de Religion en France

D'après André Corvisier, *Précis d'histoire moderne,* 2e éd. mise à jour, Paris, PUF, 1981.

Les députés réclamaient la tolérance religieuse, et la noblesse réformée, appliquant le programme des juristes, aurait voulu que les États pussent contrôler la régence. Catherine ne céda pas. En revanche, elle n'obtint rien, car les députés refusaient de payer davantage d'impôts. La reine décida de les renvoyer, tout en prévoyant une nouvelle assemblée, cette fois avec un député de chaque ordre par gouvernement. Les députés présentèrent pourtant leurs cahiers de doléances et Catherine fit publier l'ordonnance d'Orléans (janvier 1561) qui répondait aux revendications traditionnelles – elle annonçait la suppression de la vénalité des offices ou l'élection des évêques – mais qui ne fut pas appliquée. La régente était favorable à un dialogue religieux en France, au moment même où le pape Pie IV convoquait les évêques pour une nouvelle session du concile de Trente.

La situation politique évolua, puisque, devant les troubles religieux, un rapprochement s'opéra entre le duc de Guise, le connétable de Montmorency et le maréchal de Saint-André, qui formèrent ce que l'on appela le « triumvirat », pour défendre la religion traditionnelle (6 avril 1561). Cette alliance politique ne pouvait qu'entraver la cohabitation des deux confessions.

La triple négociation de Catherine de Médicis. — La régente et ses ministres avaient à mener une triple négociation. Des représentants du clergé se réunirent à Poissy pour discuter d'une aide à accorder au roi (31 juillet 1561). À Pontoise, les États généraux se réunirent, mais ils n'acceptèrent pas un renforcement de la fiscalité. Certains demandèrent que l'Église fût dépossédée d'une partie de ses biens. Cette menace fut efficace et conduisit un peu plus tard au contrat de Poissy (21 septembre 1561) : 1 600 000 livres seraient versées par l'Église au trésor royal pendant six ans et le monde ecclésiastique assurerait le remboursement en dix ans des rentes de l'Hôtel de Ville de Paris (soit près de 8 millions de livres). L'Église de France aidait l'État à se dégager de ses dettes. Mais Catherine attira aussi, près d'elle et de ses fils, les Florentins qui avaient fait la fortune de Lyon, comme les Gondi, et à qui elle confia les plus grands emplois.

Enfin troisième dimension : à Poissy, une réconciliation religieuse était tentée sous la présidence du roi, de la régente et du chancelier, à partir du 9 septembre 1561. Dans le cadre de l'Église de France, malgré l'hostilité pontificale et à l'imitation des solutions adoptées dans l'Empire – c'est la tolérance instituée à Augsbourg –

il semblait encore possible d'établir un compromis religieux national. La monarchie choisissait l'affirmation d'une église « gallicane », plus indépendante de Rome, en tentant une forme de concile national. D'un côté des pasteurs et des députés protestants, sous la conduite du réformateur Théodore de Bèze, de l'autre côté des prélats, des ambassadeurs et la cour. Mais cette confrontation théologique fut un échec, car aucune des parties ne voulut céder sur des points fondamentaux, comme la signification de l'Eucharistie, Théodore de Bèze affirmant que le corps du Christ était aussi éloigné du pain et du vin que l'était de la terre le plus haut point du ciel.

L'édit de Janvier (1562). — Catherine et le chancelier de l'Hospital n'en poursuivirent pas moins leur politique de tolérance. L'édit de Janvier (17 janvier 1562) accorda la liberté de conscience aux protestants et la liberté de culte dans les faubourgs des villes et dans les maisons particulières. C'était un pas important vers la reconnaissance de la foi réformée par la monarchie. Mais cette politique indignait les catholiques fervents.

Le début de la guerre civile

Le massacre de Vassy et le pouvoir des Guise

Le dimanche 1er mars 1562, le duc de Guise, passant par la ville close de Wassy, en Champagne, voulut y entendre la messe. Il trouva un millier de protestants qui assistaient à un prêche, dans une grange, à l'intérieur des murs : c'était une contravention à l'édit de Janvier. Les hommes du duc s'attaquèrent aux fidèles et il y eut 23 morts et une centaine de blessés. Cet événement eut des conséquences dramatiques et il marque traditionnellement le début des guerres de Religion.

Le contrôle de la personne royale. — Comme nombre de catholiques étaient satisfaits de cet acte violent, le duc de Guise, avec le soutien du connétable de Montmorency, gagna Fontainebleau, et força la régente et le roi Charles IX à regagner Paris. Là encore, des protestants furent victimes de violences. Les Guise et le parti catholique contrôlaient donc la personne du roi (27 mars 1562).

L'organisation militaire des protestants. — La seconde conséquence du massacre de Vassy fut que le « parti » protestant s'organisa militairement. À partir de 1560, les églises protestantes du Midi et de l'Ouest, surtout de Guyenne, avaient demandé à des gentilshommes de les protéger. Et ces protecteurs devinrent des acteurs prépondérants. Une organisation hiérarchisée se mit en place : les provinces furent divisées en « colloques », chacun ayant un colonel à sa tête. Louis de Condé devint protecteur des Églises de France. Il réagit au massacre de Vassy en publiant une *Déclaration* où il affirmait que Charles IX était prisonnier et qu'il fallait appliquer l'édit de Janvier. Il appelait les protestants à prendre les armes.

La première guerre de religion

Les villes prises par les protestants. — La première « guerre de religion » commençait. Des soldats protestants se rassemblèrent. Orléans qui était tombé entre leurs mains devint le centre militaire de cette armée improvisée. Louis de Condé avait, depuis 1560, envisagé un plan d'occupation du royaume. L'une des ambitions protestantes était de prendre des villes et elles furent nombreuses à tomber aux mains des calvinistes au printemps 1562 : Tours, Blois, Le Mans, Angers, Poitiers, Bourges, Valence, et même Lyon et Rouen. Pourtant des villes furent reprises, ou bien les catholiques résistèrent aux manœuvres des protestants, comme à Bordeaux ou à Toulouse. Le baron des Adrets contrôla la vallée du Rhône et le Dauphiné, et d'autres chefs militaires s'emparèrent de provinces entières.

L'aide étrangère et l'assassinat du duc de Guise. — Les réformés avaient obtenu l'aide d'Élisabeth d'Angleterre, par le traité d'Hampton Court (20 septembre 1562). Le Havre serait donné à la reine en attendant Calais, en échange de 6 000 hommes et d'une forte somme. Avant l'arrivée des Anglais, les troupes catholiques firent le siège de Rouen et reprirent la ville – Antoine de Bourbon y trouva la mort. Pendant ce temps, des mercenaires allemands venaient aider les protestants. La première bataille rangée eut lieu à Dreux le 19 décembre 1562 : le duc de Guise était vainqueur de justesse, le maréchal de Saint-André était mort. Guise gagna Orléans qu'il investit, mais la veille de l'attaque, il fut assassiné par un gentilhomme protestant, Poltrot de Méré (24 février 1563). Coligny fut soupçonné d'avoir inspiré l'attentat. Cet assassinat grandit encore le prestige des Guise chez les catholiques fervents dont les espoirs se portèrent plus tard sur le nouveau duc de Guise, Henri, né en 1550.

Le voyage de Charles IX et l'entrevue de Bayonne

Paix à l'intérieur, paix à l'extérieur. — Catherine de Médicis, délivrée de la tutelle des Guise par la mort du duc, mais forte des succès catholiques, imposa ses conditions aux protestants par l'édit d'Amboise (19 mars 1563). La liberté de conscience était maintenue, mais la liberté de culte était plus limitée que dans l'édit de Janvier. En disposaient d'abord les seigneurs « hauts justiciers » (qui avaient la haute justice, c'est-à-dire une compétence très étendue en matière civile et criminelle jusqu'à la peine de mort), pour leur famille et leurs sujets, ensuite les seigneurs ayant un fief, pour leur famille, enfin une ville par bailliage, dans les faubourgs. Par exception, le culte était autorisé dans les villes où il se célébrait jusqu'au 7 mars 1563. La religion calviniste tendait à devenir un privilège des nobles, et les conversions se tarirent dans le reste de la population.

Catherine de Médicis rallia les troupes des deux camps et put ainsi chasser les Anglais qui avaient occupé Le Havre. Par un lit de justice, elle fit proclamer la majorité de Charles IX à Rouen, le 17 août 1563, tout en continuant à assumer l'essentiel du gouvernement. Elle signa avec Élisabeth le traité de Troyes en avril 1564. La même année, Calvin mourait et, à Genève, Théodore de Bèze lui succédait.

Le voyage de Charles IX à travers la France. — Paix à l'intérieur et paix à l'extérieur : la reine-mère en profita pour faire avec son fils, un long voyage à travers la France, du 24 janvier 1564 au 1er mai 1566, afin de présenter le roi à ses sujets et de montrer au roi son royaume. Toute la cour suivait la famille royale : ainsi le gouvernement de la France fut itinérant pendant plus de deux ans. Cela montrait à quel point le poids de l'État monarchique était encore léger, mais aussi à quel point la monarchie avait besoin de resserrer les liens entre le souverain et ses sujets qui se distendaient, surtout dans le Sud. Ce tour de France, long et presque complet, était en effet le prétexte aux cérémonies traditionnelles qui célébraient l'amour du peuple pour son monarque. C'était aussi le moyen de connaître la diversité du pays, les rapports de force et les institutions locales, bref de comprendre la France. Le cortège parcourut les provinces françaises en partant vers l'est, puis en suivant la Saône et le Rhône, il gagna la Provence, puis la côte du Languedoc et longea la Garonne. Là se situa le détour par Bayonne pour une rencontre avec la reine d'Espagne.

L'entrevue de Bayonne. — Du 14 juin au 2 juillet 1565, eut lieu à Bayonne une rencontre entre Catherine, sa fille Élisabeth, reine d'Espagne, et le duc d'Albe, conseiller de Philippe II. Les Espagnols auraient insisté auprès de Catherine pour que fût élaborée en commun une politique de défense du catholicisme. Il est probable que Catherine n'accorda rien. Or, en 1566, des protestants, les « casseurs de l'été 1566 », détruisirent les églises et les couvents des Pays-Bas espagnols et l'insurrection éclatait contre les Espagnols. Ainsi l'entrevue avec le duc d'Albe (qui allait être chargé de réprimer dans le sang la révolte aux Pays-Bas espagnols) apparut plus tard comme une conspiration catholique contre les protestants, à l'échelle de l'Europe.

Le voyage royal continua à travers les provinces de la façade atlantique, puis en suivant la vallée de la Loire, enfin la cour fit un long séjour à Moulins.

L'œuvre de Michel de l'Hospital

Michel de l'Hospital était sans doute favorable à un pouvoir monarchique fort, mais aussi hostile à la vénalité des offices. Pour lui, seul le savoir et le mérite devaient désigner les hauts magistrats, les gens de robe, qui constitueraient une nouvelle élite.

Tout au long du voyage de Charles IX, la cour était accompagnée des ministres. À Moulins, une assemblée des notables fut convoquée pour le 24 janvier 1566 avec les princes du sang, les membres du Conseil, les grands officiers de la couronne, les présidents de six parlements. La reine-mère obligea les Guise et Coligny à se réconcilier.

L'ordonnance de Moulins et sa signification. — Le chancelier de l'Hospital fut l'inspirateur de l'ordonnance de Moulins, qui fut publiée en février 1566. Il rappelait d'emblée que seul le roi avait le droit de faire des lois et que les magistrats avaient le devoir de les publier et non le droit de les interpréter. Il soulignait que le mal français venait surtout des faiblesses de la justice et qu'il fallait donc la réformer. Le système judiciaire fut simplifié par l'élimination de présidiaux superflus, par la suppression d'offices inutiles à la mort de leurs titulaires et par une réforme de la procédure. Quant au rôle judiciaire de la noblesse ancienne, il était sévèrement contrôlé.

Cette ordonnance correspondait à la volonté, souvent affirmée par la monarchie, de réformer la justice et l'organisation politique. Les notables, représentant le royaume, étaient appelés pour conseiller le roi et ses ministres. Le chancelier comptait sur une collaboration entre le Conseil du roi, dont les membres étaient souvent choisis dans le monde des parlementaires, et les parlements, dont il renforçait le rôle, tout en les menaçant par sa volonté de supprimer ou de limiter la vénalité des offices.

Le regain de la guerre empêcha l'application de la réforme : les besoins financiers de la monarchie l'obligèrent à maintenir et à développer la vénalité des offices. Et le fossé se creusa entre les magistrats qui servaient le roi dans son Conseil et ceux qui siégeaient dans les cours souveraines en y défendant leurs privilèges et leur pouvoir.

La réforme des conseils. — Les conseils furent aussi transformés. Le nombre des maîtres des requêtes passa de 35 en 1559 à 55, dix ans plus tard. La haute noblesse restait présente dans le Conseil des affaires, mais pas dans les sessions élargies du Conseil privé. En 1564, fut créée la fonction de surintendant général des finances, pour Artus de Cossé, qui prenait la tête de toutes les finances royales.

Les difficultés financières. — La monarchie devait affronter de perpétuelles difficultés financières et elle dépendait en grande partie du syndicat de banquiers lyonnais, toujours groupés sous le nom de « grand parti » et « petit parti ». Après la première guerre de religion, la couronne réussit à diminuer sa dette, mais dès la seconde guerre, elle suspendit ses paiements. Le gouvernement émit donc des rentes sur l'Hôtel de Ville de Paris qui eurent un grand succès. La vente d'offices était toujours un pis-aller. L'Église fut mise à contribution par le contrat de Poissy, et même en 1563, le gouvernement décida de confisquer des richesses ecclésiastiques jusqu'à 3 millions de livres.

L'engrenage des affrontements dans le royaume

La seconde guerre (1567-1568)

La surprise de Meaux. — Lorsque, dans l'été 1567, le duc d'Albe marcha vers les Pays-Bas espagnols en longeant les frontières françaises, la monarchie mit des troupes en alerte. En même temps, des mesures étaient préparées pour limiter les droits des protestants. Alors Condé et Coligny quittèrent la cour, car une rumeur circula selon laquelle Catherine et le duc d'Albe s'étaient accordés à Bayonne pour combattre le protestantisme.

Condé voulut s'emparer de la personne du roi, mais la cour eut le temps de se réfugier à Meaux, puis de gagner Paris sous la protection des gardes suisses. Charles IX ne pardonna pas cette « surprise de Meaux » à ses auteurs.

Les protestants se saisirent de villes comme Orléans, Montereau, Montpellier, Montauban, Valence, Montélimar, Nîmes... Dans cette dernière ville, se déroula la Michelade, massacre de 80 prêtres et notables à la Saint-Michel. Une armée protestante vint bloquer Paris. Le connétable de Montmorency dut affronter les huguenots et il réussit à débloquer la ville le 10 novembre 1567, par la bataille de Saint-Denis – il fut mortellement blessé pendant les combats.

Condé fit sa jonction avec des troupes allemandes conduites par Jean-Casimir, le fils de l'électeur palatin. Avec Coligny, il alla assiéger Chartres où ils furent rejoints par l' « armée des vicomtes » qui arrivait du midi de la France. À l'origine, ces vicomtes étaient dix et recrutaient des hommes d'armes parmi leurs vassaux et leurs paysans. Des intérêts très matériels les faisaient agir aussi sûrement que leur foi religieuse. Ces bandes armées firent une marche épique depuis le Sud jusqu'aux pays de la Loire. L'armée royale reçut, elle, le secours du duc de Nevers, de la maison de Gonzague, et Catherine fit de son fils préféré, Henri, duc d'Anjou, le lieutenant général du royaume. Mais les difficultés des deux camps conduisirent à une paix fragile, la paix de Longjumeau du 23 mars 1568.

La violence religieuse. — La tentative protestante contre le roi avait mis fin à la politique de tolérance de la monarchie. Des confréries catholiques se constituaient pour résister aux protestants. L'initiative reviendrait au comte de Saulx-Tavannes, lieutenant du roi en Bourgogne, avec une fraternité ou confrérie du Saint-Esprit en 1567 à Dijon. Cette « structure associative de défense sacrale » *(Denis Crouzet)* annonçait la Ligue. Ces confréries se développèrent malgré l'interdiction formulée lors de la paix de Longjumeau. L'idée de la croisade se développait parmi les catholiques. L'historien Denis Crouzet voit, dans les guerres de Religion, des guerres saintes « parce qu'il est encore plus difficile de tuer le frère que l'infidèle, et que, pour l'homme, c'est une marque encore plus grande de l'élection divine que de parvenir à se déposséder de son humanité dans la mise à mort de celui qui n'est autre qu'un autre lui-même ». De là les assassinats familiaux, les gestes et les paroles anthropophagiques, les cruautés inhumaines.

La troisième guerre

L'exemple de la répression était donnée par le duc d'Albe dans les Pays-Bas espagnols : il fit décapiter le 5 juin 1568 deux grands seigneurs : le comte d'Egmont et le comte de Hornes. Guillaume de Nassau prit la tête de la résistance des réformés. L'ambassadeur d'Espagne en France poussait Catherine à réagir face à la noblesse réformée.

Les deux camps en alerte. — Les chefs protestants ne se sentaient plus en sécurité : Condé et Coligny quittèrent la Bourgogne et se rendirent à La Rochelle, et Jeanne d'Albret, qui était veuve, les y rejoignit avec son fils Henri, roi de Navarre, âgé de 15 ans. Jeanne d'Albret publia une déclaration justifiant la prise d'armes des huguenots qui s'emparèrent de places fortes entre Loire et Gironde. Condé disposait ainsi de points d'appui – Montpellier, Castres, Montauban, Angoulême, Cognac – pour maintenir ses communications de la Méditerranée à l'Atlantique.

Le chancelier de l'Hospital se retira en septembre 1568 de la vie publique, ce qui marquait la nouvelle orientation politique. L'édit de Saint-Maur mit fin aux concessions de la paix de Lonjumeau. La liberté de conscience était maintenue, mais le culte protestant était interdit, les ministres protestants devaient quitter le royaume et les officiers protestants démissionner de leur charge.

Le temps des batailles rangées : Jarnac et Moncontour. — Après un hiver d'escarmouches, la troisième guerre fut marquée en 1569 par des batailles rangées. Condé et Coligny commandaient les troupes protestantes, le duc d'Anjou, en théorie, et, en réalité, le comte de Saulx-Tavannes, étaient à la tête de l'armée royale. Le 13 mars 1569, la rencontre eut lieu à Jarnac, entre Cognac et Angoulême : la défaite huguenote était sévère. Condé, blessé, fut achevé, d'un coup de pistolet, par un capitaine envoyé par Henri d'Anjou, contre toutes les lois de la guerre. Ensuite le corps du prince mort fut porté par une ânesse jusqu'à la place de Jarnac et exposé contre un pilier. L'humiliation s'ajoutait à l'assassinat et montrait que la nature de la guerre n'était plus la même : une violence aveugle mobilisait les combattants et paralysait tout l'idéal traditionnel de la noblesse.

Le commandement des protestants revint à Coligny, qui avait auprès de lui Henri de Navarre et le fils du défunt Condé, tous deux princes du sang. L'amiral reçut l'aide de troupes allemandes, connut d'abord des succès, mais il affronta le duc d'Anjou qui disposait de mercenaires suisses et allemands à Moncontour, et il fut battu (3 octobre 1569).

La campagne de Coligny. — Coligny se retira vers le sud et rejoignit l'armée des vicomtes en Languedoc. Grâce à ces troupes, malgré Moncontour, Coligny put reprendre des initiatives, alors que l'armée catholique piétinait devant Saint-Jean-d'Angély. Il décida de partir vers l'est, de suivre la vallée du Rhône. Puis il traversa la Bourgogne et remporta une victoire à Arnay-le-Duc en juin 1570 sur les catholiques, enfin il alla s'enfermer à La Charité-sur-Loire, menaçant ainsi la région parisienne.

La paix et les projets politiques

La négociation du mariage d'Henri de Navarre. — Comme les huguenots montraient une belle résistance militaire, malgré les deux batailles perdues, et qu'ils menaçaient Paris, le gouvernement se résigna à la paix de Saint-Germain (8 août 1570). Elle rendait aux protestants la liberté de culte comme il l'avait exercée avant la guerre, et surtout elle offrait aux huguenots quatre places où ils pouvaient avoir, pendant deux ans, des troupes : La Rochelle,

Montauban, Cognac et La Charité-sur-Loire. Un article secret prévoyait le mariage d'Henri de Navarre avec la sœur du roi, Marguerite. De longues négociations commencèrent à La Rochelle, mais Jeanne d'Albret était méfiante et craignait un séjour à la cour. Elle exigeait que fût rasée la croix de Gastines, un monument expiatoire construit sur l'emplacement d'une maison de calvinistes suppliciés. Le contrat fut signé le 11 avril 1572. C'était en apparence le signe d'une réconciliation religieuse au sein même de la famille royale. Henri de Navarre, âgé de 18 ans, gagna Paris au moment où sa mère y mourait.

La faveur nouvelle de Coligny. — Coligny s'était montré moins méfiant car il voulait retrouver la confiance de son roi qui l'avait condamné à mort et avait confisqué ses biens. Pour Charles IX, il serait aussi un conseiller militaire utile. En 1571, le roi avait rendu son amitié à l'amiral et l'avait accueilli à bras ouverts, l'appelant bientôt « mon père ». Mais Coligny était une cible des prédicateurs catholiques, il était haï d'eux. Il n'avait jamais séjourné longtemps à la cour – jamais plus de cinq semaines – et son influence sur le roi était sans doute plus apparente que réelle.

Il incarnait la volonté d'engager une politique agressive contre l'Espagne. Elle était irréaliste car, après le triomphe naval de l'Espagne contre les Turcs à Lépante (7 octobre 1571), Philippe II était au faîte de sa puissance. Le duc d'Albe avait aux Pays-Bas des forces très supérieures, en nombre et en commandement, aux révoltés protestants. Élisabeth d'Angleterre ne s'était guère engagée en avril 1572 et la France était isolée en Europe. Coligny proposa néanmoins une intervention française en Flandre pour y aider les révoltés. Trois réunions du conseil (septembre 1571, 26 juin et 10 août 1572) écartèrent cette proposition.

Faut-il considérer qu'il y avait une rivalité entre Catherine de Médicis et l'amiral de Coligny, et une opposition politique entre eux ? Ou bien l'unanimité a-t-elle été constante contre les projets de Coligny ? Alors Charles IX n'était peut-être pas sincère. Il n'était peut-être que le porte-parole de sa mère face aux protestants, tandis que le duc d'Anjou s'adressait de préférence aux catholiques. Néanmoins des huguenots français, autour de Louis de Nassau, allèrent secourir les révoltés hollandais, mais ils se laissèrent enfermer dans Mons. Des troupes françaises se firent massacrer près de la frontière en juillet 1572.

La Saint-Barthélemy

Le massacre de la Saint-Barthélemy a suscité l'indignation des protestants et des catholiques modérés, et l'horreur du carnage a marqué pour longtemps la conscience collective. Mais bien des incertitudes demeurent sur le déroulement des événements, sur les origines et sur les responsables de cette violence.

Récit et significations d'un massacre

Le mariage à Paris. — Le mariage d'Henri et de Marguerite fut pour la noblesse protestante l'occasion d'accourir à Paris, car ces noces montraient que les huguenots avaient leur place reconnue dans le royaume – un prince protestant épousant la sœur du roi. Le mariage eut lieu le 18 août 1572. Des fêtes splendides marquèrent cette union princière. Puis les participants commencèrent à quitter la capitale.

L'attentat contre Coligny. — Ce qui est sûr, c'est que le vendredi 22 août 1572 un attentat fut commis contre Coligny. L'auteur était Maurevert : il tira d'une maison appartenant aux Guise et il put s'enfuir. Les Guise, de crainte d'une réaction violente des protestants, firent mine de quitter Paris, mais en fait se replièrent sur leur hôtel, avec leurs fidèles.

Les historiens sont partagés sur les responsables de cet attentat. Une thèse fréquente y voit la main de Catherine elle-même qui aurait voulu se débarrasser de Coligny, soit parce qu'il avait trop de poids auprès du roi, soit parce qu'il proposait une politique dangereuse. La mort des chefs protestants aurait été, dans ce cas, préméditée et préparée de longue date : celle de Coligny aurait été la première. Au contraire, pour d'autres historiens, Catherine n'a pu vouloir la mort de Coligny, alors qu'elle cherchait à tout prix la pacification religieuse. Le frère du roi, le duc d'Anjou, n'était pas non plus un responsable plausible, car il songeait à briguer une couronne, soit en Pologne, soit dans l'Empire, et qu'il ne pouvait dans ses conditions être mêlé à un assassinat, surtout celui d'un protestant, alors que les protestants étaient nombreux dans les pays où il souhaitait s'établir. Parmi les historiens, Denis Crouzet songe aux Guise, que Jean-Marie Constant tend à innocenter car les Guise pouvaient craindre la colère du roi. Jean-Louis Bourgeon songe plutôt au duc d'Albe, donc à Philippe II.

La décision royale. — Charles IX et la cour se rendirent au chevet du blessé qui parla au roi à voix basse. A-t-il alors conseillé au roi l'intervention contre l'Espagne, et peut-être la mise à l'écart de Catherine et du duc d'Anjou ? En tout cas, le roi promit une bonne justice à l'amiral, mais on mit à sa porte, pour assurer sa protection, un farouche partisan de la cause catholique ! Des protestants firent un éclat, alors que Catherine prenait son repas, car ils réclamaient le châtiment des responsables de l'attentat. Peut-être la reine-mère craignait-elle que le roi n'ordonnât une enquête sur l'attentat qui aurait été dangereuse ou compromettante. Catherine tint alors une réunion aux Tuileries avec ses conseillers italiens et le rôle de Gondi, baron de Retz, semble important dans toute cette affaire. Ce fut peut-être à ce moment-là que fut dressée la liste des chefs protestants qui devaient périr.

Et le samedi soir, 23 août, la reine-mère, s'aidant des relations d'un espion, réussit à convaincre Charles IX de l'existence d'un complot : le roi donna à sa mère son accord pour l'élimination des chefs protestants. Néanmoins il fut décidé que le sang royal serait épargné en la personne des descendants de Saint Louis, le roi de Navarre et le prince de Condé. Les autorités municipales furent convoquées et reçurent l'ordre de fermer les portes et d'armer les bourgeois. Le signal serait la sonnerie du clocher de Saint-Germain l'Auxerrois, proche du Louvre, pour l'office de matines, dans la nuit du 23 au 24 août. L'assassinat des gentilshommes commença dans le Louvre. Puis l'amiral de Coligny fut tué dans son lit et son corps jeté par la fenêtre. Mais le massacre ne se limita pas aux chefs protestants. La fureur se déchaîna et bientôt tous les protestants furent pourchassés dans Paris. Comme une aubépine au cimetière des Saints-Innocents refleurit, qui n'avait pas fleuri depuis quatre ans, et comme l'épine rappelait la couronne du Christ, on cria au miracle et on y vit un signe de Dieu. Le mouvement populaire amplifia donc la décision royale : la mort, au lieu de ne frapper que les chefs, accablait tous les protestants.

Les interprétations. — Pourquoi le roi a-t-il décidé la tuerie du 24 août 1572 ? Charles IX aurait craint un coup de force protestant et aurait frappé fort, puis aurait été suivi par les Parisiens : « ... la violence royale de 1572 vise à casser d'abord une logique potentielle de l'insurrection huguenote » *(Denis Crouzet)*. De telles motivations répondraient à une volonté politique de défense du pouvoir monarchique.

L'historien Jean-Louis Bourgeon a donné une autre interprétation, en avançant que la ville était majoritairement anti-huguenote et que, contre un complot, la mise en alerte des milices bourgeoises aurait suffi. La cour ne pouvait souhaiter la disparition de Coligny, puisqu'elle signifierait un affaiblissement de l'autorité royale qui serait passée sous la domination des Guise. Selon Jean-Louis Bourgeon, dans la journée du 23 août, la cour découvrit qu'elle avait perdu toute autorité sur Paris. En rendant justice à l'amiral, on risquait un soulèvement général. Les Guise étaient populaires, retranchés dans le Marais, et soutenus par leurs clients. Pour éviter une émeute, dont le roi lui-même serait la cible, Charles IX et ses conseillers auraient alors décidé de précéder et d'endosser l'insurrection qui fut à la fois un coup de force des Guise, une révolte de la milice bourgeoise et une émeute populaire. Dans ce cas, ce serait la colère des catholiques parisiens qui aurait emporté la décision du roi, alors que, pour les autres historiens, le roi, la reine-mère et leurs conseillers catholiques seraient pleinement responsables de la mort des chefs protestants.

Au-delà de la décision et de ses causes, l'horreur du massacre s'expliquerait lui-même par la haine des Parisiens à l'égard des réformés, haine alimentée par les discours des prédicateurs, franciscains en tête. La présence d'une foule de gentilshommes protestants dans une ville catholique suscitait bien des réactions hostiles. À cela s'ajoutaient les difficultés des plus pauvres en raison de la hausse du prix des denrées. Des paysans misérables s'étaient réfugiés dans la capitale, à la suite de mauvaises récoltes, et le luxe des noces avait sans doute envenimé leur colère.

La saison des Saint-Barthélemy

La thèse du complot. — Après le massacre, la monarchie hésita quant à l'attitude à adopter. Après un lit de justice, le mardi 26 août, une déclaration fut envoyée aux autorités du royaume. Le roi déclarait que tout s'était fait par son ordre, qu'il entendait respecter les édits de pacification, mais qu'il avait voulu « prévenir l'exécution d'une malheureuse et détestable conspiration faite par ledit amiral, chef et auteur d'icelle et sesdits adhérents et complices en la personne dudit seigneur roi et contre son État, la reine sa mère, MM. ses frères, le roi de Navarre, princes et seigneurs étant près d'eux ».

Les massacres dans les villes. — Le carnage à Paris servit d'exemple pour d'autres villes : Orléans, Meaux, le 25 août ; La Charité-sur-Loire, le 26 août ; le 28 et 29, Angers et Saumur ; 31 août, Lyon ; 4 septembre, Troyes, 11 septembre, Bourges ; 17 et 20 septembre, Rouen ; 3 octobre, Bordeaux ; 4 octobre, Toulouse.

À Orléans, ce fut un capitaine qui mena le massacre, obligeant les protestants à choisir entre la conversion et la mort. À Lyon, le gouverneur, incertain quant à la volonté royale et poussé par les échevins, fit enfermer les huguenots, dans les couvents, à l'archevêché et dans la prison municipale. Des attentats eurent lieu les 28, 29 et 30 août, mais la tuerie commença le 31. Le gouverneur était absent et laissa faire, puis revint rétablir l'ordre avec les soldats de la citadelle. À Bordeaux, le jésuite Auger alimenta la tension, mais ce fut le gouverneur qui fit exécuter des notables protestants et des membres du parlement. À Toulouse, un marchand arma des tueurs et choisit comme victimes trois conseillers protestants du parlement qui furent pendus. « Aussi atroce que soit cette "saison" de Saint-Barthélemy, le phénomène demeure limité dans l'espace » *(Janine Garrisson)*. Le nombre de morts reste incertain : 2 000 sans doute pour Paris, de 5 000 à 10 000 pour l'ensemble de la France.

Les réactions à l'étranger furent contrastées. Le pape Grégoire XIII fit chanter un *Te Deum,* Philippe II se réjouit de la nouvelle. Dans le camp protestant, ce fut la consternation : Élisabeth d'Angleterre fit attendre l'ambassadeur français, venu expliquer la politique de son roi, puis elle fit mine d'accepter la thèse du complot.

Une nouvelle guerre civile (quatrième guerre de religion). — Une nouvelle guerre de religion éclata alors, la quatrième. Les protestants étaient privés de leurs chefs naturels : les deux princes du sang avaient été contraints à la conversion et nombre de victimes appartenaient à la noblesse. Les réformés comptaient donc sur leurs places fortes et ne voulaient pas les céder : La Rochelle refusa d'accueillir son nouveau gouverneur. Le duc d'Anjou conduisit une armée royale contre la ville qui résista bien.

Surtout l'attention fut alors appelée par l'enjeu polonais. Catherine de Médicis continuait son ambitieuse politique familiale, et désirait que le duc d'Anjou fût élu roi par la noblesse polonaise. Comme cette dernière comportait nombre de protestants, il fallait ménager leur sensibilité et modérer, en France même, la lutte contre les réformés. Le gouverneur du Languedoc, Montmorency-Damville mena très mollement les opérations contre les villes réformées comme Montauban. En mai 1573, Henri, duc d'Anjou, fut choisi comme roi de Pologne. L'édit de Boulogne en juillet 1573 mit fin aux hostilités en France. Il accordait la liberté de conscience à tous les huguenots et l'exercice public du culte était permis à Nîmes, Montauban et La Rochelle. L'exercice privé n'était permis qu'aux seigneurs hauts-justiciers pour 10 personnes seulement.

Les Politiques et les Malcontents. — Au cours de cette quatrième guerre de religion, se dessina une évolution politique. Des catholiques s'indignaient de la politique de répression religieuse menée contre de loyaux sujets du roi de France : c'étaient les Politiques. D'autres critiquaient le poids des catholiques intransigeants et des conseillers de Catherine : c'étaient plutôt les Malcontents ou mécontents. Ils cherchèrent l'appui du frère cadet du roi, le duc d'Alençon.

Les Provinces-Unies du Midi

Les huguenots quittèrent leur province là où ils n'étaient pas en nombre suffisant pour résister, ainsi dans le Gévaudan ou en Provence. Les provinces du Sud et du Centre-Ouest furent moins marquées par l'apostasie ou l'émigration que le reste du royaume. Malgré la mort de nombreux chefs politiques et militaires, malgré la peur répandue dans les villes, la résistance protestante s'organisa et la guerre civile recommença.

La volonté d'organisation. — Une confédération s'établit entre les dirigeants des principales villes huguenotes (La Rochelle, Nîmes, Montauban, Millau et Castres). C'étaient sans doute les notables et bourgeois des villes qui voulaient une organisation nouvelle et qui avaient préparé la résistance après la Saint-Barthélemy : « La conquête de l'État ne les intéresse pas ni la prépondérance au Conseil du roi ; en revanche ils souhaitent, à l'intérieur de l'espace clos qu'est la ville, faire régner l'Évangile » (*J. Garrisson*). Ils voulaient contrôler aussi les gentilshommes qui étaient chargés de faire la guerre.

Les assemblées protestantes. — Au cours de l'année 1573, les députés des villes protestantes se réunirent (Anduze en février, Réalmont en mars, Montauban et Nîmes en août, Anduze encore en novembre). Des textes à l'adresse du gouvernement et des projets politiques furent élaborés que l'assemblée de Millau en décembre 1573 adopta. Les protestants n'affirmaient pas la responsabilité de Charles IX dans le massacre, mais ils accusaient volontiers sa mère. Ils voulaient être considérés comme de loyaux sujets et lavés de toute accusation de complot contre le roi. Mais ils allèrent plus loin, peu satisfaits de l'édit de Boulogne de juillet 1573 : ils voulaient que des alliances fussent nouées avec les autres puissances protestantes d'Europe et que Charles IX abandonnât ses droits régaliens sur les provinces du sud de la France. Catherine considéra que si le défunt Condé avait pris Paris et la moitié des villes françaises, il n'aurait pas rédigé « la moitié de ces articles insolents ».

À Millau, l'assemblée, autorisée par le roi, réunit, le 16 décembre 1573, 97 députés, essentiellement du Sud. Les gentilshommes y étaient majoritaires (58 %), avec des notables (26 %) et des ministres (c'est le terme commun pour les pasteurs réformés) en petit nombre. Par le serment d'union prêté lors de cette assemblée, puis par chaque église protestante, fut constitué ce que l'historien Jean Delumeau a appelé les « Provinces-Unies du Midi », en faisant allusion aux Provinces-Unies (nos Pays-Bas actuels) qui se construisaient face à l'Espagne et face aux Pays-Bas restés espagnols (l'actuelle Belgique).

Les institutions protestantes. — Les villes gardaient leurs coutumes, leurs libertés et leurs privilèges. Elles étaient regroupées en généralités ou provinces, chacune ayant à sa tête une assemblée constituée des principaux de la noblesse. Se réunissant tous les trois mois, cette assemblée désignait le général et le Conseil qui l'assistait. Le Conseil du général s'occupait du nombre de soldats et des affaires financières. Les affaires criminelles ou d'appel étaient retirées des mains des parlements pour être confiées aux présidiaux, souvent composés de calvinistes. Chaque assemblée provinciale désignait un magistrat, un gentilhomme et un membre du tiers état pour siéger aux États généraux protestants qui avaient le pouvoir régalien de créer l'impôt ou de faire des lois. Les velléités démocratiques qui s'étaient parfois exprimées disparaissaient : les hobereaux (les petits seigneurs locaux) dominaient les échelons provinciaux et fédéraux, ils désignaient les autres représentants aux États généraux.

Le royaume écartelé. — En février 1574, La Noue, qui avait quitté le service du roi, lança la cinquième guerre de religion en choisissant le jour de Mardi-Gras pour prendre les armes. C'était dans le Poitou que l'insurrection devait commencer et il y avait une alliance entre des Malcontents catholiques et des protestants.

Parallèlement une conspiration s'était ébauchée pour permettre la fuite de Navarre et du duc d'Alençon loin de la cour qu'Henri de Condé avait déjà pu quitter. Mais Henri de Navarre ne parvint pas à s'enfuir. Le maréchal de Montmorency fut embastillé, comme complice du complot le 4 mai 1574 ; son frère Damville, qui gouvernait le Languedoc, était désormais tenté par la rébellion. Le 30 mai 1574, Charles IX s'éteignait à l'âge de 24 ans. Son frère Henri était alors en Pologne. Catherine s'était fait désigner comme régente par son fils à l'agonie.

Les États généraux protestants étaient prévus à Millau en juillet 1574 avec des députés du Dauphiné, du Languedoc et de Gascogne. Ils désignèrent comme « chef, gouverneur général et protecteur » le prince de Condé (1552-1588), alors réfugié à Strasbourg : c'était le fils du vaincu de Jarnac. Mais Condé devait prêter serment et s'engager à remplir une mission bien précise : libérer le roi de Navarre, obtenir la réunion des États généraux du royaume. Et les États protestants nommeraient un conseil civil et militaire pour surveiller le protecteur.

La Saint-Barthélemy fut l'événement le plus dramatique des guerres de Religion. Pourtant ce ne fut pas une rupture. La monarchie tentait toujours de rétablir la paix intérieure, troublée par les prises d'armes. Mais elle avait en face d'elle la pression des catholiques autour des Guise, ainsi qu'une organisation nouvelle des villes et des provinces protestantes, qui échappaient peu à peu au contrôle royal.

9. Le royaume éclaté : le règne difficile d'Henri III (1574-1589)

À première vue, au temps du roi Henri III, le royaume sombra dans le chaos. Deux France s'affrontaient, et elles correspondaient vaguement à deux zones géographiques, le nord et le sud. La monarchie cessait d'être une réalité unificatrice et le roi n'était plus un arbitre entre les convictions, les passions et les intérêts particuliers. Pourtant paradoxalement, la reine-mère et le roi tentèrent de gouverner : ils firent alterner les ruptures, violentes parfois jusqu'à l'assassinat, et les réconciliations, ils utilisèrent la force militaire ou la négociation permanente, ils maintinrent la vie de cour et préparèrent des réformes ou des institutions souvent durables. Ainsi, malgré les apparences tragiques, la monarchie se maintint, et la France ne se divisa pas en deux.

Un nouveau roi face aux divisions du royaume

Henri III

Un règne paradoxal, une personnalité contestée. — Le règne d'Henri III fut paradoxal. Le roi était intelligent, mais son action fut souvent mal comprise et sa volonté incertaine ne permit pas d'assumer une politique stable. Soucieux de la majesté royale, le dernier des Valois s'entoura d'une cour brillante, mais il fut toujours à la recherche de fidèles dévoués qui lui manquaient : il les chercha parmi des familles « nouvelles » de la moyenne noblesse et dans le groupe bien installé des officiers de la couronne et des administrateurs royaux. Henri, lorsqu'il était duc d'Anjou, était apparu comme un catholique intransigeant : or il eut à affronter surtout les plus violents des catholiques français. Enfin Henri III était le fils préféré de Catherine de Médicis. Si elle apparut moins en première ligne, elle fut néanmoins, jusqu'à sa mort, toujours là, à ses côtés, l'assistant, le conseillant et le guidant.

Henri III avait une vaste culture (il avait reçu les leçons de l'helléniste Amyot), l'esprit de répartie, des dons d'orateur. C'était un homme d'étude et de cabinet, il s'appliquait au gouvernement et aux affaires d'État. Même si, dans sa jeunesse, ses talents militaires avaient été amplement célébrés, il lui fut ensuite reproché de ne pas assez goûter la vie des camps. Il aimait se livrer à des occupations frivoles comme le jeu du bilboquet ou l'élevage des petits chiens d'appartement. On se moqua de ces passe-temps, comme on se moqua de son souci vestimentaire, de son goût du luxe et des bijoux, mais on admira aussi sa majesté et la splendeur des fêtes qu'il donnait. Louise de Vaudémont, qu'Henri III épousa (voir p. 189), était belle, pieuse et douce, mais elle ne put donner de descendance à Henri III. Henri dut affronter une famille déchirée. Marguerite, la reine de Navarre, la « reine Margot », très spirituelle et cultivée, était un des phares de la cour, mais sa liberté de mœurs et de ton finit par indisposer son frère : il la renvoya auprès de son mari, Henri de Navarre, avec lequel elle ne tarda pas à se fâcher et qu'elle brava. Elle dut chercher une retraite en Auvergne. Le frère cadet du roi, François, duc d'Alençon, avait une conduite souvent violente et irrationnelle : il n'hésita pas à affronter son frère et à se dresser, politiquement et militairement, contre lui.

Le retour de Pologne. — Henri quitta à la hâte la Pologne, parce qu'il préférait devenir roi de France, à la mort de son frère, que rester roi de Pologne. Ce départ prit les allures d'une fuite. Il rejoignit sa mère à Lyon, en septembre 1574 seulement, et il suivit ses instructions. D'abord il s'employa à constituer un conseil, restreint à quelques fidèles, dont le chancelier René de Birague et Hurault de Cheverny, choisis parmi les proches du roi et de sa mère. Toujours selon le dessein de Catherine, il adopta une attitude de fermeté, à la fois contre le maréchal de Damville et contre les protestants, mais Henri ne sut pas mettre des moyens militaires au service de cette politique.

L'attitude ambiguë de Montmorency-Damville. — Le gouverneur du Languedoc convoqua les États de la province à sa propre initiative et renforça ses liens avec les huguenots. Il se disait menacé par la cour, trop « italienne » avec ses poisons et ses poignards. Il avait épargné Montpellier et Nîmes lors des opérations militaires. Il remplaça donc le « protecteur » Condé, en l'attendant. Et il rompit avec le gouvernement.

Il réunit une assemblée à Nîmes de décembre 1574 à janvier 1575. Elle était composée de protestants et de catholiques, avec un président protestant. Le système judiciaire était transformé avec une diffusion des présidiaux. Un contrôle strict des dépenses et des recettes serait exercé par le protecteur et Damville, assistés de leurs conseils. Les ministres protestants seraient payés sur les deniers publics. L'assemblée souveraine et législative serait réunie, sur convocation de l'exécutif, au moins une fois par an. « Le modeste contre-État protestant des années 1573 et 1574 s'est mué en une vaste construction politique dirigée à égalité par des huguenots et des politiques. Elle s'étend de La Rochelle et de la Guyenne au Dauphiné et à la Haute-Provence, si bien que le roi ne règne plus en fait que sur les deux tiers de son royaume » *(M. Pernot).*

Henri III dut accepter ces humiliations et, après son sacre (13 février 1575) et son mariage avec Louise de Vaudémont, d'une branche cadette de la maison de Lorraine, il demanda à Catherine de mener des négociations avec les rebelles.

L'alliance contre le roi

Ainsi se constituait une alliance entre les Politiques, les Malcontents et les « Monarchomaques ». Ce dernier nom (qui signifie « ceux qui combattent la monarchie ») fut donné aux écrivains protestants comme Théodore de Bèze, Hotman ou Duplessis-Mornay, qui furent les adversaires du pouvoir royal catholique (voir p. 235). Tous ces opposants avaient un souci commun : la nécessité de la concorde civile. Les « Monarchomaques », comme les Malcontents avaient l'obsession de la tyrannie, mais les premiers offraient toute la souveraineté au peuple et à ses représentants, les États généraux : les Monarchomaques étaient favorables à un partage du pouvoir au terme d'un contrat conclu entre le roi et ses sujets. Politiques et Malcontents partageaient au contraire le désir de ne pas rabaisser la dignité royale, mais les Malcontents voulaient une monarchie mixte, avec un partage de la souveraineté entre le roi, la noblesse et les États généraux, alors que, pour les Politiques, la souveraineté appartenait au roi seul et il ne devait la partager avec personne *(Arlette Jouanna)*. Les Politiques se caractérisaient par leur indifférence aux querelles religieuses.

Parmi les Malcontents, la figure la plus représentative était bien le maréchal Henri de Montmorency-Damville : « Il se sent menacé dans son honneur, dans ses biens, dans sa vie » *(Arlette Jouanna)*. Ce meneur d'hommes était aimé par les gentilshommes d'autant plus qu'il assimilait la persécution exercée contre sa lignée à une entreprise systématique contre la noblesse. Mais les Malcontents s'identifiaient aussi à François d'Alençon, le frère cadet du roi, « Monsieur » qui cherchait une couronne, en tentant soit d'épouser Élisabeth d'Angleterre, soit de séduire les révoltés des Pays-Bas.

La paix de Monsieur

Le frère du roi dans la mêlée. — Le duc d'Alençon réussit à quitter la cour le 15 septembre 1575, alors que ses relations avec Henri III, mais aussi avec Henri de Navarre, se détérioraient. Il se trouva à la tête d'une armée. En effet Damville et son frère Méru avaient obtenu d'Élisabeth d'Angleterre une aide financière. Quant à Condé, il avait obtenu l'intervention du comte palatin Jean-Casimir dont les mercenaires pénétrèrent en Champagne et en Bourgogne. Pourtant Henri de Guise réussit à battre un autre Montmorency, Thoré, à Dormans le 10 octobre 1575. Le duc de Guise avait montré son courage et son talent militaire, et la balafre qu'il avait reçue au combat le fit surnommer « Henri le Balafré ». Une trêve fut signée.

La fuite d'Henri de Navarre. — Henri de Navarre, après des hésitations, s'enfuit de la cour où il n'était plus surveillé et rien ne fut tenté pour l'arrêter (février 1576). Il regagna vite la Guyenne, après avoir, en chemin, abjuré la religion catholique. D'emblée, il choisit le dialogue avec des catholiques modérés comme Damville, alors que Condé voulait imposer la victoire du parti réformé, par la guerre et par une entente calviniste internationale.

La paix et la tolérance religieuse. — La fuite de Navarre et la terreur qu'inspiraient les soldats allemands accélérèrent la négociation qui aboutit à l'édit de Beaulieu-lès-Loches, ou « Paix de Monsieur » le 6 mai 1576. Le frère du roi était le grand bénéficiaire de la prise d'armes. Trois provinces étaient ajoutées à ses domaines : Touraine, Berry et Anjou, et il devenait à son tour duc d'Anjou. Un tel apanage faisait craindre l'affirmation d'une branche cadette de la maison royale, comme au Moyen Âge. Monsieur obtint aussi la place de La Charité-sur-Loire. Condé retrouva son gouvernement de Picardie, avec les places de Péronne et de Doullens. Jean-Casimir obtint le duché d'Étampes et d'autres domaines, ainsi que des ressources pour payer, aux frais du roi, l'armée qui avait défié l'armée royale. Damville se vit confirmer son gouvernement de Languedoc et Henri de Navarre son gouvernement de Guyenne, avec le Poitou et l'Angoumois. L'article 4 avait trait à ce qui était appelé pour la première fois la « religion prétendue réformée » ou RPR : le culte en était autorisé partout sauf à Paris et dans ses faubourgs et sauf là où résidait la cour. Les protestants pouvaient devenir officiers du roi et, dans chaque parlement, des chambres mi-parties étaient installées, composées pour moitié de catholiques et pour moitié de protestants. Huit places fortes étaient accordées : Beaucaire, Aigues-Mortes, Périgueux, le Mas de Verdun, Nyons, Serres, Issoire, Seyne-la-Grand-Tour. Une amnistie générale était accordée et le roi exprimait ses regrets pour la Saint-Barthélemy, les veuves et les orphelins des victimes seraient exemptés d'impôts. C'était le plus généreux des édits de tolérance que l'on ait promulgués jusque-là.

La monarchie fragile

Les passions politiques et religieuses

Les mignons du roi. — La personnalité d'Henri III était au même moment l'objet de nombreuses critiques. Le roi montrait une piété spectaculaire lors de processions ou consacrait de longues heures à des débats philosophiques. Les polémistes considéraient le raffinement et les modes nouvelles comme des signes d'effémination qu'ils jugeaient sévèrement. La bourgeoisie parisienne fut choquée du ton nouveau donné à la vie de cour. Et les favoris du roi, les « mignons », scandalisaient par leurs audaces et leurs violences – duels, ou meurtres. Comme le roi pardonnait toujours, ses relations avec les mignons furent considérées comme homosexuelles.

Ce fut un thème commun dans les attaques contre Henri III. Les historiens ont plutôt vu, dans les faveurs accordés aux mignons, un moyen pour Henri III de se constituer un entourage d'hommes fidèles et courageux qui le protégeraient dans ces temps de violence et qui ne devraient leur fortune qu'au roi seul, face à tous les lignages puissants. Henri III distingua deux de ses familiers qu'il couvrit d'honneurs : Jean-Louis d'Épernon et Anne de Joyeuse. Le premier devint en 1583 colonel-général de l'infanterie française, ce qui faisait dépendre de lui l'infanterie royale et cette charge héréditaire fut érigée en 1584 en office de la couronne. Quant à Anne de Joyeuse, il épousa la sœur de la reine. Ces deux favoris obtinrent le droit de précéder tous les ducs et pairs.

La naissance de la première Ligue. — Il y avait déjà eu, dans les années 1560, des associations de nobles catholiques, mais, en 1576, le gouverneur de Péronne, Jacques d'Humières, refusa de livrer sa ville à Condé, contrairement à ce que prévoyait la paix de Monsieur. Ce fut le point de départ de la Ligue catholique. Cent cinquante gentilshommes de la province se regroupèrent autour de Jacques d'Humières et participèrent à des assemblées où les trois ordres étaient représentés. Jacques d'Humières lança un appel pour une ligue nationale : le mouvement dépassait désormais le strict cadre local, qui avait été celui des autres ligues. Un manifeste du duc de Guise donna l'unité au mouvement qui devait réunir les princes et les gentilshommes et avait pour but de restaurer l'église catholique et d'extirper l'hérésie. C'était une réaction brutale face à la politique tolérante incarnée par la paix de Monsieur, et la Ligue avait trouvé son chef en la personne d'Henri de Guise.

Les États généraux (1576). — Henri III tenta d'utiliser cette mobilisation catholique et se proclama chef de la Ligue. Les États généraux se réunirent en décembre 1576 à Blois, mais les huguenots n'y vinrent pas, alors que la Ligue était fortement représentée dans les trois ordres. Le roi proposa de lutter contre l'hérésie à condition que lui fussent octroyés les moyens financiers nécessaires. Les États envoyèrent néanmoins des émissaires auprès des chefs de partis, en particulier à Henri de Navarre. Ils se dispersèrent en février 1577.

La sixième guerre et la paix du roi

Le roi arbitre. — Les huguenots avaient repris la guerre des coups de main – ce fut la sixième guerre – et s'emparèrent de nombreuses villes. Le succès était dans le camp catholique. Finalement Henri de Navarre négocia avec l'envoyé de Catherine, Villeroy. La paix fut signée à Bergerac le 17 septembre 1577. L'édit de Poitiers vint la compléter et cette fois ce fut la « paix du roi » et non plus celle de Monsieur. Il reconnaissait qu'il était impossible de rétablir une seule religion en France, mais les conditions du culte réformé étaient moins favorables que l'année précédente. Les prêches étaient autorisés dans les maisons nobles et dans les villes où le culte existait au jour de l'édit, et dans les faubourgs d'une seule ville par bailliage. Huit places de sûreté étaient accordées pour une durée de six ans, mais les autres concessions restaient valables (chambres mi-parties mais avec un tiers de protestants, réhabilitation des victimes de la Saint-Barthélemy). L'historien Georges Livet a bien montré que le statut des églises réformées oscilla entre deux formes : Beaulieu, ou la solution arrachée à un souverain impuissant ; Poitiers ou le statut concédé et imposé par un roi qui entendait rester le maître et le juge suprême.

La Ligue était officiellement dissoute. Surtout Henri III était apparu comme un arbitre et l'édit de Poitiers assura un calme relatif pendant sept ans, malgré de nouveaux affrontements.

Les négociations avec les protestants. — Henri de Navarre, en négociant, avait affaibli l'influence de Condé, plus intraitable, et s'était affirmé comme le chef incontesté des protestants. La reine-mère gagna le Midi pour faire appliquer les dispositions de l'édit. Elle signa même un traité à Nérac avec son gendre.

Néanmoins Condé avait repris les armes dans le nord du royaume. C'était une septième guerre. Henri de Navarre s'engagea à son tour et voulut récupérer Cahors : c'était la ville principale du domaine accordé en dot à sa femme, Marguerite, d'où le nom de « guerre des amoureux » qui a été donné à cette opération (1580). Henri réussit à s'emparer de la ville. Lesdiguières, en Provence, prit parti en faveur d'Henri de Navarre, alors que Damville, devenu le chef de la maison de Montmorency par la mort de son aîné, restait neutre, ce qui montrait le « subtil balancement » du maréchal *(Jacqueline Boucher)*.

Catherine, inquiète, envoya son fils cadet, le duc d'Anjou, pour négocier avec Navarre, mais aussi pour le détourner de son rêve du côté des Pays-Bas. Les deux cousins signèrent la paix dans un château du Périgord à Fleix, le 26 novembre 1580. Les places fortes contestées étaient laissées aux huguenots, mais Henri rendait Cahors.

Le duc d'Anjou, ses entreprises et sa mort

Le duc d'Anjou, lui, put reprendre ses projets. Il gagna l'Angleterre où il se fiança avec Élisabeth, puis en février 1582 il accepta la souveraineté des Pays-Bas et prit le titre de duc de Brabant. La France s'engageait bien contre Philippe II. Or en 1580, le roi d'Espagne avait revendiqué le Portugal dont le trône était vacant et s'en était emparé. Une flotte française voulut conduire à Lisbonne un prétendant à cette couronne mais elle fut dispersée aux Açores. En janvier 1583, l'opération française dans les Pays-Bas s'acheva par un échec puisque le duc d'Anjou ne réussit pas à s'installer à Anvers et dut revenir en France. Le 10 juin 1584, le frère cadet du roi mourait. Henri de Navarre devenait l'héritier de la couronne, si Henri III, comme chacun le pensait, ne pouvait avoir d'enfant.

La question de la succession

Selon la loi dite « salique », les femmes et les descendants de femmes ne pouvaient hériter de la couronne, et cette disposition était exceptionnelle en Europe. Le plus proche parent d'Henri III était donc Henri de Navarre, le Béarnais, mais ils étaient parents au 22e degré – leur ancêtre commun en effet était Saint Louis, au XIIIe siècle. Catherine de Médicis ne voulait pas reconnaître la loi salique et aurait préféré comme héritier un fils de sa fille Claude, duchesse de Lorraine. Comme Henri n'était pas catholique, il pouvait aussi être écarté et remplacé par son oncle, le frère de son père, le cardinal de Bourbon, puis par ses parents catholiques. Enfin les Guise avaient des « prétentions » car ils prétendaient descendre des derniers carolingiens qui avaient été écartés par Hugues Capet ! Ils étaient prêts à fonder une nouvelle dynastie.

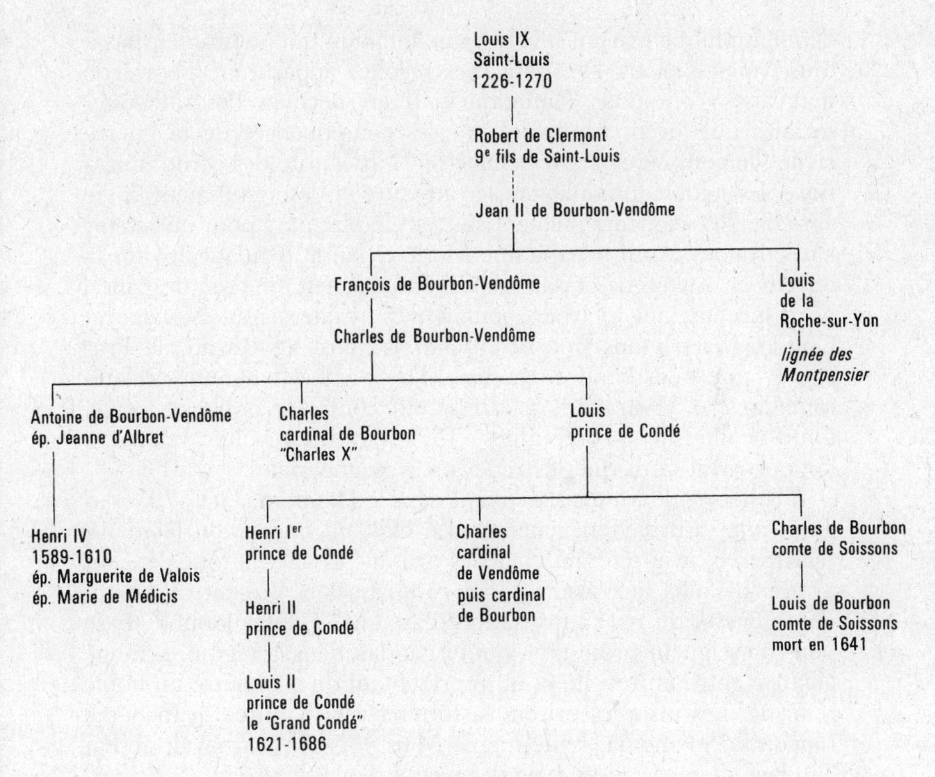

Les Bourbons-Vendôme

Le royaume de France dans la guerre civile

De 1577 à 1584, la monarchie bénéficia d'un apaisement sur le plan politique, militaire et religieux, et elle tenta de résoudre les autres difficultés et de mener à bien des réformes.

Les tensions sociales

La crise économique s'installait, car le « beau XVIe siècle » s'est terminé dans les années 1560-1570. L'afflux de métaux précieux américains, par le biais du commerce espagnol, et la croissance démographique avaient favorisé une inflation qui ne profitait pas à tous (voir chap. 6). De mauvaises récoltes apparurent, liées à de mauvaises conditions climatiques. Il en découla des difficultés sociales qui furent aggravées par les conséquences de la guerre civile : le commerce était menacé par l'insécurité des communications, les soldats multipliaient les atrocités et désorganisaient la vie agricole, les seigneurs pillaient souvent le plat pays pour entretenir leurs troupes. Ainsi le capitaine Merle répandit pendant dix ans la terreur en Auvergne et dans le Gévaudan, mettant à sac des villes, ne respectant aucun traité, jouant des rivalités entre Navarre et Condé. Les paysans ripostaient parfois, ainsi les Razats de Provence, contre les bandes ligueuses. Des révoltes paysannes éclatèrent dans le Vivarais et se dressèrent contre la noblesse locale, toutes confessions confondues (1579), et les révoltés rejetaient l'impôt royal ainsi que les redevances seigneuriales.

Catherine de Médicis, arrivant dans le Dauphiné en 1579, craignait une insurrection générale. En effet un tailleur de Romans, Jean Serve, avait été élu chef des artisans de la ville qui s'étaient armés. Il s'allia aux insurgés des campagnes et il reçut du lieutenant général du roi l'autorisation d'attaquer Châteaudouble, base pour un seigneur protestant, qui brigandait dans la région. Étrange alliance entre un révolté et un représentant du roi contre un noble réformé. Les insurgés prirent la forteresse et d'autres. Jean Serve rencontra même la reine-mère. Mais lors du carnaval, il eut l'audace de se déguiser avec des peaux d'ours pour évoquer Spartacus, le chef des esclaves romains révoltés : les bourgeois, effrayés, cette fois réagirent, et Serve fut tué, ses lieutenants jugés. Les dernières bandes paysannes furent défaites à Moirans en mars 1580.

Les écrivains protestants soulignaient aussi une crise de la noblesse. Des lignages endettés abandonnaient leurs biens à des officiers ou à des marchands. Devant une telle invasion, la noblesse demandait à la monarchie de la défendre. Et bien sûr les nobles se plaignaient de l'obtention de la noblesse par l'achat d'offices. Les seigneurs réagissaient en alourdissant la pression sur les paysans, en particulier dans le cadre des métairies.

Les réformes institutionnelles

Les secrétaires d'État prirent un rôle essentiel dans la vie de la monarchie : comme la volonté royale semblait moins claire, ces collaborateurs permanents permettaient une certaine continuité de l'action monarchique. Ils avaient commencé à contresigner les lettres royales en 1560 pour les authentifier mais ils cessèrent peu à peu d'être de simples secrétaires. Ils participaient désormais à l'élaboration de la volonté royale, ainsi Villeroy de 1577 à 1585. En 1588, Henri III décida qu'ils prêteraient serment entre ses mains et non plus entre celles du chancelier. Ils tendirent donc à porter de l'ombre à celui-ci, qui était la principale autorité de l'État. Un moment, un mignon d'Henri III, François d'O, servit d'intermédiaire entre la couronne et les secrétaires d'État, afin de donner une plus grande cohérence aux décisions royales.

Si le roi tenta d'abord de réduire le nombre des conseillers au Conseil d'État, il l'augmenta ensuite, et la noblesse de race et les hommes d'Église y étaient prépondérants (en 1585, 6 prélats, 6 robins et 21 hommes d'épée). Mais peu à peu Henri III y introduisit des conseillers d'État ordinaires qui étaient des juristes compétents. Ils n'avaient ni un office (vénal), ni une commission (révocable), mais une « dignité » qui ne se perdait que par la mort ou la démission.

En 1564 avait été créée la charge de surintendant général des finances, pour diriger l'ensemble des finances royales. Pour cet emploi, Henri III choisit, en 1574, Pomponne de Bellièvre, un familier de Catherine et un des principaux conseillers du roi. Ainsi le surintendant se distinguait bien des autres intendants des finances qu'il dirigeait et il était le seul à faire rapport au roi des affaires financières qui se traitaient sous ses ordres. François d'O fut un temps second surintendant et plus tard, en 1588, il remplaça Bellièvre.

En 1576, les États généraux tentèrent de s'organiser, et chaque ordre avait désigné un bureau avec un président, des assesseurs, un secrétaire et un orateur. Les États généraux tentèrent aussi de limiter la souveraineté royale, critiquant l'établissement de commissaires et la présence de parlementaires au Conseil. Les cahiers de doléances du tiers état réclamèrent pour les impôts le consentement des États généraux. La réunion régulière des États était aussi demandée. Enfin, protestants comme catholiques critiquaient la vénalité et la multiplication des offices.

Un édit fut donc publié en 1579, qui tendait à préserver les intérêts de l'ancienne noblesse, face à l'anoblissement par l'achat d'offices et face aux offices trop nombreux. Mais cet édit, comme les autres, demeura lettre morte. En effet la vénalité semblait irrésistible. Et contre une taxe, il était possible de faire passer une charge à un héritier en « survivance ». En 1580, fut imposée en bloc la vénalité de tous les offices dans le domaine royal.

Des tensions existaient aussi à l'intérieur de la hiérarchie administrative entre les trésoriers généraux de France et les élus. Ces derniers défendaient leur rôle judiciaire ancien, mais ils n'existaient pas dans les pays d'États et leur réputation n'était pas excellente. En 1577, l'édit de Poitiers avait été à l'origine des « bureaux des finances », en unifiant les charges de généraux des finances et de trésoriers de France sous le titre de trésoriers de France et généraux des finances. Ils se prétendaient membres de cours souveraines et devaient être cinq par « généralité » : le bureau des finances était donc composé de deux personnes pour le domaine, deux personnes pour les aides et un trésorier. Mais le nombre des trésoriers généraux allait bientôt passer à dix, par la seule logique de la vénalité des offices.

Les difficultés monétaires et financières

La hausse des prix avait été l'objet de discussions politiques et de réflexions théoriques. En 1566, Malestroit, dans un ouvrage sur les monnaies, interpréta ce phénomène en accusant la dépréciation de la livre, la monnaie de compte, et par là les mutations monétaires qui étaient un recours habituel de la monarchie. Dès 1568, Jean Bodin contesta ces vues et expliqua l'inflation par l'afflux de métaux précieux. L'Espagne selon lui dépendait pour nombre de ses approvisionnements des produits français (blés, toiles, draps, pastel, papier...) et payait donc avec l'or et l'argent des Amériques. Aujourd'hui les historiens économistes contestent cette interprétation, insistant plutôt sur l'augmentation de la population qui entraînait une forte demande, donc une hausse des prix.

La monarchie s'efforça de stabiliser la situation de la monnaie. En mars 1577, un édit déclara qu'un écu valait trois livres et, six mois plus tard, en septembre, l'écu d'or devint monnaie de compte, ce qui liait l'ensemble du système monétaire non plus à une monnaie de compte fictive, mais à l'écu. Tout compte, toute vente, tout contrat au-dessus de 60 sous devaient être exprimés dans cette monnaie. L'écu valait trois livres officiellement, mais un cours commercial ne tarda pas à s'établir à côté du cours légal. Cette réforme monétaire favorisa, pour près de dix ans, la stabilité, puis les prix continuèrent à monter. Et il fallut revenir au système ancien.

Malgré ces efforts, la monarchie était lourdement endettée depuis Henri II. Les banquiers et financiers s'étaient emparés de la perception des impôts : souvent d'origine italienne comme Zamet, Gondi et Sardini, ils profitaient des difficultés de la monarchie. En raison de la guerre civile, les rentrées fiscales se faisaient mal, et des chefs militaires n'hésitaient pas à se les approprier. Les confiscations de biens ecclésiastiques, obtenues en 1574, 1576 et 1586 avec le consentement pontifical, ne furent que d'un maigre secours. Ces difficultés financières conduisirent Henri III à multiplier les expédients fiscaux et Paris même n'était pas épargné : emprunts forcés, impôts indirects sur les entrées, retranchement (diminution) des rentes sur l'Hôtel de Ville, dons gratuits, création d'offices vendus aux enchères...

Cette politique était d'autant plus impopulaire qu'Henri III par son goût du luxe, par ses prodigalités à l'égard des mignons, par son souci de la majesté royale semblait dilapider les finances publiques. Et il ne sut pas empêcher des fortunes rapides de financiers (ou les punir de façon exemplaire) : « ... le roi donna ainsi l'impression d'avoir choisi la finance contre le peuple » *(E. Barnavi et R. Descimon).*

L'assemblée des notables

En 1579, la grande ordonnance de Blois, avec ses 363 articles, avait tenté de répondre aux doléances des États de 1576. Elle s'était penchée sur toutes les facettes de la vie sociale, les hôpitaux, les universités, les collèges, les offices, les villes...

Une assemblée de notables fut réunie en novembre 1583 à Saint-Germain. Elle fut précédée d'un large effort d'enquête sur les réalités du royaume. L'assemblée fut composée d'hommes nommés par le Conseil et de membres des cours souveraines, ainsi que de prélats et de princes. Le moment était important, car le pays était parcouru de troubles sociaux. L'assemblée confirma les recommandations déjà préparées par les enquêteurs. Une série d'édits dessina un vaste programme de réformes – ces ordonnances furent compilées en 1587 sous le titre de *Code du roi Henri.* C'était une somme de vœux pieux, pour satisfaire l'opinion publique. Pourtant un tribunal central fut créé pour enquêter sur les officiers des finances, et des commissaires devaient, dans chaque élection, vérifier les exemptions de taille. Le budget fut presque équilibré en 1584. Le programme de 1584 était sans doute un pas de plus vers l'absolutisme royal puisque cette réforme était issue du Conseil et de ses commissaires, et c'étaient eux dont le rôle était souligné.

La cour

Henri III, qui aimait rédiger des règlements, établit de sa propre main de nouvelles règles pour la cour : il tentait de donner une organisation nouvelle à l'appartement royal et de rendre plus solennels les rapports entre le roi et ses courtisans, qui renâclèrent devant ces « nouveautés ». Dès 1578, Henri III avait créé un nouvel ordre de chevalerie, celui du Saint-Esprit, pour fixer le souvenir de son accession au trône de Pologne et à celui de France, autour de la Pentecôte. Il s'ajoutait à l'ordre de Saint-Michel, créé par Louis XI, qui avait été distribué trop largement. Pour faire partie de cet ordre, il fallait être catholique et faire preuve de quatre degrés de noblesse. Les chevaliers se reconnaissaient au « cordon bleu » qu'ils portaient sur leur habit.

La cour du dernier Valois fut, malgré la guerre civile, très brillante. Les divertissements de cour s'y multiplièrent. Il s'agissait d'allier la poésie, la danse et la musique, pour développer un thème réaliste ou symbolique. La forme en était diverse : tournois de fantaisie, mascarades, ballets. Les acteurs étaient des courtisans ou même des personnes royales. La cour d'Henri III eut une passion pour ces distractions qui s'inspiraient des cours italiennes.

La Ligue à l'assaut de la monarchie

Les inquiétudes face à la succession royale

Le roi Henri III tenta de convaincre Henri de Navarre afin qu'il abjurât de nouveau. Mais le Béarnais ne céda pas, car cela lui aurait aliéné les huguenots sans lui gagner les catholiques. Le roi de Navarre avait obtenu, au début de 1584, l'autorisation d'Henri III pour tenir l'assemblée des protestants à Montauban. En août, les députés se réunirent et Duplessis-Mornay, le conseiller d'Henri de Navarre, fut chargé de porter au roi leurs doléances. Henri III prorogea la cession des places de sûreté pour un ou deux ans (10 décembre 1584). Une évolution marquait les rangs des huguenots. Pour soutenir la cause de leur champion, ils en arrivaient à défendre le droit divin des rois ; et ils se rapprochaient du gallicanisme, propre au haut clergé et à la noblesse de robe, pour mieux condamner l'attitude du pape qui excommunia bientôt le roi de Navarre. Les parlementaires étaient déchirés entre leur royalisme gallican et leur peur du protestantisme. Les juristes catholiques étaient au contraire tentés d'épouser les anciennes théories huguenotes d'une monarchie contrôlée. Certains polémistes allaient plus loin et souhaitaient se débarrasser du roi Henri III : les théories tyrannicides s'affirmaient, en même temps qu'une forte aspiration démocratique venue de la bourgeoisie cultivée ou du clergé paroissial. Les engagements religieux transformaient les constructions politiques.

La Ligue de 1584

Les fondateurs. — Si une première Ligue était née en 1576, celle qui naquit en 1584 fut plus redoutable. Charles Hotman, sieur de La Rocheblond, fut sans doute l'initiateur du mouvement avec deux curés parisiens, Jean Prévost et Jean Boucher, curés de Saint-Séverin et de Saint-Benoît. « Avec eux, la Ligue prend sa vraie coloration : la théologie et la parole, l'Université et l'Église » *(Jean-Pierre Babelon).* Mathieu de Launoy, ancien pasteur devenu chanoine, se joignit à eux. « Les quatre hommes fondent une véritable société secrète, une organisation politique destinée à peser sur l'opinion, mais recrutée de "gens de bien" choisis individuellement par les pères fondateurs » *(Jean-Pierre Babelon).* Un conseil de neuf ou dix personnes fut le principal organe du mouvement, qui coiffait les bourgeois catholiques zélés des seize quartiers de Paris. Les membres de ce mouvement secret furent des curés, des membres des cours souveraines, des avocats ou des notaires, mais leur position sociale s'accompagnait d'une intransigeance religieuse, ce qu'on appelait le « zèle » : « Cette sacralisation du civisme citadin définissait la pratique du radicalisme ligueur » *(E. Barnavi et R. Descimon).* À la base, il y avait le secret et le serment, une « fraternité d'initiés », comme les aima la Réforme catholique. Le mouvement se structura au début de 1585 avec de l'argent et des groupes armés d'intervention. Mais cette ligue de bourgeois dut reconnaître la popularité du duc de Guise et se lier à lui.

Le rôle des Guise. — Les Guise tenaient une bonne part de la France du Nord : le duc lui-même en Champagne, son frère Mayenne en Bourgogne, leurs cousins Mercœur, Elbeuf et Aumale en Bretagne, Normandie et Picardie. Les princes ligueurs se réunirent à Nancy, la Lorraine servant ainsi de base arrière. À Joinville, les deux mouvements de la Ligue, parisien d'une part, guisard d'autre part, fusionnèrent en décembre 1584 et les princes furent chargés de mener les négociations avec les puissances étrangères : ils signèrent un traité avec Philippe II d'Espagne et Charles de Lorraine (31 décembre 1584). En échange de sommes considérables versées par Philippe II et de la reconnaissance future de « Charles X » (le cardinal de Bourbon), les conditions imposées à la France furent draconiennes. Un manifeste, sans doute rédigé par un jésuite, fut publié à la fin de mars 1585, au nom du cardinal de Bourbon qui se présentait comme héritier de la couronne. En avril 1585, Sixte-Quint succéda à Grégoire XIII sur le trône pontifical. C'était un pape de la Contre-Réforme et, malgré sa défiance à l'égard de l'Espagne, il s'engagea du côté de la Ligue et excommunia Navarre et Condé en 1585. Henri III à son tour se rangea du côté de la Ligue, dont il prenait la tête, par un accord du 20 juin 1585, confirmé par la paix de Nemours du 7 juillet. Le roi de Navarre était déchu de ses droits de succession, la religion réformée était interdite, ses adhérents contraints de s'exiler en laissant leurs biens. Guise recevait le gouvernement de Verdun, Toul et Châlons.

La réaction du Béarnais. — Henri de Navarre réagit : il envoya un de ses fidèles faire le tour des capitales protestantes pour réclamer de l'aide et il en obtint la promesse d'Élisabeth et des princes allemands ; il réunit avec Condé et Montmorency (c'est le nom de Damville désormais comme héritier de son lignage) un conseil de guerre en Lauragais. Les Politiques reconnaissaient le Béarnais comme l'unique héritier de la couronne. Les huguenots et leurs alliés parvinrent à tenir le Sud-Ouest. Il y avait donc une coupure entre une France du Midi et une France du Nord et de l'Est. Condé crut pouvoir prendre Angers, mais il échoua et n'eut que le temps de passer en Angleterre. Cet échec renforça la position politique de Navarre en affaiblissant la réputation de son cousin. Quant à Henri III, il fit payer la guerre contre les protestants par l'Église, la ville de Paris et le monde parlementaire.

La guerre des trois Henri (huitième guerre de religion)

La guerre reprenait entre catholiques et protestants. Mais la situation était pleine d'ambiguïtés. Dans le camp catholique, Henri III envoyait ses armées, mais il craignait Henri de Guise et les siens qui, eux-mêmes, se méfiaient du roi et haïssaient ses favoris Épernon et Joyeuse. Dans le camp protestant, Henri de Navarre était l'héritier de la couronne, même s'il en était officiellement écarté et il avait à modérer les réformés les plus hardis. À cela s'ajoutait l'intervention des puissances européennes qui cherchaient à soutenir l'un ou l'autre camp.

L'échec royal face à Henri de Navarre. — En 1586, trois armées royales se mirent en marche. L'effort de guerre n'aboutit pas : soit Henri III n'avait pas les moyens financiers de mener une campagne décisive, soit il choisit, malgré ses déclarations, de ménager son héritier virtuel, d'autant plus qu'il se sentait lui-même menacé et détesté dans le camp catholique. Les insultes se multipliaient contre le roi et, en 1586, un avocat fut pendu pour l'avoir injurié.

Le 18 février 1587, la reine d'Écosse Marie Stuart fut exécutée après avoir été détenue en prison par sa cousine Élisabeth et condamnée pour conspiration. L'opinion publique s'enflamma contre la reine d'Angleterre qui avait voulu cette mort et qui soutenait en France les huguenots. Dans l'été 1587, les mercenaires allemands, les reîtres *(Reitern)* et les lansquenets *(Landsknechte)* pénétraient en Lorraine pour appuyer les forces protestantes.

Joyeuse voulut restaurer son crédit et conduisit l'armée royale qui conquit le Poitou en un mois. Henri de Navarre fut incapable de résister et il décida une « fuite stratégique » vers le sud. Joyeuse voulut lui couper le chemin. Henri s'esquiva, mais le favori du roi lui imposa la bataille à Coutras. En deux heures, l'armée royale fut défaite, Joyeuse et son frère étaient morts ainsi que 2 000 hommes (20 octobre 1587). Chef politique des huguenots, Henri avait aussi montré ses talents militaires.

L'incertaine victoire face aux reîtres et aux lansquenets. — Le duc de Guise surprit l'armée des reîtres allemands, à Vimory, près de Montargis, non loin de Paris, puis à Auneau. Mais, au même moment, le duc d'Épernon cherchait plutôt à négocier avec ces envahisseurs étrangers, ce qui provoqua l'indignation des Parisiens. Le roi quitta la capitale pour l'armée de son favori et les libelles se multiplièrent contre les mignons.

En janvier 1588, les princes ligueurs se réunissaient à Nancy et formulaient leurs exigences : le renvoi des mignons, la guerre contre l'hérésie sous la conduite de la Ligue, la publication en France des décisions finales du concile de Trente, les règles (ou « canons ») qui définissaient une réforme de l'Église, de la foi et de la pratique catholiques.

Les barricades parisiennes

Les implications internationales. — Henri de Navarre fut bientôt débarrassé de son rival, Condé, qui mourut dans des conditions mystérieuses. Mais lorsqu'il demanda des secours en Allemagne et à Londres, le roi de Navarre n'en obtint pas. L'Espagne préparait au contraire l'expédition de l'Armada contre l'Angleterre. La Ligue entrait dans les calculs espagnols : en effet, elle immobilisait Henri III, et elle promettait aussi de tenir des ports sur la Manche où les troupes d'Alexandre Farnèse, le commandant des armées espagnoles des Pays-Bas, pourraient embarquer. C'est une des thèses avancées pour expliquer la révolte de Paris : une conspiration menée depuis l'Espagne.

Le renforcement de la Ligue. — Car la Ligue s'étendait et s'organisait à la demande même du duc de Guise : « En deux ans, la squelettique société secrète mise sur pied par une poignée d'apôtres, s'est muée en un puissant parti, bien décidé à enlever, de force s'il le faut, le pouvoir » *(E. Barnavi et R. Descimon)*. La Chapelle-Marteau remplaçait Hotman qui venait de mourir. Le Conseil secret fut porté à une douzaine de membres et la ville fut partagée en cinq secteurs avec, pour chacun, un colonel appuyé sur des capitaines. Les membres de la Ligue représentaient 20 000 à 25 000 hommes prêts à l'insurrection. Des plans avaient déjà été préparés pour assassiner le premier président du parlement, pour occuper des points stratégiques (Bastille, Arsenal, Palais de Justice, Châtelet et Hôtel de Ville). Mais un informateur du chancelier avait permis au pouvoir de déjouer ces tentatives.

Le soulèvement de Paris. — Le roi avait interdit au duc de Guise de venir dans la capitale. Le 9 mai 1588, le Balafré, héros du peuple parisien, y entra pourtant. Il se rendit au Louvre sous prétexte de se justifier. Henri III ne le fit pas arrêter et le prince put quitter le palais. La présence du duc agissait « comme un catalyseur donnant aux ligueurs les audaces dont ils manquaient si cruellement quand il fallait passer des intentions aux actes » *(E. Barnavi et R. Descimon)*. Mais le roi, qui avait installé des troupes suisses dans les faubourgs, les fit pénétrer dans la ville et ce fut l'insurrection. En effet le roi revenait sur les privilèges de la capitale qui n'avait pas à recevoir de garnison et qui avait le droit de se défendre elle-même. C'était la fin du dialogue aimable entre la monarchie et Paris, qui avait duré depuis cent cinquante ans.

Le 12 mai 1588, les rues se couvraient de barricades. La technique était nouvelle : les quartiers étaient défendus par des barriques. La première fut érigée par les étudiants, place Maubert. Même les non-ligueurs prenaient les armes. Les soldats furent isolés, lapidés et enveloppés par la foule. Guise parvint à les dégager mais les ligueurs s'apprêtaient à bloquer le Louvre pendant que Catherine continuait de négocier avec le duc de Guise. Henri III prit la fuite à cheval avec quelques compagnons le 13 mai. « Les Parisiens stupéfaits mesurent maintenant les conséquences de l'insurrection. Si Henri III est parti, c'est qu'ils l'ont chassé. La capitale révolutionnaire s'est coupée du roi » *(Jean-Pierre Babelon)*.

Le duc de Guise présida deux assemblées populaires qui suspendirent les échevins et installèrent La Chapelle-Marteau comme prévôt et d'autres ligueurs au Bureau de Ville. Le corps municipal était renouvelé par une élection : ce n'était pas encore le suffrage universel, mais c'était une rupture, puisque le plus souvent on se contentait à Paris d'entériner le choix royal.

Les concessions royales. — Henri III, réfugié à Chartres, et sa mère, toujours à Paris, négocièrent avec les insurgés. Le roi resta sourd aux offres de son beau-frère de Navarre. Au contraire, pour bien montrer l'intransigeance de sa foi, il appelait à lutter contre les protestants et il annonçait la réunion prochaine des États généraux. Le roi céda sur toutes les exigences des ligueurs. Il reconnaissait solennellement la « Sainte Ligue des catholiques ». C'était l'édit d'Union du 21 juillet 1588, qui fut approuvé par la Sorbonne. Il mettait les huguenots hors la loi, faisait pleuvoir les bienfaits sur les grands chefs de la Ligue et affirmait le primat de la catholicité sur la loi salique. Le 1er août, Guise obtint la lieutenance générale des armées du roi – mais pas la charge de connétable. Et le 17 le cardinal de Bourbon était reconnu comme premier prince du sang – et non comme héritier.

Le 20 mai 1588, l'Armada avait quitté Lisbonne forte de 130 vaisseaux. Elle était arrivée non sans difficultés à Calais le 6 août. Mais Alexandre Farnèse était à Dunkerque et ne put faire sa jonction avec la flotte espagnole. Dans la nuit du 7 au 8 août, les Anglais lancèrent des brûlots contre les bateaux de Philippe II. Le lendemain, l'amiral ne réussit pas à affronter la flotte anglaise dans une bataille rangée, et le combat de Gravelines tourna à l'avantage anglais. C'était un désastre aggravé par la tempête. La moitié de la flotte et des hommes était perdue. Cette grande opération avait d'abord réjoui le cœur des catholiques français, l'échec affaiblit au contraire les partisans de Philippe II en France.

Le temps des grandes ruptures politiques

Les États généraux de Blois

Les États généraux s'ouvrirent à Blois où Henri III était arrivé le 1er septembre. L'échec de Philippe II lui rendit du courage. Il écarta brutalement le chancelier et les secrétaires d'État, jugés trop soumis à la reine-mère et aux Guise, et il les remplaça par des hommes nouveaux et dévoués. Les députés aux États étaient majoritairement ligueurs. Malgré un discours énergique du roi, ils imposèrent, le 18 octobre, l'édit d'Union comme loi fondamentale du royaume, prêtèrent serment, comme le roi, de le respecter et proclamèrent la déchéance d'Henri de Navarre.

Henri de Navarre sous le contrôle des protestants

Du 14 novembre au 17 décembre 1588, Henri de Navarre convoqua l'assemblée des Églises à La Rochelle. Les députés attaquèrent les décisions et la vie privée du Béarnais. Surtout l'assemblée précisa les rapports entre les Églises, et aussi entre les Églises et celui qui était désormais leur protecteur. Puisque Henri exigeait un serment des gentilshommes, des capitaines, des députés, il devait lui aussi jurer qu'il consacrerait son existence à la défense du parti. Le protecteur aurait près de lui 10 conseillers élus, 5 nommés par les assemblées régionales et 5 par l'assemblée générale, 1 Rochelais, les princes du sang et quelques personnalités, ainsi que le chancelier, le greffier et le procureur général. Ces conseillers seraient rémunérés et suivraient le roi de Navarre. Les assemblées, provinciales et générales, se réuniraient régulièrement. « Ainsi les députés protestants imposent-ils au Béarnais un véritable régime constitutionnel... » *(Jean-Pierre Babelon).*

La mort du duc de Guise

Un coup de majesté. — Mais la situation fut bouleversée par un coup d'État d'Henri III, ou mieux un « coup de majesté », puisque l'initiative venait du roi même. Au matin du 23 décembre 1588, celui-ci convoqua le duc de Guise dans son cabinet, mais, avant d'y parvenir, le duc fut assassiné par la garde particulière du roi, les « Quarante-cinq », qui avaient été recrutés par le duc d'Épernon. Le cardinal de Guise, frère du duc, fut arrêté, puis exécuté. Le cardinal de Bourbon était surveillé, ainsi que le fils du Balafré. Seul le duc de Mayenne, frère des Guise, réussit à s'esquiver. Le grand prévôt de France, le père du futur ministre et cardinal de Richelieu, se rendit à l'Hôtel de Ville de Blois où siégeaient les députés du tiers état et arrêta les principaux meneurs, dont La Chapelle-Marteau, qu'il conduisit au château.

La révolte des catholiques. — Les ligueurs ripostèrent en prenant alors le contrôle de la capitale : ils embastillèrent les parlementaires et placèrent des hommes sûrs dans les institutions de la ville. Ils remplacèrent les députés arrêtés à Blois. Paris envoya des émissaires en province, et la plupart des villes catholiques prirent parti pour les révolutionnaires parisiens, alors que seules quelques villes les avaient suivis après les barricades. Mayenne réussit à assurer son pouvoir en Bourgogne, puis il évinça les extrémistes à Rouen, mais il dut au contraire composer à Paris. Là, l'organisation de la ville révoltée se poursuivait. « Nul doute qu'une véritable "révolution" n'ait alors soulevé Paris, et certaines grandes villes. Les récentes études des historiens permettent de l'assurer. Que cette révolution ait été religieuse – contrairement à certaines révolutions de l'histoire moderne – et qu'elle ait échoué – faute d'un pouvoir populaire structuré et d'une doctrine cohérente – ne doit pas nous masquer sa réalité » *(Jean-Pierre Babelon)*.

L'organisation de la révolte. — Au début de 1589, une assemblée de gouvernement se constitua, le Conseil des Quarante avec 9 gens d'Église, 7 nobles et 24 représentants du tiers. Un secrétaire greffier, Senault, qui avait dressé la liste des quarante, fut peut-être le moteur de cette organisation révolutionnaire. Le Conseil des Quarante nomma Mayenne lieutenant général du royaume. Mayenne entra dans la capitale le 12 février et reçut le titre nouveau de « lieutenant général de l'État royal et couronne de France ».

Dans chacun des 16 quartiers furent institués des conseils, composés chacun de 9 personnes élues, qui s'occupèrent de la police et de la justice. Chacun des conseils fut coiffé d'un responsable qui dut faire son rapport au Conseil des Quarante. Ces « Seize » ont laissé leur nom à ce « comité de salut public » qui était le vrai gouvernement de la ligue parisienne et qui remplaça le Conseil secret de la période initiale. Mais ce nom a désigné aussi les chefs de la Ligue et tous les extrémistes. La propagande et les historiens royalistes décrivirent ces Seize comme des malfaiteurs ou des hommes du peuple avides de revanche sociale. En réalité, c'étaient plutôt des notables, avocats ou marchands. Néanmoins ces ligueurs étaient hostiles aux magistrats qui avaient monopolisé les offices par le biais de la vénalité et de l'hérédité, ainsi qu'aux financiers qui avaient profité du service de la monarchie. « La Sainte-Union, c'est l'espoir de déloger ces officiers inamovibles, c'est la volonté affirmée d'une promotion sociale enfin à la portée de la main » *(E. Barnavi, R. Descimon)*.

Des conseils provinciaux de la Ligue se mirent en place, avec des membres des municipalités, des représentants du clergé ligueur, mais aussi des officiers des cours de justice ou de finances. En revanche les conflits ne furent pas rares avec la noblesse de robe et les gouverneurs des provinces.

L'assassinat du roi Henri III

Catherine de Médicis mourut le 5 janvier 1589. Henri III se rapprocha de son beau-frère Henri de Navarre. Un traité fut signé : le Béarnais put enfin passer la Loire et marcher contre le duc de Mayenne. Comme l'armée royale était malmenée par celle de Mayenne, les deux Henri en arrivèrent à une alliance offensive, symbolisée par une rencontre, après treize ans de conflit. Les deux rois se dirigèrent vers le nord et les deux armées, soit 30 000 hommes, se rapprochèrent de Paris : il fallait assiéger la capitale. Henri III s'installa à Saint-Cloud.

Au matin du 1er août 1589, alors qu'Henri III était sur sa chaise percée, un jeune jacobin, nommé Jacques Clément, demanda audience, s'approcha du roi et le perça d'un coup de couteau au bas-ventre. Jacques Clément n'était ni un fou, ni un isolé. Jamais on n'avait tant parlé de tyrannicide. Le moine fut immédiatement tué tandis qu'un messager prévenait Henri de Navarre. Sur son lit de mort, Henri III reconnut son beau-frère comme héritier, l'exhorta à changer de religion et demanda aux assistants de lui jurer fidélité. Le 2 août 1589, à deux heures du matin, le dernier des Valois mourait. Henri de Navarre, selon les lois fondamentales du royaume, devenait Henri IV, roi de France, mais il lui fallait encore se faire reconnaître comme tel, bref conquérir son royaume.

Le règne d'Henri III a été un temps de crises. À la crise économique qui frappa le royaume et qui fut aggravée par la guerre civile, répondaient des soulèvements populaires. Surtout les divisions religieuses débouchaient sur une crise politique. Autour du roi, les conflits devenaient terribles : la famille royale se divisait pour des raisons politiques avec François, le frère du roi, ou religieuses avec Henri de Navarre ; les grands lignages s'affrontaient entre eux, Guise contre Montmorency ; les seigneurs se dressaient contre leur roi, mais aussi contre ses favoris dont l'ascension sociale était jugée trop rapide, donc scandaleuse. Henri III tenta d'imposer sa loi face à ces luttes. Il s'appuya sur ses favoris, mais aussi sur une administration renforcée, derrière les secrétaires d'État, les conseils, les officiers du roi, et sur une cour mieux structurée. Cette période troublée n'empêcha pas des réformes ambitieuses. En revanche le facteur religieux donnait aux affrontements politiques leur dimension passionnelle et les exacerbait. La pratique de l'assassinat politique montrait cette escalade de la violence. Et l'appel aux puissances étrangères devenait pratique normale : elles envoyaient des soldats ou de l'argent.

Peu à peu, la monarchie fut la première victime de cette évolution. Les protestants s'organisaient pour mieux se défendre et spontanément inventaient leurs institutions politiques sans l'intervention du pouvoir royal. Des personnages puissants, comme Montmorency-Damville se posaient comme arbitres, se constituaient des bastions indépendants et menaient leur propre politique. Enfin les catholiques à leur tour construisaient des sociétés plus ou moins secrètes, avant de constituer une Ligue qui s'imposait dans une grande partie du royaume, face au pouvoir royal. Le monarque apparaissait comme moins légitime, comme un tyran, et le tyrannicide trouvait là sa légitimité.

10. L'avènement d'Henri IV et la coexistence confessionnelle (1589-1598)

Henri IV, roi de France et de Navarre, descendait de Saint Louis, mais le lien avec le roi défunt semblait bien fragile. La loi salique était garante de cette succession, et la refuser, c'était refuser l'histoire de la France. Les conseillers d'Henri IV commencèrent à célébrer la personne du nouveau roi, par l'écrit et par l'image, pour montrer sa légitimité, et son rôle essentiel dans l'équilibre social. Il était un Bon Français avant tout. Henri IV devait amalgamer la France, la Patrie, l'État, la Monarchie. La notion d'État était utile : elle passait avant le respect qu'inspirait la Religion. Ainsi serait né, selon l'historienne Myriam Yardeni, ce patriotisme des guerres de Religion, le seul moteur capable de tirer la France du chaos. Car le souverain légitime était le protecteur naturel de l'ordre social. Pour les Ligueurs au contraire, il était impossible de privilégier l'État par rapport à la foi, donc il était interdit de subir un prince renégat : il fallait alors revenir à la monarchie élective. Et, aux yeux de Dieu, il ne serait pas honteux de recourir à l'aide de l'étranger. Les hommes d'Église ne pouvaient qu'applaudir et encourager. Mais en attisant les passions populaires qui les servaient, ils risquaient d'inquiéter la noblesse et la bourgeoisie.

Né en 1553, Henri IV avait 35 ans à son avènement. Il avait connu une vie mouvementée et difficile. Il avait passé ses premières années en Béarn et avait été élevé à la rustique selon la volonté de son grand-père, Henri d'Albret. Sa mère qui l'avait initié à la foi réformée, avait voulu faire de lui le chef du parti protestant. Il fut tôt entraîné dans les guerres de Religion. Ce fut à l'occasion de son mariage que ses compagnons protestants furent massacrés dans Paris. Cette union avec Marguerite de Valois ne fut pas heureuse, car les deux époux étaient volages. Cette légèreté du « Vert-Galant » lui fut souvent reprochée par ses austères compagnons protestants. Peu à peu, Henri de Navarre révéla ses qualités d'homme de guerre : il réussit des coups de main sur des villes et l'emporta à Coutras. Il n'avait pas la dimension d'un grand stratège, car il ne montrait ni vue d'ensemble, ni réel esprit de suite dans les opérations, mais il savait parler aux soldats et les conduire avec vaillance au combat. Il se montra aussi un diplomate habile et il sut résister aux invitations de la cour, qui souhaitait l'attirer, pour priver les protestants de leur chef. Ses chevauchées permanentes lui avaient aussi permis de bien connaître son royaume. Henri IV savait se montrer humain et simple avec les gens du peuple, et il affectait d'être proche d'eux. Il était ennemi du faste et du raffinement, auxquels sa religion et sa vie tumultueuse ne l'avaient pas habitué. Mais il fallut bien du temps pour que les sujets catholiques du roi reconnussent ces qualités, car longtemps il fut surtout un homme haï, un tyran à tuer. Si sa personnalité fut célébrée – bonhomie, simplicité, charisme –, ce fut surtout après sa mort.

L'impossible reconquête de la France du Nord

Les trois attitudes de la noblesse

Le 2 août 1589, trois attitudes se dessinaient chez les grands et les fidèles d'Henri III. Certains saluèrent tout de suite Henri IV comme leur roi, d'autres souhaitèrent qu'il abjurât sa religion, enfin un troisième groupe préféra se retirer pour voir venir et pour négocier le mieux possible un ralliement. Les négociations avec les grands seigneurs catholiques aboutirent le 4 août à une Déclaration que le roi signa et qu'ils cosignèrent. Henri IV s'engageait à respecter la religion catholique et à n'y rien changer, à se soumettre quant à lui aux décisions d'un concile général qui serait réuni dans les six mois, d'accorder à des catholiques les emplois publics, en particulier les gouvernements des places, sauf une par bailliage réservée à un huguenot. Les États généraux seraient réunis dans les six mois. La Déclaration engageait l'ensemble de la noblesse, mais, si de nombreux grands seigneurs signèrent, certains s'abstinrent, comme le duc d'Épernon, qui préféra regagner son gouvernement d'Angoumois.

Le parlement qui était resté en grande partie fidèle à Henri III s'était retiré à Tours et il enregistra les décisions prises à Saint-Cloud. Mais Henri IV devait encore gagner à sa cause le royaume de France dont un sixième environ l'acceptait. À l'étranger, il fut reconnu par les souverains protestants, en particulier par la reine d'Angleterre, par les révoltés des Provinces-Unies, par des princes allemands, mais aussi par la république de Venise.

Les campagnes militaires

Arques et Ivry. — Le camp catholique n'avait plus pour chef que le duc de Mayenne et ce fut lui qu'il fallut d'abord combattre. Henri IV gagna Dieppe où devaient débarquer des renforts envoyés par Élisabeth Ire. Le roi réussit à défendre la ville contre l'offensive des troupes ligueuses par une série de combats du 15 au 27 septembre 1589 autour d'Arques. Henri IV tenta ensuite une opération contre Paris, dont il ne put prendre que les faubourgs avant de se replier devant Mayenne. Le nouveau roi s'installa dans les pays de la Loire, plus sûrs que la région parisienne. En 1590, les combats reprirent aux portes de la Normandie. Mayenne avait reçu l'aide de cavaliers espagnols qui voulaient en découdre. La bataille eut lieu à Ivry : « ... ralliez-vous à mon panache blanc, vous le trouverez au chemin de la victoire et de l'honneur ». Ce cri d'Henri IV était un appel à la noblesse et le courage du roi permit de transpercer la cavalerie ennemie qui se débanda (14 mars 1590).

Le siège de Paris. — Fort de cet avantage militaire, Henri IV décida de bloquer Paris en coupant les routes et les ponts qui permettaient le ravitaillement de la capitale. Il s'agissait d'obtenir par la faim la reddition de la ville rebelle. Le siège commença le 7 mai 1590. Le même jour, la Faculté de Théologie de l'Université – la Sorbonne – lançait une nouvelle condamnation contre le Béarnais et demandait d'empêcher à tout prix l'arrivée au pouvoir d'Henri, même s'il se convertissait, car il y avait danger de tromperie. L'ambassadeur espagnol et le légat de pape soutenaient les énergies. Ils disposaient d'argent pour aider la Ligue. Et la population parisienne était fanatisée par le clergé et les ligueurs : elle supporta la faim, la maladie et la mort. Un assaut général échoua le 27 juillet. Des voix dans Paris demandaient du pain et la paix, mais des exécutions les firent taire. L'Espagne franchit une nouvelle étape en confiant à ses propres généraux les secours qu'elle destinait à la Ligue. Alexandre Farnèse, l'un des meilleurs stratèges et tacticiens de son temps, avança sur le territoire français, il n'affronta pas directement Henri IV, mais il se jeta sur Lagny (7 septembre), ouvrant de nouveau le trafic sur la Marne. Le blocus de Paris était levé : le siège avait été un échec.

La terreur à Paris

En mai 1590, le cardinal de Bourbon (Charles X selon la Ligue) était mort, prisonnier de son cousin Henri IV. Les ligueurs se cherchèrent un nouveau champion. Parmi les princes du sang, il y avait le jeune Condé et le prince de Conti, mais surtout l'ambitieux cardinal de Vendôme qui prit à son tour le nom de cardinal de Bourbon. Le roi d'Espagne soutint la cause de sa fille, l'infante Isabelle-Claire-Eugénie : fille d'Élisabeth de Valois, elle était donc écartée par la loi salique, mais les Espagnols ne reconnaissaient pas cette règle de succession.

Henri IV tenta le siège de Rouen, qui s'éternisa. Comme Mayenne avait obtenu de Philippe II une aide considérable de l'Espagne en échange de places fortes, Henri IV devait affronter une fois encore Alexandre Farnèse qu'il harcela, mais qu'il ne parvint pas à défaire à Caudebec. À Paris, la population s'enflamma contre les tièdes, à l'appel du curé Boucher. Le jeune duc de Guise s'était échappé de sa prison et devint le nouveau champion de la Ligue, car les ligueurs se méfiaient du gros duc de Mayenne. Comme une partie du parlement était restée à Paris, un premier président le dirigeait, Barnabé Brisson. Or les parlementaires ne sévissaient guère contre les audacieux qui déplaisaient aux ligueurs. Le 15 novembre 1591, Barnabé Brisson, et deux conseillers, Larcher et Tardif, furent arrêtés et pendus aux poutres du Petit Châtelet. Ce régime de terreur inquiéta les plus modérés des ligueurs, et fit craindre à la bourgeoisie les dérives de cette révolution démocratique.

Le choix religieux du roi

L'indécision d'Henri IV

Pourtant la situation d'Henri IV était compromise par son indécision, face à la question religieuse. Le parlement de Tours (composé des parlementaires fidèles qui avaient déserté Paris et qui avaient Harlay comme premier président) avait condamné la bulle de Grégoire XIV (du 1er mars 1591) qui confirmait l'excommunication du roi. Henri IV fut conduit par ses conseillers protestants à imposer un nouveau statut des protestants, le « Formulaire », qui adoptait la législation la plus favorable aux huguenots, celle du temps de la paix de Monsieur de 1580. Le parlement l'enregistra en même temps qu'un édit favorable au catholicisme (5 et 6 août 1591). Henri IV obtint une réunion des membres du haut clergé à Mantes, puis à Chartres, et par une déclaration du 21 septembre 1591 cette assemblée déplora que le pape fût mal informé de l'état du royaume. Pourtant Henri ne s'engageait pas sur la voie de l'abjuration du calvinisme. Et une telle attitude ambiguë déplaisait à ses partisans catholiques : ils se tournaient vers d'autres princes possibles, ainsi le cardinal de Bourbon qui n'était pas encore prêtre. À la fin du printemps 1592, la grogne parcourait la haute noblesse. Henri IV s'engagea dans des discussions avec Mayenne : il promit alors de se faire instruire dans la religion catholique. Ce fut l' « expédient » du 4 avril 1592.

Des succès militaires vinrent au secours d'Henri IV. Turenne, devenu par son mariage duc de Bouillon, repoussa le duc de Lorraine, qui était entré en Champagne. En Languedoc, l'armée royaliste contraignit à la fuite une armée essentiellement espagnole, commandée par le maréchal Guillaume de Joyeuse. En Provence, le duc d'Épernon, désormais rallié, fit céder le duc de Savoie devant Antibes et Lesdiguières s'avança de son côté dans le duché de Savoie jusqu'au Piémont. Henri IV augmenta aussi la pression sur Paris, en prenant des villes qui en contrôlait l'accès. Mais en même temps il envoyait deux ambassadeurs au pape.

Les États généraux de la Ligue

La candidature espagnole. — La convocation des États généraux avait été sans cesse remise depuis la mort d'Henri III. Philippe II la souhaitait pour abroger la loi salique et voulait une élection de sa fille, l'infante Isabelle-Claire-Eugénie, par les États. Il désirait cette réunion dans une ville qu'Alexandre Farnèse pourrait aisément contrôler. Mais le généralissime mourut à Arras à la fin de 1592. Fixée à l'origine au 20 septembre 1592, la réunion des députés eut lieu le 26 janvier 1593. Mayenne avait repris de l'influence à Paris, en rétablissant l'ordre, mais le parlement exprimait les conditions pour le choix d'un roi : il fallait respecter la coutume, examiner les candidats et élire un descendant de Saint Louis, un Français, un catholique. Les députés n'étaient guère que 128, soit le quart du nombre de 1588. Pour la plupart, ils acceptaient l'or que les Espagnols distribuaient. Mayenne proposa sa candidature, ou celle de son fils ; le président du clergé, celle de Philippe II. L'armée espagnole du duc de Feria entra dans Paris le 9 mars 1593. Mais cette présence et le ton du duc de Feria devant les députés indisposèrent les États.

Les ouvertures d'Henri IV. — Les États avaient entendu les ouvertures que la noblesse fidèle au roi et Henri IV lui-même avaient faites. Des négociations s'engagèrent à Suresnes le 29 avril 1593, entre députés des États et représentants du roi. Un cessez-le-feu permit aux Parisiens de quitter Paris s'ils le voulaient. Le 16 mai, Henri IV annonça son intention de se convertir et fixa un calendrier. Les Espagnols ne parvinrent pas à imposer aux États la candidature de l'infante, d'autant plus que Philippe II parla d'abord de la marier à un Habsbourg d'Autriche avant de parler d'un mariage avec un prince lorrain. Henri IV profita du revirement des Parisiens pour prendre Dreux. Le parlement de Paris résista aux manœuvres de Mayenne et des Espagnols, face aux États qui se survécurent à eux-mêmes jusqu'en août.

Le « saut périlleux »

Henri IV était prêt à abjurer : c'était la sixième fois qu'il changeait de religion depuis sa naissance. Bien sûr il était attaché à la religion de sa mère, et il craignait de se couper de ses fidèles soutiens protestants, en France et à l'étranger. Mais Paris valait bien une messe. Et les politiques de son entourage insistaient sur les menaces qui naissaient : une possible élection de l'infante ou une manœuvre du cardinal de Bourbon.

L'abjuration. — Le 23 juillet 1593, Henri IV fit ce qu'il a appelé lui-même le « saut périlleux » : il se fit initier à sa nouvelle religion par Renaud de Beaune, archevêque de Bourges, et quelques autres prélats qui acceptèrent d'agir sans l'autorisation de Rome, sans attendre l'absolution du pape pour Henri IV. Le dimanche 25 juillet, le roi abjura à Saint-Denis. Habillé de blanc, il fut reçu à l'entrée de la basilique par Renaud de Beaune : il jura de vivre et mourir dans la religion catholique et de renoncer à toutes les hérésies. L'archevêque donna l'absolution et bénit le roi qui entendit la messe et communia.

Cette abjuration avait de grandes conséquences : des villes et des provinces abandonnaient la Ligue. Le parlement d'Aix reconnut Henri IV : c'était le premier parlement ligueur à se rallier.

L'affrontement idéologique continua avec la publication de pamphlets. Contre la Ligue, la *Satyre Ménippée* eut un grand succès. Ce titre correspondait à un pot-pourri de pièces en vers et en prose. Monarchistes, les auteurs attaquaient les moines et le peuple qui avaient osé s'affranchir de l'ordre établi. Au contraire en 1594 *Le Banquet et après disnée du comte d'Arète, où il se traicte de la dissimulation du roy de Navarre et des mœurs de ses partisans,* écrit par l'avocat Louis Dorléans, était inspiré par la propagande espagnole. Entre les deux camps, le *Dialogue d'entre le Maheustre et le Manant* opposait le Politique, rallié au roi, le Maheustre, au ligueur de base, le Manant, dont le combat apparaissait comme voué à l'échec.

Le sacre de Chartres. — Comme la ville de Reims était aux mains des Ligueurs, Henri IV choisit de se faire sacrer à Chartres. Le sacre eut lieu le dimanche 27 février 1594. « Tous les fastes de la monarchie sont ressuscités » *(Jean-Pierre Babelon).* Henri IV catholique fut aussi reçu comme grand-maître de l'ordre du Saint-Esprit, fondé par Henri III : il n'avait pu en faire partie aussi longtemps qu'il avait été protestant.

L'entrée dans la capitale. — Lyon s'était rendu au roi en février 1594, Paris fut abandonné par le duc de Mayenne qui laissa comme gouverneur Charles de Cossé-Brissac. Celui-ci négocia avec les royalistes l'entrée d'Henri IV dans la capitale. Dans la nuit du 22 mars 1594, le gouverneur et des échevins ouvrirent deux portes aux troupes du roi. Les soldats s'infiltrèrent dans la ville et les Espagnols ne réagirent pas. La foule bientôt acclama Henri IV qui fit circuler un tract qui promettait l'amnistie générale. Le roi entendit la messe à Notre-Dame, puis il assista au départ des troupes étrangères et des ligueurs les plus compromis. Henri IV montra beaucoup de clémence à l'égard de ses anciens ennemis. Il ne distingua guère par exemple les parlementaires qui lui étaient restés fidèles de ceux qui s'étaient ralliés tardivement.

L'attentat de Jean Châtel contre Henri IV le 27 décembre 1594 montra néanmoins que la haine était toujours présente. Le parlement de Paris en profita pour expulser les jésuites, accusés de complicité avec le régicide. Cette mesure n'arrangea pas les affaires du roi à Rome.

La paix à l'intérieur et à l'extérieur du royaume

La guerre franco-espagnole

Fontaine-Française. — Le royaume était de nouveau menacé de toutes parts. Des troupes espagnoles vinrent soutenir Mayenne en Bourgogne. Ce fut là qu'Henri IV choisit de les affronter. À Fontaine-Française, le 5 juin 1595, Henri réussit à repousser une petite troupe et à faire croire aux ennemis que ses forces étaient importantes. Les Espagnols se replièrent. Cette victoire inattendue provoqua un sursaut de patriotisme des Français. Mais les troupes espagnoles remportaient de grands succès dans le Nord.

Les ralliements. — Le 17 septembre 1595, le pape Clément VIII accordait son absolution à Henri IV.

En novembre 1595, le duc de Mayenne se réconcilia avec le roi, et après lui tous les chefs ligueurs, soit vaincus, soit achetés. Car Henri IV fut obligé de négocier avec chacun des grands ligueurs qui vendirent fort cher leur ralliement, obtenant des gouvernements ou des sommes d'argent.

Mais Calais fut pris par les Espagnols en avril 1596. Élisabeth Ire signa alors une alliance offensive et défensive avec Henri IV. Les Espagnols pourtant s'emparèrent encore par surprise d'Amiens le 11 mars 1597. Henri IV réagit avec vigueur, força le parlement à céder à ses appels pour financer la guerre, Rosny (le futur Sully) fit des merveilles pour préparer des canons. Le siège de la ville commença en juin et la cité capitula en septembre. La Bretagne du duc de Mercœur résistait encore. Henri IV y entra en 1598 avec une armée de 14 000 hommes. Des villes se rendaient et Mercœur négocia. C'est à Nantes, où s'attarda le roi, que fut signé l'édit qui mettait fin à la guerre civile.

La paix de Vervins (1598). — En même temps, la paix fut signée avec l'Espagne le 2 mai 1598. Le roi d'Espagne avait dû renoncer à profiter des guerres religieuses pour s'emparer de quelque province française. La révolte des Provinces-Unies n'avait pas été vaincue, la monarchie espagnole était elle-même fragile. Le traité de Vervins reprit les termes du traité de Cateau-Cambrésis. Les Espagnols cédaient les villes qu'ils tenaient encore, Calais, Ardres, Monthulin, Doullens, La Capelle et Le Catelet dans le Nord, Blavet en Bretagne. Seul Cambrai leur restait. L'Angleterre et la Hollande, hostiles à la négociation, n'entrèrent pas dans cet accord. Et Philippe II mourait le 13 septembre 1598. S'il était parvenu à remporter une grande victoire sur les Turcs, il n'avait pas su garder intact son vaste empire, puisque les Provinces-Unies avaient déclaré leur indépendance, il n'avait pas affaibli la puissance maritime anglaise, il n'avait pu profiter des conflits religieux pour imposer sa propre fille sur le trône de France.

L'édit de Nantes

L'édit de Nantes remettait en vigueur ceux de Poitiers (1577), de Nérac (1579), de Fleix (1580). La déclaration de Saint-Germain avait confirmé en novembre 1593 les intentions du roi : « Le roi promettait de ne pas faire la guerre aux huguenots, malgré le serment prononcé au sacre, il garantissait le culte dans toutes les villes qui lui obéissaient à cette date, il prenait en charge l'entretien des ministres et autorisait la fondation de collèges. La clause qui ouvrait aux réformés l'accès aux grands corps de l'État fut très mal reçue des parlements. Celui de Rouen la refusa » *(Jean-Pierre Babelon).*

Les efforts des réformés. — Des assemblées générales des réformés se réunirent avec l'autorisation tacite du roi à Sainte-Foy en 1594, à Saumur en 1595, à Loudun en 1596. Les réformés s'efforçaient d'organiser la « république calviniste ». L'assemblée de Châtellerault envoya quatre commissaires protestants qui discutèrent avec les représentants du roi. Ils parvinrent vite à un accord et l'édit fut signé à Nantes le 13 avril 1598.

Le protestantisme toléré. — C'était une « paix » qui était accordée aux huguenots comme celle que Charles Quint avait octroyée aux luthériens en 1555. Ainsi étaient reconnus les droits d'une minorité religieuse dans un pays majoritairement catholique. L'édit était accompagné de 56 articles secrets précédés de déclarations pour l'enregistrement (ce sont les « particuliers » signés le 2 mai 1598) et des clauses plus secrètes encore (les « brevets »).

Le préambule indiquait que le roi voulait accorder une loi générale pour régler tous les différends. Pour l'historien J.-P. Babelon, l'édit était moins favorable que d'autres qui l'avaient précédé, mais il était fait cette fois pour être appliqué. Même contesté par l'opinion, le pape et les parlements, l'édit avait pour lui l'autorité monarchique et Henri IV ne badinait pas sur ce point.

L'édit n'accordait pas vraiment la liberté de conscience (il n'était pas possible de s'affirmer athée) : il permettait de choisir entre catholicisme et protestantisme. Il n'instituait pas la tolérance religieuse, il reconnaissait la coexistence de deux confessions rivales et inégales – le protestantisme était désigné dans l'édit comme la « religion prétendue réformée », formule dévalorisante que la monarchie utilisa tout au long du XVIIe siècle, et de plus en plus souvent sous sa forme abrégée de RPR.

Les lieux de culte. — Pour le culte, la liberté n'était accordée que dans certains lieux. La hiérarchie féodale s'imposait là encore. Les seigneurs hauts justiciers faisaient bénéficier leurs vassaux de la liberté de culte avec les « églises de fief » – 257 au temps de Henri IV. Les petits seigneurs n'avaient droit qu'à un culte privé, trente assistants au maximum. Le culte fut autorisé là où il était célébré ouvertement, à la fin d'août 1597 – 694 églises publiques, 800 ministres, 274 000 familles, soit environ 1 250 000 protestants sur une population de 16 à 18 millions d'habitants. Les zones les plus denses étaient l'Aquitaine et le Val de Loire, puis la basse Normandie, le Dauphiné et le Languedoc. La troisième catégorie de lieux autorisés concernait les zones de protestantisme peu dense : deux lieux par bailliage, mais dans les faubourgs des villes. De plus le culte était interdit à Paris, à la cour et aux armées.

Les places de sûreté. — Les protestants pouvaient accéder aux charges publiques à égalité avec les catholiques qui furent indignés par cette disposition. Des chambres de justice mi-parties catholiques et protestantes étaient établies. Des places de sûreté étaient octroyées : Saumur, Loudun, Saint-Jean-d'Angély, Montpellier, Vitré, Sancerre, Montauban, Nîmes, Uzès, Grenoble, Mantes,

Pontivy, La Rochelle... 144 en tout. Elles étaient en principe concédées pour huit ans.

Par les articles secrets, le roi prenait en charge les frais du culte, le salaire des ministres et des professeurs de collège, l'entretien des garnisons – il finançait donc d'éventuelles rébellions protestantes. Mais en revanche il nommait les gouverneurs des places.

Même si le parti protestant disparaissait officiellement, les assemblées générales demeuraient, mais devaient avoir l'autorisation du roi.

Les résistances. — L'édit provoqua l'indignation de la papauté, les réticences de l'Église de France, des manifestations publiques. Comme l'édit devait être enregistré, Henri IV brisa la résistance du parlement de Paris, qui dut accepter le texte.

Les huguenots, mais le pouvoir royal aussi, s'étaient emparés de certains biens du clergé. En 1600, celui-ci retrouva les dîmes, et il put d'autant mieux racheter, à partir de 1610, les biens aliénés qu'il pouvait les acquérir à un prix médiocre. Malgré l'interdiction de construire un temple à moins de cinq lieues de Paris, Sully obtint l'autorisation d'en installer un aux portes de la capitale, à Charenton.

Henri IV toléra les assemblées générales, accueillit près de lui des protestants, comme Sully, resta fidèle à l'alliance avec les puissances protestantes. En échange les protestants lui montrèrent une indéfectible loyauté.

La pacification religieuse ne signifiait pas la fin de toutes les difficultés : déjà Henri IV avait tenté de trouver de l'argent et avait dû réaffirmer l'autorité royale. Néanmoins la paix de Nantes ouvrait la voie à une réconciliation de tous les sujets. Les catholiques avaient contraint le roi à se convertir : la tradition religieuse de la France était sauve, et l'Église de France pouvait se réjouir de ce succès. Les protestants étaient tolérés et Henri IV gardait de l'affection pour ses sujets réformés qui avaient été ses constants soutiens : leur loyalisme était acquis au roi. Le pays était fatigué de tant d'années de guerre civile et souhaitait la paix intérieure : la personnalité, à la fois souple et ferme, du roi, semblait capable de l'assurer. La noblesse imitait les grands seigneurs qui s'étaient ralliés en échange de récompenses bien réelles. Les villes suivaient l'exemple de Paris qui ouvrait ses portes. Les paysans espéraient la fin de ces conflits dont ils avaient souffert.

La lutte d'Henri IV avait aussi permis de prendre la mesure du sentiment national. La candidature espagnole au trône de France n'avait pas suscité d'enthousiasme et Fontaine-Française avait flatté l'orgueil du pays. Ainsi le sentiment d'un ensemble politique, d'une communauté nationale, l'emportait sur les divisions religieuses. La monarchie apparaissait de nouveau gardienne de cette unité, à travers un homme et une dynastie nouvelle, de cette indépendance grâce à la paix de Vervins, de la tolérance par l'édit de Nantes. Elle allait aussi tenter de participer au renouveau du royaume.

11. La France au cœur des guerres de Religion

La seconde moitié du XVIe siècle vit la mise en cause de la monarchie, d'abord par les protestants que la persécution indignait, ensuite par les catholiques qui refusaient un héritier de la couronne, puis un roi, protestant. Face au pouvoir royal, les attitudes furent variées : parfois la simple désobéissance ou une résistance plus ou moins vigoureuse, parfois la révolte armée, voire la tentation de préparer la mort du souverain.

La monarchie en péril

Il est difficile de comprendre cette faiblesse du régime. La jeunesse de François II, puis celle de Charles IX, permirent aux oppositions de s'exprimer plus librement et hardiment. Le rôle durable de Catherine de Médicis n'améliora pas l'image du pouvoir royal tant les méthodes de la reine venue de Florence étaient volontiers critiquées – parfois bien à tort. L'image des Valois fut souvent déformée et la personne même d'Henri III suscita de véritables haines. Ensuite ce fut la religion calviniste d'Henri de Navarre, devenu Henri IV, qui engendra chez les catholiques fervents un rejet violent.

Ne faut-il pas voir dans cette crise une réaction après le renforcement du pouvoir royal au temps de François Ier et d'Henri II ? La noblesse qui n'avait plus d'opérations à mener à l'extérieur était inquiète de son sort. Prête à l'aventure, elle se cherchait des chefs politiques et militaires en qui elle pût avoir confiance et qui fussent capables d'assurer aux hommes de guerre richesse et puissance. Mais les provinces et les villes, avec leurs élites, tentèrent aussi de retrouver une autonomie qu'un début de centralisation avait tenté de réduire.

Malgré les épreuves, la monarchie résista. Longtemps le pouvoir royal s'efforça de préserver la paix civile et de trouver des accommodements entre les partis et les confessions. Cible de toutes les attaques, Catherine tenta de conserver à ses fils un royaume intact et soumis. Si elle fut sans doute à l'origine du massacre de la Saint-Barthélemy, c'était qu'elle voyait dans la mort des chefs protestants une solution, mais cette violence radicale ne fut que momentanée. Henri III essaya par tous les moyens de résister à la désagrégation de son royaume. Quant à Henri IV, il dut combattre de longues années avant de s'imposer par son courage, son habileté et son charisme.

Les désordres politiques n'empêchèrent pas la monarchie et ses serviteurs d'entreprendre une réforme du gouvernement et de l'administration. De vastes ordonnances furent rédigées pour uniformiser et rationaliser l'organisation du royaume alors que les luttes intérieures rendaient très difficile l'application de ces réformes. Les affrontements religieux et politiques débouchèrent aussi sur une intense réflexion théorique quant à la nature des différents systèmes politiques.

Le roi était d'abord le défenseur de ses sujets. Embarrassé par la guerre civile, face à des factions qui faisaient appel à l'étranger, il lui fallut lutter sur de nombreux fronts, voire appuyer des opérations à l'étranger, comme les initiatives du frère d'Henri III dans les Pays-Bas espagnols. Pourtant le territoire fut préservé malgré les opérations espagnoles, les incursions de soldats allemands ou l'arrivée de renforts anglais pour les protestants.

En revanche la coupure religieuse du royaume se marqua dans la géographie, une organisation politique nouvelle s'installant d'abord dans les provinces protestantes puis, avec la Ligue, dans les contrées majoritairement catholiques. Finalement la France courut le risque d'un démantèlement interne et des provinces entières échappèrent à l'autorité royale, qu'elles fussent aux mains des huguenots, des catholiques ligueurs, de chefs de guerre ou de gouverneurs tout-puissants.

Vers une réforme de l'Église de France

Malgré les guerres européennes, un concile s'était tenu à Trente en trois sessions. Les prélats qui s'étaient réunis avaient réussi à répondre aux principales questions que la Réforme avait soulevées. Ce fut la base d'un renouveau du catholicisme, d'une « réforme catholique » : cette expression est préférée aujourd'hui à celle de contre-réforme qui n'évoque que la lutte contre le protestantisme et la reconquête du terrain perdu.

La France face au concile

La dernière session du concile de Trente. — Une des questions essentielles fut l'introduction en France des canons (les décisions finales) du concile de Trente.

En effet les deux premières sessions avaient eu lieu de décembre 1545 à mars 1547 – avec ensuite un transfert à Bologne jusqu'en septembre 1549 – et de mars 1551 à avril 1552 : elles avaient repoussé tout accord avec les protestants. La troisième session fut facilitée par la paix européenne qui permit au pape Pie IV, un fin diplomate, de reprendre l'initiative. Le concile fut convoqué pour le 18 janvier 1562 et se termina le 5 décembre 1563. Des Français – dix-huit évêques et des ambassadeurs – y assistèrent cette fois, conduits par le cardinal Charles de Lorraine. Des articles furent présentés par les Français (« Articles de réformation ») comme le mariage des prêtres. Mais ces propositions heurtèrent les prélats italiens qui ripostèrent en proposant de diminuer les prérogatives des princes en matière religieuse (« Réformation des Princes »). C'était heurter de front les libertés des églises nationales, en particulier celle de France. En réalité la papauté profitait des divisions entre ces différentes églises nationales pour imposer ses vues.

Le concile recommandait de maintenir la pureté de la foi et de la doctrine, mais il insistait sur la réforme du clergé : la formation des prêtres serait permise par l'établissement de séminaires ; le renforcement de la hiérarchie ecclésiastique serait justifié par la résidence des évêques dans leur diocèse. Dans les dernières heures du concile, les Pères conservèrent la foi au Purgatoire et le culte des saints, et ils demandèrent au pape de confirmer les décisions prises à Trente, ce qui était une façon de reconnaître sa supériorité, voire son infaillibilité. Le concile se termina dans l'allégresse : il n'en fut plus tenu pendant trois siècles.

La résistance du pouvoir royal. — Les décisions du concile blessaient les traditions gallicanes de la France et, dès 1564, le Conseil privé du roi refusa de les publier dans le royaume car elles étaient imposées à la monarchie de l'extérieur, de Rome. Les autres souverains catholiques au contraire acceptèrent les résolutions finales du concile. Les protestants français affirmaient quant à eux que le concile n'avait pas été libre. Néanmoins en 1567, le clergé de France émit le premier d'une longue série de vœux en faveur de la réception en France du concile de Trente. À Melun, l'assemblée du clergé de 1579 renouvela cette demande (voir p. 227). En 1579, Henri III introduisit un peu de l'esprit tridentin dans l'ordonnance de Blois (voir chap. 9) sans satisfaire pleinement la papauté. La Ligue inscrivit dans son programme la réception du concile de Trente et les États ligueurs de 1593 s'y employèrent. Mais Henri IV ne reconnut pas ces décisions. Ensuite, s'il fit des promesses au pape au moment de son abjuration, il ne les tint pas.

Les libertés de l'Église gallicane. — Dans l'Église de France, une hostilité naquit entre les ultramontains et les gallicans. Du côté des premiers, les ordres mendiants, qui se consacraient aux pauvres et étaient virulents contre les huguenots, et les jésuites qui prêtaient le vœu d'obéissance au pape. Du côté des seconds, la Faculté de Théologie de Paris et derrière elle, les parlements, gardiens sourcilleux des libertés de l'Église de France. Trois sujets de conflit apparurent. D'abord, la réception des canons du concile de Trente bien sûr, mais aussi l'admission des jésuites en France : le succès des collèges et, du collège de Clermont en particulier, n'était-il pas un danger pour l'enseignement traditionnel de la Sorbonne ? Enfin l'abjuration d'Henri IV : le clergé de France avait-il le droit d'accepter l'abjuration de Saint-Denis ? Le parlement devait-il tenir compte du pardon pontifical ?

L'esquisse d'une réforme catholique

Les facteurs de réforme. — La seconde moitié du XVIe siècle vit s'esquisser une réforme de l'Église catholique. Longtemps les historiens ont considéré que la réforme catholique avait commencé en

France au XVIIe siècle, lorsque les décisions de Trente furent implicitement reconnues par l'Église de France. En réalité l'effort commença dès la fin du concile.

Rome disposait d'alliés en France et les représentants du pape, les nonces, cherchèrent à imposer les décisions tridentines à la France. Les évêques, qui avaient participé au concile, comme le cardinal de Lorraine, furent parmi les premiers à suivre les décisions conciliaires. La « vague tridentine » *(Marc Venard)* s'amplifia dans les années 1572-1580. La réforme de l'Église se fit par l'introduction, dans les faits, sinon dans la loi, des décisions de Trente. L'Église catholique proposait aux évêques français l'exemple de l'archevêque de Milan, Charles Borromée (1538-1584), dont la vie sainte et l'œuvre épiscopale devaient servir de modèle. Ainsi Charles de Vaudémont, évêque de Toul de 1580 à 1587, ou le cardinal François de Joyeuse s'inspirèrent du saint archevêque de Milan. Nombre d'évêques, ligueurs mais aussi royalistes, se référèrent au concile et en appliquèrent les décisions dans leurs diocèses.

Les assemblées du clergé. — Ce fut par ces assemblées que se fit la réorganisation de l'Église. La plus ancienne eut lieu en 1567 parce que Charles IX voulait prolonger le contrat de Poissy. Elle demanda en vain la réception du concile de Trente. Henri III en convoqua une autre en 1579, formée des représentants de tous les clercs, élus à deux niveaux – diocèses et provinces ecclésiastiques. La réunion eut lieu à Melun, de juin à septembre 1579, puis à Paris jusqu'au 1er mars 1580 : l'assemblée décida l'instauration de deux agents généraux du clergé qui devaient négocier avec la monarchie dans l'intervalle séparant deux assemblées. Le clergé fut unanime pour demander la réception du concile. L'assemblée souhaitait la création de séminaires et obtint, selon les décisions de Trente, le droit pour les évêques de réunir des conciles provinciaux. Ainsi furent élaborées les « Constitutions de l'assemblée de Melun ». Une nouvelle assemblée se réunit en 1585-1586. Elle demanda le retour aux élections ecclésiastiques et l'abolition des appels comme d'abus portés devant les parlements : c'était le moyen pour des chrétiens, mécontents des sentences rendues par les tribunaux d'église, de les faire casser. L'assemblée de 1595 demanda encore la réception des décrets conciliaires. Ensuite ces assemblées se réunirent avec régularité. Tous les dix ans – les années terminées par un **5** – les « grandes assemblées » décidaient le don gratuit. Les années terminées par un **0**, les « petites assemblées » vérifiaient les comptes.

Dans l'esprit de Trente, et suivant les décisions de Melun, il fut désormais possible aux évêques de tenir des conciles provinciaux : huit jusqu'à la fin du siècle (Rouen, 1581 ; Bordeaux, 1582 ; Reims, 1583 ; Tours, 1583 ; Bourges, 1584 ; Aix, 1585 ; Toulouse, 1590 ; Avignon, 1594). Ces réunions adoptèrent les textes proposés dans le sillage du concile : le nouveau bréviaire romain (pour les prières de chaque jour et de chaque heure), le missel de Pie V (pour la messe) et le catéchisme du concile (pour les principaux articles de foi).

La formation des curés. — Les curés avaient eu un rôle essentiel dans les guerres : « La chaire est alors la tribune politique et religieuse, elle mène le peuple émotif, passionné et illettré ; le pamphlet court partout mais n'est pas lu de tous, la parole est reine » *(Georges Livet).*

La réforme passait avant tout par un meilleur recrutement des prêtres, mais les candidats se faisaient plus rares, en raison de l'incertitude des temps. La formation des prêtres fut aussi une des préoccupations du concile pour réagir contre la redoutable prédication des ministres protestants, qui, eux, recevaient une excellente formation. Dans chaque diocèse devait donc être fondé un séminaire : il s'agissait de former des jeunes gens à partir de 12 ans. Le cardinal de Lorraine, fondateur de l'Université de Reims (1548), avait pris une part active à l'élaboration du décret *Cum adolescentium aetas* et il jeta les fondements d'un premier séminaire (1567). Les premiers établissements ne survécurent pas aux évêques qui les avaient fondés. L'ordonnance de Blois encouragea ces créations, mais elles restèrent peu nombreuses au XVIe siècle. Certains furent rattachés à des collèges et pris en main par les jésuites.

L'effort porta également sur l'enseignement du catéchisme : c'était à travers lui que le curé devait enseigner la vraie foi aux fidèles.

L'introduction des jésuites en France. — Les jésuites furent les instruments caractéristiques de la réforme catholique. La Compagnie était née de l'exemple de saint Ignace de Loyola. Cet Espagnol s'était engagé en 1534, par le « vœu de Montmartre », à une vie de pauvreté et de chasteté. Ignace rédigea un véritable guide des âmes, les *Exercices spirituels,* qui proposaient un mélange de mysticisme et d'action. Avec ses compagnons, il organisa la Compagnie de Jésus qui se mit au seul service du pape. Les jésuites s'étaient installés à Paris dès 1540 et, officiellement admis en 1561, ils avaient fondé en 1563 le Collège de Clermont. En effet leur action se développait dans deux directions : l'éducation de la jeunesse, surtout pour les élites sociales, et la conduite morale des princes, par l'intermédiaire de confesseurs choisis dans la Compagnie de Jésus. Dès avant 1594, une vingtaine de collèges avaient été fondés, sans compter ceux des pays limitrophes (Pont-à-Mousson, Douai, Avignon). Les jésuites proposaient un humanisme dévot qui voulait concilier la foi issue du Moyen Âge et les acquis intellectuels de la Renaissance. Mais leurs adversaires étaient virulents. En 1594, l'avocat Antoine Arnauld lança une attaque contre eux, et désormais la famille Arnauld allait s'illustrer dans le camp hostile aux jésuites. Bientôt l'opinion publique leur fit porter la responsabilité de l'attentat commis contre Henri IV par Jean Châtel qui avait été leur élève. L'expulsion fut décidée par le parlement en décembre 1594 et des collèges furent fermés.

L'Église menacée

Les attaques des protestants contre l'Église catholique trahissaient-elles un discrédit réel de l'institution et une inadéquation de la doctrine ? Ce que les réformés avaient surtout critiqué, c'étaient l'ignorance et le mode de vie des prêtres, l'attitude des ordres mendiants et l'attribution scandaleuse des bénéfices, l'absence des curés ou des évêques. Ces critiques débouchèrent sur des attaques contre les hommes et les biens d'Église lorsque la guerre civile éclata.

Les combats eurent donc des conséquences graves sur la vie de l'Église. Là où le protestantisme triomphait, même pour peu de temps, les églises étaient privées de leurs œuvres d'art, qui étaient considérées comme des signes de paganisme. Les bâtiments étaient parfois détruits lorsqu'ils étaient jugés inutiles.

La tentation fut grande aussi pour l'État de faire payer à l'Église la lutte contre l'hérésie par l'aliénation d'une partie de ses biens. L'ombre d'une confiscation générale, à la manière des rois d'Angleterre, était une menace qui faisait céder la papauté. Mais les ponctions financières fréquentes finirent par affaiblir l'Église de France : elle aurait été ainsi amputée de la moitié de son capital immobilier.

Le clergé s'engagea aussi dans la guerre civile : par la prédication, mais aussi par les armes. L'historienne Arlette Lebigre a même pu parler d'une « révolution des curés » à Paris, de 1588 à 1594. Jacques Clément alla jusqu'à tuer le roi. Des divisions éclataient au sein même de l'Église, ainsi en Bourgogne, où les chanoines d'origine bourgeoise et les moines sortis du peuple s'opposaient aux évêques qui, eux, étaient les hommes du roi par le Concordat de 1516.

Quant à la religion populaire, elle fut marquée par une « vague de fond, nourrie par les peurs, les calamités et les passions de la lutte » *(Marc Venard)*. La piété prit des formes spectaculaires. Les vieux sanctuaires attirèrent des foules de pèlerins dès les années 1580. Des « processions blanches » apparurent : c'étaient des cortèges d'hommes et de femmes vêtus de blanc qui passaient d'un sanctuaire à un autre, non sans inquiéter les autorités. Des confréries nouvelles vinrent encadrer ces aspirations spirituelles : elles étaient contrôlées par le clergé et se souciaient d'actions charitables, mais aussi d'une meilleure pratique des sacrements. Après leur implantation dans le Sud, elles furent favorisées par Henri III qui les introduisit à Paris. Avec la Ligue, leur rôle devint essentiel et les processions dans les villes avivèrent souvent les passions, tout en soutenant les énergies guerrières.

Les Églises réformées

Les Églises étaient égales entre elles et il n'y avait pas d'épiscopat réformé. Les communautés envoyaient des représentants aux colloques et les colloques participaient aux synodes provinciaux dont le rôle s'effaçait devant celui du synode national – il fut réuni presque chaque année de 1561 à 1567. Ces synodes étaient les gardiens de la doctrine et de la discipline, et servaient aussi à définir une politique commune.

L'organisation générale

Les Églises protestantes obéissaient en principe à la double règle du sacerdoce universel et de l'égalité des communautés. Les pasteurs ou ministres étaient assistés par des diacres pour l'administration et par des anciens pour l'encadrement de la communauté. Le pasteur n'était pas astreint au célibat et n'était pas un prêtre en raison de la doctrine du sacerdoce universel. Il administrait les deux sacrements, le baptême et la cène, et il assurait la prédication. Ensemble, pasteur, diacres et anciens formaient le consistoire, et, dans les villes majoritairement calvinistes, ce consistoire avait une forte influence sur les communautés. À l'origine, les pasteurs se recrutèrent dans la noblesse, la bourgeoisie marchande, chez les professeurs, les avocats... puis les pasteurs furent souvent des fils de pasteurs. Les anciens cessèrent d'être élus pour être cooptés, et les élites sociales dominèrent. Les diacres furent cantonnés dans une vocation d'assistance sociale, qui faisait aussi la force des Églises protestantes. Ainsi les laïcs « sont de plus en plus assujettis à leurs pasteurs qui, eux-mêmes, se choisissent entre eux » *(Marc Venard)*.

La place des ministres

Les deux tendances. — L'Église réformée de France s'était démarquée légèrement de la doctrine calviniste, tout en s'en inspirant largement en 1559. Des critiques surgirent néanmoins de la part de juristes comme Charles du Moulin (sur le ministère des pasteurs) ou du philosophe Pierre de La Ramée dit Ramus (1515-1572) qui réaffirmait le sacerdoce universel. En 1571, un synode national réuni à La Rochelle, sous la présidence de Théodore de Bèze, fidèle compagnon de Calvin, confirma la confession de 1559, connue désormais comme la Confession de foi de La Rochelle. Ramus mourut lors des massacres de la Saint-Barthélemy. La discipline s'orientait dans un sens plus clérical, puisqu'un nouveau pasteur recevait l'imposition des mains d'un plus ancien et était nommé à vie.

Après 1572, l'organisation politique des huguenots l'emporta sur l'organisation ecclésiastique (voir chap. 8). Le synode national ne se réunit plus que rarement : Sainte-Foy (1578), Figeac (1579), La Rochelle (1581), Vitré (1583), Montauban (1594).

L'évolution sociale. — La question la plus délicate fut celle du traitement matériel des ministres. Certes les vocations étaient nombreuses. Mais comment payer les pasteurs ? Dans un premier temps, les dîmes leur furent destinées, mais les paysans qui espéraient en être débarrassés par la Réforme ne furent guère satisfaits. Et le pouvoir royal, dans tous ses édits, rappela que les dîmes devaient être payées pour le clergé catholique. Ainsi la plupart des ministres subsistèrent sur leur patrimoine. Quant à la formation, elle fut assurée par des séjours à Genève. Néanmoins, très tôt, les huguenots se soucièrent de fonder des collèges. Le synode de Saumur en 1596 prévoyait la création d'un collège par province et de deux académies pour le royaume : ces institutions étaient destinées à former les futurs pasteurs, l'une fondée à Saumur, l'autre plus tard à Die, mais elles eurent du mal à vivre. En revanche des académies existaient aux marges de royaume (Béarn, Sedan) et des universités s'imposaient à l'étranger (Leyde, Heidelberg).

La vie religieuse

La vie religieuse des réformés se déroulait dans le cadre de la communauté qui se réunissait dans un temple, le plus souvent une église débarrassée de tous ses ornements, parfois, comme à Lyon, un édifice spécialement construit pour les protestants. Le sermon du prédicateur était le moment important et c'était le commentaire d'un passage de l'Ancien ou du Nouveau Testament. Les psaumes traduits par Marot et par Théodore de Bèze complétaient le culte. Le baptême avait été maintenu, mais sans l'onction catholique et sans les exorcismes traditionnels contre Satan. Il avait lieu « en l'assemblée des fidèles ». La sainte cène était l'autre sacrement, mais alors que la communion allait devenir un peu plus fréquente dans l'Église catholique, elle restait rare chez les protestants, comme dans l'Église médiévale, quatre fois par an. Surtout les réformés adoptèrent la vision qu'avait Calvin de la grâce et du salut : Dieu donne librement la grâce à ses élus qui reconnaissent ce don à la foi qui est en eux. La cène n'était ni une transsubstantiation, comme dans le catholicisme, ni une consubstantiation comme dans le luthéranisme, ni une cérémonie symbolique comme chez Zwingli. Par le pain et le vin, le fidèle communiait réellement à la substance du Christ. Pour être admis à la cène, il fallait avoir obtenu un « méreau » ou jeton délivré par le consistoire.

C'est dire si la foi et la vie des fidèles étaient contrôlées. Pour la foi, l'effort se porta sur le catéchisme, avec, comme outil, celui que Calvin avait rédigé avec un jeu de questions et de réponses. La vie quotidienne était surveillée par les consistoires qui interdisaient les contacts et les alliances avec des catholiques. La Bible était bien diffusée chez les huguenots ainsi que d'autres livres issus des presses de Genève, mais aussi de La Rochelle ou de Saumur. Même si les protestants ne pratiquaient pas l'examen de conscience, ils prenaient l'habitude de voir dans les événements de leur vie une intervention de la divinité. Les Églises réformées avaient changé la vie des fidèles : elles ne reconnaissaient pas le mariage comme un sacrement, méprisaient les vestiges du « papisme » : les repas de funérailles, le deuil, les pèlerinages, l'adoration des reliques, et elles ne reconnaissaient pas de valeur salvatrice aux œuvres accomplies dans la vie terrestre.

Les mutations politiques et sociales

La division religieuse et l'affaiblissement de l'autorité royale provoquèrent une fragmentation de la société, mais aussi l'affirmation de courants politiques, qui disposaient d'une organisation et d'une doctrine. L'expression des différences religieuses et politiques fut néanmoins la violence.

Une fragmentation de la société

Le poids nouveau des clientèles. — La guerre civile avait bouleversé les habitudes sociales. Les rapports traditionnels de suzerain à vassal ne suffisaient plus : c'étaient des survivances des temps médiévaux. L'obéissance au roi, comme autorité suprême, ne s'imposait plus, lorsque son autorité était contestée, voire maudite, face à un souverain méprisé comme Henri III ou redouté comme le huguenot Henri IV. La noblesse se réfugia souvent dans des liens d'homme à homme qui ne correspondaient pas forcément aux lignes de rupture qui parcouraient la vie politique : protestants contre catholiques, royalistes contre ligueurs. Un gentilhomme « se donnait » à un grand seigneur ou à un chef de guerre, et le suivait dans les péripéties de son existence, éventuellement lorsqu'il passait d'un camp à un autre. Les historiens ont révélé ces changements : Roland Mousnier a montré ces liens de clientèles, dans un rapport de maître à serviteur, et Arlette Jouanna a insisté sur les liens d'amitié entre ces hommes d'action.

Les risques de démembrement du royaume. — Dans ces conditions, les risques de démembrement du royaume ne furent pas minces. Les protestants avaient constitué de véritables Provinces-Unies du Midi. Mais ce ne fut pas le seul danger. Montmorency (Damville) gouverna le Languedoc en toute indépendance : le pouvoir royal devait composer avec lui. Lesdiguières, gentilhomme modeste, sut s'imposer en Dauphiné, garder les Alpes contre toute attaque, agir en maître dans sa province, et il fut finalement remercié plus tard par Louis XIII qui le fit duc et, après l'avoir contraint à l'abjuration, connétable (1622).

Des partis en France ? — Peut-on parler de « partis » pendant les guerres de Religion ? Le mot même était péjoratif sous l'Ancien Régime, car il signifiait une rupture de l'unité (religieuse ou monarchique) alors que l'unité était toujours un idéal, comme un reflet de Dieu. Il est bien délicat de parler de « partis », alors que les groupes politiques se distinguaient d'abord par un choix religieux. Néanmoins des historiens ont été tentés de reconnaître des organisations qui, sous couvert de choix religieux, visaient avant tout à prendre le pouvoir. Ainsi ces groupements plus ou moins structurés permirent le glissement d'un conflit religieux à un affrontement politique, militaire et social.

Le poids des huguenots

Les deux choix politiques des réformés. — Le camp protestant a fait deux choix essentiels, qui furent, selon l'historien M. Pernot, des erreurs. Les Églises huguenotes ont cherché des chefs dans le monde de la noblesse, aussi bien pour les capitaines et les colonels que pour les « protecteurs ». La religion protestante apparaissait donc comme dominée par les gentilshommes, « une religion de nobles ». Le mouvement réformé perdait ainsi son enracinement social. Mais les nobles apportaient en contrepartie leur poids militaire – les armes et les forteresses qu'ils possédaient, les vassaux et les soldats qu'ils pouvaient recruter au service de la cause protestante. Il y avait une continuité dans la direction politique du mouvement : Louis de Condé jusqu'à sa mort à Jarnac, Coligny jusqu'à la Saint-Barthélemy, Henri de Condé et Henri de Navarre ensuite. Ces chefs militaires avaient une diplomatie souvent indépendante, et cherchaient des appuis à l'étranger – auprès de l'Angleterre, des Provinces-Unies, des princes allemands. Le second choix fut de vouloir contrôler le pouvoir et les personnes du roi et de la reine-mère, lors de la « surprise de Meaux ». Les réformés cessaient d'être de loyaux sujets pour devenir des conjurés : la monarchie se devait de réagir. Néanmoins cette revendication protestante déboucha sur l'idée que le camp protestant devait disposer de « places de sûreté », garantes de la liberté de conscience.

Un État dans l'État ? — La Saint-Barthélemy eut pour finalité de détruire la noblesse protestante pour liquider en France le protestantisme. Cela ne suffit pas : dans l'Ouest et le Midi, la résistance huguenote montra sa vitalité et son enracinement dans les populations. Mais le massacre profita aussi aux Politiques, dans le camp protestant comme dans le camp politique : ils cherchaient une solution à cet affrontement permanent. Le massacre favorisa néanmoins la création d'un contre-État protestant, organisé par le Règlement de Millau de 1573 (voir chap. 8). Généralités ou provinces, avec une réunion tous les trois mois et un général. Au-dessus, des États généraux, avec un gentilhomme, un magistrat et un député du tiers état pour chaque province. Les États avaient prépondérance sur le protecteur, Condé. Sous l'impulsion de Montmorency-Damville, une véritable constitution également fut rédigée en 1575.

Les idées politiques. — La lutte des réformés pour leur survie religieuse les conduisit à s'interroger sur l'organisation politique qui leur refusait le droit à l'existence. Les juristes et les polémistes en arrivèrent à contester l'ordre traditionnel de la monarchie : ce sont les Monarchomaques. Ainsi la *Franco-Gallia* de François Hotman, un professeur d'université (1524-1590), fut publiée en 1573. En s'appuyant sur une histoire un peu imaginaire de la France, Hotman appelait de ses vœux une monarchie tempérée par des États généraux, où la noblesse serait prépondérante. Théodore de Bèze rédigea aussi *Du droit des magistrats sur leurs sujets* (1575) : pour lui, le pouvoir politique devait être fondé sur le bien du peuple qui pouvait se révolter s'il le jugeait nécessaire. Enfin le *Vindiciae contra tyrannos* (1579), peut-être de Duplessis-Mornay, gentilhomme-pasteur, fidèle compagnon et conseiller d'Henri IV. À l'origine de la monarchie, il y aurait eu un contrat entre le souverain et les sujets. Si le premier violait ce contrat, les seconds se révoltaient légitimement. Un tyran pouvait être tué : de là naissait la théorie du tyrannicide.

Trois évolutions marquèrent le monde protestant. L'alliance d'Henri III et d'Henri de Navarre plaça les huguenots du côté des royalistes, contre des catholiques hostiles au roi. La mort de Henri III fit d'un protestant l'héritier de la couronne selon les règles monarchiques et cela renversait les théories des protestants. Enfin l'action et la personnalité d'Henri IV contribuèrent à une reprise en main du parti protestant dans un sens monarchique, car Henri ne supportait guère les atteintes à son autorité.

La riposte des catholiques

« Catholique » signifie universel. Les hommes du XVIe siècle étaient d'abord des chrétiens qui croyaient en Dieu et en son Fils. La monarchie elle-même trouvait ses fondements dans la foi chrétienne. Comment pouvait-on imaginer qu'il y aurait désormais deux types de chrétiens ? Pourtant les catholiques constatèrent que les réformés se maintenaient et même qu'ils avaient acquis une organisation, une puissance et une indépendance singulières.

Il n'exista pas de parti ou mieux de cause catholique tant que le pouvoir royal se fit le défenseur de la foi catholique et le partisan d'une reconquête sur les huguenots. L'inquiétude apparut vraiment lorsque le pouvoir royal dissocia la cause de l'État de celle de la foi, c'est-à-dire après la mort d'Henri II.

Le souci de défense face au protestantisme. — La première étape fut la constitution du triumvirat : c'était la réunion de trois grands seigneurs qui quittèrent la cour pour faire connaître à la reine mère leur hostilité à sa politique de tolérance (mars-avril 1561). Les triumvirs n'hésitèrent pas à placer la monarchie en tutelle. Mais le triumvirat se disloqua vite, laissant la reine mère maîtresse du jeu – édit d'Amboise, 1563 – et le mouvement n'avait touché que la cour et la grande noblesse.

Les ligues de noblesse et les confréries se multiplièrent pour défendre les intérêts catholiques : en Guyenne, avec Blaise de Montluc (1562-1563), en Bordelais avec Candale, en Bourgogne avec Saulx-Tavannes (1567-1568). Ces associations fonctionnaient comme des confréries de métiers, chacune disposant d'une réserve d'argent et d'une troupe prête à marcher. Les membres se juraient le secret, se promettaient une assistance mutuelle, prêtaient serment d'obéissance et de fidélité au roi. Ces mouvements dispersés étaient issus du clergé, de la noblesse rurale, de la bourgeoisie citadine. La victoire stratégique des huguenots lors de la troisième guerre de religion et le succès politique de Coligny avivèrent les rancunes : les massacres de la Saint-Barthélemy prolongèrent et amplifièrent alors la décision royale. Ce fut une réaction haineuse des catholiques contre les protestants qui refusaient ce qui était vénéré : la messe, le culte de la Vierge et des saints, les reliques, les pèlerinages et les processions. Les huguenots étaient jugés responsables des désordres qui duraient depuis dix ans. La monarchie certes prenait en charge la lutte contre les huguenots, mais l'affirmation des Malcontents et les intrigues de Monsieur conduisirent encore à de nouveaux avantages pour les protestants (Paix de Monsieur et édit de Beaulieu).

Le souci d'organisation. — La deuxième étape fut marquée par la déclaration de Péronne et la naissance de la Ligue. Il s'agissait de mettre sur pied un parti aussi structuré que le parti protestant et de l'étendre à tout le royaume (1576). Mais le 2 décembre 1576, Henri III récupéra le mouvement catholique et le catholicisme s'identifia de nouveau avec le pouvoir royal. En même temps les États généraux tentèrent d'imposer au roi leur contrôle, mais ces États représentaient d'abord la noblesse, alors que les officiers du roi, présents au sein du tiers état, vinrent soutenir leur maître, et cette solidarité fut une des constantes du temps. La naissance de la Ligue de 1576 était une remise en cause de la construction de l'État telle que les Valois l'avaient voulue.

Le souci de mobilisation. — Troisième étape : la ligue de 1584 naquit d'un double refus, celui de Henri de Navarre d'abjurer sa foi après la mort du duc d'Anjou, celui des grands seigneurs catholiques qui ne voulaient pas d'un roi hérétique et relaps. L'hostilité au pouvoir royal s'allia à la crainte d'un roi huguenot. Et le mouvement cherchait à séduire la noblesse – outrée par les faveurs accordées aux mignons –, les catholiques – inquiets des progrès du protestantisme –, les contribuables – hostiles à la prolifération des impôts depuis Charles IX. Le mouvement ligueur eut une composante princière – avec les Guise –, une composante nobiliaire et une composante citadine. Les Guise s'appuyèrent sur leurs gouvernements pour préparer de véritables principautés indépendantes : ils y disposaient des deniers et des offices royaux. Mayenne en Bourgogne, Mercœur en Bretagne, Aumale en Picardie après le duc de Guise en Champagne : il y eut bien « décomposition territoriale » *(Michel Pernot)* de la France à la fin du règne d'Henri III. La noblesse profita des troubles pour défendre ses revenus seigneuriaux, concurrencés par les prélèvements royaux. La composante citadine de la Ligue se recrutait dans la bourgeoisie qui souhaitait ébranler le pouvoir des oligarchies traditionnelles. De véritables « républiques » s'instaurèrent dans certaines villes. Mais la Ligue n'était pas un mouvement populaire, même si parfois les notables furent évincés du pouvoir et remplacés par des hommes nouveaux, venus de milieux plus modestes – marchands ou hommes de loi, comme avocats, procureurs ou huissiers. Les ligueurs étaient hostiles aux officiers, surtout des cours souveraines, qui avaient accaparé la direction de la vie urbaine. Ils acceptaient mal la fermeture du monde des offices, par leur prix trop élevé et par la pratique de la survivance. L'épuration du parlement de Paris à la mi-janvier 1589 fut un exemple de cet affrontement et la violence sociale apparut bien dans l'exécution de Barnabé Brisson le 15 novembre 1591.

La victoire des Politiques

Une situation inconfortable. — Il n'y avait pas de cohérence chez les Politiques. Ils avaient un rôle important dans l'État ou dans l'Église, mais ils faisaient passer les intérêts de l'État avant ceux de la religion. Ils acceptaient des concessions à l'égard des calvinistes et ils voulaient transformer l'Église de l'intérieur, et aussi réformer l'État et l'exercice de la justice. Les Politiques s'appuyèrent sur Catherine de Médicis qui souhaitait jouer le rôle d'arbitre, mais la surprise de Meaux les priva de cette alliée. Là encore, les drames suscitèrent une réflexion théorique avec l'œuvre de Bernard de Girard, sieur du Haillan, *De l'Estat et succez des affaires de France,* 1570 ou, en 1560, les *Recherches de la France* d'Étienne Pasquier (1529-1615) : cet historien, avocat au parlement, essayait de décrire et de comprendre l'évolution de la nation française, à partir des Gaulois. La Saint-Barthélemy renforça les Politiques et leur espoir en une forme de tolérance. Mais ils semblèrent souvent servir de seconds aux huguenots.

Jean Bodin et Michel de Montaigne. — Ces années-là sont celles où Jean Bodin (1529 ou 1530-1596) publia les *Six livres de la République* (1576). Il considérait la famille comme la plus petite unité sociale où le père avait l'autorité absolue. Le gouvernement disposait du droit de diriger les sujets sans leur consentement, mais il devait respecter les lois divines et les lois naturelles. Pour lui, la monarchie était la meilleure forme de l'État. Mais la monarchie était royale, et non tyrannique, lorsque le roi obéissait lui-même aux lois de nature. Ce juriste fut un fidèle et un serviteur du duc d'Alençon. Député du tiers aux États de 1576, il y défendit courageusement la paix religieuse. Souvent accusé d'hérésie, il aida pourtant à donner Laon à la Ligue, avant d'y faire reconnaître l'autorité d'Henri IV. Dans un manuscrit non publié, l'*Heptaplomeres,* Bodin affirma le caractère incontrôlable des vérités religieuses et conseillait un conformisme compatible avec l'ordre public.

La première édition des *Essais* de Montaigne est de 1580, et, après son grand voyage en Europe, l'écrivain fut choisi comme maire de Bordeaux. Il déplorait ces « démembrements de la France et divisions ». Montaigne ne fut pas un théoricien politique, mais il proposa une philosophie à la fois sceptique et stoïcienne.

Le tournant. — L'exécution du duc de Guise et l'avènement de Henri IV provoquèrent un changement : les Politiques voulurent résister à la puissance de la Ligue. Ils se recrutèrent dans la noblesse qui restait fidèle au loi légitime, chez les membres des cours souveraines qui étaient attachés aux lois fondamentales, dans la bourgeoisie, chez les ecclésiastiques gallicans hostiles à l'intervention pontificale dans les affaires françaises. Les excès des ligueurs renforcèrent ce camp. « La victoire finale de Henri IV dans les guerres de Religion est aussi la victoire du parti des politiques. Elle signifie le triomphe de la monarchie absolue, héréditaire et protectrice des libertés gallicanes sur les idées de souveraineté populaire, de monarchie élective, de privilèges urbains et provinciaux et sur les thèses ultramontaines » *(Michel Pernot).*

Un temps de violence

La violence se déchaîna, d'autant plus terrible qu'elle semblait cautionnée par Dieu. L'histoire du royaume fut ainsi scandée par des assassinats politiques (François de Guise, Coligny, Henri de

Guise, Henri III) et par des massacres collectifs (les Saint-Barthélemy). Les combats et la circulation des armées accablèrent les provinces. À cela s'ajoutaient les exactions de chefs de guerre (baron des Adrets, capitaine Merle). L'horreur de ces morts violentes frappait les consciences, qui exagéraient le nombre des martyrs dans l'un ou l'autre camp. La peur renforçait l'exaltation ou le désespoir. Un tel contexte favorisait le brigandage qui fut même, pour les belligérants, un moyen normal de se constituer des ressources.

La crise économique et sociale

À partir des années 1560, la France entra sans doute dans une crise économique et démographique qui allait durer jusqu'au début du XVIIIe siècle. Comment se fit la rupture dont les conséquences furent durables ?

Le malaise économique de la fin du siècle

L'anarchie monétaire. — Après un temps de l'or, l'argent des mines américaines du Potosi parvint en France dans les années 1551-1560. De 1575 à 1588, le pays connut donc une arrivée massive de métal blanc et les hôtels des monnaies frappèrent une grande quantité de pièces. Lors des guerres civiles, les aides espagnoles aux ligueurs provoquèrent aussi un afflux nouveau de ce métal précieux. Les hésitations sur le rapport entre l'or et l'argent conduisirent pourtant à une véritable anarchie monétaire. Plus abondant, l'argent perdait de sa valeur et la spéculation sur l'or se déchaînait. À partir de 1575, les marchands exigèrent que les dettes fussent libellées en or, pour éviter les incertitudes monétaires. Ces désordres conduisaient à préférer aussi en France les monnaies étrangères qui bénéficiaient d'une « prime ». Pour la vie courante, on utilisait des petites monnaies d'argent et de cuivre – le billon. La monarchie tenta de réagir par la réforme de septembre 1577 (chap. 9). « Ce ne fut qu'une courte halte sur le chemin de l'inflation » *(Richard Gascon)*. Henri IV par l'édit de 1602 rétablit le compte par livres et non par écus, accusant injustement l'édit de 1577 d'être la seule cause de la hausse des prix. Cette anarchie monétaire découragea les affaires et tendit à orienter les capitaux vers les pays étrangers.

La crise commerciale et industrielle. — Les incertitudes monétaires, le caractère capricieux de la hausse des prix, l'insécurité des routes, la peur collective en temps de guerre civile, les destructions expliqueraient le ralentissement rapide du commerce. La crise s'installa dans les années 1575-1595. Le niveau des échanges en 1580 fut parfois la moitié de celui des années 1565-1570, le tiers de celui des années 1522-1523.

La soierie lyonnaise était en récession. La draperie, dont le poids économique était grand en France, fut concurrencée par les draps anglais. Le commerce des épices, après avoir bien résisté, s'effondra. Le grand commerce était frappé. La production artisanale et industrielle aussi : « La production diminue en quantité et en qualité » *(Georges Livet)*.

Cette crise était d'autant plus forte que les rapports économiques dans le monde changeaient. Les Hollandais et les Anglais pénétraient en Méditerranée à la fin du XVIe siècle et cela annonçait une nouvelle prépondérance économique : celle des puissances maritimes.

La crise bancaire. — La place de Lyon, ébranlée par les déconvenues du « grand parti », occupée par les réformés en 1562, frappée par la peste en 1564, se redressa vivement dans les années 1564-1570 et l'activité bancaire connut une belle activité, en apparence, jusqu'en 1585. En réalité, les banques qui restaient prospères s'occupaient surtout des relations avec l'Espagne, d'autres sombraient déjà. La crise devint évidente dans les années 1576-1580 et se transforma en débâcle dans la décennie 1585-1595. L'engagement de Lyon dans la Ligue ne favorisa pas la reprise des affaires. Les trois quarts des établissements bancaires de Lyon disparurent dans la tourmente. Le déclin de la ville coïncidait avec celui d'Anvers, ville à laquelle Lyon était liée. Le renouveau se fit au profit de Paris, au moment où Gênes s'imposait, avant le triomphe d'Amsterdam au XVIIe siècle.

Des conditions de vie plus difficiles

L'inflation. — Le XVIe siècle connut une hausse des prix de longue durée. C'était une plainte commune, surtout chez ceux dont les revenus étaient fixes, les seigneurs mais aussi le roi. Mais cela signifiait aussi que le pain était plus cher, ce qui était lourd pour tous ceux qui ne produisaient pas leur blé. Des étapes ont scandé cette évolution, mais il est difficile de penser qu'elles rendent compte de toutes les situations, sociales ou régionales. De 1555 à 1575, tous les prix augmentèrent sans exception. Puis de 1575 à 1589, le prix du froment resta stable, peut-être en raison de la réforme monétaire de 1577. En revanche le prix du bois et des bestiaux augmentait. De 1589 à 1598, la guerre civile se transforma en guerre étrangère et ce fut l'explosion des prix de toutes les denrées sans exception. Enfin de 1598 à la fin du règne d'Henri IV, une baisse s'amorça, qui favorisa la popularité du roi.

Les hausses brutales des prix. — Au-delà de cette évolution générale, les populations devaient affronter des hausses brutales du prix du blé. La disette, voire la famine s'installait, parce que la récolte avait été mauvaise, parce que le pays avait été ravagé par les soldats, parce que l'insécurité des routes interdisait toute circulation des marchands. Dans les villes, le prix du pain montait en flèche, malgré les efforts des autorités pour assurer le ravitaillement. De telles « crises de subsistances » éclatèrent en 1562-1563, 1565-1566, 1573-1574, 1586-1587, 1590-1592. Des événements politiques et militaires expliquèrent certaines crises terribles : ainsi du 1er juillet 1589 au 1er novembre 1591, la région parisienne connut l'arrivée de l'armée royale unie à celle du Béarnais, la débandade de ces troupes après l'assassinat d'Henri III, la présence d'Alexandre Farnèse et le siège de Paris.

Le poids de la guerre. — Le poids de la guerre se marqua par les exactions commises par les troupes, mais aussi par les soldes qui étaient payées aux soldats. Les Suisses restèrent la force essentielle de l'armée royale : la capitulation des Cantons avec la France avait été renouvelée en 1564 par Charles IX, sauf avec Berne et Zurich. Dans l'armée protestante, les chefs militaires issus de la noblesse entraînaient leurs vassaux et leurs paysans. Mais il leur fallut avoir aussi recours aux reîtres et aux lansquenets.

Les besoins de la monarchie. — La monarchie a été obligée d'accroître la pression fiscale avec l'augmentation de la taille (de 7 millions en 1576 à 18 en 1588) et de la gabelle. Le roi avait toujours recours aux ventes d'offices, de plus en plus nombreux et spécialisés sous Henri III. Le monarque taxa le clergé à plusieurs reprises. Surtout il emprunta et les rentes de l'Hôtel de Ville attirèrent toujours les prêteurs. Et pour avoir de l'argent frais, le souverain abandonnait la perception de ses ressources. En 1584, un bail (ou contrat) unique fut signé pour cinq impôts (la douane de Lyon, les droits d'exportation des provinces de Normandie, Picardie, Champagne et Bourgogne, les entrées sur les grosses denrées et les épices, l'impôt d'un sou pour une livre sur la draperie, les cinq sous par muid de vin). C'étaient les « cinq grosses fermes », un pilier du système fiscal au XVIIe siècle.

Mais le roi ne fut pas le seul à demander de l'argent. Les villes et les seigneurs en avaient aussi besoin pour se défendre ou pour financer les combats.

Victimes et profiteurs de la guerre civile

Les cibles les plus exposées. — Les atrocités dues aux passions religieuses et politiques firent les principales victimes, à la fois chez les huguenots et dans le clergé catholique, qui furent des cibles privilégiées. Souvent les maisons des huguenots furent pillées lors des troubles. Ils eurent aussi à souffrir des mesures prises contre eux par la monarchie, les édits de proscription : ils devaient abandonner leurs biens pour gagner des contrées plus accueillantes, voire passer à l'étranger. Le clergé catholique fut aussi à l'occasion inquiété et molesté, mais il fut frappé aussi dans ses biens par les confiscations huguenotes, comme par les exigences royales.

Le monde des villes. — L'état de guerre et la crise économique firent d'autres victimes. La baisse du commerce et de la production ne put que frapper les artisans des villes. Le manque de travail et le chômage devenaient une réalité. Pour ceux qui étaient simples salariés, ils souffrirent d'autant plus que la hausse des salaires réels ne semble pas avoir suivi l'inflation des prix. Et les chertés brutales qui rendaient le pain inabordable furent douloureusement ressenties. De là les tensions qui frappèrent les villes : les compagnons se dressaient volontiers contre les maîtres et les marchands-fabricants, et cherchaient à s'organiser. Des grèves éclatèrent à Paris, à Troyes, à Bourges. La monarchie répliqua en tentant d'imposer systématiquement les métiers jurés – les jurandes – où maîtres et compagnons étaient solidaires, pour écarter ces tensions urbaines. Ce fut souvent en vain.

Mais il faut imaginer que la guerre ne nuisit pas à tous. Au contraire, elle favorisa les financiers qui avançaient de l'argent frais au roi, aux villes, aux capitaines pour payer des soldats ou des fortifications. Même si des banquiers quittèrent le royaume, d'autres s'infiltrèrent dans les finances royales. Les réactions xénophobes ne furent pas rares contre ces Italiens protégés par la couronne. Quant aux officiers royaux des finances, ils ne furent pas les derniers à spéculer sur les difficultés de la monarchie qu'ils servaient. Il faut ajouter toute la masse des rentiers qui prêtaient aux autorités à des taux élevés et qui profitaient ainsi indirectement de l'effort de guerre, payé en fait par tous les sujets à travers l'impôt.

Les gains qui avaient été réalisés dans le commerce au début du siècle, dans les affaires financières ensuite, ne furent pas réinvestis dans le commerce ou la production industrielle que la crise menaçait. Ils permirent l'achat de terres, souvent de seigneuries. Cela semblait un placement sûr, grâce à l'exploitation en métairies. C'était aussi un gage de promotion sociale puisque la possession de terres nobles était un premier pas vers l'anoblissement. Pour la même raison, les profits étaient volontiers utilisés pour acheter des offices royaux, qui permettaient de quitter le monde de la bourgeoisie. Les officiers royaux, à leur tour, achetaient des seigneuries.

Les difficultés dans les campagnes. — Dans les campagnes, ce furent les salariés agricoles qui furent le plus touchés par la crise, car les salaires ne suivaient pas la hausse des prix. L'abondance de la main-d'œuvre la rendait peu coûteuse. Les petits paysans qui n'avaient qu'un lopin de terre étaient tout aussi vulnérables, face aux difficultés, parce qu'ils manquaient de réserves en nourriture ou en monnaie pour affronter les hausses temporaires.

Les seigneurs souffrirent aussi de la dépréciation des revenus seigneuriaux. Ils pouvaient néanmoins réagir, comme l'ensemble des propriétaires, en favorisant le métayage : les revenus exprimés en nature suivaient la courbe des prix, la main-d'œuvre abondante permettait de fixer des conditions léonines.

Ceux qui profitèrent de la situation furent les paysans qui disposaient de réserves pour affronter les crises brutales et en profiter au besoin, qui avaient de la monnaie à prêter à des taux usuraires, qui employaient des salariés mal payés, qui avaient diversifié leur production. C'était le monde des laboureurs propriétaires de leur terre, des laboureurs marchands qui négociaient des grains, du bois, du fourrage, des fermiers de seigneuries qui géraient des domaines appartenant à des gentilshommes ou à des communautés ecclésiastiques. Ils n'hésitaient pas à profiter des embarras financiers des petits paysans pour reprendre leurs terres, et se faisaient ainsi rassembleurs de terre.

Les révoltes populaires. — Les émotions populaires furent nombreuses dans les campagnes. Elles avaient trois motivations principales : les paysans se dressaient contre les abus et les forfaits des soldats ; ils refusaient les exigences fiscales de la monarchie, en particulier la taille ; ils n'acceptaient pas Henri de Navarre comme roi.

Les Gautiers se soulevèrent en mars 1589 en Normandie, près de Lisieux et de La Chapelle-Gautier (d'où leur nom). Rejetant l'idée d'un futur roi protestant, ils se mirent au service de la Ligue. Les paysans armés (peut-être au nombre de 16 000) avaient une stricte organisation et étaient conduits par un ancien soldat. Ils acceptèrent d'être commandés par des gentilshommes ligueurs et ils étaient assistés par des prêtres. Le duc de Montpensier les dispersa par une bataille rangée. Mais les troubles continuèrent en Normandie avec les Francs-Museaux, les Châteaux-Verts et les Lipans dans les années qui suivirent.

En Bretagne, des mouvements semblables éclatèrent. En novembre 1589, la ville de Tréguier fut prise par une bande de paysans et, l'année suivante, ce furent soixante personnes de la noblesse, invitées à un mariage au château de Roscanou, qui périrent sous les coups des insurgés. Les cibles étaient donc autant la noblesse que la bourgeoisie des villes. Mais les paysans furent, à leur tour, les victimes de deux terribles gentilshommes brigands qui pillaient villes et villages.

Dans l'ensemble du Sud-Ouest, là où les Pitauds s'étaient soulevés, des révoltes apparurent à partir de 1593 : les révoltés s'appelaient entre eux les Tard-Avisés pour montrer leur longue patience à l'égard des pillards, mais ils furent désignés par dérision comme les Croquants. Ce n'était pas l'organisation seigneuriale qui était mise en cause par les révoltés, mais c'étaient les abus qui se commettaient en période d'anarchie. Les seigneurs ligueurs multipliaient les rapines et étaient intouchables dans leurs forteresses. Les Croquants s'organisaient, menaçaient pour obtenir le ralliement de tous les villages, avaient des arquebuses et des piques. Une délégation fut envoyée en 1594 à Henri IV qui montra de la sympathie pour les paysans révoltés et nomma une commission d'enquête. L'armée des Croquants se gonflait à chaque instant et une proclamation fut lancée au nom du tiers état. Les révoltés désignaient un ligueur, le baron de Gimel, comme le principal responsable de leurs malheurs. Ils obtinrent satisfaction et ils participèrent au siège de son château. Le baron se retira en Auvergne et les paysans commencèrent à se disperser. Un nouveau soulèvement eut lieu l'année suivante en 1595, mais les chefs des Croquants craignaient l'armée qui se constituait contre eux et ils négocièrent une réduction de la taille.

D'un côté, dans cette révolte, les meneurs s'étaient tournés vers le roi pour obtenir justice et protection contre leurs seigneurs et les autorités locales, et ils n'avaient pas été mal reçus : Henri IV aurait même dit que, s'il n'avait pas été roi, il se serait fait Croquant. D'un autre côté, les seigneurs locaux, les bourgeoisies urbaines, les notables n'avaient eu que le roi pour seul recours face au mécontentement populaire, et ils avaient laissé de côté leurs affrontements religieux. Ainsi le roi apparaissait bien de nouveau comme l'arbitre suprême dans le royaume.

12. La reconstruction du royaume sous Henri IV (1598-1610)

Selon son biographe, Jean-Pierre Babelon, Henri IV aurait eu trois grandes obsessions, une fois son pouvoir mieux assuré.

Il était le premier Bourbon sur le trône. Il voulait à tout prix donner une continuité à la dynastie : d'où son remariage avec Marie de Médicis, son souci d'élever ses enfants légitimes avec ses enfants naturels, son désir d'imaginer des combinaisons matrimoniales pour cette « nichée royale ».

Il avait un sens quasi religieux de l'État et cet État avait besoin de la noblesse, du clergé, du tiers état et des officiers : de là les mesures en faveur de ces quatre colonnes qui soutenaient le temple. Sully (Maximilien de Béthune, d'abord marquis de Rosny, puis duc de Sully en 1606) fut le ministre qui fut chargé de cette politique. Mais Jean-Pierre Babelon montre que le roi avait aussi une conscience très aiguë de son propre rôle historique dans la pacification du royaume.

Henri IV voulait aussi porter la France au zénith par des victoires diplomatiques et militaires, par la grandeur des armées et la richesse des sujets, par la magnificence des bâtiments, c'est-à-dire des palais royaux.

Le premier roi Bourbon

Une fois son pouvoir mieux assuré, Henri IV reprit en main l'ensemble de la cour et du gouvernement, les rouages de l'État. L'une des urgences fut d'assainir les finances royales, car le roi avait

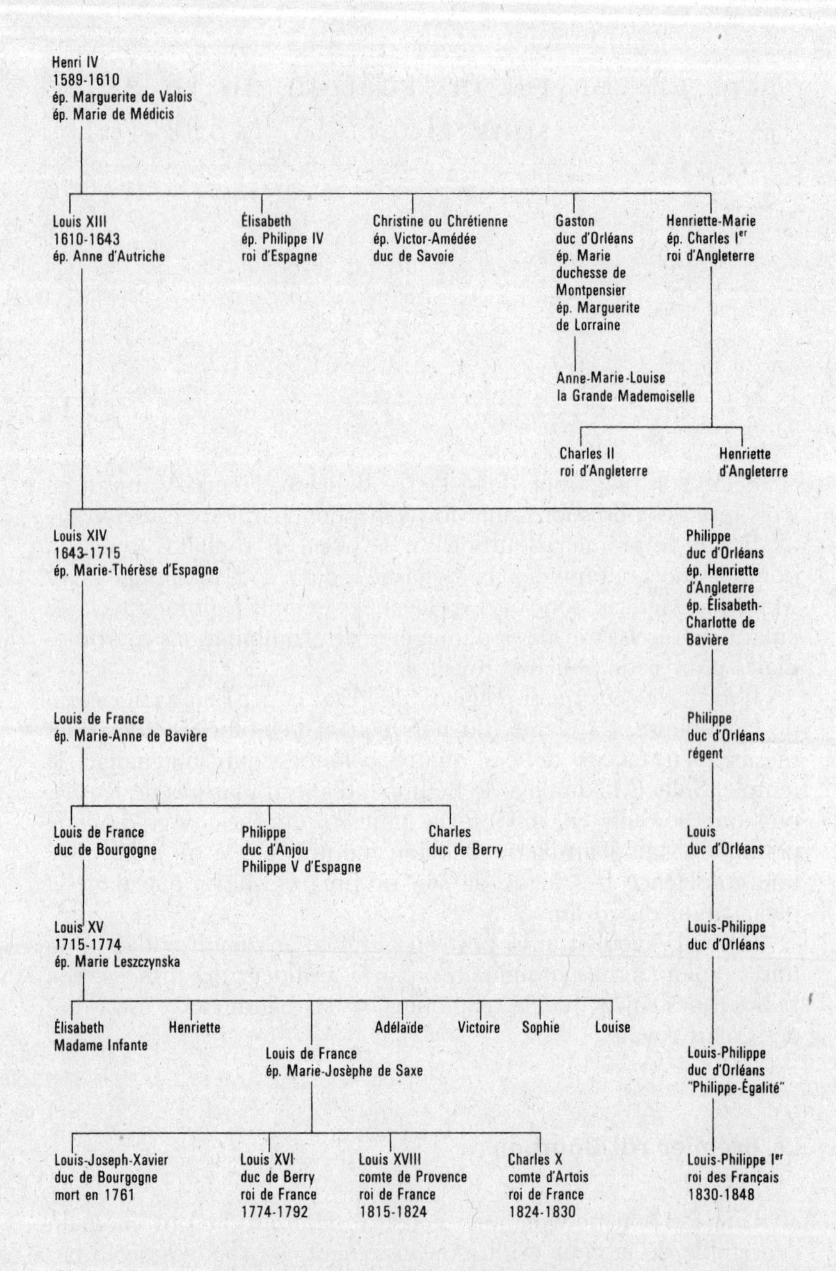

Les Bourbons aux XVIIe-XVIIIe et XIXe siècles

hérité de la situation difficile léguée par ses prédécesseurs et il avait dû lui-même dépenser beaucoup pour reconquérir son royaume. Enfin, il ne fut jamais à l'abri des manœuvres et des conspirations, tant le pli, pris pendant les guerres de Religion, était durable.

Le gouvernement de la France

La naissance d'une dynastie. — Henri IV n'avait pas vu sa femme Marguerite de Valois depuis 1582 et il souhaitait une séparation : Marguerite accepta d'en appeler à Rome. Mais le roi était très amoureux de Gabrielle d'Estrées, dont il avait eu deux fils, César et Alexandre de Vendôme, et il avait peut-être l'intention d'en faire une reine de France afin de légitimer leurs enfants. La mort de Gabrielle au printemps 1599 simplifia la situation et accéléra la négociation d'un mariage du roi avec la nièce du grand-duc de Toscane, la princesse Marie de Médicis. Marie était fort riche et apportait une dot de 600 000 écus (1,8 million de livres) dont 250 000 serviraient à effacer la dette d'Henri à l'égard du grand-duc. Le 27 septembre 1601 un dauphin naquit, le premier depuis quatre-vingts ans en France, le futur Louis XIII. La reine donna encore un fils à Henri IV, Gaston (un troisième, Nicolas, mourut en 1611) et plusieurs filles (Élisabeth, Christine ou Chrétienne, Henriette). Marie de Médicis se vit refuser par Henri IV tout rôle politique et elle dut supporter les infidélités du Vert-Galant et en particulier la présence d'une maîtresse quasi officielle, Henriette d'Entragues, marquise de Verneuil.

La cour et le Conseil du roi. — Près de lui, Henri IV disposait d'une large maison. Les officiers (c'est-à-dire titulaires d'offices) les plus importants en étaient le Grand Maître (le comte de Soissons, un Bourbon), le Grand Chambellan (le duc de Mayenne, puis son fils). Les deux premiers gentilshommes étaient Bellegarde, aussi Grand Écuyer, et le duc de Bouillon. Les « compagnons du roi » étaient surtout le premier maître d'hôtel (Harlay de Sancy, puis Harlay de Monglat) et le maître de la garde-robe (Roquelaure). Le roi avait auprès de lui des aumôniers avec un Grand Aumônier (Renaud de Beaune puis Jacques Davy du Perron).

Les secrétaires jouaient un rôle important : les quatre secrétaires d'État se distinguaient des secrétaires de la chambre, et les cinq secrétaires du cabinet s'occupaient de la correspondance personnelle du roi.

Parmi les grands officiers de la couronne, deux surtout avaient des fonctions politiques : le chancelier – depuis 1599 Pomponne de Bellièvre, puis en 1607 Brûlart de Sillery – et le connétable – c'était le duc de Montmorency (l'ancien maréchal de Damville). En 1601, le grand maître de l'artillerie, Sully, devint un des grands officiers de la couronne. Ces trois hommes entraient au Conseil des affaires, ainsi que Villeroy qui était le secrétaire d'État chargé de la guerre et des affaires étrangères. Ce Conseil se réunissait tous les jours. Les autres secrétaires d'État étaient appelés lorsque des affaires les concernaient, et une spécialisation s'introduisait : Ruzé de Beaulieu pour la Maison du roi, Forget de Fresnes pour les protestants et les provinces du Sud-Ouest, Potier de Gesvres pour l'Ouest. Les secrétaires d'État contresignaient les lettres ou instructions du roi. Bientôt entra aussi au Conseil, un ancien ligueur, juriste et intendant des finances, habile diplomate, le président Jeannin.

Le chancelier scellait les édits qui devaient être « vérifiés » et enregistrés par les parlements. Des intendants de justice ou, comme pour l'édit de Nantes, des « commissaires de l'édit », contrôlaient sur place l'application des décisions royales.

Rosny, le futur Sully, grand maître de l'artillerie, fut aussi surintendant des finances après 1599, et il s'appuyait sur les bureaux des finances et les trésoriers de France. Il était grand voyer depuis 1599, donc chargé des routes, des canaux et des ponts, et il fut aidé par des lieutenants. Il était également surintendant des bâtiments et surintendant des fortifications, et là avait l'aide des ingénieurs du roi.

Au Conseil, deux politiques s'opposaient. Celle de Sully était autoritaire et centralisatrice ; au contraire Bellièvre et Villeroy étaient favorables au respect des autonomies et des libertés locales.

À l'étranger des ambassadeurs (neuf environ) défendaient les positions françaises. À Londres, il fallait résister aux pressions d'Élisabeth qui voulait être remboursée des sommes prêtées à Henri IV et qui n'avait pas accepté la paix française avec l'Espagne. Dans les Provinces-Unies, il fallait maintenir une aide secrète malgré la paix. La position de l'ambassadeur en Espagne ainsi qu'à Bruxelles était difficile car, malgré la paix, les tensions demeuraient. Il fallait aussi plaire aux cantons suisses et aux princes allemands. Villeroy s'informait enfin auprès de l'ambassadeur à Venise, et surtout essayait de regagner le terrain perdu à Rome et de maintenir une présence à Constantinople.

L'administration du royaume. — Henri IV connaissait bien son royaume qu'il avait parcouru de part en part. Il y disposait des gouverneurs de province : des princes du sang comme le duc de Montpensier en Normandie, des princes étrangers comme le duc de Nevers (de la maison italienne de Gonzague) en Champagne, un bâtard du roi, César de Vendôme, pour la Bretagne, des maréchaux de France comme Ornano en Guyenne ou Biron en Bourgogne (remplacé par Bellegarde après son exécution). Certains étaient des compagnons de toujours du roi, comme Jacques de La Force, vice-roi de Navarre et gouverneur de Béarn, ou des protestants fidèles comme Sully en Poitou ou Lesdiguières en Dauphiné, d'autres au contraire étaient d'anciens serviteurs d'Henri III ou bien des ligueurs ralliés comme le duc de Guise, amiral des mers du Levant en Provence.

Le pouvoir royal s'appuyait enfin sur des places fortes et sur leurs gouverneurs pour garder les côtes et les frontières terrestres.

Les finances royales

L'après-guerre. — Depuis longtemps, Henri IV avait engagé tous ses domaines et les secours de l'étranger ne suffisaient plus.

Il fallut demander aux sujets une aide exceptionnelle. Les États généraux ayant laissé un mauvais souvenir, Henri IV eut recours à une assemblée de notables qui s'ouvrit le 4 novembre 1596 et qui dura deux mois. Le roi laissa les trois ordres désigner les députés – 9 du clergé, 19 de la noblesse, 52 du tiers état. Les députés acceptèrent un impôt dit de la « pancarte » de 5 % sur les marchandises vendues et la suspension pour un an du paiement des gages destinés aux officiers du roi. Mais, inquiets de la prodigalité naturelle du monarque, les députés proposaient de diviser en deux les sommes recueillies : la première servirait à éponger les dettes, la seconde financerait les projets du roi. Ces décisions rencontrèrent des difficultés, d'autant qu'Henri avait un besoin urgent d'argent.

Les parlements avaient obtenu le droit de présenter des remontrances au roi, mais après la vérification des ordonnances royales. Le parlement de Paris en 1597 attaqua avec vigueur les ministres et demanda leur renvoi.

Henri IV, furieux, décida d'appliquer les recommandations de l'assemblée des notables. Un conseil du « bon ménage », selon l'expression du temps – parfois appelé « Conseil de raison » – fut institué, de façon éphémère, pour mieux gérer les dépenses.

Le rôle de Sully. — À la mort du marquis d'O, l'ancien favori de Henri III, Henri IV supprima la charge de surintendant et créa un Conseil des finances (1594). En 1596, le roi y fit entrer son compagnon d'armes, Rosny. Ce dernier était nommé commissaire pour trouver de l'argent, et sa rudesse assura son succès. Il devint entre 1597 et 1599 le chef incontesté des finances royales, et bientôt la fonction de surintendant fut recréé pour lui. Le futur Sully s'était formé lui-même aux questions financières et appliqua les mêmes méthodes pour ses affaires personnelles et les affaires d'État : rigueur et économie.

L'amortissement de la dette publique. — La dette publique atteignait 200 millions de livres en 1596 pour 10 millions de revenu annuel et pour une dépense de 16 millions. Sully s'efforça de l'amortir. Pour cela, il négocia avec les créanciers du roi, princes étrangers (grand-duc de Toscane, princes allemands, Élisabeth d'Angleterre) ou États étrangers (cantons suisses), en les plaçant devant un choix : tout perdre ou accepter une diminution de la créance. Ils choisirent tous la seconde solution : la dette à l'égard des cantons suisses atteignait 36 millions en 1602 et seulement 16,7 millions en 1607. Sully proposa le même marché aux créanciers français, en particulier ceux qui détenaient des rentes sur l'Hôtel de Ville. Elles étaient en effet assignées sur les revenus royaux, et mises à la disposition du public par l'intermédiaire des municipalités (comme celle de Paris). Les impôts (taille, gabelle, don gratuit du clergé) permettaient de payer les rentes. Sully ordonna une grande vérification, puis proposa en 1604 soit le remboursement, soit la réduction des rentes. Mais il dut reculer devant le tollé général.

En 1605, il choisit une nouvelle méthode. Il signa des contrats, ou partis, ou traités, avec des financiers, ou des groupes de financiers, dits « partisans » ou « traitants ». Ceux-ci devaient racheter le « domaine aliéné ». C'étaient des revenus (taxes diverses ou revenus de terres royales) ou des offices qui avaient été donnés par la monarchie pour payer ses fidèles ou ses créanciers. Les partisans en garderaient les revenus pendant un certain temps (seize ans souvent) avant de les restituer au roi.

Les choix fiscaux. — Sully s'employa à réformer la taille et il tenta de poursuivre les exactions, concussions et malversations. Une enquête administrative eut lieu en 1598-1599 pour veiller à une plus grande équité dans la répartition de cet impôt. Comme la somme globale que les sujets devaient verser était fixée par le roi, elle fut diminuée et ramenée de 18 millions de livres à 13,5 millions en 1602, pour atteindre 15 à la fin du règne. Les impôts indirects furent au contraire augmentés : gabelles (sur le sel), aides (sur les autres denrées de consommation), traites (droits de douane).

Les financiers du roi. — Comme des financiers se chargeaient de percevoir les impôts indirects, après avoir versé les sommes attendues au monarque, les baux qui fixaient ces sommes furent relevés. Ces « fermiers » de l'impôt étaient des intermédiaires et trouvaient de l'argent dans les groupes riches de la société.

Parmi les financiers, la figure de Zamet fut la plus caractéristique. Ce Piémontais s'était installé en France et, après avoir servi la Ligue, il s'était rallié en 1594 à Henri IV qui en fit un de ses intimes et qu'il accueillit volontiers dans son hôtel parisien. Il se disait « seigneur de 1 700 000 écus ». Le métier n'était pas sans risques. Des chambres de justice furent ainsi chargées de vérifier les comptes des financiers en 1601-1602, 1605-1607 et 1607. Si François Jusseaume fut pendu, la plupart s'en tirèrent avec de lourdes amendes.

La paulette. — Enfin Sully réussit à imposer la « paulette ». Ce « droit annuel » était une taxe —elle doit son nom au financier Charles Paulet – que devaient payer les officiers royaux. Elle leur donnait le droit de laisser leur office à un successeur ou de le vendre. Ils pouvaient déjà le faire, mais le résignant devait survivre quarante jours après l'acte de résignation pour éviter les transmissions *in extremis*. La taxe annuelle était évaluée à un soixantième de la valeur de l'office. Sully y songeait depuis 1602, mais s'était heurté à l'hostilité du chancelier Bellièvre. Le roi imposa sa décision par l'édit du 12 décembre 1604. Cette paulette consacrait solidement l'hérédité des offices. Cela donnait aux magistrats une plus grande indépendance puisqu'ils étaient comme propriétaires de leur office : c'était favorable à une séparation des pouvoirs. Seuls furent dispensées les fonctions de premier président et de procureur général, qui étaient des commissions et restaient à la nomination du roi. Cette paulette alla gonfler le produit des « parties casuelles ».

Les recettes rentrèrent mieux : de 1600 à 1610, le niveau général du budget de l'Épargne, qui réglait les dépenses du roi, s'éleva régulièrement. Cet excédent budgétaire fut l'œuvre de Sully. À la mort du roi, Sully avait dans les coffres de la Bastille 5 millions de livres et le trésorier de l'Épargne 11,5 millions.

La répression des complots

Les intrigues espagnoles continuèrent en France : le maréchal de Biron était depuis 1598 en relation avec le gouverneur du Milanais. Henri IV demanda à Biron de venir se justifier de rumeurs qui circulaient contre lui. Biron n'avoua rien. Il fut arrêté. Les demandes de grâce ne purent empêcher le procès au parlement de Paris. Un complice révéla des projets pour assassiner Henri IV. Le 31 juillet 1602, Biron était décapité. Il apparut clairement que Philippe III d'Espagne était au courant du complot et que d'autres grands personnages étaient impliqués. Le duc de Bouillon fut appelé à se justifier : il s'enfuit et passa à Sedan. En 1604, une nouvelle conspiration éclata cette fois autour de la marquise de Verneuil, maîtresse du roi.

Une agitation nobiliaire existait encore dans les provinces : le roi gagna Limoges pour ramener l'ordre en septembre 1605. Il devait aussi affronter le mécontentement latent des protestants qui obtinrent de se réunir en juillet 1605 à Châtellerault. Sully, qui représentait le roi, sut calmer les esprits et éviter toute tentation de regarder du côté du duc de Bouillon.

La reconstruction du royaume

Le renouveau de l'Église de France

Les guerres et la rupture de Rome avec le roi avaient provoqué une crise dans l'Église de France. Nombre d'archevêchés et d'évêchés n'avaient plus de titulaires et étaient gérés par des administrateurs provisoires. Le culte n'était plus exercé dans de nombreuses villes et la paix permit de le rétablir.

Les nominations ecclésiastiques. — Henri IV eut recours aux droits que lui donnait le Concordat pour remplir les places vacantes. Malgré ses promesses de ne choisir que des hommes de savoir et de probité, il utilisa ces emplois comme des faveurs ou des pensions pour des favoris ou des favorites, même des protestants : le protestant Sully eut 5 ou 6 abbayes. Néanmoins, progressivement, sous le règne d'Henri IV, le recrutement des évêques s'améliora, à la satisfaction de Rome.

Le retour des jésuites. — Dès qu'il avait négocié avec la papauté, Henri IV avait indiqué qu'il était favorable au retour des jésuites en France (où certains parlements ne les avaient pas expulsés). Des conditions furent fixées : ils devaient être de nationalité française et ils devaient prêter un serment de fidélité à la monarchie. Dès mars 1603, une délégation de jésuites fut reçue par le roi. Le P. Coton, jésuite, devint prédicateur ordinaire du roi en 1603 – et en 1608 son confesseur. Un édit fut préparé pour ce retour et enregistré au parlement de Rouen (1er septembre 1603), mais le parlement de Paris résista, car il se méfiait de cette compagnie qui ne dépendait que du pape. Finalement l'édit fut appliqué, mais les jésuites ne réintégraient à Paris que leur collège de Clermont (plus tard Louis-le-Grand). En revanche, ils obtenaient le domaine de La Flèche comme noviciat et collège – René Descartes y fut bientôt élève. Le roi admirait le système pédagogique élaboré par les jésuites, avec en particulier leur *Ratio studiorum* de 1599, qui fixait le cursus scolaire : cinq années d'humanités, et deux années de philosophie, dans les collèges et non dans les facultés. Henri IV était donc favorable à leur action mais il ne pouvait prévoir leur immense succès.

Henri IV rendit en décembre 1606 l'édit qui amorçait la réforme profonde du clergé, touchant la vie personnelle des curés, assurant dignement les revenus de chaque cure, veillant à l'instruction des prêtres et à la qualité des prédicateurs.

Certaines branches de l'ordre franciscain furent privilégiées (capucins, récollets, minimes, capucines). Des ordres mystiques s'installèrent, comme les carmélites. La haute bourgeoisie gallicane et anti-jésuite suscita aussi sa propre réforme. La Mère Angélique, née Jacqueline Arnauld, était, depuis l'âge de 11 ans, abbesse de

Port-Royal des Champs, près de Paris. En 1609, à 18 ans, elle décida de rétablir la clôture dans son abbaye. Lorsque son père vint la voir, il ne put lui parler qu'à travers le guichet. C'était la « journée du guichet » du 25 septembre 1609 et l'acte de naissance du mouvement réformateur, qui devint plus tard le jansénisme.

En revanche, la résistance des magistrats et du roi resta invincible quant à la réception des décisions de Trente. En 1615, l'assemblée du clergé proclama « que l'Église de France tient le concile pour bon et publié et se conformera en tout à ses décrets ». Ainsi les décisions du concile entraient dans la réalité, sans avoir été enregistrées par les parlements.

La reconstruction économique

La situation à la fin du XVIe siècle était difficile (voir chap. 11) car le royaume avait souffert des guerres de Religion. Les campagnes étaient souvent désertées et des foules d'ouvriers agricoles cherchaient refuge dans les grandes villes.

Une reprise économique. — Le retour de la paix put annoncer une reprise, mais les hivers restèrent rudes en 1590, 1595, 1603, 1608. Si les années 1590 furent le creux de la vague démographique, la reprise fut marquée ensuite avec le phénomène biologique de récupération *(Jean Jacquart)*. Les mariages se multipliaient, les naissances aussi et les enfants mieux nourris parvenaient plus nombreux à l'âge adulte. De 1598 à 1610, la France ne connut ni disette, ni peste. Au début de 1600, Henri IV avait pu prédire : « Si Dieu me donne encore de la vie, je ferai qu'il n'y aura pas de laboureur en mon royaume qui n'ait moyen d'avoir une poule dans son pot. »

Les troubles sociaux. — Le monde paysan avait connu des soulèvements pendant les guerres civiles. Des troubles éclatèrent aussi dans les villes après l'établissement de l'impôt dit « de la pancarte », créé en 1597. En 1601, le roi et Sully décidèrent de faire des efforts pour le percevoir et toutes les villes devaient y être astreintes. Poitiers résista et les commissaires envoyés par le roi durent s'enfuir. Le roi furieux décida d'utiliser la manière forte et Poitiers dut accepter de payer une forte somme chaque année. En 1602, La Rochelle protesta contre cet impôt au nom de ses privilèges et le roi fit un voyage pour mettre fin à cette résistance. Le mécontentement s'étendait en Auvergne et dans le Limousin. Finalement, de nombreuses villes proposèrent une subvention au roi pour se libérer de la pancarte qui fut supprimée le 10 novembre 1602. Finalement, comme le souligne Jean-Pierre Babelon, les douze années de 1598 à 1610 furent « calmes et pacifiques ».

Les encouragements à l'agriculture. — Après la mort d'Henri IV, son œuvre nourrit une véritable légende, selon laquelle le roi se serait employé à défendre les paysans et à encourager l'agriculture. C'est Sully qui affirma avoir souvent dit au souverain « que le labourage et la pâturage estoient les deux mamelles, dont la France estoit alimentée, et ses vrayes mines du Pérou ».

Selon l'historien B. Barbiche, ce fut la paix qui permit la reconstruction des campagnes. Le règne d'Henri IV apparut ainsi comme un temps de prospérité entre le temps des guerres de Religion et celui des guerres contre l'Espagne.

Il fallut d'abord rétablir l'ordre. L'ordonnance du 24 février 1597 interdit aux gens de guerre de se répandre à travers les champs. Celle de Monceaux du 4 août 1598 réglementa sévèrement le port d'armes et interdit les armes à feu sur les grands chemins. Le pouvoir royal s'efforça de contrôler les troupes qui étaient réformées et pouvaient se livrer au brigandage, de détruire les places fortes des derniers seigneurs ligueurs qui vivaient sur le plat pays, enfin de récupérer armes et munitions.

Les innovations. — Le roi, favorable aux innovations agricoles, eut des discussions avec un gentilhomme protestant, Olivier de Serres, qui publia en 1599 *La cueillette de la Soye* et en 1600 *Le théâtre d'agriculture.* Les gentilshommes d'ancien lignage, comme les officiers récemment anoblis, souhaitaient augmenter les revenus de leurs domaines fonciers. Ce fut par eux que les innovations progressèrent. La culture du ver à soie fut ainsi encouragée. Le vignoble connut un essor nouveau. Il y eut sans conteste une reconstruction des campagnes et les prix du froment montèrent lentement après 1600 : malgré de mauvaises récoltes, les crises furent moins terribles. Néanmoins les petits paysans, les vignerons et les brassiers vivaient toujours dans des conditions précaires. Le roi et son ministre pratiquèrent aussi des allégements fiscaux : réductions de taille, ou décharges d'impôt pour les paysans frappés par des catastrophes naturelles. Mais la hausse de la gabelle accabla souvent la population modeste. Les fermages connaissaient une courbe ascendante et les droits seigneuriaux, dîmes et champarts, aussi.

Les tentatives pour exploiter des mines ne débouchèrent pas sur de grands succès. En revanche l'offensive marqua le domaine du textile. Henri IV suivait les conseils d'un huguenot, Barthélemy de Laffemas. Il s'agissait désormais d'interdire l'usage des soieries étrangères en les remplaçant par des fabrications françaises. Henri IV encouragea la plantation de mûriers pour fournir de la soie brute. Il multiplia les encouragements aux manufactures pour les tissus d'or et d'argent, pour les cuirs dorés ou les tapis. En 1597, le roi généralisa le système des maîtrises à tous les métiers, pour mieux contrôler la qualité et l'organisation du travail.

Les vastes entreprises de la monarchie

Les bâtiments du roi. — Henri IV avait une passion pour ses demeures et il a aimé ses châteaux de Pau et de Nérac. Une fois son pouvoir assuré, il lui fallut un cadre digne de lui : une belle architecture pour faire impression sur les souverains étrangers, des galeries et des jardins pour les promenades du roi, des salles d'apparat pour les réceptions d'ambassadeurs ou les fêtes. Contrairement aux Valois qui avaient multiplié les nouveaux chantiers sans finir les anciens, Henri IV ne construisit aucun nouveau château mais voulut embellir ceux qui existaient. Et il dut se justifier des sommes considérables qu'il consacra à ses « bâtiments ».

Les premiers travaux concernaient le Louvre. Une immense galerie fut destinée à relier le vieux palais aux Tuileries en enjambant l'ancien fossé d'enceinte de la ville. C'est la « galerie du bord de l'eau ». Un projet de Grand Louvre fut aussi envisagé mais il fallait détruire tout un quartier bâti, ce qui ne fut fait qu'au XIXe siècle. Si les Tuileries devaient devenir à terme le séjour royal, ce n'était pas encore possible en 1610. Des artisans de talent furent installés, dans les parties inférieures de la galerie, pour travailler : orfèvres, tapissiers, armuriers... Le roi s'intéressa aussi à Fontainebleau où il pouvait chasser à loisir. Il voulut y loger la cour et le gouvernement, et il y multiplia les aménagements heureux. À Saint-Germain-en-Laye Henri IV fit construire des terrasses, le long de la colline, pour créer un « château-jardin ».

Les villes. — Le roi se pencha sur ses villes qu'il chercha à contrôler politiquement en intervenant dans les élections municipales. Mais il désira travailler aussi pour leur donner une apparence plus moderne, à la manière italienne. Cela faisait partie de la reconstruction du royaume. À Paris, Sully devint voyer et collabora avec le prévôt des marchands François Miron : ce dernier doubla la quantité d'eau disponible dans la capitale, grâce à la pompe de la Samaritaine, installée sur la Seine. Henri IV prévoyait aussi l'achèvement du Pont-Neuf, création d'Henri III. Mais la ville médiévale ne pouvait être aisément transformée sans détruire des maisons. Henri IV chercha donc des terrains inoccupés. Il imagina la place Royale (notre place des Vosges actuelle), vaste place carrée et fermée. Elle fut entourée de pavillons uniformes en briques et en pierre, tous semblables. La cession d'une parcelle devait s'accompagner du respect par les particuliers de ces règles de construction : l'urbanisme d'État naissait. Cette entreprise fut achevée en 1612. Et la pointe de l'île de la Cité, derrière le Palais de Justice, fut aussi aménagée pour dessiner la place Dauphine. Paris, dans son architecture même, prenait vraiment les allures d'une capitale.

Les routes et les canaux. — La paix de Vervins et la paix de Nantes permirent de s'attaquer à de grands travaux. Henri IV créa, non sans résistance, la charge nouvelle de grand voyer qui donnait autorité à Sully sur toutes les voies de communication. Auparavant, c'étaient les seigneurs et les villes qui s'occupaient des routes, sous l'autorité des trésoriers de France. Le roi mettait en place une administration centralisée d'autant que le grand voyer allait être représenté par un lieutenant dans les généralités et les pays d'États (7 juin 1603). Ces institutions réussirent à fonctionner dans les cinq dernières années du règne. Une des préoccupations était de réparer les ponts, souvent détruits après les combats de la guerre civile.

Henri IV et Sully s'intéressèrent aussi aux canaux pour relier les grandes rivières françaises, avec au moins trois grands projets de liaison, Seine-Loire, Seine-Saône, Garonne-Aude. Le canal de Briare qui reliait la Loire et la Seine fut mis en chantier en 1604. Les motivations étaient économiques, car les voies d'eau permettaient des échanges plus rapides et moins coûteux ; elles étaient aussi stratégiques pour convoyer plus rapidement de l'armement lourd aux frontières. Les sommes dépensées pour les canaux, pendant les trois dernières années du règne d'Henri IV, ne furent pas égalées avant 1680.

Toute une réglementation fut aussi mise en place pour régler le financement et les rapports avec les entrepreneurs. Mais l'œuvre centralisatrice de Sully ne dura pas, car la charge de grand voyer fut supprimée en 1626.

Les fortifications et les vaisseaux. — Sully donna un élan nouveau à l'organisation défensive des frontières. Il nomma pour chaque province menacée un des ingénieurs du roi : il devait travailler sous l'autorité du surintendant des fortifications (Sully lui-même) et en collaboration avec le gouverneur de la province. Il devait rédiger un état des fortifications qui chiffrait les travaux à faire pour l'année à venir.

Pour des raisons stratégiques aussi, Henri IV et son principal ministre s'efforcèrent d'avoir une meilleure image du royaume. Déjà en 1594 était paru le *Théâtre françoys,* de Maurice Bouguereau : c'était le premier atlas qui regroupait des cartes de la France et qui était un hymne à l'unité française. Les ingénieurs et leurs adjoints, les « conducteurs des desseins », levèrent des plans et des cartes qui furent d'admirables instruments de travail.

À partir de 1600, des efforts furent entrepris pour constituer une flotte de galères en Méditerranée. Des contrats furent signés, en particulier avec des Génois et, en 1610, Henri IV pouvait compter sur une douzaine de ces vaisseaux. Plutôt que Marseille, longtemps rebelle, Toulon fut choisi comme port de guerre. Ces galères permettaient de se défendre contre d'éventuelles agressions et contre les pirates anglais ou barbaresques. Malgré les projets de Sully, la France ne se constitua pas de flotte pour l'Atlantique.

Les expéditions lointaines. — Le roi encouragea aussi les expéditions vers le Canada. Champlain put remonter le Saint-Laurent jusqu'à Hochelaga où Jacques Cartier avait séjourné (Montréal). Henri IV fit de Pierre du Gua, seigneur de Monts, un « lieutenant général en Acadie » (8 novembre 1603). Il aurait, avec ses associés, le monopole du commerce entre le 40e et le 46e parallèle. La Compagnie de la Nouvelle France fut alors instituée et elle créa des bases à Port-Royal en Acadie (aujourd'hui Annapolis) en 1605. Puis Champlain, lieutenant de Du Gua, fonda Québec en juillet 1608 sur le Saint-Laurent. Pour Champlain, il fallait favoriser un peuplement stable : le financement serait permis par un monopole du commerce des fourrures, qui serait accordé à une compagnie à privilège *(C. Huetz de Lemps).*

La politique étrangère d'Henri IV

L'affaire de Savoie

La Savoie s'était emparée en 1588 du marquisat de Saluces et le traité de Vervins prévoyait une médiation pontificale : mais Clément VIII préféra ne pas s'en mêler. Charles-Emmanuel de Savoie se rendit en France à partir de décembre 1599, mais sa mauvaise foi était évidente et Sully, qui était désormais grand maître de l'artillerie, prépara des canons et de la poudre.

La guerre fut déclarée le 11 août 1600 et l'armée française entra en Bresse et en Savoie. Un émissaire pontifical vint pour négocier la paix qui fut signée à Lyon le 17 janvier 1601. Henri abandonnait le marquisat de Saluces, mais obtenait, outre la Bresse, le Bugey, le Valromey et le pays de Gex. Les discussions furent âpres au Conseil du roi. Bien sûr le royaume gagnait d'importants territoires, et Sully se promettait de beaux revenus fiscaux. Mais d'autres reprochèrent à Henri IV la perte d'une place forte qui permettait d'intervenir dans les affaires d'Italie du Nord et d'y contrebalancer l'influence des Habsbourg. La France coupait désormais un passage traditionnel des troupes espagnoles pour aller de Milan vers les Pays-Bas : les armées durent passer plus à l'est, du côté des Grisons et de la haute vallée de l'Adda, la Valteline. En étendant le territoire, Henri IV donnait une cohérence nouvelle à son royaume, mais il renonçait à une présence française en Italie où l'influence espagnole allait pouvoir s'exercer plus librement.

La paix en Europe et la politique de la France

Pour la politique étrangère, Henri IV, comme toujours, fut l'homme des réalités, des décisions promptes, de la souplesse aussi, sans chercher à mener de longues entreprises politiques. Ce fut Sully qui inventa plus tard la cohérence d'un plan général, le « grand dessein », qu'il décrivit plus tard dans ses *Oeconomies royales*. Henri IV aurait, selon lui, proposé aux princes européens une organisation collective pour maintenir la paix. En réalité, ce projet, s'il a vraiment existé au temps d'Henri IV, apparaît comme un moyen de propagande, et comme une tentative pour dresser l'Europe contre l'empire espagnol.

Henri IV avait trouvé l'Espagne sur sa route lors de sa marche vers le pouvoir, et il continua, malgré la paix, à s'opposer aux visées expansionnistes et impériales de cette puissance. Mais il fut aussi obsédé par l'établissement de ses enfants et n'aurait sans doute pas dédaigné un mariage du dauphin avec une infante d'Espagne.

Face aux puissances protestantes. — Genève faillit tomber aux mains du duc de Savoie : ce fut le jour de l' « Escalade », le 21 décembre 1602. Mais les Genevois réussirent à repousser les agresseurs. Henri IV s'entremit alors pour que la ville pût mieux se défendre. Le roi était sensible au poids des cantons suisses, gardiens des Alpes et réserves de soldats. Il se préoccupa de rembourser en priorité ses dettes à leur égard et signa avec eux un traité d'alliance (Soleure, le 31 janvier 1602).

La mort d'Élisabeth Ire d'Angleterre le 24 mars 1603 signifiait la perte d'une alliée fidèle. Henri très tôt avait compris que le successeur de la reine vierge serait son cousin Jacques VI Stuart, le fils de Marie Stuart, sous le nom de Jacques Ier. La question de la dette restait pendante. Sully, envoyé en ambassade, trouva un compromis. Le traité d'Hampton Court prévoyait le 30 juillet 1603 une assistance commune aux Provinces-Unies, sous la forme d'une subvention, qui serait déduite de la dette et utilisée à la levée de troupes anglaises. Mais Henri IV ne put empêcher la paix anglo-espagnole de 1604 et la politique pacifiste que Jacques Ier voulait conduire en Europe.

Face à l'Espagne. — Les tensions demeuraient avec l'Espagne. Une épreuve de force fut tentée pour interrompre le commerce entre les deux pays en 1604. Alors que les Espagnols avaient pris Ostende, on fut tout prêt de la guerre, mais le traité de Paris fut signé le 12 octobre 1604 grâce à la médiation de Jacques Ier.

En tout cas, Henri IV ne cessa de soutenir les Hollandais révoltés. Mais une trêve de douze ans fut signée en 1609 qui interrompait temporairement la guerre entre les Provinces-Unies et l'Espagne.

Face à l'Empire. — La réconciliation avec le duc de Bouillon qui était protestant améliora les relations avec les princes allemands. Or, dans l'Empire, l'idée d'une coalition des réformés progressait, face à la reconquête catholique qui semblait s'organiser. En mai 1608 l'« Union évangélique » naissait qui regroupait des princes et des cités protestantes.

L'affaire des duchés

En 1609 éclata l'affaire des duchés de Clèves et de Juliers. Ces territoires sur le Rhin contrôlaient les relations entre les Hollandais révoltés et les princes protestants allemands. Le duc de Clèves et de Juliers n'avait pas de descendant direct et les prétendants étaient nombreux, les deux principaux étant luthériens. L'empereur décida de mettre le territoire sous séquestre et fit occuper Juliers, fortement catholique, en juillet 1609. Aussitôt les héritiers virtuels, rejoignirent l'Union évangélique. Sully poussait à la guerre et Villeroy conseillait la prudence. Les membres de l'Union décidèrent au début de 1610 de résister à l'intervention impériale par la force.

Finalement Henri IV se décida à intervenir. Ses motivations restent obscures. La première fut d'ordre privé : il souhaitait retrouver Charlotte de Montmorency, la fille du connétable, une très jeune fille dont il était amoureux, et que son mari, le prince de Condé, avait conduite à Bruxelles pour la soustraire aux avances du roi son cousin. Peut-être désirait-il aussi esquisser ce que Sully qualifia de « grand dessein », et jouer le rôle d'arbitre en Europe. Sans doute voulait-il intervenir comme protecteur de l'Union évangélique. Trois armées étaient prêtes en mai 1610, l'une pour intervenir dans les Pays-Bas, l'autre en Italie du Nord, la troisième contre la Navarre espagnole.

La reine Marie de Médicis fut couronnée à Saint-Denis pour gouverner en l'absence de son mari. Le 14 mai 1610, Henri IV décida d'aller rendre visite à Sully qui logeait à l'Arsenal. Profitant d'un encombrement rue de la Ferronnerie, Ravaillac, né à Angoulême en 1578, porta un coup mortel au roi. Le meurtrier était un visionnaire exalté, sans doute isolé : sous la torture, il ne désigna aucun complice. « Il a été manipulé par une certaine opinion publique de tendance ligueuse, encore attachée au tyrannicide » *(Jean-Pierre Babelon)*. Comme le procès n'apporta pas toutes les lumières, bien des théories ont été avancées : les jésuites furent accusés, mais aussi le duc d'Épernon qui se trouvait avec le roi dans son carrosse, l'ancienne maîtresse du roi, Henriette d'Entragues, marquise de Verneuil, les Concini, familiers de la reine...

13. De la France apaisée à la France inquiète (1610-1630)

Henri IV avait accepté la religion catholique dans un pays épuisé par les guerres de Religion, mais avait aussi imposé l'édit de Nantes. Dans sa longue lutte pour la couronne, Henri de Navarre avait noué des liens avec les princes protestants d'Allemagne. Il était sur le point de s'engager dans un conflit contre les Habsbourg lorsqu'il fut assassiné.

Le règne de son fils Louis XIII fut dominé par la guerre qui ravagea l'Europe occidentale à partir de 1618. Longtemps le gouvernement français hésita à entrer nettement dans ce conflit. Peu à peu, les tensions se multiplièrent, en particulier en Italie du Nord, et elles conduisirent à un engagement de l'armée française contre les troupes espagnoles. Mais la guerre n'était pas encore déclarée, elle restait « couverte ». Cette indécision s'expliquait par les oppositions en France. Nombreux étaient ceux qui refusaient une guerre contre des princes catholiques et des alliances avec des protestants alors que l'Église et le catholicisme semblaient reconquérir le terrain perdu depuis la Réforme. La solidarité religieuse ne devait pas céder devant la raison d'État : mieux valait accepter la prépondérance espagnole. La situation intérieure était aussi fragile : des fractures réapparaissaient à travers des soulèvements protestants et des conspirations nobiliaires.

Ainsi une double action politique fut menée à l'intérieur et à l'extérieur du royaume. Avant tout, il fallut imposer l'autorité du roi à sa famille indocile, aux princes du sang, aux grands seigneurs, à tous les gentilshommes. Parallèlement, la monarchie voulut abattre le pouvoir politique et surtout la force militaire des protestants, en détruisant leurs places de sûreté et, avant tout, La

Rochelle, cette république dans la monarchie. À l'extérieur, les interventions furent d'abord très prudentes, puis, avec le temps, elles devinrent décisives. Un homme d'État mena cette double action, multipliant contre lui les oppositions et les haines : le cardinal de Richelieu.

Le gouvernement de Marie de Médicis

Le règne de Louis XIII commença par la régence de Marie de Médicis qui, comme toute régence, signifiait un affaiblissement de l'autorité monarchique. La régente eut à affronter des soulèvements de grands seigneurs et dut réunir des États généraux, mais l'autorité royale sortit plutôt renforcée d'un affrontement entre les ordres du royaume. La régence rompit aussi avec la politique d'Henri IV, en se rapprochant de l'Espagne et en favorisant la cause catholique en Europe.

La proclamation de la régence

Aussitôt après la mort du roi, le parlement accepta la régence de Marie de Médicis (14 mai 1610). Le lendemain, un lit de justice eut lieu. Au nom du roi, la reine-mère demanda aux parlementaires leurs « bons avis », et le chancelier, après avoir consulté l'assemblée, composée des pairs, des évêques et des magistrats, annonça que le roi déclarait sa mère régente.

Ravaillac, l'assassin de Henri IV fut écartelé comme régicide le 27 mai 1610. La mort du roi fut entourée d'un grand chagrin populaire : Henri IV apparaissait comme celui qui avait installé une nouvelle dynastie, rétabli la paix civile et gardé les frontières. Déjà sa légende naissait. En 1614, sa statue équestre fut inaugurée au milieu du Pont-Neuf. Ce fut d'abord la continuité qui prévalut en France. La régente conserva, à ses côtés au Conseil, Sully, Villeroy, qui dirigeait les affaires étrangères depuis quarante ans, Sillery, son élève qui était devenu chancelier, et enfin le président Jeannin. Marie confirma l'édit de Nantes pour rassurer les protestants et elle autorisa une assemblée générale des députés protestants en 1611, conformément à ce que voulait l'édit. L'expédition militaire, préparée par Henri IV, eut lieu : l'armée française chassa des duchés les envoyés impériaux et installa les deux prétendants protestants. Cette solution fut finalement acceptée par le roi d'Espagne et par l'empereur.

Le 17 octobre 1610, Louis XIII fut sacré à Reims – la monarchie retrouvait la ville traditionnelle du sacre. Cette cérémonie n'avait nullement été nécessaire pour l'avènement du roi, mais lui donnait de l'éclat.

Le changement politique

Il passa par l'éviction des vieux compagnons d'Henri IV et par un rapprochement avec l'Espagne.

L'influence de Concini. — Sully était mécontent des attaques qui lui étaient adressées : depuis douze ans, il dirigeait les finances royales sans contrôle et les accusations de malversation allaient bon train. En janvier 1611, Sully se retira sur ses terres. Pendant les trente ans qu'il lui restait à vivre, il allait entretenir sa grande fortune et rédiger ses *Oeconomies royales* qui, publiées en 1641, eurent un grand succès et contribuèrent à la gloire d'Henri IV et à la sienne propre. En s'éloignant de la cour, il laissait la place à des hommes et à des méthodes nouveaux. La régente avait auprès d'elle une Florentine, la fille de sa nourrice, Léonora Dori, dite Léonora Galigaï, qui avait épousé un Florentin, Concino Concini en 1601. Dès septembre 1610, la régente permit à ce dernier d'acheter le marquisat d'Ancre en Picardie, la charge de premier gentilhomme de la chambre et il eut le gouvernement de places fortes. Marie, qui craignait les troubles politiques, distribua également des pensions à la noblesse, utilisant ainsi les économies réalisées par Sully.

Les mariages espagnols. — La régente et ses conseillers avaient pour seule politique d'assurer la paix intérieure du royaume, mais aussi sa tranquillité extérieure. Le rapprochement entre la maison de France et celle de Habsbourg semblait une garantie pour la paix européenne. C'était aussi une victoire pour la cause catholique que la rivalité franco-espagnole avait affaiblie. Peu à peu, avec la régence de Marie de Médicis, triompha l'influence du parti ultra-catholique – qui se méfiait des origines protestantes de la dynastie de Bourbon – et de Concini, le favori de la reine mère. Ce rapprochement fut confirmé par la négociation du double mariage (25 août 1612) : celui de Louis XIII avec la fille de Philippe III d'Espagne, Anne d'Autriche (on assimilait toujours la maison de Habsbourg à la maison d'Autriche), et celui d'Élisabeth (ou Isabelle) de Bourbon avec le prince héritier Philippe. Chacune des deux princesses renoncerait à ses droits à la couronne de ses pères.

C'était un changement de politique. Les grands seigneurs protestants conseillèrent la prudence à leurs coreligionnaires, dont l'inquiétude grandissait. Mais d'autres oppositions s'affirmèrent chez les grands qui voyaient le pouvoir leur échapper. Les Concini furent la cible de toutes les critiques, et considérés comme des étrangers avides et dangereux pour le pays, d'autant plus que Concini était devenu maréchal de France en novembre 1613. Au début de 1614, Condé, cousin du roi, prince du sang, prit les armes en signe de protestation et publia un manifeste : il réclamait la convocation des États généraux et la suspension des mariages royaux. La régente fut obligée de négocier (accord de Sainte-Menehould, 15 mai 1614). Elle ne céda pas sur les mariages espagnols, mais elle accepta l'idée d'une réunion des États généraux, ce qui revenait à une consultation des Français. Comme Catherine de Médicis, Marie de Médicis décida alors de montrer le roi à la France, en un grand voyage. Accompagné d'une armée, le roi put aussi rappeler à une stricte obéissance des princes comme César de Vendôme, son demi-frère, puissant en Bretagne, ou les protestants dans leurs places de sûreté.

Le 27 septembre 1614, Louis XIII avait 13 ans : il était majeur. Le 2 octobre, lors d'un lit de justice, la reine lui remit la régence et le jeune roi la remercia en la nommant chef de son Conseil. Marie de Médicis, aidée surtout par Villeroy, avait su dompter les oppositions.

Les États généraux de 1614

Les députés et l'organisation du travail. — Marie de Médicis convoqua les États généraux qui se réunirent en octobre 1614. Les députés étaient dans leur majorité dévoués au pouvoir monarchique. Parmi les 135 représentants du clergé, on comptait un seul curé de campagne et 92 ecclésiastiques jouissaient de bénéfices octroyés par le roi. Sur les 138 délégués de la noblesse, 78 exerçaient des fonctions au service du roi. Pour le tiers état, sur 187 représentants, il n'y avait que 2 marchands, 3 bourgeois, peut-être un riche laboureur, aucun travailleur manuel : en revanche il y avait 114 officiers de justice et un grand nombre de députés du tiers possédaient des seigneuries. La procédure de travail frappait les États généraux d'impuissance. Chaque ordre se réunissait et délibérait séparément : les échanges avec les autres ordres passaient par des « ambassadeurs ». Les réunions communes ne traitaient que les questions sur lesquelles chaque ordre avait délibéré. Le clergé en 1614 tenta de dresser des articles généraux pour les trois ordres. Et les États attendraient la réponse royale avant de présenter d'autres requêtes. C'était le moyen de faire parler les députés d'une seule voix et de rendre permanente l'assemblée. Les divisions entre les ordres firent échouer le projet.

Les affrontements entre les ordres. — En effet la noblesse lança l'offensive contre le tiers état en s'attaquant à la vénalité des offices : le tiers état, dans une vision traditionnelle, devait travailler et produire, mais il ne devait pas s'occuper de justice, ce qui était une tâche de gentilhomme. Or, se plaignait la noblesse, les offices devenaient trop chers et n'étaient plus accessibles aux gentilshommes. Et la paulette était rendue responsable de l'hérédité des charges et devait être supprimée. Les députés du tiers firent mine de céder, car l'opinion publique était hostile à la vénalité des offices, mais ils demandèrent en contrepartie une diminution drastique des pensions accordées par la monarchie à des gentilshommes. Comme un député du tiers affirmait que les trois ordres étaient frères, ce fut un tumulte, la noblesse s'indignant de cette prétendue égalité.

Le conflit éclata aussi entre le clergé et le tiers. Les députés du tiers voulurent introduire dans leur cahier de doléances un article premier sur les « lois fondamentales de l'État », pour proclamer que le roi était pleinement souverain et qu'il n'avait à obéir à personne, empereur ou pape. Tous les délégués aux États généraux, tous les officiers et tous les bénéficiers devaient jurer et signer cette déclaration, et ce principe serait enseigné à tous et partout. Les cardinaux et le clergé réagirent pour maintenir l'autorité spirituelle de Rome. La reine demanda au tiers de lui présenter l'article litigieux, déclara qu'il n'était plus nécessaire de l'intégrer dans les demandes du tiers et promit d'y répondre : ainsi, dans le cahier de doléances du tiers état, il n'y eut pour article premier qu'un espace vide. Quant au clergé, il réclamait la réception en France des décisions du concile de Trente, ce que refusaient le gouvernement et les officiers royaux.

Ne pouvant s'accorder, la noblesse et le clergé d'une part, le tiers état d'autre part présentèrent séparément leurs exigences au roi : c'était le reconnaître comme arbitre suprême. Le 23 février 1615, les cahiers de doléances furent remis au monarque qui promit d'y apporter une prompte réponse. Ce fut l'évêque de Luçon, Armand-Jean du Plessis de Richelieu, qui prononça la harangue traditionnelle au nom du clergé. Des délégués restèrent à Paris, mais à titre officieux, et le 24 mars 1615, le chancelier de France les reçut, leur promit la fin de la vénalité des offices, la diminution des pensions et la poursuite des financiers corrompus. En réalité, le Conseil du roi se garda bien de donner suite à ces promesses. Les États généraux ne furent plus réunis désormais jusqu'en 1789. Ils avaient permis à la reine mère de connaître l'évêque de Luçon.

Armand-Jean du Plessis né à Paris le 9 septembre 1585 était le fils d'un fidèle de Henri III, de la noblesse poitevine, devenu Grand Prévôt de France (il assurait le service d'ordre de la maison du roi). Par sa mère, Richelieu descendait d'un avocat, qui n'était donc pas issu de l'ancienne noblesse. L'évêché de Luçon étant traditionnellement dans la famille, et son frère y ayant renoncé pour être moine, Armand-Jean devint docteur en Sorbonne et fut sacré évêque (1607). Il s'occupa avec soin de son diocèse.

Le gouvernement de Concini et la chute du favori

Le pouvoir de Concini grandissait car cet homme aimait le risque et voulait profiter de la faveur de la régente. Il affaiblit la position de Villeroy, en s'appuyant sur le chancelier de Sillery et son fils le secrétaire d'État Puisieux.

La révolte des grands seigneurs. — La réunion des États n'avait pas calmé les oppositions au parlement ou chez les grands seigneurs. Condé, premier prince du sang, quitta la cour en signe de désaccord. Il fut suivi des plus grands seigneurs, catholiques ou protestants avec la politique royale. Comme toujours, cette prise d'armes était avant tout une attaque contre les conseillers du roi, et non contre le roi lui-même. Mais elle signifiait le rassemblement de gentilshommes liés aux révoltés, la publication d'un manifeste et la prise de places fortes.

Marie de Médicis ne renonçait pas à ses projets matrimoniaux et la cour gagna Bordeaux en octobre 1615. Les vieux conseillers de la reine mère l'avaient engagée à ne rien tenter contre les princes rebelles pour éviter toute bataille et toute mauvaise surprise. Sur la Bidassoa, eut lieu l'échange des princesses – Élisabeth de France et Anne d'Autriche. Le mariage de Louis XIII fut célébré le 28 novembre 1615 à Bordeaux.

Les ministres de Concini. — Les armées des princes avaient multiplié les mouvements et les pillages, et il fallut négocier avec eux. À Loudun, le 3 mai 1616, Condé obtenait tout ce qu'il demandait. Concini se sentait menacé et il changea le gouvernement. Jeannin garda le titre de surintendant des finances, mais il fut en fait remplacé par un contrôleur général, Claude Barbin, qui joua le rôle de principal ministre sous les ordres de Concini. Richelieu, évêque de Luçon, devenait le secrétaire des commandements de la reine mère, donc son principal conseiller, et servit d'intermédiaire avec Condé. Mais celui-ci multipliait les provocations et finalement la reine Marie le fit arrêter le 1er septembre 1616. Le peuple de Paris saccagea la maison de Concini, mais la réaction s'arrêta là, et Condé resta prisonnier jusqu'en octobre 1619. Le duc de Bouillon et d'autres se déclarèrent en faveur du prince emprisonné. Concini proposa à Richelieu (qui était encore appelé Luçon) de diriger les affaires étrangères.

Les débuts difficiles de M. de Luçon. — Richelieu fut d'abord jugé favorable aux Espagnols. Il eut bien des difficultés à imposer son autorité aux ambassadeurs français et il hésitait entre la politique pro-espagnole et catholique, menée jusqu'alors par Marie de Médicis et Concini, et la politique internationale conduite auparavant par Henri IV. Surtout la France fut entraînée dans une première guerre de Mantoue ou du Montferrat, suscitée par le duc de Savoie. Lesdiguières, gouverneur du Dauphiné, protestant, ami du duc de Savoie, aida ce dernier à repousser les Espagnols qui étaient entrés dans le Piémont, mais il n'avait pas le consentement de la cour de France. Le Conseil et Richelieu ne désavouèrent pas pourtant le redoutable Lesdiguières, même si Richelieu avait rêvé plutôt d'une grande négociation internationale catholique à Paris, sur les problèmes d'Italie du Nord.

La mort du maréchal d'Ancre : une décision royale. — Un manifeste des princes révoltés attaqua Concini et ses « créatures », les nouveaux ministres. Richelieu répondit et prépara trois armées. Elles mirent en déroute les troupes des princes révoltés : Soissons était assiégé.

Mais le bouleversement politique vint du jeune Louis XIII lui-même, alors âgé de 16 ans. Il était tenu à l'écart du gouvernement par sa mère qui le terrifiait et longtemps l'avait fouetté. Il se méfiait de sa jeune femme qui vivait avec des Espagnols. Il était humilié par les audaces de Concini et dissimulait sa colère. Il décida de se débarrasser de l'encombrant maréchal. Ce coup d'État (ou de majesté) fut permis par Luynes, modeste gentilhomme provençal devenu grand fauconnier de France, car il s'occupait des oiseaux de proie du roi et avait gagné la confiance du jeune homme. Luynes lui donna assez d'assurance pour tenter cet acte d'audace en groupant autour de lui un petit conseil secret. Le 24 avril 1617, sur ordre du roi, le capitaine des gardes Vitry arrêta Concini qui, pourtant, avait toujours près de lui des gardes du corps. Le Florentin voulut se défendre, il fut alors exécuté à coups de pistolet. Nul ne contesta au roi ce droit d'exercer sa justice d'État, sans jugement ni conseil. La joie éclata dans Paris, Soissons ouvrit ses portes. La foule déchaînée, le lendemain de la mort de Concini, alla déterrer le cadavre et le mit en pièces. La reine mère fut écartée du pouvoir, Léonora Galigaï fut condamnée par le parlement et exécutée le 8 juillet 1617. Les ministres furent disgraciés : Richelieu suivit la reine mère en exil à Blois, puis fut relégué en Avignon, Barbin était emprisonné.

Nouveau gouvernement, nouvelle politique

Louis XIII d'emblée montra beaucoup d'application dans son métier de roi, assistant tous les jours au conseil des affaires. Il montra tout de suite qu'il était jaloux de l'autorité royale, la faisant respecter avec brutalité, à l'intérieur comme à l'extérieur. Son affection pour Luynes fit de celui-ci un favori sur lequel s'accumulèrent les honneurs : en 1619, il était fait duc et pair. Mais Luynes, homme courtois et aimable, n'était guère intelligent, et son influence fut plus apparente que réelle. Les vieux ministres de Henri IV, les « barbons », furent rappelés : Villeroy, Brûlart de Sillery, Jeannin, Du Vair ; Brûlard de Puisieux s'occupa des Affaires étrangères.

Une ligne politique nouvelle semblait s'imposer comme le prouva l'aide au duc de Savoie. En effet, Lesdiguières intervint cette fois au nom du roi de France. Pas à pas, la Savoie s'était échappée de la protection espagnole et s'était rapprochée de la France, ce qui fut marqué par le mariage de Victor-Amédée, le fils du duc Charles-Emmanuel, avec Christine de France, sœur de Louis XIII, le 10 février 1619. Mais le gouvernement devait tenir compte aussi du grand conflit qui embrasait le Saint-Empire.

La France face à la guerre européenne

Les prudents « barbons » empêchèrent Louis XIII de s'engager personnellement dans la guerre de Trente ans alors qu'il rêvait déjà de combats. La situation européenne devenant très complexe et les risques de conflit étant permanents pour la France, le besoin se fit sentir d'une personnalité qui saurait définir une ligne politique claire et cohérente et qui s'y tiendrait. Ainsi Louis XIII, malgré ses réticences, confia les affaires de la France à Richelieu.

Le début de la « guerre de Trente ans »

En effet à Prague, en Bohême, une grave crise politique avait éclaté. Les seigneurs protestants de Bohême n'acceptaient pas leur nouveau roi, Ferdinand de Styrie – d'une branche cadette de la maison de Habsbourg –, car ce catholique fervent était favorable à une reconquête catholique face aux protestants, dans ses domaines, mais aussi en Allemagne et dans toute la chrétienté. Le 23 mai 1618, la révolte commença par la défenestration de Prague : trois administrateurs furent jetés par la fenêtre du palais royal. Ils n'eurent aucun mal, mais l'acte était une rupture. Le conflit s'étendit à tout le Saint-Empire, d'autant que Ferdinand fut élu empereur le 28 août 1619. Les révoltés de Bohême se choisirent comme nouveau roi l'électeur palatin, Frédéric, qui était calviniste. Mais les troupes protestantes furent vaincues, près de Prague, à la Montagne Blanche, le 8 novembre 1620.

Cette défaite ne finissait pas le conflit mais le commençait. Ferdinand accabla le malheureux roi de Bohême qui perdit le Palatinat et fut banni de l'Empire. L'Espagne était aussi mécontente de la trêve avec les Provinces-Unies qui avait surtout permis un développement du commerce hollandais. En 1621, la guerre reprenait entre le roi d'Espagne et les Hollandais. Les Habsbourg s'étaient liés par de nouveaux engagements : en 1617, un accord entre les deux branches de cette maison promettait l'Alsace, en grande partie dépendante de l'Autriche, à l'Espagne.

Les campagnes intérieures de Louis XIII

Louis XIII ne s'était pas engagé dans les affaires internationales parce qu'il avait à imposer sa propre autorité sur le royaume.

La fuite de la reine mère et la « drôlerie » des Ponts-de-Cé. — Le jeune roi devait compter avec les manœuvres des grands seigneurs et de sa mère. Marie de Médicis, toujours surveillée à Blois, trouva un allié en la personne du duc d'Épernon, l'ancien mignon de Henri III, auquel la charge de colonel général de l'infanterie donnait une influence immense dans l'armée. Au début de 1619, d'Épernon aida la reine mère à s'échapper de sa résidence et il l'accueillit à Loches, réputée imprenable. Richelieu reçut la mission de quitter Avignon et de rejoindre Marie pour préparer une réconciliation. Un arrangement fut signé bientôt à Angoulême. En signe d'apaisement, Condé fut enfin libéré en octobre 1619 et il prit de l'importance au Conseil.

L'agitation nobiliaire demeurait, cette fois contre le favori Luynes qui accumulait les faveurs royales pour lui et pour les siens. De grands seigneurs se retirèrent dans leurs provinces. Ils offrirent leurs services à la reine mère qui, elle-même, se sentait humiliée par Luynes et ses frères, et elle prit la tête de cette nouvelle révolte. Le roi entreprit une expédition militaire, en Normandie, puis en Anjou. Une bataille eut lieu près des Ponts-de-Cé, seul passage de la Loire entre Nantes et Amboise : on parla de la « drôlerie » des Ponts-de-Cé le 7 août 1620, car cette guerre entre le fils et la mère semblait presque comique et il fut facile de venir à bout des troupes de la reine mère. Celle-ci obtint l'amnistie.

La révolte des protestants : une nouvelle guerre de religion. — À plusieurs reprises, au cours de ces mobilisations nobiliaires, le gouvernement avait craint un soulèvement simultané des protestants. Louis XIII n'avait pas de sympathie pour les protestants dont son père avait été le protecteur. L'absolution d'Henri IV avait prévu le rétablissement de la religion catholique en Béarn et en Navarre. Louis XIII rétablit le culte catholique dans toutes les paroisses de Béarn et rendit aux ecclésiastiques les biens qui leur avaient été confisqués au temps des guerres de Religion (25 juin 1617). Les résistances protestantes se manifestèrent notamment lors de l'assemblée de Loudun en septembre 1619. Libérés de la guerre contre la reine mère, Louis XIII et Luynes décidèrent d'imposer par la force la volonté royale et de ne pas rentrer à Paris, pour gagner le Sud. Le Béarn fut occupé, et, avec la Navarre, fut incorporé au domaine royal. Il n'y eut plus désormais qu'un parlement à Pau, à la place du Conseil souverain de Béarn. Le clergé reprenait possession des églises.

Mais la révolte protestante se répandait ailleurs. Une assemblée de députés protestants se réunit à La Rochelle le 25 décembre 1620. Elle prit aussitôt des mesures qui défiaient l'autorité royale : elle levait des troupes et s'emparait des impôts royaux. Les huguenots avaient un chef désormais : le duc de Rohan, un grand capitaine, gendre de Sully. Le roi décida de mener une campagne contre les révoltés et il donna à Luynes la charge de connétable de France (Montmorency était mort en 1614). Puis l'armée royale, renonçant à contrôler La Rochelle, mit en vain le siège devant Montauban (août-décembre 1621).

Louis XIII était humilié par ses sujets révoltés. Luynes mourait d'une mauvaise fièvre. Fort de son expérience, le roi jurait de ne plus se laisser conduire par un favori. Marie de Médicis rentra au Conseil au début de 1622, mais Condé y restait puissant en s'appuyant sur les Brûlart, qui dominèrent le Conseil d'octobre 1622 à février 1624. Comme gage de la réconciliation avec sa mère, Louis XIII demanda au pape de faire Richelieu cardinal (5 septembre 1622).

Malgré la tension internationale, il parut nécessaire de rétablir d'abord la paix intérieure. Louis XIII battit le frère de Rohan, Soubise (à Saint-Gilles-Croix-de-Vie, alors sur l'île de Rié), il prit des places fortes, bloqua La Rochelle et partit assiéger Montpellier. Rohan résistait mais voulait négocier. L'intermédiaire fut le gouverneur du Dauphiné, Lesdiguières. Lui-même choisit d'abjurer le protestantisme et fut fait connétable, le dernier de l'histoire de France. En octobre 1622, le traité de paix de Montpellier était signé : La Rochelle et Montauban restaient places de sûreté.

La tension internationale et l'arrivée de Richelieu au conseil

La Valteline. — La Valteline était une source de tension entre la France et l'Espagne. C'était la haute vallée de l'Adda, un passage stratégique à travers les Alpes. C'était le chemin crucial pour les armées espagnoles, depuis que la France tenait la Bresse et le Bugey. La Valteline dépendait des Grisons (ligues grises), alliés protestants des cantons suisses et de la France. Mais la population de la Valteline, catholique, était poussée à la rébellion par les Espagnols.

Le nouveau roi d'Espagne, Philippe IV, beau-frère de Louis XIII, avait appelé au pouvoir le comte d'Olivarès, qui allait tenter de définir une politique de réforme à l'intérieur et de gloire à l'extérieur. Il s'agissait avant tout de venir à bout de la révolte hollandaise, d'aider l'empereur Ferdinand dans sa reconquête catholique et de rétablir la situation de l'Espagne en Europe et dans le monde.

Le gouverneur espagnol de Milan occupa une partie de la Valteline. Après une rencontre entre Louis XIII et Charles-Emmanuel de Savoie, la Ligue de Lyon réunit la France, Venise et la Savoie (7 février 1623). Olivarès, inquiet de cette coalition, recula et accepta que la Valteline fût confiée à des troupes pontificales qui assureraient la neutralisation de la vallée.

Richelieu, principal ministre. — Au gouvernement, la reine mère avait repris de l'influence et elle conseillait désormais une politique d'intervention extérieure, car elle écoutait volontiers les conseils de Richelieu. La personnalité la plus marquante était alors le surintendant des finances, La Vieuville. Il tenta, avec le soutien des financiers, d'améliorer les finances de la monarchie, mais il fut victime des attaques lancées contre lui par des écrivains, sans doute à la solde de Richelieu, comme Fancan. Pourtant Louis XIII restait hostile à Richelieu dont il craignait l'esprit « altier et dominateur ». Marie de Médicis, revenant à la charge, obtint de son fils qu'il appelât le cardinal de Richelieu au Conseil, ce que le roi accepta le 29 avril 1624. Comme cardinal, il y avait la première place. D'abord Louis XIII voulut confiner le cardinal dans un rôle de simple conseiller, mais Richelieu devint vite indispensable au roi. Il utilisa les polémistes à sa solde pour attaquer La Vieuville pour des imprudences financières : le surintendant fut arrêté et conduit à

Amboise d'où il s'évada en 1625. Richelieu n'avait plus de rival au Conseil. En 1629 seulement, Richelieu fut déclaré « principal ministre » de l'État.

Louis XIII et Richelieu

Le choix du roi. — Louis XIII, roi ombrageux, exigeant et glorieux, avait trouvé en Richelieu un homme capable d'imaginer pour la monarchie française une politique ambitieuse de grande puissance, à l'échelle de toute l'Europe, mais aussi un homme assez talentueux pour trouver les moyens humains et financiers de la réaliser. Malgré les intrigues et les échecs, Louis XIII sut résister à toutes les oppositions et garda, non sans aigreur parfois, Richelieu à son poste jusqu'à ce qu'il mourût, dix-huit ans plus tard. Avec Richelieu, la France s'orienta pendant près de dix ans vers une alliance avec les princes protestants qu'elle soutenait discrètement. Dans un monde en guerre, la France entretint les conflits près de ses propres frontières sans intervenir directement.

La sombre personnalité de Louis XIII. — Quelle était la personnalité de Louis XIII – en 1624, il avait 23 ans ? C'était d'abord un homme très pieux qui avait la plus haute idée de sa mission sur terre. Très jaloux de son autorité et de sa réputation, il était implacable dès qu'il avait la sensation qu'on lui avait désobéi : alors, il n'hésitait pas à condamner à mort, même les plus grands, même des êtres qu'il avait aimés. Il consacrait beaucoup de temps et de soins aux affaires de l'État, il avait le goût du secret et du travail. Mais c'était aussi un homme sombre et méfiant. Son éducation avait été rigoureuse et sa mère ne lui avait guère montré d'affection. Il n'aima pas sa femme Anne d'Autriche : son mariage, consommé en 1619, ne lui apporta aucune joie. Il fallut le hasard d'un orage pour que fût conçu le futur Louis XIV en décembre 1637, qui fut suivi néanmoins de Philippe, duc d'Anjou. En revanche, il donnait sa confiance à des favoris auxquels le liait une passion amoureuse, sans doute platonique : Luynes, Barradas, Saint-Simon, des femmes aussi comme Louise de La Fayette ou Marie de Hautefort, enfin le dangereux Cinq-Mars. Louis XIII pratiquait avec talent tous les travaux manuels, mais surtout il aimait la chasse et l'équitation et, dès 1624, il se réfugia souvent dans le petit château de Versailles. Malgré une santé fragile, c'était pourtant un roi soldat qui, sans avoir de larges vues stratégiques, se plaisait à conduire en personne son armée.

L'homme rouge. — Les qualités de Richelieu, l' « homme rouge » *(Roland Mousnier),* avaient été soulignées depuis longtemps par ses amis mais aussi par tous les observateurs. C'était un homme intelligent qui n'avait pas craint l'étude : ses travaux de théologie lui avaient donné le goût de la réflexion et de l'écriture. Il aimait présenter par écrit ses vues politiques et il faisait travailler sur des mémoires ses secrétaires. Surtout il apporta dans l'action une ferme volonté. Il sut s'imposer à Louis XIII, en ne travaillant que pour son autorité, sa gloire et la puissance du royaume. Pour cela, il n'hésitait jamais à exiler, à briser ou à condamner tous ceux qui humiliaient ou offensaient la grandeur royale. D'où sa réputation de dureté et d'insensibilité.

Richelieu eut toujours le souci d'être bien informé et bien secondé. Il disposa pour connaître l'Europe d'un remarquable collaborateur, un capucin, François du Tremblay, le Père Joseph (1577-1638), l' « éminence grise » – il portait le froc gris des capucins – qui allait devenir cardinal lorsqu'il mourut.

Richelieu eut aussi le soin d'utiliser les hommes de lettres pour imposer ses idées, pour célébrer le roi, et pour chanter ses propres vertus, et ainsi orienter l'opinion publique. Il avait le souci de son propre destin. Il ne dédaignait les apparences du pouvoir et le faste ; il se construisit une grande fortune et il favorisa les membres de sa famille et de son lignage. Richelieu, qui avait grande allure, savait charmer, mais ce fut aussi un homme d'une grande piété.

L'arrivée de Richelieu ne signifia pas une rupture politique. Certes, le cardinal apparaissait comme un homme capable de comprendre une situation internationale complexe et de défendre les intérêts de son roi. Mais il fallait tenir compte des difficultés intérieures : oppositions des grands, mécontentement nobiliaire, résistances des cours souveraines, inquiétudes protestantes, plus tard révoltes populaires. Richelieu s'efforça de mener de front les deux politiques et surtout il réussit à dominer les ennemis déclarés du roi, à l'intérieur comme à l'extérieur, alors que ses prédécesseurs avaient semblé s'occuper alternativement des affaires intérieures ou des affaires extérieures. Enfin si, tout au long de ces dix-huit années, Richelieu put compter dans son action sur la confiance et le soutien du roi, en permanence il dut lutter pour les conserver et, selon ses dires mêmes, ce fut sa tâche la plus difficile.

Le gouvernement du royaume (1624-1630)

Le pouvoir royal résista aux conspirations de la noblesse, comme aux révoltes contre l'impôt, mais en même temps il multiplia les initiatives pour mettre au pas la noblesse, démanteler ses forteresses, réformer la législation. Richelieu assuma l'impopularité qu'une telle politique impliquait.

Les conspirations

Une grave incertitude pesait sur la vie intérieure du royaume : le couple royal n'eut pas d'enfant jusqu'en 1638 et les relations entre Louis XIII et sa femme n'étaient pas bonnes. L'héritier présomptif de la couronne était donc le frère du roi, Gaston : ce prince était séduisant alors que son frère ne l'était guère, il aimait le luxe et les arts, que n'aimait pas le roi, mais il était paresseux, velléitaire surtout. Sa situation l'entraîna, tout au long de sa vie, dans des conspirations qui étaient destinées à lui donner le pouvoir, mais il n'hésitait pas à dévoiler ses propres manœuvres et à dénoncer ses complices, et, par son rang même, il fut toujours pardonné. Gaston devait épouser la très riche Marie de Bourbon-Montpensier, princesse du sang, mais il aurait préféré une princesse étrangère afin d'affirmer sa place en Europe. Anne d'Autriche se mêla à l'affaire, inspirée par la veuve du connétable de Luynes, devenue duchesse de Chevreuse, surintendante de la maison de la reine, belle, intelligente, énergique et intrigante. La reine était hostile au mariage, de crainte qu'une naissance n'affaiblît encore sa position de reine sans fils. Ainsi se constitua le parti de l' « aversion au mariage ». Ornano, l'ancien gouverneur de Gaston, fut fait maréchal de France, mais la duchesse de Chevreuse le gagna, ainsi que les Vendôme, demi-frères du roi. Ornano prépara le départ de Gaston de la cour et envoya des lettres à l'étranger. Une véritable conspiration s'opposait à la volonté de Louis XIII qui réagit brutalement. La vie même de Richelieu, et celle du roi peut-être, avaient été en danger. Louis XIII fit arrêter Ornano le 14 mai 1626. Puis ce fut le tour des deux Vendôme, qui furent emprisonnés, le duc étant privé de son gouvernement de Bretagne. La cour gagna Nantes où eut lieu le mariage de Gaston et de Marie de Montpensier. Gaston, lui, obtenait les duchés d'Orléans et de Chartres comme apanage.

À Nantes, le roi s'en prit à un grand seigneur, de la famille des Talleyrand, le marquis de Chalais, qui avait été imprudent par amour pour la duchesse de Chevreuse. Une chambre criminelle fut instituée à Nantes pour juger Chalais qui fut condamné à mort et décapité (19 août 1626). La duchesse de Chevreuse s'enfuit, Anne d'Autriche dut s'expliquer devant le Conseil. Malgré son illustre naissance, Chalais n'avait pas obtenu la pitié royale. Richelieu apparaissait comme le ministre responsable de cette cruauté et cette crise avait montré que le cardinal devenait un bouc émissaire de la haute noblesse dans les intrigues de cour.

Le renforcement du pouvoir royal

Le ministre en profita pour imposer un remaniement du Conseil : le chancelier d'Aligre dut se retirer et laisser les Sceaux à Michel de Marillac. Ce magistrat du parlement de Paris, savant et dévot, était un homme de confiance de Marie de Médicis et un ami de Richelieu ; il avait bien réussi à la surintendance des finances. Il avait organisé le procès retentissant de Chalais. Le marquis d'Effiat le remplaça aux finances.

Le duc de Montmorency, fils de l'ancien connétable, quelque peu compromis dans la conspiration de Chalais, préféra abandonner sa charge d'amiral de France, de Bretagne et de Guyenne qui fut supprimée et dont il fut largement indemnisé (août 1626). Comme Lesdiguières mourut en septembre 1626, le roi décida de ne plus faire de connétable. Ainsi deux grands offices de la couronne – amiral de France et connétable de France – disparaissaient. Ils coûtaient cher au roi et surtout lui portaient ombrage : au monarque seul revenait le soin de commander aux armées et aux flottes françaises. En revanche Richelieu devenait grand maître, chef et surintendant général des mers, navigation et commerce de France, ce qui lui donnait une tâche administrative plus que militaire (octobre 1626).

Le démantèlement des forteresses

Une assemblée des notables (13 prélats, 10 gentilshommes et une trentaine de magistrats) fut réunie du 10 novembre 1626 au 24 février 1627. Une des questions abordées fut celle des fortifications. Le gouvernement royal, instruit par les prises d'armes et par les guerres civiles, avait décidé le 31 juillet 1626 de démanteler, c'est-à-dire de rendre inefficaces, les remparts des villes, des bourgs, des églises ou des maisons fortifiées. Ainsi une évolution s'amorçait dans le royaume : les fortifications seraient réservées aux places sur les frontières de la France et ce fut l'œuvre de tout le XVIIe siècle. Une telle mesure ne pouvait que plaire aux populations qui, souvent, devaient payer ou travailler pour l'entretien des remparts. Or ces remparts n'avaient plus de sens puisque l'ordre public ne dépendait plus d'un seigneur local, mais était assuré par le roi et ses agents. C'était un coup porté à l'orgueil de la noblesse dont la position et le rôle sociaux avaient été longtemps symbolisés par ces citadelles. Les notables acceptèrent la démolition des fortifications pour l'Angoumois, la Provence ou le Dauphiné.

Le Code Michau : la réforme avortée

Aux souhaits de l'assemblée des notables, le roi répondit par la déclaration royale du 16 juin 1627. Michel de Marillac prépara une ordonnance qui en reprenait les conclusions. Tous les sujets étaient abordés, souvent dans le désordre (administration de la justice, affaires ecclésiastiques, universités, hôpitaux, impôts, droit criminel, commerce extérieur). Dans l'ensemble, une tendance centralisatrice et réformatrice se faisait jour. Deux décisions provoquèrent de fermes réactions. La première limitait le droit de remontrances des parlements : elles ne pourraient être présentées que dans les deux mois suivant la publication d'une loi. Le parlement de Paris, déjà mécontent de la réunion de l'assemblée des notables, refusa cette clause et il fallut un lit de justice le 15 janvier 1629 pour imposer l'ordonnance. La seconde cause de tension concernait la situation de la terre en France. Le roi soumettait toutes les terres du royaume à la « directe universelle du roi » : il se prétendait seigneur de toute terre sans titre, s'il n'y avait pas de preuve que c'était un franc-alleu, une terre qui n'avait pas de seigneur. C'était un moyen de percevoir ainsi des taxes domaniales sur ces terres-là. Cela contredisait les règles des pays de droit écrit : « Nul seigneur sans titre », puisque le roi se déclarait seigneur sans titre. Les parlements du Midi refusèrent l'enregistrement. En réalité, ce « code » fut ridiculisé et baptisé du prénom de son auteur, Michel, d'où « Code Michau » et la disgrâce de Marillac en 1630 ne favorisa pas son application.

La lutte contre les duels

La monarchie avait essayé depuis longtemps de limiter les duels, ces affrontements pour des questions d'honneur, qui faisaient des ravages dans la noblesse. Comme Henri IV, Louis XIII prit un édit contre les duels en février 1626 : la peine de mort néanmoins ne serait appliquée que lorsqu'il y aurait mort d'un des combattants dans des conditions d' « atrocité de crime ». Or un jeune seigneur, François de Montmorency-Boutteville, cousin du duc de Montmorency, avait déjà vingt-et-un duels à son actif. Après avoir été amnistié par le roi, il revint à Paris et se battit en duel sur la place Royale et l'affrontement tourna à la rixe crapuleuse. Ayant fui, il fut arrêté et condamné à mort par le parlement. Richelieu laissa le roi décider, tout en indiquant : « Il est question de couper la gorge aux duels ou aux édits de Votre Majesté. » Les supplications de la mère du condamné et des princesses ne changèrent pas la décision du roi et le condamné fut décapité (juin 1627). Cette rigueur, au nom de l'obéissance, offusquait le sens de l'honneur qui faisait partie de la conscience nobiliaire. Une telle sévérité était encore attribuée à Richelieu qui était ainsi haï par la noblesse de cour. C'était aussi un coup porté à la maison de Montmorency.

Les émeutes de l'impôt

Les expéditions à l'intérieur du royaume, comme plus tard le siège de La Rochelle, coûtaient cher. À cela venaient s'ajouter les interventions à l'extérieur. D'Effiat choisit d'augmenter en priorité les impôts indirects, surtout les impôts de consommation, c'est-à-dire la gabelle et les aides. Il lui était beaucoup plus difficile d'augmenter le produit des impôts directs. En pays d'élections, où la monarchie fixait et levait elle-même la taille, il était presque impossible d'exiger plus, car la pression fiscale était déjà lourde. Dans les pays d'États, il fallait négocier le montant des impôts avec les États provinciaux qui défendaient les intérêts de leurs populations et obtenaient de ne contribuer aux dépenses de l'État que pour des sommes modiques. La monarchie imagina de transformer certains pays d'États en pays d'élections, ce qui supposait d'y implanter les officiers appelés « élus ». Cette implantation suscita des émeutes, ainsi en Quercy en 1624. En revanche, le passage se fit sans heurts en Dauphiné où les États cessèrent de se réunir (jusqu'à la veille de la Révolution). En Provence et en Languedoc, les États négocièrent et, contre une contribution plus forte, ils se dégagèrent de la menace des élus.

Peu à peu, une mésentente s'esquissa entre Marillac et Richelieu. Le garde des Sceaux était sensible à la fréquence de ces « émotions », signe de l'inquiétude et du malheur des peuples. Le cardinal pensait que les Français pouvaient payer et devaient financer la politique royale.

Les opérations militaires à l'intérieur et à l'extérieur

Le cardinal de Richelieu conduisait la politique étrangère de la France. Il chercha à lui gagner des alliés, sans trop s'engager dans une guerre directe contre les Habsbourg. Car il avait à tenir compte des réticences en France, et dans le Conseil du roi même, et il devait en permanence mener des campagnes contre les protestants révoltés. Le succès du siège de La Rochelle conforta néanmoins la situation du cardinal auprès de Louis XIII, et cet homme d'Église se transformait en homme de guerre.

Les hésitations politiques

Les alliés naturels de la France face aux Habsbourg. — Le ministre espagnol Olivarès avait préparé une stratégie à l'échelle de l'Europe pour vaincre enfin la résistance des Provinces-Unies, avec l'aide de l'empereur. Cette stratégie visait à prendre les Provinces-Unies en tenailles, par une opération impériale au nord depuis l'Allemagne septentrionale et par une opération espagnole au sud depuis les Pays-Bas espagnols.

Quelle fut alors l'attitude de Louis XIII ? Il renouvela ses liens avec les Provinces-Unies (traité de Compiègne, juin 1624) et promit des subsides, c'est-à-dire des aides financières. Et un rapprochement avec l'Angleterre fut marqué en 1625 par le mariage du nouveau roi Charles Ier d'Angleterre et d'une sœur de Louis XIII, Henriette-Marie de France. Richelieu favorisa aussi l'alliance avec la Savoie : il accepta en 1624 d'intervenir en Italie, pour faire diversion, en lançant une attaque commune contre la république de Gênes, qui était le banquier de l'Espagne. Les opérations furent mises au point par Charles-Emmanuel et le vieux connétable de Lesdiguières : elles se feraient par terre et par mer. Commencée en mars 1625, l'opération tourna au désastre. La plus grande prudence s'imposait donc pour la France d'autant plus que l'année 1625 fut une « année admirable » pour l'Espagne : l'éclatant succès espagnol à Breda (juin 1625) pouvait peut-être laisser présager la fin de la révolte hollandaise. L'ambassadeur français en Espagne avait signé le traité de Monzon au grand dam du duc de Savoie (5 mars 1626).

Une seconde guerre de religion. — Le duc de Rohan ne se résignait pas à l'affaiblissement de la cause protestante et à la politique résolument catholique du roi. Il savait mobiliser des forces en Languedoc, et La Rochelle s'était révélée imprenable, lors des campagnes de Louis XIII. Cette ville mettait à la disposition des protestants une force navale et elle avait la possibilité de lancer des raids sur des ports concurrents. Benjamin de Soubise, frère de Rohan, lança une fois encore des opérations maritimes contre les côtes au début de 1625. Il avait pris les îles de Ré et d'Oléron. Mais le duc de Montmorency, gouverneur du Languedoc, alors amiral de France, fut chargé de rassembler une flotte et il affronta, au large de Ré, les Rochelais qui furent sévèrement battus (septembre 1625). Ce n'était encore qu'une première escarmouche : La Rochelle fut bientôt au centre de l'attention européenne.

Le siège de La Rochelle

Richelieu pensait que le rapprochement avec l'Angleterre n'était pas solide. Le favori de Charles Ier, Buckingham, avait restauré la force navale anglaise, il conseillait une politique internationale brillante pour mieux affirmer le prestige du roi anglais face à ses sujets et il souhaitait un affrontement avec la France dont les ambitions maritimes inquiétaient aussi les marchands et les marins anglais. En effet, Richelieu étant grand maître et surintendant général de la navigation et du commerce depuis 1626, il avait lancé trois compagnies maritimes, munies de larges privilèges. La Rochelle, capitale du protestantisme français, craignait que l'action de Richelieu, pour dominer les côtes et pour développer les compagnies de commerce, ne menaçât, à terme, sa situation et sa relative indépendance. Enfin, il faut ajouter l'interprétation traditionnelle qui voyait en La Rochelle un « État dans l'État », en tout cas une ville libre dans le royaume.

Le cardinal chercha des alliés et signa un traité d'alliance avec l'Espagne, un an après Monzon. Le parti dévot exultait. L'Angleterre prépara une flotte de 60 navires qui prit la mer le 27 juin 1627 sous le commandement de Buckingham. Le but de l'opération fut l'île de Ré, défendue par Toiras : Buckingham débarqua le 25 juillet 1627. Des Rochelais vinrent offrir leurs services au commandant anglais. Peu à peu, la ville, enflammée par le discours des pasteurs, s'engagea dans la bataille, et le 10 septembre, on tira sur l'armée royale, qui s'était installée devant la ville. Le roi prit lui-même le commandement de ses 20 000 hommes et 1 200 d'entre eux débarquèrent sur Ré et dégagèrent Toiras. Buckingham dut rembarquer (novembre 1627) ; il fut assassiné l'année suivante. L'attaque anglaise débouchait sur un siège de La Rochelle.

Richelieu décida de doubler le siège terrestre par un hermétique blocus maritime, car la ville, ravitaillée par la mer, pouvait résister. Il fallait l'affamer puisqu'elle était bien défendue. Le cardinal fit construire une digue, à la fois éloignée de la ville pour ne pas être détruite par les canons, et assez protégée pour être à l'abri d'un coup de main venu de la haute mer. L'ingénieur militaire Clément Métezeau réalisa cet entassement de pierres sur un soubassement de navires coulés (décembre 1627 à mars 1628). L'ensemble laissait passer les flux de la mer et résista aux marées d'équinoxe. « Haute de 20 m, longue de 1,5 km, elle est renforcée du côté du large par une ceinture de vaisseaux enchaînés les uns aux autres, chargés de pierres et de gravats, et coulés sur place » *(Abel Poitrineau)*. Un étroit passage au centre était surveillé par des batteries.

La flotte anglaise tenta à deux reprises de dégager la ville. Le traité avec l'Espagne fut plus symbolique qu'efficace. Jean Guiton, maire le 30 avril 1628, incarna le refus de la reddition. En mai 1628, les « bouches inutiles » furent expulsées de la ville. La situation de la cité affamée devint désespérée et, le 27 octobre 1628, les députés se présentèrent devant Richelieu qui exigea une capitulation sans conditions, offerte le lendemain. Le 1er novembre, le roi et son ministre entraient dans La Rochelle. Elle était passée de 28 000 personnes à 6 000 et elle perdait ses franchises, son maire et son administration municipale, ses fortifications. La Rochelle devenait un port comme un autre et ne serait pas « la république huguenote de l'Atlantique » *(Yves-Marie Bercé)*. Richelieu conseillait la clémence, car les habitants avaient souvent affirmé leur attachement au roi : Louis XIII accorda un pardon général. Le cardinal avait dirigé les opérations du siège : la capitulation de la ville était un succès personnel pour lui et l'événement eut un grand retentissement en France et en Europe. Le rapprochement franco-espagnol n'avait été qu'un leurre. Les oppositions protestantes restaient vivaces en France.

La guerre couverte en Italie

Peu à peu la France s'engagea dans un affrontement contre l'Espagne en Italie. Ce n'était pas encore une guerre déclarée, une guerre ouverte, mais c'était une guerre « couverte ». Quant à l'Espagne, elle espérait que les campagnes contre les protestants détourneraient l'attention du roi de France.

La succession de Mantoue : une pomme de discorde. — En 1627, le duché de Mantoue devint une pomme de discorde. Le 26 décembre 1627, le duc de Mantoue mourait : il n'avait pas de descendance directe. Mais il avait des cousins, les Gonzague-Nevers, qui vivaient en France. L'empereur, suzerain de Mantoue, refusa l'investiture du duc de Nevers, qui s'empara néanmoins du duché. Un prince, originaire de France, s'installait comme duc de Mantoue et marquis de Montferrat, et flanquait ainsi, de part et d'autre, le Milanais, possession espagnole.

Le siège de Casale : un enjeu majeur pour l'Espagne. — Comme le roi de France était occupé au siège de La Rochelle, l'Espagne attaqua le nouveau duc de Mantoue. Louis XIII restait prudent. Les deux villes essentielles, Casale, défendue par une garnison française, et Mantoue, étaient fidèles au duc de Nevers. L'enjeu était essentiel pour l'Espagne : en effet Casale contrôlait le passage de Gênes vers Milan.

Olivarès dont la politique n'avait rencontré, après Breda, que des échecs, autorisa le siège de Casale. En effet, il devenait évident que les Hollandais ne seraient pas vaincus. Si au contraire la ville italienne était prise, c'eût été une victoire symbolique dont l'Espagne avait bien besoin. Olivarès envoya de l'argent, mais l'armée espagnole était mal ravitaillée et le siège s'enlisa. Cette intervention supposait un choix dans la stratégie espagnole : l'Italie ou les Provinces-Unies ? Olivarès, en janvier 1629, prédisait que si une armée française franchissait les Alpes, une guerre commençait qui durerait trente ans ! Remarquable prévision, puisque le traité des Pyrénées ne fut signé qu'en 1659. La tension était telle entre Louis XIII et Philippe IV d'Espagne que tous deux s'étaient empressés de faire leur paix avec l'Angleterre.

La victoire du Pas-de-Suse. — La Rochelle avait capitulé. Richelieu, dès décembre 1628, conseilla une intervention en Italie du Nord. Le parti dévot y était hostile : Marie de Médicis était soutenue par le garde des Sceaux Marillac. Selon eux, l'affaire de Casale était un fait mineur pour lequel il n'était pas essentiel de s'opposer à l'Espagne, et pour lequel il ne fallait pas sacrifier la volonté de réforme à l'intérieur du royaume et l'effort de reconquête catholique en France et en Europe. Selon eux, Richelieu conseillait la guerre pour se rendre indispensable au roi, alors que cette politique accablait le peuple et entraînait des émotions populaires.

Richelieu rassembla une armée de 35 000 hommes dans la vallée du Rhône. Les troupes françaises franchirent les Alpes et forcèrent toute résistance au Pas-de-Suse (6 mars 1629). Ce combat, conduit par Louis XIII, établissait, pour la postérité, sa réputation militaire, bien entretenue par la propagande royale. Un accord intervint et le siège de Casale fut levé. Néanmoins le ministère espagnol ne voulait pas rester sur cet échec et Olivarès obtint une aide de l'empereur, à savoir plusieurs dizaines de milliers d'hommes. En s'engageant en Italie avec l'empereur, il abandonnait lui-même la grande stratégie européenne qu'il avait élaborée.

La paix d'Alais (1629). — Le gouvernement de Louis XIII se fortifia en venant à bout d'une nouvelle révolte protestante du Languedoc, menée par Rohan. En effet le duc de Rohan, toujours invaincu, avait levé une armée et des villes huguenotes s'étaient armées. Louis XIII qui rentrait d'Italie obtint la capitulation de Privas (29 mai 1629), soumit le Vivarais et prit Alais (Alès). Rohan obtint une paix générale et Louis XIII signa le 28 juin 1629 l'édit de grâce d'Alais. L'amnistie était générale. L'édit maintenait la tolérance religieuse établie par l'édit de Nantes, mais mettait fin aux « places de sûreté », donc à la puissance politique des huguenots et aux assemblées de protestants. Richelieu, pendant l'été 1629, resta en Languedoc et fit tomber les remparts de plus de vingt villes. Le temps des prises d'armes était terminé et les protestants se montrèrent désormais très légalistes et royalistes, bénéficiant d'une « tolérance empirique qui n'avait jamais existé jusque-là » *(Yves-Marie Bercé).*

Richelieu, fort de ce succès, obtint en novembre 1629, de reprendre la guerre en Italie, alors que les Impériaux y arrivaient : c'était la première fois depuis 1527 qu'une armée allemande se trouvait en Italie. Ce fut le moment aussi où les rapports entre le cardinal et la reine mère se détériorèrent.

En même temps, le cardinal, dans un mémoire au roi du 13 janvier 1629, avait fixé les grandes orientations d'un programme politique : « Il faut raser toutes les places qui ne sont point frontières. Faire que le roi soit absolument obéi des grands et des petits, remplir les évêchés de personnes choisies, sages et capables... La France ne doit penser qu'à se fortifier en elle-même, et bâtir, et s'ouvrir des portes pour entrer dans tous les États des voisins et les pouvoir garantir des oppressions d'Espagne quand les occasions s'en présenteront. » L'ordre intérieur passait par la soumission de la noblesse et le renouveau de l'épiscopat, il permettrait de résister à l'influence de l'Espagne en soutenant contre elle les États trop faibles.

La « journée des dupes », un tournant pour le royaume ?

Richelieu, qui commandait les armées françaises, fit franchir le Mont-Cenis à une armée pour secourir Casale. La redoutable place de Pignerol fut prise le 22 mars 1630 : avec elle, la France disposait, selon les conceptions du temps, d'une « porte » permanente pour pénétrer en Italie. Il fut aussi décidé que l'on occuperait l'ensemble de la Savoie pour garder ouvert le passage des Alpes et Louis XIII en personne s'empara du territoire savoyard. Ce fut une véritable promenade militaire (mai-juin 1630). La peste ravageait toutes les armées qui se trouvaient en Piémont : Français, Espagnols et Impériaux en souffraient, car l'Europe, surtout méditerranéenne, connaissait une nouvelle vague d'épidémie, et la circulation des soldats accélérait ses ravages. Le 26 juillet 1630, Charles-Emmanuel le Grand, duc de Savoie, mourut.

Les Impériaux, quant à eux, prirent Mantoue le 18 juillet 1630 et saccagèrent la ville qui avait été un admirable foyer de civilisation au début du XVIIe siècle. Tout dépendait de Casale, de nouveau assiégée par les Espagnols. Toiras défendait la citadelle avec une garnison française. Un envoyé pontifical, Giulio Mazarini – son nom fut francisé en Mazarin – tentait de parvenir à une suspension d'armes qu'il obtint finalement en septembre 1630.

La situation européenne en 1630

La situation en Italie du Nord n'était pas indépendante de celle du Saint-Empire. Là, la guerre était par nature un affrontement international, car les princes allemands se considéraient comme des souverains indépendants et cherchaient de l'aide hors de l'Empire. Les deux branches de la maison de Habsbourg étaient liées par une alliance solide et par une politique commune. Mais leur victoire militaire, incontestable en Allemagne, signifiait une reconquête religieuse et une réorganisation de l'Empire dont l'édit de Restitution fut le symbole (mars 1629) : il s'agissait de récupérer les territoires et les biens ecclésiastiques « sécularisés », c'est-à-dire confisqués par les princes qui s'étaient convertis à la réforme après la paix d'Augsbourg au XVIe siècle.

L'Espagne avait repris la guerre contre les Hollandais et les succès initiaux avaient flatté les rêves de prestige à Madrid. Mais les Hollandais avaient réagi avec vigueur sur terre et sur mer, et menaçaient désormais l'empire colonial de l'Espagne, la base même de sa puissance.

Les ambitions stratégiques des Habsbourg inquiétaient l'Europe entière. La France, longtemps embarrassée par les révoltes protestantes, puis par le siège de La Rochelle, avait montré sa présence en intervenant en Italie du Nord. Le conflit entre les Bourbons et les Habsbourg était encore indirect. L'Angleterre, longtemps à l'écart, avait ensuite mené une politique internationale incohérente qui avait affaibli la monarchie anglaise.

Une réunion des Électeurs se tint à Ratisbonne dans l'été 1630. Des observateurs, venus de toute l'Europe, comme le P. Joseph, y assistaient. Les Électeurs critiquèrent la politique intérieure et extérieure de l'empereur. En revanche, l'édit de Restitution fut approuvé, au moment même où le roi de Suède, Gustave-Adolphe, pénétrait dans l'Allemagne du Nord, au nom de la défense du protestantisme.

Le traité de Ratisbonne

Richelieu avait confié aux envoyés français à Ratisbonne la négociation sur le conflit en Italie du Nord. Après la prise de Mantoue par les Impériaux, les négociateurs français prirent peur et acceptèrent de signer, le 13 octobre 1630, un traité qui prévoyait le repli des troupes françaises et impériales d'Italie du Nord. La situation en France était alors très tendue car, à la fin de l'été, Louis XIII était tombé gravement malade à Lyon et sa mort avait semblé prochaine. Il était à peine remis lorsque arriva la nouvelle du traité de Ratisbonne, le 20 octobre 1630.

C'eût été un échec pour la politique de Richelieu puisque la France abandonnait ses alliés et laissait le champ libre à l'empereur. Le cardinal renversa le cours des événements, « fit un triomphe d'un désastre possible et audacieusement il décida de rejeter le traité prétendant que les envoyés français avaient outrepassé leurs pouvoirs » *(J. H. Elliott)*. Le cardinal n'hésitait pas à détruire la négociation de son fidèle P. Joseph. Louis XIII refusa donc de ratifier cet accord qui n'aurait pas été envisagé dans les instructions des plénipotentiaires.

Le « grand orage »

Le rejet du traité de Ratisbonne laissa des traces en France. Richelieu fut soumis aux attaques des partisans de la paix et de ses adversaires politiques qui voulurent agir vite. Ils craignaient qu'avec cette rupture, la guerre entre Louis XIII et les Habsbourg n'éclatât, ne durât longtemps et que Richelieu demeurât en place. La reine mère lança l'offensive. Richelieu se crut disgracié. Ce fut, selon le mot de Bautru, la « journée des dupes » du 11 novembre 1630.

Souvent présentée comme un affrontement personnel entre la reine mère, Marie de Médicis, et le cardinal de Richelieu, la « journée des dupes » ou le « grand orage » traduisit une opposition entre deux politiques, à l'intérieur comme à l'extérieur. Du côté de la reine mère, les « dévots », c'est-à-dire les catholiques qui trouvaient dans les principes religieux les fondements de toute action politique, étaient hostiles à l'aide apportée aux ennemis des Habsbourg catholiques et à toute perspective de guerre. Le garde des Sceaux, Michel de Marillac, proposait d'abord une politique de réforme du royaume. Richelieu, au contraire, imposait une politique d'intervention en Europe contre l'encerclement supposé des Habsbourg. Toute réforme du royaume était remise à plus tard et ce qui comptait c'était d'obtenir des Français des moyens financiers. Or Marillac craignait le mécontentement : « La sédition est partout en France », proclamait-il. Lors de la maladie du roi, le maréchal de Bassompierre et le maréchal de Marillac, frère du garde des Sceaux, s'étaient rencontrés pour décider du sort de Richelieu et ils avaient proposé de le tuer si le roi venait à mourir. Marie de Médicis avait peut-être obtenu de son fils le renvoi du cardinal après la paix, que l'on attendait. Richelieu comprit peut-être que le traité signifiait la fin de son destin politique.

Les hésitations autour de cet accord de Ratisbonne aigrirent en tout cas les rapports dans le cercle autour du roi. Le 10 novembre 1630, eut lieu un conseil où il fut question des généraux en Italie : le commandement fut donné au frère du garde des Sceaux, le maréchal de Marillac. Aussitôt après, Marie de Médicis rompit ouvertement avec le cardinal, lui retirant sa charge de surintendant de sa maison. Le roi demanda à Richelieu de se rendre le lendemain au palais du Luxembourg, résidence de la mère du roi, sans doute pour tenter une réconciliation. Le 11 novembre 1630, Louis XIII était chez sa mère, au palais du Luxembourg : elle demandait le départ du ministre. Richelieu réussit à pénétrer, par une porte laissée ouverte contre toutes les consignes de la reine mère qui, en le voyant, se déchaîna contre lui. Le cardinal, qui perdait assez facilement son sang-froid, sanglota et baisa le bas de la robe de Marie de Médicis. Louis XIII en sortant demanda à son ministre de le rejoindre à Versailles où il avait l'habitude de chasser. Toute la journée, Paris pensa que le redoutable Richelieu était disgracié. Lui-même le croyait et était prêt à prendre la fuite : il fut rasséréné par son ami, le cardinal de La Valette, et le soir même, il gagna Versailles. L'entrevue dura quatre heures : le roi demanda à son ministre de continuer à tenir « le timon des affaires ».

Louis XIII tint un conseil tard dans la nuit du 11 novembre et décida d'écarter les ennemis du cardinal : Michel de Marillac fut arrêté, emprisonné et mourut en prison. Son frère, le maréchal de Marillac fut arrêté en Italie au moment même où il recevait le commandement de l'armée, il fut jugé, et, contre toute attente, il fut condamné à mort et exécuté en 1632. La reine mère sembla se résigner, se retira à Compiègne, puis elle s'enfuit aux Pays-Bas. D'abord accueillie à bras ouverts par les Espagnols, elle reçut d'eux une pension, puis vécut en Angleterre et en Allemagne, tentant toujours de contrer la politique de Louis XIII. Elle ne revint jamais en France et elle mourut à Cologne en 1642.

En France, la victoire politique de Richelieu fut saluée comme celle des « bons Français » et comme la défaite du parti pro-espagnol.

La fin de la guerre de Mantoue

L'espoir d'un retrait français d'Italie du Nord avait rassuré l'empereur qui était préoccupé par l'intervention suédoise dans le Saint-Empire. Il cessa de s'intéresser à l'Italie, reconnut Charles de Gonzague-Nevers, ce qui débloquait la situation politique. Mais débarrassé de cette menace française et se sentant plus fort, l'empereur ne fut pas tenté par des concessions aux princes protestants qui regardèrent d'un œil favorable l'arrivée des Suédois.

Les troupes françaises avancèrent vers Casale le 17 octobre 1630 malgré les allées et venues de l'envoyé pontifical, Mazarin. Le 26 octobre, elles étaient en vue de la ville, au contact des Espagnols et elles partaient à l'assaut lorsque Mazarin sortit des rangs espagnols « agitant une écharpe blanche, ou un chapeau, ou un crucifix, ou le texte de la trêve et criant : “Pace, Pace” » *(Pierre Goubert)*. « On peut se demander pourquoi les Espagnols, plus nombreux que les Français, refusèrent le combat. C'est sans doute un des secrets que le rusé Mazarin a emportés avec lui... » *(Georges Mongrédien)*.

L'accord des généraux fut signé sur le champ : Casale serait remise au duc de Mantoue, enfin reconnu par l'empereur, et il mettrait ses troupes dans la citadelle. Louis XIII signait une alliance avec le nouveau duc, Victor-Amédée Ier, qui retrouvait la Savoie. Des accords secrets prévoyaient la cession de Pignerol à la France. Le 5 juillet 1632, Louis XIII obtenait cette « porte » : en effet, Pignerol était à mi-distance entre Briançon et Turin.

L'affaire de Mantoue avait aussi fait découvrir à l'Europe Giulio Mazarini (1602-1661).

Sa famille issue de Ligurie s'était installée en Sicile. Ensuite son père Pietro avait étudié à Rome, et fut protégé des Colonna. Giulio avait fait de bonnes études et, en raison de son charme, avait été bien accueilli dans la société romaine. Il avait fait un séjour en Espagne. Ayant d'abord tenté une carrière militaire, il suivit ensuite, comme secrétaire, le nonce à Milan. Mazarini fut chargé par le nonce et par Rome de continuer le travail de médiation pontificale dans l'affaire de Mantoue (1629). Il montra à la cour pontificale son inlassable activité de négociateur et il eut l'occasion de rencontrer Richelieu (janvier 1630). Après l'éclatant succès devant Casale, se posa la question de sa future carrière. L'élégant cavalier dut se résigner à se faire tonsurer (1632), mais il n'alla pas plus loin et ne fut jamais prêtre. Les Espagnols considéraient que l'Italien les avait joués au profit de la France. Ils ne voulurent pas que des récompenses vinssent reconnaître cette action diplomatique : Mazarini ne put obtenir la nonciature en France qu'il espérait et qui lui aurait donné le chapeau de cardinal : en 1634, il fut néanmoins chargé d'une nonciature extraordinaire à Paris. Ami du duc de Savoie, il suivait toujours avec passion les affaires européennes. Mais la guerre qui éclata entre la France et l'Espagne en 1635 l'obligea à gagner Avignon comme vice-légat. Richelieu s'intéressait toujours à lui et demanda le chapeau pour lui lorsque mourut le P. Joseph, mais il ne l'obtint pas. En décembre 1639, Mazarin quitta Rome et vint se mettre au service de Louis XIII et de Richelieu. Il semble avoir obtenu des lettres de naturalité qui faisaient de lui un Français. En 1641, il obtint le chapeau de cardinal et en 1643, il devint premier ministre.

La « journée des dupes » avait montré que la monarchie ne changerait pas de politique. Il n'était plus temps de tenter des réformes intérieures pour soulager les peuples. Richelieu proposait de mobiliser le royaume et d'intervenir contre les Habsbourg, d'abord indirectement.

14. De la guerre couverte à la guerre ouverte (1630-1643)

Après le « grand orage » de 1630, Richelieu avait les mains plus libres pour conduire sa politique et elle s'orientait vers une intervention politique et militaire en Europe. Bientôt la guerre contre l'Espagne, voire contre les Habsbourg, sembla inéluctable. Mais le cardinal devait tenir compte des résistances intérieures et des révoltes populaires. Il avait aussi à lutter contre les intrigues de la reine mère, et longtemps, de Gaston d'Orléans, l'héritier de la couronne jusqu'en 1638.

Il faut rappeler quels étaient alors les acteurs européens. D'un côté les Habsbourg étaient les champions de la cause catholique. D'une part, le roi d'Espagne, Philippe IV, disposait de son immense empire mondial, associé à celui du Portugal, et s'appuyait sur ses domaines européens pour imposer la puissance de ses armées : Milanais, Naples, Sicile, places sur les côtes de Toscane, Franche-Comté et Pays-Bas espagnols. D'autre part, l'empereur s'appuyait sur ses domaines héréditaires, l'Autriche surtout, pour tenter d'imposer aux princes du Saint-Empire une autorité plus absolue et pour restaurer la présence et la force du catholicisme dans des zones où il avait disparu. Du côté protestant, il y avait les princes allemands, comme les Électeurs de Saxe ou de Brandebourg, et le Palatin banni de l'Empire, et bien d'autres. Ils étaient parfois solidaires des Provinces-Unies qui luttaient pour leur indépendance contre le roi d'Espagne, autrefois leur souverain, et qui ne pouvaient plus être vaincues. Le camp protestant avait regardé du côté de la Suède où s'affirmait la personnalité d'un roi guerrier, luthérien farouche. Quant au roi d'Angleterre, il manquait de moyens financiers pour intervenir en Europe. Les puissances italiennes cherchaient à ne pas être broyées en se cherchant, hors de la péninsule, des protecteurs.

La France occupait sur cet échiquier une place centrale. Elle était à portée d'intervenir dans l'Empire, en Italie ou contre les Pays-Bas espagnols. Elle pouvait couper les chemins que suivaient les troupes espagnoles entre les différents domaines de Philippe IV. Elle avait une façade méditerranéenne et une façade atlantique : elle avait donc accès à ces espaces maritimes dans un temps où la circulation sur mer était vitale. Le royaume français était aussi très peuplé. Ce n'était pas essentiel pour les armées qui comptaient beaucoup de mercenaires, mais c'était surtout une chance pour le roi d'avoir un grand nombre de contribuables. En revanche la France avait d'immenses frontières et de longues côtes à protéger, la capitale pouvait être facilement menacée à partir du nord ou de l'est, et, si la France entrait en guerre, elle devrait multiplier les armées pour garder le royaume. Le cardinal de Richelieu s'était efforcé de donner une flotte au pays – 30 vaisseaux de ligne en 1630.

L'engagement indirect de la France dans la guerre

Gustave-Adolphe de Suède, arbitre de l'Europe

La diplomatie française avait réussi à imposer en 1629 une trêve entre les deux cousins ennemis du Nord, Gustave-Adolphe Vasa, le roi luthérien de Suède, et Sigismond Vasa, le roi catholique de Pologne. Gustave-Adolphe pouvait ainsi intervenir sur le continent, dans le Saint-Empire. Il était résolu à défendre la cause réformée. Chef de guerre, il désirait utiliser son expérience militaire pour liquider l'influence des Habsbourg sur les rivages de la Baltique. Les ressources de la Suède en fer et sa métallurgie donnaient au roi son artillerie qui devait jouer un rôle nouveau dans les batailles et bouleverser ainsi la tactique. La puissance suédoise était aussi liée financièrement à la place d'Amsterdam. Gustave-Adolphe débarqua sur le continent le 6 juillet 1630. Richelieu put soutenir cet allié du Nord : le 23 janvier 1631, par le traité de Bärwalde, la France s'engagea à verser pendant cinq ans un immense subside à la Suède. Gustave-Adolphe remporta de grandes victoires et son avancée irrésistible plongea l'Europe dans la stupeur. Il battit les Impériaux à

Breitenfeld le 17 septembre 1631 et il s'installa en Rhénanie. Il semblait l'arbitre de l'Europe.

Le roi de France avait pris aussi la précaution de s'allier en 1631 avec le duc Maximilien de Bavière. Cette puissance catholique disposait de solides ressources en hommes et en argent, et elle pouvait tenir tête à l'empereur. Le duc Maximilien voulait que la France lui reconnût le titre d'Électeur que l'empereur lui avait donné. Il craignait l'extension de la guerre et l'impact de l'intervention suédoise – en faveur des protestants.

Le contrôle progressif de la Lorraine

Richelieu et le P. Joseph suivaient avec attention les événements d'Allemagne. Vers l'est, la Lorraine occupait une place stratégique. Le duc de Lorraine, Charles IV, penchait du côté de l'empereur. Or il avait accueilli, après la journée des dupes, Gaston d'Orléans, le frère de Louis XIII qui était hostile à Richelieu. Une armée française, commandée par le roi, s'avança en Lorraine pour menacer le duc. Charles IV fut contraint de signer le 6 janvier 1632 le traité de Vic : il accordait le libre passage à travers le duché et jurait de ne s'engager dans aucune alliance au préjudice des Français. Il promettait de s'opposer au mariage de sa sœur Marguerite avec Gaston qui était veuf : or le duc avait assisté au mariage secret trois jours auparavant. Cette tromperie raviva la colère de Louis XIII, lorsqu'il en fut informé, car il n'avait pas donné son autorisation de frère et de roi.

Richelieu préparait tout un réseau de garnisons à l'est pour faciliter une intervention dans le Saint-Empire. Profitant de la complicité de Charles IV et de Gaston, Louis XIII imposa au duc un nouveau traité (Liverdun, 26 juin 1632). Des garnisons françaises s'installaient dans les places de Lorraine. Il s'agissait surtout de garder des ponts sur la Meuse. Le roi de France envoya aussi une armée pour occuper des places que l'Électeur de Trèves lui confiait en juillet 1632 (Ehrenbreitstein, Coblence et Trèves).

La révolte de Montmorency

En même temps, Louis XIII dut s'occuper de la révolte du gouverneur du Languedoc, Montmorency, maréchal depuis 1630. En effet ce duc estimait que Richelieu lui avait confisqué ses charges maritimes et que son lignage était en butte aux vexations du ministre. Il lui avait offert ses services en 1630 au pire moment, et, selon lui, le cardinal ne l'en avait pas assez récompensé, car il désirait l'épée de connétable qu'avait eue son père. Il entra en contact avec Gaston, toujours rebelle. Le duc disposait en Languedoc d'une large clientèle et de fidèles soutiens, d'autant que les Montmorency y étaient gouverneurs depuis cent ans. Le pouvoir royal avait inquiété la province en voulant y introduire des élus alors que l'impôt était négocié d'habitude avec les États du Languedoc. L'agitation et le mécontentement se répandaient en Languedoc. Les États se réunirent en décembre 1631 à Pézenas. Le gouverneur entra en pourparlers avec eux pour soulever la province. En revanche le parlement de Toulouse ne le suivit pas. Au même moment, Gaston d'Orléans pénétrait sur le territoire français avec une troupe de mercenaires, appelant le royaume à se soulever, et il alla rejoindre Montmorency. Vaincu et blessé à Castelnaudary par les forces royales, le maréchal fut jugé et exécuté à Toulouse (30 octobre 1632), tandis que Gaston prenait la fuite. Ainsi Richelieu, et, à travers lui, le roi de France avaient rejeté dans l'ombre un lignage qui, depuis le XVIe siècle, avait souvent mené une politique d'indépendance vis-à-vis de la couronne. Le roi, qui vint en personne en Languedoc, renonça aux élections et confirma les privilèges de la province.

La pression sur la Lorraine se fit plus lourde encore. Par le traité de Charmes en septembre 1633, le duc de Lorraine était obligé d'abandonner Nancy. Le duc préféra quitter son duché et se mettre au service de l'empereur. La Lorraine allait être désormais traversée par les armées françaises. C'était, comme l'Alsace, le nœud des communications avec l'Allemagne et de là avec les pays du Danube ou l'Italie, et vers le nord, avec les pays du Rhin et les Pays-Bas. Cette présence militaire pesa lourdement sur la vie des villages lorrains. En 1633, le Lorrain Jacques Callot fit paraître une série de gravures saisissantes sur les malheurs de la guerre, et ceux-ci ne faisaient que commencer.

La revanche catholique

La mort du roi de Suède et ses conséquences. — Gustave-Adolphe affronta l'armée impériale à Lützen (17 novembre 1632) : le combat fut long et indécis, mais le Suédois était mort sur le champ de bataille. Cette mort ne changea pas la situation internationale. Le chancelier Oxenstierna gouverna désormais au nom de la jeune reine Christine de Suède et il disposait de bons généraux dont Bernard de Saxe-Weimar.

La victoire de Nördlingen. — L'Espagne avait accepté d'envoyer une force armée à travers l'Allemagne : elle était commandée par le propre frère de Philippe IV, l'infant Don Fernando, qui était cardinal (le « cardinal-infant »). Les troupes espagnoles et les troupes impériales se rejoignirent et remportèrent une grande victoire sur les Suédois à Nördlingen le 6 septembre 1634. Puis le cardinal-infant gagna les Pays-Bas qu'il allait gouverner.

L'entrée en guerre de la France

Avant 1635, les interventions de la France avaient été limitées. Elles n'avaient été radicales qu'en Lorraine et dans les pays rhénans. L'alliance avec la Suède n'allait pas sans une certaine méfiance à l'égard de cette puissance du Nord dont la cour de France craignait qu'elle ne se forgeât un empire allemand. Or la politique française visait à protéger aussi les princes catholiques en Allemagne. En revanche, l'alliance avec les Provinces-Unies était une constante et une garantie contre l'Espagne.

L'effort de guerre et les tensions sociales en France

Les dépenses nouvelles. — Alors que l'Espagne était épuisée par la guerre, la France, elle, ne l'était pas. Elle put encore disposer de ressources importantes : pour les dépenses, la barre des 20 millions de livres n'avait été franchi qu'en 1603, et elles atteignaient 57,5 millions en 1632, pour faire un bond à 208 millions de livres en 1635, puis il y eut une « décompression » *(F. Bayard, P. Guignet)* jusqu'à 85 millions en 1648. Richelieu allait remplacer comme secrétaire d'État à la Guerre Abel Servien par Sublet de Noyers, ancien intendant aux armées en Picardie et en Champagne. C'était un civil et un financier qui devait permettre la conduite de la guerre. Bullion resta surintendant des finances de 1632 à sa mort en 1640. S'il sut financer la guerre, qui dépassait les moyens de l'État, ce riche financier fut ainsi à l'origine de révoltes dans le pays et il sut réaliser pour lui une immense fortune. Richelieu avait trouvé des collaborateurs sur lesquels il pouvait s'appuyer pour les questions financières et qui lui permettaient de se consacrer tout entier aux affaires internationales.

Or l'essentiel des revenus de la monarchie française tenait dans l'impôt direct, la taille, qui était mal supportée par les populations. La part de la taille passa de 40 % des revenus de l'État à 54 % en 1639, et même à 62 % en 1648. Or la taille pesait surtout sur le monde paysan, même si les tailles étaient très variées et si le surintendant s'efforçait d'en diversifier la pression.

Il est aussi vrai que ces exigences nouvelles de la monarchie frappaient une population française frappée par de fortes crises démographiques, dans les années 1628-1632 et 1636-1638. L'épidémie de peste, venue de Flandre, d'Allemagne et d'Angleterre, toucha tout le territoire et aurait fait deux millions de morts.

Les révoltes populaires. — La pression fiscale fut à l'origine des révoltes populaires qui éclatèrent en France. La colère était dirigée contre les gens de finance et surtout leurs plus humbles commis, qui étaient considérés comme des voleurs. Le cadre de la révolte était la paroisse ; l'occasion, c'était parfois une foire ou tout autre rassemblement inhabituel. À l'origine de la révolte, l'annonce d'un nouvel impôt souvent, parfois une simple rumeur nullement fondée. Et le soulèvement s'étendait à toute une province. Il s'agissait d'avertir le roi, car il ne pouvait être responsable des abus commis en son nom. La révolte allait jusqu'à la prise d'armes. Ce n'étaient pas les plus pauvres qui s'insurgeaient, mais plus souvent des laboureurs, des métayers, des fermiers sur lesquels pesaient les impôts les plus lourds. Ces mouvements se choisissaient souvent des gentilshommes comme capitaines. Mais ces révoltes échouèrent parce ce qu'elles n'étaient pas coordonnées et finalement elles ne mettaient en péril ni l'ordre politique, ni l'ordre social.

Louis XIII et son ministre eurent aussi à faire face aux complots et aux intrigues politiques. Si, dans les années 1630, la monarchie française sembla plus ébranlée que l'espagnole, elle finit pas imposer sa loi, alors que les efforts demandés par Olivarès aux sujets du roi d'Espagne débouchèrent, dans les années 1640, sur une révolte presque générale en Espagne.

Le recours aux intendants. — Le pouvoir central eut de plus en plus souvent recours à des commissaires : une commission définissait et limitait leur mission qui, par définition était temporaire. Ils prirent peu à peu le nom d'intendants. Pour imposer une décision royale ou pour régler un conflit local, il fallait des hommes sûrs. Or les officiers du roi, pour les finances ou la justice, étaient trop indépendants du pouvoir central et trop liés à la société locale dont ils se faisaient volontiers les défenseurs et parfois les complices. Des commissaires avaient été chargés de missions en matière de justice, ou d'administration militaire dans une armée. Ils eurent bientôt trois missions, souvent associées : la justice, la police et les finances. Les intendants eurent une tâche lourde en matière fiscale au moment où l'effort devenait démesuré et où des résistances étaient à craindre. Ils devaient prendre en main ou surveiller la répartition de la taille et activer en général la rentrée des impôts. Ils eurent souvent à employer la manière forte et à se doter de cavaliers d'élite pour contraindre les contribuables à payer. Ils furent généralisés le 28 septembre 1634, par un arrêt qui leur permettait d'entrer dans les bureaux de finances pour surveiller le travail des trésoriers de France. Plus tard, ils eurent même le droit de se substituer aux officiers de finances, dans leurs tâches.

Choisis souvent parmi les maîtres des requêtes, ils furent munis de pouvoirs de plus en plus étendus et généraux, et leur mission tendit à devenir permanente. Ils étaient des agents de l'État ; ils incarnaient une volonté de centralisation au nom de l'efficacité ; ils contribuaient à l'affirmation de l'autorité royale. Leur action était coordonnée par le nouveau garde des Sceaux Pierre Séguier (né en 1588) : il fut nommé chancelier en 1635 et le fut jusqu'à sa mort en 1672, soit près de quarante ans à la tête de la justice, et longtemps de toute l'administration.

La rupture avec l'Espagne

Les traités préalables. — Louis XIII désirait entrer en guerre immédiatement et Richelieu, qui cherchait encore des solutions diplomatiques à la situation européenne, lui demanda de confirmer sa volonté par écrit, ce qu'il fit dans un texte en dix points (4 août 1634). Mais les intrigues de Gaston d'Orléans à Bruxelles firent évoluer la situation car le frère du roi signa un traité avec les

Espagnols, qui fut bientôt connu à Paris. La volonté offensive de Madrid contre la France était claire désormais et la guerre apparaissait comme le seul moyen de trancher. Mais la France ne voulait pas être seule face à l'Espagne.

La défaite de Nördlingen finit de convaincre Richelieu. Des accords furent d'abord préparés pour permettre à des garnisons françaises de remplacer les Suédois en Alsace, à condition de respecter les libertés des villes. La majeure partie de l'Alsace, dont Colmar et Sélestat, fut ainsi occupée. Les négociations avec les Suédois étaient difficiles : Oxenstierna dut rencontrer Louis XIII et son premier ministre et le traité de Compiègne fut alors signé le 28 avril 1635.

Le traité renouvelé avec les Provinces-Unies (8 février 1635) était défensif et offensif : deux armées, l'une française et l'autre hollandaise, devaient envahir les Pays-Bas.

La déclaration de guerre. — Les préparatifs militaires étaient tout aussi cruciaux. Pour 1635, Louis XIII avait de quoi payer 165 000 hommes. Mais l'armée que le roi avait aux portes de l'Allemagne était mal en point, affaiblie par les maladies et les désertions. Or, dans les négociations, c'était l'Alsace qui était promise au roi de France, et il faudrait encore s'en assurer et la défendre. Les Espagnols entrèrent dans l'Électorat de Trèves et, le 26 mars 1635, ils s'emparaient de l'Électeur qui était sous la protection de la France et le tinrent prisonnier. Ce fut le prétexte pour l'entrée en guerre.

La déclaration de guerre à l'Espagne fut portée au cardinal-infant, gouverneur des Pays-Bas, à Bruxelles par un héraut d'armes, selon les formes féodales, le 19 mai 1635.

La France en péril

Les stratégies. — L'offensive française fut triple : contre les Pays-Bas, en Allemagne, en Italie du Nord, et il fallait donc trois armées au moins. La stratégie d'Olivarès était aussi ambitieuse : une triple invasion de la France, le cardinal-infant depuis les Pays-Bas, un général impérial depuis la Franche-Comté et Philippe IV lui-même depuis la Catalogne.

Les fronts. — L'offensive française dans les Pays-Bas en 1635 fut d'abord facile mais ne suscita pas le soulèvement attendu. Cette armée victorieuse, faute de solde, commit de telles exactions que les populations se révoltèrent sur son passage.

Le duc de Rohan, l'ancien révolté qui s'était mis au service du roi, occupa la Valteline, en passant par la vallée supérieure du Rhin. Ce fut le seul acquis en Italie du Nord et il ne fut pas durable. Seul Bernard de Saxe-Weimar, à la tête d'une des armées suédoises d'Allemagne, portait les espoirs français dans l'Empire. Il reçut de quoi entretenir son armée. La France lui promettait aussi de grands biens en Alsace.

Car la situation de l'empereur s'améliorait. L'Électeur (luthérien) de Saxe avait signé le 30 mai 1635 la paix de Prague : il passait de l'alliance suédoise à l'alliance impériale. La plupart des princes et des villes impériales suivirent. Seuls quelques irréductibles (Hesse-Cassel) continuaient la guerre parce qu'ils n'avaient plus rien à perdre, et ils avaient besoin des secours de Louis XIII.

L'année de Corbie (1636). — L'armée espagnole put lancer une grande offensive en 1636 dans le nord de la France, tandis qu'un général impérial Jean de Werth entrait en Champagne. Le 15 août, Corbie était prise, à 120 km de Paris. C'était un passage sur la Somme et la panique s'installa dans la capitale. L' « année de Corbie » resta longtemps dans la mémoire collective. Le roi et le cardinal gagnèrent Compiègne pour diriger les opérations : l'effort militaire (30 000 hommes), les difficultés du cardinal-infant, attaqué au nord par les Hollandais, les désertions dans l'armée espagnole, en raison du mauvais ravitaillement, permirent de reprendre des villes, dont Corbie. Les commandants des places qui avaient cédé furent exécutés pour crime de trahison.

Le prince de Condé, qui avait dû abandonner le siège de Dole, fut envoyé pour arrêter Jean de Werth en Champagne, ce qui permit alors à une nouvelle armée impériale d'entrer en Bourgogne et de dévaster la province – 217 des 244 habitants de Blagny périrent en 1636. La forteresse de Saint-Jean-de-Losne résista pourtant et une victoire suédoise à Wittstock obligea les Impériaux à regagner l'Allemagne.

Trois provinces – Champagne, Picardie et Bourgogne – avaient été « foulées », c'est-à-dire pillées, par les armées ennemies. Au sud, les Espagnols s'étaient emparés sans coup férir des îles de Lérins (septembre 1635), en face de Cannes. Néanmoins, l'Espagne n'avait pu mener à bien l'offensive à partir du sud qui, au moment de Corbie, aurait pu emporter la décision.

Les ambiguïtés de l'alliance suédoise. — Oxenstierna joua longtemps ce jeu de ne pas renier l'alliance française, mais de ne pas s'y engager trop résolument. Bien sûr, il avait besoin de la France si la Suède voulait conserver un rôle dans les pays rhénans, car le reflux protestant s'accusait partout. Ce qu'il souhaitait c'était obtenir une négociation avec l'empereur pour acquérir définitivement un territoire au sud de la Baltique, dans le Saint-Empire. L'armée suédoise remporta la bataille de Wittstock, le 4 octobre 1636. Mais comme la Suède n'était pas en guerre contre l'Espagne, Oxenstierna ne voulait pas s'engager contre elle et courir ce risque de plus.

Lorsque Ferdinand II mourut le 15 février 1637, son fils, qui avait déjà été élu roi des Romains, devint l'empereur Ferdinand III.

Les Croquants

Dans cette situation de guerre extérieure, la monarchie dut venir à bout de la révolte des Croquants. Dès le début des hostilités, les rumeurs et les émotions s'étaient multipliées. La pression fiscale était très lourde à laquelle s'ajoutait « le caractère provocateur et terroriste des procédés de recouvrement » *(Yves-Marie Bercé)*. Des émeutes urbaines éclatèrent dans les villes de Guyenne, surtout le long de la Garonne de mai à juillet 1635. L'objet du soulèvement était une taxe sur les cabaretiers qui se répercutait donc sur le vin vendu au détail. Surtout, à partir de 1636, ce furent des soulèvements dans les campagnes, et désormais contre la levée des tailles. Ils éclatèrent en Angoumois, puis s'étendirent au Périgord de mai à juillet 1637. Les paroisses s'armaient, s'organisaient militairement, se donnaient comme capitaine un vieux gentilhomme, La Mothe La Forêt. D'autres gentilshommes campagnards se mettaient à la tête des bandes de « croquants » qui prirent des bourgades comme Bergerac. Le duc de La Valette arriva du Pays basque avec trois mille hommes et mit fin au soulèvement lors de la bataille de La Sauvetat-du-Dropt (1er juin 1637), laissant un millier de Croquants morts. Une abolition générale, c'est-à-dire une amnistie, fut accordée, même si les troubles persistèrent.

Richelieu eut aussi à enquêter sur l'attitude de la reine Anne d'Autriche : elle fut convaincue d'avoir une correspondance politique avec les Espagnols. Un accord conclu par les deux époux royaux détourna l'orage (été 1637).

La guerre dans toute l'Europe

Les combats aux portes du royaume. — En 1637, le roi de France reprit l'initiative sur les côtes ou sur les frontières et en 1638, une opération, à la fois maritime et terrestre, fut lancée contre Fontarabie. La flotte française du cardinal de Sourdis, homme d'Église et homme de guerre, remporta à Guetaria, petit port du Guipuzcoa, une victoire navale de belle ampleur (22 août 1638), mais, sur terre, l'armée dut abandonner le siège de Fontarabie.

Les opérations au-delà du Rhin et la mort de Saxe-Weimar. — À la fin de 1637, les Suédois avaient été repoussés un peu partout et, en 1638, seul Saxe-Weimar put mener une campagne en Allemagne. Avec l'aide de Turenne, un gentilhomme français, cadet de la maison protestante de Bouillon, Saxe-Weimar prit Fribourg-en-Brisgau, puis Brisach sur la rive droite du Rhin qui gardait un des ponts sur le fleuve. Il fallut pour cela faire un long siège (avril - décembre 1638). La France protégeait désormais l'Alsace, prenait pied au-delà du Rhin, sur la rive droite, et rompait les communications entre, d'un côté, le Milanais et la Franche-Comté, de l'autre côté, les Pays-Bas. Saxe-Weimar mourut en juillet 1639. Son armée reconnut le pouvoir du roi de France et passa sous commandement français. Louis XIII avait, avec Brisach, une monnaie d'échange dans le cas de négociations internationales.

L'impossible paix générale. — Gustave-Adolphe était mort mais les Suédois avaient su longtemps prolonger son ambition stratégique sur le continent. La France avait mobilisé des troupes, protégé ses frontières et ses côtes, rallié l'armée de Saxe-Weimar. Pourtant, dans le Saint-Empire, où était née la guerre, l'empereur avait su réparer aussi les déchirures, tout en conservant des acquis religieux et politiques. Il cherchait à se débarrasser désormais des puissances étrangères qui étaient présentes sur le sol allemand, mais, pour cela, il convenait de trouver à la France et à la Suède des « satisfactions » suffisantes.

Malgré l'échec des tentatives françaises et hollandaises contre les Pays-Bas (1638), les Espagnols n'obtenaient pas une bataille décisive. Pire, ils subirent une terrible défaite navale près de Douvres, aux Dunes, le 21 octobre 1639. Les Hollandais ayant la maîtrise de la Manche et de la Mer du Nord, le cardinal-infant était privé de renforts. Les Hollandais avaient gagné Maestricht, Breda et le Brésil : l'indépendance des Provinces-Unies était inéluctable. Le retournement international se faisait aux dépens des Habsbourg.

Pourtant les tentatives pour organiser des négociations internationales à la fin des années 1630 échouèrent.

Les grands bouleversements

Les interventions françaises en Catalogne et en Piémont

C'est en Espagne même que la tension due à la guerre aboutit à une rébellion ouverte, en Catalogne et au Portugal. Et cette fracture politique dans la péninsule Ibérique ne manqua pas d'être utilisée par les puissances hostiles.

Olivarès autorisa le vice-roi de Catalogne à contourner les lois et les coutumes de la province, si la défense du pays et le paiement des troupes le rendaient nécessaire. Or la Catalogne était fière de ses institutions et de ses traditions originales. Ce fut le soulèvement général (22 mai 1640). Cela décida les autorités catalanes à regarder du côté de la France et à offrir la souveraineté de la Catalogne au roi de France, qui devenait comte de Barcelone.

En fait la guerre eut surtout pour cadre le Roussillon et la province de Lerida. Collioure se rendit en avril 1642 et Perpignan en septembre. Les troupes françaises pénétrèrent au sud des Pyrénées et le 7 octobre 1642, lors de la bataille des Fourches (Las Horcas), l'armée espagnole ne put résister. Le vice-roi français fit une entrée triomphale à Barcelone, le 4 décembre 1642.

En 1640, le Portugal s'était aussi révolté contre Madrid. Depuis 1580, ce royaume faisait partie de l'empire espagnol. Mais la volonté d'indépendance y était grande : la noblesse se mobilisa autour du premier des nobles, le duc de Bragance, qui fut proclamé roi sous le nom de Jean IV. Les Portugais ne supportaient plus la tutelle du roi d'Espagne et ne lui pardonnaient pas d'avoir mal protégé le Brésil. La guerre d'indépendance allait durer jusqu'en 1668.

À la mort subite du duc de Savoie, Victor-Amédée Ier, en 1637, sa veuve, Chrétienne de France, sœur de Louis XIII, était devenue régente, car ses enfants étaient mineurs. Bientôt une opposition violente se déclara contre elle et se transforma en guerre civile. En 1640, grâce à l'aide française, la régente put rentrer à Turin et la paix intérieure fut rétablie.

La révolte des Nu-pieds

Les hommes et l'argent manquaient aussi en France. Richelieu recommandait à l'ambassadeur français en Grande-Bretagne, de trouver des mercenaires en Écosse. On recrutait de plus en plus dans les grandes villes, en particulier à Paris. Une ordonnance devait contraindre ceux qui s'étaient enrôlés durant les deux années précédentes à reprendre du service. Les maîtres de métiers devaient déclarer les hommes qui avaient porté les armes depuis 1635 : ceux-ci recevraient quatre écus pour respecter l'idée d'une armée de mercenaires, mais, en fait, on glissait vers le service obligatoire.

Dans l'été 1639, le gouvernement avait dû faire face à la révolte des Nu-pieds, née à Avranches le 16 juillet 1639. À l'origine, il y eut une rumeur selon laquelle le gouvernement voulait établir la gabelle, l'impôt sur le sel, dans des paroisses où elle n'existait pas. Dans ces paroisses, dites de « quart-bouillon », le sel était obtenu à partir des sables salins de la baie du Mont Saint-Michel. Le soulèvement gagna Rouen et toute la Normandie. Des commis des gabelles furent tués à Rouen en août et Richelieu décida de réprimer cette révolte. Le maréchal de camp Gassion, à la tête de mercenaires étrangers, rétablit l'ordre en Basse-Normandie en écrasant les révoltés devant Avranches le 30 novembre 1639. Le chancelier Séguier en personne vint séjourner à Rouen avec des conseillers d'État : il avait des pouvoirs exceptionnels, jugea quelque trois cents prisonniers et fit condamner à mort le principal meneur, Gorin. Le parlement de Rouen qui n'avait pas réagi face au soulèvement fut suspendu pendant près de deux ans et des villes comme Avranches, Vire, Caen ou Rouen perdirent des privilèges. Cette répression spectaculaire montrait la volonté de Richelieu de faire un exemple.

Les troubles intérieurs et les interventions hors des frontières n'arrêtèrent pas les opérations au nord du pays. Le cardinal de Richelieu avait indiqué la cible en 1640 : Arras, perdue au XVe siècle. Le 9 août 1640, le roi assistait à la prise de la ville. Presque tout l'Artois était aux mains de Louis XIII.

Les derniers complots

Le pouvoir royal envisagea de faire payer une taxe sur les biens d'Église : l'assemblée du clergé céda à cette menace et accorda quatre millions de livres au roi. Richelieu humiliait le monde des officiers en multipliant les offices nouveaux qui dévaluaient les anciens. La haute noblesse s'agitait : en 1641, le comte de Soissons, « Monsieur le Comte », prince du sang, qui, après une conspiration, s'était réfugié à Sedan, reçut des encouragements du cardinal-infant et entra dans le royaume avec une petite armée. Les troupes royales furent chargées de l'arrêter, mais elles furent battues à la bataille de la Marfée en juillet 1641. Par chance, accidentellement sans doute, le comte reçut un coup de pistolet et mourut sur le champ de bataille. Le duc de Bouillon (Frédéric-Maurice de la Tour d'Auvergne), frère aîné de Turenne, était, quant à lui, prince souverain de Sedan, et il recueillait tous les ennemis de Richelieu. Il avait soutenu le comte de Soissons, mais il obtint son pardon de Louis XIII.

En 1642, ce fut le temps de la conjuration de Cinq-Mars. C'est Richelieu lui-même qui avait poussé Cinq-Mars, le fils de d'Effiat, un de ses fidèles, dans l'amitié du roi. Louis XIII avait accumulé sur la tête du jeune homme les charges les plus somptueuses : il était Monsieur le Grand (Écuyer). Avant lui, il y avait eu d'autres favoris, mais Cinq-Mars voulut jouer un rôle politique et se débarrasser de Richelieu qui avait fait sa fortune. Il envisageait de faire un coup d'État contre le ministre, avec le soutien de l'Espagne. Fut-il encouragé par Louis XIII à tenter une ouverture vers Madrid, face au cardinal qui toujours prolongeait la guerre ? En tout cas, le jeune homme se laissa entraîner jusqu'à signer un traité avec l'Espagne. Il s'agissait de chasser Richelieu et de faire appel à Gaston d'Orléans qui serait nommé lieutenant général du royaume et qui ferait la paix avec l'Espagne, comme il s'y était déjà engagé, par une restitution réciproque des conquêtes.

Louis XIII était déjà fatigué et agacé des caprices du Grand Écuyer, mais il fallut lui donner des preuves pour le convaincre de la trahison de son favori : ensuite il laissa faire les juges.

Louis XIII se rendait au sud pour faire le siège de Perpignan. Richelieu, malade, dut rester à Narbonne. Bientôt il eut dans les mains une copie du traité que Cinq-Mars avait signé avec l'Espagne. C'est un signe du remarquable réseau de renseignements que Richelieu avait su tisser en Europe. Cinq-Mars fut arrêté le 13 juin 1642. Son ami François de Thou, issu d'une illustre famille de magistrats et d'historiens, était au courant du complot et ne l'avait pas dénoncé. Les deux jeunes gens furent jugés, condamnés à mort et exécutés à Lyon. Le duc de Bouillon qui s'était compromis dans cette affaire et qui commandait en Piémont, ne sauva sa tête qu'en cédant sa principauté de Sedan à Louis XIII ; la duchesse, dans Sedan, fut convaincue par Mazarin qu'elle ne devait pas appeler à son secours les Espagnols tout proches.

Malgré ces secousses intérieures, la situation de la France était solide : au sud et au nord, les armées espagnoles avaient été battues, l'armée suédoise avait survécu et, à la fin de décembre 1641, la France et la Suède avaient prévu l'ouverture de deux congrès de paix, l'un à Münster pour les puissances catholiques, l'autre à Osnabrück pour les protestantes.

Le 4 décembre 1642, le cardinal de Richelieu s'éteignait. Le 17 janvier 1643, Olivarès, le principal ministre espagnol, quittait le pouvoir.

Richelieu pensait, comme les hommes de son temps, qu'un grand roi devait faire la fortune de ses ministres. Il laissait à sa mort une fortune de 20 millions de livres. Il avait accumulé les dignités et les charges d'abord. Il avait rassemblé de nombreux gouvernements : Le Havre, Honfleur, Brouage, l'île de Ré, l'Aunis et La Rochelle, Nantes, la Bretagne : « ... il n'est pas exagéré de dire que tous les gouvernements importants des provinces maritimes, depuis la Basse-Normandie jusqu'aux abords de la Gironde, étaient entre ses mains » *(Joseph Bergin)*. Et ses parents tenaient aussi d'autres gouvernements proches. Comme grand maître de la navigation, il rassemblait les revenus de l'ancienne Amirauté de France. Il possédait aussi deux duchés-pairies (Richelieu et Fronsac) et de grands biens fonciers en Poitou et en Anjou. À Richelieu, pour marquer l'éclat de son nom, il fit construire un château, et une ville nouvelle autour du château. À Paris, il fit construire le Palais-Cardinal (aujourd'hui Palais-Royal) qu'il légua à la couronne. Il fit aussi de bonnes affaires sur le domaine royal : il avait ainsi une énorme rente sur les cinq grosses fermes. Il reçut comme bénéfices de nombreuses abbayes (Saint-Riquier, Cluny, Marmoutier, Cîteaux, Saint-Benoît-sur-Loire...). Proviseur de Sorbonne, il consacra de vastes sommes à construire de nouveaux bâtiments, sur les plans de Lemercier, en particulier la belle chapelle où il fut enseveli. Par son testament, il tenta, dans un souci bien aristocratique, de donner les moyens à son lignage et à son nom de durer ; il avait établi ses proches parents : son frère, archevêque de Lyon et cardinal, son cousin devenu maréchal de La Meilleraye, son neveu, grand maître de la navigation à son tour, son beau-frère, maréchal de Brézé, sa nièce qui épousa le grand Condé, et son autre nièce très aimée, devenue duchesse d'Aiguillon. Il laissait aussi de précieux papiers, des *Mémoires* et un *Testament politique*.

La transition politique

Mazarin avait succédé au P. Joseph dans la confiance de Richelieu. Dès la mort de Richelieu, Louis XIII appela ce cardinal au conseil. Il permit le retour de quelques adversaires de Richelieu, comme Gaston d'Orléans. Il obtint que Sublet des Noyers fût remplacé par Michel Le Tellier au secrétariat d'État à la Guerre – il y resta trente ans. Le 21 avril 1643, le dauphin fut baptisé et Louis XIII lui choisit Mazarin comme parrain. Le 14 mai 1643, Louis XIII mourait à son tour. Son fils Louis XIV lui succédait naturellement, mais il n'avait que 5 ans – il était né le 5 septembre 1638. Le roi défunt avait organisé sa succession : par une déclaration enregistrée au parlement, il avait prévu de contrebalancer l'influence de sa femme, de son frère et de son cousin Condé en faisant entrer le cardinal Mazarin et les ministres au Conseil de régence où les décisions se prendraient à la pluralité des voix.

La reine, comme elle en avait le droit, obtint du parlement de passer outre cette déclaration le 18 mai 1643, car elle ne pouvait accepter d'être mise en minorité au Conseil de régence et certains des ministres lui déplaisaient. Elle obtenait une pleine autorité, mais, le soir même, elle déclarait qu'elle confiait la direction des affaires au cardinal Mazarin. La régente Anne d'Autriche était sans doute plus portée à faire la paix avec sa parentèle habsbourgeoise ; pourtant elle suivit les conseils de Mazarin et resta fidèle à la politique de son mari et de Richelieu.

Rocroi

En 1643, une armée d'invasion de 28 000 hommes tenta d'envahir la France depuis les Flandres : elle subit une défaite décisive à Rocroi le 19 mai 1643.

Le duc d'Enghien, fils du prince de Condé, avait reçu le commandement de l'armée de Picardie, sous la houlette du maréchal de l'Hôpital. Rocroi, non loin de la Meuse, ouvrait la route de l'Oise vers Paris et fut assiégé par les Espagnols. Le duc d'Enghien qui avait 21 ans choisit de secourir la place, mais de tenter aussi une bataille rangée. Le duc d'Enghien avait 23 000 hommes dont 6 000 cavaliers, et l'armée espagnole comptait 27 000 hommes dont 8 000 cavaliers. Au centre de la bataille se trouvaient les redoutables tercios espagnols (l'infanterie) et l'artillerie ; aux ailes la cavalerie. Un premier affrontement le 18 mai n'aboutit à rien. Le combat reprit le 19 à l'aube. Le régiment de Picardie gagna un bois à droite du champ de bataille, où s'étaient embusqués 1 000 mousquetaires espagnols : ils furent surpris et anéantis. Le jeune prince chargea de front la cavalerie espagnole qui fut aussi contournée par la cavalerie de Gassion : ainsi l'aile gauche espagnole prit la fuite et Gassion la poursuivit. Le duc d'Enghien s'était porté au secours de son infanterie en difficulté et il se débarrassa bientôt de la cavalerie de l'aile droite espagnole. Gassion accabla les fuyards. Les tercios restaient une force formidable avec leurs piques et leur artillerie, la cavalerie française lança trois assauts, jusqu'à ce que les Espagnols fussent à court de munitions. Le retour de Gassion sur le champ de bataille fit la décision : sur 18 000 fantassins, 8 000 périrent et 7 000 étaient prisonniers. « Rocroi est une victoire de la manœuvre d'enveloppement servie par un esprit de décision et d'offensive » *(André Corvisier)*.

Cette victoire faisait du duc d'Enghien un héros, et cette idée était forte dans une société, où la culture antique restait la principale référence. Elle le confirma dans ses grandes ambitions : à la mort de son père en 1646, il devint prince de Condé, premier prince du sang. Il était appelé, par la naissance et la valeur militaire, aux plus hautes destinées dans le royaume. La bataille de Rocroi vint aussi montrer que la redoutable infanterie espagnole n'était pas invincible. Cette victoire, cinq jours après la mort de Louis XIII, qui avait dessiné la stratégie pour la campagne, montrait que la politique du roi défunt et de Richelieu portait ses fruits. Mazarin proposa à la régente de poursuivre l'effort et bientôt les Français contrôlèrent la Moselle.

L'évolution de la guerre au début du XVIIe siècle

Les nouvelles formes de la guerre

La longue guerre entre l'Espagne et les Provinces-Unies avait peu à peu transformé la nature de la guerre. Longtemps, l'infanterie avait privilégié les masses compactes d'hommes, munis de longues piques, face aux assauts des cavaliers. Les armes à feu, l'arquebuse, puis le mousquet, avant le fusil – les premiers apparurent vers 1635 – avaient permis de changer la tactique. Ce n'était plus un ordre compact qui s'imposait lors d'une bataille, mais un ordre mince qui privilégiait le feu : les soldats tiraient puis rechargeaient pendant que d'autres tiraient. Il fallait pour cela un entraînement intensif pour ne pas perdre de temps et un courage renouvelé, qui chercha des modèles dans le stoïcisme romain.

La guerre avait montré aussi l'importance déterminante des forteresses qu'il fallait prendre avant de s'avancer sur un territoire. La guerre devenait une suite de sièges qui exigeaient beaucoup de soldats pour cerner une ville et une organisation immense pour interdire toute communication avec l'extérieur. Nombre de grandes batailles eurent lieu entre une armée de siège et des armées qui venaient au secours d'une ville assiégée. Cela renforça le rôle des ingénieurs qui préparaient les sièges, mais aussi imaginaient de nouvelles défenses pour les places fortes. Les hautes murailles étaient en effet fragiles face à la puissance de feu des canons. Il fallut les rendre plus épaisses et les enfoncer dans la terre. Peu à peu s'imposa la forme polygonale du bastion qui permettait de supprimer les angles morts autour des fortifications, où les ennemis pouvaient se réfugier lors de l'assaut.

L'armée espagnole s'était imposée par la bonne organisation de son armée et par la résistance des *tercios,* qui regroupaient des piquiers, des arquebusiers et des mousquetaires. Longtemps la cavalerie ne put faire plier ces formations compactes. Rocroi annonçait leur déclin.

Le recrutement des armées françaises

De plus en plus s'imposa, en France, l'idée que l'armée devait obéir au seul souverain et servir ses seuls desseins. Malgré le souci d'une meilleure organisation administrative, il est clair que l'initiative privée restait essentielle pour le recrutement des soldats, pour leur paiement, leur armement, comme pour leur nourriture.

Depuis 1583, seul le roi avait en France le droit de recruter des troupes. Les Bourbons se méfiaient de l'office de connétable qui donnait trop d'indépendance à son titulaire. Le dernier fut le duc de Lesdiguières, mort en 1626, et l'office fut supprimé en 1627. Le corps des maréchaux de France se considérait comme héritier de l'office disparu. Le roi partagea longtemps son autorité avec des colonels généraux. Non seulement le colonel général était un arbitre et un juge, mais il recevait encore le serment des officiers dont il disputait la nomination avec le roi : le colonel général de l'infanterie, le duc d'Épernon, était le véritable chef de l'infanterie française. Cet office vit ses prérogatives réduites par Henri IV et Richelieu.

L'armée française était constituée de régiments. Chacun d'eux comprenait un nombre variable de compagnies, forte chacune de plusieurs dizaines d'hommes. Deux grades étaient vénaux : celui de colonel ou mestre de camp, qui donnait le commandement du régiment ; celui de capitaine, qui donnait le commandement d'une compagnie. Les grands seigneurs qui avaient des régiments se faisaient parfois remplacer sur le terrain par des hommes d'expérience qui prenaient le grade de colonels-lieutenants. Le prix d'un régiment était élevé et ne cessait de croître.

Le recrutement appartenait aux capitaines et à leurs « bas-officiers ». Le capitaine recevait du roi une somme pour lever, nourrir, armer et habiller ses soldats. Et il devait tenir des registres pour rendre compte de ces dépenses. Le capitaine devait présenter ses hommes lors d'une « montre » ou revue, et la solde n'était payée que pour les hommes présents.

Lorsque la guerre éclata en 1635, les formes traditionnelles de recrutement se révélèrent dérisoires.

L'armée était d'abord composée de la Maison militaire du roi, qui se constitua peu à peu. Les capitaines y étaient souvent de grands seigneurs, qui étaient par ailleurs des officiers généraux. Les mousquetaires s'y ajoutèrent et constituaient deux compagnies de troupes à cheval, qui se distinguaient par la robe de leur cheval – grise ou noire. Cette Maison militaire avait une triple fonction : garder le roi et la cour, former une troupe d'élite, servir d'école militaire *(André Corvisier)*.

L'armée française comptait aussi les « Vieux », six régiments issus des « bandes » du XVIe siècle : Picardie, Piémont, Navarre, Champagne, Normandie, avec « La Marine » créée par Richelieu, et les « Petits Vieux » créés par Henri IV – chacun portait le nom de son colonel. Selon André Corvisier, à côté de ces troupes permanentes, 250 à 300 régiments, souvent temporaires, furent aussi levés avant 1648.

Le long conflit supposait aussi une diplomatie permanente : le P. Joseph et Mazarin en avaient été les plus brillants négociateurs, mais il en fallut bien d'autres, officiels ou secrets, aux quatre coins de l'Europe. La guerre supposait une mobilisation du royaume. Elle entraîna le châtiment terrible des révoltes populaires, et cette répression devait donner l'exemple, empêcher l'extension ou le retour des émotions populaires. Cela rendait nécessaire une administration plus présente dans les provinces, plus efficace pour soumettre les populations, plus indépendante des réalités locales. L'attention aux réalités internationales permit d'intervenir dans le Roussillon et en Catalogne, en Piémont, en Lorraine et en Alsace, en Artois, et les places prises seraient soit des conquêtes définitives, soit des monnaies d'échange dans le futur.

15. La France au XVIIe siècle

Les événements tumultueux, en ce début du XVIIe siècle, mettaient en scène quelques acteurs privilégiés : le roi et ses ministres, la famille royale, les grands seigneurs, les membres des cours souveraines. Dans la société hiérarchisée de l'Ancien Régime, ces groupes entraînaient dans leur sillage des parents ou des fidèles : les troubles ou les intrigues politiques trouvaient alors un écho large et durable dans l'ensemble de la société. À cela il faut ajouter les révoltes liées à la confession protestante ou les émotions face à l'impôt. La guerre enfin a blessé directement ou indirectement le royaume, par la circulation des soldats comme par les batailles rangées. Ces ébranlements affectèrent une société fragile et cette fragilité même explique l'ampleur de ces ébranlements.

La population française du long XVIIe siècle (1600-1715)

La population du royaume

Les historiens ont distingué, pour l'évolution de la population française, deux périodes, l'une marquée par une croissance modérée de 1600 à 1669, puis un temps de stagnation globale de 1670 à 1720. Cette dernière période est mieux connue car les études historiques ont bénéficié de sources plus sûres et plus complètes. Les chiffres en matière de population restent néanmoins relativement incertains et varient selon les auteurs et les enquêtes.

La croissance modérée (1600-1669). — Le nombre des sujets du roi de France a augmenté, passant d'environ 22 millions en 1605 à environ 24 millions en 1675, mais les villes en ont plus profité que les campagnes, ce qui signifierait une poussée de l'urbanisation (le taux d'urbanisation passant de 16 % au début du siècle à près de 19 % au milieu du siècle).

Le nombre des baptêmes a augmenté de 6 % entre la première décennie du siècle et les années 1660. Mais ce mouvement général cache des crises importantes dans les années 1628-1632 et 1636-1638, puis une crise majeure en 1648-1652, enfin une crise au moment de la prise du pouvoir de Louis XIV en 1661-1662. Et les variations régionales sont aussi à souligner avec une forte augmentation dans l'ouest, une stagnation dans le Sud-Ouest, une récession sur les frontières du Nord et de l'Est.

La stagnation (1670-1720). — À la fin du XVIIe siècle, les efforts se multiplièrent pour réaliser des dénombrements de la population, des recensements encore primitifs. Vauban par exemple proposa des méthodes nouvelles pour améliorer ces comptages, mais aussi pour mieux connaître les conditions de vie des Français. Parmi ces enquêtes, il faut signaler celle de Pontchartrain en 1693, ou du duc de Beauvillier en 1697 pour l'instruction du petit-fils de Louis XIV. L'impression est celle d'une stagnation de la population, voire d'une légère baisse de 1680 à 1700.

Comme les sources sont plus nombreuses dès la fin du XVIIe siècle, les conclusions sont plus sûres. Les baptêmes diminuèrent à partir de 1670, puis connurent une chute brusque en 1694, puis une forte et rapide récupération de 1695 à 1707, une nouvelle chute en 1709-1710, ensuite la croissance fut soutenue. Pour la mortalité, la crise la plus forte eut lieu en 1693-1694, mais il y en eut une aussi en 1709-1710, ou même plus tard en 1719. Lors de la crise de 1693-1694, la France a peut-être perdu 1 600 000 habitants (les décès augmentèrent de 85 %, les mariages baissèrent de 17 % et les baptêmes de 27 %). Mais pendant les quatorze années qui suivirent, le royaume connut une nette croissance démographique. La crise de 1709-1710 entraîna une perte de 800 000 âmes et la reprise, cette fois, ne fut que partielle. Ces grandes crises « semblent donc correspondre à des paroxysmes épidémiques, aggravées par de mauvaises récoltes, et par l'état de guerre qui provoque d'importants mouvements de troupes » *(Jacques Dupâquier).*

Là encore les variations régionales étaient grandes : il faut deviner une stagnation entre Seine et Loire et peut-être dans l'Ouest, une récupération dans le Nord et l'Est, une régression dans le Sud-Est et le Sud-Ouest, une forte baisse dans le Centre. Entre 1685 et 1715, la France du Nord aurait gagné ce que la France du Sud aurait perdu (un peu plus de 800 000 âmes).

La France vers 1700. — Vers 1700, en reprenant les évaluations de Vauban, la population était concentrée dans le Nord-Ouest,

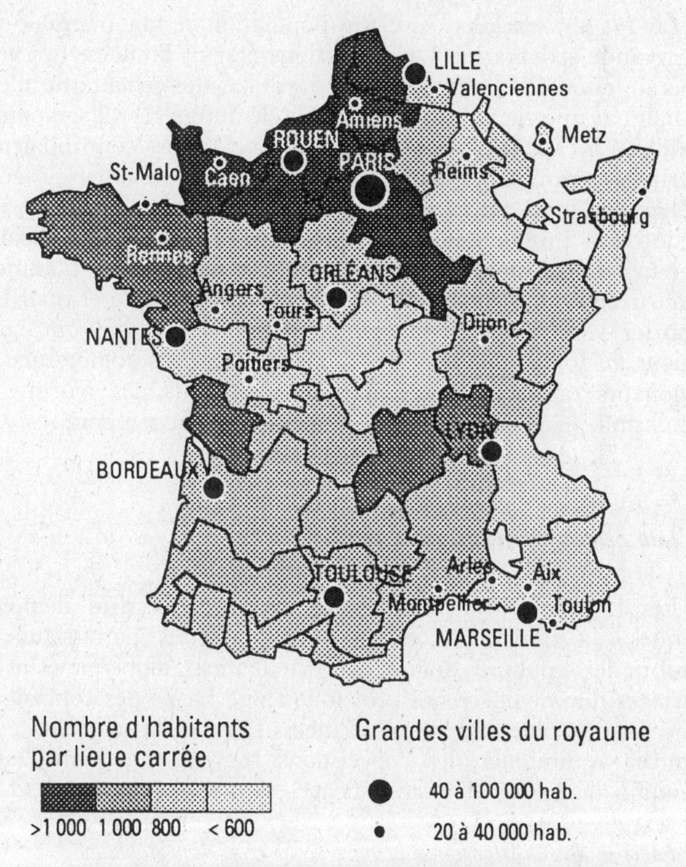

CARTE 4. — Répartition de la population vers 1700

D'après Jacques Dupâquier, *La population française aux XVIIe et XVIIIe siècles*, « Que sais-je ? », 2e éd., Paris, PUF, 1993.

surtout sur les rives de la Manche, alors que l'est du royaume restait vide, comme le centre. Les vallées du Rhône et de la Garonne offraient des densités plus fortes. Paris comptait quelque 530 000 habitants, puis venaient Lyon (97 000), Marseille (75 000), Rouen (60 000), Lille (55 000), enfin avec plus de 40 000 habitants : Bordeaux, Nantes, Orléans, Strasbourg et Toulouse ; entre 30 000 et 40 000 : Caen, Amiens, Angers, Dijon, Tours et Metz. « Ainsi, dans ses grandes lignes, le réseau urbain de la France contemporaine est déjà en place » *(Jacques Dupâquier).*

Les villages immobiles. — Cette population restait marquée par une grande sédentarité. Les migrations étaient limitées. Les villageois ne connaissaient que leur « pays ». Cette sédentarité n'empêchait pas une circulation dans un cercle autour du village pour le travail ou les événements familiaux. Trois facteurs contribuaient à ouvrir la communauté rurale sur l'extérieur : il fallait se procurer de l'argent pour payer impôts et fermages, donc négocier une partie de la production ; pour les jeunes en surnombre, il fallait chercher du travail loin du village ; enfin pour un jeune homme, il fallait trouver une épouse qui ne fût pas une parente et pour cela regarder vers d'autres villages. Néanmoins, quelques-uns voyageaient au loin, pour travailler : par exemple les colporteurs, les ramoneurs ou frotteurs de parquet savoyards, les maçons du Limousin... mais ces migrations étaient souvent temporaires.

Les crises démographiques

Les historiens ont montré l'existence de « crises démographiques » à travers les données des registres paroissiaux : le nombre des sépultures augmentait brutalement, alors que celui des mariages diminuait, ce qui provoquait une baisse des conceptions donc un peu plus tard des naissances. Lorsque la mortalité commençait à diminuer, les conceptions reprenaient. Mais l'interprétation de ces crises reste délicate.

La crise de subsistances, à la base de la crise démographique ? — Une interprétation (Jean Meuvret, Pierre Goubert) a privilégié l'explication économique. La démographie et l'économie seraient intimement liées. Ainsi fut définie la logique de la « crise de subsistances ». L'agriculture était l'activité dominante du royaume et l'essentiel de la production était destinée à la consommation des familles paysannes. Le surplus était commercialisé et permettait de nourrir les villes. Si la récolte était mauvaise en raison des conditions climatiques, les communautés paysannes connaissaient la malnutrition. Ceux qui n'avaient pas de réserves, ou d'argent disponible pour acheter ailleurs du blé, souffraient plus que les autres. Le prix du blé augmentait et le pain devenait plus cher dans les villes aussi et cette cherté y provoquait la disette. Dans les villes et les campagnes, c'étaient les plus pauvres qui souffraient d'abord. La disette favorisait la mortalité car les familles, condamnées à manger des nourritures médiocres ou infectes, souffraient de maladies digestives.

La conception des enfants, donc plus tard les naissances, diminuait en raison des aménorrhées de famine, phase d'infécondité chez la femme, à causes psychosomatiques. La misère aurait conduit aussi les familles à errer, favorisant ainsi la diffusion des épidémies. La famine de 1661, dans une période de paix, correspondrait bien à ce schéma, car hivers froids et étés pluvieux avaient entraîné plusieurs mauvaises récoltes successives.

Les grands fléaux. — D'autres historiens (Pierre Chaunu, René Baehrel) ont constaté qu'il y avait des chertés sans mortalité et des mortalités sans cherté : la crise économique ne pouvait pas toujours expliquer la crise démographique. Jacques Dupâquier en a conclu que les deux fléaux qui créaient avant tout les mortalités étaient la guerre et l'épidémie, même si les chertés pouvaient les aggraver.

La France a connu à la fois la guerre avec les puissances voisines et les troubles intérieurs (conspirations, révoltes paysannes, soulèvements protestants) et il n'y eut guère de répits, sinon la fin du règne d'Henri IV (1600-1610), les années qui ont suivi la grâce d'Alais (1629-1635), le début du règne de Louis XIV (1661-1667). Le Nord et l'Est de la France ont été particulièrement frappés pendant la guerre de Trente ans. Pour la région parisienne, l'année terrible fut 1652, à la fin de la Fronde. Les soldats commettaient des violences, mais ils contribuaient surtout à désorganiser la vie agricole et à répandre les épidémies : ce furent les armées qui apportèrent la peste dans le Nord du royaume en 1635 ou dans la région parisienne en 1652. Ainsi l'histoire politique marquait son empreinte sur l'histoire démographique. À partir du règne de Louis XIV, les guerres s'éloignèrent du royaume : « La France souffrira moins sous Louis XIV qu'au temps de Richelieu et de Mazarin » *(Jacques Dupâquier).*

Le XVIIe siècle connut encore quatre grandes vagues de peste (1600-1616, 1628-1632, 1644-1657, 1663-1670), mais à partir de cette date, cette maladie disparut pour cinquante ans : l'éradication de la peste fut une « grande victoire de l'Europe classique » *(Pierre Chaunu).* La médecine ne fit pas de progrès, mais le climat plus froid à partir de 1650 fut peut-être moins favorable à la prolifération des puces. Les mesures administratives furent plus efficaces, comme l'établissement de cordons sanitaires, et sous Louis XIV les soldats furent mieux contrôlés.

Si le repli des pestes et l'éloignement des combats diminuèrent la fréquence des crises, cela ne les écarta pas définitivement comme le montrèrent les crises de 1693-1694 et 1709-1710.

Enfin, pour expliquer les difficultés du XVIIe siècle, une évolution climatique a été mise en avant. Il y a toujours eu de mauvaises années pour la production agricole, mais le climat aurait été en général plus rigoureux au XVIIe siècle : il a été qualifié parfois de « petit âge glaciaire » avec des hivers rigoureux et des étés pourris, ce qui se traduisit aussi par une avancée des glaciers alpins. Néanmoins, le plus souvent, pour que ces difficultés climatiques eussent des conséquences démographiques graves, il fallait que la guerre ou une vague épidémique vinssent s'ajouter aux mauvaises récoltes.

Les caractères de la démographie

Une forte mortalité infantile. — La démographie restait marquée par la très forte mortalité infantile : jusqu'à 381 pour mille pour un bourg rural ou 337 pour mille à Rouen à la fin du XVIIe siècle. La moitié des enfants aurait été enlevée avant l'âge du mariage. Les morts au moment de la naissance (3 %), puis dans la première semaine, étaient nombreuses. À l'époque de Louis XIV, au vingtième anniversaire, l'espérance de vie, la durée moyenne de la vie, était de trente-deux ans.

L'âge tardif au mariage. — Les historiens ont constaté un retard de l'âge au mariage. Au XVIe siècle, les époux pouvaient être encore jeunes, mais l'âge moyen au premier mariage tendit à s'établir à 25 ans environ pour les hommes et 22 ans pour les femmes. L'âge tardif au mariage diminuait le nombre moyen d'enfants portés par une femme. Il fut la « véritable arme contraceptive de l'Europe classique » *(Pierre Chaunu)*.

Le mariage était très respecté, ce qui se marquait par le faible nombre de naissances illégitimes (autour de 1 %). Le nombre des enfants abandonnés augmenta à Paris pour la fin du XVIIe siècle – mais ce n'était pas forcément des enfants illégitimes. Les conceptions prénuptiales (avec des naissances dans les huit premiers mois du mariage) étaient aussi rares (inférieures à 10 %).

En raison de la forte mortalité des adultes, la durée des unions était relativement brève – elles duraient pour un tiers moins de dix ans dans les campagnes parisiennes. Les remariages étaient donc très fréquents et très rapides. Il y avait aussi une forte « endogamie » géographique : sur dix mariages ruraux, sept impliquaient une fille et un garçon de la même paroisse et deux autres un conjoint né dans un rayon de 10 km, un seul d'origine lointaine. Il faut enfin constater une forte « homogamie » sociale : les unions étaient conclues dans le même groupe socioprofessionnel.

La forte fécondité. — La première naissance suivait rapidement le mariage (moins de treize mois dans la moitié des cas), puis les naissances suivaient jusqu'à la ménopause, avec des intervalles entre les naissances de vingt-quatre à trente mois. Les intervalles entre les naissances étaient donc courts et la fécondité des femmes très élevée. On trouvait même des familles où la naissance annuelle était presque la règle, même si, biologiquement, c'était difficile : cela signifierait que l'allaitement ne bloquait pas l'ovulation ou que les enfants étaient mis en nourrice. La mortalité infantile mettait aussi fin à l'allaitement et permettait aussitôt, pour les mères, une nouvelle grossesse. Néanmoins dans le nord-ouest du royaume, déjà les couples avaient entrepris de limiter consciemment leur descendance : c'étaient les « funestes secrets » condamnés par l'Église. Par famille, on comptait quatre ou cinq enfants dont la moitié était emportée avant l'âge du mariage. Avec quelques célibataires et quelques migrants vers les villes, « voilà la population presque en équilibre » *(Jacques Dupâquier)*.

La mortalité inégale. — Pour la mortalité, les différences tenaient à l'environnement, à la qualité de l'eau, à la mauvaise évacuation des déchets ou à l'entassement humain dont dépendaient les épidémies. Jacques Dupâquier a montré que la population était très stable avant le XVIIIe siècle, jusqu'en 1740 sans doute, malgré les très graves crises démographiques que la France avait connues. Le mariage tardif diminuait la fécondité naturelle. En revanche, après une crise, les mariages se multipliaient, donc les naissances complétaient les pertes qui avaient précédé.

Ainsi se combinaient en permanence deux facteurs. D'un côté, la rigueur morale de la réforme catholique et la surveillance des curés, mais aussi de la société tout entière, favorisaient la chasteté avant le mariage et insistaient sur une conduite austère. D'un autre côté, la prudence sociale recommandait de constituer un pécule et un trousseau avant de fonder un foyer. Souvent même, il fallait d'abord avoir une terre, avant de prendre femme, et pour cela attendre la mort du père pour reprendre sa ferme. Les crises démographiques au contraire bouleversaient ces données et encourageaient les mariages.

Les incertitudes économiques et sociales

La conjoncture de l'économie française

Les historiens ont volontiers considéré le XVIIe siècle, et même toute la période 1560-1720, comme une « longue période de difficultés » *(P. Guignet et F. Bayard)* ou comme un « tragique XVIIe siècle ». Ces difficultés économiques auraient entraîné des troubles sociaux, voire un malaise politique et intellectuel.

Les signes d'un marasme. — Les signes seraient ainsi convergents. Le siècle vit des crises démographiques, nous l'avons vu, liées aux épidémies et à la guerre, mais aussi aggravées par les famines qu'entraînaient de mauvaises récoltes. Les soulèvements dans les campagnes furent nombreux, comme ceux des Croquants ou des Nu-pieds : ils eurent souvent des causes fiscales, mais l'hostilité violente des populations à tout nouvel impôt traduisait sans doute une inquiétude plus générale. Les tensions politiques, ainsi que les innombrables conspirations contre le gouvernement royal au temps de Richelieu ou la Fronde au temps de Mazarin, ont été aussi considérées comme des manifestations du malaise social et économique. Les noblesses – d'épée ou de robe – luttaient pour conserver un pouvoir qui s'enfuyait : « La noblesse traditionnelle ne se sent plus sûre d'elle-même, de sa position sociale, tout autant que politique, dans cette monarchie où la place lui est sans cesse plus mesurée » *(Robert Mandrou).* Même le jansénisme, la philosophie de Pascal ou le tragique de Racine ont été interprétés comme des reflets de ces difficultés matérielles.

Les tendances globales de l'évolution. — Plus précisément, les historiens de l'économie ont relevé quelques tendances majeures dans l'évolution de la conjoncture économique, même si la diversité des provinces et des périodes rend difficile tout jugement global et définitif.

Alors que le XVIe siècle avait été un temps de hausse (des prix, de la production, de la population aussi), le XVIIe siècle fut un temps de baisses. Il y eut une baisse de la production, aussi bien pour les céréales, pour les tissus, le verre ou les produits métalliques, et cette baisse s'était amorcée au temps des guerres de Religion. La productivité baissa aussi, c'est-à-dire le rapport entre la récolte et la semence. La qualité semble avoir également reculé, dans la production céréalière comme dans la production textile. Le prix des denrées baissa, ce qui était un signe de dépression. Enfin la plupart des revenus diminuèrent. Ce fut le cas pour les rentes foncières. Au début du XVIIe siècle continua la hausse triomphale : elle conduisit les marchands des villes à investir dans la terre. Mais, dans la seconde moitié du siècle, la tendance s'inversa. Dans le cadre de la métairie, le prix du blé baissant, la valeur du revenu foncier en nature diminuait. Il en allait de même pour les fermages car, la population stagnant, les baux devaient être attractifs pour permettre de trouver des tenanciers.

Le temps des crises. — Les crises économiques furent plus fréquentes, plus amples et plus étalées au XVIIe siècle qu'au XVIe siècle. Certaines touchaient l'ensemble du royaume, d'autres seulement quelques provinces. Les crises furent nationales en 1630-1631, 1649-1652, 1660-1661, 1693-1694, 1709-1710. Ces « crises de subsistances », nous l'avons vu, pouvaient favoriser des crises démographiques. Les mauvaises récoltes, lorsqu'elles se succédaient, entraînaient une malnutrition dans les campagnes et interdisaient tout achat d'objets manufacturés. Les céréales venaient à manquer et cela provoquait la hausse brutale et forte des prix. Dans les villes, les ménages achetaient plus cher le pain et ne pouvaient acheter autre chose. Ainsi la crise rurale se prolongeait par la crise dans le monde de l'artisanat : les ateliers fermaient et les compagnons n'avaient plus de quoi vivre.

Une augmentation des prélèvements. — Parmi les contraintes qui s'imposèrent à une grande partie de Français, il y eut enfin l'impôt, mais son impact économique est difficile à juger. Une évaluation a été proposée pour le taux de prélèvement fiscal sur le revenu national vers 1640 : il serait de 10 % contre 2 à 3 % en Angleterre. Pour financer la guerre, la monarchie dut exiger beaucoup de ses sujets, en utilisant l'impôt direct qui ne touchait que les roturiers ou les terres roturières, et les impôts indirects qui touchaient tous les sujets. La monarchie chercha à élargir le nombre des contribuables à la fin du règne de Louis XIV (par la capitation et par le dixième). L'impôt royal s'ajoutait aux prélèvements du seigneur ou du propriétaire, qui eurent tendance à plafonner au XVIIe siècle, aux exigences du créancier éventuel, à la dîme pour le clergé qui désormais était « consciencieusement payée » *(E. Le Roy Ladurie)*. Ces prélèvements fiscaux, accompagnés d'une brutalité dans la perception, expliquent les soulèvements populaires, qui, eux-mêmes, montraient l'hostilité face à tout impôt nouveau.

Mais l'impôt royal avait aussi des effets bénéfiques : il obligeait les communautés rurales à s'ouvrir aux échanges, donc favorisait la recherche de surplus commercialisables et aussi une diversification du travail. L'effort de guerre eut sans doute bien des retombées économiques pour la fourniture des armées et pour la construction des bateaux. La part des revenus royaux consacrée à la guerre ne s'abaissa jamais au-dessous de 18 % (1609), et elle grimpa jusqu'à la moitié (1630) ou les trois quarts (1692, 1693). « La plupart du temps elle tourne autour de 30 % » *(Bayard et Guignet)*. La cour et ses services avaient aussi un grand poids sur les dépenses mais ils favorisaient les activités du luxe. Au début du XVIIe siècle, la part qui y était consacrée atteignait 25 %, mais elle diminua dans les années 1630 ; même sous Louis XIV, la cour et les bâtiments n'absorbaient que 12 à 14 % des dépenses – ce fut aussi le niveau de 1788.

Les tentatives d'explication. — Longtemps, la crise et les crises du XVIIe siècle ont été attribuées à de moindres arrivées de métal précieux en Europe : alors que le XVIe siècle avait bénéficié de l'exploitation de l'or et de l'argent américains, le siècle suivant aurait vu se tarir cette source de bienfaits. Cette théorie a été contestée par l'historien Michel Morineau. D'une part, l'argent n'aurait pas cessé d'arriver d'Amérique, d'autre part, le métal précieux ne suffit pas à expliquer l'évolution des prix et de la production.

Une seconde interprétation insiste sur le « petit âge glaciaire » et les difficultés climatiques avec deux crises révélatrices : 1693-1694 et 1709-1710. Ces conditions naturelles rendraient compte de la dégradation générale de la production céréalière et des crises brutales. Mais en réalité les accidents climatiques ne frappèrent pas tout le royaume.

La guerre fut aussi une réalité terrible : elle perturbait la vie des villages, parfois totalement abandonnés, elle interrompait le commerce, elle traînait après elle des épidémies. Mais, comme nous l'avons vu, elle pouvait être aussi un stimulant pour l'industrie et comme nous le verrons, elle fut la source d'innovations, elles-mêmes porteuses d'activités nouvelles. Enfin, à partir de 1659, le territoire national fut épargné en général par les opérations militaires qui avaient lieu hors des frontières.

Une explication traditionnelle de la crise est démographique. L'accroissement de la population globale étant faible, le nombre de producteurs n'augmenta guère, tout comme la demande, et la production à son tour n'aurait plus connu de croissance. Puis, lorsque la population stagna à partir des années 1670, le mouvement s'amplifia, et la production alors diminua. Cela entraîna une dégradation des profits qui rendit impossible l'achat de produits artisanaux ou manufacturés et cela aggrava encore la crise.

Faut-il aussi tenir compte des conceptions sociales du travail ? L'idéal social éloignait souvent les actifs les plus riches des tâches productives, de l'industrie et du commerce, et, pour des raisons de prestige personnel et familial, les orientait vers l'achat d'offices, avec, à terme, l'anoblissement. Ainsi l'investissement ne se faisait pas directement dans le commerce ou l'industrie. Néanmoins deux remarques sont possibles. D'une part, la vente d'offices servait d'abord à l'État qui, lui-même, dépensait, en particulier dans la guerre, mais aussi dans les manufactures ou les compagnies de commerce. D'autre part, ces choix économiques ne concernaient qu'une mince frange de la population.

Ainsi les historiens hésitent aujourd'hui et n'ont plus une vision uniformément noire du XVIIe siècle. Et même si l'idée d'une crise longue est retenue, il est délicat d'en donner une explication unique.

La diversité du royaume

Provinces et secteurs prospères. — Les difficultés ne furent pas permanentes au cours du siècle : la baisse de la production céréalière commença dans les années 1550-1560 et fut spectaculaire. Au début du XVIIe siècle, le temps de Sully correspondit à une récupération. Au contraire, le milieu du siècle vit un effondrement. Après une reprise dans les années 1670-1680, une baisse lente marqua la fin du XVIIe siècle.

Les différences furent aussi géographiques. La France du Sud ressentit peu la baisse de la production et connut une croissance. Cette France provençale et languedocienne a été peut-être protégée par son climat meilleur. Il est certain aussi que les régions de viticulture, comme le Bordelais, connurent une belle expansion et les vins, surtout de plaine, apparurent dans le Bas-Languedoc, autour de Béziers et de Montpellier. Les eaux-de-vie françaises, qui correspondaient au goût des Hollandais, étaient un produit d'exportation, surtout sur la façade atlantique. Le maïs fut présent dans le Sud-Ouest dès la fin du XVIe siècle : consommé sur place, ce « millet d'Espagne » permettait de commercialiser le froment qui rapportait plus. Il en allait de même dans le domaine industriel où certains secteurs du textile (pour les uniformes ou les voiles) et, bien sûr, l'armement et la construction navale furent encouragés par les conflits.

Les innovations et les entreprises nouvelles. — Dans les campagnes, certaines régions se spécialisèrent dans l'élevage bovin et échappèrent ainsi au marasme commun. Dans le textile, le XVIIe siècle vit des progrès techniques, et en particulier le véritable essor de la soierie lyonnaise. De nouveaux produits s'imposèrent comme l'étamine, étoffe de laine, produite autour du Mans. Les manufactures royales furent souvent des lieux d'innovation, ou mieux, d'adaptation des techniques étrangères, ainsi pour le verre. La guerre connut une véritable révolution par le rôle grandissant de l'artillerie avec les canons et les boulets et par la modernisation de l'armement avec les fusils. Cela entraîna aussi des transformations dans les fortifications, donc l'ouverture de grands chantiers. Autant d'éléments favorables pour la production industrielle.

Les initiatives coloniales au temps de Richelieu. — Le grand commerce profita de l'installation française sur des terres lointaines.

Les encouragements de la monarchie, avec Richelieu, furent aussi des facteurs favorables. En 1626, Richelieu lançait la Compagnie des Cent associés, et bientôt la Compagnie de la Nacelle de Saint-Pierre Fleurdelysée, mais ces essais furent des échecs. Le cardinal fonda alors la Compagnie de la Nouvelle-France en 1627. Toute une administration était prévue et la finalité était claire : il fallait convertir les indigènes, commercer avec eux et assurer le pays au roi. Cette Compagnie donna des bases plus solides à l'action de Champlain au Canada. Car cet infatigable découvreur devait mener une politique subtile en s'alliant avec les Hurons et les Algonquins contre les Iroquois. Il avait bien besoin d'une aide venue de métropole. Mais la Compagnie souffrit de la guerre franco-anglaise et Québec, pris en 1627, ne fut rendu qu'en 1632. Champlain était en 1633 le lieutenant du roi pour toute l'étendue du fleuve Saint-Laurent. Pour les Antilles, la Compagnie des seigneurs de Saint-Christophe fut aussi soutenue par Richelieu pour faciliter les entreprises de deux gentilshommes de Dieppe, mais la colonie fut surtout sauvée par la qualité de son tabac. Un début de colonisation marqua aussi la Guyane entre l'Amazone et l'Orénoque, comme les côtes africaines avec le Sénégal et la Gambie, ainsi que l'île du Cap-Vert ; et dans l'océan Indien, Fort-Dauphin fut un comptoir à Madagascar. Richelieu utilisa aussi le réseau des capucins du P. Joseph pour tenter de court-circuiter les Turcs dans les relations entre la France et l'Extrême-Orient, en passant par la Russie et par la Perse. Ce fut, selon Henri Hauser, le « grand dessein » commercial de Richelieu.

Le siècle des saints

Le XVIIe siècle fut le temps des saints français – pas moins de 22 Français nés au XVIIe siècle ont été canonisés par l'Église –, et des fortes personnalités de la spiritualité, à l'époque moderne : saint François de Sales, saint Vincent de Paul, Blaise Pascal, Bossuet, Fénelon.

La vitalité de la foi

Une religion de combat. — Les décisions du concile ne furent pas reconnues comme lois du royaume car Henri IV ne fit pas plier la résistance du parlement comme il l'avait fait pour l'édit de Nantes, mais le concile influença profondément l'Église qui en adopta les conclusions (1615). Le XVIIe siècle fut marqué par une affirmation nouvelle de la religion catholique. Louis XIII lui-même très pieux plaça son royaume sous la protection de la Vierge Marie en 1638, et ce fut l'origine de la procession du vœu de Louis XIII le 15 août.

Le rêve de la croisade contre l'Infidèle musulman se maintint vaguement au XVIIe siècle. Il inspirait encore l'action du P. Joseph. Il conduisit Louis XIV plus tard à aider les Vénitiens contre les Turcs et à soutenir l'empereur attaqué par eux. Ce même élan conduisit de jeunes gentilshommes à se porter, contre l'avis du roi, à l'aide de Léopold Ier lors du siège de Vienne de 1683 (voir p. 430).

Un tel esprit conduisait les catholiques à s'affirmer face aux protestants, malgré l'édit de Nantes. Dans les campagnes, la tolérance s'enracina et les mariages existaient entre catholiques et protestants. Néanmoins les incidents et les « émotions » existaient : à Montoire, en 1661, la jeunesse catholique se déchaîna autour du cercueil d'un seigneur protestant. Et, grâce aux séminaires, la meilleure formation des prêtres rendit ceux-ci plus ardents à lutter contre le protestantisme. Les guerres de Louis XIII contre les protestants aboutirent à la fin d'un État protestant en France, mais ne mirent pas fin à la tolérance religieuse. Des débats acharnés éclataient encore, favorisés par des polémistes comme l'ancien jésuite François Véron, dont la méthode d'attaque simpliste fut appelée « véronique », mais la controverse publique reflua. En revanche les « missions » furent utilisées pour tenter de convertir les protestants, et ce fut le rôle des jésuites et des capucins. Dans le Vivarais, saint Jean-François Régis, ascétique et charitable, obtint des résultats notables auprès des montagnards et, de son vivant même, il fut considéré comme saint et faiseur de miracles. En général, les missions vers les protestants n'eurent que des succès limités. Les missions se tournèrent aussi vers les contrées lointaines et la conversion des indigènes.

Néanmoins le désir se maintenait de ramener les protestants

dans le giron de l'Église. Après le débat ou la mission, ce furent le pouvoir politique et Louis XIV qui choisirent la force.

Mysticisme et humanisme dévot. — La « prépondérance espagnole » restait très nette en matière spirituelle, au début du XVIIe siècle comme au XVIe siècle : l'exemple des grands mystiques espagnols du XVIe siècle, sainte Thérèse d'Avila et saint Jean de la Croix, inspira à leur tour les catholiques français. Ce fut autour de l'œuvre de sainte Thérèse, réformatrice de l'ordre du Carmel, que Barbe Acarie, femme d'un magistrat parisien, lui-même ancien ligueur, réunit un cercle de dévots (par exemple le futur chancelier Michel de Marillac) et Mme Acarie favorisa l'installation du Carmel en France. La mystique de Thérèse d'Avila était concrète : l'amour de Dieu débouchait sur une union mystique avec le Christ.

Surtout, un « humanisme dévot » *(Henri Brémond)* se répandit pour mettre l'humanisme chrétien à la portée de tous. Le meilleur représentant en fut saint François de Sales. Il était évêque de Genève, résidant à Annecy, et il était le directeur de conscience de quelques femmes d'exception comme Jeanne de Chantal ou Angélique Arnauld. Il publia en 1609 l'*Introduction à la vie dévote* qui connut un immense succès. François de Sales montrait qu'il était possible de pratiquer la dévotion tout en restant laïc. Pierre de Bérulle alla dans le même sens et il adapta en France la congrégation de l'Oratoire, fondée en Italie par Philippe Néri : les oratoriens vivaient en communautés, mais ne prononçaient pas de vœux religieux. Ils donnèrent des professeurs pour les séminaires, se chargèrent de la direction de collèges et apparurent comme des rivaux des jésuites. Ils ne furent pas insensibles, plus tard, au jansénisme.

Car ces aspirations spirituelles marquèrent aussi le jansénisme et la Compagnie du Saint-Sacrement, qui devinrent, eux, des enjeux politiques (voir chap. 16).

La réforme du clergé de France

Le haut clergé. — Dans le sillage du concile et pour suivre l'exemple de Charles Borromée, les évêques furent choisis avec plus de rigueur par le pouvoir monarchique. Quelques prélats se consacrèrent avec ferveur à la reconquête des âmes comme Alain de Solminihac (1593-1659) à Cahors. Bien sûr, d'autres s'occupèrent plutôt d'affaires militaires, comme le cardinal de La Valette qui commanda des armées ou Sourdis qui commanda des flottes, ou d'affaires politiques comme Jean-François-Paul de Gondi, futur cardinal de Retz (voir p. 348). Mais même chez certains évêques mondains, le zèle réformateur transparaissait.

Si les chanoines n'élisaient plus les évêques, ils étaient encore nombreux (12 000) et les chapitres étaient riches. Issus de la noblesse ou de la bourgeoisie, souvent dotés de diplômes universitaires, ces chanoines ne furent pas à la pointe de la réforme religieuse, malgré quelques belles figures comme César de Bus qui établit une congrégation pour catéchiser le peuple, les pères de la Doctrine chrétienne, les doctrinaires.

Le bas clergé. — Les visites pastorales permirent aux évêques de mieux connaître les curés et de tenter de corriger leurs erreurs. Longtemps l'instruction des prêtres dans les campagnes resta limitée. Et parfois ils étaient populaires parce qu'ils partageaient le travail, voire les beuveries de leurs ouailles. La paillardise des prêtres n'était pas rare. Peu à peu, le port de la soutane s'imposa pour les curés, afin de les différencier des autres hommes. Ce fut le travail des séminaires que de former les prêtres. De 1642 à 1660, 36 séminaires se fondèrent en France, et de 1660 à 1682, 56 nouveaux.

Les missions dans les campagnes. — Au début du XVIIe siècle, l'effort de prédication s'orienta vers les habitants des campagnes. Saint Vincent de Paul (1581-1660) fonda en 1625 la congrégation de la Mission pour le « salut du pauvre peuple des champs ». C'est en 1617 que Vincent de Paul, un ambitieux curé, issu d'une famille paysanne et protégé des Gondi, avait brutalement pris conscience de l'ignorance religieuse des paroissiens à Folleville, une seigneurie de ses protecteurs, et il demanda à ces paysans une confession générale. Avec l'aide des Gondi, il établit sa congrégation : il s'agissait d'aller de village en village pour prêcher, instruire, catéchiser. L'expansion de la Mission (ou des « lazaristes » parce que la congrégation s'était établie à Saint-Lazare) fut nationale et internationale. Les lazaristes participèrent aussi à la mise en place des premiers séminaires parisiens. Parmi les autres œuvres de Vincent de Paul , il y eut les Filles de la Charité et l'œuvre des Enfants trouvés. Dans le même esprit de mission, saint Jean Eudes créa la congrégation de Jésus et Marie en 1643.

Les réguliers. — Les moines avaient été l'objet des attaques des humanistes et des protestants. Ils avaient été néanmoins très actifs au concile qui encouragea la réforme des anciens ordres et qui favorisa la naissance de nouvelles congrégations. Le XVIIe siècle fut marqué par une expansion du clergé régulier. De 1600 à 1639, 55 maisons ou communautés religieuses s'établirent à Paris. Les vocations étaient le plus souvent sincères et non pas forcées par les familles : elles s'inscrivaient dans la ferveur générale du temps, et la famille était même parfois hostile à l'entrée d'un des siens au couvent. Une grande réforme marqua l'ordre bénédictin avec la naissance de la congrégation de Saint-Maur – ce furent les Mauristes – où la recherche érudite fut encouragée. L'abbaye de Saint-Germain-des-Prés fut ainsi, jusqu'à la Révolution, le grand centre des travaux historiques.

Les récollets et les capucins se détachèrent du tronc franciscain : les capucins surent être populaires en particulier par leur dévouement dans les villes frappées par la peste.

Le modèle du collège jésuite. — La Compagnie de Jésus, au-delà de sa vocation missionnaire, sut attirer les élites sociales dans ses collèges. Les jésuites n'avaient pas été intégrés dans les universités, mais ils développèrent des enseignements autour de la philosophie et des sciences, domaines longtemps réservés aux Facultés. Ils s'attachèrent surtout à un enseignement classique : la référence majeure était la littérature latine, expurgée de ses audaces.

Les collèges étaient issus des collèges médiévaux qui accueillaient à l'origine des étudiants de l'université comme pensionnaires. Mais ceux de l'époque moderne ont imposé leur originalité en formant des enfants et des adolescents. Ils permettaient de les instruire ensemble, selon une discipline adaptée à leur âge. Ils assuraient une culture générale, alors que le collège médiéval accueillait surtout de futurs clercs, médecins ou juristes. Le collège devenait donc accessible à des couches plus larges de la société.

La base de l'organisation des études était la *Ratio studiorum* de 1599. L'élève devait parcourir un cursus bien défini à travers les différentes « classes ». L'espace scolaire était fermé, isolé de l'extérieur, et supposait des lois strictes. L'internat était une pratique courante, ce qui signifiait une coupure avec la famille, parfois pendant des mois. La règle était l'émulation avec une compétition entre les élèves, des récompenses d'honneur, et une distribution des prix à la fin de l'année. Les Pères inventaient aussi des exercices, en particulier sur la langue latine – les vers latins par exemple et l'amplification à partir d'un thème donné. Les textes littéraires étaient étudiés dans leur dimension historique. Une surveillance mutuelle des élèves s'ajoutait à la discipline imposée par les Pères jésuites. Des distractions culturelles permettaient la formation pour la vie mondaine, ainsi les jésuites développèrent le théâtre scolaire : les élèves jouaient des pièces écrites par les professeurs.

Il y eut au XVIIe siècle une conversion de la noblesse au collège et le mouvement fut européen. Des témoignages montrent bien cette cohabitation amicale de jeunes gens qui, venus d'horizons très divers, respectaient une règle d'égalité à l'intérieur du collège. Car cette institution attirait aussi les enfants des classes moyennes (bourgeoisie, artisanat riche, riches laboureurs) et c'était un facteur d'intégration sociale, même si la majorité des élèves appartenait à l'élite sociale Pour les plus riches, les différents types d'éducation coexistaient : le collège mais aussi le préceptorat et les « académies » où l'on apprenait l'équitation et les armes.

Quant à l'enseignement des jeunes filles, ce furent surtout les ursulines (de Sainte-Ursule) qui s'en chargèrent, mais cet enseignement restait limité.

Les fidèles

Les élites. — Grâce aux collèges, la formation intellectuelle des élites sociales s'améliora. La culture théologique était aussi très solide dans le monde des parlementaires qui furent séduits par le jansénisme et par les débats sur la grâce. Les Petites Écoles de Port-Royal furent « de remarquables centres d'innovation pédagogique et de vulgarisation scientifique » *(E. Labrousse, Robert Sauzet).* De Port-Royal sortirent la *Grammaire* de Lancelot et Arnauld, et la *Logique de Port-Royal* d'Arnauld et Nicole. Le jansénisme inspira les œuvres de Pascal et de Jean Racine, mais aussi la peinture dépouillée et profonde de Philippe de Champaigne auquel on doit aussi les portraits de Richelieu.

Sorciers et sorcellerie. — La foi en Dieu s'accompagnait d'une croyance générale en l'existence d'esprits nuisibles, du Diable et des démons. Toute une science s'était élaborée qui énumérait les catégories de démons et donnait les moyens de savoir si une personne était « possédée » par eux : par exemple l'insensibilité de certaines parties du corps, la capacité de parler des langues étrangères sans les avoir apprises, les convulsions du corps et les bonds. Ce furent souvent des femmes qui furent accusées d'être des sorcières, des créatures du Malin, et ce furent souvent des femmes qui furent « possédées » par les diables. On disait alors : « Pour un sorcier, dix mille sorcières. »

Des juges laïcs n'hésitaient pas à partir à la chasse des sorciers et des sorcières. Ainsi un conseiller du parlement de Bordeaux, Pierre de Lancre, enquêta en 1609 dans le Labourd, au cœur du pays basque, pour en extirper le satanisme. Il fit brûler 600 personnes dont 3 prêtres. L'évêque de Bayonne, inquiet du zèle du magistrat, obtint son rappel.

L'affaire la plus retentissante fut celle de Loudun. Des ursulines de la ville, en particulier la supérieure, Mère Jeanne des Anges, eurent des visions sinistres en 1632 et bientôt accusèrent le curé Urbain Grandier de les avoir ensorcelées. Laubardemont, fidèle conseiller de Richelieu, dont les possessions étaient proches de Loudun, était alors dans la ville : or Grandier s'était à plusieurs reprises opposé au cardinal. Le pouvoir royal décida de confier l'enquête à Laubardemont. Grandier fut arrêté et l'instruction eut lieu en 1633. L'affaire suscita la curiosité de tout le royaume, voire des pays étrangers ; des récits fantastiques circulèrent. En revanche, nombre d'observateurs doutaient de la véracité des témoignages et de la transparence de l'enquête. Le procès de Grandier commença le 8 juillet 1634 et l'accusé fut condamné et brûlé le 18 août.

C'étaient les derniers moments de la répression contre le satanisme. Car les magistrats, les théologiens et les médecins faisaient de plus en plus de place aux explications psychologiques dans les affaires de possession. Dès 1640, le parlement de Paris renonçait à poursuivre les inculpés de sorcellerie. Mais il fallut encore sévir lorsque des pratiques magiques étaient associées à des crimes, comme dans le cas de la Brinvilliers, qui avait empoisonné ses proches, et dans toute l'affaire des poisons (1679-1682) à laquelle la marquise de Montespan, maîtresse de Louis XIV, et le maréchal-duc de Luxembourg furent mêlés.

Le libertinage. — Dans son effort de reconquête religieuse, l'Église s'attaquait aussi aux « esprits forts » qui ne pensaient pas avoir besoin de Dieu. Une telle audace existait surtout dans les élites sociales, chez ceux qu'on appelait les « libertins », ce qui évoquait à la fois une liberté de vie et de mœurs, et une absence de foi chrétienne. Dans la noblesse, la rudesse de la vie militaire favorisait cette tentation, et l'irréligion s'afficha dans l'entourage du grand Condé et de Gaston d'Orléans. Mais il y eut aussi des écrivains libertins et ils n'avaient pas une illustre naissance pour se protéger. Ils trouvaient chez les auteurs de l'Antiquité et chez ceux de la Renaissance des idées pour fonder leurs convictions. Le poète Théophile de Viau (1590-1626) échappa de peu au bûcher, tant sa vie et ses écrits semblaient condamnables aux hommes d'Église. Une telle menace conduisit les libertins à se dissimuler. Mais tout un courant de réflexion se rattacha au libertinage. Gassendi remit à l'honneur la philosophie d'Épicure et il se rapprochait d'un matérialisme qui niait l'existence de l'âme immortelle. La Mothe Le Vayer, secrétaire de Richelieu puis précepteur du frère de Louis XIV, appartint à ce courant libertin qui trouvait des soutiens dans le monde des magistrats et des érudits. Si ces exemples concernent les milieux nobles ou savants, il semble qu'il y ait eu aussi des gens du peuple détachés du christianisme.

La dévotion populaire. — La réforme catholique utilisa tous les moyens pour ramener les fidèles vers la foi. Le culte des saints fut une voie privilégiée. Même si ceux-ci n'étaient présentés que comme des intercesseurs, ils attiraient les foules avides de merveilleux et de secours spirituel. Les pèlerinages connurent un net renouveau au XVIIe siècle, ainsi à Notre-Dame de Chartres ou à Notre-Dame de Liesse près de Laon.

Les prêtres surveillèrent aussi la pratique religieuse : moins de 1 % des fidèles ne faisaient pas leurs Pâques. Ce fut au début du XVIIe siècle que naquit la « première communion », cette belle cérémonie destinée aux enfants pour marquer de façon solennelle une étape essentielle de leur vie spirituelle.

L'art baroque. — L'Église catholique, depuis la fin du XVIe siècle, cherchait à séduire les chrétiens par le faste de ses cérémonies et de ses processions. Il fallait des cadres architecturaux nouveaux et l'art dit baroque s'affirma. Le fidèle devait être émerveillé et surpris par la décoration où les marbres de couleur et les dorures abondaient, où les trompe-l'œil se multipliaient. L'architecture et la sculpture devaient évoquer le mouvement, l'élan vers Dieu. La ligne courbe l'emportait sur les formes rectilignes : volutes pour orner les façades, colonnes torses pour encadrer les autels et dômes pour couronner les églises. L'art s'inspirait du théâtre : les édifices devaient être des décors pour les cérémonies religieuses.

Cet art baroque fut européen et toucha tous les pays catholiques, mais il inspira aussi bien les grands monuments parisiens, comme le Val-de-Grâce créé par Anne d'Autriche, que de modestes églises de campagne. Dans ce cas ce furent souvent les retables, ces panneaux de pierre ou de bois derrière les autels, qui marquèrent la sensibilité baroque. La beauté devait encourager le chrétien à mener une vie digne qui le conduirait au salut éternel.

Vers un classicisme français

L'art baroque correspondait à une sensibilité générale et à une représentation du monde qui existaient dans toute la chrétienté catholique et qui trouvaient des modèles en Italie ou en Espagne. Mais en France des tentations nouvelles naissaient : l'humanisme dévot de François de Sales, le jansénisme, la pensée libertine. Surtout une réaction se marqua contre toutes les audaces de la pensée et de l'action. L'historien Roland Mousnier y a vu une lutte contre la crise du siècle : « Contre la diversité, la dispersion, l'anarchie baroque qui risquait de le détruire, le corps social réagit par un effort pour rétablir l'unité organique, l'unité classique, condition de vie. » Parmi d'autres éléments, cet effort se marqua dans le rationalisme fécond de Descartes, dans le souci de purifier la langue, dans le désir monarchique d'organiser et de contrôler la création littéraire et l'information.

Descartes et le rationalisme

Au XVIIe siècle, s'affirmèrent en Europe les principes qui fondèrent la science moderne : la recherche devait être guidée par la seule raison, débarrassée des idées de la tradition ; les hypothèses devaient être vérifiées par des expériences et exprimées sous une forme mathématique.

Les savants en vinrent à contester la vision du monde héritée de la philosophie antique, voire les enseignements de l'Église et de la Bible. La conception de l'univers était au centre de la polémique depuis que Copernic au début du XVIe siècle, puis Galilée au début du XVIIe siècle avaient démontré que les planètes tournaient sur elles-mêmes et autour du soleil.

Descartes (1596-1650) donna une nouvelle dimension à la réflexion et à la recherche scientifiques. Cet élève des jésuites, originaire d'une famille de médecins et de magistrats en cours d'anoblissement, servit d'abord comme soldat pendant la guerre de Trente ans, puis il voyagea avant de se fixer en Hollande. Passionné de sciences physiques, de géométrie et d'optique, il se heurta aux théories traditionnelles, héritées du philosophe grec Aristote. Avec une énergie proche du mysticisme, il voulut résoudre les contradictions de la connaissance. Il publia en 1637 le *Discours de la méthode* où il conseillait, avant toute recherche scientifique, de mettre en doute les idées anciennes et de choisir une méthode fondée sur la seule raison. Les *Méditations métaphysiques* (1641) complétèrent cette vision appelée désormais cartésianisme. Descartes, invité en Suède par la reine Christine, y mourut en 1650. Sa philosophie fut condamnée par la Faculté de théologie de Paris, mais ce nouveau rationalisme n'allait plus cesser d'être discuté et enseigné, d'autant plus qu'il se fondait sur l'existence de Dieu. L'œuvre de Descartes, diffusée par ses disciples, reçut en France et en Europe un accueil triomphal. Mais c'était une lézarde de plus dans le système d'Aristote qui servait de référence scientifique à l'Église.

Le contrôle de la création

Richelieu s'intéressait à la littérature et en particulier au théâtre. Il collabora même à certaines pièces de Desmarets de Saint-Sorlin. Mais le principal ministre souhaitait que les écrivains fussent utiles à la monarchie. Il apprit que des réunions littéraires entre amis se tenaient chaque semaine chez le poète Valentin Conrart. Un des familiers de Richelieu, l'abbé de Boisrobert, fut chargé de demander à ces écrivains s'ils ne désiraient pas constituer un « corps et s'assembler régulièrement sous une autorité publique ». Les amis de Conrart furent surpris et réticents, mais ils n'osèrent pas déplaire au puissant ministre. Le projet d'Académie française fut préparé avec soin. Conrart était secrétaire perpétuel. Richelieu était le protecteur de l'Académie qui n'aurait que

40 membres. Elle avait pour tâche de préparer un Dictionnaire, une Rhétorique et une Poétique française.

Car le souci se manifestait aussi de donner à la langue française des règles stables pour améliorer sa clarté. Le poète Malherbe (1555-1628) symbolisa cet effort car il fut un maître respecté qui n'hésitait pas à critiquer avec férocité les poètes qui l'avaient précédé. Malherbe prohiba les mots et les tours vieillis, retenant l'usage courant, le « bon usage ». Ce principe fut repris par le grammairien Vaugelas (1585-1650) qui publia des *Remarques sur la langue française*, 1647. Richelieu lui-même souhaitait rendre la langue pure et élégante.

Le « bon usage » correspondait au langage de la cour et de Paris. Nombre d'écrivains, avec Malherbe, Voiture ou Vaugelas, fréquentaient le salon de la marquise de Rambouillet. En 1640, Corneille y lut son *Polyeucte* et le jeune Bossuet y prêcha un soir. Chez cette femme intelligente, cultivée, spirituelle et indépendante, se forma le goût littéraire et s'imposa cette langue épurée que souhaitait le cardinal. Plus tard ce souci de bonnes manières et de purisme apparut comme affecté : Mme de Rambouillet avait laissé la place aux « précieuses ».

La création littéraire cherchait encore ses modèles à l'étranger. Le succès du théâtre en Espagne favorisa son essor en France et, avec Corneille (1606-1684), la scène française disposa d'un dramaturge puissant : *Le Cid* fut en 1637 un triomphe. Le roman subit aussi les influences espagnoles et italiennes : ce furent des amours de bergers et de bergères avec *L'Astrée* qu'un gentilhomme, Honoré d'Urfé, publia à partir de 1607 – ce fut un des ouvrages les plus lus du siècle – mais ce furent aussi des histoires de vauriens, inspirées du genre « picaresque » de l'Espagne, comme en 1623, l'*Histoire comique de Francion* de Charles Sorel. Puis vint le temps de Mlle de Scudéry dont les romans évoquaient les habitués du salon de Mme de Rambouillet.

La Gazette *de Renaudot*

La population, et surtout les élites, étaient affamées de nouvelles politiques, car il existait seulement des publications occasionnelles (lettres royales, manifestes) ou des récits donnés bien après les événements. Richelieu s'intéressa tout à la fois à l'information et à la propagande. Ainsi il encouragea Théophraste Renaudot, un médecin de son entourage, converti au catholicisme, à publier, à partir de mai 1631, la *Gazette* – ce mot était emprunté de l'italien, d'une petite monnaie vénitienne. C'était un hebdomadaire qui évoquait surtout les négociations diplomatiques, les opérations militaires, les anecdotes de la vie du roi, enfin les décisions royales. Renaudot se documentait sérieusement, il ne commentait pas les événements, il intégrait volontiers des écrits du roi et de Richelieu. Même si Renaudot prétendait ne vouloir donner que la vérité à ses lecteurs, il n'était pas toujours en mesure de le faire. Néanmoins il sut maintenir un équilibre entre la qualité de l'information et l'obéissance au pouvoir royal : la *Gazette* était très recherchée et elle dura.

Ainsi toute une génération sentait que les idées et les habitudes changeaient en France. Après les affrontements tragiques des guerres de Religion, le temps d'Henri IV avait été un temps de tolérance et de liberté relatives. La régence de Marie de Médicis montra quel était le prestige du « siècle d'or » espagnol dont les Français cherchaient à imiter les chefs-d'œuvre. Le temps de Louis XIII et de Richelieu marqua un tournant. Au moment où la puissance française s'engageait dans une longue guerre, le sentiment national l'emportait, avec le souci de créer des modèles intellectuels et artistiques et non plus de les prendre ailleurs et de les adapter en France. La mobilisation du royaume supposait aussi une « uniformité des conduites », selon le mot de Richelieu. Cette remise en ordre se méfiait des formes exacerbées du sentiment, de la passion, du plaisir, de la création qui caractérisaient l'âge baroque. Il fallait imposer une maîtrise de soi, de la parole, des gestes, de l'action. Une dernière fois, l'irrationnel et le fantasque surgirent à travers les intrigues politiques et amoureuses de la Fronde, mais ce ne fut plus qu'une parenthèse. Le classicisme allait triompher sous Louis XIV, et les survivants de l'hôtel de Rambouillet, comme Tallemant des Réaux, qui nous a laissé de savoureuses *Historiettes,* ne pourraient plus qu'évoquer avec nostalgie le temps passé.

16. De la monarchie affaiblie à la monarchie renforcée

Le règne de Louis XIII avait permis de renforcer l'autorité royale, non sans provoquer des souffrances individuelles ou collectives. Le jeune Louis XIV étant mineur, la France connut la régence de sa mère Anne d'Autriche qui choisit comme principal ministre le cardinal Mazarin. C'est que la France était encore engagée dans la guerre, qu'elle devait mener tout en préparant des négociations. Elles aboutirent en 1648 à une stabilisation dans le Saint-Empire, mais ne mirent pas fin au conflit avec l'Espagne. Là fut l'essentiel du travail de Mazarin. Mais le gouvernement, en continuant la politique brutale de Richelieu, n'apaisa pas les mécontentements qui aboutirent à la Fronde, cinq années de projets politiques, de désordres, de guerre civile, de 1648 à 1653. La position internationale de la France en fut affaiblie, mais sitôt la paix intérieure revenue, le cardinal reprit l'initiative, surtout diplomatique, pour imposer à l'Espagne la paix des Pyrénées en 1659.

Mazarin, héritier politique de Richelieu

Une Espagnole et un Italien gouvernèrent la France à partir de 1643 au nom de Louis XIV. La transition se fit sans heurt, après dix-huit années que Richelieu avait marquées de son autorité de fer. La mort du cardinal et celle de Louis XIII semblaient porteuses d'espérance et ce fut à la cour, et peut-être dans le royaume, un soulagement, mais la guerre continuait et rien ne changea.

Anne d'Autriche et Mazarin

La régente. — Anne d'Autriche avait été tenue à l'écart du pouvoir par son mari et par Richelieu, elle avait été souvent humiliée et elle manquait d'expérience politique. Surtout elle était la sœur du roi d'Espagne avec lequel la France était en guerre. Très pieuse, elle devait regarder avec méfiance les alliances françaises avec des puissances protestantes. On pouvait imaginer une rupture avec le règne précédent. Paradoxalement la régente continua le conflit engagé par son mari et Richelieu. Car si elle voulait la paix avec l'Espagne, elle ne la voulait pas à n'importe quel prix et elle souhaitait que la France, le royaume de son fils, fût victorieuse. Anne d'Autriche agit toujours en mère du roi de France à qui elle voulait laisser un royaume puissant.

Un cardinal italien, premier ministre. — La direction du royaume était une tâche lourde et plus encore dans une situation de guerre. Anne avait besoin d'un négociateur d'élite qui connût la carte européenne. Elle garda auprès d'elle comme premier ministre l'homme que Louis XIII avait choisi sur les conseils de Richelieu : le cardinal Jules Mazarin qui avait montré depuis sa jeunesse son ardeur et ses talents de négociateur. Mazarin avait été aussi désigné par Louis XIII comme parrain du jeune Louis XIV, ce qui le rapprochait de la famille royale, et, en 1646, il fut chargé de diriger l'éducation du jeune roi. Comme il était cardinal, donc prince de l'Église, il avait une prééminence sociale et morale, en particulier face aux princes. Les contemporains et les historiens se sont interrogés sur la nature des relations entre la reine et l'habile cardinal. Comme Mazarin n'était pas prêtre, quoiqu'il fût cardinal, il aurait pu se marier secrètement avec la reine veuve. Aucune preuve n'a été trouvée de cette union. Peut-être y eut-il entre eux de l'amour. En tout cas, une affection solide porta la reine espagnole, belle, fière et altière vers le cardinal italien qui avait toujours été un séducteur. L'accord entre eux fut presque total et Mazarin n'aurait rien pu faire, en France ou sur la scène internationale, s'il n'avait pas disposé de l'appui de la régente.

Mazarin continua la politique de Richelieu. À l'intérieur du royaume, il s'efforça d'affirmer toujours et partout l'autorité du roi. Mais cet Italien connaissait mal la France, ses réalités sociales et ses institutions : tout au plus pensait-il que c'était un pays riche et peuplé qui pouvait mener une guerre européenne. À l'extérieur, il mena la guerre face à ces grandes puissances qu'étaient l'Espagne et l'Autriche, mais aussi contre la Bavière qui avait rejoint le camp impérial. Et c'était là que Mazarin était irremplaçable car il connaissait l'Europe en détail, il avait été à l'école de la diplomatie romaine, il avait des vues d'ensemble, audacieuses et ambitieuses. Il prépara les négociations qui aboutirent aux traités de Westphalie signés en 1648.

La cabale des Importants. — Dès le début de la régence, Anne d'Autriche et Mazarin avaient dû affronter des résistances et des oppositions. La reine mère, comme déjà son mari après la mort de Richelieu, avait permis à des exilés de rentrer. Cette volonté d'apaisement fut jugée comme une marque de faiblesse et des intrigues se nouèrent à la cour dès l'été 1643, autour du duc de Vendôme, bâtard d'Henri IV, et de son fils le duc de Beaufort. C'était la « cabale des Importants ». Mazarin réagit en faisant emprisonner Beaufort : le souple ministre montrait qu'il était capable de fermeté.

La recherche d'une paix pour l'Europe

Les lignes directrices de la politique française. — La politique française avait été fixée à travers la grande « instruction » du 30 septembre 1643, préparée par Richelieu pour les négociateurs français : elle fut simplement reprise par Mazarin qui y avait travaillé. Ce fut le programme politique que la monarchie suivit désormais.

La France ne prétendait pas s'agrandir en Allemagne et en Italie aux dépens d'autrui. Seule, la place de Pignerol était nécessaire comme « une porte pour le secours de l'Italie ».

La France devait maintenir son union avec ses alliés : la Hollande toujours, la Savoie et Mantoue en Italie, l'Électeur de Trèves et les princes allemands dans l'Empire, la Catalogne et le Portugal dans la péninsule Ibérique, et bien sûr la Suède.

La « sûreté » collective, c'est-à-dire la sécurité collective, passait par la création de deux ligues, l'une en Allemagne et l'autre en Italie, par lesquelles toutes les puissances s'opposeraient à celui qui voudrait contrevenir au futur traité.

La France retiendrait la Lorraine et elle ne devait pas être troublée dans sa possession de Metz, Toul et Verdun. Le roi de

France garderait ce qu'il tenait en Artois et en Flandre, ainsi que le comté de Roussillon. Il conserverait les places occupées en Alsace, au moins temporairement.

Cette instruction mettait en avant la modération de la France dans ses appétits territoriaux : les satisfactions étaient acquises avant tout sur l'Espagne. La négociation se tournait vers l'empereur, en cherchant l'appui des princes allemands. En tout cas, ce texte fixait les contours d'un règlement européen et le résultat des négociations ne fut pas très éloigné de cette esquisse.

Des opérations françaises dans toute l'Europe. — En 1644, les armées françaises envahirent l'Alsace et occupèrent toute la rive gauche du Rhin, de Bâle à la frontière hollandaise. En 1645, elles prirent dix villes majeures dans les Pays-Bas. En octobre 1646, les Français s'emparèrent de Dunkerque.

L'Italie fut aussi un terrain rêvé pour les talents de Mazarin, lui-même d'origine italienne. La Savoie, alliée de la France, gardait les cols alpins empêchant toute attaque espagnole. Une offensive fut lancée contre les côtes de la Toscane et contre l'île d'Elbe qui appartenaient à l'empire espagnol (1646). Les Français y restèrent quatre ans, menaçant Gênes, le pape et Naples. D'autant plus facilement qu'une émeute populaire éclata à Naples le 7 juillet 1647, conduite par le pêcheur Masaniello. Le duc de Guise (1614-1664), petit-fils du chef de la Ligue, était à Rome : il se porta candidat au trône de Naples sur lequel il prétendait avoir des droits. Les insurgés firent appel à lui. Le 23 octobre 1647, Naples se proclamait République sous la protection de la France et le duc de Guise fut proclamé « duc de la République ». Mais, dès avril 1648, les Espagnols reprirent le contrôle de Naples : le duc de Guise était prisonnier et les meneurs de la révolte exécutés.

Les armées du roi d'Espagne reprirent l'avantage en 1644 en Catalogne. Philippe IV en profita pour proposer son pardon aux Catalans. La principauté souffrait de la famine, et des pillages des Français. Le prince de Condé, le vainqueur de Rocroi, ne réussit pas en 1647 à reprendre Lérida, place capitale pour le contrôle de la Catalogne. Le prince, ulcéré par cet échec, considéra que Mazarin ne l'avait pas assez soutenu et cet affront l'encouragea dans son opposition au cardinal. Schomberg, nouveau vice-roi de Catalogne, remplaça Condé à la tête de l'armée et négligea Lérida pour attaquer Tortosa qu'il prit et pilla en 1648. La Fronde arrêta l'effort français.

Les progrès diplomatiques. — L'opinion publique en Europe exprimait sa volonté de paix par des prières publiques, des pamphlets, des feuilles volantes, des œuvres musicales, des médailles, des pièces de théâtre.

Le traité franco-suédois de 1641 avait désigné Münster et Osnabrück en Westphalie comme siège des négociations avec l'Empire : les deux villes n'étaient distantes que de 45 km. Le congrès ne s'ouvrit qu'en décembre 1644. La plupart des puissances européennes furent représentées, sauf l'Angleterre, en proie à la révolution, le tsar et le sultan. Les catholiques s'installèrent à Münster et les protestants à Osnabrück.

L'empereur dut plier : le 29 août 1645, chaque prince du Saint-Empire se vit reconnaître le droit de faire la guerre ou la paix, donc d'avoir le droit à la parole dans le cadre du congrès. C'était l'étape décisive. En novembre 1645, le représentant impérial, gagnait à son tour la Westphalie.

En janvier 1646, arrivèrent aussi en Westphalie les plénipotentiaires hollandais. Les négociations duraient depuis longtemps entre Hollandais et Espagnols. Mazarin caressait l'espoir, pour prix des victoires françaises, de pouvoir obtenir tous les Pays-Bas espagnols, ce qui inquiéta les Hollandais qui voulaient bien la France comme amie, mais non comme voisine. Le 7 juin 1646, Philippe IV reconnut pour la première fois la liberté et la souveraineté des Provinces-Unies : c'était la fin d'une guerre de quatre-vingts ans. La France tenta de retarder cet accord final. Mais l'Espagne rêvait de se trouver seule face à la puissance française. Des préliminaires furent signés dès le 8 janvier 1647. Amsterdam l'emportait sur Anvers et la fermeture de l'Escaut était décidée. Un an plus tard, cette paix était ratifiée.

Les dernières campagnes. — En mars 1645, la principale armée suédoise obtint une éclatante victoire sur l'armée impériale à Jankov, au sud-ouest de Prague. Cela permit à Turenne de remporter enfin des succès en Allemagne, à Allerheim – on parle aussi de la seconde bataille de Nördlingen, contre les Bavarois (3 août 1645). En novembre 1645, Turenne rendait Trèves à l'Électeur, montrant que le roi de France respectait ses engagements et défendait les libertés germaniques. Ferdinand III avait tout joué en cette année 1645 et il avait perdu ; il dut même quitter Vienne.

En 1646, le cardinal Mazarin favorisa la collaboration stratégique entre la Suède et la France, sur le terrain entre le général suédois Wrangel et Turenne. En effet jusqu'alors, les deux armées intervenaient séparément : pour les Suédois contre les États héréditaires de l'empereur – Bohême et Autriche – pour les Français en Rhénanie et en Souabe. Turenne voulait écraser la Bavière, mais Mazarin désirait plutôt faire la paix avec une puissance catholique que rien n'opposait à la France et qui avait été longtemps son alliée. La Bavière devint la pièce maîtresse du jeu diplomatique, mais l'Électeur Maximilien de Bavière, par son expérience et la puissance de ses États, savait mener une politique complexe. Il voulait signer avec la France une paix séparée, sans les Suédois, et se dérobait toujours. La collaboration franco-suédoise resta parfaite : le duc fut contraint à signer l'armistice d'Ulm en mars 1647.

La mutinerie dans l'armée d'Allemagne. — Une crise grave frappa l'armée d'Allemagne en 1647. Turenne jugeait qu'il fallait utiliser l'armistice avec la Bavière pour porter un coup fatal à l'Autriche. Mazarin voyait la paix entre l'Espagne et les Provinces-Unies toute proche et voulait utiliser plus au nord l'armée d'Allemagne. Brutalement la mutinerie que redoutait Turenne éclata : ses troupes refusaient de passer le Rhin et de servir aux Pays-Bas. Les combattants voulaient rester dans un pays qu'ils connaissaient bien. Le général de cavalerie Rosen prit la tête de la révolte (juin 1647). Mazarin avait donné carte blanche à Turenne qui usa de son prestige et négocia, car il ne voulait pas perdre l'admirable armée d'Allemagne. Pendant la discussion, Turenne fit venir de nuit 100 mousquetaires qui s'emparèrent de Rosen, pourtant bien protégé, et l'emmenèrent à Paris. Une grande partie des mutins se soumirent, les autres prirent la fuite et Turenne les poursuivit (juillet-août 1647).

La même année, Ferdinand III récupéra des troupes et négocia avec Maximilien de Bavière et il fallut l'écrasante victoire française à Zusmarshausen, le 17 mai 1648, pour forcer Maximilien à déposer les armes. Königsmark, qui était au service de la Suède, frappa un dernier coup : il entra dans Prague par surprise le 26 juillet 1648, s'empara du palais royal dont il pilla les richesses. Ce coup imprévu fut fatal à Ferdinand et le contraignit à la paix.

À Lens, le 20 août 1648, les Espagnols étaient sévèrement battus par les armées de Condé. Ces victoires de 1648 précipitèrent les événements. Le 24 octobre 1648, les traités de Westphalie furent signés.

Les traités de Westphalie

Jusqu'à la fin, les opérations militaires portèrent donc de l'ombre aux négociations de paix. Mazarin continua l'effort de guerre pour obtenir une paix avantageuse. Et jusqu'au traité, il joua la carte de l'alliance suédoise.

Pour la France, il s'agissait de prendre la défense des libertés germaniques face à l'empereur qui devait être le chef de l'Allemagne, et non son souverain. La France pourrait ainsi apparaître comme le protecteur des faibles.

Pour la défense de la sainte foi, la France était là dans une position ambiguë. Le roi était le « Très Chrétien », la reine était dévote et le premier ministre cardinal. Dans le royaume, les protestants s'étaient à peine apaisés. Rien ne devait être fait pour favoriser la cause protestante et, au contraire, les intérêts catholiques devaient être sauvegardés. Mais les alliés de la France étaient protestants et le premier d'entre eux, la Suède, voulait faire de l'Allemagne une vaste zone réformée. Le catholicisme allemand subit donc en 1648 des pertes considérables par rapport à 1629. La situation religieuse était figée, telle qu'elle avait été en 1624. Désormais un prince pouvait changer de religion sans que ses sujets fussent tenus d'en faire autant.

Les traités ramenaient la paix en Allemagne et donnaient une stabilité nouvelle au Saint-Empire, lui permettant ainsi de survivre malgré sa complexité, car le Saint-Empire restait ce qu'il était, un « monstre », selon le juriste Pufendorf. L'Empire subissait définitivement des sacrifices territoriaux : les cantons suisses et les Provinces-Unies étaient reconnus comme indépendants. La France était bien souveraine des trois évêchés – Toul, Metz et Verdun.

Comme la France ne demandait pas de « satisfactions » au détriment des princes allemands, il fallait qu'elle les obtînt des seuls Habsbourg, en particulier en Alsace et ce fut, après les victoires de 1645, la principale exigence française.

La France eut deux têtes de pont au-delà du Rhin (Brisach et un droit de garnison à Philippsbourg), ainsi que les territoires de la maison d'Autriche en Alsace : le « landgraviat » de Haute-Alsace, de Basse-Alsace, la protection de la Décapole (ligue de dix villes) : Landau, Wissembourg, Haguenau, Rosheim, Obernai, Sélestat, Kaysersberg, Colmar, Turckheim et Munster. Désormais le Rhin sur une partie de son cours était une frontière pour la France. La présence française coupait les routes traditionnelles de l'Espagne. Fallait-il une pleine souveraineté du roi de France en Alsace, ou bien en faire un fief dont l'investiture serait donnée par l'empereur et qui faciliterait une élection du souverain français à l'Empire, un vieux rêve de la monarchie ? Mazarin dut opter pour la première solution. En revanche la question de la Lorraine n'était pas réglée et le duc Charles IV, au service des Espagnols, fut exclu de la négociation.

La France et la Suède étaient garantes des accords de Westphalie, « y compris de ses dispositions internes à l'Empire, dans les affaires duquel ces deux puissances acquièrent ainsi un titre permanent d'ingérence » *(Jean-François Noël)*. Mais les succès diplomatiques et militaires n'effaçaient pas le mécontentement qui persistait en France.

La Fronde

La Fronde – on a donné le nom d'un jeu d'enfants à cette grave crise intérieure – fut une conséquence indirecte des engagements internationaux de la France. Au moment où des résultats tangibles allaient être obtenus, le royaume était à bout de souffle. Il y avait sans doute un mécontentement général qui naissait de la crise économique et des prélèvements fiscaux ; il y avait aussi la volonté de la monarchie de trouver de nouvelles recettes, en faisant payer l'impôt aux sujets qui y échappaient encore. Surtout la Fronde fut une réaction à la politique brutale qui était conduite pour obtenir ces ressources, au refus de discuter les décisions du gouvernement, au climat de contrainte et de peur qui durait depuis Richelieu, à l'obéissance qui était imposée à la cour et à la noblesse. Paradoxalement ce furent les succès militaires et diplomatiques qui précipitèrent les événements. Mazarin, fort de ses succès à l'extérieur, pensa que le prestige acquis devait lui permettre de parler haut et de faire taire les oppositions. Ainsi s'expliquent les coups de force qu'il tenta et qui échouèrent, mais le cardinal était lucide et courageux : ces échecs nourrissaient sa détermination et il sut manœuvrer parmi les difficultés, réagir à son tour au jour le jour, et triompher à la fin.

La politique fiscale de Particelli d'Émery

Le gouvernement avait surtout à faire face aux résistances face à l'impôt. Dès 1643, Mazarin confia les affaires financières à un intendant des finances qui devint contrôleur général, puis en juillet 1647 surintendant des finances : Particelli d'Émery, qui était issu d'une famille de banquiers installée à Lyon.

La montée des mécontentements. — L'établissement d'une régence avait laissé espérer des temps nouveaux, où la pression fiscale s'atténuerait. Mais la guerre continuant, une telle politique était impossible. Comme Richelieu, dont il était le disciple, Mazarin pensait que le royaume pouvait et devait payer la coûteuse politique de guerre. Dans les provinces, les populations s'en prenaient aux intendants, qui étaient jugés responsables de tous les maux. Ces commissaires du roi étaient de surcroît détestés des autorités locales, des gentilshommes et des officiers du roi, qui ne cherchaient nullement à les défendre et les désignaient volontiers à la vindicte populaire. Des troubles éclatèrent un peu partout.

Les intendants reçurent alors des pouvoirs supplémentaires : la résistance à l'impôt fut assimilée au crime de lèse-majesté. Les officiers des finances se voyaient chaque jour un peu plus privés de leurs responsabilités dans la répartition et la perception des tailles. Et ils s'en plaignaient en envoyant au roi des « syndics ».

Le poids des financiers. — Des financiers avançaient au roi les sommes dont il avait besoin. Ils recevaient l'autorisation de se rembourser en percevant l'impôt qui leur était « affermé » (et dont ils étaient les « fermiers »). Ces financiers utilisaient des prête-noms pour signer le contrat avec le pouvoir royal, mais eux-mêmes rassemblaient les fonds nécessaires dans la haute noblesse et la riche bourgeoisie. C'étaient donc les élites sociales qui prêtaient de l'argent au souverain et qui se partageaient les bénéfices laissés par de telles opérations. Pour le contribuable en revanche, les agents des fermiers n'étaient pas au service du roi, donc ils semblaient détourner l'argent vers leurs caisses propres.

Les nouvelles pressions fiscales. — Particelli d'Émery s'efforça de trouver de nouvelles ressources en taxant ceux qui étaient exemptés de la taille. D'où toute une série de mesures, qui frappèrent surtout les Parisiens, car Paris était exemptée de la taille. En mars 1644, l'édit du toisé frappait les bâtiments construits depuis Henri II sur les terrains inconstructibles proches des murailles de la ville. Le parlement refusa de l'enregistrer. En août 1644, la taxe des aisés devait frapper les marchands bourgeois de Paris, mais le parlement le limita aux financiers qui participaient aux affaires du roi. À l'automne 1646, l'édit du tarif avait augmenté les taxes sur l'entrée des marchandises dans la capitale. Particelli cherchait à multiplier les ventes d'offices, ce qui produisait des ressources pour l'État, mais dévalorisait les charges des officiers en place et provoquait leur colère. Au début de l'année 1648, la décision de créer 12 nouveaux maîtres des requêtes – ces officiers siégeaient au parlement – fut très mal reçue. Néanmoins, Mazarin croyait pouvoir maintenir le parlement dans l'obéissance, en menaçant de ne pas renouveler la paulette. En effet, ce droit que payaient annuellement les officiers pour assurer l'hérédité de leur charge, venait à expiration à la fin de 1647 et Mazarin était disposé à utiliser ce chantage.

Les forces d'opposition

La famille royale. — Les oppositions se multipliaient donc. La famille royale d'abord les conduisait. Gaston d'Orléans était un éternel comploteur et sa fille, la duchesse de Montpensier, la Grande Mademoiselle, née en 1627, « la plus riche princesse d'Europe » suivit son exemple. Le prince de Condé, né en 1621, avait, sous le nom de duc d'Enghien, remporté la bataille de Rocroi. Célébré comme un héros, il aurait aimé être le chef des armées, mais aussi du Conseil royal. Sa sœur, la duchesse de Longueville, aimait l'aventure, et fut « l'âme de la Fronde ». Son frère, le prince de Conti, la suivait en aveugle. Le duc de Beaufort avait été emprisonné de 1643 à 1648 : il sut se rendre populaire auprès du peuple parisien et en particulier des « dames de la halle ». Tous voulaient participer au gouvernement et écarter ce cardinal italien qui avait la confiance de la reine.

Le coadjuteur et le clergé de Paris. — Un ambitieux prélat joua aussi un rôle essentiel dans les troubles. Jean-François Paul de Gondi était, depuis 1644, coadjuteur (successeur désigné) de l'archevêque de Paris, son oncle, avec l'espérance de lui succéder. Il s'était fait connaître par ses sermons et il pouvait entraîner derrière lui une bonne part du clergé parisien. Ambitieux, il voulait lui aussi avoir un rôle politique, et au passage obtenir le chapeau de cardinal. Plus tard, il rédigea d'admirables *Mémoires* qui sont une vision romancée de la Fronde, mais aussi un chef-d'œuvre de notre littérature.

Le parlement de Paris. — Une véritable « guerre d'usure » s'était engagée entre la régence et le parlement de Paris. Les parlementaires critiquaient de plus en plus deux instruments de la monarchie : les intendants et les fermiers de l'impôt. Les officiers de justice supportaient mal le rôle grandissant des intendants de justice, police et finances qui contrôlaient les petites juridictions et concurrençaient les parlements. Ils critiquaient aussi les financiers auxquels Particelli d'Émery avait systématiquement recours. Les trésoriers de France et les officiers subalternes, les élus, se sentaient aussi dépossédés et accusaient les partisans de pressurer les sujets. Le parlement se présentait comme le défenseur des intérêts du peuple, et surtout de Paris, face aux mesures fiscales trop lourdes : les édits récents par exemple. Les parlementaires voulaient utiliser leur droit de remontrances pour infléchir la politique gouvernementale et veiller au respect des lois fondamentales du royaume, en s'opposant à toute innovation politique. Et bien sûr ils s'efforçaient de défendre leurs propres intérêts. En tout 220 magistrats au parlement de Paris, soutenus par le monde judiciaire, au cœur de l'île de la Cité, dans ce palais de justice qui était un lieu sensible où les nouvelles circulaient vite et où l'émotion grandissait tout aussi vite.

Paris. — La Fronde eut pour cadre essentiel Paris, une ville très peuplée. Il était facile de l'affamer, mais aussi de l'enflammer. La ville était dominée par les Six-Corps au-dessus de tous les métiers (drapiers, épiciers c'est-à-dire marchands d'épices et de toutes sortes d'autres marchandises, merciers, pelletiers, bonnetiers, orfèvres). Les habitants riches possédaient souvent des terres dans les campagnes autour de Paris. Et nombre de Parisiens étaient des rentiers, or les rentes de l'Hôtel de Ville étaient payées avec beaucoup de retard, d'où des murmures qui tournèrent à l'émeute dans les années 1647-1648.

Le parlement de Paris avait aussi le droit de « police générale » sur Paris, comme sur l'ensemble de son ressort. Il contrôlait le Châtelet dont le lieutenant civil et le lieutenant criminel veillaient à l'ordre dans la capitale. Face à eux, le « Corps de ville », avec à sa tête le prévôt des marchands, représentait surtout les « bourgeois de Paris » – en théorie les habitants de la cité, en fait une oligarchie de gens aisés.

La Fronde parlementaire ou « vieille Fronde »

Il est difficile de faire la chronique d'une période agitée, mais des étapes ont été décelées par les historiens.

La Chambre Saint-Louis. — Le 15 janvier 1648, la régente vint au palais de justice tenir un lit de justice pour faire enregistrer une série d'édits fiscaux, préparés par Particelli, mais, dès le lendemain, le parlement annula le lit de justice. Mazarin essaya de gagner les parlementaires en leur accordant gratuitement le renouvellement de la paulette, alors que les magistrats des autres cours souveraines (chambre des comptes, cour des aides, Grand conseil) devraient renoncer à plusieurs années de gages pour l'obtenir. Cette tentative provoqua un mouvement de solidarité chez les magistrats, qui rendirent, le 13 mai 1648, un « arrêt d'union » qui décidait la réunion de députés de toutes les cours en une seule assemblée, tenue dans la Chambre Saint-Louis du palais de justice.

Dans ce cadre, un texte en 27 articles fut rédigé : les intendants devaient être révoqués (art. 1), aucune levée d'impôts n'aurait lieu sans le consentement des cours souveraines – et cette disposition mettait la couronne sous contrôle (art. 3). L'article 6 établissait une règle de procédure qui garantissait les libertés individuelles, puisque aucun sujet ne pourrait être emprisonné pendant plus de vingt-quatre heures sans être interrogé. Ceux qui étaient détenus, sans avoir été condamnés lors d'un procès, seraient libérés et leurs biens leur seraient rendus. Un officier ne pourrait être l'objet d'une lettre de cachet. Ainsi s'élaborait une forme d'*habeas corpus* avant la lettre : la loi anglaise de 1679 permit en effet à un prisonnier de faire appel de sa détention devant un tribunal et de savoir dans les trois jours la cause de son emprisonnement.

La régente céda et les propositions eurent valeur de loi le 31 juillet. Les armées françaises connaissaient alors des succès sur tous les fronts – Tortosa en Catalogne était prise – et les Suédois étaient à Prague. Lorsqu'on apprit la belle victoire de Condé à Lens (20 août 1648) contre l'armée espagnole, Mazarin décida de frapper l'opposition des parlementaires en en faisant arrêter les meneurs, surtout le vieux Broussel, très populaire et très hostile au gouvernement, le 26 août 1648, pour faire un exemple.

Les barricades. — L'émeute éclata dans Paris, et commença surtout dans les classes moyennes de la Cité, avant de se propager dans les autres quartiers. Les bourgeois s'armèrent. Des affrontements eurent lieu avec les gardes du roi. Le 27 août, Paris se couvrit de barricades. Des parlementaires se rendirent au Palais-Royal et furent accusés de sédition par Anne d'Autriche. Ils cédèrent, mais, à leur retour au parlement, ils furent molestés ou menacés de mort. Le 28 août, Broussel fut libéré, le parlement demanda la démolition des barricades, mais les troubles continuèrent. Le calme ne revint que peu à peu dans les jours suivants.

La reine s'installa avec la cour, le 13 septembre, au château de Rueil, près de Paris. Mais elle fut contrainte à la discussion et le 24 octobre, une déclaration royale entérinait tous les articles de la Chambre Saint-Louis. Une véritable monarchie constitutionnelle limitée était instituée en théorie. Le roi rentrait dans Paris.

La première guerre de la Fronde. — Après avoir cédé à la colère populaire, la régente et Mazarin firent venir des mercenaires allemands de l'armée de Condé dans les environs de Paris. Puis la cour, après avoir feint de fêter les rois, quitta la capitale dans la nuit du 5 au 6 janvier 1649 et s'installa à Saint-Germain-en-Laye. Condé fit le blocus de Paris avec 8 à 10 000 hommes. Conti, qui avait quitté la cour, fut déclaré généralissime des troupes de la Fronde et d'autres gentilshommes offrirent leurs services. Des combats eurent lieu aux portes de Paris (Charenton, le 8 février 1649) entre les troupes royales et les groupes de frondeurs qui tentaient de ravitailler la cité. Les soldats du roi ravagèrent le sud de la capitale.

Turenne, tout auréolé de ses victoires en Allemagne, n'était pas satisfait du sort fait à sa maison, celle de la Tour d'Auvergne, et il choisit de soutenir le camp des frondeurs, or il comptait entraîner derrière lui l'armée d'Allemagne. Mazarin, qui se méfiait, avait pris langue avec les principaux officiers de l'armée, et le banquier Herwart avait été chargé de les payer. Or ces officiers avaient été bien traités par la cour après la paix, qui eût signifié sans cela le licenciement et le chômage pour ces vétérans. Les régiments abandonnèrent Turenne. Le maréchal choisit l'exil et le 7 mars 1649 fut déclaré « criminel de lèse-majesté ». Mais il rentra bientôt en France.

Mazarin fut à son tour déclaré « ennemi du roi et de son État » et perturbateur du repos public par les frondeurs.

Ils eurent l'appui de la Normandie et de nombreuses provinces, et les parlements à Bordeaux ou à Aix entrèrent dans la révolte au printemps 1649. Les frondeurs négociaient avec l'Espagne, mais les parlementaires modérés furent en revanche épouvantés par la décapitation de Charles Ier d'Angleterre le 30 janvier 1649. Les Français prirent conscience que le soulèvement en Angleterre avait conduit, après bien des péripéties, à la mort d'un roi et à la disparition de la monarchie. La Fronde risquait-elle d'aboutir à ces extrémités ?

Les mazarinades. — Une intense guerre de libelles se développa contre Mazarin. Plus tard, ces textes furent appelés « mazarinades », d'après le titre de *La Mazarinade* de Scarron (1651). Il y en a plus de 5 000 recensées. On reprochait à Mazarin son origine étrangère, son pouvoir sur le roi et ses liens avec Anne d'Autriche, les impôts qu'il avait créés, son goût du luxe et de l'opéra italien, son enrichissement : il était « l'abbé à vingt chapitres », le « seigneur à mille titres ». Les auteurs de ces pamphlets étaient au service des princes, des parlementaires ou de Gondi. Les imprimeurs parisiens travaillèrent à plein régime pendant cinq ans.

Le coup d'éclat de Mazarin. — Le peuple de Paris était las du blocus et la paix de Saint-Germain fut signée le 1er avril 1649. La prépondérance de Condé dans le gouvernement était manifeste, tandis que l'ordre était rétabli en province avec brutalité.

Les tensions intérieures conduisirent à une rupture entre Condé, qui voulait exercer le pouvoir politique, et Mazarin. Le cardinal isola le prince et voulut montrer sa force en le faisant arrêter, ainsi que son frère le prince de Conti et son beau-frère Longueville (18 janvier 1650). Ce coup de force provoqua un regain de mécontentement et envenima la situation au lieu d'apaiser les oppositions. Turenne resta fidèle à Condé et fut proscrit : il signa alors une alliance avec les Espagnols.

L'union des frondes

Les troupes royales partirent à la reconquête des provinces soulevées par les princes et leurs fidèles. Des campagnes furent menées en Normandie, en Bourgogne et en Guyenne et la cour sillonna le royaume. C'était aussi une façon de montrer la personne du roi, comme Catherine de Médicis l'avait fait pour Charles IX et Marie de Médicis pour Louis XIII. À la fin de l'année, Turenne voulut attaquer l'armée royale qui assiégeait Rethel, mais il arriva alors que la ville s'était rendue, et il fut battu à Sommepy (15 décembre 1650). Cette défaite était l'une des plus cuisantes dans la carrière de ce stratège. Les Espagnols, qui étaient entrés sur le territoire, furent arrêtés par la déroute de Turenne.

Le départ de Mazarin. — Le conflit politique demeurait. Gondi, qui ne put obtenir de Mazarin la nomination au cardinalat, entraîna la « vieille Fronde » au côté des princes et demandait le départ du premier ministre. Mazarin choisit de s'enfuir dans la nuit du 6 au 7 février 1651. Au passage, il libéra les princes. Les Parisiens se rendirent au Palais-Royal pour voir si le petit roi y demeurait toujours, dans la nuit du 9 au 10 février 1651. La famille royale était prisonnière dans Paris. Mazarin se réfugia à Brühl sur les terres de son ami l'Électeur de Cologne, mais il continua à diriger de loin les actes de la régente.

Des assemblées informelles de gentilshommes se réunirent à Paris dès février 1651 et elles demandaient la tenue d'États généraux. Gaston d'Orléans se fit leur porte-parole. Les États devaient se réunir en septembre à Tours et des cahiers de doléances furent rédigés. Ils exprimèrent encore le souhait d' « une monarchie contrôlée par les États, dépourvue de fiscalité centralisée, laissant donc la réalité du pouvoir aux instances locales, un peu les cours de justice, surtout les villes et la noblesse » *(Yves-Marie Bercé)*. Mais parmi les chefs de la Fronde ou à la cour, nul ne souhaitait vraiment la réunion des États.

La fin de la Régence. — La désunion s'installa bientôt parmi les frondeurs : Condé refusa de se déclarer régent, le clergé parisien au service de Gondi s'opposait au parlement. Et le 7 septembre 1651, Louis XIV fut déclaré majeur : la régence était terminée.

Les rapports entre la reine et Condé, entre Retz et Condé s'aigrirent, et le prince décida de gagner son gouvernement de Guyenne, pendant que Gondi recevait le chapeau de cardinal et devenait cardinal de Retz.

La fronde condéenne

En septembre 1651, alors que Louis XIV était majeur et que la régence prenait fin, Condé sautait le pas. C'était cette fois la révolte personnelle d'un prince du sang. Condé était favorable à un pouvoir royal fort, et il ne souhaitait pas qu'il fût contrôlé par les États ou la noblesse. Mais il voulait guider le jeune roi, à la place de la reine mère et de son conseiller italien. Il s'appuyait sur Bordeaux et la Guyenne. Il offrit aux Espagnols une place sur la Gironde, Bourg-sur-Gironde, et négocia avec Philippe IV, mais aussi avec Cromwell ou avec le duc de Lorraine.

Les campagnes militaires. — Le roi et la reine mère quittèrent Paris et Louis XIV allait suivre des campagnes parfois très dures, pendant treize mois, loin de la capitale. Anne d'Autriche rappela Mazarin qui rejoignit le souverain à Poitiers (janvier 1652). Le 22 février 1652, Turenne acceptait le commandement de l'armée royale – ce fut un atout majeur pour la cause du roi. Condé voulut surprendre ces troupes, dans la vallée de la Loire, près du canal de Briare ; Turenne devina la présence du prince, réagit vite par une marche de nuit (6 au 7 avril 1652) et, avec des troupes inférieures, rétablit la situation. C'était la journée de Bleneau qui avait sauvé la cour toute proche.

L'armée des princes continuait le combat, et Turenne lui infligea une nouvelle défaite à Étampes (mai 1652), mais ne réussit pas à reprendre la ville aux frondeurs. Mazarin songeait à offrir Dunkerque à Cromwell pour sauver Gravelines dont les Espagnols s'emparèrent pourtant le 18 mai 1652. Charles IV de Lorraine, toujours dans le camp espagnol, choisit ce moment pour entrer en France et tenter de dégager l'armée des princes encerclés à Étampes par Turenne. Le 6 juin 1652, le duc accepta pourtant de signer un traité : il s'engageait à sortir de France si le siège d'Étampes était levé. Les pillages des Lorrains avaient terrifié la population de la région parisienne et Turenne obligea Charles IV à reculer vers la Champagne.

La bataille du faubourg Saint-Antoine. — Paris fut la proie des émeutiers au printemps 1652 et les mazarinades se déchaînaient contre la reine mère, voire contre le roi. Les notables prirent peur. Les troupes de Condé et celles du roi, commandées par Turenne, tournaient autour de Paris. Le 1er et le 2 juillet, lors de la bataille du faubourg Saint-Antoine, la Grande Mademoiselle fit pointer les canons de la Bastille contre les troupes de son cousin Louis XIV et sauva Condé qui put entrer dans la ville. Le 4 juillet, Paris connut une journée sanglante, la terreur condéenne. Des soldats habillés en civil, des hommes du petit peuple, des bourgeois extrémistes se répandirent dans la capitale : l'Hôtel de Ville fut attaqué et incendié. L'année 1652 fut ainsi la plus terrible pour les populations de Paris et de la région parisienne.

L'apaisement. — La lassitude était évidente. Mazarin eut l'habileté de s'éloigner une fois de plus pour calmer les esprits. Condé quittait la France et se mettait au service de l'Espagne. La monarchie semblait désormais seule garante d'un retour à la paix intérieure. Le 21 octobre 1652, Louis XIV faisait une entrée triomphale dans sa capitale. Retz, toujours remuant, fut emprisonné sur l'ordre même du jeune roi. Mazarin rentra le 3 février 1653 et fut acclamé à son tour.

Bordeaux s'était donné à Condé. Un comité, l'Ormée – il se réunissait sur une place plantée d'ormes – dirigea des émeutes contre le parlement, négocia avec Cromwell et avec les radicaux anglais, les Niveleurs, qui voulait l'égalité, un nivellement social. Les décisions impitoyables, qui furent prises dans Bordeaux, étaient surtout dues à l'isolement de la ville, mais elles ont suggéré l'idée d'une « Commune » révolutionnaire, qui utilisait la terreur. Bordeaux tint jusqu'en juillet 1653.

Quelle signification de la Fronde ?

La Fronde apparaît comme un échec, puisqu'elle n'a pas été suivie d'une rupture politique ou d'un bouleversement social. Ce mouvement complexe aurait-il pu entraîner une révolution ?

Des aspects révolutionnaires. — Il comporta des aspects révolutionnaires. Le gouvernement de la France fut remis en cause, surtout en la personne du cardinal Mazarin, par le refus d'enregistrer les décisions royales, par la violence dans la rue, par les attaques virulentes contre le cardinal, par des écrits – les mazarinades – qui s'en prenaient à sa politique et à sa personne, par des menaces contre la famille royale (le Palais-Royal encerclé), par des condamnations solennelles contre Mazarin déclaré « perturbateur du repos public ».

Pendant la Fronde s'affirma aussi la volonté de contrôler la monarchie. Ce fut le programme rédigé par la Chambre Saint-Louis. Tel était aussi le dessein des princes qui voulaient assumer le gouvernement. Pour eux, leur naissance les destinait au pouvoir. Dans le cas de Condé, s'ajoutaient les services qu'il avait rendus à la monarchie sur les champs de bataille, mais aussi contre les frondeurs eux-mêmes.

Il y eut aussi une mobilisation et une coalition de forces sociales qui soutenaient ces mouvements politiques. La Fronde fut d'abord parisienne. Elle était menée par la noblesse de robe : son poids social s'appuyait sur le pouvoir des cours souveraines et sur le monde judiciaire qui vivait autour d'elles. Les bourgeois de Paris, inquiets des décisions fiscales de Mazarin, ne pouvaient que suivre les grands robins. Le « peuple » de Paris, sensible aux crises économiques, était un soutien naturel d'autant plus qu'il était mobilisé par les curés qui, eux, dépendaient de l'archevêché où Retz était coadjuteur.

L'extension de l'agitation dans les provinces fut surtout le fait de la noblesse. Les princes frondeurs savaient rassembler dans leurs domaines ou leurs gouvernements des « clientèles » et des « parentèles », c'est-à-dire des groupes d'hommes qui leur étaient liés par tradition ou par parenté. C'est ainsi que les frondeurs purent disposer de troupes. Mais nombre de villes imitèrent aussi Paris.

Les affrontements militaires donnèrent à la Fronde des allures de guerre civile. Les soldats, lors des révoltes populaires, au temps de Richelieu, n'avaient eu à affronter que des paysans ; pendant la Fronde, ce furent des troupes organisées qui s'opposèrent. L'engagement alla très loin puisque Condé chercha de l'aide du côté de l'ennemi, de l'Espagne.

Les intérêts contradictoires. — Pourtant la Fronde ne fut pas une révolution. La monarchie ne fut jamais remise en cause. Mazarin servit de bouc émissaire et ce fut sur lui que portèrent les attaques. Par ses deux exils, il sut jouer de cette réalité. La Fronde naquit pendant une période de régence, parce que l'autorité royale semblait plus fragile. Les parlementaires, qui avaient permis une régence pleine et entière, avaient espéré être payés de retour et les grands, écartés du pouvoir politique par Richelieu, tentaient de le récupérer.

Les frondeurs ne furent pas durablement unis et Mazarin sut utiliser les uns contre les autres. Il suffit de rappeler ici comment les acteurs entrèrent successivement en scène. Cette désunion tenait aux intérêts très différents des uns et des autres : les intérêts bien compris des officiers des cours souveraines, qui défendaient leurs charges héréditaires, les inquiétudes des bourgeois de Paris face aux innovations fiscales, les pressions de la noblesse farouchement attachée à ses privilèges et à ses pouvoirs locaux, que l'administration royale tendait à confisquer, la carrière personnelle de personnages ambitieux comme Gondi.

Ces divergences d'intérêts empêchèrent l'expression d'un programme clair qui aurait pu trouver un soutien plus unanime. Sous des proclamations audacieuses, il s'agissait surtout de conserver des avantages anciens face aux entreprises de la monarchie administrative. La Fronde regardait en arrière plutôt qu'en avant.

L'absence d'unité et de projet clair explique que le mouvement n'ait jamais touché réellement toute la population. Les campagnes s'étaient révoltées contre les impôts nouveaux, mais elles ne se reconnaissaient pas longtemps dans cette agitation urbaine des privilégiés. Les parlementaires parisiens ou la grande noblesse ne trouvèrent pas des couches sociales qui serviraient à entraîner les Français, à l'instar de la *gentry*, la petite noblesse anglaise, au temps de Cromwell. Aucune idéologie et aucun idéal ne permirent une mobilisation générale contre la régence, alors que Charles Ier d'Angleterre s'était aliéné une partie des protestants.

Les troubles de la Fronde provoquèrent peu à peu la lassitude du plus grand nombre qui ne comprenait pas les raisons profondes de toute cette agitation. Les excès, la violence, les affrontements militaires firent désirer un retour à l'ordre.

Il convient de noter la ténacité de Mazarin qui travailla sans relâche à affaiblir les oppositions. Il pouvait s'appuyer aussi sur le prestige que lui donnait une politique internationale brillante même si les Frondeurs lui reprochaient de n'avoir pas obtenu la paix générale lors des négociations de Westphalie et l'accusaient de prolonger la guerre européenne pour conserver le pouvoir et pour continuer à s'enrichir.

La fin de la guerre franco-espagnole

Les reculs de la puissance française

Même si les Espagnols n'avaient pas obtenu une victoire définitive sur la France, ils avaient profité de la Fronde pour affirmer leur présence et affaiblir les positions françaises.

Dunkerque, Barcelone, Casale. — La guerre contre l'Espagne avait continué alors que la Fronde faisait rage. Il ne fut pas possible à Mazarin de secourir Dunkerque qui capitula le 16 septembre 1652. Bientôt Condé quitta Paris avec ses fidèles et gagna la Flandre, alors que Louis XIV rentrait dans sa capitale. Désormais le cousin du roi était un général au service de l'ennemi.

Même lorsqu'il était éloigné de la France, Mazarin avait continué à diriger la politique française. Néanmoins la Fronde avait conduit à relâcher l'effort militaire en Espagne, et Barcelone capitula, le 13 octobre 1652. Les Français conservaient seulement les territoires catalans au nord des Pyrénées. Il fallut aussi céder du terrain en Italie : Casale, où il y avait toujours une garnison française, fut remise au duc de Mantoue et les Français renvoyés en Dauphiné. Dunkerque, Barcelone, Casale : l'année 1652 était une nouvelle année admirable pour l'Espagne, ce qui montrait que l'Espagne avait encore de grandes capacités de résistance.

Face à ce sursaut espagnol, Mazarin cherchait un allié. En Angleterre, la révolution avait porté au pouvoir un petit gentilhomme, Oliver Cromwell : il avait établi une véritable dictature, il s'était révélé un remarquable homme de guerre et il menait une politique internationale très active. Anne d'Autriche, sur les conseils du cardinal, reconnut la République d'Angleterre qui était pourtant née de la décapitation d'un roi, proche parent du roi de France.

Le sacre de Louis XIV. — Turenne prit Rethel – cette place menaçait Châlons, Reims, Soissons et Laon et avait donc une grande importance stratégique. Condé entra bien en campagne en août 1653 à la tête d'une armée espagnole, mais Turenne évita toute bataille. Mazarin conduisit alors Louis XIV à l'armée pour compléter son éducation et la cour assista au siège de Sainte-Ménéhould qui fut difficile (octobre-novembre 1653).

La Champagne était plus sûre après la campagne militaire de 1653 et le sacre du roi à Reims put avoir lieu le 7 juin 1654. Cette cérémonie marquait bien, une fois encore, le triple contrat coutumier qui unissait « le souverain à son Dieu, à son peuple et aux grands » *(François Bluche)*.

Les difficultés et les solutions financières

Dans le royaume, les difficultés financières s'accumulaient. Les gouverneurs et gens de guerre prenaient le revenu des impôts pour eux. Les généraux se faisaient payer la solde de régiments entiers, alors qu'en réalité ils étaient incomplets. Il fallait entretenir quatre armées et une flotte, verser de lourdes sommes à des frondeurs tenaces qui tenaient des places fortes, assurer le train de vie de la cour et le remboursement des dettes passées. Il fallut aussi rétablir la confiance des financiers et des prêteurs après la crise de la Fronde.

Servien et Fouquet, surintendants des finances en 1653, surent le faire.

Le travail de Fouquet. — Fouquet était procureur général du parlement de Paris et il était resté fidèle à la régente pendant les troubles. Surtout par ses deux mariages successifs, il avait acquis une grande fortune personnelle et pouvait s'appuyer sur un réseau d'alliances dans le monde des officiers riches. Fouquet savait où trouver l'argent dont avait besoin le roi. Quand ce fut nécessaire, il n'hésita pas à prêter de l'argent à Mazarin, ainsi en novembre 1657, 11,8 millions avec le concours de son cousin Jeannin de Castille et du banquier Herwart.

Le retour des intendants. — Il fallait bien utiliser aussi tous les moyens traditionnels de la monarchie. Pour améliorer la rentrée des impôts, sans blesser les populations, les intendants ne furent pas rétablis tout de suite : ce furent des maîtres des requêtes qui furent envoyés dans les provinces en « chevauchées ». Puis à partir de 1655, les « commissions » réapparurent, donc les commissaires, c'est-à-dire les intendants. L'institution s'enracinait peu à peu.

Louis XIV et le lit de justice de 1655. — Surtout le surintendant Fouquet eut recours aux affaires extraordinaires, aux expédients habituels, qui furent présentés en 17 édits. À cette occasion, Louis XIV put affirmer hautement la primauté de l'autorité royale. Devant les réticences du parlement, le roi tint un lit de justice pour imposer les édits le 20 mars 1655. Les parlementaires s'inclinèrent, mais la discussion reprenait. Mazarin en venait à craindre un retour de la Fronde. Comme Louis XIV était mécontent de cette résistance larvée, il vint au parlement de Paris, sans observer les formes accoutumées, le 13 avril 1655. La légende naquit selon laquelle il était venu en habit de chasse, un fouet à la main, pour menacer les magistrats et qu'il avait déclaré : « L'État, c'est moi. » En réalité la négociation continua : le gouvernement offrit des récompenses aux principaux parlementaires et céda sur des détails. En tout cas, cette menace discrète eut de grandes conséquences, car le parlement ne fut plus guère tenté de prendre une importance politique au cours du règne. La multiplication des lits de justice avait montré la détermination du gouvernement et du jeune roi.

Les aspirations sociales et religieuses

Après la crise brutale de la Fronde, l'autorité du roi et de son ministre semblait solide, mais Mazarin resta vigilant, tant il redoutait tout retour des troubles.

Une nouvelle Fronde ? — Les gentilshommes provinciaux n'avaient pas réussi à faire entendre leur voix au cours de la Fronde, où parlementaires parisiens et grands seigneurs avaient été les principaux acteurs. Ces gentilshommes continuèrent à se réunir, par exemple de février à juillet 1652, dans les campagnes près de Paris : ils réclamaient la réunion des États généraux. Le roi leur demanda de cesser ces réunions. D'autres eurent lieu néanmoins en Anjou (1656) ou en Normandie (1657). Devant les menaces royales, les réunions se tinrent dans les forêts, d'où le nom de « conspirations des forêts » qui leur a été donné. Ces mécontents, auxquels se mêlaient des protestants, voulurent utiliser une révolte paysanne, celle des « sabotiers ». Ils prirent les armes au début de 1659. Les gentilshommes ne furent guère suivis et certains furent arrêtés et exécutés.

Le premier jansénisme. — Mazarin regarda aussi d'un œil méfiant le premier jansénisme. Ce courant religieux fut ainsi nommé d'après le nom de l'évêque d'Ypres (dans les Pays-Bas espagnols) : Cornelius Jansen (latinisé en Jansénius) dont l'œuvre posthume *Augustinus* fut publiée en 1640. Autour du jansénisme, il y eut surtout un débat théologique, mais ce débat prit une dimension politique, voire sociale, et marqua profondément les consciences tout au long de l'Ancien Régime. Le concile de Trente n'avait pas tranché nettement sur la question du salut : l'homme est-il libre de faire son salut ou bien Dieu tout-puissant désigne-t-il les élus ? Jansénius interprétait la pensée de saint Augustin de la façon la plus rigoureuse : le Christ n'était pas mort pour tous les hommes, mais pour un petit groupe de fidèles choisis. Face au protestantisme qui avait privilégié la prédestination, des catholiques intransigeants voulaient aussi lutter sur ce terrain. Ce fut une réaction face à l'influence des jésuites qui s'identifiaient avec le molinisme – du nom du jésuite Molina. Ceux-ci avaient privilégié une vision humaniste où la liberté humaine jouait un grand rôle pour obtenir la grâce et le salut. Cette vision moins pessimiste conduisait à une morale plus indulgente. Jansénistes et jésuites furent désormais des adversaires acharnés.

L'abbé de Saint-Cyran introduisit en France les idées de Jansénius. Saint-Cyran fut d'abord un protégé de Richelieu, mais il apparut bientôt comme le chef du parti dévot. Pour lui, la raison d'État défendue par le cardinal était une déviation de la raison : un roi catholique ne pouvait pas s'allier à des princes protestants contre le roi d'Espagne. Saint-Cyran fut en particulier le directeur spirituel des religieuses de Port-Royal, dans la vallée de Chevreuse (voir p. 255). La Mère Angélique avait installé sa communauté à Paris, avant de revenir en 1648 aux champs. Autour de l'abbaye, des laïcs vinrent s'installer : ce furent les Messieurs ou « solitaires » de Port-Royal qui vivaient retirés de la société, sans pour autant choisir la vie monastique. Près de Port-Royal, furent créées aussi des « Petites Écoles » pour offrir un enseignement de grande qualité : Blaise Pascal et Jean Racine y furent élèves. Richelieu fit enfermer Saint-Cyran à Vincennes pour faire taire cet ennemi politique et l'abbé mourut peu après sa libération en 1643.

La lutte théologique avait été continuée par Antoine Arnauld (1612-1694), un théologien, frère de la Mère Angélique. Il défendit Jansénius, puis publia en 1643 son traité *De la fréquente communion* : alors que les jésuites encourageaient cette pratique, Arnauld voulait que la communion restât rare pour être mieux encore pré-

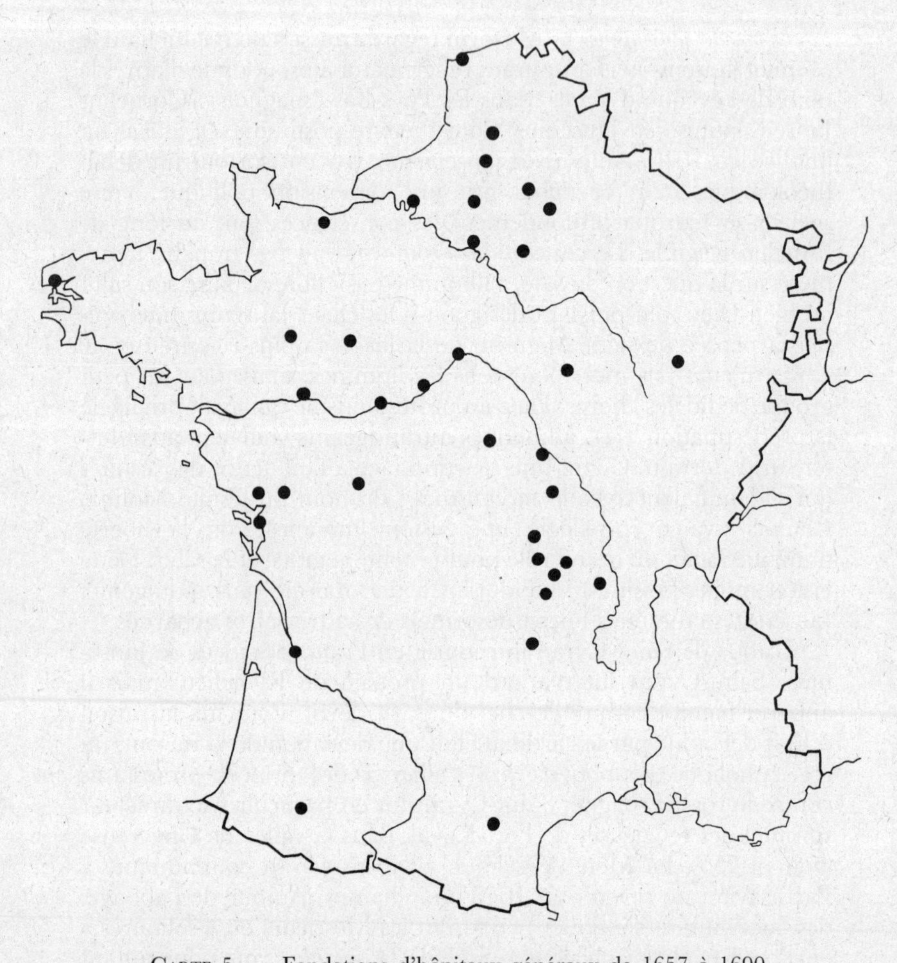

CARTE 5. — Fondations d'hôpitaux généraux de 1657 à 1690

(D'après les lettres patentes) R. Mandrou, *Louis XIV et son temps*, 2e éd., Paris, PUF, 1978.

parée. Un professeur de la Sorbonne et des évêques demandèrent à Rome d'examiner cinq propositions qui étaient tirées de l'*Augustinus*. En 1653, la bulle pontificale *Cum occasione* condamnait ces cinq propositions et le roi acceptait cette bulle. En 1656, Arnauld était expulsé de la Sorbonne. Les jansénistes n'avaient jamais souhaité sortir de l'Église, ni se heurter à elle. Ils se défendirent en affirmant que les cinq propositions condamnées ne se trouvaient pas dans l'ouvrage de Jansénius : c'était la distinction du droit et du fait. Blaise Pascal, jeune mathématicien prodige, se lança dans la bataille en publiant des lettres qui étaient des pamphlets : les *Provinciales*. En ridiculisant la morale relâchée, défendue par les jésuites, Pascal mettait le débat sur la place publique (1656-1657). Mazarin avait, à l'égard des jansénistes, la même méfiance que Richelieu et il la légua à Louis XIV. Les *Provinciales* furent brûlées de la main du bourreau. Un « Formulaire » fut aussi préparé par des évêques : il affirmait que les cinq propositions étaient bien dans l'*Augustinus* et qu'elles étaient condamnables. Les religieuses de Port-Royal reçurent l'ordre de le signer.

Les dévots et l'hôpital général. — Mazarin s'attaqua aussi aux dévots qui se regroupaient alors dans la Compagnie du Saint-Sacrement. Cette société secrète avait été fondée par le duc de Ventadour qui voulait associer une vie intérieure intense à une action inspirée par le catholicisme le plus fervent. En 1630, la Compagnie fut constituée et elle attira des membres de la cour et de la noblesse, des évêques et des curés, mais aussi des membres de la bourgeoisie et du peuple. Les membres de la Compagnie devaient travailler à la dévotion eucharistique autour du saint sacrement. Quant à leur action, elle devait s'exercer dans les hôpitaux et les prisons. Elle se doublait d'attaques contre les vices, donc contre les libertins, et contre les protestants. Le secret était la règle. La Compagnie eut bientôt de nombreuses filiales dans les provinces. Elle fut approuvée d'abord par le pape et par le roi. Mais nombre des membres de la Compagnie se compromirent dans la Fronde, puis attaquèrent l'alliance que nous allons voir naître entre Louis XIV et Cromwell. Finalement Mazarin lança un avertissement : en 1660, le parlement interdisait toute réunion « sans permission expresse du roi et lettres patentes vérifiées », sans toutefois nommer la Compagnie.

Ce fut chez les dévots que naquit l'idée d'un hôpital général de Paris. Depuis le règne de François Ier s'y maintenait un bureau des pauvres et d'autres hôpitaux généraux avaient été créés ailleurs. Des projets furent esquissés par des membres de la Compagnie du Saint-Sacrement afin de secourir les pauvres de la capitale. Le gouvernement royal appuya cette volonté d'éviter la mendicité dans la rue. Elle fut donc interdite par l'édit qui créait en avril 1656 l'hôpital général et une véritable « police privée » *(Jean-Pierre Gutton)* pouvait intervenir contre les pauvres à l'intérieur comme à l'extérieur de l'hôpital. Les pauvres seraient enfermés à l'hôpital et ceux qui étaient valides devraient y travailler et fabriquer des objets manufacturés. Si le parlement contrôlait l'institution, les directeurs, au nombre de 26, étaient des membres de la Compagnie du Saint-Sacrement. L'hôpital fut installé dans des bâtiments rénovés où était fabriqué auparavant le salpêtre, la poudre à canon, d'où le nom de Salpêtrière donné à l'hôpital.

La lutte menée par Mazarin contre la Compagnie du Saint-Sacrement, dont l'influence diminua, conduisit à donner à l'hôpital un caractère plus répressif et moins dévot, et ce durcissement s'accrut encore sous le règne personnel de Louis XIV. Cette création est apparue, aux yeux de certains philosophes ou historiens, comme le résultat d'une lente évolution amorcée à la fin du Moyen Âge : le pauvre, au lieu d'être une figure aimée, comme une image du Christ, devait être enfermé, pour pratiquer un métier, préparer son salut et ne plus gêner le regard. Mais cet enfermement ne fut guère rigoureux et l'hôpital ne fut pas l'immense prison que l'on a parfois décrite.

Face aux jansénistes, comme face aux dévots, Louis XIV suivrait la politique de Mazarin. Le jeune Louis XIV exprima en revanche sa confiance dans la loyauté des protestants et promit de respecter les édits qui les concernaient.

L'alliance avec Cromwell et la Ligue du Rhin

Mazarin et ses généraux avaient repoussé les incursions espagnoles, mais la France était loin de la victoire. Le cardinal chercha d'abord un allié puissant qui permettrait de remporter une grande bataille contre les Espagnols. Il s'efforça aussi d'inquiéter les Habsbourg d'Autriche qui continuaient discrètement à aider leurs cousins d'Espagne, en envoyant des renforts vers les Pays-Bas.

Les opérations incertaines. — Les Espagnols de Condé voulurent reprendre Arras, mais Turenne réussit à les attaquer, dans la nuit du 24 au 25 août 1654, et à les faire fuir. L'année suivante, l'armée royale marcha vers les Pays-Bas, prit des villes et gagna l'aide des Lorrains qui abandonnèrent le camp espagnol. En Catalogne, Conti s'empara de la Cerdagne. Mazarin multiplia aussi les manœuvres en Italie, mais en vain.

Les négociations avec Cromwell et avec Philippe IV. — Surtout le premier ministre souhaitait se lier avec l'Angleterre. Mais Cromwell se considérait comme le protecteur des protestants et reprochait aux Français les violences commises contre les Vaudois le samedi saint 1655, lors d'opérations en Piémont. Après des négociations difficiles, un traité de commerce, dit de Westminster, le 3 novembre 1655, lia la France à Cromwell.

Mazarin, tout en négociant avec Cromwell, voulut discuter encore avec Madrid et y envoya Hugues de Lionne, son secrétaire. Lors de cette discussion, le négociateur français lança l'idée que si l'infante Marie-Thérèse pouvait épouser Louis XIV, la paix serait aussitôt faite. C'était là l'aspect confidentiel de la mission, qui échoua.

L'opinion publique française n'était guère favorable à Cromwell qui avait fait décapiter Charles Ier. Néanmoins la négociation aboutit au traité de Paris (23 mars 1657) qui prévoyait une campagne commune sur terre et sur mer pour enlever Dunkerque et Gravelines.

Les manœuvres dans l'Empire. — L'empereur Ferdinand III était mort en avril 1657 : son fils Léopold, qui était roi de Hongrie, n'était pas roi des Romains, donc ne put devenir empereur immédiatement, et l'interrègne dura plus de quinze mois. Le cardinal Mazarin envoya une ambassade solennelle en Allemagne pour contrer l'élection de Léopold et il conduisit Louis XIV à Metz pour surveiller les événements du Saint-Empire. Mazarin proposait deux politiques aux princes allemands. Soit ils choisissaient un empereur hors de la maison de Habsbourg – peut-être songea-t-il à la candidature de Louis XIV –, soit ils devaient lier les mains du nouvel élu.

Mazarin souhaitait rassembler les princes allemands de façon à contrôler la puissance impériale. La diplomatie française reconnut bientôt qu'elle ne pourrait empêcher l'élection du prince autrichien à l'Empire (18 juillet 1658). Mazarin se contenta d'une « capitulation » qui serait imposée à Léopold avant son élection. C'était une tradition, mais elle fut, en 1658, sévère, et inspirée par la France.

La Suède souhaitait, comme l'Espagne, entraîner la France dans une guerre en Allemagne, mais Mazarin se montra prudent. Il ne voulait pas détruire l'œuvre de 1648, car il préférait négocier une ligue des princes allemands, pour garantir le respect des traités et de la capitulation impériale. La Ligue du Rhin fut créée à Francfort le 14 août 1658 par sept princes, bientôt rejoints par d'autres. « C'est peut-être le chef-d'œuvre diplomatique de Mazarin » *(Jean Bérenger)*.

La paix des Pyrénées

Le siège de Dunkerque commença grâce au traité renouvelé avec Cromwell (mai 1658) qui envoya une flotte et un corps expéditionnaire.

Turenne investit la place de Dunkerque, et la cour vint assister, depuis Calais, au siège : le roi resta quelques jours à Mardyck. Les troupes espagnoles s'approchèrent de Dunkerque et s'installèrent à 3 km des alliés. La bataille décisive eut lieu le 14 juin 1648. Les Espagnols n'avaient pas d'artillerie alors que Turenne avait, à chaque aile, quatre pièces de canon, et était soutenu par le feu des petits vaisseaux anglais, tout proches de la côte. Cette victoire des Dunes allait apporter la paix : 4 000 prisonniers, Condé en fuite, Dunkerque prise le 23 juin après dix-huit jours de tranchée et remise aux Anglais – la religion catholique devait y être respectée. La Flandre maritime était dans les mains françaises, mais Turenne ne fut pas autorisé à pousser plus avant l'avantage car Mazarin ne voulait pas inquiéter Anglais et Hollandais.

Les conditions de la paix. — La défaite espagnole et la modération de la France facilitèrent la négociation. Cromwell était mort le 13 août 1658 et son fils Richard lui avait succédé, mais il n'avait ni l'énergie ni les talents de son père. En 1657, un infant était né à Madrid, Philippe-Prosper, fils de Philippe IV : dans l'ordre de la succession, il précédait sa sœur. Philippe IV avait donc envoyé un messager pour proposer la main de l'infante Marie-Thérèse. Les questions territoriales furent rapidement réglées : la France obtenait l'Artois, sans Aire et Saint-Omer, le Roussillon et la Cerdagne, enfin l'Alsace était reconnue par l'Espagne comme possession française. Mazarin gagna les Pyrénées et l'île des Faisans sur la Bidassoa où les négociations commencèrent avec Luis de Haro, le premier ministre espagnol, le 13 août 1659.

Pour que Condé obtînt le gouvernement de Bourgogne, Avesnes fut cédé à la France. Dans le Luxembourg, Louis XIV recevait Thionville, Montmédy et Damvillers ; dans le Hainaut, Landrecies, Le Quesnoy, Avesnes ; en Flandre, Gravelines, Bourbourg, Saint-Venant. Hesdin était retrouvé ; Marienbourg et Philippeville revenaient à la France.

Les conditions du mariage de Marie-Thérèse et de Louis XIV furent bientôt réglées. Luis de Haro exigea que Marie-Thérèse renonçât à ses droits à la couronne d'Espagne. Hugues de Lionne introduisit-il un lien entre cette condition et le versement de la dot qui n'eut jamais lieu ? Ce n'est pas clair même si ce fut plus tard un argument de la France. Le traité fut signé le 7 novembre 1659.

La paix des Pyrénées concluait la guerre franco-espagnole, mais aussi la guerre européenne. Le traité confirmait les dispositions pour la France en Italie, avec Pignerol, et en Allemagne, avec Brisach et la garde de Philippsbourg. Dans la péninsule Ibérique, la question du Portugal restait posée, mais la France s'était engagée à ne plus aider les Portugais. Mazarin avait réussi à donner à la France d'abord la sécurité des traités, ceux de 1648 et celui de 1659 : ces conventions internationales fixaient un nouvel ordre international et de nouvelles règles en Europe. Mazarin avait ensuite assuré une plus grande sécurité du territoire, par les possessions d'Alsace, le contrôle de la Lorraine, l'éloignement de la frontière au nord, la ligne des Pyrénées sur toute leur longueur. Il avait donné enfin la sécurité de l'avenir, parce qu'il avait offert une carte diplomatique essentielle à la maison de Bourbon : des prétentions à la couronne d'Espagne *(Madeleine Laurain-Portemer)*.

Le mariage de Louis XIV. — À Aix-en-Provence, le prince de Condé fut pardonné par Louis XIV. Gaston d'Orléans était mort à Blois. C'est la fin d'une « génération baroque » *(François Bluche)*.

Les deux souverains Philippe IV et Louis XIV se rencontrèrent les 6 et 7 juin 1660 sur l'île des Faisans. Le 9 juin, le mariage de Louis XIV donna lieu à une nouvelle cérémonie à Saint-Jean-de-Luz.

La mort de Mazarin. — Mazarin était aussi en permanence intervenu dans la guerre qui avait éclaté au nord de l'Europe entre la Suède, la Pologne et le Brandebourg. Finalement ce fut sous l'arbitrage de la France que la paix fut rétablie. Des négociateurs se réunirent au monastère d'Oliva, près de Dantzig (décembre 1659 - janvier 1660) grâce à la médiation française. Les négociations aboutirent à la paix d'Oliva (3 mai 1660). Mazarin, par son talent de négociateur, faisait de la France une puissance présente dans toute l'Europe.

Surtout Mazarin s'était consacré à la formation du jeune Louis XIV qu'il avait initié peu à peu aux affaires publiques. Après la Fronde, Mazarin avait mis tous ses soins à former le jeune Louis à son métier de roi : « Il est certain que le parrain apprit à son filleul, outre les intrigues de cour et de conseil qu'il pouvait observer, l'Europe des rois, des princes, des petits duchés et comtés, des ambassadeurs, des prélats, des diplomates et des agents secrets peut-être » *(Pierre Goubert)*. Le 9 mars 1661, Mazarin mourait.

Mazarin laissait une immense fortune derrière lui, quelque 35 millions de livres, la plus grande fortune du XVIIe siècle – l'intendant du cardinal s'appelait Jean-Baptiste Colbert. Le cardinal avait rassemblé de belles collections de sculptures, de tableaux, de tapisseries, de bijoux. Mazarin était duc et pair et il avait environ 25 abbayes. Il avait veillé à trouver des alliances prestigieuses pour ses nièces Mancini (duchesse de Mercœur, comtesse de Soissons, marquise de La Meilleraye, connétable Colonna, duchesse de Bouillon) et Martinozzi (duchesse de Modène; princesse de Conti). Louis XIV devint amoureux de l'une d'elles, Marie Mancini, mais le mariage était impossible par l'inégalité des naissances et les deux amoureux durent se séparer. Le cardinal laissa ses biens, à son neveu par alliance, La Meilleraye, qui était aussi un petit-neveu de Richelieu et qui prit le titre de duc Mazarin. Mazarin avait aussi créé le collège des Quatre-Nations à Paris, sur les bords de la Seine, en souvenir des quatre « nations » ou provinces qu'il avait rattachées à la France : Alsace, Pignerol, Artois, Roussillon. À partir de 1647, le cardinal introduisit l'opéra en France et ce théâtre chanté y connut bientôt un grand succès.

17. La France de Louis XIV (1661-1680)

Au moment de la mort de Mazarin, la France était en paix, mais elle connaissait une rude crise économique. Ce fut pourtant le moment où le roi installa solidement son autorité sur les ministres et les agents de la monarchie, sur la noblesse, sur la société tout entière.

Le règne personnel de Louis XIV

Le 9 mars 1661, Mazarin mourut. Le lendemain, Louis XIV réunissait ses ministres et déclarait qu'il n'aurait plus désormais de premier ministre. Il conservait auprès de lui les collaborateurs de Mazarin : Le Tellier, Fouquet et Lionne. Louis XIV souhaitait être le maître absolu : il régnait et il gouvernait.

Portrait du roi en gloire

La personnalité de Louis XIV. — À 23 ans, Louis XIV inaugurait donc son règne « personnel ». Il avait la plus haute idée de son métier de roi, auquel il consacrait plusieurs heures par jour, notamment en présidant les séances les plus importantes de son conseil. Louis XIV sut toute sa vie se faire craindre et respecter. Il avait naturellement de la majesté et il était soucieux d'agir en permanence en monarque. Il aimait les habits somptueux et les pierres précieuses. Il savait parler avec clarté et force, mais il s'efforçait d'être toujours courtois. Il avait un prodigieux appétit et il aimait les exercices physiques comme l'équitation et la chasse.

La famille royale. — Il montra le plus grand respect pour la reine Marie-Thérèse. Un seul de leurs enfants survécut : Louis, le Grand Dauphin, né en 1661. Autour du roi vivait sa famille : la reine-mère, dont le rôle politique fut nul après 1661, le frère du roi, appelé Monsieur, et sa femme, Madame, d'abord Henriette d'Angleterre, sœur du roi Charles II. Le roi eut aussi des maîtresses – la duchesse de la Vallière (de 1662 à 1667) et la marquise de Montespan (de 1667 à 1680), qui lui donnèrent plusieurs enfants, élevés d'abord en secret, mais elles n'eurent pas d'influence politique.

La célébration de la personne royale. — Le prestige de la monarchie française en Europe était lié à la personne du roi. Celui-ci fut l'objet d'une célébration qui devait faire accepter ses décisions par ses sujets et sa puissance par les autres pays européens. Des poèmes étaient écrits pour vanter ses mérites. Des médailles étaient frappées pour rappeler ses actions : l'académie des Inscriptions fut fondée dès 1663 par Colbert pour préparer les devises, dédicaces et légendes qui devaient figurer au fronton des monuments, sur les médailles, sur les tableaux ou les tapisseries. Des statues équestres furent élevées dans les villes surtout à partir des années 1685-1686.

L'éclat de la cour de France. — Louis XIV aimait les divertissements : en mai 1664, une fête dura une semaine à Versailles, autour du thème des « plaisirs de l'Ile enchantée ». Ce fut une succession de défilés, de décors, de ballets, de feux d'artifice, de soupers. L'éclat de la vie de cour participait au prestige du monarque en France, auprès de la noblesse, auprès du peuple peut-être, et surtout en face des souverains étrangers, et Louis XIV allait donner un éclat sans pareil à cette cour.

Le tournant de 1661

Le procès de Fouquet. — Louis XIV montra sa volonté dès le 5 septembre 1661 en ordonnant l'arrestation du surintendant des finances Fouquet. Celui-ci savait gagner la confiance des riches financiers qui prêtaient au roi, mais il endettait aussi la monarchie pour longtemps. En même temps, il avait permis à Mazarin d'accumuler une immense fortune, « la plus importante qu'un particulier ait jamais réalisée sous l'Ancien Régime » *(Daniel Dessert)*. Fouquet s'était lui-même enrichi. Il s'était fait construire un magnifique château à Vaux-le-Vicomte où avaient travaillé l'architecte Le Vau, le peintre Le Brun et le jardinier Le Nôtre. Il avait des amis fidèles parmi les écrivains comme La Fontaine ou dans la société aristocratique comme Mme de Sévigné. Il avait invité Louis XIV à une fête en août 1661, mais le roi avait été choqué de ce luxe qu'il jugeait réservé au seul monarque. Dans son cœur, il avait déjà condamné son ministre, mais il se taisait.

Le 5 septembre 1661, alors que la cour était à Nantes, Louis XIV fit arrêter Fouquet. Il demanda qu'un procès fût fait au malheureux ministre et aurait souhaité qu'il fût condamné à mort. Les juges ne cédèrent pas et se contentèrent du bannissement hors du royaume. Louis XIV transforma la peine en détention perpétuelle à Pignerol, la forteresse des Alpes, où il resta jusqu'à sa mort. Ce procès spectaculaire fut suivi de poursuites contre les financiers liés au surintendant dans le cadre d'une Chambre de justice. C'était un moyen de trouver un bouc émissaire commode au moment où les caisses de l'État étaient vides et où le royaume connaissait une grave crise économique (voir chap. 15).

L'ascension de Colbert. — La disgrâce de Fouquet avait été préparée en grand secret et Louis XIV avait utilisé l'ancien intendant de Mazarin. Jean-Baptiste Colbert devint le principal collaborateur du roi jusqu'à sa mort en 1683 : ministre d'État, chargé de la Marine en 1662, surintendant des Bâtiments royaux (1663), contrôleur général des finances (1665), secrétaire d'État de la Maison du roi et de la Marine (1669), contrôleur général des postes. Travailleur acharné, il se fit aimer de Louis XIV par sa discrétion et son dévouement. Colbert put, dans l'ombre du roi, accumuler une grande fortune et marier ses filles à des ducs. Il s'occupa aussi des affaires domestiques du roi, ainsi que de ses enfants bâtards. Pourtant la collaboration entre le roi et Colbert ne se fit pas sans tensions (voir p. 410).

Des historiens ont parlé d'une révolution de 1661 : elle fut marquée par le passage d'une gestion judiciaire à une gestion administrative du royaume. En effet le rôle du chancelier, chef de la justice, déclina. Le chancelier Séguier ne participait pas au conseil d'en haut qui était le véritable conseil des ministres.

En 1661, ce fut Colbert, responsable des finances royales, qui fut chargé de nommer les intendants, et qui fut chargé des Eaux et Forêts, autant de domaines qui relevaient auparavant du chancelier. Ce fut Colbert qui se chargea même de réformer la justice. Le ministre, chargé des finances, avait ainsi concentré les pouvoirs et les responsabilités. Le contrôleur général serait désormais le principal ministre jusqu'à la Révolution.

Les rouages de la monarchie

Le roi de France gouvernait par conseil, et le Conseil du roi « était l'organe au sein duquel le roi éclairait son action et déclarait sa volonté » *(Michel Antoine)*. Le Conseil du roi avait trois niveaux : au sommet, les conseils de gouvernement, qui traitaient des affaires les plus importantes et qui étaient présidés par le roi en personne ; au niveau intermédiaire, le Conseil d'État privé, Finances et Direction, qui traitait d'affaires particulières, en dehors de la présence physique du roi ; enfin, à la base, les bureaux et les commissions, dont l'une des tâches était de préparer les affaires qui étaient portées devant les conseils.

Les conseils de gouvernement. — Ils étaient au nombre de quatre. Le plus important était le conseil d'en haut, où le roi appelait qui il voulait. Celui qui était invité oralement devenait aussitôt ministre d'État : ils ne furent que dix-sept au total de 1661 à 1715. L'expression « conseil d'en haut » n'eut cours qu'à partir de 1643 : auparavant, on parlait de conseil étroit, conseil secret, conseil des affaires, conseil de cabinet et même conseil des ministres *(Michel Antoine)*. Ce conseil passait en revue les questions de politique étrangère, mais aussi les principaux sujets de politique intérieure. Louis XIV y fit entrer plus tard son fils, le Grand Dauphin (1691), plus tard encore son petit-fils (1702), mais il en écarta sa mère et le chancelier Séguier. Pourtant ce dernier restait officiellement le principal personnage de la justice, et par là de l'administration. Il gardait les sceaux. Ainsi le chancelier, le contrôleur général des finances et les secrétaires d'État pouvaient être ministres, mais ne l'étaient pas obligatoirement.

Les « notaires et secrétaires du roi » étaient définitivement devenus secrétaires d'État avec des « départements » spécialisés : la

Guerre, la Marine et la Maison du roi, les affaires protestantes, enfin les affaires étrangères – on disait encore secrétaire d'État des étrangers. Ils contresignaient les décisions prises par le roi et signaient volontiers « au nom du roi » ou « par le roi ». Leur rôle devint essentiel sous Louis XIV. De plus en plus, en vieillissant, le monarque travailla en tête à tête avec ces secrétaires d'État, c'était la « liasse » ou travail du roi, mais ce travail s'accomplissait aussi avec d'autres dignitaires lors d'audiences studieuses. Il fallait leur ajouter le surintendant des bâtiments et le lieutenant général de police de Paris, qui avaient le rôle de ministres. Des « premiers commis » et des « commis » assistaient les secrétaires d'État.

Le conseil des dépêches s'occupait de la correspondance avec les provinces et, en présence du chancelier et des secrétaires d'État, le roi s'y rendait. Le conseil royal des finances fut créé pour remplacer le surintendant des finances, à la disgrâce de Fouquet en 1661. Un temps, Louis XIV voulut y jouer le rôle de surintendant avant la nomination de Colbert comme contrôleur général. Un conseil du commerce se tint de 1664 à 1676 qui correspondait à des séances spéciales du conseil royal des finances, consacrées aux affaires commerciales. Louis XIV réorganisa le conseil de conscience, où entrèrent son confesseur, l'archevêque de Paris et quelques personnalités réputées. Il s'agissait d'examiner les qualités et les vertus des candidats à un siège épiscopal ou abbatial. Ainsi était tenue à jour la « feuille des bénéfices » qui permettait d'attribuer les évêchés et les abbayes vacants. Mais Louis XIV décida souvent en tête à tête avec son confesseur, toujours un jésuite, des nominations dans l'Église de France.

Les dynasties ministérielles. — Louis XIV ne choisit pas presque jamais ses ministres dans la grande noblesse, mais il utilisa des hommes dont la carrière dépendait de lui seul. C'étaient des bourgeois ou des nobles de fraîche date. Ils étaient choisis dans quelques familles, celle de Colbert, celle de Le Tellier, celle de Pontchartrain. Toute sa vie, Louis XIV resta fidèle aux mêmes ministres, qui eurent sa totale confiance et qui lui devaient une totale obéissance. Il faut donc noter la présence de véritables lignées ministérielles, qui s'étaient imposées par leur fidélité dans les épreuves, en particulier dès le temps d'Henri IV. Les membres de ces lignées se distinguaient par le nom de la seigneurie qu'ils portaient. Chez les Colbert, à côté de Jean-Baptiste, il faut signaler son fils Seignelay, secrétaire d'État à la Marine, et le frère du grand Colbert, Colbert de Croissy, secrétaire d'État des affaires étrangères, comme son propre fils plus tard, Torcy ; leur neveu, Desmarets, fut contrôleur général. Un gendre de Colbert, le duc de Beauvillier, doit aussi être mentionné, car, issu de la plus haute noblesse, il n'accéda au conseil d'en haut que par ses liens avec le ministre. Chez les Le Tellier, le père fut secrétaire d'État de la Guerre, puis chancelier, le fils, Louvois, secrétaire d'État de la Guerre auquel son fils, Barbezieux, succéda. Parmi les Pontchartrain, le père, Louis, fut chancelier, le fils Jérôme fut à la Marine, puis des membres de cette famille furent au pouvoir, pendant tout le XVIIIe siècle, sous des noms divers.

Les actes royaux. — Les décisions royales donnaient lieu à des « actes » royaux. Ceux-ci étaient présentés sous forme de lettres patentes : elles étaient scellées par le chancelier, avec la signature du roi et le contreseing, plus bas, d'un secrétaire d'État. Bien sûr le roi ne pouvait signer tous les actes et laissait faire un « secrétaire de la main » qui imitait sa signature. Les grandes lettres patentes avaient effet perpétuel, étaient scellées de cire verte et commençaient par « à tous ceux présents et à venir » ; les petites lettres patentes étaient à effet temporaire, scellées de cire jaune et commençaient par « à tous ceux qui ces lettres verront ». Les lettres patentes étaient « vérifiées » ensuite par les cours souveraines. Parmi les actes royaux, il y avait des lois générales, « édits » et « ordonnances », sous forme de grandes lettres patentes, ou bien des « déclarations », sous forme de petites lettres patentes.

Des conseils de gouvernement émanaient aussi des arrêts du conseil, c'est-à-dire du roi en son conseil : ils étaient dits arrêts en commandement et commençaient par « Le roi *étant* en son conseil ». Ces arrêts avaient l'avantage de ne pas être forcément vérifiés, donc ils échappaient au contrôle des cours, qui contestaient volontiers la validité des arrêts du conseil. Le 8 juillet 1661, Louis XIV rappela que certaines décisions relevaient de son droit de supériorité sur les cours et les tribunaux qui devraient y déférer purement et simplement. Au contraire, pour les décisions qui touchaient les privilèges des sujets ou qui avaient une valeur législative, il faudrait des lettres patentes.

Parmi les autres actes expédiés avec le cachet du roi, les « lettres de cachet » commençaient par « De par le roi » : elles notifiaient un ordre urgent et furent utilisées pour enfermer, dans une forteresse ou un couvent, un individu jugé fou ou dangereux. Elles devinrent le symbole de l'arbitraire royal, c'est-à-dire des jugements sans procès, mais elles servaient surtout lorsque des familles demandaient au roi de les débarrasser d'un parent encombrant ou lorsque des secrets d'État risquaient d'être dévoilés par des bavards ou des espions. La forteresse de la Bastille, à la porte Saint-Antoine, accueillait certains de ces prisonniers et apparut peu à peu comme un symbole de cet « arbitraire » royal, de l' « inquisition française ».

Le Conseil d'État. — Ces institutions et leurs membres s'occupaient de la politique générale, mais le détail des affaires était traité ailleurs, même s'il n'y avait, en théorie, qu'un seul Conseil du roi. L'ancienne *curia regis* avait donné naissance aux cours dites souveraines ou supérieures. Le reste de l'ancienne *curia regis* s'était regroupé en « Conseil d'État privé, Finances et Direction » qui rendait des « arrêts du conseil » dits « arrêts simples » : ils commençaient par « Le roi en son conseil », ce qui signifiait que le roi était en réalité absent, même s'il était réputé présent d'un point de vue juridique – son fauteuil vide en était le symbole. L'ensemble était dirigé et présidé, en l'absence du roi, par le chancelier. Certaines réunions s'occupaient des affaires judiciaires où le roi était le juge suprême : c'était alors le « conseil des parties ». Pour l'administration ordinaire, c'était le « Conseil d'État et des finances » ou conseil ordinaire des finances, mais cette dernière formation disparut sans bruit entre 1680 et 1690. Dans les faits, ce dernier conseil fut remplacé par l'ensemble collégial composé du contrôleur général des finances et des intendants des finances. À cela s'ajoutaient une grande et une petite Direction des Finances.

Le nombre des conseillers d'État ayant gonflé sous Mazarin, il fallut du temps pour le réduire, mais, à partir de 1673 jusqu'à la Révolution, il n'y eut plus que 30 conseillers d'État (dont 3 d'épée et 3 d'Église). Les conseillers d'État (qui recevaient une dignité) étaient choisis surtout parmi les maîtres des requêtes (qui eux-mêmes étaient des officiers et devaient se défaire de leur office avant de prêter serment de conseiller d'État). Et c'était au Conseil d'État privé surtout que travaillaient les maîtres des requêtes « véritables chevilles ouvrières de la monarchie absolue et administrative » *(François Bluche)*.

Dans les provinces, Louis XIV s'appuyait sur les intendants – ils avaient une « commission » et étaient « commissaires départis ». Le plus souvent c'étaient des maîtres des requêtes qui s'étaient fait connaître en rapportant des affaires au sein des conseils royaux. Ils représentaient le roi face aux autres autorités locales – les gouverneurs des provinces, les évêques, les nobles, les juges, les municipalités. Peu à peu, les intendants devenaient des administrateurs permanents dans le cadre de leur circonscription, celle-ci correspondant à une généralité en pays d'élection, à une province en pays d'États. Les intendants avaient le droit de s'intéresser à toutes les affaires – ils étaient intendants de justice, police et finances – et devaient informer le monarque. Ils veillaient à ce que les édits et ordonnances fussent bien appliqués. Ils assuraient l'ordre public et ils vinrent à bout des révoltes paysannes, comme dans le Boulonnais ou le Vivarais. Ils surveillaient aussi la levée des gens de guerre et ainsi contrôlaient l'action des gouverneurs des provinces – toujours de grands seigneurs. Ils s'inquiétaient du bon fonctionnement de la justice et pouvaient même présider des tribunaux. Ils contrôlaient les municipalités.

Comment se formait ce haut personnel administratif ? Les plus importants des administrateurs étaient choisis par le roi lui-même, même s'ils avaient été admis à acheter une charge et si leurs fils obtenaient la « survivance » de cette charge paternelle. Ils étaient souvent déjà nobles, parfois d'une noblesse récente ; certains, plus rares, étaient issus du milieu des marchands ou des financiers. Ils allaient former une noblesse de service, liée à l'État.

La soumission de la société

L'image éclatante du roi devait appuyer son autorité et Louis XIV s'efforça d'effacer le souvenir de la Fronde, en contraignant au silence l'ensemble de la société.

La surveillance de la noblesse. — À travers le système de cour, la noblesse fut mise au pas. Des charges de cour, magnifiques et honorifiques, furent donnés aux princes du sang. Condé, après avoir été pardonné, devint l'un des principaux généraux de Louis XIV et un courtisan très soumis. Des pensions et des bénéfices ecclésiastiques étaient distribués aux nobles qui vivaient près du roi : leur fortune dépendait donc de sa faveur alors que la vie de cour les forçait souvent à s'endetter. Les gouverneurs de province devaient aussi vivre près du roi et avoir l'approbation du roi pour résider dans leur province où ils étaient surveillés par l'intendant. Louis XIV ne confia plus forcément des gouvernements à des princes du sang.

Pour le roi, la noblesse devait le servir dans sa politique belliqueuse en Europe. Le refus de participer aux campagnes militaires était mal vu du monarque qui n'admettait pas que ses courtisans fussent « paresseux ».

Depuis longtemps, la noblesse souhaitait que des registres fussent tenus avec des listes des gentilshommes. La déclaration du 8 février 1661 demandait de rechercher les usurpateurs de noblesse, c'est-à-dire ceux qui n'étaient point gentilshommes, et qui pourtant avaient des armoiries et ne payaient pas la taille. Le 22 mars 1666, le conseil décida une recherche générale de tous les nobles du royaume. Il s'agissait de vérifier le recouvrement de l'impôt royal mais aussi de fixer un état de la noblesse tout en interdisant de nouvelles agrégations à l'avenir. Ce travail fut interrompu puis repris, et ces vérifications de noblesse étaient une menace qui planait. En 1714, il fut décidé qu'une famille noble devait prouver qu'elle l'était depuis cent ans. Une fois reconnue comme noble après ces enquêtes, une famille l'était définitivement. On distingua les maisons d'origine féodale ou chevaleresque (qui prouvaient qu'elles remontaient au Moyen Âge, jusqu'au XVe siècle), les familles d'ancienne extraction noble (remontant au XVe siècle), la noblesse de race d'avant 1560, enfin les anoblis et descendants de familles anoblies. Les différences entre les provinces furent très sensibles.

Comme la Compagnie du Saint-Sacrement avait acquis une grande influence dans la noblesse, Louis XIV comme Mazarin tenta de détruire ce « parti dévot » et la Compagnie du Saint-Sacrement s'effaça à partir de 1666. En 1664, les dévots avaient obtenu une interdiction contre le *Tartuffe* de Molière qui semblait les viser. En 1669, la pièce put être enfin jouée après cinq ans d'interdiction.

Pour faire régner la justice, le roi, avec l'aide de Colbert, utilisa les « grands jours ». C'étaient des juridictions spéciales, envoyées dans les provinces : elles étaient composées de parlementaires, mais remplaçaient l'action du parlement. Les plus fameux furent les grands jours d'Auvergne, dont nous avons un récit par le futur évêque Fléchier, de septembre 1665 à janvier 1666. Les petits nobles qui tyrannisaient leurs paysans ne furent pas épargnés : sur 19 nobles condamnés à mort, six furent décapités.

L'opposition des officiers désarmée. — À partir de 1665, les cours ne purent plus se dire souveraines, mais simplement « supérieures ». Dans l'ordonnance civile d'avril 1667, Louis XIV ordonna aux parlements d'enregistrer, « sans aucun retardement et toutes affaires cessantes » : pour les remontrances, le délai ne devait pas dépasser trois mois. Par la déclaration du 24 février 1673, le roi interdit les remontrances avant enregistrement. Cela s'appliquait aux « ordonnances, édits, déclarations et lettres patentes concernant les affaires publiques, émanées de notre seule autorité et propre mouvement, sans parties ». À Paris, le parlement ne voulut plus « opiner » et enregistra sans discuter les décisions royales. Les autres parlements continuèrent à présenter des remontrances.

Les syndics des trésoriers de France qui avaient été actifs pendant la Fronde disparurent et, comme les élus, ces trésoriers cédaient du terrain devant les intendants pour la répartition de la taille et se contentèrent, de plus en plus, de régler les litiges sur l'impôt.

L'obéissance des sujets. — L'année 1661 fut difficile en raison d'une mauvaise récolte et la seconde moitié du XVIIe siècle en général ne fut pas un temps de prospérité.

À Paris, l'ordre public était assuré par le parlement, par le prévôt des marchands (chef de la municipalité) et par le Châtelet. Le nombre des assassinats restait important et les Parisiens se plaignaient de l'insécurité. Louis XIV établit un « lieutenant général de police » en 1667. Ce fut pendant vingt ans La Reynie (1625-1709). Il devait veiller à la « sûreté de la ville ». D'emblée, il chercha à détruire la cour des miracles, un foyer de délinquance au cœur de Paris. Il s'efforça de nettoyer la capitale, de paver les rues, de régler la circulation et d'éclairer la ville par des lanternes. Il augmenta le nombre des fontaines, il lutta contre les dangers d'épidémie et d'incendie. Il contrôla aussi le ravitaillement. Il était chargé de veiller à l'ordre public, il poursuivit les empoisonneurs et les sorciers. Il se chargeait aussi d'informer le roi, ce qui fit du lieutenant de police un personnage important, d'autant que La Reynie avait gagné l'estime générale.

La monarchie réaffirma en 1673 que les commerçants et les artisans des villes devaient être rassemblés en jurandes, c'est-à-dire en corporations contrôlées par la monarchie. Pour Colbert, c'était le meilleur moyen de mobiliser l'industrie. C'était aussi l'occasion pour l'État de percevoir une lourde taxe lors de l'accès à la maîtrise. En échange la monarchie assurait sa protection aux corps de métiers. La politique de Colbert permettait d'insister sur la qualité des produits fabriqués. Le régime des jurandes s'étendit donc de 1660 à 1750 : Paris avait 60 corps en 1672, et 113 au début du XVIIIe siècle. Mais des provinces, et toutes les campagnes, échappaient au système, et même dans les villes où les jurandes dominaient, il existait des métiers libres.

Les États provinciaux furent parfois réduits à l'impuissance, les villes voyaient leurs franchises menacées.

L'œuvre de la monarchie

Elle fut marquée par une volonté d'organisation : elle fut encouragée par la longue durée du règne, par la stabilité ministérielle qui permettait d'entreprendre des travaux de longue haleine et par la ténacité de Louis XIV.

L'édifice législatif

La monarchie s'efforça de réformer les lois du royaume. Ces « réformations » pour simplifier et unifier la jurisprudence étaient une tradition ; mais il restait difficile de faire une loi générale pour tout le royaume, à la place du droit coutumier ou du droit écrit, car les provinces restaient attachées à leurs lois et usages. Ces efforts se firent de 1667 à 1685 à l'instigation de Colbert et de son oncle, l'avocat Pussort.

La procédure civile. — La justice fut transformée par l'ordonnance de procédure civile d'avril 1667. Depuis longtemps, la justice royale s'était proposée de résoudre les conflits entre les particuliers (dans les cas où il n'y avait pas crime). L'ordonnance facilita l'exercice de la justice royale dans une société où les « plaideurs » – ce fut une comédie de Racine – étaient nombreux. Il s'agissait d'éviter les chevauchements de coutumes et les incertitudes des jurisprudences, de diminuer les délais et de limiter les procédures superflues. L'ordonnance maintenait les règles qui s'étaient imposées avec le temps : le demandeur et le défenseur étaient égaux devant le juge, quel que fût leur rang social, le débat devant le juge était oral, assuré par les avocats, tandis que le procureur de chaque partie constatait par écrit ce qui avait été dit. L'ordonnance de 1667 abrogeait tous les usages « différents ou contraires ». L'habitude des juges ensuite fut d'écarter ce qui était contraire à l'ordonnance, mais de conserver ce qui était différent. Néanmoins comme il y avait eu un effort d'uniformisation, cette ordonnance fut considérée comme une codification générale, d'où le nom de Code Louis qui a été donné à la réforme de la procédure civile et de la procédure criminelle.

La procédure criminelle. — Un conseil de justice, à partir de 1667, prépara une réforme de la procédure criminelle qui fut discutée avec des membres du parlement en 1670. L'ordonnance fut enregistrée au parlement de Paris le 26 août 1670. Si le premier président de Lamoignon avait cherché à adoucir la procédure criminelle, Pussort avait contribué à la rendre à la fois plus précise et plus sévère. Ce dernier écarta la présence d'un avocat lors de l'interrogatoire de l'accusé par le juge chargé de l'instruction, alors que Lamoignon y était favorable. Les juges, n'ayant que des indices contre les accusés, pouvaient recourir, dans les affaires criminelles graves, à la question, c'est-à-dire à la torture, pour obtenir des aveux. Le tribunal pouvait décider la « décharge d'accusation », c'est-à-dire une absolution complète, ou un « renvoi hors cour » qui laissait planer un doute. Toute décision d'un tribunal, en cas de crime, devait être confirmée par une cour souveraine. Une justice d'exception « prompte et terrible » fut maintenue : c'étaient les « cas prévôtaux » qui de plus en plus concernèrent les vagabonds, les soldats délinquants, les déserteurs. L'ordonnance insistait sur la « crainte du châtiment » et répondait à une attente sociale, favorable à l'ordre. Elle précisait aussi les garanties pour les accusés et réglementait les prisons.

Les forêts. — Depuis le XVIe siècle, la situation des forêts, en particulier des forêts royales, s'était dégradée : les officiers des Eaux et Forêts étaient négligents et souvent corrompus, les sujets du roi n'hésitaient pas à piller les forêts royales, le roi lui-même, à court d'argent, avait abandonné certains de ses domaines. Colbert, qui fut chargé des forêts, avait le souci de fournir de beaux arbres pour la marine : il décida une réformation générale. Il engagea un vaste programme d'inspection et de cartographie pour l'ensemble des forêts françaises. L'ordonnance des Eaux et Forêts (août 1669) s'occupait de les sauvegarder en renforçant la répression, tout en fournissant du bois pour les vaisseaux et des revenus supplémentaires au roi.

Le commerce et la marine. — L'ordonnance du commerce (1673) et surtout celle de la marine (1681) complétèrent cet ensemble : il s'agissait de donner des bases juridiques plus sûres au commerce et à ses techniques, mais aussi de mieux protéger les rivages de la mer ou de préciser le recrutement des marins pour les flottes de guerre. Enfin, en 1685, fut publiée l'ordonnance coloniale ou code noir qui réglementa la traite des noirs et établit leur protection, même s'ils étaient considérés comme de simples biens meubles ! Ainsi l'esclavage était reconnu comme une nécessité pour le monde tropical « où seuls les Noirs étaient à même de fournir le travail indispensable dans des conditions climatiques auxquelles les Blancs étaient réputés mal résister » *(Christian Huetz de Lemps)*.

Les mesures financières

Le temps des poursuites. — Après la disgrâce de Fouquet, le roi lui-même se chargea officiellement des finances, en créant, pour l'assister, un conseil royal des finances. Mais la réalité de la tâche revint à Colbert, bientôt contrôleur général.

Il fit rendre gorge aux riches amis du surintendant en créant en 1661 une chambre de justice : elle siégea jusqu'en 1669. Le châtiment ne toucha guère que les financiers eux-mêmes, sans frapper les membres de la noblesse qui étaient mêlés aux affaires financières. Colbert s'appuya quant à lui sur d'autres circuits de financiers.

La réduction de la dette publique. — Le contrôleur général s'efforça de réduire la dette publique, ce lourd héritage du règne précédent, comme de la jeunesse du roi. La disgrâce de Fouquet et les recherches judiciaires avaient semé la crainte dans les milieux financiers qui acceptèrent des réductions des rentes, donc des banqueroutes partielles. En particulier Colbert abaissa le taux des prêts accordés à la monarchie pour le ramener à quelque 5 %. Mais ces réductions des rentes touchaient aussi les petits rentiers, ce qui explique l'impopularité de Colbert, à Paris en particulier.

Les recettes et les dépenses. — Colbert travailla à mieux connaître les revenus et les dépenses de l'État et s'efforça d'équilibrer les uns et les autres. Jusqu'en 1670, les budgets furent équilibrés. Puis la guerre obligea ensuite à recourir aux habituels expédients. Colbert voulut faire des économies. En 1683, 56 % des dépenses étaient militaires (40 % pour l'armée de terre, 9 à 10 % pour la marine, 8 % pour les fortifications) ; 6 % étaient destinés aux Bâtiments et 8,5 % aux « maisons royales » c'est-à-dire aux frais de la cour.

Le contrôleur général assura, pendant plus de vingt ans, une bonne rentrée des impôts en particulier la taille qui représentait au moins un tiers des recettes annuelles. Il s'efforça pourtant de diminuer son poids : de 42 millions de livres en 1661, elle passa à 35 millions dans les années 1662-1672, pour remonter à 39 pendant la guerre de Hollande et retomber à 35 entre 1679 et 1685. Colbert permit de payer les armées, de préparer une marine de guerre – il était secrétaire d'État de la Marine –, de construire les palais que Louis XIV demandait – il était aussi surintendant des bâtiments du roi. Il ne transforma pas le système de perception des impôts royaux. La taille demeura un impôt de répartition : sous la surveillance de l'intendant, les trésoriers de France répartissaient l'impôt entre les élections de la généralité, les élus entre les paroisses de l'élection, les collecteurs entre les contribuables de la paroisse. Pour les impôts indirects, des particuliers continuaient d'avancer au roi des sommes considérables pour les récupérer ensuite sur les contribuables.

Une simplification apparut en 1668 grâce à une extension des cinq grosses fermes : elles concernaient tout le nord de la France pour les impôts indirects et englobaient désormais les gabelles, les aides et les entrées de villes. Colbert chercha aussi à augmenter le nombre des contribuables, en pourchassant les faux-nobles par des vérifications de noblesse et en récupérant une partie du domaine royal – des droits et des justices souvent aliénés.

Les résistances à l'impôt. — Après 1656, un nouveau cycle de révoltes paysannes s'était ouvert et, dès 1658, ce fut la révolte des Sabotiers en Sologne. Puis en 1662, ce fut la guerre du Lustucru (on ignore l'origine de ce nom), dans le Boulonnais. Les paysans espéraient, après la paix, une baisse des tailles et ils défendaient les exemptions du Boulonnais, pays frontière. Des troupes enveloppèrent les paysans, firent 600 prisonniers qui furent envoyés aux galères. Avec le règne de Louis XIV, la répression se faisait « exacte et terroriste » *(Yves-Marie Bercé)*. Puis, à propos du sel, ce fut, dans le pays landais, la révolte d'Audijos, du nom d'un gentilhomme qui fut le chef des insurgés (1664-1665). Dans le Roussillon, éclata la révolte des Miquelets (1666-1667). Dans le Bas-Vivarais (1670), le soulèvement s'expliquait par la crainte de l'introduction des élus dans un pays d'États. Le gros laboureur, qui avait pris la tête du mouvement, mourut sur la roue. La pression fiscale était à l'origine de ces mouvements.

En Bretagne, d'autres motivations intervinrent lors de la révolte du « papier timbré » ou des Bonnets rouges en 1675. C'était Colbert qui avait réussi à imposer ce papier timbré, obligatoire pour que des actes juridiques fussent valables, et ce serait cette taxe camouflée qui aurait suscité la révolte bretonne. La violence commença dans les villes comme Rennes et Nantes, et se répandit dans les villages. Les insurgés entraient dans les châteaux et forçaient les seigneurs à renoncer aux prélèvements domaniaux, comme les corvées. Ils rédigèrent un « Code paysan » où se mêlèrent des motivations fiscales, des réactions d'autonomie provinciale et des attaques contre les privilèges nobiliaires. Des filles nobles devaient épouser des hommes de condition commune et les anoblir pour « affirmer la paix et la concorde » entre les sujets. Les troupes royales réprimèrent la révolte, dont le meneur fut roué, puis écartelé après sa mort.

Après 1680, les révoltes ouvertes contre l'impôt furent moins nombreuses, au moins jusqu'à la fin du siècle. L'État l'avait emporté.

Le mercantilisme

Les principes. — La monarchie prit des décisions pour encourager l'activité économique en France. Les arrivées de métaux précieux d'Amérique furent peut-être moins abondants au XVIIe siècle qu'au siècle précédent. En tout cas, Colbert et nombre de ses contemporains supposaient qu'il existait en Europe un stock d'or et d'argent limité. C'était un tel stock qui permettait en définitive de mesurer la richesse d'un royaume – donc le dynamisme de son économie. C'est ce que définit Colbert dès 1664. Comme le souverain dépendait de ses sujets qui lui payaient des impôts, la puissance du prince – militaire d'abord – était liée à la bonne santé du pays. Surtout le déficit commercial (plus d'importations que d'exportations) signifiait une perte des réserves de métaux précieux, donc un appauvrissement du royaume. Pour Colbert, il s'agissait d'assurer l'équilibre de ce que nous appelons la balance des paiements, pour éviter la fuite des métaux précieux qui permettaient finalement de solder les comptes à l'échelle internationale.

Il fallait donc que le grand commerce maritime fût encouragé, d'autant plus que c'était lui qui avait permis l'étonnante réussite économique et financière des Provinces-Unies qui était un modèle économique pour l'Europe. Une telle politique, qui mettait en avant le commerce comme source des richesses nationales, et une action du gouvernement pour l'encourager, est désignée sous le nom de mercantilisme. L'exemple anglais s'imposait aussi, avec une politique très protectionniste, celle de l' « acte de navigation » de 1651 qui avait provoqué la guerre entre la Hollande et l'Angleterre.

Pour décourager les importations, le roi fit taxer plus lourdement les produits importés pour les rendre plus coûteux et moins attractifs pour les Français. En revanche, Colbert souhaitait diminuer les droits douaniers pour les matières premières qui étaient importées pour être transformées en France. Des « tarifs » douaniers furent publiés en 1664 : ils étaient encore modérés, mais très détaillés. Pour le gouvernement français, une menace constante venait des Hollandais eux-mêmes qui disposaient d'une grande flotte de commerce, de points d'appui dans le monde entier et qui étaient les « rouliers des mers » : ils transportaient les marchandises et les entreposaient chez eux avant de les revendre au meilleur prix en Europe. Depuis longtemps, les théoriciens de l'économie insistaient sur la vitalité des Hollandais, mais aussi sur la domination qu'ils exerçaient sur le commerce français. L'offensive française fut donc douanière en 1667 : ce fut un tarif de combat qui mettait en place des droits douaniers prohibitifs. Il s'agissait de freiner au maximum les importations. La seconde étape de l'offensive fut la guerre contre la nation des marchands en 1672. Des droits de douane élevés devaient permettre d'alimenter le trésor royal sans alourdir la charge des impôts directs sur les sujets.

L'action de Colbert en matière économique reprenait les formes anciennes du mercantilisme, mais le mot de « colbertisme » a été aussi inventé par les historiens pour désigner cette forme française d'intervention de l'État.

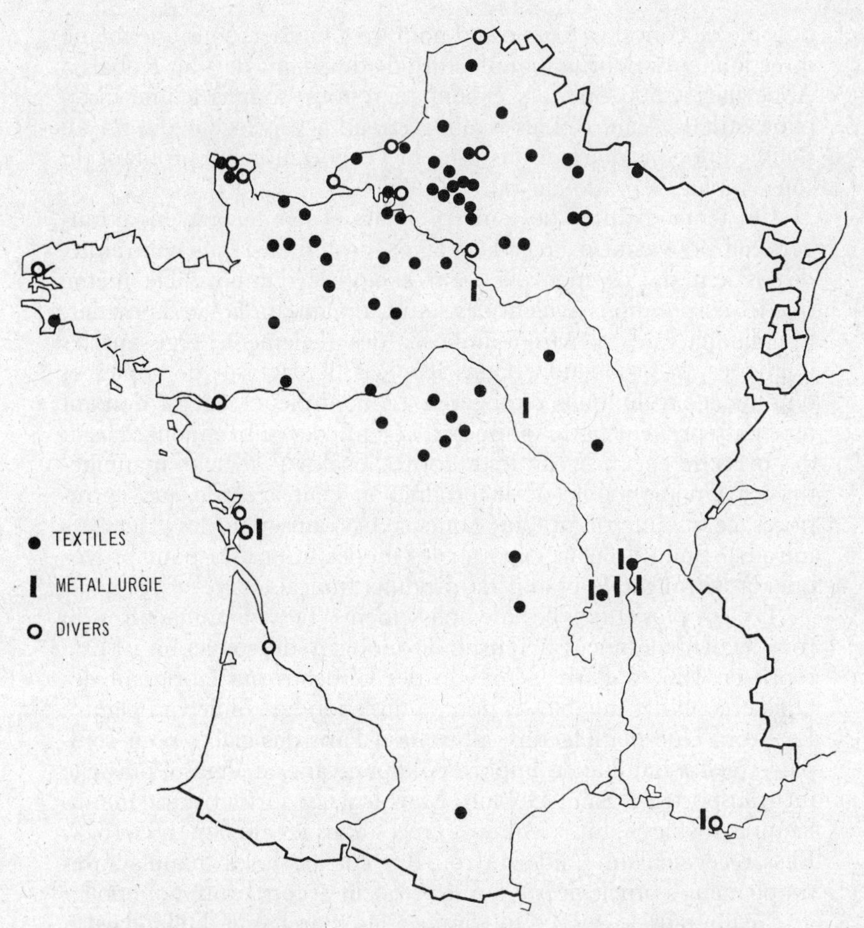

CARTE 6. — « Manufactures » dont les règlements et statuts ont été approuvés par le conseil des dépêches de 1665 à 1683
Divers s'entend, savonneries, sucreries, glaces, tabac et ateliers de la marine

D'après R. Mandrou, *Louis XIV et son temps,* Paris, PUF, 1978.

Les manufactures. — La France devait à son tour fabriquer ce qu'elle achetait auparavant à l'étranger. Le royaume devait aussi améliorer la qualité des produits fabriqués – aussi appelés « manufactures ». Ainsi est encouragée la création de « manufactures » – dans ce sens, grandes entreprises spécialisées, qui fournissaient des objets de qualité, et en général en grande quantité. Il était ainsi possible de concentrer un grand nombre d'ouvriers sous une même direction, ainsi pour la manufacture de draps fins de Van Robais à Abbeville : 1 500 ouvriers étaient regroupés, soumis à une discipline stricte. Van Robais avait reçu un « privilège » du roi. Il s'efforçait de produire des tissus pour l'exportation, et, profitant du sous-emploi, il pratiquait de bas salaires.

On tenta d'attirer des entrepreneurs et des techniciens étrangers qui pouvaient exercer la religion protestante sans contrainte, disposaient de logements, étaient exemptés d'impôts. De même que les corporations avaient des statuts organisant la vie du métier, les manufactures se virent imposer des règlements régissant les méthodes de production. Dans leur cas, il s'agissait de copier et d'imiter les techniques étrangères. Le contrôleur général donnait aux entrepreneurs des sommes d'argent, des subventions, faisait des prêts ou encourageait les autorités locales à aider les manufacturiers. Un monopole de la production était accordé aux entreprises, ce qui interdisait toute concurrence, ainsi pour les glaces (les miroirs). Enfin il fallait exporter les modes françaises pour provoquer à l'étranger le besoin de produits français.

Il y eut plusieurs types d'établissements. Les « manufactures du roi » étaient destinées à fournir le mobilier du souverain : l'État reprit en 1667 à Paris la maison des Gobelins qui fabriquait des tapisseries et des meubles et dont la direction fut confiée au peintre Le Brun. Une manufacture fabriqua à Paris des glaces pour remplacer celles qui étaient importées auparavant de Venise, puis elle fut transportée à Saint-Gobain. Mais il y eut surtout des « manufactures royales », une trentaine, créées dans les années 1665-1670. Elles recevaient une aide du roi. Il y eut aussi des manufactures simplement « privilégiées » qui se voyaient accorder un monopole.

Néanmoins le succès fut limité : les marchands hollandais et anglais restaient très présents en France, les Français préféraient souvent des produits étrangers, l'aide permanente de l'État s'avéra souvent nécessaire, le système des manufactures ne favorisa pas de réelles innovations technologiques.

Les compagnies de commerce. — Le grand commerce fut favorisé par la création de compagnies de marchands : à chacune, était réservé, pour un temps donné, un secteur géographique, le nord de l'Europe, les côtes africaines, les îles d'Amérique, celles d'Asie... Seules les compagnies avaient le droit d'y faire du commerce – c'était un monopole. Ce système exista dans la plupart des pays européens, mais le modèle fut la florissante Compagnie hollandaise des Indes orientales (V. O. C. selon les initiales du nom hollandais) créée en 1602. En France, Richelieu déjà avait voulu favoriser des compagnies, mais l'effort majeur fut mené de 1660 à 1670, à l'initiative de Colbert. On créa, en 1664, la Compagnie des Indes occidentales – pour les régions du monde à l'ouest du cap de Bonne-Espérance, surtout les côtes occidentales de l'Afrique, les Antilles, la Nouvelle-France – et la Compagnie des Indes orientales – pour celles situées à l'est du cap de Bonne-Espérance, Madagascar, l'Inde et l'Insulinde –, puis en 1669, la Compagnie du Nord pour le commerce dans la mer du Nord et la Baltique, en 1670, la Compagnie du Levant pour le commerce dans la Méditerranée orientale, mais aussi des Compagnies de Chine ou de Guinée. Ces compagnies étaient destinées à permettre un effort vers des terres lointaines en mobilisant des capitaux à la fois royaux et privés, alors que la simple initiative privée n'aurait pu assumer des opérations semblables. Les compagnies avaient deux fonctions, parfois indépendantes, parfois liées : d'une part faciliter le commerce en établissant des « comptoirs » commerciaux, d'autre part installer des colons européens pour peupler des colonies, en particulier celles des Antilles et de la Nouvelle-France.

Pour la Compagnie des Indes orientales, il s'agissait de réunir des capitaux. Les nobles ne dérogeraient pas en participant à ce grand commerce. La Compagnie serait dirigée à Paris par 21 directeurs. Mais cette vaste opération ne suscita guère l'enthousiasme. Si le roi et la cour engagèrent des sommes importantes, les négociants regardèrent avec méfiance ce projet imaginé depuis Paris. Ils étaient hostiles à l'intervention de l'État et fidèles à la liberté du commerce. Il s'agissait d'établir à Madagascar une étape sur la route des Indes et, aux Indes mêmes, des comptoirs. Mais les hommes de la Compagnie ne réussirent pas à s'installer durablement en Asie, ni à Madagascar, ni à Ceylan, ni à Java, ni au Siam, ni en Inde, sauf sur la côte de Coromandel avec Pondichéry et au Bengale avec Chandernagor. Pondichéry, grâce à l'action de François Martin à la fin du XVIIe siècle, devint la clef de voûte de la présence française en Inde. De là, venaient les soies, les cotons, les étoffes, les épices, le thé, produits de luxe, très prisés en France.

Si la Compagnie des Indes orientales survécut malgré bien des difficultés, la Compagnie des Indes occidentales s'effondra vers 1674 et le gouvernement royal dut reprendre l'administration des colonies d'Amérique.

Néanmoins ces efforts permirent de développer le commerce avec l'outre-mer, et encouragèrent la conquête de nouvelles colonies. Au Canada, des colons s'installèrent accompagnées de « Filles du roi », veuves ou célibataires dotées par le souverain. La colonie fut administrée par un gouverneur général, un intendant et un conseil souverain (puis supérieur), ainsi que par un évêque. L'intendant Talon et le gouverneur Frontenac voulurent développer la colonie, mais le peuplement restait très faible (20 000 habitants en 1715) face aux distances immenses, face aux Indiens et face aux Anglais (300 000). En 1682, Robert Cavelier de la Salle descendit le Mississipi et nomma Louisiane – du prénom du roi – le pays nouveau qu'il avait découvert.

Colbert voulut aussi améliorer les échanges en France même. L'un des témoins de cet effort fut le canal des Deux Mers qui relia la Méditerranée à la Garonne, donc à l'Atlantique. C'était un moyen pour les marchandises d'éviter le détroit de Gibraltar. Ce travail gigantesque – un canal de 250 km – fut mené à bien grâce à la ténacité de l'ingénieur Riquet et fut achevé en quinze années (1666-1681).

Il ne faut pas surévaluer l'œuvre de la monarchie au temps de Louis XIV. Les historiens de la République comme Ernest Lavisse ont mis en avant le travail de Colbert car ils y voyaient la naissance d'un État fort, détaché des intérêts particuliers, relativement impartial. Aujourd'hui, il est plutôt tentant de souligner les limites de ces entreprises. Le programme de clarification juridique était l'aboutissement des efforts accomplis depuis le début du XVIe siècle pour uniformiser le droit français et il restait beaucoup à faire. Quant aux encouragements économiques, ils furent suivis de peu d'effets, tant l'influence de la monarchie sur la production ou le négoce restait modeste. Néanmoins, la paix civile et l'autorité du roi permirent de cerner les difficultés de l'économie et de la société françaises et d'y apporter un remède, même temporaire.

La conduite des esprits

Comme dans d'autres domaines, la monarchie réglementa, organisa et surveilla la vie de l'esprit.

La direction des lettres, des arts et des sciences

Surveiller et encourager. — Les gazetiers et les imprimeurs furent sous la surveillance de la police, et une censure, exercée par le parlement et le Chancelier, contrôlait la production de livres. Cela entraînait une forte contrebande d'écrits qui venaient pour la plupart de Hollande.

Néanmoins Louis XIV comprit très tôt que l'éclat de son règne dépendait aussi de l'image qu'en retiendraient les générations futures. Il voulut se concilier pour cela les hommes de lettres, les artistes et les hommes de science.

Il accorda des « pensions », c'est-à-dire des revenus fixes, aux écrivains qui s'empressaient de le célébrer dans leurs écrits.

Les académies. — En 1672, mourut le chancelier Séguier qui était devenu le protecteur de l'Académie française, après Richelieu. Les académiciens – toujours au nombre de quarante – demandèrent à Louis XIV d'être leur nouveau protecteur, ce qu'il accepta : il en fit même un des grands corps de l'État qui le haranguait lors des cérémonies solennelles et il l'installa au Louvre. En 1694, l'Académie française put offrir au roi le dictionnaire qu'elle avait composé en soixante ans. Comme elle accueillit des maréchaux, des ministres ou des prélats, l'Académie devint une représentation des élites françaises, tout autant qu'une société d'hommes de lettres.

L'académie des Inscriptions et Belles-Lettres regroupa à partir de 1663 les érudits et les historiens.

La protection de tous les arts. — Comme Louis XIV aimait le théâtre, il encouragea Jean-Baptiste Poquelin, dit Molière (1622-1673), à la fois acteur et auteur de comédies, qui avait été d'abord chef d'une troupe itinérante. Le roi fut le parrain de son fils et le défendit lorsque son *Tartuffe* fut attaqué. La plupart des œuvres de Molière furent jouées devant le roi de 1662 à 1672. Louis XIV récompensa des écrivains comme Racine, auteur de tragédies, qui devint un familier du roi, ou le poète Boileau, en les attirant à la cour. Mais le métier de comédien était toujours mal vu de l'Église : les prêtres refusèrent de venir au chevet de Molière mourant et il fallut l'intervention du roi pour qu'il fût enterré en terre chrétienne. Racine renonça au théâtre pour vivre à la cour.

Pour les artistes fut créée l'académie royale de peinture et de sculpture qui devait organiser des expositions. À Rome, l'Académie de France accueillait de jeunes créateurs qui se formeraient en copiant les chefs-d'œuvre de l'Antiquité. Le grand architecte romain, le cavalier Bernin, fut invité en France. Il proposa un plan pour compléter le Louvre, mais ce projet trop coûteux ne fut pas retenu (peut-être ne plut-il pas car trop « baroque »). Finalement ce fut Claude Perrault (un médecin) qui dessina la colonnade du Louvre, très « classique ».

Louis XIV aima la musique, en particulier celle de Lully. Ce musicien florentin d'origine modeste, nommé « surintendant de la musique du roi », reprit en 1672 l'Académie royale de Musique et y créa la première « tragédie lyrique » française *Cadmus* et *Hermione*. « Ce fut la forme d'opéra français la plus originale et la plus achevée sous l'Ancien Régime » *(Jérôme de La Gorce)*. Ainsi l'opéra, ce genre italien, que Mazarin avait importé en France, y trouvait enfin ses lettres de noblesse. Lully travailla aussi à des comédies-ballets avec Molière *(Le Bourgeois gentilhomme)*. Il réunit les meilleurs artistes pour la mise en scène de ses œuvres, ainsi qu'un important orchestre, des chœurs et des solistes nombreux.

Le goût de Louis XIV. — Louis XIV s'est intéressé à toutes les formes d'art et il vécut en esthète : en cela, il était le fils spirituel de Mazarin. Ce fut un grand encouragement pour la création artistique puisque l'exemple venait du trône même. Il est certain que le goût du roi avait tendance à s'imposer, et à imposer les créateurs qu'il aimait. Ce goût royal, qui était aussi celui de la cour, contribuait à donner une certaine unité à la création artistique, ce qui parfois a été considéré comme un art « classique ». C'était peut-être le souci d'éviter les excès dans les sentiments, de combattre la grossièreté des mœurs sociales, de maîtriser la parole et le geste, de choisir la clarté et la simplicité. Mais le goût du roi ne fut pas le même tout au long d'une longue vie. La jeunesse du roi fut marquée par l'audace, qui le porta à rire en assistant aux comédies de Molière, à soutenir contre tous un Lully, souvent très critiqué, à favoriser un Racine qui était parfois inquiétant dans ses tragédies. Avec l'âge, ce goût évolua. Il faut bien constater aussi que l'influence royale ne fut pas la seule à s'exercer : les grands seigneurs et les élites parisiennes par exemple eurent aussi leur mot à dire dans l'édification des réputations littéraires ou artistiques.

Les sciences. — Le roi s'intéressa au progrès des sciences et attira en France des savants étrangers. Colbert installa d'abord une bibliothèque du roi, puis créa en 1666 l'Académie des sciences, sur le modèle de la *Royal society* anglaise. C'était un véritable centre de la recherche scientifique avec des locaux adaptés au travail des savants qui recevaient aussi des pensions. Dès 1667, sortait de terre le bâtiment de l'Observatoire où travaillèrent l'astronome italien Cassini et le physicien hollandais Huyghens. Ainsi la monarchie développa, sur une grande échelle, ce qui jusqu'alors avait été l'objet de travaux individuels. Louis XIV modernisa aussi le « jardin royal des plantes rares » dont la direction fut confiée à ses propres médecins. Le *Journal des savants* fut utilisé pour diffuser les découvertes et Colbert encouragea la publication des résultats scientifiques.

En revanche l'hostilité officielle au cartésianisme subsista longtemps malgré l'influence de l'œuvre de Descartes. Ce fut à Port-Royal ou dans la congrégation de l'Oratoire que cette influence fut la plus vive, comme en témoigna l'œuvre du P. Malebranche, *De la recherche de la vérité* (1674).

Versailles, un palais pour étonner le monde

Les rois de France longtemps s'étaient déplacés de château en château, même si le palais du Louvre avec les Tuileries était la résidence royale par excellence. Louis XIV voulut fixer la cour et choisit Versailles.

Les travaux. — Son père Louis XIII y chassait et y avait fait construire un petit château. Louis XIV chargea Le Vau d'agrandir et de transformer cette demeure de briques rouges et de pierre, aux toits d'ardoise. Les travaux durèrent longtemps. Il fallut aménager le site qui était marécageux. La construction, supervisée par Colbert, entraîna d'immenses dépenses et l'emploi de nombreux ouvriers (35 000 en 1685). Le palais fut sans cesse remanié. Après Le Vau, Jules Hardouin-Mansart construisit les deux grandes ailes et éleva les belles façades de pierre blonde sur les jardins. Là où il y eut d'abord une grande terrasse, fut aménagée, plus tard, la grande galerie ou galerie des glaces.

Le roi suivit de près les travaux et en 1677, il annonça sa volonté de s'installer définitivement à Versailles : ce fut fait le 6 mai 1682.

L'organisation du palais. — Tout le palais était organisé autour de l'appartement du roi, au nord, et de celui de la reine, au sud. Lorsque la reine Marie-Thérèse mourut en 1683, le roi agrandit son propre appartement, mais il abandonna les grands salons, sept pièces consacrées aux divinités romaines, qui furent consacrées aux réceptions. En 1701, la chambre du roi trouva sa place définitive, ouvrant dans l'axe du château, à l'est : elle regardait le soleil se lever, et l'historien E. Kantorowicz a noté que le symbole du « soleil levant » a traversé les âges depuis l'Antiquité. À l'ouest, la galerie des glaces, longue de 73 m, dut son nom aux miroirs qui tapissent ses murs. Elle fut un temps ornée d'un mobilier d'argent qui étonna l'Europe. Le Brun fut chargé de la décoration et les peintures célébrèrent les étapes de la vie du roi, en particulier ses conquêtes. Avec le temps, cette décoration même évolua. Le thème du soleil se fit plus discret ; en revanche la personne même du roi et la célébration du royaume y trouvèrent une place nouvelle.

Les jardins furent l'objet de tous les soins. Le Nôtre les dessina. Des jeux d'eau animaient les bassins. Pour alimenter en eau le palais, on décida de détourner la rivière de l'Eure, mais ce fut un échec. Alors une gigantesque machine, à Marly, permit de tirer l'eau de la Seine pour la conduire à Versailles. Sur le Grand Canal, le roi put circuler grâce à une flottille de petits bateaux, et il y eut même des navires de guerre en miniature.

Pourquoi le choix de Versailles ? Certains ont avancé que le roi se méfiait depuis la Fronde des colères parisiennes. Néanmoins il avait multiplié les embellissements dans la capitale et ne s'était décidé que bien tard pour Versailles. Il voulait une cour nombreuse et pour cela il fallait de la place, pour étendre à loisir le palais, et disposer de bâtiments pour tous les services de la cour. À cela s'ajoutait une bonne part de l'administration centrale du royaume qui, jusque-là, suivait le roi dans ses déplacements. Louis XIV aimait la campagne et la chasse : Versailles lui offrait ses forêts. Il a sans doute aussi voulu créer sa propre demeure, souvent par des projets successifs, et jusqu'à la mort du roi, le château fut un chantier : la chapelle ne trouva sa place définitive qu'au début du XVIIIe siècle. Enfin Louis XIV continua à fréquenter d'autres châteaux comme Fontainebleau.

La société de cour

Vivre auprès du roi était un honneur. Avec Louis XIV ce fut pour les familles de la haute noblesse une obligation. Ces femmes et ces hommes, qui partageaient la vie du roi, formaient la cour. Louis XIV avait vu dans sa jeunesse que les grands seigneurs n'hésitaient pas à se rebeller contre leur roi, lorsqu'ils vivaient dans leurs provinces et s'appuyaient sur leurs vassaux et leurs fidèles. La création de Versailles et l'autorité de Louis XIV les obligèrent à vivre une partie de l'année sous les yeux du roi. Il fallait « faire sa cour » au roi pour obtenir de lui des pensions. De plus le roi nommait les évêques et les abbés, les gouverneurs de province et de places fortes, les lieutenants généraux d'armée, les ambassadeurs, et il fallait être bien connu et bien considéré de lui pour obtenir de telles fonctions. La fortune et la réputation des familles nobles dépendaient donc largement de la « faveur » royale.

Les courtisans suivaient les journées du roi qui étaient parfaitement réglées. Certains avaient, par leur charge, un rôle à y tenir, selon qu'ils s'occupaient de la chambre du roi, de sa garde-robe, de sa table, de ses chevaux ou de ses chiens. Le lever du roi était la première étape de cette cérémonie royale. Selon leur rang et leur familiarité avec le monarque, les courtisans étaient autorisés à y assister : d'abord les grandes entrées pour les intimes, puis les premières entrées, ensuite l'entrée libre. La famille royale, elle, pouvait toujours accéder au roi « par les derrières » sans passer par l'antichambre.

La messe, le dîner public, le coucher du roi furent l'objet d'autant d'attention. La place de chacun était fixée d'avance. Seules certaines femmes – les duchesses avant tout – avaient le droit d'être assises en présence du roi.

Les appartements des courtisans, pour ceux qui avaient la chance d'en avoir dans le palais, étaient souvent inconfortables. Quant à la vie de cour, elle était ruineuse car il fallait avoir des habits somptueux, inviter des amis, avoir des carrosses, et, en même temps, entretenir un hôtel particulier en ville et un château à la campagne. Louis XIV s'efforça pourtant de rendre agréable cette société par des bals, des ballets, des opéras, des pièces de théâtre. La musique accompagnait la vie du roi, pendant la messe, pendant les repas, pendant les fêtes, et Louis XIV l'aimait infiniment.

Le renforcement de la puissance militaire

Si le début du gouvernement personnel fut marqué par une période de paix, ce ne fut qu'une parenthèse, car Louis XIV avait bien l'intention d'utiliser la puissance française pour faire parler de lui et pour renforcer son royaume. Il fallait pour cela des armées et des flottes. Les affaires militaires furent marquées par l'action des secrétaires d'État, Michel Le Tellier, puis son fils Louvois. Michel Le Tellier (1603-1685) était issu de la noblesse de robe. Fidèle, travailleur et discret, il sut conserver la faveur de Mazarin et de Louis XIV qui le fit chancelier de France en 1677. La Marine fut confiée à Colbert et les fortifications à Vauban.

L'armée royale

Le secrétaire d'État de la Guerre. — La tâche du secrétaire d'État de la Guerre s'était dessinée avec Servien et Sublet de Noyers. Comme les autres secrétaires d'État, celui de la Guerre avait aussi l'administration d'un quart du royaume. C'était le secrétaire d'État qui s'occupait de la correspondance avec les généraux et les officiers.

L'influence du secrétaire d'État s'exerça par le contrôle des intendants d'armée qui étaient des commissaires nommés pour une campagne et pour une armée. Représentants du roi, les intendants surveillaient les commissaires des guerres qui, eux, achetaient leurs charges et payaient la paulette. Ces commissaires eux-mêmes contrôlaient les régiments et les compagnies, et évitaient les fraudes que colonels ou capitaines étaient tentés – sinon obligés – de commettre. Il fallait aussi surveiller les fournisseurs des armées (munitionnaires et étapiers). Les intendants d'armée furent d'abord recrutés parmi les maîtres des requêtes (47 des 93 intendants étudiés par Douglas C. Baxter), puis parmi les commissaires des guerres. Une administration civile encadrait donc l'armée et elle était constituée par des gens de robe. La fidélité de Le Tellier pendant la Fronde lui permit de choisir les intendants parmi ses proches.

L'œuvre de Le Tellier. — Dans l'organisation de l'armée, Le Tellier se soucia surtout de fournir au roi les grandes armées qu'il souhaitait. Puis lorsque Louis XIV réduisit son armée, Le Tellier put entreprendre une réorganisation globale, surtout de 1659 à 1666. Il suivit quelques lignes directrices : lutter contre le vagabondage en punissant de mort la désertion (1653), régler le logement des gens de guerre chez l'habitant (1655), classer les officiers suivant leur ancienneté ainsi que les régiments (1663), réserver au roi la nomination des officiers subalternes, garantir le paiement des soldes et les fixer selon les grades (20 juillet 1660), imposer l'uniforme pour les troupes étrangères et la maison du roi (1665), organiser les étapes dont l'intendant de province fut le principal responsable (12 novembre 1665), régulariser les congés des officiers (1665), régler la composition et le fonctionnement des conseils de guerre (25 juillet 1665) *(André Corvisier)*. Derrière cette action de longue haleine, il ne faut pas découvrir de véritable révolution, mais une action obstinée pour créer une armée bien administrée et soumise à la volonté royale.

Le temps de Louvois. — Ce fut le fils de Le Tellier, le marquis de Louvois, qui s'identifia à la politique guerrière de Louis XIV.

François-Michel Le Tellier, marquis de Louvois (1641-1691) eut une excellente formation et gagna jeune la confiance de Louis XIV. Il put ainsi exercer tôt la charge de secrétaire d'État dont il avait la survivance et en 1664 il exerça cette charge conjointement avec son père. En 1672, il devint ministre et en 1677 son père, devenu chancelier, lui abandonna la Guerre. Il fut aussi surintendant des bâtiments en 1683. L'homme était souvent brutal et dur, mais c'était un immense travailleur, qui dévorait les dossiers ; il avait une indomptable énergie pour imposer sa volonté ; il savait définir et exécuter la politique de Louis XIV : « Sa vie appartint à Louis XIV qu'il suivait dans ses déplacements et à qui il écrivait chaque jour » *(André Corvisier)*.

Le talent de Louvois fut d'augmenter la taille des armées françaises, sans en compromettre la discipline ou la cohérence, au contraire en renforçant l'une et l'autre. Il lutta contre les négligences, n'hésitant pas à reprocher à des courtisans le mauvais état de leurs régiments. En 1667-1668, il nomma des inspecteurs généraux et des inspecteurs d'infanterie, de cavalerie et de dragons, chargés de vérifier l'état des troupes, hommes et matériel. En 1679, des registres furent ouverts pour immatriculer les gardes françaises et les invalides. Les indications sur les soldats furent plus précises lors des revues et on publia la liste des déserteurs à partir de 1682. En 1684, les nouveaux régiments créés prirent le nom de provinces et non ceux de leurs colonels.

Louvois fut surnommé le « grand vivrier ». On surveilla les étapiers et les munitionnaires, on fixa soldes et rations (1689). On s'efforça de généraliser l'uniforme, d'abord dans l'infanterie, puis dans la cavalerie, afin que tous les hommes d'un même régiment portent une tenue aux couleurs identiques – par exemple le bleu et le rouge pour les régiments de la Maison du Roi. L'épaulette pour protéger et le ceinturon, à la place de la bandoulière, changèrent la silhouette du soldat. Louvois et Vauban encouragèrent la création de casernes, surtout dans les places fortes. Des camps furent établis lors des grands rassemblements militaires. Le ministre s'efforça de lutter contre les duels, le jeu et la prostitution aux armées. Louvois voulut aussi former les futurs officiers dans des compagnies de cadets-gentilshommes, mais cette initiative ne survécut pas au ministre.

Cet effort de prévision, d'organisation et de rationalisation permit de constituer des armées immenses : en 1690, 380 000 hommes selon André Corvisier auxquels il faut ajouter les milices, 70 000 hommes de mer et 100 000 garde-côtes, au total peut-être 600 000 hommes, un adulte sur dix.

L'infanterie continua de se développer et la cavalerie ne représentait plus qu'un quart de l'armée. Les dragons qui devaient allier les qualités des cavaliers et celles des fantassins formèrent une arme distincte, à laquelle Lauzun, un familier de Louis XIV qui épousa la Grande Mademoiselle, donna toute sa hardiesse. Le Tellier et Louvois montrèrent beaucoup de prudence en face des choix faits dans d'autres pays pour améliorer l'armement. Deux questions se posèrent. Devait-on abandonner la pique, une arme blanche qui permettait d'arrêter les charges de cavalerie sur le champ de bataille ? Devait-on remplacer le mousquet par le fusil, une arme presque identique, qui différait seulement par le système de mise à feu ? On se contenta de diminuer graduellement le nombre de piquiers et de mousquetaires dans l'armée. En 1699 seulement, on décida la suppression du mousquet et en 1703 celle de la pique, soit bien après les pays ennemis, ce qui fut critiqué. En revanche, dès 1689, la baïonnette fut généralisée : cette arme blanche, placée au bout de l'arme à feu, avait permis de doter très tôt le fantassin français d'un instrument alliant le choc et le feu.

À partir de 1661, et de la mort du second duc d'Épernon, l'armée française vit une remise en ordre de sa hiérarchie. Les colonels généraux n'eurent plus qu'une charge honorifique lorsqu'ils subsistèrent. À côté des charges vénales de capitaines et de colonels, existait un cursus sans vénalité avec les lieutenants, les lieutenants-colonels. Le grade de brigadier fut introduit. Colonels qui possédaient un régiment et lieutenants-colonels qui n'en possédaient pas pouvaient devenir brigadiers et commander deux régiments. Il fallait avoir été brigadier pour être officier général : maréchal de camp, puis lieutenant général.

En 1675, fut systématisé l'ordre du tableau, puisque les huit nouveaux maréchaux, qui furent alors créés, prendraient rang selon la date de leur promotion comme lieutenants généraux. Ainsi les courtisans prirent-ils conscience que, pour chaque grade, le secrétariat de la Guerre dressait des listes selon l'ancienneté. Mais le roi ne se tint jamais à ce seul critère et sut reconnaître actions d'éclat ou mérites exceptionnels. Et l'ordre du tableau ne s'appliqua guère aux charges vénales, celles des colonels, qui étaient secondés par des lieutenants-colonels.

Le règne de Louis XIV vit aussi une évolution dans la conduite générale de la guerre : d'abord les généraux de Louis XIV furent des hommes qui s'étaient illustrés au temps de Louis XIII puis de Mazarin et qui eurent une grande indépendance sur le terrain, ainsi Turenne en opposition très marquée vis-à-vis de Louvois. Ensuite s'imposa peu à peu une stratégie de cabinet, imaginée de loin par Louis XIV, ses ministres et le marquis de Chamlay, véritable chef d'état-major.

La vie des rois était regardée comme trop précieuse pour être aventurée dans des opérations dangereuses. Louvois put convaincre Louis XIV de ne pas se hasarder, le 10 mai 1676, lors de l'affaire de la Cense d'Urtebise, où il semblait possible de défaire et de prendre Guillaume d'Orange.

Pour les soldats estropiés dans les combats, Louis XIV fit créer l'Hôtel des Invalides en 1674. Une magnifique église y fut consacrée en 1706.

Le contrôle des postes. — Surintendant des postes en 1668, Louvois avait la haute main sur l'information. Il put rivaliser avec les Thurn und Taxis qui avaient le contrôle de la poste dans l'Empire et les Pays-Bas. Il s'appuyait sur la Ferme générale des Postes créée en 1672. Peu à peu, postes et messageries étaient réunies à cette Ferme générale. Des commis, plus tard directeurs, s'occupaient des bureaux de postes ; seule la Poste de Paris était administrée directement par la Ferme générale. Les maîtres de poste, nommés par le surintendant, achetaient leur charge et assuraient le relais pour les courriers. Les postes étaient au service des armées qui avaient besoin de la rapidité et de la fiabilité de la correspondance. Louvois pouvait rassembler les nouvelles. Grâce aux pratiques du cabinet noir qui ouvrait les correspondances suspectes et grâce à la position centrale de la France en Europe, Louvois disposait d'un instrument politique redoutable, comme plus tard le marquis de Torcy qui lui succéda.

Une ceinture de fer

Les places fortes sur les frontières furent fortifiées et en 1678, Vauban fut nommé commissaire général des fortifications : son nom est resté attaché à cette ceinture de fer autour du royaume.

Un ingénieur devenu maréchal de France.

Sébastien Le Prestre de Vauban (1633-1707), issu de la petite noblesse du Morvan, devint l'un des collaborateurs essentiels de Louis XIV. Commissaire général des fortifications (1678), lieutenant général (1688), il fut le premier officier du génie à recevoir la dignité de maréchal de France (1703). Il mena les sièges des guerres de Louis XIV, mais il proposa aussi la transformation ou la construction des forteresses qui protégeaient le royaume : 33 places fortes construites, peut-être 300 transformées. En 1673, il proposa à Louis XIV la politique du « pré carré » qui visait à constituer une frontière plus linéaire, mieux défendue et plus éloignée de Paris. Les traités de Nimègue et la politique des réunions suivirent cette piste. Vauban voulait protéger Paris par une double, voire une triple ligne de fortifications, la « ceinture de fer ». Par ses voyages, il connaissait bien la France et s'il rédigea de multiples traités sur les sièges et les fortifications, il ne s'interdisait pas des incursions dans les affaires générales. Il n'hésita pas à critiquer la révocation de l'édit de Nantes qui allait priver le pays de bons sujets et surtout d'officiers. Il proposa, à la fin de sa vie, des réflexions sur la fiscalité dans son *Projet de dîme royale*, un ouvrage qui fut interdit *(André Corvisier, François Bluche)*.

Les trois systèmes de Vauban. — Vauban, en matière de fortifications, évolua : ce furent ses « trois systèmes ». La muraille bastionnée était précédée d'un glacis et d'ouvrages avancés. Les défenseurs s'installaient eux-mêmes sur le glacis. Les assaillants avaient à prendre les ouvrages avancés, puis la courtine : ils avaient des fossés successifs à franchir et étaient à la merci des tirs des différents ouvrages. Le second système revient à doubler l'enceinte continue par une ligne de bastions détachés. L'enceinte elle-même voyait l'apparition de « tours bastionnées », véritables casemates à canons où des pièces d'artillerie étaient protégées et prenaient en enfilade le fossé. Le troisième système brisait la ligne droite de la courtine qui devenait elle-même bastionnée.

Pour connaître ses places fortes, Louis XIV fit exécuter des plans-reliefs. Cette collection de maquettes permettait au roi de suivre de loin l'évolution de ses forteresses, d'étudier les améliorations proposées par les ingénieurs et d'abord par Vauban, enfin de montrer à ses familiers l'œuvre accomplie.

Une marine royale

Louis XIV travailla avec Colbert à donner une marine de guerre à la France. Entre 1661 et 1675, cent trente-trois vaisseaux et trente galères furent construits. Un programme de grande ampleur avait donc été conçu et réalisé. Les trois principaux arsenaux où étaient construits les bateaux étaient Brest, Rochefort, créé en 1666, et Toulon où l'on armait des galères comme la Réale. La France avait fait appel à des techniciens étrangers.

En 1669, le corps des officiers des vaisseaux fut réorganisé et ils étaient désormais nommés par le roi. La création de trois compagnies de gardes de la marine permit la formation des jeunes officiers.

Le recrutement des marins pour les navires de guerre se faisait traditionnellement par la fermeture des ports et la « presse » – des gangs armés de gourdins raflaient dans les quartiers portuaires tout homme faisant l'affaire – ou par le volontariat en Hollande avec des soldes dépassant les rémunérations pratiquées sur des bateaux de commerce.

Colbert ne voulait pas que la vie des marins et le commerce fussent interrompus par l'appel aux armes. D'où l'idée d'un système de classes dans les provinces maritimes, qui, imaginé par Colbert, fut surtout mis en place par son fils Seignelay. Le système était fondé sur le recensement de tous les gens de mer, l'ancêtre de l'Inscription maritime. Ils étaient divisés en classes, trois ou quatre selon les provinces. Seulement une partie des professionnels de la mer devait rester mobilisée chaque année pour la flotte de guerre – soit un service tous les trois ou quatre ans. Les régions littorales se trouvaient divisées en 80 quartiers ou circonscriptions sous la direction d'un officier des classes. L'année du service, les marins ne pouvaient s'embarquer pour faire du commerce, ni changer de domicile : c'était une forme de service militaire, compensée par des privilèges – exemption du logement des gens de guerre – et une ébauche de sécurité sociale – une esquisse de retraites. De plus, un quart des équipages était fourni par le secrétaire d'État de la Guerre. Néanmoins le système des classes fut loin d'être parfait et il fallut encore recourir à la presse.

Une des faiblesses pour la marine royale fut l'absence d'un état-major qui aurait conçu les opérations sur mer : c'était le roi et les ministres qui les préparaient. Colbert ne savait pas comment intégrer la marine dans une stratégie globale et il la concevait comme une protection du commerce. Son fils Seignelay sut au contraire imaginer des opérations ambitieuses, mais il mourut très jeune.

La soumission de la société, le renforcement de l'administration et les nouveaux instruments militaires (armées, fortifications, marine) devaient servir les ambitions politiques de Louis XIV.

18. La politique de gloire de Louis XIV : la guerre de Dévolution et la guerre de Hollande

La politique étrangère fut l'essentiel des préoccupations de Louis XIV. Il voulait utiliser la puissance acquise sous Louis XIII et pendant le temps de Mazarin, pour imposer la présence française en Europe.

La présence française en Europe (1661-1667)

Les méthodes de la politique de Louis XIV

Louis XIV a profité d'une période de stabilité politique et d'un règne long où l'autorité royale ne fut pas contestée. Cette stabilité correspondait à un changement d'humeur dans les diverses couches de la société. La noblesse, la magistrature et la bourgeoisie qui, avec l'aide du mécontentement populaire, avaient ébranlé les fondements de la monarchie, jusqu'à la Fronde, étaient sensibles désormais à une politique de grandeur et d'expansion.

Il y eut donc une combinaison de l'action diplomatique et de l'action militaire. La France disposait d'un réseau de représentants à l'étranger, bien choisis et très actifs, qui préparèrent des alliances. Ils utilisaient tantôt les « subsides » c'est-à-dire d'importants versements d'argent, tantôt la menace d'interventions militaires. Ces alliances permettaient à la France d'avoir de l'aide si elle s'engageait dans une guerre, mais d'éviter aussi que ses ennemis futurs ne pussent bénéficier eux-mêmes d'aide extérieure. Ainsi une neutralité était presque aussi utile qu'une alliance.

À la mort de Mazarin, la politique étrangère était dans les mains d'Hugues de Lionne. Son activité diplomatique dans les années 1660 fut impressionnante et les traités nombreux. Secrètement, Lionne prépara un rapprochement éphémère avec l'empereur.

Les initiatives militaires supposaient aussi de lourds préparatifs matériels. Au début de son règne personnel, Louis XIV était aidé pour la préparation des campagnes et pour l'élaboration d'une stratégie, par son cousin Condé et par Turenne qui joua le rôle de principal ministre *(Paul Sonnino)*. Cet effort de guerre s'appuyait sur les moyens militaires qui avaient été élaborés par Le Tellier. Comme celui-ci partageait son travail avec son fils, le marquis de Louvois, ce dernier prit l'habitude de travailler avec Louis XIV qui avait son âge. Cette relation privilégiée permit l'ascension politique de Louvois. Colbert, qui avait la charge de la marine, en prit ombrage. Car son rôle était ingrat. Comme contrôleur général des finances, il devait financer la guerre dans une conjoncture économique qui n'était pas forcément favorable. Il lui fallait rappeler les résistances populaires face aux exigences fiscales du gouvernement. Mais, en permanence, il dut plier devant les besoins des armées, des places-fortes et des négociateurs.

Les querelles symboliques

D'emblée Louis XIV utilisa des querelles de préséances à l'étranger pour affirmer son rang en Europe. Parce que l'ambassadeur d'Espagne à Londres avait voulu passer avant celui de France, Louis XIV demanda réparation : son beau-père, le roi d'Espagne, fut contraint d'envoyer un ambassadeur pour présenter des excuses. Louis XIV put annoncer que le roi catholique avait donné l'ordre à ses ambassadeurs de laisser la préséance à ceux de France, ce qui, selon lui, signifiait que la couronne de France était la première de la chrétienté. Une querelle éclata à Rome en 1662 entre la garde corse du pape et un Français. Des coups de feu furent tirés contre l'ambassadrice et l'ambassadeur. Le parlement de Provence prononça la réunion d'Avignon à la France parce que la police pontificale n'avait réagi que mollement. Un cardinal se rendit en France en qualité de légat pour présenter au roi les excuses du souverain pontife (1664).

Les interventions à l'Est

Charles IV de Lorraine avait dû négocier pendant un an pour que Mazarin acceptât, par les accords de Vincennes (février 1661), de lui rendre les duchés de Lorraine et de Bar, très amputés. Nancy devait être démantelé et le fut dès 1661.

La diplomatie française était toujours active dans l'Empire et elle obtint l'adhésion de l'Électeur de Brandebourg à la Ligue du Rhin. Frédéric-Guillaume (celui qu'on appela le « Grand Électeur ») commençait à se méfier de la politique française et affirmait à propos de cette alliance : « Plus nous y entrerons, plus elle sera faible. » La Ligue du Rhin servit à une opération de police contre la ville d'Erfurt en 1664 dans le Saint-Empire et avait légitimé un arbitrage du roi de France dans des affaires allemandes. Une telle intervention ne manqua pas d'inquiéter nombre d'États allemands.

Comme l'empire ottoman avait repris ses attaques contre les domaines des Habsbourg, l'empereur Léopold Ier demanda de l'aide aux princes chrétiens. Le souverain autrichien accepta l'envoi d'un contingent français – 6 000 à 7 000 hommes. En 1664, la victoire chrétienne de Saint-Gotthard sur le Raab, aux confins de la Hongrie, fut éclatante (1er août 1664). Pour la première fois, l'armée régulière turque et les janissaires étaient battus en rase campagne. Léopold s'empressa de signer, dix jours plus tard, la trêve de Vasvàr pour vingt ans. Cette paix tirait l'empire ottoman d'un mauvais pas, mais laissait aussi les mains libres à l'empereur au moment où la mort prochaine de Philippe IV d'Espagne laissait incertaine la succession en Espagne.

Les puissances maritimes

En 1660, en Angleterre, la monarchie fut restaurée : Charles II Stuart le fils du roi décapité, Charles Ier, retrouvait la couronne. Il voulait renforcer le pouvoir royal et sans doute favoriser la religion catholique. Mais, toute sa vie, il resta prudent, et s'efforça de négocier avec son parlement où des « partis » politiques se constituaient avec d'un côté les Tories, conservateurs, et de l'autre, les Whigs, plus libéraux. Comme il épousa la fille du roi de Portugal, la France aida par son intermédiaire, donc indirectement, le Portugal qui était toujours en guerre contre l'Espagne – l'indépendance portugaise fut finalement reconnue en 1668. Parallèlement, Henriette d'Angleterre épousa le frère de Louis XIV, Philippe d'Orléans, Monsieur (mars 1661). En octobre 1662, Dunkerque fut rétrocédée à la France contre 5 millions de livres.

La rivalité commerciale s'exacerbait entre l'Angleterre et les Provinces-Unies, et une nouvelle guerre éclata en 1665 entre ces deux puissances qui disposaient de flottes puissantes. La France, qui était alors l'alliée des Provinces-Unies, prit une part modeste aux combats. Les Hollandais victorieux, mais inquiets des ambitions françaises, acceptèrent la paix modérée de Breda (31 juillet 1667) et leur allié Louis XIV récupérait l'Acadie, occupée par les Anglais, et assurait sa mainmise sur la Guyane « française ».

La guerre de Dévolution (1667-1668)

La mort de Philippe IV d'Espagne

La succession d'Espagne avait été une piste lancée par Mazarin. Le 1er novembre 1661, Philippe-Prosper, le fils du roi d'Espagne, mourait : le Grand Dauphin, Louis, fils de Louis XIV, devenait l'héritier présomptif des deux couronnes. Mais le 6 novembre 1661, Carlos José naissait, qui fut plus tard Charles II d'Espagne.

Dès 1663, la diplomatie française avait mis en avant le « droit de dévolution ». C'était, dans les Pays-Bas, un droit local qui privilégiait, dans une succession, les enfants d'un premier lit plutôt que ceux du second. Marie-Thérèse était fille de Philippe IV d'un premier mariage, le futur Charles II d'un second.

Le 17 septembre 1665, Philippe IV mourut. Son testament rappelait les renonciations d'Anne d'Autriche et de Marie-Thérèse, et excluait de sa succession sa fille Marie-Thérèse, et tous ses descendants. Le nouveau roi Charles II était un enfant de faible constitution. La santé du roi d'Espagne allait devenir jusqu'à sa mort en 1700 une donnée politique fondamentale en Europe.

Louis XIV tenait un prétexte pour s'engager dans une guerre contre son beau-frère. Il réclama une grande partie des Pays-Bas espagnols et il entrait en Flandre : finalement le 14 juillet 1667, l'Espagne déclara la guerre à la France. Le diplomate franc-comtois, Lisola, n'eut pas de peine à montrer, dans son *Bouclier d'État et de Justice,* que le droit de dévolution était une loi privée et non publique.

La campagne

La campagne de 1667 fut facile. Le 14 août 1667, Louis XIV mit le siège devant Lille. L'essentiel du travail revenait à Vauban pour dessiner les lignes autour de la ville, pour ouvrir la tranchée qui permettrait d'atteindre le rempart ou pour faire donner l'artillerie. Lille se rendit le 27 août 1667.

En Angleterre, l'opinion publique était très hostile à Louis XIV, même si le roi d'Angleterre exprimait le désir d'une alliance avec la France et offrait sa médiation.

À Vienne, les ministres de Léopold poussaient leur souverain à s'occuper de ses terres héréditaires, menacées par les nobles hongrois et les Turcs. Léopold préféra donc préparer l'avenir avec le roi de France et signa le 19 janvier 1668, l'étonnant traité de partition. Si le roi d'Espagne mourait sans descendants, Louis XIV et Léopold Ier se partageraient son héritage. Ce texte ne fut connu qu'au XIXe siècle. Bien sûr, un traité n'était jamais un engagement définitif. Mais l'empereur reconnaissait ainsi implicitement les droits de Louis XIV à la succession d'Espagne.

En février 1668, Louis XIV gagna la Franche-Comté. Mais il apprit bientôt que l'Angleterre et la Hollande avaient signé un traité défensif à La Haye, le 23 janvier 1668. Déjà, l'année précédente, les deux pays s'étaient hâtés de mettre un terme au conflit qui les opposait, lorsqu'ils avaient appris l'entrée de Louis XIV en Flandre espagnole. L'Angleterre ne voulait pas une présence française dans les Pays-Bas qui serait une menace permanente et la Hollande voyait avec crainte le roi de France se rapprocher de ses frontières. Les deux puissances, dans des articles à peine secrets, déclaraient qu'elles s'allieraient pour forcer le roi de France à abandonner ses conquêtes. La Suède, liée économiquement aux puissances maritimes, entrait dans cet accord en échange de subsides. C'était la Triple Alliance : humiliante pour Louis XIV, elle le poussait à la paix. Condé prit néanmoins Besançon, le duc de Luxembourg Salins et le roi, suivi en permanence par Louvois, put assister au siège de Dole. Chacun salua la gloire de Louis XIV.

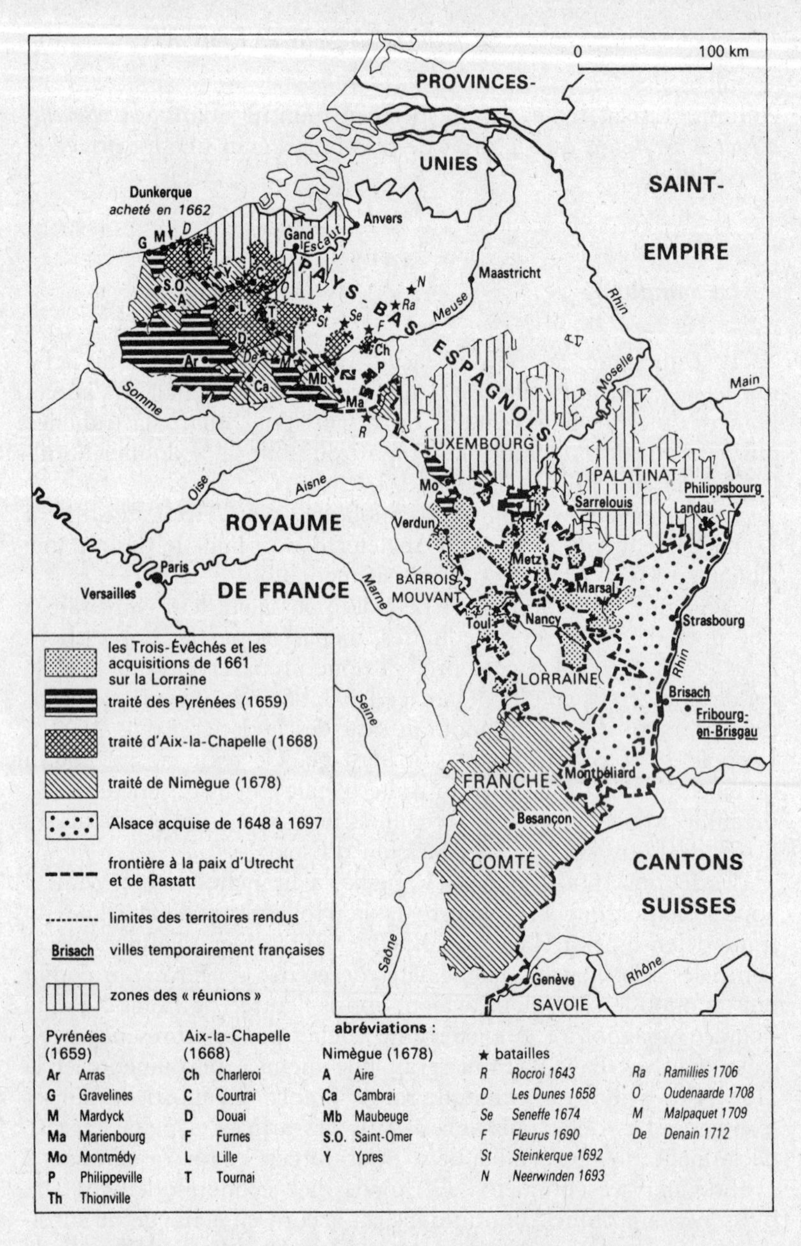

CARTE 7. — La frontière de l'Est et du Nord de 1648 à 1715

D'après Georges Duby, *Atlas historique* ; R. Mandrou, *Louis XIV et son temps* ; Lucien Bély, *Les relations internationales en Europe, XVIIe-XVIIIe siècle*, Paris, PUF, 1992.

La paix

Louis XIV hésitait. D'un côté, Turenne et Condé souhaitaient une prolongation de la guerre : les Hollandais avaient plus de mauvaise volonté que de pouvoir, les Anglais n'avaient ni troupes, ni argent, les Suédois n'iraient pas jusqu'à briser l'alliance ancienne avec la France. D'un autre côté Le Tellier insistait sur le poids des garnisons, Lionne sur le fait que la diplomatie avait obtenu ce qu'elle demandait, en particulier du côté de l'empereur, et Colbert sur le bien-être et la tranquillité du peuple. L'Espagne accepta de laisser à la France ses conquêtes de 1667, sans la Franche-Comté. La conférence d'Aix-la-Chapelle ne fut qu'une formalité, le traité fut signé le 4 mai 1668. Les villes obtenues étaient des enclavements dans les Pays-Bas (Charleroi, Binche, Aire, Douai, Lille, Armentières, Courtrai, Tournai, Bergues, Furnes et Oudenarde). Ces forteresses isolées affaiblissaient la défense espagnole. Lille et Tournai à elles seules étaient des acquisitions d'une plus grande valeur que la Franche-Comté entière.

La préparation d'une guerre offensive

Louis XIV avait désormais l'initiative politique en Europe et était décidé à en profiter, pour affirmer sa puissance, affaiblir ses voisins, venger l'humiliation de la Triple Alliance, étendre son territoire, employer ses armées et ses généraux, bref forger sa gloire. Louis XIV et ses ministres organisèrent d'abord les territoires conquis. Comme Louis XIV voulait un conflit, il devait chercher des alliés – pourquoi pas Charles II d'Angleterre, mais aussi des princes allemands, et là il avait le choix. La Savoie n'avait pas d'indépendance réelle et suivait la France. À plusieurs reprises, la décision de la guerre fut repoussée et c'est cette hésitation, et cette diplomatie complexe, qu'il faut dessiner.

L'organisation des conquêtes

Louis XIV conserva une forte armée. Dans les villes conquises, travaillaient des commissaires de la guerre, ainsi que Vauban et une équipe d'ingénieurs : Lille et Tournai auraient de nouvelles citadelles. Le roi de France prenait soin de se gagner ses nouveaux sujets en confirmant leurs privilèges : avec Lille et Tournai, il avait acquis deux « pays d'États ».

En permanence le gouvernement français avait des prétextes pour entrer en guerre contre cette Espagne en difficulté, qui aurait du mal à garder les Pays-Bas. Mais une telle intervention provoquant la colère des puissances maritimes, il fallait obtenir l'appui de l'une d'entre elles. Le choix se porta sur l'Angleterre, alors que, pendant longtemps, surtout jusqu'en 1648, les Hollandais avaient été les alliés privilégiés de la France.

La négociation avec Charles II d'Angleterre

Les intentions secrètes de Charles. — Le marquis de Croissy, frère de Colbert, fut envoyé à Londres à dessein de rompre la Triple Alliance et de conduire le roi d'Angleterre à une alliance avec la France. Car celui-ci désirait s'affranchir de sa dépendance à l'égard du parlement qui, quoique composé de royalistes fervents, n'hésitait pas à critiquer les ministres du roi. Charles II voulait se convertir au catholicisme comme son frère, Jacques, duc d'York, et établir la tolérance religieuse dans son royaume.

Le traité de Douvres. — Charles II voulut laisser à Madame, sa sœur, la belle-sœur de Louis XIV, l'honneur de conclure le traité. Henriette d'Angleterre fut autorisée à rendre visite à son frère à Douvres où fut signé un traité secret entre le roi d'Angleterre et le roi de France, le 1er juin 1670. Il s'agissait de mortifier l'orgueil des Hollandais, et d'aider le roi Louis XIV à faire valoir ses droits à la succession d'Espagne, moyennant un colossal subside annuel pour Charles et des positions pour les Anglais sur la côte des Provinces-Unies. Pour permettre au roi Stuart de se convertir au catholicisme, Louis XIV donnerait de l'argent et des troupes. Charles II engagerait une campagne sur mer pendant que Louis XIV lancerait une offensive sur terre.

À son retour en France, le 30 juin, Madame mourait brutalement. Bossuet prononça à cette occasion la célèbre oraison funèbre où il s'exclamait : « Madame se meurt, Madame est morte. »

Le choix de la guerre contre les Provinces-Unies. — Peu à peu la situation diplomatique se précisait. Trois voies étaient possibles : l'accord avec l'empereur pour un partage de l'empire espagnol – mais il était secret et dépendait de la santé de Charles II d'Espagne – ; une guerre immédiate contre l'Espagne pour obtenir réparation des vexations sur la frontière ; une guerre contre les Hollandais, mais elle signifiait des négociations complexes. C'est à ce moment-là que fut frappée une médaille, commandée pour ou par un notable hollandais. Elle montrait un roi de la Bible, Josué, arrêtant le soleil, c'est-à-dire Louis XIV avec cette devise : « Qui arrêtera son cours » et sur le revers : « Le soleil se tient au milieu du ciel. » Turenne poussait donc à la guerre contre cette nation qui se voulait l'arbitre des autres. C'était du côté des Hollandais que la France porterait ses coups après une rigoureuse préparation politique et militaire.

Les préparatifs

Louis XIV multiplia les interventions politiques en Europe. Il prit la décision d'aider les Vénitiens à résister face à l'assaut des Turcs. En effet, depuis 1645, les Ottomans faisaient le siège de Candie (Héraklion), la ville principale de la Crête, qui était elle-même une position avancée de Venise dans la Méditerranée orientale. Cette farouche résistance vénitienne avait suscité l'admiration des nations chrétiennes. Le duc de Beaufort, l'ancien frondeur, y fut envoyé : il y périt en juin 1669. Les Vénitiens capitulèrent finalement en septembre 1669, après un siège de vingt-trois ans.

Surtout la préparation de la guerre fut la préoccupation majeure de 1668 à 1672.

Colbert et le coût de la guerre. — Colbert avait conscience des difficultés économiques de la France : il prit sur lui d'arrêter les versements pour les fortifications, et refusait d'augmenter les taxes – la récente révolte dans le Roussillon et le Vivarais en avait montré les dangers. Colbert lança une attaque contre la politique royale : les impôts trop lourds expliquaient le ralentissement de l'économie, il fallait attendre douze ou treize ans avant de faire la guerre et favoriser la Compagnie du Nord pour réduire les Hollandais aux extrémités.

Mais, au début de novembre 1671, Louis XIV annonça à Colbert qu'il lui fallait une somme de 34 millions de livres pour les dépenses militaires, et 6 millions pour les traités étrangers. Colbert répondit que de telles sommes ne pouvaient être trouvées. Louis XIV menaça et, après une semaine, Colbert annonça qu'il allait recourir aux « affaires extraordinaires ». Et il proposa des solutions financières : outre de maigres emprunts et une faible augmentation de la taille, il demandait d'aliéner une fois de plus le domaine royal.

Les précautions préalables. — À deux reprises, pour 1670 et pour 1671, l'entrée en guerre fut repoussée, car il fallait prendre toutes les précautions. Un traité fut pourtant signé entre la France et la Bavière : les troupes impériales se verraient interdire le passage à travers le territoire bavarois, en échange d'un subside annuel versé à l'Électeur (février 1670). Louvois fit un voyage en Italie du Nord avec Vauban et s'assura de la fidélité du duc de Savoie. Les manœuvres de Charles IV de Lorraine avaient indigné Louis XIV qui décida d'occuper le duché, de raser ses fortifications et d'installer des troupes chez les Lorrains. Charles IV prévenu put s'enfuir de Nancy qui fut occupé le 26 août 1670.

Les tensions gouvernementales. — Des plans successifs se mettaient en place pour l'offensive, mais il était difficile d'affronter les Hollandais sans attaquer les Pays-Bas espagnols : la solution était de passer le Rhin, peut-être en prenant d'abord Maestricht, place isolée des Hollandais. Condé préparait en détail la campagne. Louvois fit des visites sur la frontière et Colbert se rendit à Rochefort dont l'arsenal était dirigé par son cousin Du Terron. À son retour, Colbert trouva la force de reprocher à son maître d'avoir des favoris, à savoir Louvois. Le roi lui envoya une lettre le 24 avril 1671 : « Je fus assez maître de moi avant-hier pour vous cacher la peine que j'avais d'entendre un homme que j'ai comblé de bienfaits comme vous me parler de la manière que vous faisiez. »

Le 1er septembre 1671, Lionne mourut : il avait tout fait pour bien séparer les Espagnols et les Hollandais. Louis XIV choisit Arnauld de Pomponne, alors en Suède. Simon Arnauld, marquis de Pomponne, était le neveu du Grand Arnauld et cousin de Fouquet : ces deux faits ne pouvaient qu'inquiéter Louis XIV qui n'aimait pas les jansénistes et qui avait disgracié son surintendant. Mais c'était un diplomate qui avait négocié dans toute l'Europe. Il quitta la Suède, où il était en poste alors qu'un traité avec la Suède était prêt (il fut signé le 11 avril 1672) et que seul était en discussion le montant des subsides à verser par la France.

Comme les princes allemands étaient terrorisés à l'idée d'être impliqués dans une guerre européenne, ils signèrent des traités de neutralité (Cologne, Hanovre, Münster). L'empereur hésitait : si Louis XIV respectait les traités de Westphalie et d'Aix-la-Chapelle, Léopold Ier n'apporterait pas d'aide aux Hollandais et il accepta le 1er novembre 1671 un traité de neutralité.

Ce qui avait été la préoccupation de Louis XIV, de ses ministres et de ses généraux, c'était la guerre que souhaitait le roi. Vite orientée contre les Hollandais, elle glissait en permanence vers les Pays-Bas espagnols. Ce conflit imminent avait exigé des négociations dans toute l'Europe et la France disposait d'un faisceau d'alliances (Angleterre, Bavière, Suède). Mais la situation internationale restait fluctuante et l'entrée en guerre fut repoussée à plusieurs reprises. Si les projets stratégiques avaient été aussi développés et transformés, ils supposaient une concentration de troupes et de puissants moyens militaires. Malgré les réticences de Colbert, la politique qui l'emportait était celle de Turenne et de Louvois, pourtant hostiles l'un à l'autre.

La guerre de Hollande

Invasion et révolution dans les Provinces-Unies

Charles II d'Angleterre déclara le premier la guerre le 28 mars 1672. Pourtant, dès le 7 juin 1672, l'amiral hollandais Ruyter affronta avec succès la flotte anglo-française. Un débarquement n'était pas possible et l'aide anglaise était inefficace. D'emblée la combinaison d'une stratégie maritime et d'une stratégie terrestre était compromise.

La campagne triomphale de Louis XIV. — Au contraire la campagne menée par Louis XIV fut triomphale. L'armée française contourna les Pays-Bas espagnols et traversa le Rhin à Tolhuis le 12 juin. Ce « passage du Rhin » fut célébré comme un acte de bravoure et un succès éclatant.

Bientôt quarante villes étaient prises. Les Hollandais ouvrirent les écluses pour protéger Amsterdam qui devenait une île (20 juin) : les généraux français ne parvinrent jamais à forcer cette ligne d'inondation. La campagne-éclair avait été en apparence un succès, mais elle n'avait pas brisé la résistance des Hollandais.

Le sursaut des Hollandais. — La solidité de l'armée hollandaise, la force de la marine, la prospérité des finances publiques grâce à une lourde fiscalité, le patriotisme des Hollandais, la diplomatie habile du Grand Pensionnaire De Witt, qui dirigeait les affaires étrangères depuis 1653, avaient évité l'effondrement total. Mais ce fut Guillaume de Nassau, prince d'Orange (1650-1702) qui incarna le sursaut de son pays. Ce jeune homme avait été regardé avec méfiance par le parti républicain qui craignait toujours que les Orange-Nassau ne fissent une révolution pour transformer la république en monarchie.

Stathouder (gardien de l'État et chef des armées) en Hollande et en Zélande (juillet 1672), il fut bientôt capitaine et amiral général à vie : la république avait bien un commandement militaire unique. Jean de Witt, jugé responsable de la défaite devant les Français, avait été blessé dans un attentat et Guillaume avait recueilli les coupables dans son camp. Jean de Witt et son frère furent finalement mis en pièces par la foule : leurs restes furent suspendus à un gibet (20 août 1672). « Cette révolution est capitale pour l'histoire européenne du dernier tiers du XVIIe siècle car désormais, Guillaume d'Orange fut l'âme de la lutte contre Louis XIV et des coalitions auxquelles il se heurta » *(Jean-Pierre Poussou).*

Louis XIV alla néanmoins assiéger Maestricht avec Vauban : la ville se rendit le 30 juin 1673.

La coalition européenne. — Guillaume d'Orange prépara une coalition avec l'Espagne, le duc de Lorraine et l'empereur (30 août 1673). L'Espagne, avide de revanche, déclara la guerre à la France. Les troupes françaises qui avaient multiplié les cruautés en Hollande, durent évacuer le pays à la fin de 1673.

Les Français s'emparèrent de Colmar, Sélestat et Landau, mais l'armée impériale de Montecuccoli arrivait : Turenne ne réussit pas à l'arrêter. Dans l'Empire, les princes abandonnaient les uns après les autres la cause française et l'Empire, sauf la Bavière, déclara la guerre à Louis XIV. Frédéric-Guillaume de Brandebourg rejoignit la coalition (traité de Cologne sur la Spree, 1er juillet 1674).

La défection de l'Angleterre. — En Angleterre, le parlement était convaincu que le roi Charles faisait la guerre aux Hollandais pour rétablir le catholicisme. Pour ne pas être obligé de déclarer la guerre contre la France, le roi, en février 1674, signa la paix avec la Hollande. Un mouvement hostile à la France se développait en Angleterre car la monarchie française apparaissait comme le champion de l'absolutisme et du catholicisme. La flotte de guerre, constituée par Colbert, faisait également peur avec ses vaisseaux neufs : la France, à son tour, ne pourrait-elle pas devenir une puissance maritime, une rivale sur mer ? L'expansion dans les Flandres était jugée dangereuse, la rivalité en Amérique évidente.

La conquête de la Franche-Comté et la campagne d'Alsace

La France devait lutter, presque seule, contre la coalition qui s'était constituée. Elle n'en continua pas moins une stratégie offensive en s'attaquant en 1674 à la Franche-Comté espagnole, tandis qu'au Nord et en Alsace, Condé et Turenne défendaient le territoire.

Cette conquête fut plus difficile que celle de 1668. Les grandes places résistèrent plus que le roi ne l'escomptait, mais Besançon tomba le 15 mai, sa citadelle le 22 mai, et Dole le 7 juin 1674. Des cruautés avaient approfondi le fossé entre les envahisseurs et la population, ainsi le massacre d'Arsey où 123 personnes avaient été brûlées dans l'église.

Turenne qui désapprouvait la stratégie de Louis XIV voulait protéger l'Alsace et empêcher le regroupement des armées ennemies. Il franchit le Rhin et, avec des forces réduites, écrasa Charles de Lorraine à Sinzheim (16 juin 1674). Mais comme l'armée impériale de Montecuccoli s'approchait, il décida de faire évacuer les villages du Palatinat et de les brûler. Il s'agissait d'inspirer de la terreur aux princes allemands.

Guillaume d'Orange avait aussi réuni une armée composée de Hollandais, d'Espagnols et d'Impériaux. Condé lui coupa le chemin de Paris lors de la sanglante bataille de Seneffe (11 août 1674), près de Charleroi.

Les Impériaux et les Lorrains se réunirent et franchirent le pont de Kehl le 1er octobre. Strasbourg, ville libre d'Empire, laissa faire. Turenne proposa une manœuvre hardie qu'il sut réaliser et qui fut considérée comme un chef d'œuvre stratégique. Il ordonna la retraite vers la Lorraine ce qui rassura les ennemis et les encouragea à se disperser pour prendre leurs quartiers d'hiver en Alsace. Turenne décida que son armée de 30 000 hommes traverserait les Vosges par le sud en plein hiver. La préparation demanda un mois, le froid était terrible, il fallut prendre Épinal et Remiremont. Le 29 décembre, il surprit les Impériaux à Mulhouse, puis il battit les troupes du Brandebourg à Turckheim, près de Colmar (5 janvier 1675). Les ennemis repassèrent « au galop » le pont de Kehl : l'Alsace était libérée mais l'armée ennemie n'était nullement anéantie. Turenne fut reçu triomphalement à Paris.

Pendant l'été 1675, Montecuccoli et Turenne étaient sur le point de livrer bataille quand un coup de canon, tiré au hasard par un soldat ennemi, tua le maréchal général des camps et armées du roi (28 juillet 1675).

Les autres fronts européens

La victoire du Grand Électeur à Fehrbellin. — Le gouvernement suédois n'était pas favorable à une intervention, mais il était poussé par l'ambassadeur français, par la menace de perdre les subsides de Louis XIV et par le maréchal Wrangel. Dès les premiers jours de janvier 1675, Wrangel passa la frontière du Brandebourg sous prétexte de détacher l'Électeur de la coalition anti-française. Frédéric-Guillaume qui combattait à l'ouest revint à la hâte vers son Électorat et il affronta les Suédois lors de deux journées – Nauen, 27 juin, Hackenberg, près de Fehrbellin, 28 juin 1675. Cette bataille de Fehrbellin fut célébrée comme une des étapes majeures dans l'affirmation de la maison de Hohenzollern autour de laquelle se fit plus tard l'unité de l'Allemagne.

La révolte de Messine et les victoires navales de Duquesne. — Le détroit de Messine en Sicile était un passage obligé pour passer en Méditerranée orientale en évitant les attaques de pirates barbaresques : Messine avait donc une importance économique et stratégique. Les Messinois en 1674 se révoltèrent contre leur souverain espagnol : pour résister aux troupes qui tenaient les forteresses, ils firent appel à l'aide de Louis XIV qui accepta de devenir le prince de la ville. Duquesne assurait avec l'escadre de Méditerranée la couverture navale de l'opération et battit la flotte espagnole au large de l'île de Stromboli au début de 1675. Le 22 avril 1675, les sénateurs de Messine jurèrent fidélité à Louis XIV tandis que Vivonne s'engageait, comme vice-roi, à respecter les libertés et les privilèges de la cité. Les Hollandais se portèrent au secours de leur allié espagnol, mais leur flotte, commandée par Ruyter, fut écrasée par Duquesne devant Agosta (22 avril 1676). Ruyter fut tué et Duquesne détruisit l'escadre espagnole dans la rade de Palerme (2 juin 1676). Cette campagne montrait que la flotte française, recréée par Colbert, pouvait vaincre seule la grande flotte hollandaise, sans l'aide des Anglais. Et Duquesne, presque inconnu, avait su l'emporter sur le prestigieux Ruyter. Pourtant Louis XIV ne demanda rien pour Messine pendant les négociations de Nimègue et abandonna la ville : elle subit la rude répression menée par le vice-roi envoyé par Madrid.

La paix de Nimègue

Les dernières campagnes. — La guerre en Rhénanie et dans les Pays-Bas ne permit pas de succès décisif : les Français durent évacuer Philippsbourg (1676) mais l'année suivante, Monsieur, le frère du roi, s'illustra à Cassel (11 avril 1677) contre le prince d'Orange, ce qui plut modérément à Louis XIV.

En 1677, Marie, fille du duc d'York, la nièce de Charles II, épousa Guillaume d'Orange, ce qui marqua solidement le rapprochement anglo-hollandais. Si Charles n'avait pas de descendance, elle serait son héritière et elle avait été élevée dans la religion anglicane. En janvier 1678, le stathouder avait obtenu de Charles d'Angleterre un pacte d'alliance alors que l'Angleterre se proposait comme médiatrice dans le conflit.

Louis XIV décida de frapper un grand coup pour marquer sa force. Le roi entreprit une marche complexe dont les ennemis ne parvinrent pas à comprendre le but, et la surprise fut totale lorsque les armées françaises convergèrent vers Gand. La ville se rendit le 9 mars, la citadelle le 12. Puis ce fut le tour d'Ypres. Boileau et Racine, nommés historiographes du roi, durent suivre cette campagne de 1678.

Les négociations. — Les négociations avaient commencé depuis longtemps. Le 10 août 1678, le traité fut signé entre les Provinces-Unies et la France – il s'agissait d'une paix blanche. Louis XIV rendait Maestricht, et la principauté d'Orange occupée depuis 1672. Guillaume d'Orange tenta néanmoins le 14 août une bataille près de Mons, mais il fut repoussé par le maréchal de Luxembourg.

Ce fut l'Espagne qui paya le prix des victoires françaises (17 septembre 1678) en cédant la Franche-Comté. L'Artois était totalement français avec Saint-Omer et Aire-sur-la-Lys ; Louis XIV obtenait, pour la Flandre, Cassel et Bailleul, Ypres, Werwick, Warneton, Poperinghe ; pour le Hainaut, Valenciennes et Maubeuge, mais aussi Cambrai, Bouchain, Condé-sur-l'Escaut et Bavay. La France rendait Charleroi, Binche, Ath, Audenarde et Courtrai : il y avait moins d'enclaves espagnoles en territoire français ou moins de places françaises isolées dans les Pays-Bas. La frontière du nord devenait plus « linéaire ».

Le 5 février 1679, la Suède, la France et l'empereur parvinrent à un accord pour un retour au *statu quo ante.* Mais l'empereur cédait Fribourg, et l'Empire conservait Philippsbourg : cette place avait pourtant été longtemps considérée comme une porte vers l'Allemagne grâce à son pont et la France y tenait garnison depuis 1648. Le nouveau duc de Lorraine Charles V refusa, quant à lui, les conditions qui lui étaient faites, et il vécut en exilé – il était le beau-frère de l'empereur et fut l'un de ses plus brillants généraux.

La France arbitre. — Il restait à imposer la paix aux ennemis de la Suède. Louis XIV imposa une médiation armée en envoyant un corps expéditionnaire. L'Électeur accepta le traité de Saint-Germain le 29 juin 1679 : il abandonnait ses conquêtes et il entrait dans l'alliance française. Le roi du Danemark, aussi en guerre contre la Suède, se résigna au traité de Fontainebleau en novembre 1679. Louis XIV apparaissait bien comme un arbitre de l'Europe.

Le pré carré. — Vauban avait défini la politique du « pré carré » dès le 19 janvier 1673 dans la lettre qu'il avait envoyée à Louvois : « Sérieusement, Monseigneur, le Roy devroit un peu songer à faire son pré carré. Cette confusion de places amies et ennemies pèle mélées les unes parmi les autres ne me ploit point. Vous êtes obligez d'en entretenir trois pour une. Vos peuples en sont tourmentés, vos dépenses de beaucoup augmentées et vos forces de beaucoup diminuées. » La paix de Nimègue avait cherché à régulariser le dessin de la frontière septentrionale. Dès les accords signés, Vauban se mit à la tâche, pour réparer, construire ou reconstruire des forteresses sur tout le pourtour du royaume et Louis XIV en 1680 entreprit une nouvelle tournée d'inspection. Cette frontière de fer était destinée à défendre la capitale, ville ouverte, car il fallait assurer la défense de Paris, sans lui donner une enceinte, qui avait montré ses inconvénients pendant la Fronde, en obligeant le roi à faire le siège de la ville.

L'attaque contre la Hollande, après un temps de succès, n'avait pas emporté la décision, ni contraint les Provinces-Unies à la négociation. Au contraire, les Hollandais autour de Guillaume d'Orange avaient réussi à susciter une coalition. Les combats s'étaient déplacés vers l'Alsace, et sur mer vers la Sicile. Le Brandebourg était tour à tour malheureux contre la France à l'ouest et heureux au nord contre la Suède, alliée de Louis XIV. Frédéric-Guillaume, devenu le Grand Électeur, faisait de ses États une puissance politique et militaire. L'empereur était embarrassé par les mécontents de Hongrie. À l'est la menace ottomane pesait lourdement. L'Espagne, elle, faisait les frais de cette guerre et le territoire français s'était encore étendu.

19. Les ombres d'un règne

Il n'y a pas eu de rupture au cours du règne personnel de Louis XIV qui, jusqu'à ses derniers jours, a continué d'exercer avec application et courage le métier de roi. Si la vie du roi fut longue, les hommes qui le servaient disparurent et le roi dut choisir de nouveaux serviteurs pour administrer le pays. Et la personnalité du roi évolua peut-être avec l'âge, imposant des choix nouveaux. Ce fut surtout dans le domaine religieux que la politique monarchique aboutit à des cassures nettes : la révocation de l'édit de Nantes, puis la destruction de Port-Royal à la fin du règne. Face à l'Europe, Louis XIV n'abandonna pas sa politique de gloire ce qui signifiait des provocations et des défis aux puissances européennes, mais aussi des efforts permanents des Français pour financer la guerre. Certes le royaume ne connaissait plus guère de révoltes liées à l'impôt : pourtant ce fut dans la répartition de l'effort fiscal que la monarchie tenta ses plus audacieuses réformes.

L'âge mûr du roi Soleil

Le second mariage

Louis XIV avait 45 ans en 1683 lorsque la reine Marie-Thérèse mourut. Pour respecter les règles chrétiennes, il ne voulut plus avoir de maîtresse. Il épousa alors secrètement Françoise d'Aubigné, marquise de Maintenon. En raison de sa naissance qui n'était pas illustre, il était difficile de déclarer le mariage. La marquise n'avait qu'une place modeste à la cour, mais elle disposait dès 1681 de l'appartement le plus proche de celui du roi et les courtisans n'ignoraient pas la place qu'elle tenait dans son cœur.

C'était la petite-fille du poète protestant Agrippa d'Aubigné. Son père avait connu la prison et une vie aventureuse. La jeune Françoise avait épousé un écrivain cul-de-jatte, Scarron, et autour de lui, elle avait su créer un salon littéraire et mondain. Veuve, elle avait élevé avec amour les enfants illégitimes de Louis XIV et de la marquise de Montespan, d'abord secrètement, puis publiquement, et peu à peu elle avait gagné l'amitié du roi dont elle devint la maîtresse et qui lui donna le titre de marquise de Maintenon. Elle était encore belle, elle était intelligente. Désormais, Louis alla passer de nombreuses heures auprès d'elle et même travailler chez elle avec ses ministres. Passionnée d'éducation, elle créa la Maison de Saint-Cyr, fondation d'éducation pour les jeunes filles de la noblesse pauvre qui fut un lieu d'innovation pédagogique pour l'éducation des filles, longtemps négligée. Contrairement à la légende, cette ancienne protestante n'eut pas de part à la révocation de l'édit de Nantes. En revanche, elle favorisa Fénelon et le quiétisme (voir p. 426) avant de comprendre son imprudence. Elle n'eut que peu d'influence politique, sauf à l'extrême fin du règne, pour favoriser le fils légitimé de Louis XIV, le duc du Maine.

Un roi dévot

Louis XIV a toujours voulu être un bon chrétien. Il assistait régulièrement à la messe et suivait les conseils de son confesseur, toujours un jésuite, longtemps le père de La Chaize. Avec l'âge, le roi se soucia de plus en plus de son salut au-delà de la mort. La marquise de Maintenon l'avait compris et l'encouragea. Le roi demanda à ses courtisans de vivre en conformité avec les principes de la religion. Il s'entoura d'hommes pieux et travailleurs. Il allait s'attacher à détruire le protestantisme et le jansénisme en France. Il chercha à soutenir le roi catholique d'Angleterre, Jacques II.

La cour immobile

Louis XIV avait changé. Il se rendait très rarement à Paris. Il vivait au milieu de ses familiers, et d'abord avec sa famille : son fils, Monseigneur, le Grand Dauphin, et ses trois petits-fils. Il accueillit ses enfants illégitimes qu'il avait « légitimés », qu'il aimait – surtout le duc du Maine – et qu'il maria avec des membres de sa famille légitime.

Certains trouvaient que l'atmosphère de Versailles devenait pesante et que le roi faisait surveiller la vie de ses courtisans. Néanmoins les fêtes, les chasses, les concerts continuaient. De plus en plus souvent, Louis XIV se rendit dans son château de Marly, proche de Versailles, avec sa famille et un petit nombre de courtisans choisis. Pourtant, le roi était très fier de cet ensemble versaillais qu'il avait constitué et, en 1697, il rédigea lui-même un guide de visite : la *Manière de montrer les jardins de Versailles.*

Les ministres

Après la mort de Colbert en 1683, l'influence de Louvois prévalut jusqu'à sa mort en 1691. Il s'occupa des Bâtiments en favorisant la carrière du peintre Mignard et de l'architecte Hardouin-Mansart qui réalisa le chef-d'œuvre de l'art classique français, l'église des Invalides. Il utilisa l'armée pour convaincre les contribuables de payer leurs impôts, puis pour forcer les protestants à se convertir. Il participa donc à la politique qui aboutit à la révocation de l'édit de Nantes, même s'il en condamna les conséquences, car cette décision privait le royaume d'artisans qualifiés et de soldats valeureux. Il fut aussi à l'origine de la politique des réunions qui précéda la guerre de la Ligue d'Augsbourg et, au début de celle-ci, il lança la dévastation du Palatinat. Sa mort, en pleine guerre, affaiblit le gouvernement.

Quant aux affaires étrangères, elles étaient aux mains de Colbert de Croissy, depuis 1679 (voir p. 428). Le frère de Colbert avait été intendant et connaissait bien les frontières ; il avait été négociateur à Aix-la-Chapelle, Londres et Nimègue. Colbert de Croissy fut aussitôt ministre ; son caractère brutal et ses emportements convenaient à la politique que Louis XIV désirait mener. Il resta ministre jusqu'à sa mort, en 1696, permettant à un second Colbert de participer au conseil d'en haut et à la lignée des Colbert de demeurer toujours présente.

Seignelay, le fils de Colbert, avait eu le département de la Marine après son père qui l'avait associé à sa tâche. Comme l'Angleterre avait mis au point de 1677 à 1688 un grand programme pour la *Royal navy,* Seignelay réussit à suivre les innovations technologiques, mais il mourut en 1690, après avoir préparé la campagne de Béveziers. L'historien Jean Meyer a insisté sur son action décisive et souvent méconnue. À sa mort, en 1690, Louvois crut triompher. Il voulait la suppression du secrétariat d'État de la Marine et il était soutenu par tous les ennemis des Colbert. Louvois considérait que la marine coûtait trop cher pour des résultats médiocres et le ministre pressentait sans doute la crise financière qui venait. Louis de Pontchartrain, contrôleur des finances depuis 1689, pensait de même, avant d'être lui-même nommé au département de la Marine.

Le gouvernement de la foi

La querelle janséniste

Les religieuses de Port-Royal avaient refusé de se soumettre et de signer le Formulaire qui condamnait les thèses de Jansénius (voir p. 363). L'archevêque de Paris en 1664 tenta de les faire plier, puis leur annonça leur châtiment : certaines étaient envoyées loin de leur abbaye, d'autres étaient privées des sacrements. Mais en 1668, le pape Clément IX reconnut la distinction entre le droit – les propositions condamnées par l'Église – et le fait – le texte même de Jansénius. C'était la « paix de l'Église » ou la paix clémentine. Port-Royal connut alors vingt années brillantes et fécondes. Ce fut un centre intellectuel et littéraire, par la publication d'ouvrages importants, et il attirait quelques grands comme la duchesse de Longueville, sœur de Condé. Mais l'hostilité de Louis XIV ne désarmait pas.

L'affirmation de l'Église gallicane

Louis XIV supportait mal la tutelle que la papauté exerçait, dans des domaines autres que spirituels, sur l'Église de France, pour laquelle il réclamait une réelle indépendance. Le roi était soutenu avec vigueur par le parlement et par une partie des théologiens. C'est l'affirmation d'une église gallicane face au pouvoir romain. Les difficultés éclatèrent à propos de la « régale » : pendant la vacance d'un siège épiscopal – le plus souvent à la mort d'un évêque et avant l'installation de son successeur –, le roi percevait les revenus habituels de l'évêque et nommait à certains bénéfices ecclésiastiques, à sa place. Cette régale existait pour les diocèses du nord de la France, mais des juristes du parlement avaient affirmé au XVIIe siècle que la régale était un droit universel de la couronne. La contestation continua surtout autour de la nomination aux bénéfices et le 10 février 1673 le roi trancha en faveur des théories du parlement. Louis XIV étendit la régale à des diocèses où elle n'était pas encore reconnue. Deux évêques refusèrent cette mesure et en appelèrent au pape. Une affaire sans grande importance devenait une question de principe, une querelle entre le roi et le pape.

Louis XIV voulait la réunion d'un concile national : ce fut une assemblée extraordinaire du clergé de France qui se réunit en novembre 1681. Elle accepta un édit qui confirmait la régale après en avoir corrigé des abus. Le pape refusa cette décision. L'assemblée du clergé avait travaillé sur des textes de la Sorbonne et de Bossuet. Le 19 mars 1682 fut adoptée la déclaration sur la puissance ecclésiastique, ou des « quatre articles », qui définissait les libertés gallicanes. Les rois, tenant leur pouvoir de Dieu, ne pouvaient être déposés par le pape et leurs sujets ne sauraient être déliés du serment d'obéissance. Le concile œcuménique était supérieur au pape. Le pape était le chef de l'Église, mais il devait la gouverner selon le droit et en respectant les libertés des Églises particulières. Le pape était le maître en matière de doctrine, mais il n'avait pas l'infaillibilité. Louis XIV ordonna que cette déclaration fût partout enseignée en France.

Le pape reporta sa colère contre les députés qui avaient siégé à l'assemblée : lorsque le roi nomma certains comme évêques, le pape refusa de leur donner l'institution canonique : les sièges épiscopaux furent nombreux à être vacants. Il fallut attendre un changement de pape pour qu'un compromis intervînt : en 1693, Louis XIV renonça à faire enseigner la déclaration des Quatre articles et le pape ferma les yeux sur l'extension de la régale. Le texte de la déclaration demeura néanmoins un texte de référence pour les milieux gallicans.

La révocation de l'édit de Nantes

Henri IV, en 1598, avait su mettre fin aux guerres de religion en décidant, par l'édit de Nantes, que la religion protestante était autorisée en France. Louis XIII et le cardinal de Richelieu avaient réussi à limiter la puissance des protestants dans le royaume, mais n'avaient pas mis fin à la tolérance religieuse.

Louis XIV prenait très au sérieux son rôle de « roi très chrétien » : il pensait qu'il ne devait exister en France qu'une seule religion, le catholicisme, d'autant que l'organisation des églises réformées semblait montrer un penchant pour l'esprit « républicain ». Les protestants représentaient un million de personnes et disposaient de neuf cents lieux de culte à la mort de Mazarin.

La première période jusqu'en 1680 correspondit aux brimades. La monarchie française espérait que les protestants reviendraient à l'Église catholique, s'ils étaient privés de la célébration du culte réformé. La méthode choisie fut d'appliquer avec rigueur l'édit de Nantes, en écartant par exemple les protestants de toutes les charges publiques, car le texte était ambigu à ce sujet. Cette attitude visait aussi à multiplier les sanctions pour des infractions. Les pasteurs et les temples furent les premiers visés, puis ce fut le tour des fidèles. Il leur était interdit d'émigrer, de tenir des synodes sans autorisation royale, de se marier avec des catholiques. Les enterrements ne pouvaient plus avoir lieu qu'au petit jour ou à la tombée de la nuit. L'enseignement du maître d'école protestant se réduisait aux rudiments. Le chant des psaumes était interdit hors des temples ou des maisons. Une caisse des économats (appelée des « conversions » par les réformés) fut créée en 1676 par Pellisson pour récompenser les nouveaux convertis. Néanmoins, cette politique, qui respectait, au moins en théorie, l'édit de Nantes, s'avéra peu efficace.

Un arrêt du 25 juin 1680 interdit de se convertir du catholicisme au protestantisme, à la RPR, en particulier de revenir à sa première religion après une conversion. Pour plaire au roi, Louvois et des intendants s'efforcèrent de convertir le plus grand nombre de protestants. L'intendant Marillac proposa d'utiliser dans le Poitou des soldats, les dragons (soldats capables de combattre à pied comme à cheval), d'où le nom de « dragonnades » qui a été donné à ces persécutions. Elles commencèrent au printemps 1681. Les soldats étaient logés chez l'habitant, dans les provinces protestantes. Ils commettaient des violences et forçaient les familles à changer de religion.

Les conversions se multiplièrent. Bientôt, il suffit d'annoncer l'arrivée des dragons pour que les populations se convertissent en masse. Des communautés huguenotes du Dauphiné ou du Vivarais tentèrent une résistance pacifique, en célébrant en plein air le culte protestant, tout en protestant de leur attachement au roi. Ils furent attaqués par des catholiques et ces affrontements encouragèrent la répression militaire. Louis XIV ne fut peut-être pas informé du détail de ces « dragonnades », mais il se réjouit des résultats obtenus. Les enfants des huguenots purent choisir le catholicisme dès l'âge de 7 ans à partir de 1681 ; les temples étaient démolis, les catholiques surveillaient les prières des protestants, qui ne pouvaient plus devenir magistrats, avocats ou médecins ; les académies, où étaient formés les pasteurs, furent supprimées.

Comme la menace ne suffisait pas, la persécution recommença en 1685 en Béarn et en Languedoc et porta ses fruits. Les abjurations furent très nombreuses et le gouvernement en vint à penser que l'édit de Nantes était caduc puisqu'il n'y avait plus de protestants. Louis XIV le révoqua en octobre 1685 par l'édit de Fontainebleau qui fut connu le 17 de ce mois. Les protestants n'avaient plus le droit d'exercer leur culte, leurs enfants devaient être baptisés et élevés dans la religion catholique. Les pasteurs avaient le choix entre l'abjuration ou le départ à l'étranger, qui signifiait l'abandon de leurs enfants et de leurs biens. Le patrimoine des protestants qui se réfugiaient à l'étranger serait confisqué. En théorie, les protestants qui demeuraient dans le royaume ne seraient pas inquiétés, à condition de respecter l'édit.

Bien des protestants abjurèrent du bout des lèvres. Ils acceptaient tristement leur nouvelle foi et restaient fidèles secrètement au protestantisme ; ils acceptaient d'assister à la messe, mais ne communiaient pas. Ils restaient des « nouveaux catholiques » (NC), étroitement surveillés. Ceux qui savaient lire continuèrent à pratiquer leur religion, au sein de leur famille. Les enfants étaient baptisés et inscrits dans les registres paroissiaux, mais les mariages entre protestants étaient impossibles : soit il fallait faire un voyage à l'étranger pour se marier, soit il fallait passer pour concubinaires. Des dizaines de milliers de protestants (entre 150 000 et 200 000 personnes de 1680 à 1700) choisirent de quitter le royaume pour s'installer en Hollande (50 à 60 000), en Angleterre (40 à 50 000), en Allemagne (30 000), en Suisse (22 000), dans les colonies anglaises d'Amérique (10 à 15 000), quelques-uns au Cap. Souvent c'étaient des artisans habiles, des officiers, des commerçants entreprenants, des savants brillants et la France fut privée de ces talents. Les communautés protestantes des pays étrangers aidèrent leurs frères persécutés et des gouvernements, comme celui de l'Électeur de Brandebourg, cherchèrent à attirer les fugitifs. Ces « réfugiés » conservèrent souvent une haine tenace à l'égard de Louis XIV, dans lequel ils voyaient un « tyran » et ils encouragèrent les princes protestants, comme Guillaume d'Orange, à lutter contre la France. Au contraire, les catholiques français saluèrent cette mesure contre les protestants. Les esprits les plus clairvoyants comme Vauban eurent néanmoins conscience des conséquences désastreuses de la révocation.

Le protestantisme ne disparut pas pour autant du royaume. Il se réorganisa et, dès 1686, apparurent des « assemblées du désert », c'est-à-dire des cultes en plein air dans des lieux écartés. Le pouvoir royal menaçait de mort les meneurs, des galères les assistants. La persécution favorisa l'éclosion d'un « prophétisme » exalté qui conduisit à la guerre des camisards. Mais bien des huguenots espéraient la renaissance des églises réformées.

Les autres tensions religieuses

Ce fut Bossuet, l'ancien précepteur du Grand Dauphin, évêque de Meaux, qui tenta de maintenir au cours du règne l'équilibre de la théologie officielle, mais il s'efforça aussi de renforcer le respect dû au roi, par des arguments tirés de la foi.

La monarchie réagit avec rigueur contre le quiétisme. C'était une doctrine qui préconisait une totale passivité, un repos (*quies*) de l'âme pour mieux accueillir Dieu. Le quiétisme avait été condamné par Rome qui y voyait la négation de la volonté humaine. En France, des idées semblables furent développées par une mystique, Mme Guyon. Elle séduisit des dévots de la cour, en particulier Fénelon, le précepteur du duc de Bourgogne, et Mme de Maintenon. Bossuet n'eut pas de mal à condamner ce mouvement, Mme Guyon fut emprisonnée, et l'œuvre de Fénelon condamnée à Rome en 1699. Ce dernier se soumit et fut simplement contraint de résider à Cambrai dont il était archevêque, mais de loin il continua d'être le guide spirituel d'un petit groupe de ministres et de courtisans, autour des deux gendres de Colbert, les ducs de Beauvillier et de Chevreuse, et du petit-fils du roi, son ancien élève.

Les curiosités nouvelles

Des curiosités nouvelles se faisaient jour. Les idées de Descartes s'imposèrent et ses continuateurs, comme Malebranche dans sa *Recherche de la vérité* en 1674, firent école. Des méthodes nouvelles furent aussi proposées pour étudier la Bible. Ce fut ainsi l'« exégèse » du P. Richard Simon, dans son *Histoire critique du Vieux Testament* en 1678 : il s'efforçait d'établir, à la lumière des données linguistiques, la genèse, le sens et l'histoire des textes bibliques. La « crise de la conscience européenne » selon la formule de Paul Hazard naissait : il s'agissait de contester les certitudes intellectuelles et même d'écarter le divin ; il s'agissait aussi de construire la cité future : « ... il fallait édifier une politique sans droit divin, une religion sans mystère, une morale sans dogmes. Il fallait forcer la science à n'être plus un simple jeu de l'esprit, mais décidément un pouvoir capable d'asservir la nature ; par la science, on conquerrait à n'en pas douter le bonheur » *(Paul Hazard)*.

La paix armée

La politique de Louis XIV était semblable à celle des autres souverains européens. Il avait le souci de défendre le territoire en renforçant les frontières du royaume, d'où une politique agressive à l'égard de ses voisins, en pleine paix : ce furent les réunions. Puis Louis XIV prépara une nouvelle guerre contre une Europe qui désormais restait coalisée contre lui.

La politique des réunions

Le contexte. — Louis XIV s'orienta donc vers une stratégie défensive, même si elle passait par des formes agressives : c'est la « défense agressive » *(André Corvisier)*. Il s'agissait d'éviter la guerre de mouvement, telle que l'avait prônée Turenne, mort en 1675, car le sort du royaume dépendait ainsi d'une bataille. La guerre de sièges était alors le choix stratégique privilégié. Vauban voulait créer une triple ligne de places fortes pour protéger la capitale et Louis XIV avait les moyens de sa politique puisqu'il n'avait pratiquement pas démobilisé après la guerre de Hollande.

Le roi de France se sentait les mains libres, car l'Est de l'Europe connaissait une nouvelle offensive ottomane. Après la Pologne, la Russie résista bien, et les attaques des Turcs se portèrent donc du côté de l'Autriche. Le Sultan et ses vizirs successifs avaient soutenu depuis longtemps les Hongrois qui acceptaient mal l'autorité de Vienne et de l'empereur. Une vaste campagne fut décidée en 1682 vers l'ouest et le grand-vizir Kara Mustafâ décida d'attaquer la capitale autrichienne elle-même : Vienne. Il retrouvait ainsi l'exemple déjà lointain de Soliman le Magnifique au XVIe siècle. Le 8 avril 1682, dans une dépêche à son ambassadeur à Constantinople, Louis XIV jugeait qu'une offensive turque serait un moyen de maintenir la paix en Allemagne. La Sublime Porte (comme était désignée la puissance ottomane) était donc assurée de la neutralité de la France. Des historiens ont vu dans cette dépêche une autorisation tacite pour le grand-vizir. La France ne participa donc pas au grand sursaut chrétien contre les Turcs qui marqua tant d'autres pays *(Claude Michaud)*.

L'organisation des réunions. — Le roi de France reprit la politique de Richelieu, de Mazarin, et la sienne propre après le traité d'Aix-la-Chapelle, en utilisant tous les arguments juridiques pour ressusciter les vieux droits féodaux sur la frontière. Si Louvois était l'exécutant, il fallait un secrétaire d'État aux étrangers plus cynique que Pomponne : on choisit Colbert de Croissy (18 novembre 1679).

En utilisant les termes des traités, les territoires cédés à la France devaient l'être avec leurs « dépendances ». Cette formulation classique fut prise au pied de la lettre et conduisit à une recherche systématique des terres qui, dans le passé, avait été vassales de nouvelles possessions françaises. Cette politique fut confiée à Metz à une chambre de réunion, composée de magistrats du parlement. À Besançon, une chambre du parlement, et, à Brisach, le Conseil d'Alsace furent chargés de cette entreprise. Une fois le dossier instruit, qui prouvait qu'une terre avait été vassale d'une possession française, le titulaire du fief était appelé à comparaître devant la chambre pour prêter foi et hommage : indirectement, il reconnaissait la souveraineté du roi de France. S'il ne se présentait pas, la seigneurie était « réunie » : des dragons l'occupaient, on mettait sous scellés les édifices publics et sous séquestre les revenus du seigneur.

Cette procédure dura moins de deux ans mais fut très efficace. Elle lésait les intérêts de l'empereur et des princes allemands, en particulier sur la rive gauche du Rhin. Le bourg de Fraulauter fut annexé et permit l'édification de Sarrelouis ; près de Trarbach, fut construit Mont-Royal. Le duché de Deux-Ponts fut réuni ce qui aigrit les rapports entre le roi de Suède, parent du duc, et la France. La principauté de Montbéliard fut annexée et Louis XIV, après avoir occupé la moitié de l'évêché de Liège, obtint pour trente ans Dinant et Bouillon. La procédure permettait donc une annexion en pleine paix ; si elle ne trahissait pas forcément une volonté de conquête à tout prix et avait surtout pour fonction de faciliter la défense du pays, elle n'en perturbait pas moins l'ordre international et lésait les puissances voisines de la France.

L'empereur se fit le champion des princes allemands lésés. Il apparaissait comme le défenseur des libertés germaniques et de l'intégrité de l'Empire face aux initiatives et à l'avidité françaises.

Strasbourg française. — À proprement parler, l'annexion de Strasbourg ne se fit pas dans le cadre des réunions, mais elle entrait dans une même politique d'annexion en pleine paix.

Strasbourg était une ville impériale et, quoique neutre dans la guerre de Hollande, elle avait à deux reprises laissé passer les Impériaux par le pont sur le Rhin et s'installer une garnison impériale en 1678. L'opération militaire contre la ville fut soigneusement préparée. La ville ne fit pas de résistance et signa une « capitulation » quand les troupes françaises se présentèrent le 30 septembre 1681. La cité gardait ses droits acquis en matière religieuse, commerciale et financière. Néanmoins la cathédrale devait revenir au culte catholique (20 octobre). Le roi put prendre solennellement possession de Strasbourg le 23 octobre 1681. La ville était tombée sans qu'ait été tiré un seul coup de mousquet.

La France contrôlait toute l'Alsace, les deux passages sur le Rhin. Par Mont-Royal, elle surveillait la vallée de la Moselle. La Lorraine était sous sa dépendance.

Le jour où les troupes françaises entraient dans Strasbourg, Casale, capitale du Montferrat, était aussi occupée. En effet le duc Charles III de Mantoue s'était ruiné. Louis XIV obtint le droit de tenir garnison à Casale, tout en accordant sa protection au duc de Mantoue à qui il faisait une pension (8 juillet 1681). Une petite armée entra dans la ville le 30 septembre.

La prise de Luxembourg. — En 1680-1681, la chambre de réunion de Metz montra que, selon la logique juridique des réunions, le duché de Luxembourg dépendait du comté de Chiny, qui lui-même dépendait de l'évêché de Metz. Or ce duché appartenait au roi d'Espagne. Les troupes françaises entrèrent dans le duché et Louvois organisa le blocus de la place même de Luxembourg.

En 1683, le siège de Vienne conduisit Louis XIV à accorder une trêve et à faire lever le blocus de Luxembourg. Mais avant que Vienne fût secourue, Louis XIV voulut s'assurer des avantages et il fit entrer des troupes dans les Pays-Bas. Charles II d'Espagne déclara la guerre le 26 octobre 1683. Après avoir exercé des ravages autour de Bruges et de Bruxelles, l'armée française prit Luxembourg le 4 juin 1684.

La trêve de Ratisbonne. — Les discussions avaient repris à Ratisbonne à la fin de 1683. Léopold se trouvait, après la victoire du Kahlenberg (voir plus loin), en position de force et refusait de céder à la France. Louis XIV choisit l'épreuve de force. La France présenta un ultimatum pour le 15 août 1684 : l'empereur Léopold et Charles II d'Espagne acceptèrent alors une trêve de vingt ans. Louis XIV conservait Strasbourg et les territoires réunis, mais à titre précaire, et il s'engageait à ne pas continuer cette politique de réunions.

Louis XIV n'en poursuivit pas moins sa politique de terreur. Parce que Gênes armait des galères destinées à l'Espagne, la ville fut bombardée par Duquesne et aux trois quarts détruite (mai 1684). Le doge dut venir à Versailles présenter la soumission de la République, malgré la loi qui lui interdisait de quitter son territoire. Des opérations furent lancées contre les Barbaresques dont les villes furent bombardées : Tripoli (1683 et 1685), Alger trois fois de 1682 à 1688 – elle demanda la paix en 1689.

L'Europe coalisée

La défense de Vienne. — En 1683, l'armée ottomane s'était avancée vers l'ouest et, dans l'été, il devint clair que Vienne était la cible visée. L'empereur quitta sa capitale qui se prépara à cette redoutable épreuve. À l'appel du pape, toute la chrétienté s'était mobilisée, en particulier le roi de Pologne, Jean Sobieski, qui arriva avec une armée de secours. Le 12 septembre 1683, l'armée chrétienne se rassembla sur les hauteurs dominant Vienne, le Kahlenberg, et affronta l'armée turque. La victoire chrétienne fut éclatante, la ville était libérée, les Turcs fuyaient, le grand-vizir fut bientôt étranglé. En 1684, une Sainte-Ligue se constituait avec le pape, l'empereur et la république de Venise. En 1686, la ville de Bude (Budapest) fut reprise : les Hongrois retrouvaient leur capitale, et peu à peu l'empereur avançait vers l'est. Cette progression dans la plaine danubienne et les Balkans aboutit en 1699 à la paix de Karlowitz, désastreuse pour les Turcs, que Louis XIV avait pourtant soulagés en entrant en guerre en 1688.

Louis XIV, par ses intrigues avec la Porte et avec les Hongrois, comme par ses annexions et ses coups de force contre l'Empire et l'Espagne, apparaissait comme une menace pour l'ordre européen, un fauteur de guerre, un ennemi de la religion.

La révolution d'Angleterre. — À la mort de Charles II, en 1685, son frère Jacques lui succéda mais il mena une politique favorable au catholicisme. Comme il avait pour héritières ses filles, Marie puis Anne, toutes deux protestantes, dont l'aînée était mariée à Guillaume d'Orange, son règne semblait une parenthèse. Néanmoins Jacques s'était remarié en 1673 à une catholique, Marie de Modène.

Une nouvelle déclaration d'indulgence – donc favorable au rétablissement du catholicisme – fut promulguée en mai 1688. L'opinion publique était prête à résister au roi et l'opposition s'organisait.

Surtout, le 20 juin 1688, Jacques II eut un fils de Marie de Modène, aussitôt baptisé dans la religion catholique. Il n'était plus question pour les Anglais d'attendre la mort du roi qui ne résoudrait rien.

Sept lords firent appel à Guillaume et Marie. En novembre 1688, Guillaume débarqua. Jacques II s'enfuit et Guillaume favorisa sa fuite. Le roi Jacques fut accueilli par Louis XIV et s'installa à Saint-Germain-en-Laye, au milieu de ses fidèles, les « jacobites » (de *Jacobus,* Jacques).

Guillaume accepta de jurer une « déclaration des droits » : elle fut lue le 23 février 1689 devant les Chambres du parlement. Ensuite Guillaume et Marie – Guillaume III et Marie II – furent proclamés conjointement roi et reine d'Angleterre. Il restait encore à vaincre les résistances, en particulier en Irlande.

Louis XIV avait espéré que la révolution anglaise et l'intervention de Guillaume se transformeraient en guerre civile, écartant l'Angleterre de la scène européenne. Il n'en fut rien.

La succession palatine. — Lorsque l'Électeur palatin mourut en 1685, il n'avait pas d'héritier mâle. Sa plus proche parente était sa sœur Charlotte-Élisabeth, Madame, la vigoureuse Palatine, la seconde épouse de Monsieur, frère de Louis XIV, à qui elle avait donné deux enfants – dont le futur régent de 1715. Son cœur était resté dans l'Empire et elle passa une bonne part de sa vie à correspondre avec sa famille – quelque 90 000 lettres. Les juristes français avaient des armes pour appuyer les droits de la princesse palatine sur une part de la succession et demandaient un partage de l'héritage palatin.

La Ligue d'Augsbourg. — La mobilisation politique contre Louis XIV partit de l'Empire. Le 9 juillet 1686, fut signé le pacte définissant la Ligue d'Augsbourg avec l'empereur, l'Espagne, qui cherchait toujours une revanche, la Suède, l'Électeur de Bavière. Cette Ligue fut plus symbolique qu'efficace, car l'Empire n'était pas prêt à la guerre. Mais ce pacte traduisait un état d'esprit nouveau : l'Empire devait se placer sous la direction de l'empereur pour résister à la puissance française. Même l'Électeur de Brandebourg quitta l'alliance française en 1686 et se rapprocha de l'empereur.

Louis XIV considérait toujours la Savoie comme un protectorat de la France, mais il dut bientôt déchanter. En effet le duc Victor-Amédée II se révéla un redoutable homme d'État, à la personnalité complexe et secrète. Après la Révocation, Louis XIV demanda à Victor-Amédée d'empêcher le passage des protestants qui fuyaient le royaume. Le duc de Savoie résista. Puis le roi de France lui demanda d'intervenir contre les Vaudois et finalement envoya en avril 1686 Catinat pour les déloger et désoler les vallées alpines. Victor-Amédée II en laissa 6 000 s'échapper vers la rive nord du lac Léman, et ils purent faire en août 1689 leur « Glorieuse Rentrée ».

Le roi de France par ses persécutions contre les réformés et contre les Vaudois qui étaient souvent considérés comme des précurseurs de la Réforme, voire comme des héritiers directs des apôtres, semblait aux puissances protestantes un tyran, un oppresseur, un ennemi de Dieu. Les États protestants trouvaient alors en Guillaume d'Orange un guide naturel, car il avait incarné, pendant la guerre de Hollande, la résistance à l'envahisseur français.

Guillaume III, nouveau roi d'Angleterre, fut donc l'âme de la coalition contre Louis XIV. Il pensait avoir une mission : il devait lutter contre la monarchie universelle que le roi de France semblait désirer par ses agressions continuelles ; il cherchait à combattre la tentation de religion universelle, au moment où Louis XIV persécutait les protestants français. Même si Guillaume fut un piètre général, il sut, par la négociation politique, redresser bien des situations difficiles.

La guerre de la Ligue d'Augsbourg

C'est le nom qui est donné en France à cette guerre, appelée, en Angleterre, guerre de neuf ans.

Les offensives françaises

Les attaques françaises eurent deux cibles : d'un côté l'empereur en attaquant l'Empire, et d'abord le Palatinat au nom des droits de Madame, d'un autre côté Guillaume d'Angleterre en attaquant l'Irlande pour aider la cause du roi détrôné d'Angleterre, Jacques II, parent et allié de Louis XIV.

La désolation du Palatinat. — Le 24 septembre 1688, un manifeste proclamait les buts de la politique française. Il s'agissait de faire reconnaître définitivement les réunions par un traité. Mais en même temps l'armée du Rhin fit le siège de Philippsbourg, citadelle considérée comme une porte pour l'invasion de la France, qui capitula (29 octobre 1688). Le Palatinat et une bonne partie de l'Allemagne rhénane étaient bientôt conquis par les Français. L'offensive française, au lieu de décourager l'Empire, le mobilisa au contraire. Le 11 décembre 1688, l'empereur déclarait la guerre.

La France s'empressa de lever des contributions dans les pays occupés. Ces contributions s'appliquaient aux terres conquises, mais aussi à celles qui ne l'étaient pas. Elles permettraient aussi d'entretenir la guerre, car la France n'était pas prête à un conflit général, contre une forte coalition, alors que la menace en devenait plus précise.

Une nouvelle forme fut donnée à l'offensive, ce fut la destruction. Le « dégât » n'était pas une nouveauté : il y en avait eu d'autres et d'autres suivirent. Mais Louvois lui donna un aspect systématique. Le 13 janvier était donné l'ordre de détruire Mannheim et Heidelberg : dans cette dernière ville, le beau château de l'Électeur fut miné et ce fut le symbole de la destruction systématique. Louvois ordonna d'abattre les habitants qui reviendraient à Mannheim. À Spire, Worms et Oppenheim, on brûla les maisons après avoir laissé six jours aux habitants pour les abandonner. Cet incendie du Palatinat visait un double objectif : d'une part, établir un glacis défensif dans la région du Rhin, en empêchant les troupes ennemies de s'y installer ; d'autre part, frapper de terreur les populations et les princes allemands, afin de décourager toute résistance à la politique française. Mais l'opération fut peu utile sur le plan militaire – les forces françaises durent se retirer et laisser la place aux forces coalisées – et, sur le plan psychologique, elle eut des conséquences malheureuses, car la cruauté de Versailles, dénoncée par une intense propagande, galvanisa les populations et poussa les princes dans le camp de l'empereur. Bientôt la France fut seule face à une vaste coalition européenne et n'avait pas d'allié.

Défense ou offensive ? — Avec Luxembourg, Strasbourg et Casale, le territoire français semblait bien protégé de toute invasion. Pourtant, le roi de France dut se défendre au nord, face aux Pays-Bas, à l'est, face à l'Empire, et au sud, face à la Savoie.

En 1689, il apparut que la frontière de Flandre était mal gardée. L'année suivante, le 1er juillet 1690, le maréchal de Luxembourg remporta une première victoire à Fleurus, gagnant le surnom de « tapissier de Notre-Dame » en raison du nombre de drapeaux qu'il prit à l'ennemi et qui furent placés dans la cathédrale de Paris.

Victor-Amédée II de Savoie négociait en secret avec l'empereur, ce qui permit à la coalition d'ouvrir un nouveau front, même si l'armée savoyarde fut battue par Catinat à l'abbaye de Staffarde (18 août 1690). Le prince Eugène de Savoie, d'une branche cadette de la maison de Savoie et général au service de l'empereur, repoussa du Piémont les Français qui s'emparèrent pourtant de la Savoie et de Nice.

L'intervention en Irlande et la guerre sur mer. — Pour l'historien André Corvisier, cette guerre de la Ligue d'Augsbourg, fut essentiellement une guerre sur mer. Sur terre, on se contenta d'une stratégie défensive.

Après la campagne dans le Palatinat, l'Irlande avait été l'enjeu essentiel en 1689-1690 : il fallait une flotte capable de débarquer des troupes sur l'île, car les Irlandais étaient en grande partie catholiques et hostiles aux Anglais.

Débarqué en mars 1689, Jacques II étendit rapidement sa domination sur l'Irlande et il fut aidé par des troupes françaises. Mais bientôt les troupes jacobites durent affronter l'armée protestante et Guillaume d'Orange qui arrivèrent d'Angleterre. Lors de la bataille de la Boyne, Guillaume l'emporta sur son beau-père. Hésitant, Jacques II ordonna la retraite (10 juillet 1690) et se rembarqua alors que les troupes françaises s'enfermèrent dans Limerick.

Le même jour que la Boyne, Tourville remportait la bataille navale de Béveziers (ou Beachy Head). En 1691, de mai à août, Tourville réussit la « campagne du Large » : il sut éviter pendant cinquante jours la bataille que l'ennemi désirait et il garda néanmoins l'entrée de la Manche. Ainsi les communications entre la France et l'Irlande furent maintenues, mais la dernière place irlandaise capitula.

Guillaume III, victorieux en Irlande, voulait intervenir directement contre la France. Mais déjà Louis XIV avait décidé le siège de Mons, qui capitula le 8 avril 1691.

Un grave échec en Irlande, un recul dans l'Empire : les offensives françaises contre l'empereur et le roi d'Angleterre avaient tourné court. Pourtant les victoires au nord de la France et sur le front savoyard, ainsi que des succès sur mer, montraient que la puissance française résistait bien.

Une guerre difficile

Les changements gouvernementaux en France. — À la mort de Seignelay, Pontchartrain qui était déjà contrôleur général ne voulut pas accepter le département de la Marine, car il n'y connaissait rien, mais Louis XIV avait confiance en lui et le força à accepter. À côté des problèmes financiers qu'il eut à résoudre, Pontchartrain dut préparer la guerre sur mer. Il bénéficia de l'effort accompli par ses prédécesseurs.

Le 16 juillet 1691, Louvois mourut brutalement. Selon une tradition rapportée par le mémorialiste Saint-Simon, le secrétaire d'État à la guerre aurait été au bord de la disgrâce, et même menacé de la Bastille. Son fils cadet, Barbezieux, eut la charge de secrétaire d'État jusqu'à sa mort en 1701, mais il n'entra pas au conseil, les fortifications de terre et de mer furent confiées à Michel Le Peletier de Souzy. Louis XIV et son conseiller, le marquis de Chamlay, préparèrent les opérations militaires, laissant à Barbezieux l'administration. Barbezieux eut à gérer des nouveautés : la milice, recrutée depuis 1691 par tirage au sort dans la population, devenait une armée de réserve ; le fusil à baïonnette, à la fois arme blanche et arme à feu, se généralisait. Et en 1693, Louis XIV instituait l'ordre royal et militaire de Saint-Louis, un ordre de chevalerie comme le Saint-Esprit, mais il était destiné à distinguer surtout des officiers qui s'étaient illustrés au combat.

La campagne de 1692 et la défaite navale. — Pour 1692, Louis XIV, Jacques II et Pontchartrain conçurent un plan de campagne que l'historien François Bluche a qualifié de « plan de terriens ». En effet une force anglo-française devait être débarquée en Angleterre – et non plus en Irlande – avec le roi Jacques II, pour profiter de l'impopularité supposée de Guillaume III et pour répondre à l'appel des jacobites, présentés comme nombreux dans la *Royal Navy*. Ne croyait-on pas que la flotte de la Manche ferait défection plutôt que de combattre le roi Jacques ? On supposa résolues des difficultés qui ne le furent pas, comme l'armement rapide des escadres et la concentration à Brest de la flotte du Ponant (de l'Atlantique) et de celle du Levant (de la Méditerranée) – or celle-ci n'arriva pas à temps. La direction des opérations fut confiée à un triumvirat composé de Jacques II (qui avait été amiral, mais qui ne l'était plus depuis longtemps), du maréchal de Bellefonds et d'un intendant de marine, Usson de Bonrepaus, ancien premier commis et intime de Seignelay, mais homme de bureau plus que de terrain. Donc aucun officier de marine. Il fallait que Tourville tînt la Manche, comme pour la campagne de Béveziers, pendant que les troupes franchiraient la mer.

Surtout Pontchartrain et Louis XIV, après la campagne du Large, avaient peu confiance en Tourville. Cela explique le ton des instructions impératives que l'amiral reçut le 26 mars : il devait combattre même si ses forces étaient en infériorité numérique. Or ce fut ce qui se passa. La flotte du Levant n'arriva pas, alors que les Hollandais et les Anglais s'étaient rejoints. La rencontre eut lieu le 29 mai 1692 au large de Barfleur. La supériorité numérique était telle que les officiers furent d'avis de refuser la bataille, mais Tourville montra les ordres royaux. Au bout de onze heures de combat, aucun vaisseau français n'avait amené les couleurs, aucun n'avait été coulé. Tourville ordonna le repli. Si des vaisseaux français purent s'échapper, 15 vaisseaux qui avaient trouvé refuge dans la baie de Saint-Vaast - La Hougue furent refoulés par la marée et incendiés par leurs poursuivants, après que les équipages eurent débarqué.

La bataille de La Hougue a été souvent présentée comme la fin des espérances françaises sur mer. Louis XIV marqua au contraire sa satisfaction à Tourville. Après La Hougue, une nouvelle stratégie se mit en place : il fallait surtout attaquer le commerce des ennemis pour mieux les affaiblir et pour secourir des finances et une économie en difficulté. C'était la « guerre de course » qui était mise au premier plan. Les corsaires obtenaient l'autorisation de s'emparer de bateaux marchands, qui appartenaient à une nation ennemie.

Les victoires sur terre. — Louis XIV investit Namur en 1692 qui capitula. Lors de la bataille de Steinkerque (3 août 1692), Guillaume fut obligé d'abandonner le champ de bataille. Cette victoire eut un effet psychologique fort, même si l'effet réel était plus mince.

L'année 1693 vit se réaliser une stratégie savante de la France, puisque l'affrontement glissa d'un front à l'autre. La campagne commença au nord. Ce fut la dernière à laquelle Louis XIV participa – il avait 55 ans. Luxembourg attaqua le 29 juillet 1693 à Neerwinden, mais ne réussit pas à jouer de la surprise. La victoire et Neerwinden restèrent aux Français, mais les pertes étaient grandes des deux côtés.

La campagne se prolongea en Allemagne et Heidelberg fut une nouvelle fois pillée et incendiée : c'est à ce moment-là que le tombeau des Électeurs fut profané. Mais le maréchal de Lorge fut tenu en échec. L'affrontement se déplaça une fois encore et la France tenta d'obtenir une action décisive face à Victor-Amédée II de Savoie. Ce fut la victoire française de La Marsaille (4 octobre 1693). Il faut reconnaître dans cette organisation globale la stratégie de cabinet, imaginée et conduite depuis Versailles par le marquis de Chamlay.

Jean Bart et la guerre de course. — Quant à Tourville, il réussit à intercepter un convoi de 120 à 140 vaisseaux marchands à destination de Smyrne, protégés par 27 à 34 vaisseaux de guerre, dans la rade de Lagos (27 juin 1693). En 1694, les Anglais firent une tentative contre Brest, mais le projet avait été connu et Vauban fut envoyé pour défendre la ville. Le débarquement eut lieu à Camaret et fut repoussé (18 juin 1694). La flotte anglo-hollandaise menaça d'autres ports : seule Dieppe souffrit du bombardement.

Jean Bart (1650-1702) remporta la bataille du Texel, en juin 1694 : il libéra des navires marchands qui étaient allés acheter du blé en Pologne et qui avaient été interceptés. Comme le royaume connaissait une grave crise économique, cette action d'éclat fut présentée comme un bienfait pour les sujets du roi. Bart accumulait les prises, en pratiquant systématiquement l'abordage avec témérité – il fut blessé à plusieurs reprises – et il avait une maîtrise remarquable de la mer. Il porta ainsi des coups sévères au commerce anglo-hollandais. Cette bravoure fut reconnue par Louis XIV et ses ministres successifs qui firent de Bart un chef d'escadre en 1697, après l'avoir anobli en 1694.

Le conflit et la négociation

L'urgence de la paix. — Ces nombreux succès obtenus par Louis XIV, même s'ils n'étaient pas définitifs, conduisirent les alliés à souhaiter des négociations. L'empereur craignait la mauvaise humeur des princes allemands – Léopold avait promis le titre d'Électeur au duc de Hanovre pour un neuvième Électorat, cette fois protestant, car l'Électeur palatin était désormais catholique. Les puissances maritimes supportaient seules le fardeau de la guerre et Guillaume III voulait que Louis XIV reconnût son titre royal, donc la révolution de 1688. Des négociations secrètes s'engagèrent très tôt entre les belligérants mais la guerre continuait. Or la situation européenne était de plus en plus dominée par la question de la succession espagnole. Il devenait clair que Charles II d'Espagne n'aurait pas de descendant. La coalition contre Louis XIV s'était engagée à défendre les intérêts de l'empereur et de sa maison. Léopold avait tout intérêt à faire traîner la guerre. Au contraire Guillaume voulait la paix pour aborder cette discussion sur l'empire espagnol par la voie diplomatique.

Victor-Amédée II fut le premier à abandonner la coalition : il obtenait Pignerol, cette forteresse perdue depuis longtemps, et sa fille épouserait le petit-fils aîné de Louis XIV, le duc de Bourgogne.

La défection de la Savoie inquiéta Guillaume car Louis XIV pouvait reporter toutes ses forces contre l'Empire et les Pays-Bas.

Pomponne et Torcy. — En juillet 1696, Croissy était mort. Son fils Jean-Baptiste Colbert, bientôt marquis de Torcy, lui succédait comme secrétaire d'État et il épousait la seconde fille d'Arnauld de Pomponne. Dès la disparition de Louvois, Arnauld de Pomponne était redevenu ministre. Comme Torcy ne l'était pas, ce fut son beau-père qui fut chargé de rapporter les affaires au conseil. Pomponne retrouvait donc une influence déterminante dans la diplomatie française – or il était plus porté que Croissy à la conciliation – et Torcy se préparait à prendre sa succession (il fut ministre en 1699 et Pomponne mourut la même année).

Les succès français. — Le 4 février 1697, tous les belligérants, sauf l'Espagne, acceptèrent la médiation suédoise et un congrès s'ouvrit près du village hollandais de Ryswick. La situation militaire était de nouveau favorable à la France. L'armée française marcha sur Bruxelles. Le 9 août 1697, le duc de Vendôme s'emparait de Barcelone dont le port avait été bloqué par la flotte du Levant. En mai, Pointis prit et pilla Carthagène, le principal entrepôt espagnol en Amérique. En septembre, Lemoyne d'Iberville s'empara des forts anglais de la baie d'Hudson. Tout au long de la guerre, Français et Anglais s'étaient affrontés en Amérique du Nord, avec l'aide de leurs alliés indiens respectifs. Les Français avaient ainsi tenté des raids audacieux, sans rapport avec les méthodes de guerre européennes.

Les négociations anglo-françaises. — Des discussions directes entre un favori de Guillaume (Portland) et un général français (Boufflers) permirent de contourner l'interminable discussion de Ryswick. Louis XIV devait s'engager à n'aider personne qui tenterait de renverser Guillaume et il fit d'amples concessions. Le traité avec l'Angleterre était proche, mais Guillaume voulait une signature de tous les alliés en même temps. Louis XIV brusqua les événements en indiquant que, puisque le délai, fixé pour la signature, avait été dépassé, il revenait sur ses concessions antérieures et désirait conserver Strasbourg. Les Provinces-Unies, l'Espagne et l'Angleterre signèrent le traité dans la nuit du 20 au 21 septembre 1697. Le 30 octobre 1697, Léopold à son tour signait un traité avec la France.

Les réactions à la paix. — La paix fut bien accueillie en Angleterre car elle signifiait que la France reconnaissait la révolution de 1688.

En France, la cour considéra comme honteux d'abandonner la cause du « vrai roi d'Angleterre ». Et Jacques II ne quitta pas Saint-Germain-en-Laye. Selon certains témoignages (Vauban, Maintenon, Dangeau, Voltaire), les concessions faites par Louis XIV auraient été jugées avec sévérité. Le traité revenait à la situation de Nimègue, mais Louis XIV, s'il abandonnait les terres « réunies », conservait Strasbourg. C'était l'acquisition définitive de l'Alsace, avec le Rhin comme « barrière » entre la France et l'Allemagne. La France rendait à l'Empire ses têtes de pont : Philippsbourg, Kehl et Brisach, comme elle avait cédé Pignerol à Victor-Amédée II. C'était un changement dans la vision stratégique : il n'était donc plus nécessaire d'avoir des portes, ou des postes avancés, en territoire étranger. L'idée de la frontière solide, ou de la barrière, l'emportait. Louis XIV rendait la Lorraine à son duc, Léopold, le fils de Charles V. L'Espagne retrouvait les villes prises par la France. Cette « remarquable mansuétude » *(François Bluche)* s'expliquait par le souci de ne pas heurter l'opinion espagnole dans la grande négociation sur la succession de Charles II. La France retrouvait Pondichéry qui avait été prise par les Hollandais, rendait aux Anglais les prises de la baie d'Hudson, mais surtout se voyait reconnaître la partie occidentale de Saint-Domingue (aujourd'hui Haïti). Les Hollandais obtenaient une « barrière » dans les Pays-Bas : des garnisons mixtes, hollandaises et espagnoles, s'installaient à Mons, Charleroi, Namur, Luxembourg, Nieuport et Oudenarde. Et Louis XIV accordait des avantages commerciaux aux Hollandais par le retour aux tarifs modérés de 1664.

La France en guerre

Les dernières campagnes du roi. — François Bluche, dans son *Louis XIV,* a souligné que la guerre, qui s'achevait en 1697, avait été aussi une « guerre psychologique ». Jamais Louis XIV n'avait eu une telle coalition en face de lui. La dynastie sut réagir. Le roi, jusqu'en 1693, son fils aussi, commandèrent des armées comme Guillaume d'Orange commandait les siennes. Toute la famille royale a participé aux combats et c'était un moyen de mobiliser les énergies.

Le poids de la propagande et de l'espionnage. — Contre la France, Guillaume sut utiliser l'ardeur des réfugiés huguenots et les pamphlets, écrits en français, langue commune de l'Europe désormais, se multiplièrent pour attaquer Louis XIV et pour faire de Guillaume d'Orange un nouveau David, un nouveau Moïse. Pierre Jurieu, pasteur réfugié à Rotterdam, alimenta cette polémique par des écrits virulents qui cherchaient, dans les prophéties bibliques, des arguments pour la perte du tyran français. Ses *Lettres pastorales* furent introduites secrètement en France. Le même Jurieu tenta de constituer en France un vaste réseau d'espionnage dans les ports de guerre. La guerre fut d'autant plus difficile pour la France que le pays souffrait d'une grave crise économique.

La crise de 1693-1694. — Pendant trente années, de 1687 à 1717, le climat fut désastreux et les populations souffrirent du froid ou du mauvais temps. Une grave crise économique éclata dans les années 1693-1694. L'hiver de 1693 fut catastrophique et suivi d'une famine. Le printemps de 1694 fut pire encore. « Le conte, si réaliste, du *Petit Poucet* (1696) reflète l'horreur de ces deux années terribles » *(François Bluche)*. Les opérations sur mer furent destinées à intercepter des convois étrangers ou à protéger des navires transportant du blé. Les provinces les moins touchées devaient aider celles qui l'étaient le plus.

Une meilleure connaissance de la France. — L'administration s'était renforcée sous Louis XIV : les commis étaient plus nombreux à travailler sous les ordres des secrétaires d'État. Et l'administration s'efforçait de mieux connaître le royaume comme le prouvèrent les Mémoires des intendants, commandés pour l'instruction du duc de Bourgogne en 1697. Vauban publia aussi en 1686 une *Méthode générale et facile pour faire le dénombrement des peuples*. Deux motivations se complétaient : il fallait connaître d'une part le nombre de bouches à nourrir, d'autre part le nombre de contribuables virtuels.

De multiples projets de réforme furent élaborés par des écrivains ou des administrateurs, comme Boisguillebert dans son *Détail de la France* (1695). Un conseil de commerce fut aussi créé en 1701 : il comprenait notamment des députés des principales villes du royaume. Ce conseil devait exprimer les intérêts économiques des différentes provinces et proposer des mesures pour stimuler le commerce et l'industrie.

La capitation. — La guerre fut aussi très coûteuse pour les nations en guerre. En 1694, le contrôleur général des finances,

Louis de Pontchartrain, proposa un impôt par tête, la capitation. Préparée depuis quelques années, elle fut imposée en 1695, puis supprimée en 1698, mais récréée en 1701 lorsqu'une nouvelle guerre commença. À l'origine, elle devait frapper tous les sujets, même les nobles, alors que la taille, le principal impôt royal, ne touchait pas la noblesse. Seul le clergé n'était pas frappé. Les contribuables étaient répartis en 22 classes aux effectifs inégaux : depuis le dauphin, qui devait payer 2 000 livres jusqu'aux soldats ou aux domestiques qui étaient taxés d'une livre. Les 22 classes étaient divisées en 569 rangs. Dans la première classe, qui comptait la famille royale, on incluait les financiers, en particulier les fermiers généraux, qui précédaient les ducs, eux dans la seconde classe. Pour l'historien François Bluche, le tarif de la capitation montrait bien la véritable hiérarchie sociale de l'Ancien Régime, qui ne correspondrait ni à une sociétés d'ordres (clergé, noblesse, tiers état), ni à une société de classes (privilégiés et roturiers, riches et pauvres, dominants et dominés). Selon F. Bluche, la classification combinait quatre critères : la dignité d'abord, c'est-à-dire le rang social (un maréchal de France avant un lieutenant-général) ; le pouvoir et la puissance (un ministre juste après les princes du sang) ; la richesse aussi ; la considération enfin qui introduisait de la souplesse dans ces distinctions. Et globalement les différentes composantes des élites sociales étaient prises en compte et mises en valeur : « ... l'épée, la robe et la finance, entendues au sens professionnel, sont les colonnes de l'État, forces dominantes, complémentaires et concurrentes (grâce à une émulation provoquée) de la société » *(François Bluche)*.

Dans la pratique, des « abonnements » permirent des exemptions de capitation.

Même s'il ne faut exagérer la portée de la capitation, c'était un signe révélateur d'une transformation de l'État. Il s'était d'abord renforcé avec Richelieu et Mazarin, à travers l'effort de guerre et la lutte contre les conspirations ou les oppositions violentes. Avec le long règne de Louis XIV, un vaste travail de législation avait été mené à bien, qui clarifiait le droit, renforçait les moyens de l'État, assurait le développement de l'administration. Cette monarchie plus forte et mieux structurée montrait un souci nouveau de connaître les sujets du roi et l'état du royaume, et peut-être d'imposer sa propre vision de la société et de sa hiérarchie.

20. La succession d'Espagne et la fin du règne de Louis XIV

La guerre était à peine terminée qu'un nouveau conflit éclata, qui allait durer jusqu'en 1714, à propos de la succession d'Espagne. Les princes européens avaient compris que cette question serait épineuse, car l'empire espagnol était une proie tentante, mais aussi un fardeau bien lourd pour celui qui en hériterait. La monarchie française sembla vaciller au cours de ces années et le royaume connut bien des souffrances.

Un Bourbon sur le trône d'Espagne

Dès la paix de Ryswick signée, les manœuvres diplomatiques reprirent. La question successorale en Espagne était juridiquement assez simple, puisque les filles n'étaient pas écartées. Si Charles II mourait sans enfant, ce qui semblait désormais imminent, la tradition désignait ses sœurs et leurs descendants mâles, puis les sœurs de son père et leurs descendants. Ainsi étaient en lice la descendance de Philippe IV (le Grand Dauphin de France et ses fils, le fils de l'Électeur de Bavière, petit-fils de l'empereur Léopold Ier et d'une infante) et la descendance de Philippe III (Louis XIV et son frère, Léopold Ier et ses fils d'un second mariage).

Les partages inutiles

Louis XIV se tourna vers Guillaume III : il semblerait qu'il fût entré de bonne foi dans cette négociation dont il espérait des avantages immédiats et éclatants. L'idée s'imposa de partager l'empire espagnol, pour satisfaire les prétendants, et de donner l'Espagne au prince électoral de Bavière, Joseph-Ferdinand, un enfant, petit-neveu de Charles II (traité de La Haye, 10 octobre 1698). Le Grand Dauphin renonçait à ses droits sur l'Espagne, mais obtenait de larges compensations comme Naples et la Sicile. France, Angleterre et Provinces-Unies s'engageaient à faire respecter l'accord.

Charles II d'Espagne, informé du traité, donna tout l'héritage espagnol au prince de Bavière : il refusait que son empire fût démantelé. Mais, en février 1699, le petit Bavarois mourut. Un nouveau traité fut négocié. L'archiduc Charles, fils cadet de l'empereur et petit-fils d'une infante, aurait l'Espagne et ses colonies, et la France obtiendrait d'autres territoires, en plus de ce qui lui avait déjà été promis. Les princes dépossédés seraient relogés ailleurs. Charles II refusa, une fois de plus, ce partage. Alors que l'Europe suivait heure par heure son trépas, il choisit comme héritier universel le deuxième petit-fils de Louis XIV, Philippe, duc d'Anjou, car la France semblait seule capable d'éviter un démembrement de la monarchie espagnole.

Le testament accepté

Le 1er novembre, le dernier Habsbourg d'Espagne s'éteignait et son testament fut connu. Les discussions commencèrent dans le cercle étroit qui entourait Louis XIV. Les ministres restèrent prudents mais le Grand Dauphin osa demander au roi son « héritage » – pour son fils. Le 16 novembre 1700, Louis XIV faisait connaître sa décision : il acceptait le testament.

L'enjeu, c'était la domination de l'empire espagnol qui, un siècle plus tôt, s'affirmait encore comme une puissance hégémonique. Une guerre était prévisible, car l'alliance des monarchies française et espagnole semblait une menace pour toute l'Europe. Mais cette guerre effrayait aussi. La paix était trop récente pour que les pays européens eussent retrouvé leurs forces. La puissance

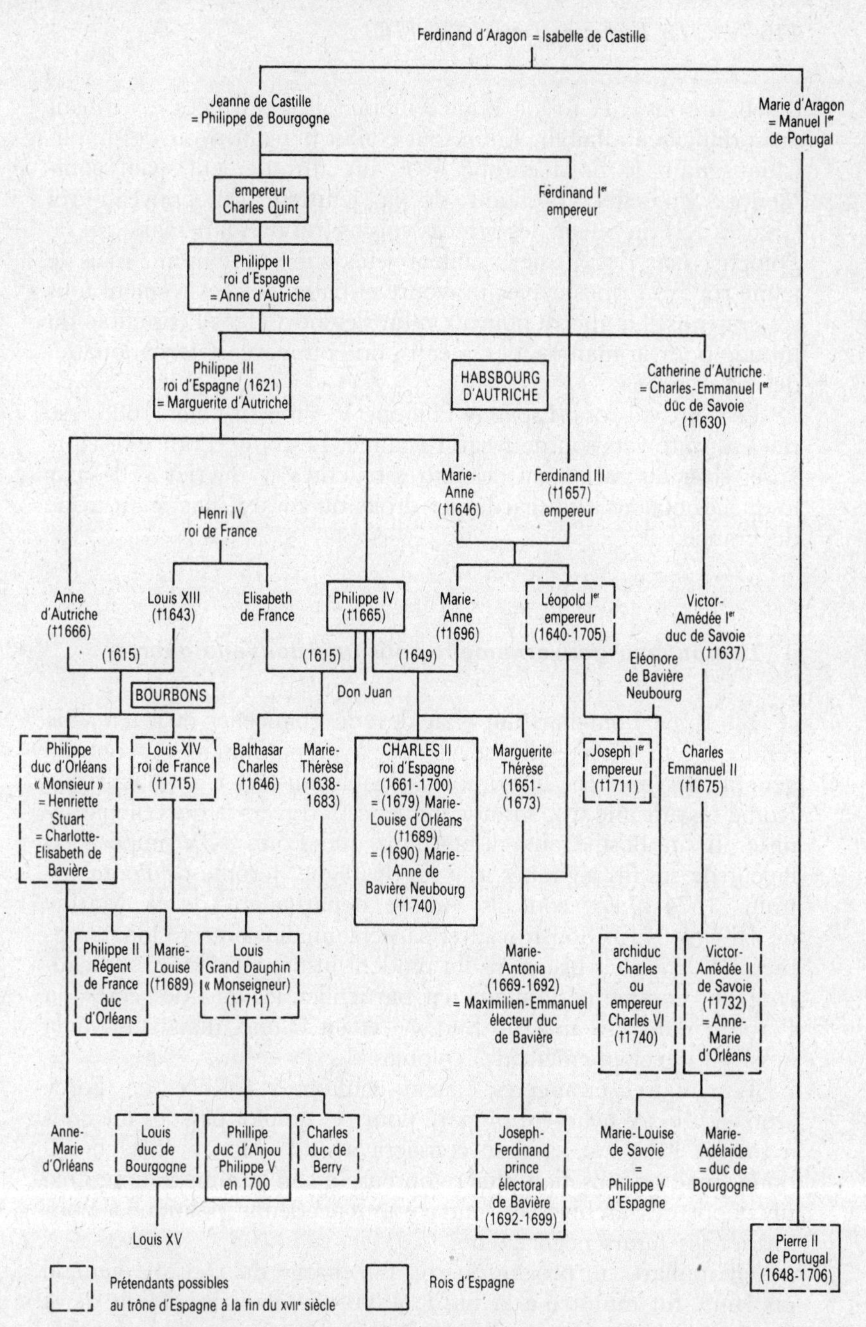

Les prétendants à la succession d'Espagne

D'après L. Bély, *Les relations internationales en Europe aux XVIIe et XVIIIe siècles*, Paris, PUF, 1992.

des Bourbons – le roi de France mobilisait ses armées – semblait aussi difficile à affaiblir. Enfin tout conflit pouvait avoir des implications dans le nord européen où un affrontement avait commencé : en effet, profitant de la jeunesse du nouveau roi Charles XII de Suède, les princes voisins (roi du Danemark, roi de Pologne, tsar de Russie) s'étaient jetés sur son empire, mais le jeune roi avait riposté avec bravoure et battait successivement tous ses ennemis. La guerre pouvait enfin s'étendre dans l'ensemble du monde pour la maîtrise des océans, du commerce international et des colonies.

Le nouveau roi d'Espagne Philippe V – il était né en 1683 – se mit en route vers son nouveau royaume. Le roi de France fit alors enregistrer au parlement des lettres patentes (1er février 1701) par lesquelles étaient sauvegardés les droits du roi d'Espagne au trône de France.

Le nouveau gouvernement pour une nouvelle guerre

En 1699, Pontchartrain était devenu chancelier et il tenta de rendre à cette dignité un poids qu'elle avait perdu, face au contrôle général des finances. Favorable au gallicanisme, il redoutait que Rome ne prît une trop grande influence à travers la querelle janséniste. Il fut hostile aux dispositions que Louis XIV imposa en faveur de ses fils légitimés à la fin du règne. Jérôme de Pontchartrain (1674-1747), son fils, eut le département de la Marine de 1699 à 1715. Son travail et sa personnalité ont été longtemps méprisés, mais les historiens lui rendent justice. Il s'intéressa beaucoup au commerce lointain, en particulier le long des côtes du Pérou – dans la « mer du Sud » – et en Chine, mais il travailla aussi au développement des colonies.

Les affaires étrangères étaient confiées à Colbert de Torcy (1665-1746) : il avait été préparé pour cet emploi par des missions à travers l'Europe, et il se consacra avec passion à sa tâche. Il donna une organisation plus rigoureuse à son administration, créa un dépôt des archives et fonda une « académie politique » pour former les futurs négociateurs.

Chamillart, un proche du roi, fut chargé du contrôle général en 1699, fut ministre à la fin de 1700, et secrétaire d'État de la Guerre en 1701. Cet homme intègre fut peu à peu dépassé par la lourdeur de sa tâche et il abandonna ses fonctions en 1708-1709. Au contrôle général, il fut alors remplacé par Desmarets, le neveu de Colbert, et à la Guerre par Voysin, un collaborateur et protégé de Mme de Maintenon. Quant au lieutenant général de police, successeur de La Reynie, d'Argenson, il exerça une surveillance rigoureuse sur Paris, assurant l'ordre et le ravitaillement dans la capitale et pourchassant les espions comme les agitateurs, les sorciers ou les vagabonds.

Lorsque les défaites se multiplièrent, les critiques accablèrent ces ministres, jugés trop jeunes (Pontchartrain ou Torcy) ou trop maladroits (Chamillart).

Au contraire, des hommes furent écartés qui n'avaient pas hésité à contester la politique royale. Fénelon était l'auteur d'une lettre très critique sur la misère du royaume et surtout du *Télemaque*, un roman, publié sans son autorisation, où le public voulut voir une critique de la monarchie de Louis XIV. Longtemps, depuis Cambrai, il conseilla ses amis, proches du duc de Bourgogne, mais la mort de ce prince en 1712 le priva de tous ses espoirs. Quant à Vauban, il avait beaucoup voyagé en France et il s'intéressait à la situation économique et sociale du pays. Il prépara de 1697 à 1707 son *Projet de dîme royale*, mais Louis XIV n'aimait guère qu'un de ses maréchaux se mêlât d'affaires politiques qui n'étaient pas de son ressort, et sans y avoir été convié.

Une coalition européenne contre la France

La grande alliance

L'offensive impériale et Eugène de Savoie. — L'empereur Léopold Ier chercha des alliés. Il avait ainsi accordé à Frédéric, Électeur de Brandebourg, le titre de roi en Prusse – la Prusse ne faisait pas partie de l'Empire. Frédéric se couronna à Königsberg le 18 janvier 1701 : la monarchie prussienne naissait. L'empereur choisit de faire la guerre, et tout de suite. C'est en Italie qu'elle commença. Le prince Eugène de Savoie, petit-neveu de Mazarin, prit le commandement de l'armée impériale en décembre 1700. Il s'était déjà illustré, au service de l'empereur, contre les Turcs : il allait s'illustrer désormais contre Louis XIV, qui autrefois avait dédaigné ses services.

La succession de Guillaume III et Marlborough. — Le 7 septembre 1701, la Grande Alliance entre l'empereur et les puissances maritimes se constituait à La Haye.

Le traité ne visait pas à chasser Philippe V d'Espagne, mais à obtenir pour l'empereur des compensations en Italie, pour les Provinces-Unies des garanties militaires aux Pays-Bas, pour les deux puissances maritimes des avantages commerciaux dans l'Empire espagnol.

Au même moment, Louis XIV provoqua une nouvelle fois Guillaume III, qui avait été un farouche partisan d'une politique de partages. Lorsque Jacques II, le roi d'Angleterre en exil, mourut à Saint-Germain en septembre 1701, le roi reconnut aussitôt son fils comme roi d'Angleterre, Jacques III, celui qui fut désigné comme le « Prétendant » ou le Vieux Prétendant par ses adversaires. C'était refuser la révolution anglaise. Guillaume avait pourtant lui-même préparé sa succession. Sa belle-sœur, Anne Stuart, venait après lui. Si Anne n'avait pas de descendance, la couronne irait ensuite à une lointaine parente, qui avait le bonheur d'être protestante, Sophie de Hanovre – ce fut finalement son fils Georges, Électeur de Hanovre, qui monta sur le trône d'Angleterre en 1714. Guillaume qui avait préparé la guerre et favorisé la victoire des Whigs au parlement mourut en mars 1702, mais la reine Anne, populaire et incapable, ne changea pas les projets de l'Angleterre. Elle conservait, à la tête des armées anglaises, John Churchill, comte (bientôt duc) de Marlborough.

Une nouvelle guerre commençait : elle dura douze ans. La France n'était pas isolée, car elle s'était alliée à l'Électeur Max Emmanuel de Bavière, qui gouvernait aussi les Pays-Bas espagnols, et à son frère, l'Électeur de Cologne. Elle avait aussi noué des alliances avec la Savoie et le Portugal. Mais la puissance française dut en fait soutenir militairement l'empire espagnol.

Les forces en présence

La situation française. — Si la France ne pouvait guère compter sur l'aide espagnole, ses armées étaient aussi fortes que celles de la coalition. Sa situation géographique centrale et l'unité du commandement en la personne de Louis XIV – toujours assisté du marquis de Chamlay – étaient aussi des avantages. Vauban, fait maréchal de France en 1703, allait mourir en 1707. Parmi les généraux français, la guerre montrerait l'incapacité des soldats courtisans (Villeroy) ou des soldats diplomates (Tallard, Tessé), mais révélerait le talent du duc de Vendôme, descendant d'un bâtard d'Henri IV, ou de Villars. Les forces maritimes étaient plus faibles et ne pouvaient guère contrebalancer la puissance navale anglo-hollandaise. Néanmoins, avec Dunkerque, Saint-Malo et Ostende, les Bourbons disposaient de nids de corsaires qui inquiéteraient les marchands anglais et hollandais.

De redoutables marins français (Duguay-Trouin, Ducasse, Cassard) surent assurer les liaisons entre l'Espagne et ses colonies, protéger les convois et attaquer ceux de l'Angleterre, pratiquer la « course » contre les marchands ennemis, couvrir les Antilles et le Canada. Ils lancèrent aussi des attaques contre les colonies des coalisés.

Les inquiétudes hollandaises. — Les Hollandais s'inquiétaient de la présence française dans les Pays-Bas espagnols que Louis XIV avait occupés au nom de son petit-fils Philippe V, des restrictions sur les importations en France, du contrat – *asiento* – des nègres accordé en 1702 à une compagnie française par l'administration espagnole : la Compagnie de Guinée, rebaptisée Compagnie de l'Asiento, devait introduire des esclaves noirs dans les colonies espagnoles. L'homme de confiance de Guillaume III, le Grand Pensionnaire Anthonie Heinsius, resta en poste à La Haye et collabora étroitement avec Marlborough.

Les années indécises. — Les affrontements militaires eurent d'abord pour cadre l'Italie et l'Allemagne. La guerre commença par des succès français. Une armée, conduite par Villars, franchit le Rhin et fit sa jonction avec les Bavarois en 1703. Villars battit les Impériaux près d'Höchstädt en septembre et menaçait les territoires autrichiens. L'empereur était aussi menacé à l'est par des troubles en Hongrie, et Vienne vivait dans la terreur. Mais Villars fut rappelé pour aller combattre les révoltés protestants des Cévennes. Les Franco-Bavarois occupaient alors une grande partie de la vallée du Danube.

Philippe V quitta la péninsule ibérique et gagna l'Italie où commandait le duc de Vendôme. La bataille de Luzzara (15 août 1702) fut une boucherie. Philippe V rentra ensuite en Espagne car les Espagnols s'inquiétaient de son absence.

La révolte des camisards

Dans le diocèse de Nîmes, l'abbé du Chaila avait montré beaucoup de zèle pour dénoncer et persécuter des protestants. Une troupe de paysans prit sa maison de Pont-de-Montvert et assassina l'abbé. Ce fut le signal d'une insurrection des Cévennes : des bandes se constituèrent et attaquèrent églises, presbytères et châteaux. Ainsi naissait une révolte singulière : ce n'était pas un mouvement fiscal comme il y en avait eu tant, car l'impôt n'en était pas la cause ; ce n'était pas une guerre de religion comme il y en avait eu plusieurs, car les gentilshommes ne se mirent pas à la tête des révoltés. Au contraire les chefs furent des artisans comme Cavalier et Mazel, ou des bergers comme Pierre Laporte dit Rolland. Ils étaient entraînés par des prédicateurs et des prophètes (surtout des femmes et des enfants). Le pouvoir royal ne s'inquiéta guère d'abord, mais les insurgés s'organisaient et chaque bande occupa un secteur. Ni le lieutenant général de la province, ni l'intendant Basville ne parvinrent à rétablir l'ordre. Et Jean Cavalier, un ouvrier-boulanger, réussit à résister à des soldats expérimentés avec une poignée de « camisards ». L'origine de ce nom reste obscure : soit c'était la chemise blanche que les combattants portaient pour se reconnaître dans les attaques face aux soldats en uniforme, soit il s'agissait de la *camisade,* une attaque de nuit. Louis XIV décida d'envoyer un maréchal de France, Montrevel, mais, en utilisant la brutalité, celui-ci dressa les populations contre lui. Et Cavalier continua ses exploits, car il s'était révélé un bon chef de guerre, sachant manier les troupes : il battit en mars 1704 un des meilleurs régiments du Languedoc. Ce fut Villars qui remplaça Montrevel. Il préféra alors user de la négociation après avoir porté des coups à Cavalier et il exigea une reddition sans condition. Cavalier, désavoué par ses compagnons, quitta le pays et servit les Anglais pendant la guerre. L'autre grand chef, Rolland-Laporte, fut tué par surprise. En octobre 1704, le calme était revenu. Les ennemis de Louis XIV prirent alors conscience de cette fissure dans le royaume de France et voulurent en profiter, en combinant des opérations militaires et des soulèvements locaux. Mais ce fut un échec. Cette révolte a été populaire, car elle n'entraîna ni noble, ni bourgeois, mais elle fut le fait de petits propriétaires ou d'artisans, plutôt que de journaliers. Elle dura parce qu'elle fut marquée par le « prophétisme », le sentiment d'être emporté par l'Esprit Saint.

Enfin elle connut des succès, car ce fut une guérilla qui profitait des difficultés du relief et de la complicité de la population des Cévennes. L'expérience fut comprise par la monarchie qui ne chercha plus à pousser à bout les protestants convertis. Le pays était dévasté et des bandes armées avec Mazel le parcoururent jusqu'en 1710. Mais les protestants aspiraient de plus en plus à une réorganisation de leurs églises, ce que le pasteur Antoine Court ébaucha en 1715 grâce à un premier « synode du désert ».

Une nouvelle signification de la guerre

L'indécision des combats en Europe suffit à convaincre le duc de Savoie et le roi de Portugal de la force de la Grande Alliance : ils changèrent de camp.

La défection de la Savoie et du Portugal. — Le duc de Savoie, Victor-Amédée II, peu satisfait du traité avec la France, négociait secrètement avec l'empereur et signa avec lui un traité, le 8 novembre 1703. Louis XIV perdait un allié, certes peu sûr, mais qui gardait les cols alpins.

Les coalisés voulaient aussi obtenir une base navale de façon à pouvoir pénétrer dans la Méditerranée même en hiver. La flotte anglo-hollandaise réussit à bloquer, dans le port de Vigo, l'escadre française qui accompagnait les galions de La Havane, chargés de métaux précieux. Château-Renault, qui commandait, avait réussi à décharger une partie de la précieuse cargaison et mit le feu à ses bateaux, mais une partie des trésors fut prise par les assaillants. Cette défaite fit un grand effet sur les alliés vacillants de la France.

Pierre II de Portugal était entré en négociation avec les coalisés dont il constatait la suprématie navale. C'est l'Anglais Methuen qui obtint cette défection (16 mai 1703). Les ports du Portugal pouvaient servir de point de départ pour des expéditions contre Gibraltar, Barcelone, Minorque ou Toulon. Le territoire portugais était aussi un point de départ pour une conquête de l'Espagne. Methuen prolongea ce traité politique par un accord commercial le 27 décembre 1703 : le marché anglais s'ouvrait aux vins portugais, celui du Portugal et de ses colonies s'ouvrait aux draps et aux manufactures anglaises, au moment où l'or du Brésil était découvert. Pour longtemps, le Portugal se liait à l'économie et à la puissance de l'Angleterre.

Pas de paix sans l'Espagne. — Et la guerre prenait une nouvelle dimension : « Pas de paix sans l'Espagne », bien au-delà du traité de 1701.

Diplomatiquement, la guerre changeait de signification. Alors que la dynastie habsbourgeoise regardait plutôt vers l'Italie, désormais elle prétendait recevoir l'ensemble de l'héritage espagnol. Elle laissait aux puissances maritimes le soin – d'abord financier et militaire – d'installer l'archiduc Charles en Espagne. Le 12 septembre 1703, l'empereur renonça pour lui et son fils aîné à ses droits sur la couronne d'Espagne : la séparation entre l'Autriche et l'Espagne étant ainsi assurée, les puissances maritimes reconnurent l'archiduc Charles comme Charles III d'Espagne.

La flotte anglaise s'empara, au nom du roi Charles III, du rocher de Gibraltar (4 août 1704). Le comte de Toulouse, bâtard de Louis XIV, tenta de reprendre le rocher, mais la bataille au large de Malaga (24 août 1704), la seule bataille navale du conflit, fut indécise et la tempête mit à mal l'escadre française. Avec Lisbonne et Gibraltar, les forces navales des puissances maritimes avaient un accès commode à la Méditerranée.

Les défaites françaises

La fin d'une suprématie française sur le continent

La situation de Léopold était difficile en 1704. Le général anglais Marlborough entreprit de remonter le Rhin et voulait gagner le Danube : l'organisation et l'équipement anglais étaient excellents. Avec Eugène de Savoie, il remporta une écrasante victoire sur l'armée franco-bavaroise, le 13 août 1704, près de Blindheim (anglicisé en Blenheim) – on parle aussi de la seconde bataille d'Höchstädt. La victoire de Blenheim signifiait pour Louis XIV la perte d'une forte armée, l'abandon de toute action en Allemagne, le bannissement hors de l'Empire de deux alliés (Bavière et Cologne), la fin de la menace sur Vienne et la ruine de quarante ans de suprématie militaire française sur le continent.

Le 5 mai 1705, Léopold mourut et son fils Joseph Ier devint empereur. Il continua la politique de son père. La France, pour affaiblir les territoires autrichiens à l'est, soutenait la révolte des « malcontents » de Hongrie. Les révoltés se donnèrent un chef : François Rákóczi, prince de Transylvanie.

Les victoires de la coalition (1705-1707)

La stratégie française, depuis le début de la guerre, avait tenté d'éloigner les combats du territoire français – ils avaient touché la Bavière, les Pays-Bas, l'Italie. Comme l'Espagne était menacée de toutes parts, il en fut bientôt de même de la France.

L'année admirable pour la grande alliance. — L'année 1706 fut une année admirable pour les forces coalisées qui occupèrent l'Italie du Nord et la plus grande partie des Pays-Bas espagnols.

Le 7 septembre 1706, Impériaux et Savoyards attaquèrent l'armée française qui assiégeaient Turin et la dispersèrent. L'Italie du Nord était aux mains des coalisés.

Le 23 mai 1706, près de Ramillies (au nord de Namur), Marlborough remporta sa deuxième grande victoire, en battant une armée de 60 000 hommes commandée par Villeroy et Max-Emmanuel de Bavière. Les troupes françaises se retirèrent en désordre. Les principales provinces des Pays-Bas espagnols, hostiles au nouveau régime de Philippe V, trop inspiré des méthodes françaises, accueillirent favorablement les envahisseurs.

L'échec d'Eugène devant Toulon. — L'ambition autrichienne en Italie conduisit à tenter une opération contre Naples. Mais les Anglais étaient plutôt favorables à une attaque contre Toulon en 1707. Eugène de Savoie fut chargé de cette dernière. Il s'agissait d'ouvrir un front au sud-est de la France et de menacer une des principales bases maritimes françaises. Marlborough pensait obtenir ainsi la fin de la guerre. Le maréchal de Tessé eut le temps de fortifier Toulon et Louis XIV put envoyer des renforts. Les désertions et la dysenterie ravagèrent les troupes des assiégeants et finalement la retraite fut décidée à la fin d'août 1707. L'expédition contre Naples était au contraire réussie et donnait le royaume napolitain aux Habsbourg.

Le paradoxe espagnol. — L'archiduc Charles se porta au secours des Catalans qui, inquiets de la politique de centralisation du roi Bourbon, étaient bien décidés à défendre leurs privilèges. La ville de Barcelone capitula en 1705 et la population se rangea avec enthousiasme aux côtés des alliés. Les villes catalanes se soumirent à ce roi Charles III qui fit de Barcelone le siège provisoire de son gouvernement. Philippe V était menacé à l'ouest et à l'est.

Il dut un moment évacuer sa capitale en danger. Charles III y fut proclamé en 1706, mais comme il était éloigné de son armée, il abandonna Madrid rapidement. Philippe V put y rentrer. Et une bataille meurtrière eut lieu le 25 avril 1707 à Almanza, où le maréchal de Berwick, un fils naturel de Jacques II d'Angleterre, au service de la France, eut l'avantage. Ce fut une victoire totale, et la première depuis longtemps pour les Bourbons. Ainsi, après tant de déboires, le destin de Philippe V semblait plus favorable.

Le choix de Charles XII de Suède. — La situation européenne dépendait aussi des événements du nord. Le jeune Charles XII avait mené des campagnes épiques contre les Russes ou les Saxons. Sur le trône de Pologne, il installa Stanislas Leszczynski (1704), puis il pénétra en Saxe, donc dans le Saint-Empire. Il pouvait renverser tout l'échiquier européen. Les princes en guerre attendaient le choix du roi de Suède qui pouvait être un nouveau Gustave-Adolphe. Mais bientôt le roi de Suède décida de s'enfoncer en Russie pour y battre le tsar. Il allait s'y perdre.

La chute de Lille

L'année 1707 avait donc été plus clémente pour les Bourbons : Toulon avait été sauvé et Almanza marquait un répit en Espagne. La stratégie française combinait pour 1708 une expédition en Écosse avec Jacques Stuart et une offensive aux Pays-Bas. La diversion en Écosse semblait possible puisque l'Angleterre avait supprimé le parlement d'Édimbourg et réunit l'Écosse et l'Angleterre en un seul royaume (Acte d'Union de 1707). Des retards ou des trahisons mirent les Anglais en alerte et le débarquement ne fut pas possible : Jacques III dut rentrer à Dunkerque.

L'initiative au nord appartenait à Vendôme qui était accompagné par le petit-fils du roi, le duc de Bourgogne. L'armée française se mit en marche vers Audenarde, une ville-pont sur le Haut-Escaut, les deux généraux alliés, Marlborough et Eugène, voulurent l'affronter. La bataille fut une mêlée très indécise (11 juillet 1708) qui tourna à l'avantage des alliés. Marlborough voulait marcher sur Paris, mais Eugène, soutenu par les généraux hollandais, préparait le siège de Lille, chef d'œuvre de Vauban, défendue par une garnison sous les ordres de Boufflers (9 000 hommes). La ville se rendit le 22 octobre, la citadelle le 9 décembre 1708. Les conquêtes du règne de Louis XIV étaient en partie perdues.

Les négociations difficiles

Des intérêts divergents. — Devant ces défaites qui ouvraient le territoire français, Louis XIV et ses ministres multiplièrent les tentatives diplomatiques. Il semblait impossible de conserver à Philippe V l'Espagne et les Indes et il fallait en revenir aux traités de partage. La victoire durcissait l'attitude des alliés qui voulaient au contraire la restitution de tout l'héritage espagnol. En Espagne pourtant, la naissance d'un prince des Asturies en 1707, la victoire d'Almanza, les réformes entreprises sous l'impulsion de l'ambassadeur français Amelot avaient rendu plus solide le pouvoir de Philippe V. La fidélité des Castillans, des Basques et des Navarrais lui était acquise tant ils craignaient les forces des alliés – composées de Portugais, les voisins détestés, de Hollandais et d'Anglais, c'est-à-dire d'hérétiques protestants. Ce fut pourtant le moment où Louis XIV parla d'abandonner son petit-fils.

Le voyage de Torcy en Hollande. — En effet, des négociations s'engagèrent par l'intermédiaire des Hollandais et du Grand Pensionnaire Heinsius. Le ministre Torcy se rendit en Hollande. Les concessions françaises étaient immenses. Les alliés étaient très méfiants à l'égard de la bonne foi de Louis XIV : ils le soupçonnaient de vouloir une trêve pour réparer ses forces, pendant qu'ils auraient à reconquérir l'Espagne. Ils demandaient que Louis XIV participât à l'expulsion de son petit-fils et il ne pourrait pas obtenir une trêve sans avoir réalisé les exigences alliées. Louis XIV rejeta ces propositions et la négociation fut rompue.

La lettre de Louis XIV et la crise gouvernementale. — Le roi fit rédiger par Torcy une lettre aux gouverneurs des provinces et, par là, à ses sujets pour leur indiquer qu'il avait tout fait pour assurer la paix. Selon cette lettre du 12 juin 1709, les alliés avaient multiplié les prétentions au nom du duc de Savoie ou des princes de l'Empire pour accroître, aux dépens de la couronne, les États voisins de la France et « s'ouvrir des voies faciles » afin de pénétrer à l'intérieur du royaume. La suspension d'armes supposait que les places des Pays-Bas et d'Alsace fussent livrées ou rasées. À l'expiration de la trêve, les alliés se réservaient d'agir « par la voie des armées » si Philippe V s'acharnait à défendre « la couronne que Dieu lui a donnée » et refusait d'abandonner « des peuples fidèles qui depuis neuf ans le reconnaissent pour leur roi légitime ». La France aurait alors été incapable d'agir. Le roi n'indiquait qu'au passage l'idée qu'il devait s'associer à la coalition pour contraindre le roi d'Espagne à descendre du trône et à être réduit « à la simple condition d'un particulier ». « Mais quoique ma tendresse pour mes peuples ne soit pas moins vive que celle que j'ai pour mes propres enfants, quoique je partage tous les maux que la guerre fait souffrir à des sujets aussi fidèles, et que j'aie fait voir à toute l'Europe que je désirais sincèrement de les faire jouir de la paix, je suis persuadé qu'ils s'opposeraient eux-mêmes à la recevoir à des conditions également contraires à la justice et à l'honneur du nom français. »

Il fallait donc demander aux Français de « nouveaux efforts ». Cet appel eut un profond impact sur les Français. La situation de la France restait inquiétante : le trésor cherchait des subsides par des emprunts à court terme. Surtout le conseil royal ne parvenait pas à fixer une ligne politique cohérente. Louis XIV s'en prenait à ses ministres, au duc de Beauvillier, à Desmarets ou à Torcy.

Le grand hiver de 1709, avec son cortège de famine, affaiblit encore le royaume, mais poussa peut-être les plus pauvres à s'engager dans les armées, pour au moins ne pas mourir de faim.

L'échec de Charles XII devant l'armée russe à Poltava en 1709 ne permettait plus d'espérer une diversion à l'est ou au nord : le roi de Suède vaincu se réfugia chez les Turcs.

Vers la paix d'Utrecht

Les bouleversements politiques en Europe

La situation européenne pourtant se métamorphosa : un changement politique intervint en Angleterre, un redressement financier s'amorça en France, de nouvelles victoires intervinrent en Espagne et la mort de l'empereur était une donnée nouvelle.

Le changement de gouvernement en Angleterre. — Les Anglais étaient fatigués d'une guerre qu'ils finançaient en grande partie. La reine Anne Stuart avait appelé au gouvernement de nouveaux ministres dont Saint-John (qui devint plus tard lord Bolingbroke). En 1710, le parlement fut dissous et la victoire alla au Tories, favorables à la paix. Marlborough, qui était soutenu par les Whigs, fut écarté. Des tractations secrètes commencèrent bientôt avec la France.

En Espagne, une contre-offensive alliée força Philippe V à quitter Madrid (septembre 1710), mais le soutien populaire et les victoires de Vendôme, à Brihuega et à Villaviciosa (décembre 1710), renversèrent la situation. Dès lors, Philippe V put reconquérir presque tout son royaume. Seul le cœur de la Catalogne continua de lui résister. Il semblait difficile désormais de chasser Philippe V de son trône.

L'avènement de l'empereur Charles VI. — Le 17 avril 1711, l'empereur mourait – il n'avait que des filles. Son héritier était son frère cadet, l'archiduc Charles, Charles III d'Espagne – il fut élu empereur en octobre sous le nom de Charles VI. Il obtenait aussi les terres héréditaires des Habsbourg. Désormais la situation internationale était bouleversée. Si Charles était aussi souverain en Espagne, cela signifiait la reconstitution de l'empire de Charles Quint. La menace d'une monarchie universelle ne venait plus des Bourbons mais des Habsbourg. Néanmoins, la mort du Grand Dauphin, le fils de Louis XIV, en 1711, rapprochait aussi dangereusement Philippe V du trône de France.

Les préliminaires de Londres. — Des préliminaires de paix furent signés à Londres (8 octobre 1711). Ils comportaient officiellement sept points : la reconnaissance de la succession protestante en

Angleterre, la démolition des fortifications de Dunkerque, des garanties pour empêcher la réunion des couronnes de France et d'Espagne, des satisfactions commerciales, des barrières du côté de l'Empire et du côté de la Hollande, l'obligation de discuter toutes les prétentions des états belligérants. Le duc de Savoie devait obtenir une récompense : ce fut la couronne royale de Sicile. Enfin, secrètement, des avantages étaient accordées à l'Angleterre : la cession de toute l'île de Saint-Christophe aux Antilles, de Gibraltar et de Port-Mahon (Minorque), la fourniture en esclaves des colonies espagnoles et un territoire sur le rio de la Plata pour favoriser la traite. Ces préliminaires furent présentés aux alliés de la reine Anne : non sans colère, ils acceptèrent la réunion d'un congrès de paix à Utrecht au début de 1712.

L'Angleterre devenait médiatrice de fait, même si ses ministres défendaient encore la coalition.

Les conditions de la paix

Très vite les négociations piétinèrent. La question dynastique se posait de façon aiguë depuis que les deuils avaient frappé la maison de Bourbon : le duc de Bourgogne, la duchesse et leur fils aîné étaient morts au début de 1712. Dans l'ordre de succession, seul un enfant, né en 1710, le duc d'Anjou, le futur Louis XV, précédait Philippe V. La préoccupation de la diplomatie anglaise fut de trouver un moyen d'empêcher la réunion des deux couronnes et les discussions se firent directement entre Londres, Versailles et Madrid.

Le choix de Philippe V. — Pour le gouvernement anglais, il fallait que Philippe choisît immédiatement entre les deux royaumes : soit il renonçait au trône d'Espagne et viendrait vivre comme prince en France, soit il préférait rester à Madrid et il renonçait à ses droits en France. Philippe V choisit le royaume d'Espagne (29 mai 1712). La reine Anne put annoncer au parlement son intention de faire la paix.

L'événement imprévu de Denain. — Le ministère anglais, une fois rassuré par cet engagement, se retira des opérations militaires : le commandant en chef qui avait remplacé Marlborough sépara ses troupes de celles des alliés. Dunkerque fut occupée par les soldats anglais comme garantie de son démantèlement. Eugène de Savoie avait pris Le Quesnoy et mettait le siège devant Landrecies. Villars réussit à surprendre une partie de ses troupes à Denain (24 juillet 1712). Les alliés démoralisés laissèrent reprendre de nombreuses villes du nord du royaume. La suspension d'armes entre la France et l'Angleterre fut publiée dans Paris le 22 août 1712.

Les renonciations. — La question dynastique fut résolue par des renonciations solennelles. Le roi d'Espagne renonça à ses droits à la couronne de France. Il se rendit devant les Cortès – c'est-à-dire les États de Castille (5 novembre 1712). Philippe déclarait séparer sa « branche » de la « tige royale de France » et « toutes les branches de France » de la « tige du sang royal d'Espagne ». Il décidait d' « abdiquer » pour lui et ses descendants « le droit de succession à la couronne de France, désirant de vivre et de mourir avec / ses / aimés et chers Espagnols ». Les Anglais obtinrent un « vaisseau de permission » qui permettrait d'approvisionner chaque année le marché américain. Cet énorme navire à la cargaison sans cesse renouvelée serait une faille dans le monopole colonial, mais cette concession ne fut pas introduite dans le traité final pour ne pas susciter l'envie des autres nations. Le traité d'*asiento*, fixant un minimum d'esclaves par an, pour trente ans, fut signé le 26 mars 1713 à Madrid avec une compagnie anglaise.

Les renonciations des princes français à la couronne d'Espagne – Charles, duc de Berry et Philippe, duc d'Orléans, lui-même neveu de Louis XIV – eurent lieu le 15 mars 1713 devant le parlement de Paris. Les magistrats répétèrent que ces renonciations étaient contraires aux « lois fondamentales » de l'État, mais qu'elles étaient destinées à mettre fin à la guerre et à garantir le « salut » du « peuple ».

Les traités. — Néanmoins, la diplomatie anglaise ne voulait pas signer une paix séparée. Si l'empereur ne se résignait pas à la paix, l'Angleterre fut en mesure de contraindre les Provinces-Unies et d'entraîner derrière elle le Portugal, la Savoie et la Prusse. Le Prétendant, qui se faisait appeler le chevalier de Saint-Georges, avait quitté la France et s'était réfugié en Lorraine. Les négociateurs français signèrent donc le 11 avril 1713 – en fait le 12 au petit matin – les traités avec les cinq puissances qui acceptaient la paix. Lille, Condé, Valenciennes revenaient à la France qui abandonnait Furnes, Ypres et Tournai. La France cédait l'Acadie et la Baie

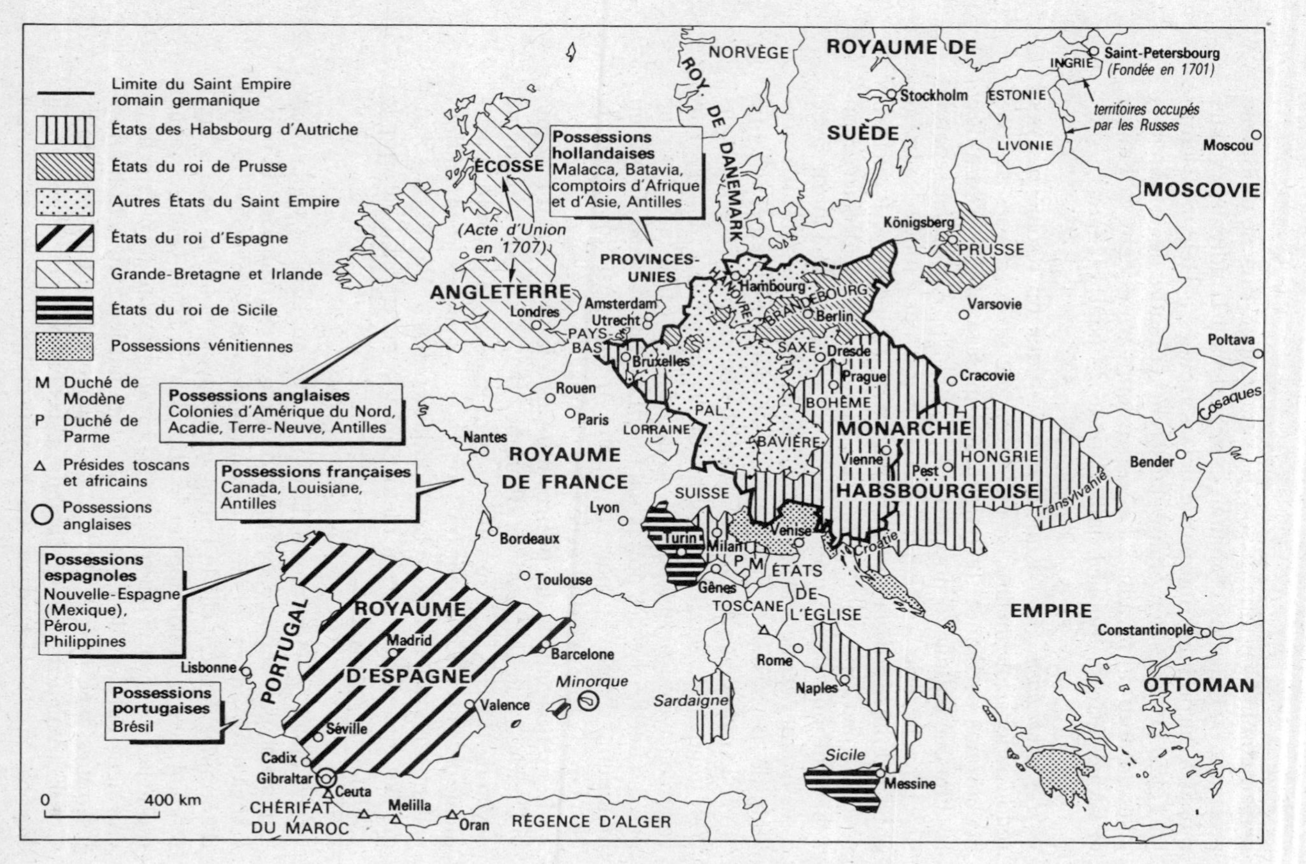

CARTE 8. — L'Europe au temps de la paix d'Utrecht

D'après L. Bély, *Les relations internationales en Europe aux XVIIe et XVIIIe siècles*, Paris, PUF, 1992.

d'Hudson, Terre-Neuve où les marins français auraient néanmoins le droit de pêche, toute l'île de Saint-Christophe. La France conservait l'île du Cap Breton : le Canada français se rassemblait sur la vallée du Saint-Laurent. Le duc de Savoie devenait roi de Sicile et Louis XIV reconnaissait l'Électeur de Brandebourg comme roi de Prusse : la maison de Savoie et la maison de Prusse feraient plus tard l'unité de l'Italie pour l'une, l'unité de l'Allemagne pour l'autre. Un traité de commerce entre la France et l'Angleterre avait été signé mais le parlement anglais refusa plus tard de le ratifier.

En faisant des concessions aux petites puissances – titres et territoires – Bolingbroke emportait leur adhésion à la paix et isolait l'Autriche. Peut-être Louis XIV n'était-il pas mécontent de profiter de la position de faiblesse de l'empereur pour continuer la guerre.

La paix avec l'empereur et avec l'Empire

Les plénipotentiaires impériaux n'avaient pas reçu d'ordres pour se joindre aux traités d'Utrecht : la guerre reprit au printemps 1713. Elle fut marquée par des succès français, la prise de Landau (17 août), puis le siège réussi de Fribourg-en-Brisgau. La négociation s'engagea entre le maréchal de Villars et le prince Eugène de Savoie au château de Rastadt (ou Rastatt) : ils y signèrent la paix le 6 mars 1714. L'Alsace, avec Strasbourg, restait française, mais Louis XIV rendait toutes les terres de la rive droite du Rhin – Brisach, Kehl, Fribourg – mais gardait Landau. Les Électeurs de Cologne et de Bavière étaient simplement restaurés, Charles VI obtenait la souveraineté des Pays-Bas, avec la promesse d'une barrière pour les Hollandais. L'empereur conservait Naples et la Sardaigne. Une nouvelle réunion diplomatique à Baden, en Argovie (Suisse) permit de rétablir la paix entre la France et l'Empire (7 septembre 1714). Les Catalans, privés d'alliés, capitulaient et livraient Barcelone. Cette reddition mettait un terme à la guerre pour les armées françaises et assurait définitivement à un Bourbon la couronne d'Espagne.

L'idée de paix

Les traités européens de 1713-1715 furent contestés, aussitôt qu'ils furent signés. Pourtant ils fondaient un équilibre européen qui fut solide. Deux nouvelles monarchies étaient reconnues

– Prusse et Piémont-Sicile : elles devaient servir d'intermédiaires entre les grandes puissances.

La guerre avait été coûteuse. Elle marquait la fin d'une certaine suprématie française, puisque le vieux roi Louis XIV avait dû, avec beaucoup de fermeté d'âme et quelques larmes, accepter bien des défaites. Les armées levées de part et d'autre avaient été immenses, les pertes cruelles, les dépenses très lourdes pour les sociétés en guerre. Ainsi naquit la volonté de trouver le moyen de mettre fin à la série de conflits qui ne résolvaient rien et qui ensanglantaient l'Europe.

Les querelles devaient être réglées par la discussion. Ce travail des diplomates fut accompagné par un effort de réflexion théorique qui magnifiait le parfait négociateur, réclamait une école des ambassadeurs et jetait les pistes d'une paix perpétuelle. Dans la réalité, la sécurité et l'ordre de l'Europe furent assurés par un rapprochement, tantôt tacite, tantôt public, entre la France et l'Angleterre qui s'apprêtait à jouer le rôle d'arbitre entre les pays européens.

L'utopie de l'abbé de Saint-Pierre, le *Projet pour rendre la paix perpétuelle en Europe*, publié en 1713, appelait de ses vœux une société des nations dont le centre eût été Utrecht. Une police internationale eût été chargée d'empêcher la naissance de tout conflit.

La fin d'un règne

La vieillesse de Louis XIV fut marquée par cette longue guerre, par les querelles religieuses et par des deuils dans la famille royale qui rendaient le futur plus incertain.

La situation intérieure du royaume

Les dépenses et les recettes. — La guerre coûta cher. De 1701 à 1705, la dépense totale oscilla de 130 à 170 millions par an dont, pour l'extraordinaire des guerres, de 80 à 110 millions ; pour la cour et les maisons royales de 7 à 10 millions ; pour la Marine, 20 millions, pour les constructions nouvelles de 2 à 2,5 millions ; pour les affaires secrètes et subventions aux souverains étrangers on passa de 10 à 5 millions ; pour les gratifications de 4,5 millions à 1,2.

Il fallut recréer ou créer de nouveaux impôts pour faire face à ces dépenses. La capitation fut rétablie en 1701. Le dixième fut créé le 14 octobre 1710 : il s'appliquait en théorie à tous, mais noblesse et clergé s'abonnèrent ou furent exemptés bientôt. Les impôts nouveaux étaient un apport non négligeable, mais insuffisant.

Il fallut donc utiliser des expédients : des créations d'offices ou des contraintes imposées aux financiers. Surtout, furent mis en circulation des billets de monnaie qui portaient intérêt. Il y en avait pour 150 millions en 1706. Mais ces billets perdirent vite de leur valeur, ils n'étaient plus acceptés dans les échanges et l'argent métallique se cacha, si bien que les emprunts devinrent difficiles pour le contrôleur général.

Desmarets aux finances. — Néanmoins la France put continuer son effort militaire. Ce fut Desmarets qui assainit la situation financière en faisant jour après jour « de petits miracles » *(Abel Poitrineau)*. Il cherchait à rétablir la confiance des financiers, donc à trouver du crédit. Desmarets utilisa les talents du marchand-financier-banquier Samuel Bernard. Cet ancien protestant mobilisait les ressources de la banque protestante et il prêtait à toute l'Europe. Mais Desmarets ne voulut pas créer une banque d'État, identique à celle d'Angleterre, comme le suggérait Bernard. La France put encore profiter de l'arrivée d'une cargaison d'argent, transportée depuis l'Amérique, qui fut réquisitionnée. En mars 1709, Desmarets décida une refonte des monnaies qui permettait au roi de percevoir un fort seigneuriage, mais comme des billets de monnaie étaient acceptés aussi contre des espèces sonnantes, cela permit de supprimer une partie de ces papiers dévalorisés. Le contrôleur général se résigna en octobre 1710 à instituer l'impôt du dixième, mais il ne croyait guère à son succès. Enfin un syndicat de receveurs généraux des tailles, la « caisse Legendre », permit à la monarchie de franchir ces années difficiles en garantissant les emprunts royaux.

Une fois la guerre finie, Desmarets s'engagea dans une politique de déflation. Il chercha à revaloriser la monnaie de compte, la livre, en diminuant la valeur nominale des pièces en métal : la pièce d'un louis passa en onze étapes de 20 livres à 14, de 1713 à 1715. Une telle politique était plutôt favorable au créancier contre le débiteur.

La crise économique. — La pression fiscale pesait surtout sur la masse rurale et aggrava la situation marquée par la crise majeure de 1709-1710. En janvier 1709, un grand froid succéda à un grand dégel : ce fut pour la mémoire collective le « grand hiver ». Nombreux furent ceux qui moururent de froid. Le vin gelait sur la table du roi. Les loups attaquaient les hommes dans les campagnes. Les conséquences furent tout aussi graves : les récoltes étaient compromises et le pain manqua. La famine suivit le froid. Mendiants et vagabonds se multiplièrent. L'hiver de 1710 fut tout aussi rude. La crise était aggravée par la guerre qui durait depuis huit ans.

Les révoltes dans les campagnes réapparurent, comme celle des Tard-Avisés du Quercy en mai-juin 1707. L'insurrection avait éclaté à propos de taxes à payer sur les actes juridiques. L'intendant, réfugié dans Cahors, fut assiégé par 10 ou 15 000 paysans. Les citadins tirèrent sur les révoltés que les dragons dispersèrent.

Pourtant des secteurs de l'économie se portaient bien, en ce début du XVIIIe siècle : la banque était prospère et le commerce colonial antillais, quoique gêné par la guerre de Succession d'Espagne, se révélait plein de promesses, comme le montra son prodigieux redémarrage dès la fin des hostilités sur mer.

La société française évoluait aussi en ce début du XVIIIe siècle. Face à la cour, la capitale retrouvait son lustre et son prestige, et face à Paris, les capitales provinciales s'affirmèrent aussi, en particulier grâce aux progrès de la scolarisation et à la création d'académies. Ces dernières regroupaient sur un pied d'égalité relative nobles, bourgeois et hommes d'Église.

Les dernières persécutions

Le jansénisme connut à la fin du XVIIe siècle une mutation : il devint moins aristocratique et intellectuel, et plus populaire, sous l'influence du P. Pasquier Quesnel qui publia en 1692 les *Réflexions morales*. Ce père de l'Oratoire avait rejoint en exil Antoine Arnauld et, à la mort de ce dernier, il devint le guide du jansénisme. Quesnel introduisit dans sa réflexion une part de « richérisme » : en 1611, Edmond Richer avait avancé l'idée que le dépôt de la foi et le gouvernement de l'Église avaient été confiés, non pas seulement au pape et aux évêques, mais aussi aux simples prêtres et à l'ensemble des fidèles. Quesnel fut arrêté à Bruxelles, mais il s'évada et se réfugia en Hollande. Il était désormais considéré comme « séditieux et hérétique ».

L'hostilité de Louis XIV à l'égard du jansénisme obéissait à des motivations complexes. À l'approche de la mort, il souhaitait sans doute achever sa tâche de prince chrétien : or, ignorant en matière théologique et reconnaissant son ignorance, il n'était pas loin de considérer que le jansénisme était une hérésie comme le protestantisme. Jaloux de son pouvoir, il considérait aussi les jansénistes comme les membres d'une cabale qui résistait aux efforts de la monarchie et qui favorisait les idées individualistes, voire républicaines. Enfin le jansénisme séduisait tous ceux qui ne trouvaient pas leur place dans la société : la noblesse déçue qui n'admettait pas la soumission versaillaise ou la noblesse de robe aux ambitions politiques insatisfaites.

Le 29 octobre 1709, le lieutenant de police vint procéder à l'enlèvement des religieuses de Port-Royal qui furent dispersées à travers le royaume. Peu après en 1710 les bâtiments furent rasés. Mais, en raison de ces persécutions, les religieuses de Port-Royal étaient auréolées de la gloire du martyre. Même l'archevêque de Paris, le cardinal de Noailles, était soupçonné de nourrir des idées jansénistes.

Le P. Le Tellier, confesseur du roi depuis 1709, continua l'offensive contre le jansénisme et Louis XIV demanda à Rome une condamnation de cette doctrine, contre toutes les traditions gallicanes de la monarchie. Le roi obtint du pape la bulle *Unigenitus*, le 8 septembre 1713, qui condamnait 101 propositions tirées du livre du P. Quesnel. Il avait promis au pape qu'elle serait reçue dans le royaume sans résistance, ce qui signifiait que le roi reconnaissait l'autorité infaillible du pape. Or les résistances vinrent des évêques, mais surtout du parlement de Paris. Une assemblée de prélats fut réunie d'octobre 1713 à février 1714, sous la présidence du cardinal de Noailles, l'archevêque de Paris. Une majorité, conduite par le cardinal de Rohan, acceptait la bulle sans condition. Mais des évêques, comme Noailles, prétendirent expliquer la bulle avant de la publier dans leurs diocèses. Le roi interdit à Noailles de paraître à la cour et il aurait voulu qu'il fût jugé. Face au parlement, le roi fit peser toute son autorité et il réussit à faire enregistrer la bulle le 15 février 1714, mais l'arrêt du parlement fut rédigé en termes ambigus. Le roi voulut imposer la publication dans les diocèses, sans explication, mais, là, il se heurta à certains parlementaires dont le procureur général, l'intègre d'Aguesseau. Louis XIV était prêt à tenir un lit de justice lorsqu'il fut frappé par sa dernière maladie.

La succession de Louis XIV

Les deuils avaient frappé la famille royale. Le Grand Dauphin était mort en 1711. Le petit-fils du roi, le duc de Bourgogne, sa femme et l'aîné de ses fils disparurent au début de 1712. La santé du second arrière petit-fils, le duc d'Anjou, né en 1710, était fragile. Le roi était inquiet pour sa succession. Son troisième petit-fils, le duc de Berry, mourut en 1714. Comme l'héritier du roi était très jeune, c'était le neveu du roi, le duc d'Orléans qui semblait destiné à gouverner comme régent. Or, le roi ne l'aimait pas. Il s'efforça de donner des pouvoirs à ses fils légitimés. Il les avait déjà placés juste après les princes du sang, et au-dessus des ducs et pairs, dans les cérémonies. Pour eux, il voulut changer les lois fondamentales du royaume : il leur donna le droit de régner si tous les princes du sang royal venaient à disparaître.

La santé du roi déclina. Il avait perdu la duchesse de Bourgogne dont la gaieté avait éclairé sa vieillesse. Pourtant, il accomplit toujours scrupuleusement son métier de roi. Sa santé se dégrada en 1715. Il s'apprêta à mourir en chrétien, il reçut l'extrême-onction. Il fit venir son arrière-petit-fils – le futur Louis XV – qui avait alors 5 ans et demi – et lui dit : « Mignon, vous allez être un grand roi, mais tout votre bonheur dépendra d'être soumis à Dieu et du soin que vous aurez de soulager vos peuples. » Le vieux roi regretta d'avoir trop fait la guerre. Il fit entrer les courtisans et ses domestiques, et il leur tint ce discours : « Je m'en vais, mais l'État durera toujours... J'espère aussi que vous ferez votre devoir et que vous vous souviendrez quelquefois de moi. » Le 1er septembre 1715 au matin, Louis XIV mourut. Il allait avoir 77 ans.

Ce règne fut long – soixante-douze ans, dont cinquante-quatre de gouvernement personnel. Les critiques n'ont pas manqué à l'égard du roi Soleil. Son orgueil, son goût du luxe, ses guerres, la crainte qu'il fit régner, la persécution des protestants et des jansénistes lui ont été reprochés. Il laissa pourtant à la France Versailles, un État plus fort et un territoire élargi. Il protégea Molière, Racine, Lully et Le Nôtre. Surtout il laissa l'image d'un homme qui, tout au long de sa longue vie, n'oublia jamais qu'il était le roi de France.

21. La Régence

Les périodes de régence avaient été souvent des périodes de troubles et Louis XIV craignait leur retour après sa mort. Le jeune Louis XV semblait avoir une santé fragile. S'il mourait, une lutte opposerait le roi d'Espagne qui avait officiellement renoncé à la couronne de France et Philippe d'Orléans que la tradition monarchique appelait à la régence. Bien des soucis attendaient le régent. La France ne s'était pas encore remise de la guerre et avait accumulé les dettes. Les tensions sociales réapparaissaient dans les campagnes et la grande noblesse, qui avait obéi à Louis XIV, était désireuse de reprendre quelque liberté, après cette longue soumission muette. Les querelles religieuses avaient été exacerbées par la bulle de 1713. Enfin la situation internationale n'était pas stabilisée totalement puisque l'empereur et le roi d'Espagne n'avaient pas signé la paix.

Malgré toutes ces menaces et toutes ces craintes, la régence de Philippe d'Orléans a été présentée par les historiens comme une période plutôt heureuse.

Une nouvelle façon de gouverner

La personnalité de Philippe d'Orléans imposa une nouvelle pratique de gouvernement, plus libérale en apparence, cherchant la concertation et l'apaisement. Cette politique habile permit de satisfaire la noblesse de cour et les dignitaires, tout en permettant au régent de tenir presque seul les rênes du pouvoir.

L'organisation de la régence

Le testament contourné. — Le 1er septembre 1715, à la mort de Louis XIV, Louis XV devenait roi, mais il avait 5 ans, et c'était son oncle et cousin, Philippe d'Orléans, qui, par sa naissance, devait devenir régent. Néanmoins le défunt roi avait voulu limiter ses pouvoirs : il avait confié la régence à un Conseil de régence dont il avait désigné les membres. Quant à l'éducation et à la garde du jeune roi, elle revenait à un prince légitimé, le duc du Maine.

Philippe d'Orléans, selon la coutume, voulut que la régence fût proclamée au parlement de Paris, en une séance solennelle, toutes chambres assemblées, avec les pairs et les princes du sang. La séance eut lieu le 2 septembre 1715. Philippe d'Orléans flatta les parlementaires en leur demandant de l'aider par leurs « conseils » et leurs « sages remontrances » qu'il leur demandait « par avance ». C'était remettre en cause la déclaration de 1673 qui avait strictement réglementé le droit de remontrances.

Après la lecture du testament qui limitait tant l'autorité de Philippe d'Orléans, le parlement le désigna comme régent. Mais celui-ci n'acceptait pas que les membres du Conseil de régence fussent désignés par le défunt roi et non par lui-même ; il ne voulait pas que les troupes de la maison du roi dépendissent du duc du Maine. Le parlement alors donna satisfaction en tout au duc d'Orléans qui pouvait exercer la plénitude du pouvoir, même s'il devait consulter le Conseil de régence. Le testament n'avait pas été cassé, il avait été contourné. Pour cela, le régent avait rendu la parole au parlement de Paris, ce qui fut confirmé par la déclaration royale du 15 septembre 1715. Néanmoins les remontrances devaient être faites « dans la huitaine, au plus tard, du jour de la délibération ».

La personnalité de Philippe d'Orléans. — Le vieux roi Louis XIV n'avait pas confiance dans les capacités de son neveu et l'avait tenu à l'écart des affaires, car ce prince avait une mauvaise réputation, en raison de ses débauches et de son impiété. Pourtant Philippe avait épousé une fille bâtarde du roi Louis XIV. Des bruits calomnieux avaient aussi circulé : ils attribuaient à Philippe, curieux de chimie, les morts nombreuses dans la famille royale dans les années 1711-1714. Néanmoins le prince avait montré de belles qualités militaires pendant la guerre de succession d'Espagne et il avait préparé la régence avec quelques amis, comme le duc de Saint-Simon.

Il consacra beaucoup de temps aux affaires d'État et beaucoup d'attention au jeune roi Louis XV qu'il voulut former à ses tâches futures. Le régent, qui avait conservé le goût des plaisirs, eut soin néanmoins de bien séparer sa vie privée de sa vie publique.

Il choisit d'installer le roi et la cour à Paris. Versailles fut ainsi déserté et le peuple parisien aima retrouver un roi qui était plus proche de lui et qu'il regardait grandir.

Avec le temps, Philippe se débarrassa de ses opposants : le duc du Maine fut compromis dans la conspiration dite du prince de Cellamare, ambassadeur d'Espagne ; et Philippe put aussi exiler en 1722 l'encombrant gouverneur de Louis XV, le très populaire maréchal de Villeroy.

La Régence fut également synonyme d'une réaction après les dernières années étouffantes du règne de Louis XIV. On célébra les plaisirs de la vie, la liberté de parole et de mœurs, les fêtes galantes.

La « Polysynodie »

Le Conseil de régence. — Le régent conserva la maîtrise et la signature pour « tous les états et ordonnances de fonds et de dépenses que le feu roi... avait coutume de signer et d'arrêter lui-même ». Comme d'habitude en temps de régence, les conseils de gouvernement fusionnèrent dans le Conseil de régence qui servait aussi de conseil de tutelle du roi mineur. Philippe y appela l'ancien évêque de Troyes, Bouthillier de Chavigny, le maréchal de Bezons, le duc d'Harcourt, le maréchal de Villeroy, gouverneur du roi, Colbert de Torcy et le duc de Saint-Simon. Ce Conseil se réunissait quatre fois par semaine et était tour à tour conseil d'en haut, conseil des dépêches, conseil des finances. Avec le temps, ce Conseil de régence eut tendance à se gonfler. Le régent préférait en fait travailler seul, avec des hommes de confiance ou d'influence, en particulier avec son ancien précepteur, l'abbé Dubois. Le Conseil d'État privé fut conservé dans ses prérogatives.

Les conseils à la place des secrétaires d'État. — Entre le 1er octobre 1715 et le 4 janvier 1716, les départements ministériels furent démantelés et remplacés par des conseils particuliers : ils étaient sept (conseil du dedans, des affaires étrangères, de la guerre, de la marine, des finances, de conscience et de commerce). Ils étaient présidés par de grands seigneurs ou par des maréchaux de France : le conseil du dedans par le duc d'Antin, fils légitime de la marquise de Montespan ; le conseil de conscience par le cardinal de Noailles, archevêque de Paris, qui n'était pas hostile aux jansénistes et qui avait connu une profonde disgrâce sous Louis XIV ; le conseil des finances par le duc de Noailles, neveu par alliance de Mme de Maintenon, ancien commandant en Espagne. Le conseil des affaires étrangères revint au maréchal d'Huxelles, ancien négociateur à Utrecht. Pour le conseil de la guerre, le maréchal-duc de Villars, vainqueur à Denain, apportait son expérience et sa gloire. Le conseil de la marine était présidé par le comte de Toulouse, légitimé de France : il était amiral de France et s'intéressait aux questions maritimes. Le conseil de commerce fut offert au duc de la Force.

Les secrétaires d'État n'avaient plus de rôle politique. Desmarets, le contrôleur général des finances, quittait la scène politique et n'était pas remplacé dans sa charge. Torcy obtenait de vendre la sienne, mais il entrait au Conseil de régence et gardait les postes, donc l'information secrète. Pontchartrain laissait sa charge de la marine à son fils Maurepas, mais elle n'avait plus de signification. Voysin conserva les Sceaux parce qu'il avait sans doute révélé à Philippe d'Orléans la teneur du testament de Louis XIV, qu'il avait contribué à rédiger. Il mourut en 1717 et d'Aguesseau devint alors chancelier. Seul La Vrillière, qui était secrétaire d'État aux affaires de la RPR participa au Conseil de régence mais sans voix consultative.

Les conseils particuliers préparaient les décisions royales, discutées au Conseil de régence. C'était la « Polysynodie ». Ces conseils souffrirent du manque de secret, des rivalités entre les membres de chaque conseil et des conflits entre les conseils, et, dès 1718, le parlement nota leur manque d'efficacité. Les présidents des conseils particuliers avaient accès au Conseil de régence lorsque des affaires y étaient traitées, qui dépendaient de leur domaine.

En septembre 1719, les conseils particuliers furent supprimés, sauf la marine et le conseil des finances, avec le commerce. Les secrétaires d'État furent rétablis dans leurs fonctions antérieures. En 1720, le contrôle général des finances retrouva un titulaire, qui fut Law.

La signification de la Polysynodie. — Le système de la Polysynodie avait suivi, semble-t-il, les projets dessinés à la fin du règne de Louis XIV dans l'entourage du duc de Bourgogne.

La noblesse d'épée et la grande noblesse de cour avaient retrouvé des fonctions politiques, et, malgré la fin de la Polysynodie, elles restèrent présentes dans les affaires d'État. Les princes ne furent plus écartés, comme sous Louis XIV, des postes de gouverneurs de province. La noblesse de robe avait retrouvé avec le droit de remontrances son rôle ancien qu'elle tenta d'accroître tout au long des décennies suivantes.

Les rouages essentiels de la monarchie avaient subsisté : les commis des départements ministériels et les intendants dans les provinces. Les intendants de finances, d'abord supprimés, qui avaient une place essentielle dans l'administration financière, furent rétablis. En 1716, le corps des ingénieurs des ponts et chaussées fut l'objet d'une réforme décisive.

L'administration royale, malgré ces secousses, montra son efficacité. Par exemple, lorsque la peste éclata à Marseille en 1720. Amenée de Syrie par un navire marchand, elle apparut le 21 juin 1720, mais ne fut reconnue par les médecins que le 9 juillet. La ville fut mise sous interdit le 1er août. Bientôt, il y eut 50 décès par jour, puis, en septembre, 1 000 morts par jour, à Marseille. La peste se répandit et fit peut-être 120 000 morts. Pourtant l'épidémie ne se propagea guère au-delà de la région marseillaise grâce à des mesures énergiques et rigoureuses, des cordons sanitaires établis par le gouvernement. L'évêque de Marseille, Mgr de Belsunce, montra un grand dévouement pendant cette peste. Un conseil de santé avait été établi auprès du régent. Le port de Marseille resta interdit jusqu'en 1723, mais les pertes démographiques furent vite réparées en raison de nombreux remariages. Ce fut aussi le pouvoir central qui permit la reconstruction de Rennes après l'incendie de 1720.

Les tensions religieuses

La résistance à la bulle Unigenitus. — La bulle *Unigenitus* du 8 septembre 1713 condamnait les propositions contenues dans les *Réflexions morales* du P. Quesnel, livre publié en 1692. Enregistrée par le parlement de Paris, elle était devenue une « constitution ». Dès la mort de Louis XIV, les oppositions à la bulle se déchaînèrent.

Les magistrats, les théologiens de la Sorbonne et certains évêques considéraient que la bulle préparait le terrain à la déclaration de l'infaillibilité pontificale. Le jansénisme rencontrait donc le gallicanisme, pour résister aux condamnations de Rome. Le gallicanisme disposait d'une arme redoutable. Il était possible de se défendre contre les « abus », en matière de droit, d'un tribunal ou d'une autorité ecclésiastique, en se tournant vers les parlements : l'autorité judiciaire pouvait ainsi trancher en matière religieuse. Dans le bas clergé, le richérisme avait également fait des adeptes qui se dressaient contre les décisions prises par la hiérarchie épiscopale. « Dès le début de la Régence, l'*Unigenitus* a provoqué la fusion du gallicanisme, du jansénisme et du richérisme » *(Michel Antoine)*. Ce nouveau jansénisme imprégna les milieux ecclésiastiques et judiciaires. Les monastères et les chapitres furent sensibles à cette influence. Elle s'exerça aussi dans le milieu nobiliaire de la robe, mais aussi dans toutes les strates de la bourgeoisie, chez les grands avocats et les notaires parisiens, chez les modestes huissiers, chez les magistrats des petites cités, dans le clergé des villes : « Soit une masse variée et influente de citadins, auxquels un gallicanisme exacerbé tenait lieu de patriotisme et parfois de piété » *(Michel Antoine)*.

La politique d'apaisement. — Le régent voulut apaiser les esprits. Dès la mort du roi, il appela à la cour l'archevêque de Paris qui bénit le jeune Louis XV. Philippe nomma le même Noailles à la présidence d'un des conseils, celui de conscience, et des jansénistes y entrèrent. Le P. Le Tellier fut relégué à La Flèche. C'était des gestes d'apaisement.

La polémique pourtant se déchaîna de plus belle entre « constitutionnaires », partisans de la constitution, et « anticonstitutionnaires ». Irrité, le pape refusa d'accorder l'institution canonique aux évêques nommés par le régent. Finalement quatre évêques franchirent le pas : ils déposèrent par acte notarié en Sorbonne un appel contre la constitution *Unigenitus* et se tournaient vers un concile général : ce furent les « appelants ». La Sorbonne, qui avait accepté la bulle en 1714, la rejeta. En octobre 1717, le régent tenta d'imposer le silence sur toutes ces affaires délicates. En vain.

Le changement d'attitude du régent. — Cette attitude indisposa le régent qui se réconcilia avec le Saint-Siège. Il écarta d'Aguesseau trop conciliant et donna les sceaux à d'Argenson. Le pape exigea donc une obéissance pleine et entière à la bulle (septembre 1718). Noailles publia son propre appel au concile et démissionna de ses fonctions au conseil de conscience. L'appel réunit quelque

3 000 adhérents sur les 100 000 membres du clergé français. Le gouvernement réagit en supprimant le conseil de conscience et en exilant les quatre appelants dans leur diocèse. Une nouvelle fois, en 1719, Philippe d'Orléans exigea le silence.

Puis des explications furent préparées pour accompagner la publication de la bulle. Le duc d'Orléans prit le 4 août 1720 l'initiative d'une déclaration qui imposait la constitution *Unigenitus*, interdisait d'écrire contre elle et de faire appel à un futur concile. Il réussit à négocier avec le parlement qui était alors en exil à Pontoise, en raison de son attitude hostile au système de Law (voir p. 481) : le parlement accepta enfin d'enregistrer cette déclaration.

Sur cette base, le régent constitua un conseil de conscience avec Dubois et Fleury, précepteur de Louis XV. Il s'agissait d'éviter les débordements des deux côtés, et d'abord de contrôler de façon rigoureuse la nomination des nouveaux évêques pour éliminer tous les candidats proches des idées jansénistes.

Les finances publiques et l'expérience de Law

La situation paradoxale de 1715

En 1715, au sortir de la guerre, les finances publiques étaient en grande difficulté. La dette atteignait les 1 200 millions de livres et le paiement des intérêts ne se faisait qu'avec retard. Les impôts ordinaires étaient dépensés d'avance.

Mais les historiens ont souligné que la situation économique de la France n'était pas aussi difficile. L'économie française avait profité des liens nouveaux avec l'Espagne : les marchands français s'étaient infiltrés dans le commerce avec les colonies américaines, le pays avait profité d'arrivées d'argent-métal espagnol, l'économie européenne commençait à bénéficier de l'exploitation de l'or au Brésil. Dans les ports de la façade atlantique en particulier, s'ébauchait le développement du commerce français qui allait s'épanouir tout au long du XVIIIe siècle.

La politique de Noailles

Le régent avait refusé la banqueroute totale, réclamée par Saint-Simon, afin de ne pas ruiner le crédit de l'État, qui était bien nécessaire pour de nouveaux emprunts. Mais le gouvernement avait procédé à des banqueroutes partielles.

Le duc de Noailles, avec l'aide de financiers, les frères Pâris, voulut rétablir de l'ordre et de la clarté dans les finances. Des méthodes nouvelles de comptabilité, en partie double, permettaient de mieux comprendre les recettes et les dépenses. Noailles mit un terme aux affaires « extraordinaires » (emprunts et création d'offices inutiles) et tenta de diminuer les dépenses militaires et les dépenses pour les bâtiments royaux.

Il mit fin à la politique de déflation de Desmarets en dévaluant la livre. Noailles et les frères Pâris lancèrent aussi l'opération du visa (7 décembre 1715). Il s'agissait de présenter au visa des autorités les papiers financiers d'État (les reconnaissances de dettes de l'État) qui étaient en circulation. Seuls certains étaient reconnus valables, d'autres voyaient leur valeur réduite, d'autres enfin étaient écartés comme douteux parce qu'ils pouvaient être faux. Ainsi 600 millions de dettes furent ramenés à 250 millions (1er avril 1716). Après cette opération, commença la répression, par une chambre de justice, établie en mai 1716 et destinée à faire rendre gorge aux financiers qui furent poursuivis pour avoir fait des profits jugés « illicites » (1716-1717).

La banque de l'Écossais Law

John Law. — Le régent, esprit curieux et amateur de nouveautés, suivit bientôt les idées d'un Écossais, John Law.

Law (1671-1729) était un fils d'orfèvre ; c'était un homme de projets et de réformes, mais aussi un joueur. Ce bel homme avait eu de grands succès mondains à Londres, mais il fut accusé de meurtre, emprisonné, gracié, de nouveau enfermé. Il s'évada et voyagea. Ce joueur avait amassé une belle fortune. Il avait vécu en Angleterre alors qu'était fondée la Banque d'Angleterre et il étudia le fonctionnement de la Banque d'Amsterdam. Il avait présenté au parlement d'Écosse les *Considérations sur le numéraire et le commerce* (1700). Il proposa un plan global au régent et Law s'efforça de le réaliser de 1716 à 1720 (en France son nom était prononcé Lass).

Pour lui, la France dépendait trop de ses richesses en métal précieux : il fallait généraliser le papier-monnaie qui alors n'existait que dans la sphère des financiers et qui serait garanti par l'État. Ce serait un moyen d'animer l'économie dont la croissance permettrait de résorber la dette publique. Une banque par actions émettrait ce papier-monnaie, convertible à tout moment en métal précieux, et elle serait doublée d'une compagnie commerciale, aussi par actions.

Une banque et une compagnie. — Law créa une banque (2 mai 1716) qui s'occupait d'opérations de change. Cette banque générale, sur le modèle de la Banque d'Angleterre, émettait des billets, convertibles en métal précieux. À partir d'avril 1717, les billets qu'elle émettait purent servir à payer les impôts. Pour financer la banque, des actions avaient été émises et elles ne pouvaient être achetées qu'avec des billets d'État, c'est-à-dire des papiers financiers qui traînaient dans le public depuis la guerre. Ainsi la banque aidait à résorber la dette publique.

Le financier Antoine Crozat avait été poursuivi et taxé de 6,6 millions de livres. Il offrit de s'acquitter de cette dette en abandonnant une concession reçue en 1712 : un territoire immense, la Louisiane. La décision fut prise de créer une compagnie de commerce pour l'exploitation de la Louisiane. Cette Compagnie d'Occident fut confiée à Law (août 1717). Les actions étaient émises à 500 livres et pouvaient être payées aussi en billets d'État. La compagnie aurait un capital de 100 millions de livres et verserait des intérêts à 4 % – soit 4 millions de rentes à payer par an. Le prix des actions varierait avec la demande.

Les billets d'État reçus seraient confiés au Trésor qui les détruirait et remettrait en échange des contrats de rente perpétuelle et héréditaire à la compagnie. Ainsi, toujours sur le modèle anglais, la compagnie était chargée de réduire la dette publique. Les rentes à verser à la compagnie étaient garanties par des revenus de l'État. Les actions étaient « au porteur » et non plus nominales. Il y avait une assemblée des actionnaires et les grands financiers furent associés à cette entreprise.

Law acquit le monopole du commerce des peaux de castor du Canada, puis, pour sa compagnie, la ferme des tabacs : c'était un monopole qui lui permettait de vendre tous les tabacs. Il sut, avec précision et habilité, renflouer cette ferme qui put dégager des sommes importantes. La Compagnie d'Occident absorba aussi la Compagnie du Sénégal.

À ce moment-là, le parlement profita des difficultés financières pour tester sa nouvelle place dans les institutions : il désigna des commissaires pour examiner les édits pris au nom du roi. Ils furent alors reçus par le régent, avec le premier président, le 30 août 1717. Le parlement obtenait partiellement gain de cause et prouvait sa force politique. Et le 31 décembre, il enregistra donc les dispositions pour la Compagnie d'Occident.

Le lit de justice du 26 août 1718. — Au début de 1718, la tension internationale (voir p. 485), l'agitation au parlement – qui critiquait le système de la Polysynodie –, l'animosité entre le duc de Noailles et Law, les manœuvres du clan du duc du Maine provoquèrent un remaniement ministériel : Noailles se retira et entra au Conseil de régence, D'Aguesseau rendit les sceaux. Marc-René d'Argenson, qui était lieutenant général de police, eut les sceaux et présida ainsi de droit tous les conseils. Il était, comme responsable de la police, en conflit ouvert avec la magistrature, et c'est ce qui avait conduit le régent à le choisir.

D'Argenson procéda à une dévaluation le 2 juin 1718. Par cette mesure, les détenteurs de pièces en métal précieux étaient contraints de les échanger contre les nouvelles pièces qui auraient la même valeur en livres, mais contiendraient moins d'or ou d'argent – la livre, monnaie de compte, perdant de sa valeur en équivalent métallique. Pour compenser une telle perte, appâter les détenteurs de pièces et éviter la fuite des métaux précieux, le ministre permit aussi d'apporter des billets d'État sans grande valeur qui seraient également échanger contre des monnaies nouvelles. Il fit enregistrer son édit à la cour des monnaies ce qui provoqua un conflit aigu avec le parlement qui tenta de mobiliser les rentiers. Surtout le 12 août 1718, le parlement interdit à tout étranger, même naturalisé, de s'occuper des « deniers du royaume ». C'était attaquer la politique de D'Argenson en lançant un défi au conseiller du régent, Law. Immédiatement les actions de la Compagnie d'Occident chutèrent.

Le lit de justice du 26 août 1718 fut la réplique du régent qui s'efforça de régler l'ensemble des tensions politiques. Les membres du parlement furent convoqués aux Tuileries. Une mise en scène permit d'humilier les magistrats. Le gouvernement voulait réglementer désormais l'usage des remontrances. Le régent en profita pour ravaler le duc du Maine au rang de simple duc et pair – en juillet 1717, les légitimés avaient déjà perdu leur droit de succession à la couronne. Philippe confia la surintendance de l'éducation du roi au duc de Bourbon. Le comte de Toulouse conservait lui les honneurs qu'il avait reçus de Louis XIV à titre viager. Le 24 septembre 1718 enfin, le régent abandonnait le système des conseils, et il se débarrassait ainsi du maréchal d'Huxelles, et Dubois devenait secrétaire d'État des affaires étrangères.

La préparation de la guerre à l'intérieur : la conspiration de Cellamare et la banque royale. — La guerre contre l'Espagne était préparée à l'intérieur en mobilisant l'opinion publique contre le parti espagnol en France (voir p. 485). Les intrigues du prince de Cellamare, l'ambassadeur de Philippe V, avec tous les adversaires politiques du régent, furent présentées comme une conspiration. L'ambassadeur, dont les papiers furent saisis, fut reconduit à la frontière. Le duc du Maine et sa femme s'étant compromis dans l'affaire, ils furent arrêtés le 29 décembre 1718 : le duc fut enfermé à la forteresse de Doullens et la duchesse reléguée à Dijon. En Bretagne, le marquis de Pontcallec se mêla aussi à cette conspiration et fit appel à Philippe V, le 13 avril 1719. Il fut arrêté et il eut la tête coupée, le 26 mars 1720.

Du point de vue financier, la banque générale de Law fut transformée en banque royale par une décision du 4 décembre 1718 : elle était ainsi étatisée. La banque avait grossi ses émissions pour atteindre 150 millions de livres et elle aidait déjà l'État à faire face à ses échéances. Law sut gagner la confiance du public. La banque avait des succursales dans les provinces.

La naissance du système

La Compagnie des Indes et ses actions. — La Compagnie d'Occident absorba la Compagnie des Indes orientales et la Compagnie de la Chine : elle fut baptisée Compagnie des Indes. « Par là se trouvait réalisée une de ces concentrations que l'économie moderne a mise à la mode, un véritable monopole du fret et du commerce international, opération parfaitement raisonnable, menée de façon excellente, et qui répondait de façon parfaite aux intérêts de l'économie française », a écrit Edgar Faure (l'homme politique du XXe siècle, qui a consacré un ouvrage au système de Law).

Law acheta lui-même une concession en Louisiane et y installa des travailleurs allemands, mais la colonisation n'était pas vraiment sa passion. Le financier attribuait beaucoup plus d'importance aux profits du commerce international, même si, parfois, pour gagner la confiance du public, il fit miroiter des profits prodigieux et imaginaires, dignes de quelque Eldorado. La fusion des compagnies fut acceptée par le régent (mai-juin 1718), et, en même temps, Law reçut l'autorisation d'émettre 50 000 actions de 500 livres, soit 25 millions. Les anciens actionnaires recevaient une nouvelle action (une fille) pour quatre actions anciennes de la Compagnie d'Occident (quatre mères pour une fille). La Compagnie, devenue des Indes, reçut du roi une sorte de souveraineté sur Lorient et Belle-Isle. Le roi lui-même participait au capital de la Compagnie avec 100 000 actions : le monarque entrait donc dans une économie de spéculation permanente.

La Compagnie reçut le privilège de la fabrication des monnaies, ce qui donnait l'impression dans le public que Law avait tout pouvoir pour les manipuler. En juillet, une nouvelle émission d'actions eut lieu, cette fois des « petites-filles » – une pour quatre mères et une fille. Le succès financier de ce « pré-système » – le « système » lui-même naquit ensuite – était indéniable : « On y discerne le signe de l'expansion économique... » *(E. Faure)*.

Mais il fallait encore assainir les finances royales : la guerre contre l'Espagne, même courte, coûtait cher, le régent avait envoyé des sommes importantes pour aider la Suède et pour gagner le Danemark, il n'hésitait à combler de faveurs sa famille et ses amis. Ce fut la Compagnie des Indes qui se chargea de payer les pensions. Law jouait le rôle tenu par les financiers traditionnels. Il fallait faire un pas de plus.

Le système. — Des arrêts du 27 août 1719 établirent le système. La Compagnie des Indes obtint le bail des fermes générales – 52 millions de livres. Cela évitait que les fermiers, payés avec des billets, les présentassent au Trésor pour obtenir en échange des espèces. Puis la Compagnie obtint la gestion des recettes générales qui rassemblaient les impôts directs. Law espérait aussi qu'une meilleure gestion permettrait des profits considérables – ce qui fut vrai. Enfin le roi participerait lui-même aux bénéfices de la Compagnie grâce à ses actions. Il y avait là un monopole général de l'économie, une forme de capitalisme d'État.

La Compagnie offrait aussi de prêter à l'État 1 200 (plus tard 1 500) millions de livres pour éponger la dette publique. L'État versait à la Compagnie un intérêt de 3 %, soit 48 millions, et lui accordait une reconnaissance de tous ses privilèges pour cinquante ans. Ce n'était pas une opération réelle qui s'établissait, mais un transfert des dettes de l'État vers la Compagnie.

Selon Edgar Faure et selon l'historien Paul Harsin, le système pouvait assurer un équilibre des finances, moderniser l'économie, supprimer des offices inutiles, orienter les Français vers d'autres formes d'investissement que les offices, puisque la Compagnie remplaçait les officiers de finances.

Mais Law s'engagea dans un plan fou. Comme la Compagnie devenait de plus en plus importante, les actionnaires espéraient participer aux gains actuels et futurs. L'action de la Compagnie avait vu sa valeur augmenter très vite et les actionnaires avaient donc bénéficié d'une importante plus-value par rapport aux 500 livres initiales. Law pratiqua une augmentation de capital avec trois tranches de 100 000 actions et des actions de 5 000 livres. Le public pouvait espérer une nouvelle augmentation du cours de l'action. Cette espérance de plus-value poussa les possesseurs de rentes traditionnelles à s'en débarrasser pour acheter des actions. Là encore Law cherchait à réduire la dette de l'État.

Il comptait sur une augmentation de la valeur de l'action puisque la demande était forte – il envisageait le cours de l'action à 10 000 livres et s'efforça de ne pas le dépasser. En réalité ce que versa la Compagnie aux actionnaires représentait seulement du 2 %, contre toutes les promesses de Law, alors que les rentes rapportaient généralement du 5 %. Il y avait là un sacrifice des rentiers en raison même de ce taux d'intérêt très bas.

Law encourageait de plus l'agiotage : en effet les souscripteurs ne payaient pas tout de suite l'ensemble d'une action. Il suffisait, avec une petite somme, de souscrire une action et d'attendre la hausse. Law chercha à favoriser ainsi les profits fabuleux de quelques-uns, et en particulier il voulut accroître les gains du roi, et faciliter ainsi la politique du régent, pour renforcer sa propre position dans le gouvernement.

Le témoignage des diplomates anglais prouve que Law suscitait la confiance des souscripteurs et qu'à Londres, on craignait la naissance d'une nouvelle grande place financière – comme Amsterdam et Londres. Enfin, il devenait clair que l'organisation proposée par Law englobait toutes les finances publiques : monnaies, impôts, billets, compagnies.

Le système vivait sur la confiance : dans les bénéfices futurs du commerce et des colonies qui assureraient les profits des actionnaires de la Compagnie, dans la parole de l'État et dans les richesses du pays, qui permettaient les rentrées de l'impôt.

La spéculation et la rue Quincampoix. — La rue Quincampoix où était installée la banque fut le centre de la spéculation qui toucha toutes les strates de la société, depuis le laquais jusqu'aux ecclésiastiques, de l'aventurier jusqu'au prince du sang, mais sans doute à Paris plus qu'ailleurs. Les anecdotes se sont multipliées sur les conditions de cette spéculation – le bossu qui prêtait son dos pour la signature de papiers – et sur ses résultats – le laquais devenu le maître.

Mais Law ne voulait pas que la spéculation s'emballât et il fit vendre pour 30 millions en novembre 1719. En décembre, certains commencèrent à « réaliser » leurs gains.

Law permit au régent de multiplier ses largesses pour ses proches, mais aussi pour des hôpitaux. Fort de ces bienfaits, Law comptait peu d'ennemis politiques, sinon Villeroy et le chancelier en disgrâce. Le 5 janvier 1720, Law, qui s'était converti au catholicisme, devenait contrôleur général des finances.

L'établissement du système avait eu deux conséquences : d'une part, une inflation qui signifiait la hausse des prix, d'autre part, un allégement des dettes. « Law est avec les débiteurs, c'est-à-dire avec les travailleurs, avec l'exploitant de terres, avec l'entrepreneur de commerce et d'industrie, et contre le rentier, contre le capitaliste pur, contre le seigneur foncier, contre le bénéficiaire des droits féodaux » *(Edgar Faure).*

La logique du système. — Le 18 février 1720, le jeune Louis XV entra pour la première fois au Conseil de régence. La banque était au même moment fusionnée avec la Compagnie.

Comme les billets de banque commençaient à perdre de la valeur, il fut décidé de dévaluer la monnaie en augmentant la valeur nominale des espèces métalliques (25 février 1720).

Et le 27 février, il fut interdit à toute personne de conserver plus de 500 livres en monnaie métallique, sous peine de confiscation et d'amende. Les délateurs recevraient des récompenses. Cela donna lieu à des perquisitions aussi – même les curés furent inquiétés. Le commerce souffrait du manque de confiance croissant à l'égard des billets.

Law détermina un cours fixe de l'action des Indes qui, pour lui, devait être une véritable monnaie, et il s'engagea dans la démonétisation des métaux précieux, et d'abord de l'or, qui cesserait de circuler (déclaration du 11 mars 1720). Les menaces qui planaient permirent le succès relatif de ces mesures.

La faillite du système. — L'évolution du système conduisit Law à mener une campagne de propagande dans le *Mercure.* C'était d'autant plus nécessaire que deux princes du sang – Conti et Bourbon – étaient accusés d'avoir retiré des millions en or à la banque. L'opinion fut aussi frappée par une affaire criminelle le 22 mars 1720 : le comte de Horn, d'une illustre famille de Flandre, assassina un agioteur pour lui prendre son argent. Il fut condamné à être roué vif. Le régent ne se laissa pas fléchir par la haute naissance du coupable, mais cette affaire fut utilisée pour montrer que la morale n'était pas sauve dans ce climat de spéculation.

Le 22 mars, la rue Quincampoix fut fermée. Et les spéculateurs s'établirent dans les jardins de l'hôtel de Soissons, rue Vivienne. Des enrôlements forcés pour la Louisiane émurent aussi l'opinion publique.

Law dut démissionner du contrôle général puis, pour éviter la panique, il fut rappelé comme conseiller d'État d'épée, intendant général du commerce et directeur de la banque. Les billets de 100 livres furent échangés contre des billets de 10 qui, seuls, pouvaient être remboursés en espèces, et bientôt ce ne fut plus qu'un seul billet par personne. La foule se précipita rue Vivienne et il y eut de nombreux accidents. L'émeute couvait.

Une banqueroute déguisée fut déclarée et le parlement qui résistait fut exilé à Pontoise, le 21 juillet 1720. Le 10 octobre, le gouvernement annonça que les billets ne seraient plus reçus comme paiement à partir du 1er novembre. Law prit la fuite et franchit la frontière en décembre 1720. Il mourut à Venise en 1729.

Les financiers Pâris furent chargés de liquider le système.

Les leçons de l'expérience

Pour longtemps, la France allait se méfier des billets de banque. Des détenteurs d'actions ou de billets étaient ruinés, alors que ceux qui avaient vendu avant la panique s'étaient enrichis très vite. En revanche, des débiteurs, souvent la part active de la nation, étaient soulagés de leurs dettes. Ces renversements furent un élément de mobilité sociale, mais aussi de mécontentement durable. L'État avait pu en revanche liquider une partie de son endettement. Enfin le système de Law avait permis une circulation plus rapide de l'argent, ce qui fut un coup de fouet pour l'économie, et en particulier pour le grand commerce dans l'Atlantique.

La politique extérieure du régent

En 1715, la paix n'était pas signée entre le roi d'Espagne et l'empereur, la guerre continuait au nord : les traités n'avaient pas résolu tous les litiges et tous les problèmes de l'Europe.

Les nouveaux choix et les nouvelles données diplomatiques

Après la signature des traités de Rastadt et de Baden, Louis XIV avait orienté sa politique dans deux directions. Il respecta globalement les accords signés : il fit la sourde oreille lorsque Philippe V réclama la future régence comme plus proche parent du dauphin, surtout après la mort du duc de Berry (1714). Tout au plus la France tenta-t-elle de résister dans le détail aux termes du traité, puisque la démolition du port de Dunkerque fut suivie du projet d'un nouveau port au Mardyck. En tout cas, Louis XIV était très attaché à des liens étroits entre la France et l'Espagne. Tous ceux qui avaient vécu avec le vieux roi, la « Vieille Cour », restèrent, pendant la Régence, des partisans acharnés de cette alliance au sein de la maison de Bourbon.

La « Pragmatique Sanction ». — L'empereur Charles VI fixa également les principes de sa succession, sur le modèle espagnol. En 1703, son père Léopold Ier avait imposé à ses deux fils un accord secret de « succession mutuelle » : si l'un des deux frères disparaissait sans héritier mâle, la totalité de l'héritage irait à l'autre. Le 19 avril 1713, Charles VI révéla ce pacte secret et y ajouta une clause capitale : les pays de la monarchie « indivisibles et inséparables » ne pouvaient être séparés. Comme pour l'Espagne, il établissait la primogéniture en ligne masculine, puis en ligne féminine. Si

Charles n'avait pas d'héritier, mâle ou femelle, son héritage irait aux filles de Joseph Ier qui avait été son aîné ; s'il n'avait que des filles – ce qui fut le cas –, l'aînée serait héritière universelle. C'était la « Pragmatique Sanction » que Charles VI n'aurait de cesse, jusqu'à sa mort, de faire reconnaître par les puissances européennes pour assurer la couronne sur la tête de sa fille Marie-Thérèse qui naquit en 1717.

En Espagne, les Italiens avaient de l'influence auprès de Philippe V à travers sa nouvelle femme, venue de Parme, Élisabeth Farnèse, et son conseiller, l'abbé Alberoni. Désormais, âme damnée de la reine d'Espagne, qui dominait son mari, Alberoni allait troubler l'Europe par ses projets.

La dynastie de Hanovre en Angleterre. — En Angleterre, la reine Anne s'éteignit le 1er août 1714, et l'Électeur de Hanovre Georges Ier fut proclamé roi sans troubles (voir p. 448). Le nouveau monarque, qu'accompagnaient des ministres hanovriens, resta très attaché à son Électorat et il orienta la diplomatie britannique dans le sens de ses intérêts en Allemagne – c'était un fidèle allié de l'empereur. Parent très éloigné de la dernière souveraine, il pouvait sembler moins « légitime » – selon les lois du sang – que le prétendant Stuart : Georges Ier eut tout intérêt à s'appuyer sur le parlement qui avait accepté la succession protestante, sur les Whigs qui l'avaient défendue, et paradoxalement sur les accords d'Utrecht par lesquels les principales puissances européennes – et d'abord la France – l'avaient reconnue.

Le régent soutint encore le prétendant Stuart qui tenta au début de 1716 un débarquement en Angleterre.

Le retour de Charles XII. — Dans le Nord, Charles XII de Suède, après un long séjour dans l'empire ottoman, tentait de sauver l'empire suédois, et ses agents multipliaient les intrigues en Europe. Le tsar Pierre le Grand fit alors un nouveau voyage en Europe de l'Ouest (1716-1717). Lors de son passage en France (mai-juin 1717), il tenta de convaincre le régent d'un rapprochement avec la Russie dont il avait fait une grande puissance européenne, mais ce séjour n'eut pas de suites politiques. À l'est, l'empereur Charles VI reprit la guerre contre les Turcs. La paix fut signée à Passarowitz, le 21 juillet 1718. La reconquête de la Hongrie, qui avait été ottomane depuis le XVIe siècle, était achevée. Cette paix montrait que les Turcs n'étaient plus un danger pour leurs voisins.

La Triple Alliance

Le rôle secret de l'abbé Dubois. — Le régent commença tôt à élaborer une politique secrète, en marge du travail officiel, mené par le Conseil de régence et par le conseil des affaires étrangères. Désormais ce « secret » fut confié à l'ancien précepteur du régent, l'abbé Dubois. Celui-ci avait proposé de s'entendre résolument avec le roi d'Angleterre sur la base du traité d'Utrecht : la stabilité intérieure de la France devait être assurée par la garantie internationale des renonciations de 1712-1713.

La Triple Alliance. — Dubois négocia avec le ministre anglais Stanhope : pour rassurer Georges Ier, on s'engagerait à expulser le Prétendant alors en Avignon ; pour gagner les Anglais, le régent promettrait de ne pas faire de port militaire au Mardyck. En échange, il faudrait obtenir un rappel des accords d'Utrecht. Après bien des délais, la convention de Hanovre fut signée le 9 octobre 1716. Cet accord suscita des oppositions farouches tant en Angleterre qu'en France. Par ses manœuvres, Dubois réussit à gagner les Hollandais à l'idée d'une Triple Alliance (4 janvier 1717).

La diplomatie anglaise proposa alors aux Impériaux un rapprochement avec les Bourbons : il s'agissait d'offrir à Charles VI la Sicile au lieu de la Sardaigne à condition qu'il reconnût l'Espagne à Philippe V et les droits du régent sur la couronne de France, au cas où Louis XV, dont la santé était jugée fragile, viendrait à mourir. Il était possible d'envisager l'héritage de Parme pour un fils de Philippe V et d'Élisabeth Farnèse.

Les ambitions d'Alberoni

Alberoni, devenu premier ministre de Philippe V et cardinal, préparait la revanche espagnole en Italie, car Philippe V ne s'était pas résigné à abandonner les anciennes possessions espagnoles. Tout en recréant une escadre, il profita de tous les incidents pour faciliter une rupture en Europe. Deux mois suffirent aux Espagnols pour reprendre la Sardaigne (septembre-octobre 1717).

Les hésitations du régent. — Le régent, après avoir hésité, resta fidèle à l'alliance anglaise. Le parlement anglais vota en décembre 1717 les sommes nécessaires pour porter la guerre en Méditerranée. Mais

Philippe d'Orléans craignait plus que tout d'avoir à faire une guerre contre le Bourbon d'Espagne : il savait qu'elle serait forcément impopulaire – puisqu'il apparaîtrait au grand jour qu'il y défendait ses propres droits à la succession de France contre son cousin Philippe V. Il se laissa néanmoins convaincre en voulant faire porter toute la responsabilité du trouble en Europe sur les Italiens de Madrid.

L'Anglais Stanhope prépara un projet pour rapprocher le régent de l'empereur Charles VI. L'alliance autrichienne devait plaire à son roi hanovrien qui avait besoin de son suzerain impérial. L'alliance française visait aussi à plaire au parlement anglais et à l'opinion publique qui se méfiait des ministres hanovriens. Philippe d'Orléans abandonnait les alliés traditionnels de la France – Espagne et Suède – et s'engageait aux côtés de l'Angleterre et de l'empereur. En même temps, en politique intérieure, il choisissait Law, contre Noailles et le parlement, comme il avait choisi Dubois, contre le maréchal d'Huxelles et la Vieille Cour.

La Quadruple Alliance. — Des traités suivirent à Londres en août 1718. Ainsi naissait la Quadruple Alliance (on tablait sur l'acceptation des Hollandais). L'empereur garantissait au duc d'Orléans et à l'Électeur de Hanovre leurs droits respectifs sur les couronnes de France et d'Angleterre.

Au bord de la guerre européenne. — Alberoni avait décidé une expédition contre la Sicile qui appartenait à Victor-Amédée II de Savoie (juillet 1718). Le cardinal voulait aussi soutenir le prétendant Stuart et le roi de Suède, trouver une alliance avec le tsar, renverser le régent en France – ce fut le complot de Cellamare avec la duchesse du Maine (voir p. 477).

Le 11 août, la flotte anglaise détruisait sans déclaration de guerre la flotte espagnole. Le 24 septembre, les conseils étaient supprimés en France et l'abbé Dubois devenait secrétaire d'État « chargé des pays étrangers ». La volonté du régent s'imposait.

La paix européenne était donc de nouveau menacée, mais, cette fois, les affaires de la Méditerranée – l'empereur contre le roi d'Espagne en Italie – étaient liées aux questions du Nord et de la Baltique. Mais Charles XII de Suède fut tué par une balle perdue le 30 novembre 1718. Après cette mort, les espérances d'Alberoni étaient compromises : il ne pourrait pas profiter de l'attaque suédoise dans le Nord pour détourner l'attention au Sud.

La France contre Alberoni. — La « conspiration » de Cellamare permit de vaincre les partisans de l'amitié espagnole. Cet incident fut utilisé pour déclarer la guerre à l'Espagne le 9 janvier 1719, peu après que le roi d'Angleterre en eut fait de même. L'alliance franco-anglaise était dirigée officiellement contre Alberoni et non contre l'arrière-petit-fils de Louis XIV.

Le roi d'Espagne se défendait de faire la guerre au roi de France – le jeune Louis XV – ou à la France, mais s'attaquait simplement à son oncle et cousin le duc d'Orléans. Ce fut le maréchal de Berwick qui fut chargé de mener, au printemps 1719, les opérations contre le souverain qu'il avait sauvé autrefois. Cette promenade militaire victorieuse mit fin aux espoirs de Philippe V et aux manœuvres d'Alberoni.

La paix en Europe

La paix au Sud. — Philippe V, en décembre 1719, renvoya Alberoni qui dut quitter l'Espagne. C'était une condition de la négociation. Au début de 1720, Philippe V annonçait son accession à la Quadruple Alliance et remplit scrupuleusement les exigences des alliés. Les troupes espagnoles évacuèrent Sardaigne et Sicile, la première confiée à la Savoie, la seconde à l'empereur. Charles VI reconnaissait Philippe V comme roi d'Espagne et ce dernier renonçait en apparence à toute prétention sur des États d'Italie ou sur les Pays-Bas. L'empereur assurait la succession de Parme et de la Toscane à Don Carlos, fils d'Élisabeth Farnèse et de Philippe V. Tous les traités précédents étaient confirmés. Un congrès allait se réunir à Cambrai dont Dubois était le nouvel archevêque. Un rapprochement entre la France, l'Angleterre et l'Espagne aboutit au traité de Madrid (13 juin 1721). De nouvelles alliances matrimoniales étaient à la clef : Philippe V demandait la fille du régent pour le prince des Asturies, son fils aîné, et proposait sa fille unique, l'infante Marie-Anne-Victoire, pour Louis XV.

La paix au Nord. — En 1721, l'Europe offrait un visage apaisé et transformé après le traité de Nystad (10-11 septembre 1721) qui avait réglé les affaires du Nord. La Suède avait cessé d'être un empire menaçant et laissait la place aux ambitions russes. La Prusse du roi Frédéric-Guillaume devenait une puissance militaire de premier plan. L'Angleterre, entraînée par les intérêts du Hanovre, était présente sur le continent, mais maintenait aussi l'équilibre européen et regardait vers l'outre-mer. L'Autriche, bien installée en Italie, s'étendait vers le Danube et éloignait l'ombre turque. L'empereur, se détournant de l'Empire, cherchait à imposer sa fille Marie-Thérèse pour lui succéder. L'Espagne espérait toujours reprendre pied dans la péninsule italienne. En France, le régent et Dubois avaient conduit une politique d'alliance avec l'Angleterre, facilitant la restauration économique et financière du royaume.

Cette alliance, puis la Quadruple Alliance, avaient assuré la sécurité de l'Europe en imposant des redistributions de territoires et des traités, comme en garantissant, à travers un équilibre sans cesse recherché et proclamé, une paix relative.

La fin de la Régence

Le régent avait veillé avec soin à l'éducation de Louis XV dont le précepteur avait été l'ancien évêque de Fréjus, Hercule de Fleury. Les meilleurs maîtres lui furent donnés, mais le jeune garçon s'intéressa particulièrement aux sciences, à la géographie et à la cartographie. Surtout le régent avait tenté de l'initier aux affaires et à la connaissance des hommes. Depuis 1722, la cour avait regagné Versailles.

Le 25 octobre 1722, Louis XV fut sacré à Reims et le 16 février 1723, il devint majeur et cette majorité fut proclamée, selon la tradition, par un lit de justice. Philippe d'Orléans continuerait à assister à tous les conseils et, Dubois, qui était désormais cardinal, serait premier ministre. Ce dernier ne tarda pas à mourir le 10 août 1723, usé par le travail, et ce fut Philippe d'Orléans qui assuma la fonction de premier ministre, mais le 2 décembre 1723, il mourait aussi brutalement à 49 ans.

Les historiens ont rendu justice à Philippe d'Orléans qui sut donner à son neveu un royaume paisible, des finances plus saines, et qui avait imposé une politique de paix.

22. La France de Monsieur le Cardinal

Les époques heureuses ont-elles une histoire ? Celle qui correspond au temps du cardinal Fleury est considérée comme tranquille. Certes la situation économique du royaume était favorable : ceci explique l'œuvre du contrôleur général Orry qui pratiqua une politique d'économie et de réforme. À l'intérieur, le cardinal sut faire respecter l'autorité du roi sans rudesse, mais avec fermeté. La paix sociale permit au chancelier d'Aguesseau de mener loin un travail de clarification juridique, trop souvent oublié. Mais surtout Fleury sut conduire une politique extérieure très subtile qui permit de maintenir la paix lorsque la guerre semblait imminente et qui chercha à limiter la guerre lorsqu'elle apparut comme inévitable.

La transition politique : de Philippe d'Orléans à Fleury

Le fragile dialogue franco-anglais

Les années 1720 furent marquées par des négociations permanentes et multiformes dans toute l'Europe qui aboutirent à des retournements spectaculaires, mais éphémères, ou, au contraire, à la formation d'axes diplomatiques durables.

La situation de la France en Europe. — Grâce à l'habileté diplomatique de Dubois, la France avait cessé d'obéir à l'initiative diplomatique de Londres et avait imposé une alliance entre France,

Grande-Bretagne et Espagne (13 juin 1721) pour remplacer la Quadruple Alliance avec l'empereur.

La France avait toujours besoin de la paix : il fallait retrouver la sérénité à l'intérieur, après l'expérience de John Law, et assurer la stabilité du royaume, au moment où Louis XV était sacré. La France conservait sa puissance militaire et économique, et une position forte sur le continent. L'Angleterre cherchait à confirmer ses avantages commerciaux.

Après la mort de Stanhope en février 1721, Robert Walpole (1676-1745) domina la vie politique anglaise et sut se maintenir au pouvoir de 1721 à 1742.

L'axe Londres-Versailles face à l'Europe. — L'accord franco-anglais était une donnée essentielle de la diplomatie européenne, mais celle-ci devait affronter deux facteurs d'instabilité. D'un côté, l'empereur Charles VI voulait assurer à sa fille Marie-Thérèse l'intégralité des domaines héréditaires qui appartenaient à la maison de Habsbourg, face à ses deux nièces, l'une ayant épousé l'Électeur de Saxe, l'autre l'Électeur de Bavière. D'un autre côté, la reine d'Espagne, Élisabeth Farnèse, désirait gagner à ses fils des domaines italiens.

Un congrès international était prévu, depuis longtemps, à Cambrai, la ville dont Dubois avait été archevêque, pour régler les problèmes entre Habsbourg et Bourbons, en particulier à propos des possessions italiennes. Mais il fut retardé, ne s'ouvrit qu'en 1724, et les discussions n'aboutirent pas, car chacune des puissances resta sur ses positions.

Le ministère du duc de Bourbon

Dès la mort de Philippe d'Orléans, le premier prince du sang, Louis-Henri de Bourbon-Condé, duc de Bourbon, demanda à devenir premier ministre. Louis XV accepta avec l'assentiment de son ancien précepteur Fleury qui avait toute sa confiance et qui assista à toutes les séances de travail avec « Monsieur le Duc ».

Celui-ci était, à 31 ans, borgne et veuf, et il laissa prendre de l'influence à sa maîtresse, la marquise de Prie, fille d'un riche munitionnaire (fournisseur de munitions) aux armées.

Le mariage du roi. — Louis XV était fiancé à l'infante Marie-Anne-Victoire qui vivait en France, mais elle était trop jeune pour un mariage. Si le roi mourait sans enfants, son héritier serait le duc d'Orléans, le fils du défunt régent, qui venait d'épouser une princesse de Bade. Or, le duc de Bourbon détestait la maison d'Orléans et voulait éviter une telle éventualité, puisque Louis XV était en âge de procréer. Il fut décidé de renvoyer l'infante et de trouver une nouvelle fiancée au roi. Le 1er mars 1725, la nouvelle fut envoyée à Madrid et c'était un terrible affront pour Philippe V. Les relations entre la France et l'Espagne s'aigrirent : Philippe V rompit les relations diplomatiques avec la France et se tourna vers l'empereur.

Une liste avait été établie qui comptait une centaine de princesses. Après avoir écarté celles qui étaient trop âgées, celles qui étaient trop jeunes, le conseil examina, le 31 mars 1725, les autres : les sœurs de Monsieur le Duc, donc la famille de Condé, la fille aînée du duc de Lorraine et d'une princesse d'Orléans, mais dans ces deux cas, une branche des princes du sang était favorisée ; la fille du prince de Galles, mais elle ne se convertirait pas ; les filles du roi de Prusse, mais elles étaient calvinistes ; la princesse du Portugal était d'une lignée à la santé trop fragile ; une fille de Pierre le Grand, mais sa mère était de trop humble origine.

Comme épouse de Louis XV, il fallut se contenter de Marie, fille de Stanislas Leszczynski, qui avait été placé sur le trône de Pologne par le roi de Suède, Charles XII, puis détrôné par les Russes. Louis XV accepta. Le duc de Bourbon avait eu l'intention lui-même d'épouser Marie, ce qui permit de dissimuler les dernières discussions. Stanislas s'était retiré à Wissembourg où il vivait chichement. La naissance modeste de la future reine fit jaser : elle était la fille d'un roi élu et détrôné, et non d'un roi héréditaire.

L'Europe coupée en deux. — Le 1er mai 1725, Philippe V reconnut la Pragmatique Sanction. Ce rapprochement entre les ennemis d'autrefois inquiéta les autres puissances et accéléra les discussions qui aboutirent à Hanovre : un accord était signé entre l'Angleterre, la France et la Prusse (3 septembre 1725). Désormais l'Angleterre fut mobilisée dans la perspective d'une guerre et elle le fut jusqu'en 1730.

Le traité de Hanovre à son tour transforma le rapprochement austro-espagnol en un traité plus étroit, signé le 5 novembre, connu comme le premier traité de Vienne. La France serait démembrée en cas de victoire. Le Congrès de Cambrai se dispersa dans la plus grande confusion.

Ainsi l'Europe était coupée en deux. L'entente entre la France et l'Angleterre se poursuivait, mais l'empereur et le roi d'Espagne s'étaient alliés. Les maladresses du duc de Bourbon et son ignorance des réalités internationales n'étaient pas étrangères à cette situation difficile.

Le mécontentement populaire et la chute du duc de Bourbon. — Après la déconfiture de Law, la situation financière fut assainie par le contrôleur général des finances Dodun, puis le financier Pâris-Duverney, homme de confiance du duc de Bourbon, travailla en coulisses. Néanmoins, en raison des menaces de guerre et des frais occasionnés par le mariage royal, le duc de Bourbon dut prendre un train de mesures fiscales inspirées par Pâris-Duverney.

Il y avait parmi elles la création d'un impôt égalitaire, le 5 juin 1725, le « cinquantième » qui remplaçait le dixième – il avait été supprimé en 1717. Cet impôt frapperait les revenus de tous les propriétaires sans exception, mais, selon une idée chère à Vauban, il serait perçu en nature. Comme il y eut de mauvaises récoltes, il fut impopulaire et difficile à percevoir, d'autant plus qu'il était attaqué par les privilégiés, eux-mêmes relayés par les cours souveraines et l'assemblée du clergé.

Le duc de Bourbon, ayant cherché à s'appuyer sur la reine Marie pour écarter Fleury, fut disgracié par le jeune Louis XV. Cette disgrâce causa la jubilation générale.

Monsieur le Cardinal. — Louis XV annonça le 16 juin 1726 qu'il allait, comme Louis XIV, gouverner seul, sans premier ministre. Mais Fleury, qui était déjà ministre d'État, tint en réalité ce rôle sans en avoir le titre. Il fut bientôt fait cardinal (11 septembre 1726). Il avait 73 ans en 1726 et il allait mourir en janvier 1743, à plus de 89 ans, après dix-sept ans au pouvoir !

Hercule de Fleury était né à Lodève en 1653, fils d'un receveur des tailles. Il choisit de faire carrière dans l'Église et fut chanoine de Montpellier. Il passa sa licence de théologie et acquit une charge d'aumônier de la reine Marie-Thérèse : il lui plut par sa douceur et sa piété. Fleury était mondain et Louis XIV hésita à lui donner un évêché. Finalement, il fut évêque de Fréjus en 1698, mais ne gagna sa ville qu'en 1701. En 1710, il refusa l'archevêché d'Arles et en 1715, il renonça à son siège. Louis XIV le désigna comme précepteur de son successeur (23 août 1715). Il gagna la confiance de l'enfant et lui devint indispensable. Membre de l'Académie française, il fut en 1720 membre du conseil de conscience. Lorsqu'il se sentait menacé, il gagnait la maison de campagne des Sulpiciens à Issy-les-Moulineaux et était bientôt rappelé par le roi. Après la mort de Philippe d'Orléans, Fleury aurait pu devenir premier ministre, mais il laissa la place au duc de Bourbon. Il avait, sous des apparences aimables, un grand orgueil et une belle ténacité. Il était servi, malgré son âge, par une étonnante mémoire. Il travaillait avec un petit groupe d'hommes et les ambassadeurs étrangers passaient volontiers par l'intermédiaire de son valet de chambre, Barjac.

Le gouvernement de Fleury. — Fleury avait déjà la responsabilité des affaires ecclésiastiques. Il s'entoura de quelques collaborateurs et s'appuya bientôt sur de grands ministres. Orry resta au contrôle général de 1730 à 1745. Chauvelin, garde des Sceaux, fut en même temps responsable de la politique étrangère. Le chancelier d'Aguesseau rentra en grâce, même si Chauvelin avait les Sceaux. Maurepas, de la famille des Phelypeaux, avait la Maison du roi et la Marine.

Fleury s'occupait des grandes options politiques en préparant les décisions de son pupille, mais il laissait l'exécution aux ministres, dont il n'hésitait pas à se plaindre par feinte. Il avait deux perspectives : une politique d'économie à l'intérieur et un choix de paix, ou de guerres limitées, à l'extérieur.

La paix civile

L'agitation janséniste

Fleury s'attaqua aux évêques qui défendaient le jansénisme. Un concile fut tenu à Embrun par l'archevêque, Tencin, et suspendit le saint et obscur évêque de Senez, Soanen (août-septembre 1727). Fleury imposa aussi au cardinal de Noailles l'acceptation de la bulle *Unigenitus* en 1728. C'était la fin du jansénisme épiscopal.

Mais cette politique suscita une prolifération de libelles et de caricatures. Les avocats parisiens vinrent à la rescousse des jansénistes en 1727. À partir de 1728, circulèrent les *Nouvelles ecclésiastiques* dont la publication ne cessa qu'en 1803. Cette presse clandestine mena une « lutte sans merci », et le pouvoir ne parvint jamais à la faire taire, tant l'organisation était élaborée et bénéficiait de complicités multiformes.

De plus, à partir de 1727, sur la tombe d'un janséniste, le diacre Pâris (1690-1727), au cimetière Saint-Médard à Paris, des guérisons miraculeuses eurent lieu. Des illuminés se livrèrent aussi à des convulsions, à mi-chemin entre l'extase mystique et la possession diabolique. « Les convulsionnaires sont majoritairement issus du peuple et les femmes y jouent un rôle important... » *(Philippe Loupès)*. Les esprits s'enflammèrent autour de ces faits étranges.

Ayant réussi à imposer la bulle à la Sorbonne et au clergé parisien, par des grâces, des négociations ou des menaces, Fleury voulut prendre une mesure d'ensemble. Le 24 mars 1730, la bulle *Unigenitus* devenait loi de l'État et elle fut imposée par le lit de justice du 3 avril 1730.

Le relais parlementaire et la crise des années 1730-1732

Ce fut l'origine d'un fort mécontentement dans les milieux parlementaires. Les curés aussi restaient souvent fidèles aux idées jansénistes et ils avaient la capacité d'entraîner leurs fidèles. L'opinion publique était mobilisée. Les conséquences de cette agitation étaient graves : deux traditions religieuses s'affrontaient, mais aussi deux conceptions de l'État : la monarchie absolue face à la monarchie contrôlée.

Alors, à propos de ces questions religieuses, dans les années 1730-1732, la vie politique et judiciaire prit un pli nouveau. Le parlement de Paris se saisissait d'affaires dont le gouvernement lui refusait la compétence. Le roi « évoquait » les affaires litigieuses, convoquait les magistrats, leur donnait des ordres, leur interdisait toute remontrance ou tout discours, tenait des lits de justice, ainsi à Versailles en 1732, exilait le parlement ou faisait arrêter ses membres les plus turbulents. Les parlementaires n'en continuaient pas moins à discuter ou faisaient la grève.

Mais menacé par un règlement de discipline rigoureux, qui aurait limité l'action politique du parlement, ce dernier finit par accepter la politique de paix civile, préconisée par Fleury : le cardinal imposait le silence à tous et évitait la rupture avec les jansénistes.

L'œuvre de la monarchie de Louis XV

Le second quart du XVIIIe siècle fut un temps d'initiatives heureuses et de prospérité.

Le domaine financier

En 1726, les efforts de Dodun et de Pâris-Duverney aboutirent à une stabilisation de la monnaie. Le louis d'or valait 24 livres et l'écu d'argent 6 livres, et cette valeur demeura jusqu'à la Révolution. Cette stabilité se prolongea même plus tard à travers le franc germinal.

Les fermiers généraux. — En 1726 aussi, fut signé un bail avec 40 fermiers généraux qui verseraient 80 millions par an et percevraient les gabelles, les aides, les traites et les revenus des domaines.

Ce bail était très favorable aux fermiers généraux, mais il fut résilié dès 1730, et les conditions furent alors moins bonnes, même si elles permirent encore aux fermiers de faire de grands bénéfices. Ce qui attira sur eux une « réputation légendaire de richesse véreuse » *(Michel Antoine).*

Pourtant la ferme générale organisa une remarquable administration « para-étatique », avec un statut du personnel qui évoque nos actuels fonctionnaires : 600 employés dans les bureaux centraux, 25 000 agents dans le royaume.

La taille tarifée. — Orry tenta, à partir de 1733, d'établir une taille tarifée qui évitait les évaluations fragiles des revenus par les collecteurs et proposait des critères précis. Mais elle ne survécut que dans les intendances de Limoges et de Châlons. L'expérience du cinquantième avait été un échec et fut supprimé à partir de 1728. Orry dut rétablir le dixième, au moment de la guerre de Succession de Pologne, puis de celle de Succession d'Autriche, avec les exemptions habituelles obtenues par abonnements ou rachats.

Pour financer les dépenses de l'État, à côté de l'impôt, le gouvernement renonça bientôt à la création d'offices qui se vendaient mal. Le contrôleur général Orry eut plutôt recours aux emprunts, souscrits en particulier par l'intermédiaire des États provinciaux.

Le coût modéré de la guerre de Succession de Pologne n'affaiblit pas le budget. Orry réussit même à obtenir un excédent de recettes en 1739 et en 1740.

L'administration et l'équipement

Le temps de Fleury se caractérisa par de grandes enquêtes à travers le royaume, pour l'administration et les ressources du pays. Ce souci fut doublé d'une préoccupation cartographique et Louis XV confia à Cassini II (le deuxième du nom au service du roi) le soin de lever des cartes géographiques générales et particulières de la France en 1733.

Les routes et la corvée royale. — Les Ponts et Chaussées avaient été réorganisés par le régent en 1716. Le réseau routier devenait une préoccupation essentielle de la monarchie. Pour le construire, il fallut recourir à la corvée, c'est-à-dire au travail obligatoire des Français : « J'aime mieux leur demander des bras qu'ils ont que de l'argent qu'ils n'ont pas », déclara Orry. Ce travail fut simplement organisé par une circulaire aux intendants le 13 juin 1738. Six jours par an, en deux fois, au printemps et à l'automne, les sujets étaient convoqués avec leurs voitures, et leurs bœufs ou leurs chevaux. Des techniciens et des ingénieurs encadraient ce travail pour entretenir les routes.

Les Ponts et Chaussées. — Surtout, à partir de 1743, Daniel Trudaine fut chargé de ce département des Ponts et Chaussées. Il insista sur une prévision générale des travaux routiers, par un travail de cartographie, et sur la formation technique des ingénieurs. À partir de 1747, Perronet fut chargé de créer un enseignement qui aboutit bientôt à une « École des Ponts et Chaussées ».

De même, pour la construction navale, des ingénieurs de la marine supplantèrent les maîtres de charpenterie avec une petite école et une grande école à Paris. Pour les fortifications, les ingénieurs furent formés à Mézières à partir de 1751 dans une école du génie.

Justice et administration

Le chancelier d'Aguesseau, après avoir été disgracié, revint aux affaires en 1727. Ce savant jurisconsulte avait conçu, dans sa retraite, un vaste plan de réforme juridique. Il s'efforça de le réaliser avec l'aide du procureur général du parlement de Paris, Joly de Fleury. Il mit sur pied un bureau de législation, envoya des question-

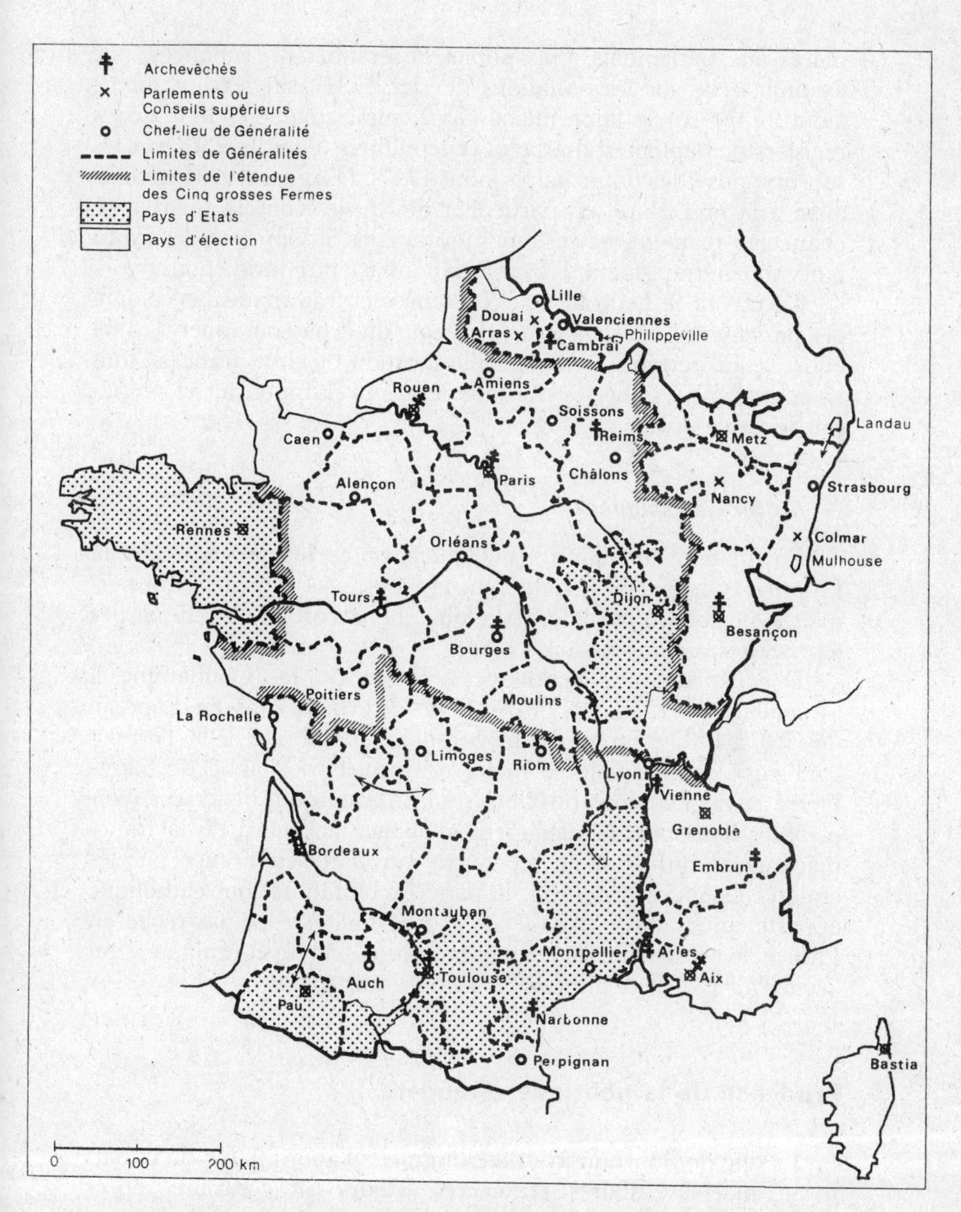

CARTE 9. — La France administrative au XVIIIe siècle

D'après A. Corvisier, *Précis d'histoire moderne*, 2e éd. mise à jour, Paris, PUF, 1981.

naires aux parlements, puis publia de grandes ordonnances, par exemple celle sur les donations (février 1731), sur les testaments (août 1735), sur le faux (juillet 1737), sur la manière de tenir les registres de baptêmes, mariages et sépultures (9 avril 1736), sur les substitutions fidéicommissaires (août 1747). D'Aguesseau s'intéressa aussi à la procédure, en particulier devant les conseils du roi. Le chancelier réaménagea certaines juridictions, il supprima des tribunaux subalternes, tenta d' éviter les conflits entre juridictions.

Ce travail se heurtait aux résistances et à la mauvaise volonté des parlements, mais aussi à la diversité du droit coutumier. Un tel effort rendit sensible le besoin d'unification du droit français, tout en respectant les libertés traditionnelles. Et il annonçait et préparait le Code civil.

Culture et sciences

En matière d'édition, le chancelier et le directeur de la Librairie, Chauvelin, imaginèrent la « permission tacite » qui permettait de contourner la censure qui, elle, accordait ou refusait des « privilèges » d'impression.

Des expéditions scientifiques – celle de La Condamine à l'Équateur de 1735 à 1745 et celle de Maupertuis en Laponie de 1736 à 1737 – furent destinées à préciser la forme de la Terre.

Fleury en revanche se méfia des projets de l'abbé de Saint-Pierre et des réunions du Club de l'Entresol qu'il fit fermer (voir p. 596). Il montra beaucoup de méfiance à l'égard de la franc-maçonnerie qui avait été peut-être introduite en France par les émigrés jacobites. En 1738, le pape excommunia tout catholique appartenant à une loge : même si cette bulle ne fut pas reçue en France, le roi se défia de cette organisation secrète et égalitaire, qui accueillait pourtant ministres ou courtisans.

Prudence de la politique étrangère

Le duc de Bourbon avait été disgracié d'abord parce qu'il maîtrisait mal les affaires étrangères. Fleury au contraire, après Dubois, allait exercer une influence décisive sur la scène européenne. Car la menace de guerre fut permanente, et pourtant, de 1719 à 1733, aucun conflit durable n'éclata.

Fleury et Walpole

Fleury devait écouter l'hostilité française à l'Autriche. Mais, pour lui, l'Autriche n'était dangereuse que soutenue par l'Angleterre, ce qu'il s'efforça à tout prix d'empêcher, tant le souvenir de la Grande Alliance contre Louis XIV restait vivace. Quant à l'alliance entre Charles VI et Philippe V, il la jugeait fragile.

Des partisans de la paix. — Fleury, comme Walpole en Angleterre, était partisan de la paix et « cette convergence de vues, qui prenait la suite de la bonne intelligence instaurée par le régent et Dubois, a été un des éléments essentiels de la politique européenne de leur temps » *(Michel Antoine)*. Mais Walpole avait aussi à satisfaire les désirs de prestige du parlement et les intérêts hanovriens de son roi.

La guerre évitée. — L'Autriche s'était alliée à la Russie en 1726 : les alliés de Hanovre avaient en face d'eux l'Autriche, la Russie et l'Espagne. En apparence, la guerre menaçait. L'Espagne la déclara à l'Angleterre en 1727 et mit le siège devant Gibraltar. Fleury ne cessait de négocier et permit d'écarter une conflagration générale. Comme le cardinal savait que Philippe V n'avait pas abandonné l'espoir de régner en France, il promit de l'aider si l'occasion s'en présentait. Fleury devait intervenir si Louis XV venait à mourir et faire valoir les droits de Philippe V, avant ceux de la maison d'Orléans. Un congrès fut décidé pour régler les litiges : ainsi la coupure nette de 1725 avait cessé d'être.

D'abord prévu à Aix-la-Chapelle, ce congrès fut tenu à Soissons où il s'ouvrit le 14 juin 1728. Le cardinal de Fleury était le premier plénipotentiaire pour la France. La négociation devait porter sur le retour à l'Espagne de Gibraltar et de Minorque, et sur l'envoi de troupes espagnoles en Italie pour s'assurer des terres où Don Carlos devait régner. Le congrès fut un nouvel échec.

Les négociations entrecroisées en Europe

Chauvelin aux affaires étrangères. — Fleury avait chargé le nouveau garde des Sceaux, Chauvelin, des affaires étrangères le 23 août 1727. Chauvelin intimidait les ambassadeurs, maîtrisait bien les questions européennes et fut partisan d'une vigoureuse politique anti-autrichienne, comme d'une active politique pro-anglaise.

Avec Chauvelin, Fleury inventa une manière singulière de mener la politique étrangère. Le cardinal était toujours prêt à discuter, à entrer dans des confidences, à céder ; au contraire, Chauvelin se montrait rude, obstiné, têtu. En réalité, cette ambiguïté était une façon de forcer l'interlocuteur à se découvrir et un moyen habile de tenir deux langages en même temps.

Un rapprochement avec Philippe V : le traité de Séville. — La politique française visait de nouveau à abaisser la maison d'Autriche et considérait que l'union des Bourbons contre les Habsbourg était, à cette fin, la plus utile. Comme la reine d'Espagne n'obtenait pas la main d'une archiduchesse pour son fils Don Carlos, Philippe V changea de politique et se rapprocha de Londres et de Versailles. La naissance d'un dauphin de France ne permettait plus au roi d'Espagne de nourrir des espoirs sur la couronne de France. En novembre 1729, était signé le traité de Séville. L'Angleterre et la France garantissaient à Don Carlos les duchés de Parme et de Plaisance, et des soldats espagnols pourraient prendre à l'avance possession de ces territoires.

Walpole et Fleury avaient réussi à détacher l'Espagne de l'alliance avec l'empereur, toujours allié de la Russie.

Le second traité de Vienne. — Walpole, par une longue négociation, réussit encore à préserver la paix toujours fragile. Le « second traité de Vienne » fut signé le 16 mars 1631 entre Londres et Vienne : la Grande-Bretagne reconnaissait la Pragmatique Sanction, l'empereur consentait à l'occupation des duchés italiens. Cette fois, l'entente entre les deux anciens ennemis de Louis XIV inquiétait Versailles et Madrid, et on envisageait de resserrer les liens entre les Bourbons.

Mais Fleury, qui craignait les dépenses militaires, imposa ses vues. À Vienne, fut aussi signé un nouvel accord austro-espagnol le 22 juillet 1631 : Charles VI confirmait les droits de Don Carlos sur les duchés de Parme et de Plaisance, des garnisons espagnoles pouvaient s'y installer, et la Toscane irait aussi à la descendance d'Élisabeth Farnèse, lorsque la maison de Médicis s'éteindrait, ce qui était proche.

Charles VI avait aussi progressé : la Pragmatique Sanction avait été reconnue de nombreuses puissances. En revanche, la

France ne voulait pas reconnaître cette succession autrichienne, d'autant plus qu'elle posait la question de la Lorraine.

La question de la Lorraine. — En effet le jeune François-Étienne de Lorraine, fils du duc de Lorraine, vivait depuis 1723 à Vienne, où l'on avait le dessein de lui faire épouser Marie-Thérèse, la fille de l'empereur, et d'obtenir pour lui la couronne impériale. Mais la France ne pouvait accepter l'idée d'un empereur dont les possessions patrimoniales seraient enclavées dans le royaume. En réalité la diplomatie française pensait que la solution du problème autrichien ne pouvait être que « le fruit d'une grande guerre ». En 1729, à la mort de son père, François-Étienne était devenu le duc François III de Lorraine.

Ainsi la France s'était liée avec Philippe V, mais n'avait pas rompu avec l'Angleterre. En revanche, à propos du sort de la Lorraine, la tension était désormais vive entre Versailles et Vienne.

La guerre de Succession de Pologne

Ce ne fut pas à propos de la Lorraine que la guerre fut déclarée, mais à propos de la Pologne. La France s'était toujours intéressée aux élections royales de Pologne, en essayant d'y imposer des membres de la famille royale : Henri III de Valois avait été roi de Pologne, et à la fin du XVIIe siècle, un prince du sang, le prince de Conti, avait été élu mais n'avait pu s'imposer face à son compétiteur, l'Électeur de Saxe, qui devint le roi Auguste II de Pologne.

Le roi Stanislas

L'élection. — Au cours de son règne, Auguste tenta tout pour que son fils fût son successeur sur le trône électif de Pologne. Mais les puissances européennes n'étaient pas forcément favorables à cette hérédité, et la noblesse polonaise y était hostile. Cette question avait suscité de nombreuses et incertaines négociations.

À la mort d'Auguste (1er février 1733), l'ambassadeur de France réussit à réconcilier les clans polonais qui choisirent Stanislas Leszczynski comme candidat commun. L'Autriche et la Russie placèrent leurs espoirs dans le fils d'Auguste de Saxe et dans une intervention armée.

En France, un parti puissant appuyait la candidature de Stanislas : Chauvelin voulait un allié oriental pour la France et l'opinion publique un vrai roi comme beau-père de Louis XV. Le 17 mars 1733, Louis XV fit une déclaration par laquelle il voulait maintenir libre l'élection en Pologne.

Stanislas, sur les ordres de Fleury, traversa incognito l'Empire et fut accueilli avec enthousiasme en Pologne. En effet, le 12 septembre 1733, 12 000 votants proclamèrent Stanislas roi. Une armée russe s'avançait pour soutenir la minorité favorable au Saxon, réfugiée de l'autre côté de la Vistule, à Praga. Dès l'arrivée des Russes, 3 000 votants acclamèrent le nom d'Auguste III.

Le premier pacte de famille. — Devant la menace russe, Stanislas, qui n'avait pas de forces militaires, s'enfuit à Dantzig (aujourd'hui Gdansk) et attendit l'aide française, car Louis XV, pour favoriser son beau-père, déclara la guerre à l'empereur le 10 octobre 1733. Fleury avait gagné l'alliance du Piémont-Sardaigne et du nouveau roi Charles-Emmanuel (26 septembre 1733) et celle de la Bavière. Il réussit à obtenir la neutralité des Provinces-Unies, suscitant la colère des Anglais. Enfin, Louis XV signa le traité de l'Escorial avec l'Espagne, le 7 novembre 1733, avec une garantie pour assurer Gibraltar à l'Espagne et à Don Carlos toute conquête en Italie : c'était un premier « pacte de famille ».

La neutralité anglaise. — En Angleterre, Georges II, roi depuis 1727, était favorable à un engagement anglais aux côtés de l'empereur, car il souhaitait montrer ses talents militaires. Mais Walpole, dix ans plus tôt, avait déjà affirmé : « Ma politique est de rester libre de tout engagement. » Il craignait toujours une offensive des Stuart contre la dynastie de Hanovre, il pensait que la guerre était défavorable au commerce et qu'elle pèserait sur l'impôt. L'Angleterre se trouva contrainte de suivre l'exemple hollandais et de rester neutre.

Les opérations en Allemagne, en Italie et en Pologne

Cette guerre avait été désirée par les vieux généraux de Louis XIV qui étaient fatigués de leur inaction. Comme les puissances maritimes avaient obtenu que les Pays-Bas autrichiens et le Luxembourg fussent neutralisés, l'offensive aurait donc lieu en Allemagne.

Le siège de Philippsbourg. — Le prince Eugène commandait les Impériaux, mais il était âgé (70 ans) et n'était que l'ombre de lui-même. Les troupes françaises mirent le siège devant Philippsbourg. Berwick, qui étudiait le système défensif ennemi, fut décapité par un boulet (12 juin 1734). La forteresse capitula finalement le 18 juillet 1734.

La Lorraine qui était gouvernée par la régente, mère du duc, était neutre : elle dut accueillir des escadrons pour des quartiers d'hiver, fournir du fourrage et du bois, et les exactions des soldats français se multipliaient.

Les derniers succès de Villars. — Une intervention française en Lombardie paralysa l'armée autrichienne : le vieux maréchal de Villars traversa le Mont-Cenis, entra à Milan le 3 novembre et livra la Lombardie au roi de Sardaigne. Louis XV nomma Villars maréchal général comme l'avait été Turenne, mais, octogénaire, Villars demanda à être rappelé et mourut à Turin.

La conquête de Naples. — Ce fut au sud de la péninsule que les opérations furent spectaculaires. Le 10 mai 1734, Don Carlos fit dans Naples une entrée triomphale. Le 15 mai, il publiait le décret d'Aranjuez par lequel Philippe V faisait de Don Carlos un roi de Naples : ce royaume cessait ainsi, à la grande satisfaction des populations, d'être dépendant de l'Espagne ou de l'Autriche, et accueillait une branche de la maison de Bourbon.

L'abandon de Stanislas. — Fleury était hostile à toute opération en Pologne, car il craignait qu'une intervention dans la Baltique ne mît fin à la neutralité des puissances maritimes. Les Russes, en février 1734, commencèrent le siège de Dantzig, dont les habitants étaient favorables à Stanislas. Pour ne pas abandonner tout à fait le beau-père de Louis XV, une escadre fut envoyée dans la Baltique, mais n'intervint pas. Le comte de Plélo, ambassadeur de France à Copenhague, réchauffa les énergies et se porta au secours de la ville assiégée, mais ces troupes se firent massacrer. Stanislas n'avait plus pour recours que de s'évader, ce qu'il fit, non sans danger, en s'habillant en paysan (27 juin 1734) et Dantzig capitula le 9 juillet.

À la fin de 1734, Walpole pouvait se vanter que si 50 000 hommes avaient été engagés en Europe, en une seule année, pas un n'était anglais. Des troupes russes vinrent renforcer les troupes autrichiennes en Allemagne, en exécution du traité austro-russe de Vienne. C'était la première intervention russe au cœur de l'Europe.

Les négociations

Si les opérations avaient été courtes et décisives, les négociations furent longues.

Les manœuvres de Fleury. — Fleury céda beaucoup, abandonnant à l'empereur Parme, Plaisance et la Toscane et acceptant l'abdication de Stanislas (décembre 1734). Puis il fit mine de se reprendre sous l'influence de Chauvelin. Et la négociation s'interrompit. En fait Fleury joua ce jeu de la faiblesse pour éviter, à tout prix, l'entrée en guerre des puissances maritimes, tout en gardant l'alliance bien fragile avec l'Espagne.

L'Angleterre avait toujours l'initiative diplomatique. L'empereur devait reconnaître à Don Carlos Naples et la Sicile, mais obtiendrait Parme, Plaisance, ainsi que la Toscane à la mort de Jean-Gaston de Médicis. Pour sauver la face, Stanislas était censé renoncer « librement et volontairement à la couronne de Pologne ». Mais il était encore trop tôt pour faire accepter de telles conditions qui, en France, blessèrent l'orgueil national. Le 6 mai 1735, le plan fut rejeté.

La négociation avec Vienne. — La négociation s'ébauchait du côté de Vienne. La situation militaire de l'Autriche ne s'améliorait pas. Eugène de Savoie parvint à arrêter les soldats de Louis XV, mais, en Italie, les défaites s'accumulaient.

Il fallait parler de la succession de l'empereur et évoquer le sort de la Lorraine. Depuis longtemps déjà l'Europe attendait le mariage du duc François et de Marie-Thérèse. L'envoyé français répéta les exigences françaises : jamais un prince souverain, presque à l'intérieur du royaume, ne deviendrait empereur, d'autant plus que, pour le duché de Bar, il était vassal du roi de France. Le roi de Prusse, très tôt, avait suggéré que Stanislas pouvait recevoir les duchés et l'idée avait fait son chemin – en France, la reine Marie y était favorable. Le 3 octobre 1735, les préliminaires furent signés. Stanislas serait reconnu comme roi de Pologne, grâce à l'intervention de l'empereur, puis renoncerait à son trône : ainsi la reine de France serait bien la fille d'un roi. Stanislas obtiendrait le duché de Bar et celui de Lorraine tandis que François III de Lorraine succéderait aux Médicis en Toscane – les duchés lorrains reviendraient, après Stanislas, à la reine Marie et à sa descendance, donc à la France.

Le sort de la Lorraine

Les résistances du duc François-Étienne. — François-Étienne de Lorraine tenta de protester et d'intéresser les puissances maritimes à son sort. Mais son mariage se préparait et il devait céder. Le 12 février 1736, le couple fut béni et ce fut aussi l'occasion de grandes réjouissances en Lorraine. François-Étienne signa la cession du duché de Bar, le 24 septembre 1736, mais il fit traîner la cession de la Lorraine jusqu'au 13 février 1737.

Le règne de Stanislas. — Pendant ce temps, la cour de France préparait l'intégration de la Lorraine à la France. Stanislas était rentré et s'installa à Meudon. Dès le 30 septembre 1736, alors que la cession du Barrois était connu, Louis XV et ses ministres firent signer au roi de Pologne la « convention de Meudon » : cette déclaration secrète remettait l'administration des revenus et des finances de Lorraine à l'administration royale. Un intendant, comme dans les autres provinces, flanquerait Stanislas dont il serait le chancelier.

À propos de la tristesse des Lorrains, l'historien Michel Antoine a écrit : « En un temps où le mot et le mythe d'autodétermination n'existaient pas, leur sort résultait d'un jeu diplomatique adroit, étranger à la volonté des peuples et réglé par les convenances des princes, mais la désertion de leur dynastie séculaire désarmait leur patriotisme. Aussi bien fût-ce avec une morne indifférence qu'ils accueillirent leur nouveau maître. » Stanislas créa un Conseil d'État et un conseil des finances et commerce. Mais l'essentiel de l'autorité appartenait au chancelier. L'humanité de Stanislas, le « philosophe bienfaisant », facilita cette transition, et le passage des institutions de la Lorraine aux habitudes françaises.

La disgrâce de Chauvelin

Dès qu'il eut l'acte du 13 février 1737, Fleury se débarrassa de Chauvelin : les affaires étrangères lui furent retirées et les sceaux furent rendus au chancelier d'Aguesseau. Cette disgrâce est restée mystérieuse. Le garde des Sceaux avait-il noué des liens trop étroits avec l'Espagne, ou bien avait-il tenté de remplacer le cardinal dans la confiance du roi, ce que ni le précepteur, ni l'élève ne pardonnèrent ? Ou bien, après avoir été utile pour discuter, avec hauteur et rudesse, la cession de la Lorraine, il ne pouvait plus incarner la volonté pacifique de Fleury et son désir d'un rapprochement avec l'Autriche.

Le traité définitif fut conclu le 2 mai 1738 pour être communiqué aux puissances intéressées comme préliminaires, confirmé, le 18 novembre 1738, sous le nom de troisième traité de Vienne, alors que la plupart des clauses avaient reçu leur exécution. Lorsque le dernier Médicis était mort le 9 juillet 1737, François de Lorraine avait pris possession du grand-duché de Toscane.

Quelles leçons tirer de ce conflit ? La guerre avait été courte, mais elle avait éclaté en Allemagne, en Italie et en Pologne. Celui pour qui la guerre avait été conduite, Stanislas, fut bien vite oublié et ses intérêts ne furent guère défendus. La Russie était apparue comme une puissance avec laquelle il fallait compter, et elle pouvait intervenir militairement en Europe occidentale. Les puissances maritimes avaient conservé la neutralité, ce qui empêcha la guerre de s'étendre et de durer. Enfin les ambitions d'Élisabeth Farnèse pour ses fils avaient permis à la puissance espagnole de s'installer de nouveau solidement dans la péninsule italienne.

Fleury avait réussi à défendre une politique de paix, tout en faisant la guerre : selon le mot de Frédéric de Prusse, si Chauvelin lui avait escamoté la guerre, Fleury lui escamotait la paix.

Un conflit larvé existait encore entre l'Angleterre et l'Espagne à propos des colonies espagnoles. La mort de l'empereur Charles VI transforma ce conflit anglo-espagnol en guerre européenne, la guerre de Succession d'Autriche.

23. La guerre de Succession d'Autriche

À partir de 1740, la monarchie française allait être entraînée dans un nouvel engrenage de la guerre. De 1712 à 1744, la France avait été l'alliée de l'Angleterre : désormais, elle trouva en permanence cette puissance en face d'elle. Dans la guerre de Succession d'Autriche, les armées de Louis XV remportèrent de beaux succès, mais la diplomatie, surtout après la mort de Fleury, se fit hésitante. Le royaume subit ce conflit qui ne touchait pas son territoire, mais l'opinion publique ne comprit pas la modération de Louis XV lors de la paix finale. Enfin l'affrontement européen trouvait un écho de plus en plus net dans les colonies.

Une guerre continentale

Frédéric II et Marie-Thérèse

Le roi Frédéric-Guillaume de Prusse avait été un organisateur obstiné, dans ses territoires dispersés à travers le Saint-Empire. Il avait réuni une armée de 80 000 hommes, sans commune mesure avec le poids démographique de son royaume. Il avait soumis l'ensemble de la société de ses domaines à ses desseins militaires. Il avait rassemblé un trésor de guerre. Le 31 mai 1740, il mourait, et son fils devenait le roi Frédéric II. Il n'inquiétait pas, car ce prince musicien était considéré comme un ami des philosophes, donc de la paix.

Le 20 octobre 1740, l'empereur Charles VI mourait aussi. Il

avait préparé avec soin sa succession en faveur de sa fille Marie-Thérèse, en imposant à la plupart des puissances européennes la reconnaissance de la Pragmatique Sanction. Mais de telles promesses n'engageaient guère. Surtout le pouvoir de sa fille Marie-Thérèse semblait fragile. Elle était jeune – 23 ans – et elle était femme. Pourtant cette jeune femme sut faire face et s'imposer peu à peu en Autriche et en Hongrie comme la mère de la patrie.

Les choix de la France

La France avait accepté la Pragmatique à condition qu'elle ne lésât pas les intérêts de tiers – comme l'Électeur de Bavière qui était l'allié et le parent de Louis XV. Fleury en réalité n'était guère favorable à une intervention. Néanmoins, la diplomatie française pouvait espérer gagner quelque territoire, du côté du Luxembourg ou des Pays-Bas.

Le maréchal de Belle-Isle. — Un fort courant d'opinion se dessina pourtant en France en faveur d'une politique plus active : il fallait encore affaiblir l'ennemi héréditaire, les Habsbourg. Ce parti eut vite un héros, le comte de Belle-Isle (1684-1761), petit-fils du surintendant Fouquet : « Sa furieuse ambition était servie par un indomptable courage d'esprit et de cœur. » Cet homme de 56 ans était soutenu par la jeunesse de la cour et par une noblesse qui « n'avait guère eu l'occasion de se montrer sur les champs de bataille et se sentait frustrée par la médiocrité des campagnes de la guerre de Succession de Pologne » *(Michel Antoine).*

L'attitude ambiguë de Fleury. — Ainsi le gouvernement choisit une voix moyenne : laisser à la reine de Bohême et de Hongrie (tel était le titre de Marie-Thérèse) l'héritage de ses aïeux et faire glisser la couronne impériale sur la tête de l'Électeur de Bavière. Dès le 11 décembre 1740, Louis XV annonça que Belle-Isle serait son ambassadeur pour assister à l'élection de l'empereur à Francfort et Belle-Isle fut créé maréchal de France.

La Prusse, grande puissance européenne

L'agression contre la Silésie. — La surprise vint de Frédéric II. Il savait la faiblesse de l'Autriche et la situation délicate de Marie-

Thérèse. Comme son père, il était persuadé qu'il fallait acquérir de nouveaux territoires pour donner une unité géographique à un domaine dispersé. Il désirait augmenter le nombre de ses sujets, car son royaume restait agraire et peu peuplé. Il convoitait la Silésie, peuplée d'un million d'habitants, alors que le royaume de Frédéric II ne comptait que 2,2 millions d'habitants. La Silésie était encore largement protestante ; elle avait une forte agriculture et des activités textiles prospères. Frédéric II de Prusse précipita les événements et, en décembre 1740, il envahit la Silésie. Cette annexion d'un territoire, sans aucun fondement juridique et contre le droit international, pesa, pour le reste du siècle, sur toute l'histoire de l'Europe.

Frédéric II, chef de guerre. — Marie-Thérèse espérait que Georges II d'Angleterre, hostile, comme Électeur de Hanovre, à tout agrandissement de la Prusse, entraînerait son pays contre Frédéric II. C'était mal connaître le système britannique où le roi ne pouvait pas toujours imposer les intérêts hanovriens au parlement. Walpole refusa de commettre l'Angleterre dans une guerre. La victoire de Mollwitz en 1741 révéla que la Prusse était une grande puissance militaire.

L'allié de la France. — Frédéric II signa un traité avec Belle-Isle le 5 juin 1741 : désormais, malgré ses trahisons innombrables, le roi de Prusse fut pour de longues années l'allié de la France. Louis XV soutiendrait par les armes l'Électeur de Bavière en envoyant des auxiliaires français en Allemagne, et il reconnaîtrait les conquêtes de Frédéric en Silésie. Le maréchal de Belle-Isle engageait la France pour le présent et apportait un secours stratégique à la Prusse, alors que Frédéric vendait chèrement son alliance, et ne faisait des promesses que pour le futur. La coalition groupait donc Bavière, Espagne, Prusse, France.

L'intervention indirecte de la France

Belle-Isle vint soutenir ses initiatives à Versailles où l'émotion était grande, car la France était conduite à intervenir militairement sans déclarer la guerre. Un nouveau conflit continental commençait.

La guerre dans le Saint-Empire

La reine de Hongrie face à l'empereur Charles VII. — Marie-Thérèse réussit à se faire couronner reine de Hongrie et à émouvoir les nobles hongrois qui lui promirent une aide militaire. Mais cette mobilisation demandait du temps et Marie-Thérèse dut conclure une trêve secrète avec son ennemi Frédéric.

Car une armée franco-bavaroise gagnait la Bohême. Prague capitula (novembre 1741) : Charles-Albert de Bavière y fit son entrée et fut reconnu comme roi de Bohême. La route était libre pour l'élection impériale et Charles-Albert fut élu empereur le 24 janvier 1742, sous le nom de Charles VII. L'élection d'un Wittelsbach à l'Empire – événement extraordinaire après tant d'empereurs de la famille de Habsbourg – n'eut cependant que peu d'influence sur le cours des événements. Charles-Albert apparaissait comme une créature de la France qui imposait, à travers lui, son influence sur l'Europe centrale.

L'espoir pour Marie-Thérèse. — Ces succès n'étaient qu'apparents : les forces autrichiennes pénétrèrent en Bavière, et Munich, la capitale de Charles-Albert, capitula en février 1742. La situation de l'armée française devenait inquiétante en Bohême. Trois facteurs faisaient évoluer la situation. La neutralité du Hanovre, impopulaire en Angleterre, provoqua la chute de Walpole, le 13 février 1742, et l'opinion publique anglaise demandait au ministère une action vigoureuse en faveur de Marie-Thérèse. Le nouveau gouvernement rêvait de renouer la Grande Alliance qui avait été si utile contre Louis XIV. Le deuxième facteur était la fatigue des forces prussiennes. Frédéric II n'avait plus le trésor laissé par son père : il ne pouvait pas compter sur le crédit anglais ou hollandais, tant qu'il serait l'ennemi de l'Autriche. Enfin, dans les Provinces-Unies, les oligarchies qui gouvernaient ne voulaient que la paix. Marie-Thérèse accepta de négocier avec Frédéric (préliminaires de Breslau, juin 1742). Le salut des forces françaises devenait le souci essentiel de la cour de Versailles. En effet l'armée autrichienne investit Prague.

La retraite du maréchal de Belle-Isle. — Fleury était prêt à abandonner Charles VII, si Marie-Thérèse laissait partir les Français sans dommage, mais la reine refusa. Belle-Isle rassembla 15 000 hommes et l'artillerie : il parvint à sortir de Prague dans la nuit du 16 au 17 décembre 1742, à échapper au blocus de la ville et à gagner le Rhin dans des conditions héroïques. Cette marche en plein hiver, dans le froid et la neige, fut terrible pour les soldats, mais un tel acte d'audace émerveilla l'Europe.

Les combats en Italie. — La guerre avait aussi l'Italie pour cadre. En effet, après avoir installé Don Carlos comme roi de Naples, Élisabeth Farnèse désirait trouver un domaine pour son autre fils, l'infant Philippe, qui était aussi gendre de Louis XV. Le nouvel empereur Charles VII reconnut les droits de l'Espagne sur les territoires italiens des Habsbourg, mais il fallait encore les conquérir. En Italie, la seule puissance, qui avait les moyens de jouer un rôle stratégique et politique, était le royaume de Sardaigne (Savoie et Piémont). Charles-Emmanuel de Savoie choisit le camp de Marie-Thérèse, lorsque l'intervention espagnole, combinée avec celle du roi de Naples, ne lui laissa plus de choix. Pour contrer l'offensive espagnole, l'Angleterre renforça sa flotte en Méditerranée et une escadre menaça de bombarder Naples, ce qui obligea le roi Charles de Naples à rappeler ses troupes alors dans le nord. Charles-Emmanuel de Savoie dut néanmoins faire face à l'invasion de la Savoie par une armée espagnole, qui était passée par la France.

La situation française à la mort de Fleury

La mort de Fleury. — En France, le cardinal de Fleury était mort le 29 janvier 1743 : il avait 89 ans. Peut-être avait-il souhaité voir le cardinal de Tencin lui succéder, et il le fit entrer au conseil. Mais Louis XV n'était pas favorable à ce prélat. Le roi voulut gouverner seul, sans premier ministre, mais il travailla souvent avec son cousin, le jeune prince de Conti, avec lequel il engagea une complexe politique secrète, et surtout avec le maréchal de Noailles qui devint ministre.

L'armée pragmatique. — La retraite de Bohême avait laissé libre la scène allemande. Les troupes anglaises se trouvaient dans les Pays-Bas : officiellement les Anglais servaient d'auxiliaires à Marie-Thérèse, comme les Français pour Charles VII, puisqu'il n'y avait pas de déclaration de guerre. Georges II vint commander cette « armée pragmatique ». Le roi d'Angleterre était un soldat courageux, mais un médiocre général.

L'armée pragmatique était une force redoutable, bientôt soutenue par une aide hollandaise, mais l'Angleterre et les Provinces-Unies hésitaient à provoquer une déclaration de guerre de la France, d'autant plus que Frédéric de Prusse n'était pas favorable à une défaite française. Les troupes de Noailles attaquèrent cette armée à Dettingen, mais ce fut un fiasco (27 juin 1743).

Les préparatifs militaires et financiers en France. — En juillet 1743, toutes les forces françaises se trouvaient en Allemagne, et Charles VII était bloqué à Francfort. L'armée française donnait l'impression d'être mal commandée et mal organisée. Un effort considérable fut accompli par Louis XV et le comte d'Argenson, secrétaire d'État de la Guerre, pour remédier à cette situation : seize ordonnances, du 1er juillet 1743 au 30 avril 1744, furent prises pour augmenter les effectifs de la cavalerie, de l'infanterie et de l'artillerie. Et Orry prépara dix édits fiscaux pour assurer les dépenses militaires.

Les préparatifs diplomatiques. — Louis XV rompit les relations diplomatiques avec Charles-Emmanuel de Savoie, qui s'engageait résolument dans la guerre, et il resserra les liens avec l'Espagne par le « deuxième pacte de famille » (25 octobre 1743). Les deux monarchies faisaient cause commune.

Le 15 mars 1744, la France déclara la guerre à l'Angleterre et au Hanovre ; le 26 avril à Marie-Thérèse. Le même jour le secrétaire d'État des affaires étrangères, Amelot de Chaillou, fut remercié par le roi, qui prit lui-même la direction des affaires étrangères, avec le secours d'un premier commis, La Porte du Theil.

Frédéric II, inquiet pour la Silésie, se rapprochait de la France. La sympathie pour Frédéric II restait grande en France. Le 5 juin 1744, une alliance offensive et défensive fut signée entre la France et la Prusse.

Une incertaine victoire française

Fontenoy et les triomphes de Maurice de Saxe

Le comte de Saxe était devenu maréchal de France le 6 avril 1744. Ce fut lui qui eut la charge de conduire les armées françaises et il s'y illustra.

Né en 1696, Maurice de Saxe était un fils bâtard, mais reconnu, du roi Auguste II de Pologne, Électeur de Saxe. Le jeune comte de Saxe avait participé aux dernières campagnes contre Louis XIV, mais avait aussi combattu contre les Turcs. En 1720, il fut envoyé en France au service de laquelle il entra, puisque, le 7 août 1720, il était nommé maréchal de camp par le régent et qu'il acheta un régiment. Ce prince aventurier n'avait pas, en revanche, réussi à obtenir une couronne pour lui en Europe. En 1732, Maurice de Saxe rédigea en quelques jours *Mes rêveries*, où il exposait des vues nouvelles sur la guerre. En 1744, quoique protestant et étranger, il devint maréchal de France, en passant devant huit généraux plus âgés que lui.

Le roi en campagne. — L'essentiel de l'effort militaire devait porter en 1744 contre les Pays-Bas autrichiens. Louis XV, pour la première fois, participa en personne à une guerre. Il gagna le Nord du royaume et passa en revue les armées. Puis comme les forces françaises avaient des difficultés sur la frontière de l'Est, Louis XV décida de laisser la défense de la frontière du Nord à Maurice de Saxe et de rejoindre lui-même l'armée d'Alsace à Metz. Mais il y tomba malade et on le crut en danger de mort (août 1744).

Charles VII mourut brutalement le 20 janvier 1745. Son fils, Maximilien-Albert, abandonna les rêves impériaux, se rapprocha de Marie-Thérèse et promit son suffrage à François-Étienne, l'époux de la reine de Hongrie (traité de Füssen du 19 avril 1745).

La direction de la diplomatie française. — En France, Louis XV avait choisi le marquis d'Argenson comme secrétaire d'État des Affaires étrangères : c'était le frère du secrétaire d'État de la guerre et, comme lui, le fils du ministre du régent (p. 476). Disciple de Chauvelin, c'était un homme de système, qui voulait contenir les quatre grandes puissances : la maison de Lorraine-Habsbourg, l'Angleterre, la Russie et l'Espagne. Pour cela il fallait protéger la Hollande contre l'Angleterre, établir une ligue de riverains de la Baltique contre la Russie, organiser l'Allemagne autour de la Saxe et de la Prusse, fédérer l'Italie avec l'appui de la Sardaigne. Pourtant le plan de campagne fut plutôt imposé par les hommes de guerre : pour obtenir la paix, il fallait en convaincre l'Angleterre et pour cela obtenir des succès dans les Pays-Bas. Le marquis n'eut jamais la confiance entière de Louis XV qui écoutait volontiers d'autres conseillers : le maréchal de Noailles, sa fille aînée, qui avait épousé l'infant Philippe d'Espagne, Maurepas, secrétaire d'État de la Marine, le comte d'Argenson ou le prince de Conti.

La bataille de Fontenoy. — Maurice de Saxe commença à investir la redoutable citadelle de Tournai (avril 1745). Le fils du roi d'Angleterre, le duc de Cumberland, se porta au secours de la ville. Saxe, sans interrompre le siège, chercha un endroit où attendre l'armée anglaise et choisit un emplacement au sud-est de la ville, près du village de Fontenoy sur l'Escaut.

Le roi rejoignit l'armée avec le dauphin. Le maréchal de Saxe, quoique malade, commandait et prépara l'ordre de bataille : un triangle dont la pointe était à Fontenoy, un côté appuyé sur Antoing à droite, sur un bois à gauche. La bataille commença le 11 mai 1745 à cinq heures. Cumberland décida de forcer le centre français : 20 000 Anglais s'avancèrent en une colonne, traînant leurs canons, et les régiments français s'effondraient. Louis XV assistait à la bataille depuis un observatoire, exposé au tir de l'ennemi : il refusa de se mettre à l'abri en quittant le champ de bataille et en repassant l'Escaut. La colonne anglaise fut bientôt à portée de l'artillerie française qui l'accabla, la cavalerie de la Maison du roi se précipita dans les brèches et Saxe ordonna l'attaque générale. L'ennemi abandonnait 9 000 morts et son artillerie.

« Tout vient de Dieu et de Maurice de Saxe », s'exclama Louis XV. Les villes des Pays-Bas autrichiens ouvrirent leurs portes.

La politique française en échec

Malgré ces succès aux Pays-Bas, il ne fut pas possible d'empêcher l'échec en Écosse du prince Stuart et l'élection comme empereur de l'époux de Marie-Thérèse. La guerre s'étendait aussi à l'Amérique.

L'échec du prince Stuart. — Dès 1744, l'idée était née d'une expédition jacobite en Angleterre, car le roi Georges II était impopulaire. Ce fut le fils du prétendant Jacques III qui s'en chargea : Charles-Édouard Stuart. Après des hésitations, Louis XV montra de l'enthousiasme pour l'épopée du prince : ayant débarqué en Écosse, celui-ci avait réussi à soulever les clans écossais et leurs redoutables guerriers, et à remporter des succès face aux Anglais (1745). Une flotte française devait débarquer des hommes sur le sol anglais pendant que Charles-Édouard s'avancerait en Angleterre. Cette diversion obligea le gouvernement britannique à rappeler des forces militaires, engagées sur le continent.

L'attaque française se préparait à Dunkerque. Du 29 au 31 décembre 1745, les attaques anglaises détruisirent des convois français et les vents défavorables démoralisèrent le duc de Richelieu, qui devait commander le débarquement en Angleterre. Charles-Édouard remporta encore une victoire, mais les Écossais se retirèrent, et le prince fut défait à Culloden le 27 avril 1746, tout au nord de l'Écosse, par le duc de Cumberland, fils cadet de Georges II. C'était la fin de la menace jacobite en Angleterre, mais les Anglais redoutèrent encore longtemps de telles opérations.

L'élection de l'empereur François Ier. — Marie-Thérèse n'eut plus qu'à faire sa paix avec Frédéric (traité de Dresde, 25 décembre 1745). Malgré les succès français dans les Pays-Bas, l'élection de François de Lorraine (13 octobre 1745) avait été une revanche pour la maison de Lorraine-Habsbourg et pour Marie-Thérèse. Toute la diplomatie française depuis 1740 était un échec, comme l'était la politique du marquis d'Argenson.

Le 9 juillet 1746, Philippe V mourait. Son successeur Ferdinand VI, né d'un premier lit, haïssait Élisabeth Farnèse et sa descendance : il voulait sans doute un domaine pour son demi-frère Philippe, mais il se contenterait d'un petit territoire.

Les affrontements en Amérique. — La situation en Amérique du Nord n'était plus favorable aux Français. C'étaient pourtant les colons français qui avaient commencé les hostilités et avaient harcelé Annapolis – la capitale de l'Acadie. Alors, le gouverneur du Massachusetts et 3 000 hommes firent voile vers le Saint-Laurent. La petite troupe créa la surprise et s'empara de la redoutable citadelle de Louisbourg, dans l'île du Cap-Breton le 17 juin 1745. Un groupe de colonies avait ainsi monté une expédition, qui, soutenue par la force navale anglaise, avait réussi.

La guerre avait éclaté aussi dans les Antilles. La concurrence économique entre les îles à sucre se faisait acharnée, d'autant plus que les îles françaises étaient plus vastes et leur sol moins épuisé. À cela s'ajoutait l'application du *Molasses Act* de 1733 qui était destiné à interrompre le commerce des Antilles françaises avec l'Amérique du Nord anglaise et à assurer le monopole du commerce avec la métropole anglaise. Les affrontements furent limités, mais cette guerre fut une leçon : la flotte française souffrit de n'avoir pas de base navale dans les Antilles et découvrit qu'il était difficile de se ravitailler dans les îles tropicales, alors que les Anglais disposaient de bases solides. Du côté anglais, il était évident que la guerre n'empêchait pas les Américains du Nord de faire du commerce avec l'ennemi et avec les corsaires français.

Dupleix en Inde

En Inde, l'empire moghol commença à s'effriter à la mort d'Aurengzeb, musulman farouche, en 1707 : les princes indiens (soubabs, nababs et rajahs) s'émancipaient de l'autorité centrale de Delhi. La décomposition politique était d'autant plus rapide que les Européens avaient installé des comptoirs sur les côtes : les Portugais, les Hollandais, les Anglais, les Français (Pondichéry, véritablement fondée par François Martin, Chandernagor au Bengale, Calicut, Mahé, Yanaon sur la côte des Circars, Karikal).

En Inde, la tension existait entre Français et Anglais. L'implantation des Français était liée à la Compagnie des Indes, à laquelle le roi avait accordé les territoires indiens et qui désignait les juges et les administrateurs. En 1742, Dupleix (1696-1763) avait été installé comme gouverneur à Pondichéry.

Pendant la guerre de Succession d'Autriche, il constata les faiblesses des pouvoirs locaux. Il en conclut que des comptoirs ne suffisaient plus à la Compagnie des Indes, mais qu'il fallait lui donner un domaine plus étendu, grâce à des conquêtes, et payer cet effort militaire par des tributs, des douanes, des monopoles obtenus dans les territoires occupés. Après avoir tenté de discuter avec les Anglais, Dupleix fit appel au gouverneur des Mascareignes (île Bourbon aujourd'hui la Réunion et île de France, aujourd'hui l'île Maurice), Mahé de Bourdonnais. Après la déclaration de guerre et l'arrivée de vaisseaux anglais sur les côtes indiennes, Mahé put obtenir de la métropole une petite armée navale. Dupleix disposait, quant à lui, de la garnison de Pondichéry et des troupes indiennes, composées des cipayes qu'il avait formés à l'européenne, en tout quelque 3 000 hommes. Il prit Madras et conserva la place contre l'avis de Mahé. Mais cette action était fragile : Dupleix dépendait du bon vouloir de la Compagnie des Indes qui risquait de l'abandonner en cas d'échec, et l'échec était toujours possible. En effet les ressources de la Compagnie n'étaient pas suffisantes pour soutenir l'immense entreprise indienne de Dupleix. La Compagnie anglaise des Indes, inquiète pour son commerce, avait durci sa position face à l'expansion française. Elle prit systématiquement parti pour les princes dépossédés par Dupleix.

Dupleix et son second, Bussy, s'étaient bien intégrés à la vie complexe des royaumes indiens et de l'empire mogol ; ils s'efforçaient d'être à la fois hommes de guerre, administrateurs et hommes de commerce. En s'appuyant sur les princes indigènes et sur leurs troupes, une poignée de Français contrôlait de nouveaux territoires. En effet, la soumission des indigènes tenait d'abord à la supériorité de l'artillerie européenne, mais aussi au respect que Dupleix ou Bussy montrèrent pour leurs institutions et à la protection qu'ils offraient, sous forme de gardes, aux princes toujours menacés par des parents ou des rivaux. Si les Français demandaient ou obtenaient des territoires, c'était pour entretenir leurs troupes qui, sans ces secours, seraient décimées, car ni la France ni la Compagnie ne regardaient d'un bon œil leur entretien. Enfin, cette action conduisait à étendre le contrôle de la Compagnie, et à travers elle, du souverain français, bien au-delà des comptoirs.

Les derniers combats

Saxe surprit les ennemis par une campagne d'hiver au début de 1746 : il investit Bruxelles, qui capitula le 20 février, laissant au vainqueur des milliers de prisonniers, des vivres, des armes, des munitions. Il put enfin affronter une armée à Rocoux, près de Liège, le 11 octobre 1746 : longue et rude bataille d'infanterie, victoire du maréchal qui ne put l'exploiter en raison de la tombée de la nuit.

En revanche la campagne tournait mal en Italie. Les troupes autrichiennes et piémontaises pénétrèrent en Provence. Elles franchirent le Var, et les Français durent se retirer vers Le Luc, tandis que les ennemis tentaient de suivre le littoral vers Toulon. Marseille et le Languedoc avaient peur. Belle-Isle fut envoyé pour redresser la situation et il fut aidé par la révolte des Génois, le 5 décembre, contre l'occupant autrichien, ce qui affaiblit l'arrière de l'armée d'invasion. Dès janvier 1747, le maréchal reprenait l'offensive, faisait lever le siège d'Antibes et repoussait les ennemis derrière le Var. Ce fut la seule brève invasion que le royaume ait connu entre 1713 et 1792.

La diplomatie du marquis d'Argenson n'avait réussi qu'à détacher la Saxe du camp ennemi et le dauphin, veuf, épousa une fille de l'Électeur-roi, Marie-Josèphe (la future mère des futurs Louis XVI, Louis XVIII et Charles X). Le ministre avait lancé des négociations secrètes avec les Hollandais, sans en prévenir ni Louis XV, ni l'Espagne. Louis XV, au début de 1747, renvoya le marquis, tout en gardant sa confiance à son frère cadet, le comte d'Argenson. C'est dans ces années-là que Louis XV et le prince de Conti élaborèrent une véritable diplomatie secrète, parallèlement à la diplomatie officielle, ce que l'on a appelé le « secret » du roi.

En janvier 1747, Saxe fut créé maréchal général des camps et armées comme l'avaient été avant lui Turenne et Villars. Finalement Louis XV voulut une bataille avec Cumberland : elle eut lieu près de Maestricht, à Lawfeld, et la victoire française fut chèrement payée.

La paix d'Aix-la-Chapelle

Tous les partis en présence voulaient la paix. La situation militaire exigeait un accord rapide. Maurice de Saxe avait mis le siège devant Maestricht, qui capitula le 7 mai 1748. Un corps d'armée russe avait traversé la Pologne et la Saxe, et allait rejoindre l'armée autrichienne. En effet Marie-Thérèse et la tsarine Élisabeth s'étaient liées par un nouveau traité, le 22 mai 1746. Après la chute de Maestricht, les puissances acceptèrent la paix. Il ne s'agissait pas de plusieurs traités séparés, mais d'un seul traité (18 octobre 1748).

Les échanges de territoire

La France restituait les Pays-Bas à l'impératrice-reine, Berg-op-Zoom et Maestricht aux Hollandais, la Savoie et le comté de Nice au roi de Sardaigne, Madras – prise et conservée par Dupleix – aux Anglais qui, eux, rendaient Louisbourg et l'île de Cap Breton. L'infant Philippe d'Espagne obtenait de Vienne, Parme, Plaisance et Guastalla, et c'était une nouvelle branche de la maison de Bourbon qui régnait. Don Carlos se voyait confirmer Naples.

Le traité garantissait la Silésie à Frédéric, même si Frédéric ne garantissait pas le traité. Simplement France et Angleterre courtisaient le roi de Prusse dans la perspective d'une guerre future. En revanche, l'Autriche ne pourrait accepter la perte de la Silésie.

La modération de Louis XV

La modération de Louis XV s'expliquait sans doute par l'idée commune que la France, avec la Lorraine, bientôt réunie au royaume, avait atteint le terme de son développement et qu'une annexion en Belgique provoquerait l'hostilité des Anglais et des Hollandais. Selon l'historien Michel Antoine, c'est surtout dans la formation intellectuelle et religieuse de Louis XV qu'il faudrait chercher une explication : un roi juste ne pouvait consentir à un agrandissement injuste.

Les difficultés demeuraient. La paix fut mal accueillie en France. L'expression « bête comme la paix » devint commune et les Français ne comprirent pas pourquoi nul avantage n'avait été gagné du côté des Pays-Bas. La guerre avait été faite « pour le roi de Prusse ». Pourtant, la France obtenait de sérieux avantages : le pouvoir des Habsbourg en Allemagne était affaibli et, malgré son élection à l'Empire, François n'avait pu entraîner le Saint-Empire dans une guerre contre la France ; le royaume n'avait rien à craindre de ce côté-là, tant que Prusse et Autriche étaient irréconciliables. Les Provinces-Unies, dont la sûreté avait été menacée, n'étaient plus décidées à suivre le sillage de l'Angleterre. La France avait un nouveau héros militaire, Maurice de Saxe : il reçut Chambord en récompense, mais mourut en 1750.

Un nouveau modèle politique : le despotisme éclairé

De nouveaux acteurs occupèrent la scène européenne après 1740 : Marie-Thérèse d'Autriche et Frédéric II de Prusse, puis plus tard Catherine II et l'empereur Joseph II, et quelques autres, princes ou ministres, en bref ceux qu'il est convenu d'appeler les monarques ou les despotes éclairés. Cette formule évoque les réformes que les princes tentèrent de mener dans la société ou l'administration, mais aussi des idées philosophiques et religieuses qui rompaient parfois avec le passé. Ce fut surtout avec les hommes de lettres, les savants, les artistes qu'ils nouèrent des relations qui servaient leur réputation et leur propagande : Frédéric II et Voltaire, Catherine II et Diderot. Ces souverains furent-ils « éclairés » dans leurs rapports entre eux ? Les réformes, quand elles existèrent furent souvent destinées à renforcer l'État et les finances, pour entretenir des armées plus nombreuses et plus efficaces. La complaisance des écrivains fut souvent utile pour mieux dissimuler les agressions militaires, comme celle de Frédéric II en Silésie. Les idées audacieuses cachaient finalement des appétits bien traditionnels : la volonté d'expansion territoriale, les menaces à l'endroit des puissances plus faibles, l'engrenage des guerres. Ainsi, ces monarques éclairés furent, comme leurs ancêtres, soucieux d'être éclairés, surtout par les rayons de la gloire militaire.

En Europe, la langue française séduisait les élites politiques, la cour de France servait de référence, la société parisienne attirait de nombreux étrangers, des modes y étaient lancées. Pourtant les modèles politiques s'inventaient ailleurs. Du côté de l'Angleterre, un véritable régime parlementaire s'imposait, à travers un dialogue entre le roi, ses ministres et les députés. Du côté des despotes éclairés, des États se renforçaient et se modernisaient. Au-delà de ces apparences, il semble bien que les méthodes et les traditions de l'administration française, héritées du temps de Louis XIV, aient inspiré bien des princes européens. La monarchie de Louis XV en revanche ne sembla pas capable de surmonter les difficultés qui s'accumulèrent bientôt.

24. Le temps des difficultés

Paradoxalement, la France connaissait un développement économique et démographique, elle avait été victorieuse pendant la guerre et s'était montrée généreuse dans la paix, le roi avait montré du courage. Pourtant une opposition se développait dans les milieux parlementaires et jansénistes et l'image du roi en était ternie.

De Louis le Bien aimé à Louis le Mal aimé

Le roi et son gouvernement

Louis XV, après la mort de Fleury, avait décidé de gouverner sans premier ministre, et cette décision fut très populaire. Mais elle priva la personne royale d'un bouclier commode.

La personnalité de Louis XV. — Le roi Louis XV était un homme d'une santé robuste, il était élégant et avait beaucoup de majesté. Mais il était en réalité timide et il avait acquis de son éducation un souci aigu du secret, si bien que les observateurs le jugèrent souvent indifférent. Soucieux de l'image royale, il était froid et n'était chaleureux qu'avec quelques proches amis, qui partageaient sa vie intime dans le cadre des appartements confortables qu'il fit aménager à Versailles et ailleurs. Il aimait la chasse et beaucoup croyaient qu'il y consacrait tout son temps. Comme il préférait travailler par écrit plus que par la discussion, son travail n'apparaissait pas.

Un enjeu politique : la vie privée du roi. — Louis XV avait donné dix enfants à la reine et un héritier à la couronne, il aimait tendrement sa famille, ses filles surtout, comme Madame Infante qui avait épousé en 1739 l'infant Philippe, fils d'Élisabeth Farnèse, bientôt duc de Parme. Néanmoins, Louis XV eut des maîtresses, d'abord les quatre filles du marquis de Nesle, l'une après l'autre. Ces liaisons firent murmurer. Dès 1744, alors que Louis XV était à Metz pour assister à la campagne militaire, il tomba malade. La population française montra son inquiétude et le déclara le « Bien Aimé ». Mais les hommes d'Église obligèrent publiquement la maîtresse du roi, Mme de Châteauroux, à décamper de la ville. Ce premier scandale humilia Louis XV.

Ensuite une bourgeoise, très liée au monde de la finance parisienne, Jeanne Poisson, titrée marquise de Pompadour, s'imposa à Louis XV. Intelligente, cultivée, elle sut créer des fêtes pour le roi. Elle avait des amis parmi les écrivains et les artistes, et son influence fut grande dans ce domaine, d'autant que son frère, Marigny, eut la direction des bâtiments et favorisa un retour à la simplicité antique en matière artistique. Pour maintenir son pouvoir, elle tenta en permanence de favoriser la carrière d'hommes d'État qui ne lui étaient pas défavorables. La marquise sut conserver l'amitié du roi et lui procura ensuite des amours faciles. Mais Louis XV vivait mal ces infidélités : il s'écartait des sacrements et refusait désormais de toucher les écrouelles. Or cette coutume rappelait le caractère sacré de la monarchie. Le rôle politique que l'on supposait à la Pompadour renforça encore les critiques des dévots qui se regroupaient autour de la reine et du dauphin.

Les ministres. — Peu à peu après la mort de Fleury, une nouvelle génération de ministres se mit en place. Lamoignon de Blancmesnil devint chancelier, mais il n'avait pas l'autorité ou l'habileté nécessaires pour s'imposer aux officiers du roi. Il nomma son fils Malesherbes comme directeur de la Librairie : celui-ci montra beaucoup de sympathie pour les « philosophes », les écrivains aux idées nouvelles. Maurepas, très hostile à la Pompadour, fut disgracié en 1749. Machault d'Arnouville remplaça Orry, sous la pression des Pâris et de leur alliée, la Pompadour. Machault s'était fait connaître comme intendant du Hainaut.

Louis XV choisit des ministres qui ne s'entendaient pas forcément entre eux et il jouait de leur rivalité. Ainsi le comte d'Argenson, à la Guerre, s'opposait à Machault d'Arnouville, aux finances.

Le premier s'appuyait sur le parti dévot contre la Pompadour, qui soutenait donc le second.

Le roi continuait son travail secret, avec le duc de Noailles par exemple, mais aussi avec le prince de Conti son cousin. Conti, en butte à l'hostilité de la Pompadour, se vit refuser un commandement militaire et, mécontent, il se brouilla en 1756 avec le roi et ne tarda pas à soutenir l'opposition des parlementaires. Il aurait même été tenté par de véritables conspirations.

L'hostilité des cours supérieures

Le monde des cours supérieures, surtout des parlements, était un monde inquiet. Les magistrats souffraient d'un paradoxe. Leurs offices perdaient de leur valeur et lorsqu'ils les vendaient, ils en tiraient moins d'argent : leur situation financière se détériorait, alors que leur poids politique, judiciaire, social, mondain était immense. En effet ils étaient souvent alliés à l'ancienne noblesse, possédaient de vastes domaines fonciers, construisaient de beaux hôtels particuliers dans les villes. Par l'hérédité des offices, une famille maintenait sa place dans la société sur plusieurs générations. Ces magistrats vivaient pourtant dans le sentiment d'un âge d'or perdu et ils revendiquaient un rôle politique accru, ce qui a fait dire à l'historien Michel Antoine qu'ils rêvaient d'un « gouvernement des juges ».

Ils s'appuyaient sur une réflexion solide comme *L'esprit des lois* de Montesquieu, mais aussi sur des ouvrages de polémique comme celui de l'avocat Le Paige qui fut le principal meneur de l'opposition parlementaire et publia les *Lettres historiques* en 1753 et 1754. Les parlementaires cherchaient leur inspiration dans les temps les plus reculés de la monarchie, le temps de Mérovée et de Clovis, se considéraient comme les descendants des Francs et s'inspiraient de très anciens documents, interprétés souvent très librement.

Les parlements voulaient non seulement être le dépôt des décisions royales, mais ils voulaient conseiller le souverain. Ils rejetaient en particulier tous les arrêts du Conseil du roi – des conseils de gouvernement et du Conseil d'État privé – qui réglait de très nombreuses affaires au nom du roi. Ils cessaient de considérer qu'ils étaient eux-mêmes soumis à la volonté royale, puisqu'ils étaient officiers du roi, mais ils considéraient qu'ils devaient prendre part à l'élaboration de la loi. Les remontrances étaient utilisées comme le droit d'opposer un veto aux décisions du gouvernement.

Les parlements enfin se considéraient comme unis dans un même corps politique, contre toutes les traditions françaises. Les différentes cours étaient pour eux les classes d'un même et unique parlement. Dans les conflits politiques, cet argument fut présenté comme « l'union des classes », une sorte de confédération des cours supérieures.

Ces juges refusaient aussi les interventions royales dans les juridictions inférieures comme bailliages et sénéchaussées.

Enfin les magistrats utilisaient toutes les ressources, comme l'impression de leurs remontrances, pour faire circuler leurs idées dans le public.

Les mutations intellectuelles

Le milieu du XVIIIe siècle vit aussi la floraison d'ouvrages qui abordaient des thèmes nouveaux, et n'hésitaient pas à montrer une hostilité, cachée ou discrète, aux fondements de la monarchie ou de l'Église.

Diderot publia, en 1746, ses *Pensées philosophiques* et, en 1751, le premier volume de l'*Encyclopédie. De l'esprit des lois* de Montesquieu parut en 1748 : dans sa définition du despotisme, certains retrouvaient bien les tentations de la monarchie absolue. En 1749, le premier tome de l'*Histoire naturelle* de Buffon annonçait une vaste entreprise scientifique et littéraire à la fois. Rousseau se fit connaître en 1750 par son *Discours sur les sciences et les arts,* et en 1755, par le *Discours sur l'origine et les fondements de l'inégalité.* Voltaire donna, en 1751, son *Siècle de Louis XIV* qui était une critique implicite du règne de Louis XV.

En même temps, une réflexion générale s'affirmait à propos des faits économiques. *L'ami des hommes* du marquis de Mirabeau parut en 1756 et le *Tableau économique* de Quesnay en 1758. Quesnay était le médecin de Louis XV. Son livre suscita l'enthousiasme et fonda une véritable « École » : ses disciples furent appelés « physiocrates ». Pour eux l'agriculture était la seule activité qui dégageât un « produit net », qui créât de la richesse : les paysans étaient la seule classe vraiment productive et la base de la société. L'intérêt intellectuel pour l'agriculture devint une mode.

Le temps des rumeurs

L'hostilité janséniste contre le pouvoir utilisa les *Nouvelles ecclésiastiques,* et les critiques contre la vie privée du roi étaient un aliment polémique commode.

Les récoltes de 1747 et 1748 furent mauvaises, ce qui favorisa le vagabondage. Une ordonnance royale en novembre 1749 activa l'arrestation des vagabonds, parmi lesquels de jeunes garçons. Paris fut ainsi le cadre d'émotions violentes entre décembre 1749 et avril 1750, et un exempt de police fut massacré. On disait que le gouvernement enlevait des enfants soit pour guérir avec leur sang un prince qui avait la lèpre, soit pour les envoyer peupler les colonies. Louis XV était comparé à Hérode qui avait massacré des innocents, et le roi se méfia désormais de Paris.

La politique royale et les tensions intérieures

Cette dégradation de l'image royale dans l'opinion n'empêchait pas le travail réformateur de la monarchie, dont Machault d'Arnouville fut le symbole. Il se heurta pourtant à toutes les résistances des privilégiés. Un tel conflit sur le terrain fiscal s'ajoutait aux affrontements religieux. Cela conduisit toutes les oppositions au pouvoir royal à s'associer pour mener une lutte politique à travers le royaume.

La tentative de réforme fiscale : le vingtième

Les principes. — L'étonnement des Français fut que Machault d'Arnouville tentât une réforme fiscale en pleine paix, alors que les nouveaux impôts étaient plutôt créés en temps de guerre, qu'il visât une réforme générale de la fiscalité et qu'il la fondât sur l'égalité de tous devant l'impôt. Ce furent les édits de Marly de mai 1749.

Le dixième, rétabli pendant la guerre, était remplacé par un vingtième. Une caisse générale d'amortissement était créée pour le remboursement des dettes de l'État et le produit du vingtième serait versé à cette caisse. Il n'était pas prévu de terme à sa perception, alors que généralement les impôts restaient officiellement précaires : le vingtième, d'emblée, était présenté comme permanent.

Il frappait non le revenu, mais les revenus nets (revenus des propriétaires et « usufruitiers » de biens fonciers, revenus industriels et commerciaux, revenus mobiliers, revenus des charges et offices), mais il ne frappait pas les salaires.

Il fallait vérifier ces revenus, donc instituer des agents de l'État, des contrôleurs.

Les résistances. — Les parlements étaient forcément hostiles au vingtième, parce que les magistrats défendaient les intérêts de la noblesse, des rentiers, des propriétaires fonciers, mais ils finirent par enregistrer les édits.

Deux résistances étaient à prévoir : le clergé qui était frappé car il était « usufruitier » de biens fonciers et les États provinciaux qui décidaient des impôts de leur province.

Machault imposa l'impôt en Bourgogne, en Provence et en Artois. Les États de Bretagne protestèrent mais s'inclinèrent. Les États de Languedoc résistèrent, mais furent renvoyés par ordre du roi.

Le clergé au contraire rappela avec force les « immunités » de l'Église : et l'assemblée du clergé, qui se réunit en 1750, rappela les arguments contre l'impôt. Le roi exila les députés du clergé et fixa lui-même le don gratuit que l'Église de France devait verser.

Une campagne de libelles commença. Louis XV, qui avait le plus grand respect pour l'Église, fut soumis aussi aux pressions de sa famille. À la fin de 1751, il céda. Le clergé gardait son indépendance pour connaître ses biens et pour répartir entre ses membres le poids du don gratuit.

L'échec partiel de Machault. — Cette conclusion limita la portée de la réforme qui ne fut plus globale puisque l'Église, grand propriétaire foncier, y échappait. La décision royale apparut comme une reculade devant les évêques, que l'on supposait inspirés par les jésuites : cela alimenta la rancœur des jansénistes. Cette affaire nourrit enfin l'idée que le clergé était beaucoup plus riche qu'il n'était en réalité, et favorisa une forme d'anticléricalisme.

L'affaire des billets de confession

L'affaire du vingtième renforça encore l'hostilité entre les parlements et l'épiscopat. Le nouvel archevêque de Paris, Christophe de Beaumont, homme pieux, mais anti-janséniste et brutal, se heurta, à partir de 1749, à une crise autour de l'Hôpital général qui était un repaire de jansénistes. Le parlement s'opposa aux réformes que le gouvernement voulait y imposer, mais dut finalement céder à la fin de 1761.

La bataille se déplaça et tourna autour du secret des consciences, au moment de la mort : l'absolution des péchés était essentielle dans les derniers instants de la vie. L'épiscopat utilisa une arme qui avait été créée autrefois pour nuire aux jésuites, car ceux-ci étaient souvent des confesseurs. Dès 1746, l'évêque d'Amiens demanda à ses prêtres de refuser les sacrements aux jansénistes, et, pour cela, d'exiger un billet de confession. Ces billets de confession devaient être signés par un prêtre acceptant la bulle *Unigenitus* et n'étaient donc pas accordés aux jansénistes qui mouraient ainsi sans le sacrement qu'ils désiraient. Christophe de Beaumont suivit cet exemple et ordonna au clergé de Paris de ne pas accorder l'extrême-onction aux personnes qui ne présenteraient pas un billet de confession.

Lorsqu'un curé refusait les sacrements, le parlement évoquait l'affaire devant lui et condamnait le curé, lui ordonnant d'accorder le dernier secours spirituel au mourant et le menaçant de confisquer ses revenus, de le bannir du royaume ou de l'envoyer aux galères. Ce fut le cas pour le curé de Saint-Étienne du Mont à Paris qui prit la fuite lorsque le parlement demanda de l'arrêter (1752). Le roi était ensuite obligé de casser toutes ces procédures.

En décembre 1752, le parlement parla même de faire le procès de l'archevêque de Paris. Ce conflit embarrassait le roi qui exila même les parlementaires – ceux des enquêtes et des requêtes à travers le royaume, ceux de la grand-chambre à Pontoise (1753). Le chancelier tenta d'établir une chambre royale comprenant six conseillers d'État et vingt maîtres des requêtes pour remplacer le parlement, mais tout le monde judiciaire bouda cette institution qui fut supprimée en 1754. Le 2 septembre 1754, le roi demanda le silence sur toutes ces affaires, et, pour calmer les esprits, exila même, en 1755, l'archevêque de Paris pour quelque temps à Lagny. Louis XV cherchait l'apaisement, car il avait besoin de l'aide financière du clergé, qui vota un don gratuit de 16 millions de livres lors de son assemblée de 1755.

Un calme relatif fut rétabli par l'intervention pontificale qui, en 1756, par une encyclique, interdisait de refuser les sacrements, sauf à ceux qui affichaient leur hostilité à la bulle *Unigenitus*.

La préparation de la guerre

Les années 1748-1756 furent marquées, nous allons le voir, par la menace d'une nouvelle guerre avec l'Angleterre, mais ce conflit inévitable n'apaisa pas les conflits intérieurs.

La multiplication des conflits intérieurs. — Une querelle naquit en 1755 entre deux cours souveraines, le parlement de Paris et le Grand Conseil qui avait été toujours rivales, même si leurs membres étaient issus des mêmes familles. Ni le roi, ni le chancelier, ni le Conseil d'État ne réussirent à calmer l'affrontement. Les parlementaires réussirent même à gagner à leur cause des princes du sang et des ducs et pairs. Ils profitèrent de cette querelle pour renforcer leur contrôle sur les juridictions inférieures, bailliages et sénéchaussées. Les oppositions se renforçaient aussi entre certains parlements et les intendants. Les parlements de Bordeaux et de Rouen s'opposèrent en 1756 à des décisions royales et furent soutenus par celui de Paris : ils tentaient d'imposer une « confraternité » entre eux et de réaliser ce qu'ils appelaient l' « union des classes ». Or le roi avait besoin de l'aide de ses parlements pour enregistrer ses décisions financières et il était tenté de lâcher du lest.

Les finances royales. — La France abordait la nouvelle guerre contre l'Angleterre avec des finances saines. « Les frais de la guerre précédente étaient à peu près épongés » *(M. Antoine)*. Le budget ordinaire de 1756 était en excédent. Mais le poids des départements de la Guerre et de la Marine s'était considérablement accru : en 1751, la Marine disposait de crédits trois fois supérieurs à ceux de 1740. Pour financer la guerre, trois déclarations royales furent promulguées (7 juillet 1756). L'une établissait un nouveau vingtième, jusqu'à trois mois après la paix, et fixait imprudemment la suppression du premier à dix ans après cette date. Ce nouveau vingtième allait connaître les mêmes limites que le premier, par la pratique des abonnements, et, surtout, il allait plus encore que le premier susciter l'opposition des parlementaires. Il fallut un lit de justice pour que le parlement de Paris enregistrât ces décisions (21 août 1756) et de nombreux parlements de province tardèrent à le faire.

L'épreuve de force avec le parlement. — Il fallut un nouveau lit de justice, le 13 décembre 1756, pour imposer au parlement un édit et deux déclarations. Une des déclarations imposait la décision pontificale et une amnistie générale sur les affaires liées aux billets de confession. L'édit supprimait des offices au parlement. La seconde déclaration était une déclaration de discipline, préparée par Machault d'Arnouville. Elle renforçait le poids de la grand-chambre au parlement, composée de magistrats plus âgés et dociles, elle exigeait que les remontrances fussent présentées dans la quinzaine et que l'enregistrement fût exécuté le lendemain de la réponse du roi, elle écartait des discussions les magistrats trop jeunes. C'était revenir aux décisions de Louis XIV. Une grande partie des magistrats, même ceux de la grand-chambre, démissionnèrent : c'était une nouvelle épreuve de force. La tension était extrême dans la capitale.

L'attentat de Damiens et ses conséquences

Alors que la guerre avec l'Angleterre commençait, Damiens donna un coup de couteau à Louis XV, le 5 janvier 1757. La blessure était bénigne. Damiens était né dans une famille modeste, il avait travaillé comme domestique chez plusieurs conseillers du parlement, il avait écouté les discours enflammés de ses maîtres. Son acte était la conséquence des campagnes hostiles au roi, en particulier dans les milieux parlementaires et jansénistes. C'était aussi le signe d'un affaiblissement de l'autorité royale en France. Louis XV aurait souhaité une grande indulgence, mais le procès fut confié au parlement. Comme il était en conflit avec le roi, mais voulait montrer sa fidélité aux lois monarchiques, il jugea le régicide selon les règles les plus solennelles. Damiens fut écartelé (28 mars 1757).

L'émotion fut immense en France et en Europe, et même le roi d'Angleterre, avec qui Louis XV était en guerre, envoya un message de sympathie, auquel le roi répondit.

Le 1er février 1757, Louis XV se sépara de Machault d'Arnouville et du comte d'Argenson, du premier avec regret (Louis XV écrivit que c'était l'homme selon son cœur), du second avec froideur. Longtemps une interprétation de ce changement a prévalu : ces ministres auraient, après l'attentat de Damiens, conseillé le départ de la marquise de Pompadour et celle-ci se serait vengée lorsque le roi se porta mieux. Il y eut plus vraisemblablement le désir de Louis XV d'écarter les ministres les plus visés, Machault haï du clergé, et d'Argenson des jansénistes, car il s'occupait de la police à Paris. La Marine alla à Peyrenc de Moras, qui avait déjà les Finances, et la Guerre fut attribuée au marquis de Paulmy, neveu et adjoint du comte d'Argenson : les deux nouveaux ministres ne furent pas à la hauteur de leur tâche. Louis XV ne donna pas les sceaux au chancelier et fut pendant quatre ans et demi son propre garde des Sceaux. Bernis, qui avait le rôle essentiel dans les affaires étrangères, entra au conseil d'en haut comme Paulmy et Moras. La guerre entraîna une grande incertitude gouvernementale. Il faut suivre d'abord cette marche inexorable à la guerre.

La « révolution diplomatique »

La paix d'Aix-la-Chapelle de 1748 ne fut qu'une trêve et il convient de suivre le cheminement qui conduisit à une nouvelle guerre. Le conflit était menaçant entre la France et l'Angleterre à propos du Canada. Cette Nouvelle-France n'avait pas une importance économique essentielle pour le royaume de France, qui tenta néanmoins, par tous les moyens, de défendre ce territoire jugé stratégique, car il menaçait les colonies anglaises. En revanche, les Antilles, qui fournissaient des produits coloniaux, étaient vitales pour la prospérité des ports français. Dès la fin du règne de Louis XIV, les Antilles françaises étaient devenues le second producteur de sucre après les Antilles anglaises et avant le Brésil.

La diplomatie européenne semblait dominée, depuis le XVIe siècle, par la grande opposition entre la maison de Bourbon et celle de Habsbourg. La succession d'Espagne, en plaçant un Bourbon sur le trône de Madrid, avait transformé cet affrontement. L'affirmation brutale de la puissance militaire prussienne en 1740 avait montré que la tutelle autrichienne sur l'Empire serait de plus en plus difficile et qu'un rival était né dans le monde allemand. Le rapprochement avec la France s'opéra dans ce contexte. Ce « renversement des alliances » a été décrit comme une péripétie diplomatique dans l'historiographie française. Chez les historiens allemands au contraire, surtout depuis Max Braubach, mais aussi chez les auteurs de langue anglaise, cette alliance a été présentée comme une rupture, et cette solution de continuité a engendré la notion de « révolution diplomatique ».

Les historiens français ont plutôt insisté, eux, sur la « diplomatie secrète », le « secret du roi », cette politique personnelle de Louis XV qui visait à susciter un bloc favorable à la France, avec la Suède, la Pologne et l'Empire ottoman. C'était un moyen de s'opposer aux puissances de l'Europe centrale et orientale : Prusse, Autriche et Russie. À l'origine, c'était une organisation destinée à mettre le prince de Conti sur le trône de Pologne. Pendant la guerre de Sept ans, Louis XV en confia la direction au comte de Broglie, un homme de guerre qui avait révélé ses talents diplomatiques. Les ambassadeurs ou les envoyés qui partaient vers ces pays étaient initiés au Secret. À côté de leurs lettres au ministre des Affaires étrangères, ils devaient écrire au roi et le comte de Broglie préparait les réponses royales. Cette diplomatie secrète n'eut que peu de résultats tangibles ; elle affaiblit ou obscurcit parfois l'attitude française. Néanmoins, elle maintenait la présence française au Nord et à l'Est.

Les enjeux coloniaux

La guerre sur le continent européen, qui commença en 1756, fut, une fois encore, précédée par un affrontement entre la France et l'Angleterre en Amérique du Nord et en Inde, par des « guerres d'usure » *(Michel Antoine)*.

Les Français face aux Anglais en Amérique du Nord. — En Amérique du Nord, les Français tenaient les rives du Saint-Laurent autour de Québec et Montréal. Des forts défendaient ce territoire. Des liaisons existaient avec la Louisiane, peuplée surtout autour de la Nouvelle-Orléans.

Dans le Canada français, la société, pour survivre, avait pris spontanément un caractère militaire. Après 1691, la milice fut toujours en activité et, en 1760, presque tous les hommes avaient fait au moins une campagne militaire. La plupart des nobles servaient comme officiers. Un tiers des hommes adultes aurait servi dans l'armée ou la marine. Les fortifications et les garnisons étaient des stimulants de la vie économique. Ainsi une éthique militaire marquait la colonie. Dès 1748, Français et Anglais renforcèrent leurs positions à l'embouchure du Saint-Laurent.

En même temps, le prêtre Le Loutre encourageait les habitants de l'Acadie, britannique depuis la paix d'Utrecht, à résister à l'influence anglaise. Les autorités anglaises finirent par décider en 1755 de déporter les colons d'origine française vers des colonies anglaises anciennes : ce fut le « grand dérangement », qui fut accompagné de violences.

L'incident Jumonville. — Un enjeu stratégique entre les colons français et anglais était la zone entre les Grands Lacs et l'Ohio : l'expansion des colonies anglaises vers l'ouest était arrêtée par la présence française. Il fallait aussi compter avec la diplomatie complexe des Indiens. Les incidents se multipliaient. Le jeune George Washington fut envoyé pour demander le retrait des Français de la région de l'Ohio. Ceux-ci au contraire y installèrent le Fort Duquesne, ancêtre de Pittsburgh. En 1754, Washington surprit un détachement français, commandé par Jumonville : celui-ci chercha à parlementer et fut tué. Washington fut à son tour défait, dut signer une capitulation (3 juillet 1754) où il reconnaissait qu'il y avait eu « assassinat » – plus tard il affirma que l'interprète l'avait trompé –, puis il fut libéré. Cette tension entraîna des négociations entre Londres et Versailles (novembre 1749 - juillet 1755) à propos des limites entre la Nouvelle-France et les colonies anglaises (la rivière Ohio ou les monts Allegheny ?).

Le blocus du Canada. — En octobre 1754, le cabinet britannique décida d'envoyer des régiments en Amérique. La cour de France voulut négocier, mais en même temps décida d'équiper une escadre pour convoyer des renforts et des approvisionnements vers Louisbourg et le Canada. Ces mesures enflammèrent l'opinion publique en Angleterre et, le 16 avril 1755, l'amiral Boscawen reçut ses instructions. Il devait s'établir à l'embouchure du Saint-Laurent et attaquer les vaisseaux de guerre ou les vaisseaux transportant des troupes et des munitions. S'ils résistaient, il devait les capturer ou les détruire. La flotte française avait quitté Brest et atteint Québec, mais trois vaisseaux avaient rencontré l'escadre anglaise : alors qu'il n'y avait pas de déclaration de guerre, deux furent capturés (10 juin 1755). La flotte de Boscawen bloquait le Canada.

Finalement Louis XV adressa un ultimatum à Londres le 21 décembre 1755 pour réclamer la restitution de bateaux pris par les Anglais : le rejet de l'ultimatum, le 13 janvier 1756, signifiait la guerre entre les deux États. Elle fut déclarée en juin 1756.

Ce conflit lointain eut un effet d'entraînement, et la perspective d'une guerre prochaine obligea à transformer le système des alliances sur le continent.

L'échec de Dupleix en Inde. — Ce fut à l'occasion de successions difficiles pour la vice-royauté du Deccan en 1748, puis pour le gouvernement du Carnatic, que les deux camps ennemis en Inde soutinrent des prétendants rivaux. La Compagnie française des Indes était découragée. Elle avait laissé faire Dupleix, tant qu'il était porté par le succès. Elle s'inquiétait désormais des sommes qu'il avait englouties dans l'aventure. En février 1753, des conférences eurent lieu à Londres entre des représentants des deux compagnies (1754). La Compagnie française demanda à Dupleix de rentrer en France. Londres dépêcha une flotte de guerre. Le traité franco-anglais du 26 décembre 1754 condamna la politique de Dupleix dans le Carnatic, mais Bussy, le second de Dupleix, fut autorisé à continuer son action dans le Deccan, où il n'avait pas connu d'échec.

Dupleix dut rendre à son retour des comptes à la Compagnie et lui-même demandait le remboursement de 7 millions de livres qu'il aurait avancés, avec sa famille. Une campagne de libelles suivit. Après la mort de Dupleix, un arrêt du 2 août 1776 donna une solution judiciaire à cette affaire financière. Quant à ses méthodes, elles furent reprises par les Anglais pour étendre leur influence dans la péninsule indienne.

L'érosion des alliances traditionnelles

La nouvelle politique autrichienne : le chancelier Kaunitz. — Kaunitz, ancien plénipotentiaire à Aix-la-Chapelle et nouveau conseiller de Marie-Thérèse, partait de l'idée que la reconquête de la Silésie était vitale pour l'Autriche. L'ennemi était donc la Prusse, alors que la France avait à sa tête un roi faible et un gouvernement divisé qui n'étaient pas à craindre. Il fallait rompre l'alliance franco-prussienne, en démontrant que la Prusse était un allié peu fiable, comme l'avait prouvé la guerre. La souveraine accepta d'explorer cette piste mais à condition que ce fût avec beaucoup de prudence. Marie-Thérèse envoya Kaunitz à Versailles comme ambassadeur à l'automne 1750, puis le choisit en 1753 comme chancelier – pendant quarante ans, il dirigea les affaires étrangères de l'Autriche.

Les évolutions diplomatiques. — L'Espagne était mécontente de la paix d'Aix-la-Chapelle. Ferdinand VI était porté par sa femme portugaise à regarder plutôt vers Londres. Le roi d'Espagne refusait donc de soutenir Louis XV dans son conflit avec l'Angleterre et demeura neutre. Londres savait qu'en cas de guerre maritime et coloniale, la France chercherait à étendre le conflit sur le continent, en pénétrant dans les Pays-Bas ou en invitant Frédéric II à attaquer le Hanovre. Londres espérait donc que l'Autriche enverrait des troupes pour garder la Belgique. Vienne au contraire craignait, par dessus tout, qu'une telle manœuvre encourageât le roi de Prusse à intervenir contre une monarchie autrichienne désarmée. Georges II et ses ministres essayèrent de réchauffer les relations entre Vienne et Londres mais, en août 1755, les négociations entre le roi de Grande-Bretagne et Marie-Thérèse cessèrent, même si la brouille définitive n'eut lieu que deux ans plus tard.

Les choix en France. — La supériorité maritime de l'Angleterre étant évidente, la France devait affaiblir la puissance anglaise sur le continent. Il y avait deux moyens pour cela : d'une part, attaquer le Hanovre, ou se tenir prêt à le faire, d'autre part occuper les Pays-Bas, voire des territoires hollandais, pour effrayer Londres et pour immobiliser la cour de Vienne et les Provinces-Unies. Des troupes françaises étaient donc rassemblées sur la frontière des Pays-Bas.

La politique de Louis XV a souvent été jugé sévèrement. Depuis 1754, Rouillé avait le département des affaires étrangères, mais il était trop confiant dans les bonnes intentions anglaises et espérait toujours un arrangement. Rouillé, le comte d'Argenson, ministre de la Guerre, et le maréchal de Belle-Isle, auquel le roi demanda son avis, étaient favorables à une vigoureuse action aux Pays-Bas et sur le Rhin. Machault, garde des Sceaux et ministre de la Marine, était plus favorable à une action sur mer.

Le renversement des alliances

L'initiative de Frédéric II. — L'Angleterre avait favorisé le traité de 1746 entre les deux impératrices – Élisabeth de Russie et Marie-Thérèse d'Autriche – qui était d'abord dirigé contre la Prusse. Une alliance anglo-russe en fut donc le prolongement naturel et une garantie contre toute intervention prussienne (convention de Saint-Petersbourg, 30 septembre 1755), la Prusse étant « l'ennemi commun ».

Le roi de Prusse se voyait encerclé : il savait que la puissance militaire prussienne était redoutée et que tous ses voisins voulaient sa perte.

Mais le gouvernement anglais en vint à penser qu'une coalition contre la France était impossible et qu'il fallait plutôt envisager de toute urgence la neutralisation de l'Allemagne. Pour cela, il fallait un accord rapide avec Frédéric : ce fut la convention de Westminster (ou de Whitehall) du 16 janvier 1756. La peur de la Russie avait conduit Frédéric II à s'accorder avec l'Angleterre. Cet accord diplomatique rendait caduque l'alliance anglo-russe, mettait fin à l'amitié franco-prussienne et précipita le rapprochement entre la France et l'Autriche.

Starhemberg et Bernis. — Le comte de Starhemberg, successeur de Kaunitz en France, fut chargé de faire parvenir une lettre personnelle de Marie-Thérèse au roi Louis XV. L'ambassadeur demanda à la marquise de Pompadour de transmettre la lettre : Marie-Thérèse désignait Starhemberg pour faire des ouvertures, demandait au roi de choisir une personne de confiance pour discuter, et promettait le secret absolu. Louis XV, de son côté, choisit l'abbé de Bernis : d'une vieille famille du Vivarais assez désargentée, François-Joachim de Pierre de Bernis (1715-1794) avait bien réussi comme ambassadeur à Venise et il était l'ami de la marquise de Pompadour. Selon Louis XV, qui avait sondé discrètement ses ministres, plutôt anti-autrichiens, il s'agissait d'écouter les propositions. Mais le roi était favorable à un rapprochement avec Marie-Thérèse : en effet le roi de Prusse l'avait trahi à deux reprises en 1742 et 1745, il était protestant et n'était finalement que margrave de Brandebourg, un nouveau venu dans la famille des rois. Néanmoins le traité avec la Prusse n'expirait que le 5 juin 1756 et Louis XV voulait être fidèle à ses engagements. Bernis reçut donc pour instruction d'être sourd à toute insinuation contre Frédéric.

À la nouvelle de l'attentat de Boscawen, Marie-Thérèse fit connaître sa surprise et ses craintes : la guerre était probable et une alliance secrète se préparait entre la Prusse et l'Angleterre.

Le premier traité de Versailles. — La situation fut en effet renversée par la convention de Westminster : Frédéric avait été le plus rapide. La France était isolée, sans alliés, au seuil de la guerre. Mais la diplomatie française était encore très hésitante. Elle répugnait à s'engager dans une guerre contre la Prusse, car le parti favorable à Frédéric II, avec Belle-Isle ou d'Argenson, était encore influent.

Finalement, le 19 avril 1756, les ministres furent tous mis au courant des tractations et le roi autorisa la signature de l'acte diplomatique connu comme « traité de Versailles » (le 1er mai 1756), en réalité il fut signé dans le château de Rouillé, à Jouy-en-Josas.

Trois textes (ou instruments) étaient signés ; les deux premiers étaient publics. C'était d'abord un traité défensif qui garantissait les possessions et états des deux signataires contre toute agression, sauf pour ce qui concernait le conflit franco-anglais. Une convention secrète de cinq articles prévoyait néanmoins l'aide autrichienne à la France, si une puissance, même à titre d'auxiliaire du roi d'Angleterre, attaquait le territoire français ; la réciproque était vraie. Mais l'Autriche n'obtenait pas d'être soutenue par la France dans une offensive contre la Prusse.

La nouvelle de la convention de Westminster provoqua aussi la colère à Moscou. L'ambassadeur d'Autriche obtint alors de la tsarine Élisabeth l'assurance qu'elle était disposée désormais à une Triple Alliance avec Vienne et Versailles.

L'Angleterre s'engagea très vite dans la guerre, car elle avait la supériorité sur mer. Pourtant le gouvernement français temporisa. Très souvent, les divisions parmi les dirigeants français expliquèrent ces délais. Il faut tenir compte des préparatifs militaires, mais aussi des négociations diplomatiques. Pendant ce temps, tout le paysage européen s'était recomposé, par la « révolution » diplomatique qui avait deux faces : l'accord anglo-prussien d'un côté, le rapprochement entre Louis XV, Marie-Thérèse et Élisabeth de Russie de l'autre côté.

La guerre de Sept ans et ses conséquences

La France fut donc entraînée dans le conflit qui éclata sur le continent. Mais elle avait aussi à combattre l'Angleterre sur mer et dans l'outre-mer.

Les alternances de la guerre

Les déconvenues anglaises. — En Angleterre, la peur d'une invasion se répandit alors que la convention de Westminster protégeait le Hanovre. Louis XV décida de lancer plutôt une expédition contre Minorque, devenue anglaise après le traité d'Utrecht et négligée par les Anglais. Le maréchal de Richelieu, qui commandait sur les côtes de la Méditerranée, occupa Port-Mahon (avril 1756). Louis XV voulut aussi mettre à l'abri la Corse en négociant avec la république de Gênes, qui en était souveraine. Le traité du 4 août 1756 permit à des garnisons de s'installer dans les citadelles de l'île.

Au Canada, l'initiative appartint en permanence à Montcalm qui commandait les Franco-Canadiens. Montcalm prit le Fort Oswego (14 août 1756), qui était défendu par 1 300 hommes et était « dix fois plus important que Minorque », selon le diplomate Horace Walpole.

En Angleterre, William Pitt (1708-1778) devint, en novembre 1756, secrétaire d'État, puis, en 1757, il eut la charge de conduire la guerre. Très populaire dans le pays, redoutable orateur, très influent aux Communes, il avait été longtemps écarté du pouvoir et il allait mettre toute son énergie dans la poursuite de la guerre. Il incarna le sursaut de l'Angleterre et permit sa victoire. Très vite, il montra sa capacité à gouverner, sa faculté d'embrasser toutes les affaires du monde et sa terrible énergie malgré sa mauvaise santé.

L'offensive de Frédéric II en Saxe. — Frédéric II sur le continent prit l'offensive, alors que les puissances européennes analysaient encore les conséquences du traité de Versailles. Le roi de Prusse décida de passer par la Saxe, sans déclaration de guerre, pour attaquer ensuite la Bohême (29 août 1756). L'armée saxonne capitula (15 octobre 1756) mais elle avait résisté plus de six semaines, permettant à Marie-Thérèse de mobiliser ses troupes et de déjouer le plan prussien.

La crise politique en France. — Après la signature du traité de Versailles, des discussions âpres continuèrent sur l'engagement de la France contre la Prusse. Machault d'Arnouville défendait l'aspect strictement défensif du traité de Versailles, tandis que Belle-Isle, devenu ministre en mai, était favorable à une opération au-delà du Rhin, mais contre le Hanovre. L'agression prussienne contre la Saxe changea la politique française : il fallait envisager le démembrement de la Prusse qui perturbait l'ordre international et pour cela préparer une offensive franco-autrichienne.

Avec le remaniement ministériel qui suivit l'attentat de Damiens, le conseil était purgé des personnalités qui n'étaient pas favorables au rapprochement franco-autrichien (Machault et d'Argenson). Mais ces événements trahissaient aussi les faiblesses de la monarchie, qui ainsi étaient connues à l'étranger.

Un nouveau traité entre la France et l'Autriche fut signé le 1er mai 1757, offensif cette fois. La coopération militaire entre les alliés serait continuée jusqu'à ce que l'Autriche eût récupéré la Silésie. Bernis remplaça Rouillé comme secrétaire d'État des affaires étrangères. C'était la première fois qu'un secrétaire d'État appartenait à une vieille famille chevaleresque.

L'intervention française en Allemagne : Rossbach. — Les Français du maréchal d'Estrées gagnèrent la Westphalie et affrontèrent le duc de Cumberland, le fils de Georges II, qui couvrait le Hanovre. Le général anglais, qui avait reçu de son père l'ordre de sauver l'armée à tout prix, recula, puis signa une convention ou une capitulation à Kloster Zeven ou Closter Seven (8 septembre 1757). C'était comme une paix séparée que Cumberland signait et exécutait, au nom de son père, l'Électeur de Hanovre.

Une seconde armée française était passée d'Alsace par le Main pour rejoindre l'armée de l'Empire (ou des Cercles d'Empire). De son côté, l'armée russe avait vaincu, à Gross Jägersdorf, une armée prussienne (30 août 1757).

La situation de Frédéric était terrible et il lui avait fallu évacuer la Silésie. Mais Frédéric II réussit, par son génie militaire, à transformer le cours des événements. Il sut choisir ses adversaires, en se portant contre l'armée des Cercles et la seconde armée française : une armée indisciplinée, mal ravitaillée et mal commandée. La victoire de Frédéric à Rossbach (5 novembre 1757) eut un grand retentissement en Europe. Elle permit à Frédéric de se porter, sans opposition, contre les Autrichiens, au secours de la Silésie (bataille de Leuthen et Lissa, 6 décembre 1757). Frédéric révélait son génie militaire.

Ces victoires eurent de lourdes conséquences. La grande coalition hostile à la Prusse avait montré son incapacité à rassembler ses efforts et à emporter la décision, et dans chacun des pays, les engagements diplomatiques étaient critiqués.

La victoire de Rossbach changeait la face de choses et permit à Georges II de dénoncer la convention de Kloster Zeven et de reprendre les hostilités au Hanovre avec une « armée d'observation » sous les ordres de Ferdinand de Brunswick. Pitt, qui s'était fait connaître en combattant l'engagement anglais au Hanovre, acceptait désormais de mener la guerre sur le continent.

Les rudes défaites françaises

Les inquiétudes françaises. — Les inquiétudes françaises expliquent les changements au gouvernement. Le 3 mars 1758, Belle-Isle acceptait, non sans réticences, le secrétariat d'État de la Guerre. Un maréchal-duc comme secrétaire d'État à la Guerre : c'était un changement, puisqu'un général prenait la tête de l'administration militaire, depuis longtemps assurée par des civils. L'opinion publique attendait beaucoup de ce soldat glorieux.

La campagne de 1758 fut difficile en Allemagne du Nord pour la France. Le comte de Clermont, un Bourbon-Condé, dut abandonner les territoires occupés dans l'Empire. L' « Armée d'observation » de Ferdinand de Brunswick ne se contenta plus de garder le Hanovre et la Prusse contre les Français : elle traversa le Rhin, tout près de la frontière avec la Hollande. Clermont se laissa surprendre (Crefeld ou Krefeld, 23 juin 1758). Mais les armées françaises se reconstituèrent et Brunswick dut se replier sur la rive droite du Rhin. Néanmoins le Hanovre était laissé en paix. Frédéric II avait le loisir de résister à ses ennemis – autrichiens, russes, suédois et impériaux – et réussit à conserver la Saxe et la Silésie.

Sur les côtes de France, les Anglais avaient multiplié les attaques – c'était la stratégie de William Pitt. Cancale, Saint-Servan,

Cherbourg furent visés et une descente plus importante fut prévue à Saint-Briac. Le duc d'Aiguillon rejeta les envahisseurs à la mer, à Saint-Cast. Ces opérations avaient surtout causé des dommages matériels et détourné l'attention des Français, au moment de l'offensive de Ferdinand en Allemagne.

Au Sénégal, Saint-Louis se rendit aux Anglais en avril 1758, Gorée en décembre. Si Minorque et la Corse étaient aux mains des Français, le commerce anglais n'avait pas cessé en Méditerranée et les corsaires harcelaient les Provençaux.

Pour les Anglais, le grand projet de la campagne était d'expulser les Français de l'Amérique du Nord : le 26 juillet 1758, la forteresse de Louisbourg capitula, ouvrant le Saint-Laurent.

Choiseul et le troisième traité de Versailles. — Les difficultés militaires s'ajoutaient aux difficultés intérieures en France. Les champs de bataille étaient lointains. L'opinion publique gardait une réelle admiration pour le roi de Prusse, ne comprenant pas l'alliance avec l'Autriche, qui semblait plus coûteuse qu'avantageuse. Le gouvernement français était frappé d'impuissance par une rotation rapide des ministres. Fatigué, Bernis avait demandé à être soulagé du département des affaires étrangères. Louis XV le remplaça par Stainville (voir p. 545), qui avait été fait duc de Choiseul (décembre 1758).

D'emblée, celui-ci prépara un nouveau traité avec l'Autriche pour que l'alliance fût moins lourde pour la France : ainsi cette dernière pourrait se dégager du conflit continental et se consacrer à l'affrontement maritime (troisième traité de Versailles, 30 décembre 1758). La France n'intervenait que comme auxiliaire dans la guerre continentale. Choiseul voulait engager l'essentiel des forces françaises contre l'Angleterre, par un débarquement dans les ports anglais et par un soulèvement jacobite en Écosse.

Les triomphes anglais de 1759 et 1760. — Pourtant l'année 1759 fut celle de tous les triomphes pour l'Angleterre. En mai, la Guadeloupe, la plus riche des îles à sucre, fut prise par les Anglais. En juillet, Le Havre était bombardé. Le projet de débarquement français n'était pas abandonné : il s'agissait d'embarquer 20 000 hommes sur 90 navires, sous les ordres du duc d'Aiguillon, et de les débarquer en Écosse, après avoir contourné l'Irlande. Une flotte de 28 vaisseaux de ligne devait empêcher l'intervention des navires anglais. Finalement, la grande escadre de Brest affronta la flotte anglaise au sud de Belle-Isle, près des Cardinaux (20 novembre 1759). La marine française subit des pertes irréparables, « dues plus encore à la valeur et à l'esprit offensif du commandement anglais qu'à la supériorité du nombre » (M. Antoine). L'Angleterre avait la maîtrise des mers : elle tenait les côtes et le commerce français à sa merci.

Au Canada, la situation fut bientôt désespérée.

Le général Wolfe avait été envoyé au Canada par Pitt, avec 8 000 hommes. L'attaque de Wolfe se porta sur Québec, qui n'avait presque pas de fortifications, mais qui avait un site bien protégé. La flotte anglaise remonta le Saint-Laurent. Ensuite, le siège de la ville commença, et Wolfe la fit bombarder à partir du 12 juillet 1759. Montcalm ne s'était pas enfermé dans Québec, mais gardait les alentours. Bientôt les navires anglais furent en amont et en aval de la cité, sans que les canons canadiens fussent capables de les en empêcher. Wolfe indiqua que ses instructions lui commandaient de s'attaquer à l'armée de Montcalm, plutôt qu'à Québec même. La bataille sur les hauteurs d'Abraham fut une défaite où Montcalm fut mortellement blessé. Wolfe était mort, mais il avait eu le temps d'apprendre sa victoire. Le 17 septembre 1759, Québec capitulait.

En 1760, la conquête du Canada s'acheva par la capitulation de Montréal.

L'armée française d'Allemagne fut écrasée à Minden (1er août 1759) et Frédéric II sut encore vaincre les Autrichiens (3 novembre 1760), mais ses troupes étaient épuisées.

Après le départ de Dupleix, le comte de Lally-Tollendal avait été envoyé pour commander les troupes françaises en Inde. Néanmoins les Anglais se rendirent maîtres de Karikal, de Pondichéry et de Mahé.

Lally rentra en France en octobre 1761 et une polémique commença sur la responsabilité des revers en Inde. L'opinion publique se déchaîna contre Lally qui fut arrêté et enfermé à la Bastille par lettre de cachet (1762). L'enquête commença en janvier 1764 à la grand-chambre du parlement. Le conseiller Pasquier, dans son rapport, arrivait à la conclusion que Lally était coupable : il avait exercé une autorité « despotique et tyrannique ». Le 3 mai 1766, il fut condamné à mort pour haute trahison et exécuté trois jours plus tard. Son fils bâtard voulut plus tard réhabiliter son père avec l'aide de Voltaire.

En 1761, Broglie tint en Allemagne, mais les Anglais prirent, après un premier échec, l'île de Belle-Ile le 7 juin 1761 (c'était, aux yeux de Pitt, une monnaie d'échange contre Minorque).

Les changements politiques en Europe. — La France était, aux dires de Choiseul, sans argent, sans ressources, sans marine, sans soldats, sans généraux, sans ministres : Choiseul voulait la paix à tout prix et désirait engager des discussions avec l'Angleterre. Marie-Thérèse désespérait d'obtenir un avantage décisif, face à Frédéric, et elle redoutait un accord entre Londres et Paris qui la priverait de sa revanche. Les succès au Canada et aux Indes avaient satisfait les Anglais, qui se montraient plus favorables à la paix.

Or, le 25 octobre 1760, Georges II était mort : son petit-fils et successeur Georges III était le premier des rois hanovriens qui se sentît d'abord anglais et pour qui le Hanovre avait moins d'importance. Il voulait être roi de fait, comme de droit, en Angleterre. Le roi considérait la guerre présente comme sanglante et coûteuse, alors que Pitt la jugeait juste et nécessaire.

Parallèlement à des discussions franco-anglaises, la France entama des négociations avec le nouveau roi d'Espagne Charles III (c'était Don Carlos, l'ancien roi Charles de Naples, qui avait été humilié par les Anglais, lors de la précédente guerre et qui avait laissé Naples à son fils cadet). Le Pacte de famille du 15 août 1761 était une union étroite entre les Bourbons de France et d'Espagne. Pitt aurait voulu réagir vivement par une offensive, car il avait deviné que l'Espagne était désormais décidée à entrer dans la guerre. Georges III était plus pacifique et craignait pour l'Angleterre l'alliance des deux puissances. Pitt quitta donc le cabinet, le 5 octobre 1761.

Le 2 janvier 1762, la déclaration de guerre de l'Espagne causa une grande émotion en Angleterre.

À la mort de l'impératrice Élisabeth de Russie, son neveu lui succéda (4 janvier 1762). C'était un admirateur de Frédéric II : il signa la paix avec lui le 5 mai 1762 et s'engagea à envoyer un corps expéditionnaire pour aider la Prusse. Mais il devint vite impopulaire et sa femme, Sophie d'Anhalt-Zerbst, qui avait adopté le prénom de Catherine, prit le pouvoir sous le nom de Catherine II (29 juin - 9 juillet 1762). Catherine n'aimait pas la Prusse, mais elle connaissait le désir de paix en Russie : elle respecta donc le traité du 5 mai, mais refusa d'apporter du secours à Frédéric.

Les traités de Paris et d'Hubertsbourg

Choiseul avait tenté de reconstituer une marine à partir d'octobre 1761. Par le « don gratuit des vaisseaux », les états provinciaux, les chambres de commerce, des villes, des corps de métiers, des fermiers et des receveurs généraux finançaient la construction de navires de ligne. Une double offensive fut combinée avec l'Espagne, mais la flotte française n'empêcha pas les Anglais de s'emparer de la Martinique en janvier 1762. Choiseul décida donc de reprendre les négociations.

La Havane avait été prise par les Anglais, avec un grand trésor et un quart de la flotte espagnole, ce qui signifiait que l'empire espagnol était désormais menacé (13 août 1762). Louis XV et Choiseul voulaient négocier, mais ils souhaitaient entraîner Charles III, pour qui l'alliance française avait été coûteuse : le roi d'Espagne se résigna à la paix, peu de temps avant l'annonce d'une nouvelle victoire anglaise, la prise de Manille, aux Philippines. Le 3 novembre 1762, les préliminaires de Fontainebleau mirent fin aux hostilités entre le roi d'Angleterre et les rois de France et d'Espagne. Le traité définitif fut signé le 10 février 1763. C'était le traité de Paris.

Par ce traité, La France perdait certaines possessions antillaises (Marie-Galante, Tobago, la Désirade) mais retrouvait la Martinique, la Guadeloupe et Sainte-Lucie. C'était le choix essentiel pour la France, puisque Louis XV abandonnait le Canada, l'île du Cap Breton, les îles du Saint-Laurent, la vallée de l'Ohio, la rive gauche du Mississipi et ne gardait que Saint-Pierre et Miquelon et le droit de pêche de Terre-Neuve. C'était l'intérêt commercial qui avait prévalu. Si les Blancs étaient plus nombreux désormais au Canada qu'aux Antilles (85 000 contre 35 000), les esclaves noirs assuraient la prospérité des îles (200 000 à Saint-Domingue, 70 000 à la Martinique, 40 000 à la Guadeloupe). Saint-Domingue seule pouvait produire autant de sucre que les Antilles anglaises. Pourtant des voix s'élevèrent pour critiquer ce choix politique car le Canada était aussi un débouché naturel pour le commerce de la France et de ses colonies, qui y trouvaient en retour du bois et de la morue. En Inde, la France cédait toutes les conquêtes faites depuis 1749 et ne gardait que les cinq comptoirs déjà en sa possession au traité d'Aix-la-Chapelle. Elle perdait le Sénégal et ne conservait que l'île de Gorée. Minorque était rendue à l'Angleterre contre Belle-Ile, Madrid cédait la Floride pour retrouver Cuba et La Havane, mais aussi Manille : pour dédommager son cousin, Louis XV lui donnait la Louisiane.

Frédéric avait accepté de négocier avec Marie-Thérèse, lorsqu'il avait vu la neutralité choisie par Catherine II. La paix de Hubertsburg (15 février 1763) revenait au *statu quo ante*.

La France dans la guerre de Sept ans

Les incertitudes gouvernementales

Les changements fréquents de ministres – on a pu parler d'instabilité ministérielle – avaient révélé un gouvernement affaibli, des ministres contestés ou incapables. De 1754 à 1763, il y eut cinq contrôleurs généraux des finances, même si la continuité était assurée par les intendants des finances, administrateurs de grand talent. Lorsque surgissaient des affaires difficiles ou secrètes, se constituaient des conseils de ministres ou des commissions spécialisées, ce qui aboutissait à un émiettement du gouvernement et à une dilution de la décision.

La tentative avortée de Bernis. — En 1757, Bernis négocia avec les parlementaires de Paris et le roi admit que la déclaration de discipline (voir p. 529) ne serait pas appliquée et que le chancelier renverrait les lettres de démission, envoyées par les conseillers du parlement. La rentrée du parlement put se faire le 1er septembre 1757, le premier président de Maupeou fut remplacé par Molé et l'archevêque de Paris eut la permission de revenir dans la capitale. Au conseil des dépêches, le roi fit entrer deux conseillers d'État (Berryer et Gilbert de Voisins) qui pourraient éviter les maladresses et les provocations du chancelier.

Bernis proposa au roi un nouveau mode de gouvernement. Il tenait compte de la volonté de Louis XV de n'avoir point de premier ministre, mais il cherchait à organiser le travail du gouvernement. Des comités de ministres prépareraient les décisions royales et ils commenceraient à examiner les finances de chacun des départements ministériels. Lorsqu'il devint cardinal, Bernis espéra continuer cette réforme en collaboration avec Choiseul, mais Louis XV craignait qu'il ne prît trop d'influence et finalement l'écarta.

Choiseul à la Guerre, à la Marine et aux Affaires étrangères. — Le sursaut militaire et diplomatique fut, en pleine guerre, confié à Choiseul qui le poursuivit pendant la paix. En rassemblant les départements ministériels, Choiseul allait regrouper les efforts et donner une cohérence nouvelle à l'action gouvernementale.

Étienne-François de Stainville (1719-1785), duc de Choiseul, était issu d'une vieille famille de Lorraine : son père avait servi les deux derniers ducs, en particulier comme ambassadeur. Lui-même avait servi aux armées, pendant la guerre de succession d'Autriche, qu'il avait finie comme maréchal de camp. Grâce à la faveur de la marquise de Pompadour, il avait obtenu l'ambassade de Rome et s'était bien tiré de l'affaire des billets de confession. Ambassadeur à Vienne, il fut accueilli avec faveur, en qualité de Lorrain. Il avait épousé la petite-fille du riche financier Crozat. Sans être premier ministre, il fut le ministre prépondérant de Louis XV pendant douze ans. Il s'appuya sur Mme de Pompadour, et en imposa au roi par son intelligence claire, son dynamisme, son aplomb incroyable. Secrétaire d'État aux Affaires étrangères le 3 décembre 1758, secrétaire d'État de la Guerre le 27 janvier 1761, après la mort du maréchal de Belle-Isle, et de la Marine, le 13 octobre 1761. Le 15 octobre 1761, il abandonna les affaires étrangères à son cousin, comte de Choiseul, puis duc de Praslin. Le 8 avril 1766, il les lui reprit et lui donna la Marine. Choiseul fut exilé le 24 décembre 1770.

Il fallait aussi expliquer les défaites françaises sur terre comme sur mer. Le commandement militaire était mis en cause : les généraux étaient médiocres et se querellaient volontiers, choisis souvent en raison d'amitiés de cour (Richelieu) ou de leur naissance (Clermont), plutôt que pour leur expérience militaire. Les soldats étaient mal préparés.

L'attentat de Damiens avait montré que le mécontentement pouvait aller jusqu'à la haine à l'égard du roi. En tout cas, l'opinion publique n'était pas bien mobilisée derrière le souverain en pleine crise internationale et restait souvent hostile à l'alliance autrichienne. Comme le royaume n'était pas touché par les combats, les Français ne comprenaient pas forcément cette guerre dont les enjeux étaient lointains (Canada, Inde ou Antilles).

Les parlements à l'assaut de la monarchie administrative

Ni l'attentat de Damiens, ni le conflit mondial n'apaisèrent les querelles intérieures. Bernis, en 1757, avait seulement obtenu un répit.

Les affrontements dans les provinces. — L'agitation reprit d'abord dans les provinces. En Franche-Comté, l'affrontement eut lieu en 1758 entre le parlement et l'intendant, Bourgeois de Boynes, qui avait été aussi nommé premier président du parlement de Besançon : il était à la fois le représentant du roi et le chef du tribunal. La querelle portait sur l'abonnement aux deux vingtièmes et sur les décisions de l'intendant. Les magistrats, devant la fermeté de l'intendant-premier président, refusèrent de rendre la justice. Mais la Franche-Comté, province frontière, dépendait alors du maréchal de Belle-Isle qui n'accepta pas de voir l'autorité royale bafouée. Il exila trente magistrats loin de Besançon. Presque tous les parlements aussitôt se déclarèrent solidaires de leurs collègues de Franche-Comté, au nom de l'union des classes. Et ils évoquaient un « contrat » entre le roi et ses peuples. À la mort de Belle-Isle, l'affaire fut reprise par Choiseul qui prôna la modération. En homme de guerre et en noble d'épée, il jugeait dérisoires ces querelles, puisque cent soldats, selon lui, pouvaient venir à bout de l'opposition parlementaire. Bourgeois de Boynes obtint une promotion en entrant au Conseil d'État, mais son départ de Besançon fut salué comme une grande victoire dans le monde judiciaire.

Le parlement de Bordeaux commença des poursuites contre le maire et subdélégué de Bergerac, cherchant à atteindre par là l'intendant de Bordeaux, Tourny. Cet administrateur de talent s'était pourtant illustré en embellissant la ville. Tourny, amer, quitta Bordeaux en 1757 et, pendant près de cinq ans, le parlement défia l'autorité royale à travers son Conseil d'État privé, ou conseil des parties.

À Rouen, en 1760, ce fut la cour des comptes qui s'en prit à l'intendant de Caen, à la corvée royale et à l'organisation des Ponts et Chaussées. Et cette fois ce fut le procureur général, le représentant même du roi, qui conduisit la fronde.

Malesherbes et la cour des aides. — La cour des aides de Paris, présidée par Malesherbes, le fils du chancelier, dénigra peu à peu, dans ses remontrances, l'organisation même de la monarchie administrative. Les plaintes contre les intendants étaient examinées par le Conseil d'État privé, or ce Conseil du roi était une fiction. En effet, le nombre des affaires qui y étaient traitées empêchait une décision collégiale et, en réalité, c'était souvent un seul homme qui prenait la décision de casser une décision antérieure et qui parlait au nom du roi. Les critiques de Malesherbes « frappèrent tout l'appareil étatique affermi et développé depuis 1661 » *(Michel Antoine)*.

En même temps, les parlements concentraient leurs efforts contre les jésuites.

La suppression des jésuites

L'opinion publique était souvent hostile aux jésuites. En raison de leurs liens privilégiés avec Rome et de leur rôle de confesseurs des rois, ils semblaient disposer d'une puissance occulte. Les jansénistes à travers les *Nouvelles ecclésiastiques* ne pouvaient que renforcer cette méfiance. Toutes les attaques lancées par la papauté et la monarchie contre les jansénistes semblaient commandées par la Compagnie (ou Société) de Jésus. L'attentat de Damiens avait permis d'accuser, une fois encore, les jésuites de régicide.

L'occasion. — En 1759, le marquis de Pombal, premier ministre du roi de Portugal, avait pris l'initiative et mis hors-la-loi les jésuites, qui étaient entrés en conflit avec la monarchie. Cette mesure fit sensation en Europe.

En France, le prétexte fut la faillite d'un jésuite, le P. La Valette, qui avait fait de mauvaises affaires en Martinique. Ses créanciers marseillais considérèrent la Société de Jésus comme responsable et obtinrent gain de cause. Les jésuites firent appel : au lieu de choisir, comme ils en avaient le droit, le Grand Conseil, jugé trop janséniste, ils firent appel devant la grand-chambre du parlement de Paris. L'affaire fut jugée en mars 1761 et la grand-chambre rendit la Société de Jésus financièrement solidaire et condamnée à payer. Alors un conseiller au parlement, l'abbé Chauvelin, profita d'une réunion générale du parlement, le 17 avril 1761, pour aller plus loin et poser la question de la légitimité de cette Compagnie.

L'attaque des parlements. — Le parlement examina, pendant l'été 1761, les statuts ou constitutions de la Compagnie. Pour protéger les sujets du roi de la « mauvaise » influence des jésuites, il décida de fermer leurs collèges. Le roi ne put que suspendre cette décision jusqu'en 1762. Louis XV ne voulait pas l'anéantissement de la Société, mais en souhaitait la réorganisation afin qu'elle ne dépendît pas totalement du pape et qu'elle respectât les règles gallicanes. Le Saint-Siège n'accepta aucune concession. Choiseul laissa faire et collabora peut-être à l'opération contre les jésuites. Le roi prépara avec ses conseillers une réforme, mais il fut pris de vitesse par le parlement de Rouen. Ce dernier rendit, le 12 février 1762, un arrêt définitif déclarant nuls les vœux prononcés par les jésuites, les expulsant de leurs maisons et exigeant des anciens jésuites un serment de fidélité au roi. Les autres parlements suivirent, de 1762 à 1763, ainsi à Paris le 6 août 1762.

Le système scolaire bouleversé. — Les collèges et les noviciats de jésuites furent fermés le 1er avril 1762. Cela signifiait que le système éducatif était bouleversé et qu'il fallait réorganiser les collèges. Le procureur général du parlement de Bretagne, La Chalotais, publia dans ce contexte, en 1763, un *Essai d'éducation nationale.* En novembre 1764, un édit entérina l'expulsion de la Société de Jésus, tout en permettant aux anciens jésuites de vivre comme simples particuliers en France. Parmi ceux qui défendirent les jésuites, on peut compter Voltaire qui avait été leur élève et leur était resté attaché.

Les parlements, où les jansénistes ne manquaient pas, avaient réussi, au nom du gallicanisme, à venir à bout de la Compagnie de Jésus.

L'impossible réforme fiscale

La monarchie ne put profiter de ces concessions pour faire accepter une réforme fiscale.

La subvention générale de Silhouette. — Silhouette devint contrôleur général en 1759 et fut vite populaire. Mais il tenta d'imposer une « subvention générale » (1759) qui était comme un troisième vingtième et s'accompagnait de taxes sur les produits de luxe. Il fallut un lit de justice pour l'imposer, mais les résistances se multiplièrent et les difficultés du Trésor s'aggravèrent. Silhouette dut démissionner et son nom seul demeura, en raison de son bref passage aux affaires. Bertin, qui était lieutenant général de police, le remplaça. Il créa un troisième vingtième et augmenta la capitation pour ceux qui ne payaient pas la taille. Il fallut multiplier les concessions politiques et les abonnements pour obtenir l'enregistrement de cette décision. Bertin réussit aussi à financer la guerre par des emprunts plus ou moins dissimulés.

Bertin et le cadastre. — En avril 1763, devant l'opposition des cours souveraines, il ne garda que deux vingtièmes, mais s'efforça de l'étendre à toutes les propriétés, et pour cela proposa la création d'un cadastre général pour connaître les biens fonciers, aussi bien ceux du roi que ceux de l'Église ou de la noblesse, ou de tous les privilégiés. Il s'agissait ensuite de répartir plus équitablement la charge de l'impôt. Ainsi était reprise l'idée de Machault d'un impôt universel et uniforme, et celle d'un impôt territorial, cher aux physiocrates. L'opposition se déchaîna dans les parlements. Un lit de justice imposa l'édit du cadastre au parlement de Paris et à la cour des aides. À Rouen, le duc d'Harcourt, lieutenant général en la province, dut affronter la colère des parlementaires qui refusaient d'enregistrer l'édit et qui finirent par démissionner. À Grenoble, le parlement réagit en ordonnant d'arrêter le représentant du roi, et les magistrats furent exilés pour cette audace. À Toulouse, le commandant en chef, après des discussions violentes, fit mettre aux arrêts les magistrats chez eux. Mais cette politique de fermeté ne fut pas poursuivi longtemps, car Choiseul voulait l'apaisement.

Il poussa le roi à disgracier le vieux chancelier de Lamoignon et l'édit du cadastre fut retiré en novembre 1763. Le roi demandait à ses cours des suggestions pour perfectionner et simplifier la fiscalité. Le cadastre ne serait réalisé qu'en cas d'approbation générale. Bertin, désavoué, abandonna le contrôle général, tout en restant au gouvernement, car, devenu ami de Louis XV, il était ministre et il y eut pour lui un cinquième département de secrétaire d'État, le « département de M. Bertin ». Bertin fut un ministre « partiel » *(Paul Butel)* de l'agriculture et il s'inspira des réflexions de ses amis, les physiocrates. Le nouveau contrôleur général L'Averdy était un janséniste notoire.

Le royaume de France avait de grand atouts : un roi courageux et intègre, une cour et des élites brillantes, une société apaisée où les conspirations et les révoltes étaient devenues rares, une économie en plein essor, une administration efficace qui cherchait à moderniser le pays, une relative liberté intellectuelle, une création artistique admirée en Europe.

Pourtant, la France connut des événements tragiques après 1750 : un engrenage de la guerre qui aboutissait à une succession de revers et à une paix humiliante, une instabilité gouvernementale, un attentat contre le roi, des heurts permanents entre le conseil et les représentants du roi d'un côté et ses propres officiers dans les cours supérieures d'un autre côté, une convergence des oppositions gallicanes et jansénistes, un bouleversement brutal du système éducatif, et l'élaboration d'idées et de doctrines qui remettaient en cause les fondements de la monarchie et de la société.

Il est difficile d'interpréter cet ébranlement politique. Peut-être les menaces s'éloignaient-elles : menaces de la guerre sur le territoire français, menaces de la famine, menaces des désordres sociaux. Les sujets sentaient moins la nécessité d'une protection. Le secours du roi, et de l'ordre politique et social qu'il incarnait, était moins crucial. L'État était bien présent à travers des rouages administratifs, mais il se dégageait de l'image séculaire et paternelle du souverain dont l'importance n'était plus évidente : il y avait une désacralisation de la personne royale. Le retour du régicide, mais aussi les attaques contre la vie privée de Louis XV, le prouvèrent. Au contraire le monarque apparaissait comme la clef de voûte d'une société qui semblait rigide, archaïque et souvent injuste. Le paradoxe fut que les représentants les plus caractéristiques de certains archaïsmes, les parlementaires, souhaitaient contrôler la monarchie administrative qui, elle, cherchait plutôt la modernisation de l'économie et une égalité devant l'impôt. L'autre recours qui était contesté, c'était celui de la religion. Même si la foi demeurait vive, et peut-être plus profonde qu'autrefois, c'était l'Église comme institution qui était attaquée. Les jansénistes se décrivaient comme des champions d'une doctrine épurée et comme les victimes d'une condamnation politique : au nom d'une foi plus haute, ils rompaient l'unité spirituelle et morale du pays. Ils affrontaient d'autant plus volontiers la hiérarchie ecclésiastique qu'ils s'appuyaient sur le simple clergé et que les évêques avaient été choisis avec soin pour leur éloignement du jansénisme. La monarchie eut bien conscience de ces deux dimensions, politique et religieuse, et de l'alliance naturelle entre parlementaires et jansénistes. Elle se méfia moins des hommes de lettres, journalistes, juristes qui s'engouffraient dans les brèches pratiquées dans l'édifice monarchique et qui allaient offrir des idées et des idéaux nouveaux pour remplacer ceux de la monarchie française.

25. Le temps du sursaut

La guerre de Sept ans avait été une suite d'échecs pour Louis XV et pour la France, mais ces défaites n'affectaient guère le royaume, puisque les combats avaient eu lieu surtout hors des frontières, et souvent sur des terres lointaines. En revanche ces déboires étaient une occasion supplémentaire d'accuser les erreurs du roi, l'incurie de ses ministres, les faiblesses de la monarchie. Pourtant, avant même la fin de la guerre, Louis XV avait confié l'essentiel du pouvoir à Choiseul qui s'employa à relever la puissance française, en lui rendant une armée et une marine. Mais la crise politique n'en continua pas moins à travers l'affrontement entre le monarque et ses officiers de justice. Finalement ce fut cette opposition que le souverain choisit d'abord de briser, en 1770, avant même de tenter une revanche face à l'Angleterre.

L'œuvre de Choiseul

La restauration de la puissance française

Paradoxalement, la France vit son territoire s'accroître, de la Lorraine et de la Corse.

La Lorraine et la Corse françaises. — Le roi Stanislas mourut à Lunéville le 23 février 1766. Louis XV, par un édit, prit possession des duchés de Lorraine et de Bar et confirma dans leurs charges les titulaires d'offices royaux en Lorraine. La Lorraine devenait une simple province du royaume, dépendant du secrétariat de la Guerre. Le long règne de Stanislas avait permis ce passage sans heurt.

Louis XV avait obtenu le droit d'installer des garnisons dans les principales places de Corse et, comme la République de Gênes dépendait financièrement de la France, cette occupation n'avait pas cessé. L'île était en proie à la révolte de Pasquale Paoli, et Choiseul négocia avec les Génois. Pour ne pas inquiéter l'Angleterre, il n'était pas question d'une vente de l'île. Simplement, dans le traité du 15 mai 1768, la France se chargeait de pacifier le pays : elle garderait l'île, seulement dans le cas où la République de Gênes ne rembourserait pas les frais militaires et administratifs que la France ferait en Corse. En réalité la conquête ne fut pas facile : elle dura des mois, exigea 25 000 hommes et un général de talent, le comte (et futur maréchal) de Vaux. En septembre 1769, s'installait le premier intendant de l'île. Cette acquisition passa inaperçue en France : elle avait pourtant une grande importance stratégique pour couvrir la Provence ou surveiller l'Italie.

Les réformes militaires de Choiseul. — Le ministre partagea la tâche avec son cousin, le duc de Praslin. Cette œuvre visait à une revanche militaire et supposa une volonté de réorganisation générale. Choiseul eut douze ans pour y travailler et ce grand effort porta ses fruits. Le modèle prussien apparaissait comme séduisant aux Français d'alors et il ne fut pas absent des programmes de réforme. Un nombre considérable d'ordonnances et de règlements fut publié. Le duc de Choiseul et le duc de Praslin surent s'entourer d'hommes de valeur et les réformes se multiplièrent dans l'armée et la marine. Tous les domaines furent explorés : la formation des officiers, la modernisation de l'artillerie, le recrutement, l'instruction des recrues, l'organisation des régiments, le licenciement des troupes et le sort des anciens soldats.

L'un des premiers soucis fut celui de la formation. L'École de Mézières pour le génie formait des ingénieurs. L'École militaire de Paris, créée, en 1751, sous l'impulsion de Pâris-Duverney (et de la marquise de Pompadour), devait accueillir 500 gentilshommes pauvres dont la noblesse était vérifiée (quatre degrés de noblesse du côté paternel, soit un arrière-grand-père déjà noble). Il s'agissait de former la noblesse pour le service militaire, tout en lui en réservant les fonctions de commandement. Mais le niveau des élèves de l'École militaire de Paris était très inégal : en 1764, Choiseul installa une école préparatoire à La Flèche, dans le collège abandonné des jésuites. Un examen fut institué pour l'entrée à l'École de Paris : sélection sociale et mérite intellectuel étaient ainsi associés.

L'artillerie, cette arme savante, eut aussi une place nouvelle dans les préoccupations royales. Ce fut l'œuvre de J.-B. Vaquette de Gribeauval. Le système Gribeauval apporta de nombreuses améliorations concrètes pour assurer plus d'efficacité à l'artillerie et davantage de maniabilité. Le système Gribeauval resta en place jusqu'en 1825 : il contribua aux victoires de la Révolution et de l'Empire *(André Corvisier)*.

Ce fut aussi, pour Choiseul, l'occasion de transformer l'organisation des armées. L'uniformité était rétablie surtout par l'habillement et l'armement. Les officiers étaient astreints à une stricte obéissance et à une présence effective. Le recrutement était enlevé aux capitaines, et le roi se chargeait des recrues (mercenaires étrangers, engagés, miliciens). L'ordonnance du 27 mai 1765 prévoyait l'organisation des milices. Le soldat prêterait alors serment de fidélité et serait soumis à une discipline et à un entraînement très stricts, selon le modèle prussien. Choiseul prévoyait l'encasernement progressif et général des troupes. Pour lui, les sergents et les caporaux devaient être les instructeurs des recrues, et, pour cela, ils devaient savoir lire et écrire.

Avant même la fin de la guerre, Choiseul avait entrepris de licencier des troupes, qui étaient alors indisciplinées, mal payées, mal armées et mal ravitaillées : quelque 100 000 hommes, en 1762 et 1763, furent ainsi renvoyés à la vie civile. Ces opérations furent menées avec soin.

Il fallait envisager aussi le sort des anciens soldats. En 1762, Choiseul avait fait adopter la décision suivante : si l'ancien soldat avait servi la durée de trois engagements, soit vingt-quatre ans, il continuerait à toucher sa solde entière, aurait un uniforme neuf tous les six ans ; la demi-solde et un habit tous les huit ans, après seize années de service. Mais ces faveurs restaient à la discrétion des officiers, et « soldes » et « demi-soldes » redevenaient des civils. En 1764, Choiseul s'occupa des invalides : ils eurent le choix, soit de rester à l'Hôtel des Invalides, soit de recevoir une pension – pour le soldat, 54 livres par an, et pour les bas officiers (sous-officiers), 72 livres.

Cette action de Choiseul fut en partie continuée, après sa disgrâce, par son successeur, le marquis de Monteynard (janvier 1771 - janvier 1774). Celui-ci créa par exemple l'École de cavalerie de Saumur en 1771.

Ainsi l'armée devait devenir vraiment royale (donc nationale), avec des officiers tirés de la noblesse, formés avec soin et présents dans leurs régiments, avec une artillerie moderne et efficace, avec des soldats mieux contrôlés, portant l'uniforme et vivant dans des casernes, avec des anciens soldats et des invalides secourus.

La reconstruction de la marine. — Un mémoire de 1763 de Choiseul dressait tout un programme de constructions navales. La France devait entrer en guerre avec 80 vaisseaux de ligne et 45 frégates. Néanmoins, avant Choiseul, la situation avait été assainie par Berryer, secrétaire d'État de 1758 à 1761 : les dettes avaient été payées, mais les opérations navales avaient été longtemps abandonnées, pour favoriser les opérations terrestres. Choiseul reconstitua les finances de la marine grâce au « don gratuit des vaisseaux » et à l'aide du banquier de la cour Laborde. Pourtant Louis XV n'accorda jamais ce que plus tard Louis XVI consentit à sa marine et Choiseul n'obtint pas de hausse sensible du budget de ce département.

Mais Choiseul voulait aussi réorganiser la marine : trois ordonnances furent publiées, à cette fin, le 25 mars 1765. Il s'agissait d'adapter celles de 1689, en diminuant le poids des officiers de plume, chargés de l'administration, et des intendants de marine. Une innovation fut le conseil de marine, dans les trois grands ports de guerre. Il contrôlerait *a posteriori* la conduite des commandants d'escadres ou de bâtiments. Mais il ne pouvait pas participer à la conduite stratégique des opérations.

Choiseul tenta aussi une politique de constructions navales cohérente et suivie. Il donna un statut nouveau aux constructeurs des vaisseaux, celui d'ingénieurs-constructeurs (25 mars 1765). Il y avait un ingénieur-constructeur en chef à Brest, Toulon et Rochefort, et le titre d'ingénieur ne serait accordé que sur concours. Choiseul et Praslin s'interrogèrent sur les types de vaisseaux et sur leur longueur, ne remettant pas en cause le vaisseau de 74 canons. Le problème qui se posait était celui d'une uniformisation des vaisseaux et de la création d'un plan type.

Un programme de rénovation fut préparé pour les ports. Des travaux furent réalisés à Brest et d'autres prévus à Toulon. De nouveaux arsenaux étaient créés à Marseille (1762) et Lorient (1770).

En 1772, la marine française comptait 165 unités dont 66 vaisseaux de ligne.

La réorganisation des colonies conduisit à reprendre aux compagnies de commerce les territoires qui dépendaient d'elles : Gorée, les comptoirs de la Gambie et du golfe de Guinée (1763), les îles de France et de Bourbon, les Seychelles (1767). Enfin Choiseul entama une réorganisation des colonies antillaises.

La signification de l'œuvre de Choiseul. — Choiseul était prêt à un affrontement avec l'Angleterre, soit en s'emparant des colonies britanniques, soit en soutenant une révolte des colons américains – Michel Antoine s'est demandé si Choiseul avait conscience de l'occasion que pourrait offrir la tension entre Londres et les colonies américaines, mais il signale les interrogations du comte de Broglie à ce sujet, dès février 1769.

Quant à cette importante œuvre législative ou réglementaire, elle trahissait une priorité, même si Louis XV refusait la guerre. Elle préparait un conflit futur et renforçait la dimension militaire de la politique, et peut-être de la société française. Bien sûr ces décisions furent parfois transformées, ou détournées, par d'autres mesures, mais cette effervescence fut un signe qui ne trompait pas. Napoléon Bonaparte est né au temps de Choiseul.

La crise intérieure

L'influence de Choiseul se renforça encore au moment où Mme de Pompadour mourait (15 avril 1764). Puis, à la fin de 1765, ce fut la mort du dauphin, qui avait tenté d'empêcher l'expulsion des jésuites et souhaitait la fermeté face aux cours supérieures. Choiseul, qui n'était pas hostile aux parlements, voyait donc disparaître un ennemi politique. Mais, en réalité, Louis XV était tenté de moins écouter ses conseillers et de trancher lui-même les conflits.

La politique de L'Averdy. — Le contrôleur général L'Averdy était un honnête homme inexpérimenté et Choiseul le dominait d'autant qu'il avait lui-même l'appui du banquier Laborde. Quoiqu'il fût originaire du monde parlementaire, L'Averdy eut du mal à imposer ses décisions. Il tenta de libérer l'État de ses dettes par deux caisses indépendantes du Trésor royal (caisse des arrérages et caisse des amortissements). En outre, il améliora le système de la taille (7 février 1768). Il y aurait un premier brevet de taille qui serait fixe (40 millions de livres) ; la taille serait ainsi répartie sous le contrôle des intendants par des commissaires qui entendraient les plaintes des habitants. Un autre brevet, variable, s'ajouterait selon les besoins. La taille tarifée aurait aussi remplacé la taille arbitraire, mais cette mesure, qui était un progrès, ne fut pas parfaitement exécutée.

La monarchie était vigilante quant aux approvisionnements en grains car l'alimentation populaire en dépendait et les émeutes étaient toujours à craindre. Le commerce du blé ne pouvait donc être soumis aux simples lois du marché. Au contraire, en temps de pénurie, le prix ne devait pas en devenir excessif. Les autorités se chargeaient donc de la « police » des grains, en constituant des stocks et en régulant les prix. Mais les idées libérales faisaient leur chemin : le libre marché devait lui-même permettre une harmonie, sans l'intervention de l'État. C'est avec L'Averdy, mais sous l'influence de Bertin, que fut préparée l'ordonnance qui autorisait le transport et le commerce des grains de province à province (23 décembre 1763) ; puis un édit introduisit la liberté du commerce du blé dans le royaume, autorisant l'importation et l'exportation. Ainsi s'imposait une législation nouvelle, inspirée des physiocrates (voir chap. 24). Une limite était maintenue : les frontières seraient de nouveau fermées si les prix montaient trop. Ainsi cette législation restait encore théorique.

Quant à Bertin, il créa en 1764 une administration des mines qui permit la formation d'ingénieurs, utiles aussi à la métallurgie.

L'affaire de Bretagne. — L'influence de Choiseul conduisit la monarchie à reculer devant les colères des parlements et à désavouer les représentants du roi qui n'avaient fait que leur devoir. Néanmoins le pouvoir royal fit plier le parlement de Pau qui était en pleine ébullition.

La reculade du gouvernement sur le cadastre n'empêcha pas le parlement de Rennes de multiplier les remontrances, et de critiquer très vivement le commandant en chef de la province, le duc d'Aiguillon, parent des Richelieu. Celui-ci était un ambitieux, que Choiseul craignait comme rival politique, et il s'opposait à un autre ambitieux, La Chalotais, procureur général du parlement de Rennes. Les États de Bretagne, à leur tour, s'opposèrent aux dernières décisions financières du gouvernement à la fin de 1764. Le parlement demanda même de lacérer un placard (une affiche officielle) émanant de l'intendant.

Face à cette fronde, le ministère et le roi alternèrent les menaces et la conciliation. Les magistrats de Rennes démissionnèrent en mai 1765 et ceux qui s'y refusèrent furent soumis à des brimades publiques. L'affaire de Bretagne devenait une affaire nationale. La Chalotais et ses amis furent arrêtés et conduits à Saint-Malo, le parlement de Rennes fut remplacé par des conseillers d'État (novembre 1765).

Les autres parlements multiplièrent les protestations et s'appuyaient sur des libelles, des chansons, des caricatures. Louis XV était poussé à faire un acte d'éclat contre leur audace d'autant que le parlement de Rouen parlait du serment que le souverain aurait fait « à la nation en prenant la couronne ». Les ministres qui avaient craint en La Chalotais un rival possible, faisaient front commun contre lui, y compris Choiseul.

La séance de la Flagellation. — Certains conseillaient au roi de prendre une décision de caractère législatif. Il préféra faire une réponse globale et définitive à toutes les critiques des différents parlements. Le 3 mars 1766, le roi tint une séance du parlement de Paris. C'est la séance dite de la Flagellation tant le ton du discours était ferme.

Le roi fit lire son discours par le conseiller d'État, Joly de Fleury : « ...la magistrature ne forme point un corps, ni un ordre séparé des trois ordres du royaume ; les magistrats sont mes officiers chargés de m'acquitter du devoir vraiment royal de rendre la justice à mes sujets, fonction qui les attache à ma personne et qui les rendra toujours recommandables à mes yeux... » Le roi ajoutait : « Comme s'il était permis d'oublier que c'est en ma personne seule que réside la puissance souveraine, dont le caractère propre est l'esprit de conseil, de justice et de raison ; que c'est de moi seul que mes cours tiennent leur existence et leur autorité ; que la plénitude de cette autorité, qu'elles n'exercent qu'en mon nom, demeure toujours en moi, et que l'usage n'en peut jamais être tourné contre moi ; que c'est à moi seul qu'appartient le pouvoir législatif, sans dépendance et sans partage ; que c'est par ma seule autorité que les officiers de mes cours procèdent, non à la formation, mais à l'enregistrement, à la publication, à l'exécution de la loi, et qu'il leur est permis de me remontrer ce qui est du devoir de bons et utiles conseillers ; que l'ordre public tout entier émane de moi et que les droits et les intérêts de la nation, dont on ose faire un corps séparé du monarque, sont nécessairement unis avec les miens et ne reposent qu'en mes mains... » Ce discours avait été préparé collectivement par un maître des requêtes, Calonne, et par le conseiller d'État Gilbert de Voisins. Il fut largement diffusé.

Louis XV ne voulut point de coupable dans l'affaire de Bretagne, mais relégua La Chalotais à Saintes. Néanmoins le parlement de Rennes réclama le retour de son procureur général qu'il n'obtint pas.

La noblesse de robe gagnait des alliés. Les princes du sang par exemple, c'est-à-dire les cousins du roi, n'hésitaient pas à prendre parti contre le souverain. De même la noblesse provinciale, comme celle de Bretagne, qui se réunissait dans les États de Bretagne, était solidaire du parlement de Rennes.

Un nouveau sujet de critique à l'égard du roi surgit. Après la mort de la reine Marie (1768), la haute noblesse de cour regarda d'un mauvais œil l'arrivée d'une nouvelle favorite, Jeanne Bécu, faite comtesse du Barry, belle femme dont la vie avait été agitée et à qui les Choiseul furent d'emblée hostiles.

Les nouveaux ministres et l'échec de Choiseul. — Choiseul avait tenté d'apaiser l'affaire de Bretagne et le duc d'Aiguillon avait démissionné de son commandement en chef (1768). L'Averdy, qui n'était plus soutenu par Choiseul, fut à son tour congédié.

Louis XV avait refusé de confier au vieux Lamoignon le combat contre les parlementaires, et il fit appel à l'un de ceux-ci, Maupeou, premier président du parlement de Paris, comme chancelier le 18 septembre 1768. L'année suivante, Maupeou conseilla de choisir comme contrôleur général l'abbé Terray (22 décembre 1769).

Maupeou proposa d'abord au roi de rappeler le parlement de Rennes démissionnaire. Mais ce parlement reconstitué refusa l'apaisement et commença à enquêter sur les actes du duc d'Aiguillon. Le duc demanda à être jugé pour montrer qu'il était attaqué injustement. Le roi accepta. Le parlement de Paris siégea en cour des pairs ; le roi interrompit ce procès ; le parlement réagit et priva d'Aiguillon de ses droits de pairie, tant qu'il ne se serait pas justifié.

En décembre 1770, un lit de justice imposa au parlement un édit qui interdisait de parler d'unité, d'indivisibilité ou de classes et qui rappelait les conditions des remontrances. Le parlement de Paris répliqua en cessant de rendre la justice. Le conflit était ouvert entre le roi et ses officiers.

Les hésitations de la politique extérieure

Quatre données caractérisaient la situation européenne après 1763 : la rivalité franco-anglaise et le désir de revanche en France, la rivalité austro-prussienne, la question de la Pologne, qui allait devenir la proie des puissances orientales, les relations entre l'empire ottoman et la Russie de la nouvelle tsarine, Catherine II. Quant à l'Angleterre, elle était isolée diplomatiquement, et de plus en plus préoccupée par la situation américaine.

L'impuissance française en Pologne

Lorsque le roi de Pologne Auguste III mourut en 1763, la Russie et la Prusse se rapprochèrent et parvinrent à un accord. Catherine II installerait sur le trône de Pologne Stanislas-Auguste Poniatowski, un Polonais qui avait été son amant. C'était aussi un succès diplomatique pour Frédéric II qui, selon son expression, craignait la Russie plus que Dieu : il ne pouvait y avoir d'action commune entre Russie et Autriche.

En mai 1763, le duc de Praslin, secrétaire d'État des Affaires étrangères et cousin de Choiseul, affirmait que la France n'avait plus qu'un intérêt vague et indirect à soutenir ses anciens protégés, la Pologne, la Suède et l'Empire ottoman. Louis XV suivit cet avis qui signifiait l'échec de toute sa diplomatie parallèle, le « secret du roi ». Stanislas-Auguste Poniatowski fut élu roi de Pologne le 7 septembre 1764.

Le secret du roi évolua : conçu pour assurer l'élection en Pologne, il se transforma en instrument de la revanche française face à l'Angleterre, soit en préparant des projets de débarquement, soit plus tard en aidant les insurgés américains.

L'alliance maintenue avec l'Autriche et le mariage du Dauphin

L'alliance traditionnelle entre l'Autriche et la Russie était brisée, en raison du rapprochement entre Frédéric II et Catherine II, ce qui contraignit Vienne à maintenir ses liens avec Versailles.

Le symbole de cette alliance durable fut le mariage du Dauphin, petit-fils du roi de France (le futur Louis XVI) avec l'archiduchesse Marie-Antoinette. Le projet d'une union entre les deux maisons était ancien. Choiseul voulait ce mariage autrichien pour avoir l'appui de Marie-Antoinette, face à Mme du Barry, la maîtresse du roi, qui ne l'aimait pas. Le mariage fut célébré à Versailles le

16 mai 1770. À cette occasion, le nouvel opéra de Versailles fut inauguré, mais, sur la place Louis-XV (l'actuelle place de la Concorde) le feu d'artifice suscita une bousculade qui fit 130 morts. Marie-Antoinette conserva des liens étroits avec Vienne, et toute sa famille. Elle y chercha souvent du secours, dans les moments difficiles, et n'en trouva pas toujours. Elle fut aussi plus tard, pour ses sujets mécontents, « l'Autrichienne ».

Le choix de Louis XV : le refus de la guerre

Le pacte de famille, donc l'alliance franco-espagnole, était une donnée de la vie internationale, bien plus solide finalement que l'alliance franco-autrichienne.

Les Falkland. — Les tensions entre l'Angleterre et l'Espagne restaient vives à propos de Gibraltar, de Minorque, du Honduras. L'incident des Falkland fit rebondir la tension. Ces îles « malouines » avaient été ainsi appelées parce que le navigateur Bougainville y avait fait un établissement pour un armateur de Saint-Malo, en promettant d'y installer des Acadiens. Mais les Espagnols avaient réclamé cet archipel qui leur fut attribué. Les Anglais prirent pourtant pied sur ces îles. En juin 1770, une expédition espagnole réussit à les en déloger.

Le renvoi de Choiseul. — C'est en partie sur cette question que Choiseul fut renvoyé après douze ans passés au gouvernement. Bien sûr, la question essentielle était l'opposition parlementaire que Choiseul regardait sans hostilité. Mais l'éloignement de Louis XV à l'égard de son ministre venait aussi de la volonté belliqueuse de Choiseul, fort de la réorganisation de l'armée et de la marine, alors que les tensions intérieures étaient extrêmes. Choiseul n'était plus sûr de lui politiquement, depuis que Maupeou était devenu chancelier et l'abbé Terray contrôleur général des finances. Il espérait que la guerre renforcerait sa situation dans le gouvernement. Quant aux parlements, ils prolongeaient leurs combats politiques, pensant qu'une guerre rendrait nécessaires des édits financiers, donc indispensable leur intervention.

Choiseul jugeait la guerre inévitable. Louis XV, l'ayant appris, répliqua sèchement à Choiseul : « Monsieur, je vous ai dit que je voulais point la guerre. » Le renvoi de Choiseul était comme décidé. Auparavant, Louis XV rassura son cousin Charles III : il insistait sur les difficultés de son royaume, voyait dans la guerre « un mal affreux », réaffirmait le pacte de famille, indiquait qu'un changement de ministre ne signifiait pas un changement de politique, enfin demandait au roi d'Espagne de conserver la paix. Choiseul reçut l'ordre de gagner son domaine de Chanteloup, le 24 décembre 1770.

La succession de Choiseul. — Pendant six mois, il n'y eut plus de secrétaire d'État des Affaires étrangères. Le comte de Broglie espérait être choisi comme secrétaire d'État et il souhaitait une politique plus active, mais cette éventualité inquiéta Louis XV qui, pendant les dernières années de son règne, réussit à éviter la guerre. Le duc d'Aiguillon, inexpérimenté en matière diplomatique, fut déclaré secrétaire d'État le 6 juin 1771.

Le coup de majesté

Si Choiseul avait été mis à l'écart, c'était que Louis XV avait choisi : il souhaitait restaurer son autorité à l'intérieur du royaume et frapper ceux qui s'y opposaient. Il fallait des décisions brutales qui devaient être ensuite appliquées sans faiblesse. Pour cela, il ne fallait pas de guerre extérieure qui remettrait à plus tard la restauration monarchique. C'était la revanche internationale qui était remise à plus tard : peut-être le roi pensait-il que toute action internationale supposait une mobilisation du royaume et qu'il n'avait pu l'obtenir pendant la guerre de Sept ans, en raison même des conflits intérieurs. Ce n'était pas un coup d'État que tentait Louis XV, c'était un rappel des règles de la monarchie face aux empiétements de ses propres officiers. Il imitait, dans des conditions bien différentes, Henri III de Valois à Blois ou Louis XIII face à Concini.

La réforme Maupeou

Le chancelier avait réfléchi depuis longtemps sur la réforme judiciaire, aidé de Bourgeois de Boynes – qui eut bientôt le département de la Marine – et de Lebrun, futur ami de Bonaparte et troisième consul.

La plupart des magistrats de Paris refusant de cesser leur grève, ils furent confinés sur leurs terres ou dispersés dans le royaume, et leurs offices furent confisqués (janvier 1771). Le roi demanda aux conseillers d'État de servir de parlement intérimaire : concrètement, leur tâche ne fut pas facile. La cour des aides de Paris, inspirée par Malesherbes, avait protesté le 18 février 1771 : elle dénonça les mauvaises intentions de Maupeou et réclama des États généraux.

Trois édits furent enregistrés par le parlement intérimaire le 23 février 1771. C'était une profonde réforme.

La vénalité des offices était supprimée – ils seraient remboursés à leurs propriétaires – et la gratuité de la justice était instituée. Les juges auraient un salaire.

Le ressort du parlement de Paris était réduit géographiquement et des conseils supérieurs étaient créés à Arras, Blois, Châlons-sur-Marne, Clermont-Ferrand, Lyon et Poitiers : ils jugeraient en dernier ressort. Les membres de ces conseils n'achèteraient pas leurs charges, ils percevraient des gages et recevraient, si nécessaire, l'anoblissement graduel.

Le parlement de Paris avait le droit de présenter des remontrances, et d'enregistrer les lois, que les conseils supérieurs ne feraient que publier ; il aurait aussi le domaine de la couronne et la pairie dans ses attributions.

Maupeou recruta un nouveau parlement, surtout parmi d'anciens membres de la cour des aides et du Grand Conseil qui furent supprimés. Mais il eut des difficultés à trouver des candidats. Le premier président était l'intendant de Paris, Bertier de Sauvigny. Petit à petit, procureurs et avocats acceptèrent de travailler avec le nouveau parlement. Les conseils supérieurs rapprochaient la justice des justiciables et la gratuité leur était aussi favorable. La fin de la vénalité mettait un terme à l'indépendance sociale et politique des officiers du roi.

La réforme s'appliqua aux parlements de province avec suppression de la vénalité, gratuité de la justice, et redécoupage des ressorts territoriaux. Deux conseils supérieurs, l'un à Bayeux, l'autre à Rouen, remplacèrent par exemple le parlement de Normandie. La cour des comptes, aides et finances d'Aix se substitua au parlement dont les membres furent exilés. Le parlement de Metz disparut au profit d'une cour à Nancy.

Ce grand coup de balai libérait la monarchie de la résistance des privilégiés et des embarras politiques et polémiques, mais il fallait du temps pour que la réforme fût comprise et acceptée. En tout cas, à l'automne 1771, les nouvelles juridictions se mirent en place.

Maupeou rencontra de nombreux obstacles : on tenta de dissuader les candidats aux emplois dans les nouveaux parlements ; on critiqua leur origine sociale ; les anciens parlementaires firent enfin traîner les opérations pour le remboursement de leurs charges.

L'œuvre de l'abbé Terray

Lorsqu'il prit ses fonctions, le contrôleur général trouva les caisses vides. Il prit une série de mesures, dès 1770, pour limiter les dépenses en diminuant les rentes, les pensions, les profits des fermiers généraux, bref en pratiquant des banqueroutes partielles qui le rendirent très impopulaire.

Une fois les anciens parlements éliminés, Terray eut les mains plus libres. Il engagea petit à petit une réforme des impôts pour assurer des rentrées d'argent plus justes et plus faciles. Ainsi furent créés les conservateurs des hypothèques qui facilitèrent les transactions immobilières. Les vingtièmes devaient s'éteindre, le premier en 1773 et le second en 1771. Par l'édit de novembre 1771, Terray rendit le premier perpétuel et prolongea le second jusqu'en 1781. Et les contrôleurs eurent mission de vérifier les revenus avec soin, selon un principe clair : « Un vingtième exact, c'est le déficit vaincu... » *(M. Marion)*. Cette révision de l'assiette de l'impôt faisait du vingtième la meilleure imposition de l'Ancien Régime. L'abbé Terray augmenta aussi les impôts indirects et négocia avec habileté avec les fermiers généraux qui durent payer au roi 152 millions, soit une augmentation de 20 millions.

En 1774, Terray avait réduit de façon drastique le déficit de l'État.

En raison de mauvaises récoltes, qui provoquèrent des émeutes en 1770, le contrôleur général supprima la liberté de circulation des blés, qui avait été établie en 1763 et 1764 par L'Averdy et qui inquiétait l'opinion publique.

La politique extérieure du ministère

Comme Louis XV choisit le duc d'Aiguillon comme ministre des Affaires étrangères, on parla d'un « triumvirat » avec Terray, Maupeou et d'Aiguillon.

La chute de Choiseul permit de mettre fin aux relations tendues entre la France et l'Angleterre. En 1771, l'Espagne rendit les Falkland aux Anglais, sans renoncer néanmoins à ses prétentions. Le duc d'Aiguillon mena donc une politique de paix, d'autant plus facilement que le gouvernement de Londres choisit la même voie pour rétablir les finances et régler le problème des colonies américaines. Des ouvertures furent faites, très secrètes, en vue d'une éventuelle coopération franco-anglaise, dans les années 1772-1773. Le soutien au coup d'État de Gustave III mit fin à ces tentatives de rapprochement, mais n'aboutit nullement à une rupture.

Le premier partage de la Pologne. — Comme la Prusse, alliée de la Russie, l'Autriche, alliée de la France, craignait de se laisser entraîner dans une guerre : ainsi s'esquissa un rapprochement de fait entre Vienne et Berlin. L'idée s'imposait que tout gain d'une puissance devait être équilibré par des gains pour les autres puissances.

Une autre idée faisait son chemin : le partage de la Pologne. Elle satisfaisait plusieurs ambitions. Trois grandes puissances orientales – Russie, Autriche et Prusse – avaient seules des forces militaires suffisantes pour s'imposer à leurs voisins plus faibles. C'étaient donc les territoires de ces derniers, moins bien défendus ou moins cohérents, qui devaient faire les frais de ces ambitions. Le 8 janvier 1771, Catherine II suggéra un partage de la Pologne. Tout au long de 1771, Frédéric II poussa Vienne à accepter cette idée alors que Marie-Thérèse considérait ce partage comme un crime. Il eut lieu néanmoins le 5 août 1772.

En tout, la Pologne perdit plus d'un quart de son territoire et plus de 4 millions d'habitants, sur 11,5 millions. Le partage de la Pologne avait révélé l'indifférence de l'Angleterre et l'impuissance de la France. La Russie s'étendait aussi face à l'empire ottoman du côté de la mer Noire. Un traité fut signé à Kütchük-Kaynardja, le 21 juillet 1774. C'était le traité le plus défavorable qui ait jamais été signé par l'empire ottoman.

Le coup d'État de Gustave III. — Gustave III, roi de Suède en 1771, était décidé à renforcer l'autorité royale et il avait eu de longs entretiens avec Louis XV. Vergennes, un habile diplomate du secret du roi, fut envoyé comme ambassadeur en Suède. Selon lui, le pays allait droit au péril, c'est-à-dire à la démocratie, et la noblesse acceptait cette situation. Gustave III prépara un coup d'État avec les subsides français et en informa l'ambassadeur de France en lui demandant de l'aide. Le partage de la Pologne favorisa son action et, le 19 août 1772, le roi de Suède, à la tête de sa garde, fit prisonnier le Sénat et, deux jours plus tard il fit adopter par les États du royaume, une nouvelle constitution.

La fin d'un règne

Deux présences féminines animaient la cour. La dauphine Marie-Antoinette regrettait Choiseul, l'artisan de son mariage. Quant au roi, il avait une nouvelle maîtresse officielle, Mme du Barry qui soutenait d'Aiguillon. Les princes du sang s'étaient opposés aux réformes, mais ils durent se soumettre. Maupeou avait la pleine confiance du roi, même si ses rapports avec Terray et d'Aiguillon se tendaient. Mais Louis XV prit la variole et mourut brutalement, le 10 mai 1774.

Ainsi en cette fin de règne, la monarchie avait amorcé un sursaut politique. Louis XV avait choisi des ministres compétents, c'est-à-dire énergiques et persévérants, pour conduire une réforme globale de la justice, et il avait soutenu de toute son autorité cette action réformatrice. Il convient de prendre la dimension de ce coup de majesté qui parachevait l'œuvre de la monarchie « administrative ». En effet la justice, qui était un pan essentiel de l'action et du pouvoir du roi, ne serait plus confiée à des « officiers », propriétaires de leur charge héréditaire, mais à des agents de l'État, rémunérés par lui. C'était le moyen de rappeler que les magistrats tenaient du roi, donc de l'État seul, leur droit de juger, d'arbitrer et de condamner, et qu'ils ne tenaient pas cette autorité d'eux-mêmes, c'est-à-dire de leur propre puissance sociale qui s'appuyait sur leurs liens avec la noblesse, sur leur savoir juridique, sur leurs traditions séculaires, voire sur leur fortune personnelle. La gratuité de la justice était un signe supplémentaire que le roi, l'État royal, avait le devoir de la rendre aux sujets et qu'elle ne devait être ni comptée, ni payée. Ainsi la monarchie avait délégué, depuis longtemps, nombre de ses fonctions à des officiers qui obtenaient, contre argent, une parcelle de l'autorité publique : c'était une méthode spontanée pour assumer une tâche de plus en plus lourde sans grossir l'administration, les agents rémunérés de l'État. Désormais, l'État reprenait ce qui lui appartenait de droit et, sans chercher à limiter l'indépendance de la justice, réussissait à donner des bornes à la liberté des juges. Ainsi les magistrats ne seraient plus tentés de donner à leur action une dimension politique, et auraient à se contenter d'une stricte discussion juridique.

26. La France au XVIIIe siècle

La France a-t-elle changé au XVIIIe siècle ? Après la Révolution de 1789, les nostalgiques de l'Ancien Régime évoquèrent la douceur de vivre qui régnait dans le royaume. Mais il n'est pas possible de s'arrêter à cette image de luxe et de bonheur qui ne correspondait qu'à une frange infime de la société. Néanmoins il faut suivre l'évolution des réalités humaines et matérielles, de la foi et de la pratique religieuses, des rapports sociaux, du système éducatif, enfin de la création artistique.

La croissance économique

La France donna l'image d'un pays prospère au XVIIIe siècle. Et les changements dans le mode de vie furent significatifs : un plus grand souci du confort, une attention à la mode, des consommations alimentaires nouvelles, une circulation plus rapide à travers le royaume. Sur quelles réalités démographiques et économiques se fonda cette transformation ?

Les faits

La hausse globale des prix. — À la base, il y a une constatation des historiens économistes : les prix augmentèrent globalement au XVIIIe siècle, ce qui signifierait une croissance générale. Ainsi, pour les prix agricoles, surtout pour le seigle, mais aussi pour le froment. En revanche, le cours du vin s'effondra après les années 1770. Les prix industriels augmentèrent aussi, même si le prix des produits finis augmenta moins que celui des prix agricoles.

Trois étapes majeures. — Cette hausse connut trois phases : de 1726 à 1761, une hausse continue mais modérée, de 1761 à 1775, une hausse qui s'accéléra, de 1775 à 1790, une hausse freinée, un palier. L'idée d'une crise générale de l'économie française à la fin de l'Ancien Régime est aujourd'hui contestée, même si les historiens s'accordent sur une crise grave qui marqua l'année 1788-1789, en raison d'une mauvaise récolte de céréales en 1788. Si cette crise fut si sensible, c'est qu'elle intervint dans une France en pleine expansion.

La hausse des revenus. — Les revenus de la terre augmentaient donc, ce qui favorisait tous les propriétaires fonciers et tous les rentiers de la terre : la rente foncière a doublé ou triplé en soixante ans. Si les salaires avaient augmenté, ils l'avaient fait moins que les prix, et le salaire réel eut tendance à rester stable, peut-être à stagner ou à baisser. Les profits industriels et commerciaux connurent une belle envolée. Ainsi ceux qui profitèrent de cet essor économique furent tous les propriétaires de terres, depuis le seigneur jusqu'au paysan, ainsi que les maîtres artisans, les négociants et les manufacturiers. En revanche les salariés agricoles et les salariés de l'artisanat et de l'industrie furent moins (ou pas du tout ?) favorisés par cette prospérité.

Des crises moins brutales. — Les crises, avec des hausses brutales du prix des céréales, tendaient à diminuer, mais il y eut encore des disettes en 1725-1726, 1738-1741, 1747, 1751-1752, 1765-1770, 1771-1775. Mais la population en 1789, quoique plus nombreuse, était mieux nourrie qu'au début du siècle. En retard sur l'Angleterre au début du siècle, dans l'agriculture, l'industrie et le commerce, le royaume de France avait rattrapé, nous allons le voir, cette différence à la fin du siècle.

Les causes de la croissance

La guerre fut moins présente au XVIIIe siècle, presque absente du territoire français. Le climat s'améliora peut-être aussi.

La situation monétaire. — La masse monétaire avait augmenté en Europe grâce à l'exploitation de l'or du Brésil au début du siècle et à de nouvelles ressources en argent mexicain. Le système de Law avait permis en France le désendettement des forces vives du pays (voir chap. 21). À partir de 1726, la monnaie fut stabilisée (voir chap. 22). L'afflux de métal permettait une création monétaire suffisante pour suivre la croissance économique globale, ce qui permettait de mettre fin aux mutations et au désordre monétaires.

L'augmentation et le rajeunissement de la population. — Parmi les facteurs favorables, il faut insister sur l'augmentation de la population de 21 ou 22 millions au début du siècle à 28 millions en 1789, soit environ 30 % d'augmentation, mais cette croissance fut moins rapide que celle des pays voisins (+ 50 % en Angleterre). Le recul de la mort fut le phénomène le plus notable, même s'il y eut encore des crises comme en 1738-1742 : ce fut le dernier grand événement d'une ampleur nationale, avec plus de 2 millions de morts pour trois années (1740-1742). Comme la mortalité infantile et juvénile était plus faible, cela entraîna un rajeunissement de la population, d'où un plus grand dynamisme des agents économiques.

Urbanisation et alphabétisation. — L'urbanisation fut aussi un élément de modernisation économique : dans les villes, il y avait 18 % des Français en 1740, et 20,5 % en 1790. Les élites urbaines, qui possédaient des terres et des seigneuries, prélevaient un quart du revenu agricole et elles l'employaient dans des dépenses, elles-mêmes facteurs d'expansion, surtout dans le secteur artisanal.

L'alphabétisation fit enfin des progrès : à la fin du XVIIe siècle, un Français sur cinq savaient écrire, à la fin de l'Ancien Régime, un sur trois.

Une mutation agricole ?

L'accroissement démographique a été facilité par une augmentation des subsistances, donc de la production agricole.

La passion de l'agronomie. — Après 1750, on s'intéressa beaucoup aux traités d'agronomie, et on s'interrogeait sur la liberté économique. L'influence de Quesnay et des physiocrates fut grande et suscita une curiosité nouvelle pour l'agriculture. Un véritable effort scientifique permit des découvertes avec Fourcroy ou Daubenton : recherche sur les engrais, étude chimique des sols ou de la nutrition des plantes. Néanmoins, il est difficile de savoir l'influence des théories sur la réalité, à part quelques expériences agricoles.

Les encouragements de l'État. — Les encouragements du gouvernement ne manquèrent pas, ainsi par l'action de Bertin. L'arrêt du 16 août 1761, transformé en 1766, encourageait les défrichements par des exemptions fiscales. Mais il était difficile de définir ce qu'étaient les terres incultes. La tentation fut grande parfois de partager les communaux sur lesquels les paysans envoyaient leurs bestiaux. Les seigneurs ne manquaient pas de menacer les terres communes, en en réclamant un tiers (droit de triage dans le nord de la France). Quant aux résultats de ces mesures, ils furent inégaux selon les provinces, les nouvelles terres défrichées représentant peut-être 2,5 % des terres labourables.

La nécessité de la jachère. — Longtemps, le XVIIIe siècle a été considéré comme un temps de « révolution agricole ». Les historiens n'acceptent plus cette idée. Il n'y a pas eu de repli de la jachère, sauf en Flandre où depuis la fin du Moyen Âge existait un « laboratoire flamand » avec des rotations complexes des cultures et l'utilisation d'engrais. L'agriculture était encore dominée par l'assolement triennal : après les céréales d'hiver, qui nécessitaient plusieurs labours et étaient de meilleur rendement, venaient les céréales de printemps (avoine ou orge), puis la jachère qui permettait au sol de se reconstituer. Le produit était en fait d'une récolte et demie pour trois ans. L'assolement biennal faisait alterner le blé d'hiver et la jachère, soit une récolte pour deux ans. En général il n'y eut pas d'introduction généralisée de plantes fourragères, qui existaient déjà, mais ne permettaient pas de remplacer vraiment la jachère.

Il n'y eut donc pas de progrès radicaux du rendement, ou plutôt de la productivité du sol (plus de 20 hl à l'hectare dans la France du Nord-Ouest), donc il n'y eut pas de véritable révolution agricole due à des innovations technologiques majeures.

Comment, dans ces conditions, a été nourrie une population plus nombreuse ? Il faut bien envisager une hausse de la production. Elle s'expliquerait par une augmentation modeste des rendements, mais aussi par une extension des terres cultivables, par des innovations locales, par des changements dans l'alimentation, ainsi que par une amélioration du travail agricole, par une diffusion des cultures nouvelles et par une meilleure intégration de la production aux échanges.

Le travail agricole et les cultures nouvelles. — Le travail agricole fut peut-être mieux organisé. Par exemple l'emploi systématique de la faux permit de diminuer de moitié le nombre des moissonneurs. Des cultures nouvelles s'imposèrent aussi. Le maïs, introduit au XVIIe siècle, prospéra ensuite dans l'Aquitaine. D'abord utilisé comme fourrage vert pour les animaux, il compléta aussi l'alimentation des plus pauvres sous forme de galettes. La pomme de terre fut bien acceptée en Europe, mais en France, lancée par Parmentier, elle fut regardée avec méfiance par les Français qui la jugeaient indigne des hommes. Sa progression fut néanmoins spectaculaire après 1765.

La vigne connut des améliorations notables pour la qualité, ainsi en Bourgogne ou dans le Bordelais où Graves et Médoc s'imposèrent au XVIIIe siècle. La vigne, un peu partout, gagnait du terrain. Si le blé dominait l'économie agricole, surtout dans la France du Nord-Ouest, il ne faut pas minimiser le poids de l'élevage dans le reste du royaume, et en particulier dans les pays de montagne.

Une meilleure intégration aux circuits commerciaux. — Surtout l'agriculture s'intégra mieux aux échanges commerciaux. Les paysans se préoccupèrent d'adapter leur production aux besoins de Paris et des villes mais aussi aux besoins des colonies ou de l'étranger. Aussi bien dans les grandes exploitations de la région parisienne, que dans le Sud-Ouest ou dans la Bretagne méridionale, existait « une agriculture largement intégrée dans les circuits commerciaux et y puisant son dynamisme » *(Paul Butel)*. Même sans innovation technique, même dans des cadres d'exploitation archaïques, les paysans produisaient plus pour répondre à la demande étrangère, pour les vins, les eaux-de-vie ou les grains.

Les mutations financières et commerciales

La France ne disposa pas au XVIIIe siècle d'une organisation bancaire comparable à celle d'Angleterre, des Provinces-Unies, voire plus tard des États-Unis : aucune banque d'État n'organisait le crédit.

Financiers et banquiers. — Paris rassemblait bien toutes les opérations financières qui concernaient l'État, mais la capitale ne contrôlait pas la circulation internationale des produits comme le faisait Londres. La lettre de change conservait toute son importance, véritable monnaie fiduciaire, qui évitait le transport de monnaie, et la part du métal précieux diminua encore dans les échanges. Des banques se développaient et ne s'occupaient plus simplement de change. Certains banquiers, comme Necker, étaient liés à l'État, même si tous ne s'engageaient pas forcément, comme les financiers, dans les finances publiques mais les banquiers s'intéressaient aussi au grand commerce. La banque protestante et helvétique avait un poids singulier. Pourtant le système financier ancien survivait, dont les fermiers généraux étaient les représentants caractéristiques.

Le dynamisme du commerce international. — De la Régence à la fin de l'Ancien Régime, la valeur du commerce extérieur quintupla (de 200 millions à 1 000 millions) en valeur absolue et en tenant compte de la hausse des prix, l'augmentation serait de 1 à 3. Ainsi le grand commerce aurait rattrapé et dépassé le rival anglais. L'amélioration de la navigation et l'activité des négociants favorisèrent le grand commerce international avec un taux annuel de croissance, supérieur à 2,5 %. Le XVIIIe siècle célébra la vocation du « parfait négociant ». L'essor commença dès les dernières années de Louis XIV, bénéficia d'un coup de fouet au temps de Law, et le rythme s'accéléra dans les années 1730-1740. La guerre de Sept ans entraîna une contraction, mais le commerce connut un nouveau bond après la guerre d'Amérique.

Le commerce international intéressait surtout les façades maritimes. Quatre grands ports animèrent les échanges extérieurs de la France : Bordeaux (pour un quart du commerce extérieur de la France) et Marseille d'abord, puis Nantes et Rouen-Le Havre. Marseille commerçait avec le Levant, exportant les « draps » fabriqués en Languedoc et important du coton.

La part des produits coloniaux. — Les Antilles jouèrent un rôle considérable dans le développement commercial. Ce furent surtout les produits coloniaux – sucre, café, indigo – qui renforcèrent les exportations françaises, en particulier vers les pays du Nord et vers l'Allemagne. Ce commerce était marqué par l'Exclusif de 1717 : tous les produits coloniaux devaient être transportés vers des ports de la métropole et aucun commerce direct ne pouvait être fait avec des marchands étrangers, sauf pour des produits comme les sirops et mélasses qui pouvaient concurrencer les eaux-de-vie en France. Les ports français servaient d'entrepôts et de centres de réexportation. Pendant les guerres néanmoins, des échanges s'avérèrent nécessaires entre les îles et les colonies anglaises d'Amérique du Nord et une active contrebande naquit. En 1767, il fallut donc recourir à un Exclusif mitigé avec deux ports aux Antilles où le commerce était libre. De 1716 à 1754, la production de produits coloniaux (sucre et indigo surtout) fut multipliée par 17. Les îles attiraient aussi les Français, qui s'y installaient et avaient besoin des produits de la métropole : c'était, après l'Espagne, le premier débouché des productions françaises, produits alimentaires, mais surtout textiles et objets de luxe. Ayant connu des difficultés après la guerre de Sept ans, les îles furent favorisées par un nouveau boom de 1767 à 1789, avec un gonflement de la main-d'œuvre servile, grâce aux progrès d'une nouvelle culture, le coton.

La traite négrière. — Ce commerce était aussi marqué par la traite négrière qui permettait de grands profits : 1 300 navires négriers ont été comptés pour le XVIIIe siècle et les colonies françaises auraient reçu 1 348 400 esclaves, soit 22 % des 6 millions d'esclaves arrivés en Amérique. Il s'agit du commerce triangulaire. En Afrique, les esclaves étaient achetés contre des armes, des eaux-de-vie, des pacotilles, puis transportés vers les Antilles ou l'Amérique où ils étaient vendus aux planteurs ; les bateaux ramenaient le sucre, le café, le cacao, le coton, l'indigo.

La Compagnie des Indes. — Les compagnies de commerce, dotées d'un privilège, donc d'un monopole, avaient été encouragées par Colbert, mais, même pour lui, seul le commerce libre pouvait faire prospérer les colonies. La Compagnie des Indes avait obtenu, au temps de Law, le monopole du commerce extérieur français. Malgré l'échec du « système », cette Compagnie survécut et s'était dotée d'une flotte. En 1730, Orry lui donna un nouveau souffle : la Compagnie se débarrassait du monopole de la traite des noirs, de la gestion de la ferme du tabac et de l'exploitation de la Louisiane. Elle se concentrait sur le commerce d'Asie, Indes orientales et Chine, d'où étaient importés les cotonnades, le thé et la porcelaine. Les résultats ne furent pas négatifs : le développement de Lorient, la mise en valeur des Mascareignes (île de France et île Bourbon), le maintien des comptoirs de l'Inde. Néanmoins les critiques s'accumulèrent jusqu'à la suspension du privilège et à la liquidation en 1769. Les navires marchands du commerce libre prirent la suite des navires de la Compagnie.

Routes et canaux. — Le commerce fut favorisé par l'amélioration des routes grâce aux initiatives du gouvernement et des intendants. Des voies furent aussi créées pour désenclaver des provinces entières comme par exemple l'Auvergne. La création du corps et de l'École des Ponts et Chaussées permit des progrès sensibles. Si la circulation devint plus intense, elle restait lente (pour les marchandises, de Paris à Lyon, vingt jours en 1715, de treize à seize jours en 1787). Le coût des transports baissa, ne pesant plus lourdement sur le prix de marchandises comme le vin.

La circulation sur les voies d'eau resta la plus économique, surtout pour les produits pondéreux et elle faisait vivre tout un monde de mariniers et de bateliers. C'est dans le nord de la France que le réseau des rivières et des canaux était le plus dense et, à la fin du XVIIIe siècle, l'Escaut était relié à la mer, par une série de canaux parallèles à la frontière.

Les mutations industrielles

Le bilan du règne de Louis XIV avait été plutôt favorable : la réglementation mise en place en matière artisanale et industrielle avait permis aux produits français de s'améliorer et de conquérir des marchés. L'activité textile par exemple donnait un complément de travail aux paysans. Le secteur industriel fit des progrès spectaculaires au XVIIIe siècle et cet essor participa au dynamisme de l'ensemble de l'économie.

Mais il est difficile de mesurer ces progrès. La France, dans les dernières années de l'Ancien Régime, aurait rattrapé l'Angleterre, même si cette dernière employait beaucoup plus de main-d'œuvre dans le secteur industriel (43 % contre 19 %) et favorisait plutôt les industries nouvelles. Le produit artisanal et industriel aurait quadruplé des années 1701-1710 aux années 1781-1790.

Les cadres du travail et de la production. — Néanmoins l'industrie restait très traditionnelle, même si au XVIIIe siècle elle produisait plus. Le travail était encadré par les jurandes ou métiers jurés qui s'étaient multipliés entre 1660 et 1750, sous l'impulsion initiale de Colbert. Les inspecteurs des manufactures avaient la charge de véri-

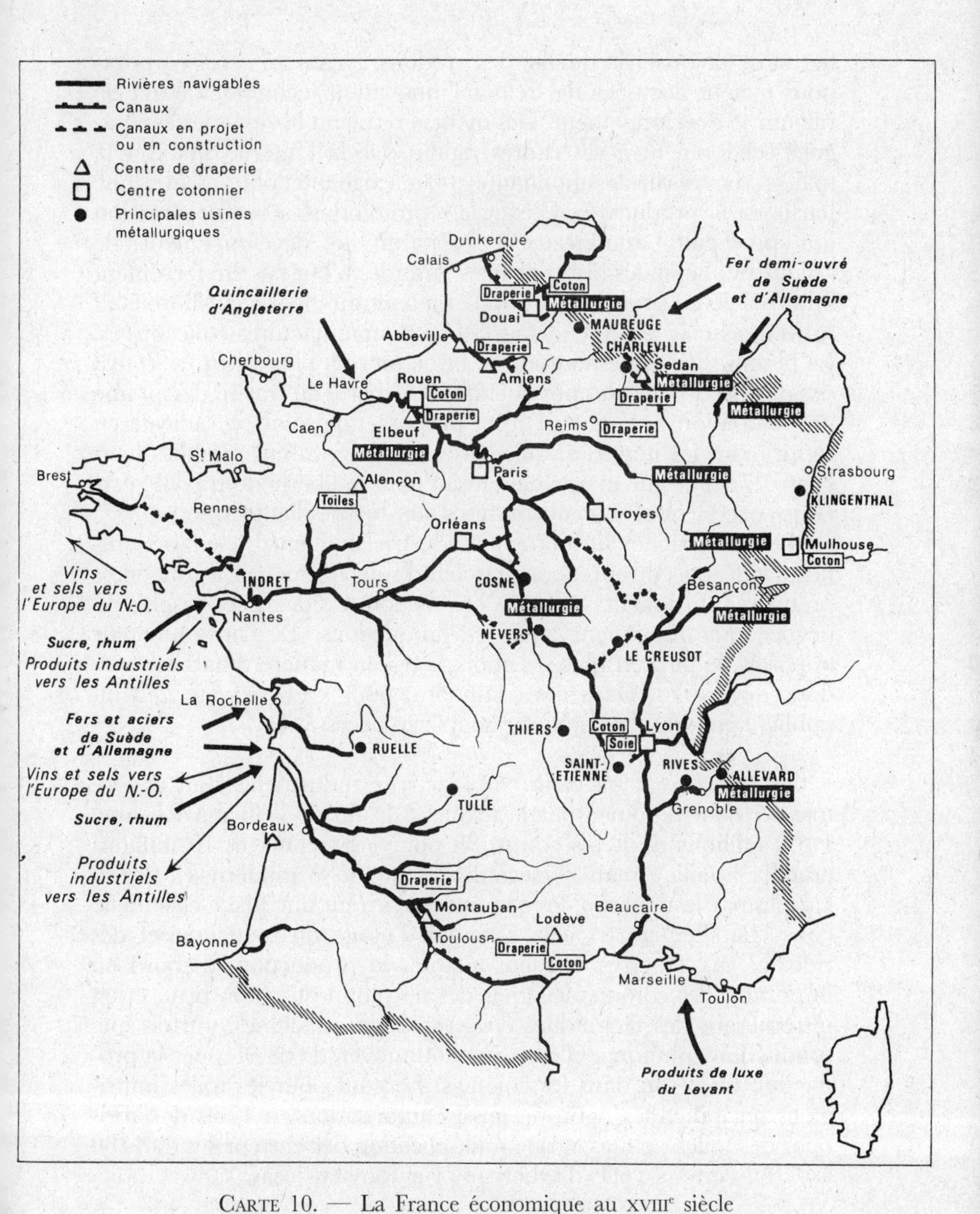

CARTE 10. — La France économique au XVIIIe siècle

D'après A. Corvisier, *Précis d'histoire moderne,* 2e éd. mise à jour, Paris, PUF, 1981.

fier et de favoriser la qualité des produits. Néanmoins ces corporations étaient accusées de freiner l'innovation technologique et de ralentir le développement. Des métiers restaient libres et les campagnes échappaient à ces cadres rigides. De là l'intérêt d'utiliser la main-d'œuvre rurale, abondante et peu exigeante, pour assurer une partie de la production. C'était la « protoindustrie », une situation qui précédait, annonçait et préparait le développement de l'industrie. Selon les historiens, les jurandes n'ont pas été forcément un obstacle au progrès industriel : au contraire le secteur libre était souvent associé aux métiers jurés et aux manufactures concentrées. Le besoin d'une libéralisation se fit de plus en plus sentir et trouva des défenseurs chez les physiocrates : la liberté du travail devint une préoccupation politique. Turgot proposa une solution radicale en supprimant les jurandes, qui, après sa chute, furent rétablies (voir chap. 27) mais une marge demeurait pour la liberté du travail : certaines productions étaient soumises aux règles, d'autres non.

Le principal acteur du travail industriel était encore le fabricant-négociant (ou entrepreneur-marchand) qui fournissait les matières premières et écoulait ensuite la production. C'étaient les besoins du négoce qui orientaient ainsi les productions. Le consommateur imposait de plus en plus ses choix, ainsi en matière d'habillement, donc de textiles. Dans ces conditions, pour s'adapter au goût du public, la liberté devenait une souplesse nécessaire.

La prédominance du textile. — L'activité industrielle était encore massivement dominée par le textile (à la fin de l'Ancien Régime, 1 100 millions de livres contre 88 pour les métaux et 10 millions pour la houille), mais ce secteur dut et sut se moderniser. Ainsi, lancées par la noblesse, les cotonnades prirent une place essentielle dans l'habillement. À cela s'ajoutait l'usage du mouchoir et des rideaux aux fenêtres. Il fallut adapter la production, d'abord en important des cotonnades, puis des fils, enfin du coton brut, et en introduisant des techniques étrangères, des machines, parfois une production chimique. C'était aussi un moyen de développer la production de coton dans les colonies. Le goût pour les toiles imprimées ou indiennes entraîna aussi l'autorisation en 1759 de fabriquer des toiles peintes et une multiplication des entreprises de 1760 à 1789, comme celle d'Oberkampf à Jouy-en-Josas.

Les activités nouvelles. — À côté des fabricants-négociants et à côté des secteurs traditionnels, des activités nouvelles – mines et forges, mais aussi papeterie ou verrerie – suscitèrent l'intérêt de nouveaux investisseurs : la noblesse et même la noblesse de cour. C'est dans l'entourage du duc d'Orléans que l'on chercha les applications de la machine à vapeur de Watt (dont les Périer furent en France les introducteurs). Elle allait servir à la filature du coton et aux marteaux des forges. C'est d'ailleurs dans les mines et les forges que la haute noblesse constitua son domaine réservé : mines d'Anzin pour les Croÿ avec un capital qui dépassait le million de livres en 1789.

Les Wendel était une famille originaire de Flandre qui s'était consacrée à la métallurgie (cinq forges en 1737). La famille avait été anoblie. La fonte au coke avait déjà été produite en France à titre expérimental, mais il semblait nécessaire de passer à l'échelon supérieur. Il fallait de grands investissements pour évoluer du charbon de bois au charbon de terre, ainsi qu'une concentration financière et géographique. La Compagnie Stuart s'intéressa aux mines de houille du Creusot, mais les techniques n'étaient pas encore au point. On eut alors recours au métallurgiste anglais Wilkinson. C'est François-Ignace de Wendel, officier d'artillerie, qui installa des hauts fourneaux à Montcenis près du Creusot. Calonne décida le roi à investir 600 000 livres et à devenir l'un des principaux associés. La première gueuse fut coulée le 11 décembre 1785.

Les atouts de la modernisation. — Les financiers ou les marchands rassemblaient aussi des sommes importantes pour créer des manufactures concentrées, souvent urbaines, en particulier dans le domaine du textile. Des Anglais lancèrent également des entreprises sur le continent.

Enfin la monarchie elle-même participa à l'activité industrielle à travers la fabrication des canons et à travers les arsenaux. L'effort en faveur de la marine, au temps de Louis XVI, encouragea cet essor. L'intervention monarchique marqua aussi le domaine du textile. Dans les années 1750 et 1760, l'administration favorisa la création de manufactures royales pour les cotonnades, des « protofabriques » *(Serge Chassagne)*. Cette fois, les autorités choisissaient leur emplacement pour ranimer des régions déclinantes.

L'activité du bâtiment fut stimulée par la fièvre de construction qui marqua le XVIIIe siècle. Les particuliers se firent construire des hôtels dans les villes, des maisons à la campagne (et les communautés religieuses les imitèrent parfois). Les villes se transformèrent avec des trottoirs à Paris en 1781, des places, des quais le long des rivières.

Il faut ajouter tous les produits du luxe pour les intérieurs (glaces, meubles, faïences, orfèvrerie) ou la parure (dentelles, soieries). La technique de la porcelaine (longtemps importée de Chine) fut retrouvée avec l'utilisation du kaolin et fut adaptée dans la manufacture de porcelaine de Sèvres ou à Limoges.

La vie religieuse au XVIIIe siècle

Alors que le siècle des Lumières est apparu longtemps comme celui de Voltaire, donc de l'irréligion, les historiens soulignent aujourd'hui que la vie chrétienne était encore intense : « La grande masse du peuple vit chrétiennement » *(Jean de Viguerie)*. Les fêtes religieuses avaient gardé leur complexité et leur splendeur, et mobilisaient l'ensemble de la société pour des processions et des prières. La création musicale fut toujours active pour magnifier ces instants solennels. Des églises nouvelles furent construites comme celle de Sainte-Geneviève par Soufflot (l'actuel Panthéon).

La marque du jansénisme

Le jansénisme a marqué le XVIIIe siècle mais avait changé de nature, en devenant plus politique. Il se propagea largement et profondément dans le royaume. Dans la pratique religieuse, il se marquait par un rigorisme plus grand en matière de morale, par des cérémonies plus austères et par une plus grande participation des fidèles au culte. Il connut un grand succès dans les abbayes, en particulier bénédictines, où les moines érudits furent sensibles à la rigueur de cette foi, par exemple à Saint-Germain-des-Prés. Des évêques, comme Caylus à Auxerre, accueillirent encore des jansénistes persécutés et leur offrirent des cures. Ce mouvement, véritable « parti » peut-être, s'appuyait sur un réseau de correspondances et de publications, comme les *Nouvelles ecclésiastiques*. Si le jansénisme fut bien ancré à Paris, mais aussi dans l'est du royaume, il s'enracina aussi, sporadiquement, un peu partout.

Les qualités du clergé de France

L'effort de tout le XVIIe siècle a porté ses fruits.

Les évêques. — Lorsque les évêques ne résidaient guère dans leurs diocèses, ils se faisaient remplacer par des vicaires généraux.

« ... l'épiscopat français du siècle des Lumières est digne et compétent » *(Philippe Loupès)*. Dans son ensemble, cet épiscopat était recruté dans la noblesse et surtout dans la noblesse ancienne, d'avant 1560. Les évêques restaient longtemps en place et le gouvernement royal en 1695 avait renforcé leurs pouvoirs, en particulier sur le clergé paroissial. Les visites pastorales permettaient aux évêques de contrôler régulièrement la vie des prêtres et la religion des fidèles.

Les curés. — Quant aux curés, ils furent « l'une des forces » du siècle *(Daniel Roche)*. Ils étaient issus surtout du milieu aisé des laboureurs et de la moyenne bourgeoisie des marchands et des artisans. Ils menaient une vie honnête grâce à des revenus décents, même si certains devaient se contenter d'une « portion congrue ». Ils étaient stables, attachés à leurs ouailles. Et ils avaient reçu une solide formation dans le cadre du séminaire. Le modèle de ces séminaires était celui de Saint-Sulpice à Paris, d'où sortaient la plupart des évêques français. « Inventé par le XVIIe siècle, le modèle du "saint prêtre" est rendu commun par le XVIIIe siècle » *(Philippe Loupès)*.

Les réguliers. — Les réguliers étaient regardés avec plus de méfiance et leurs richesses étaient critiquées, d'autant qu'ils étaient souvent des seigneurs exigeants à l'égard de leurs tenanciers. En 1766, après la destruction de la Compagnie de Jésus, Louis XV établit une « commission des réguliers » pour enquêter sur les abus qui avaient pu naître dans les ordres religieux et pour y trouver des remèdes. Loménie de Brienne, archevêque de Toulouse, en fut le rapporteur. Cette commission accomplit une grande tâche : elle supprima 450 maisons qui durent s'unir ou disparaître et 9 ordres religieux ; elle prépara aussi les édits de 1768 (les vœux ne seraient prononcés qu'à 21 ans pour les hommes et à 18 ans pour les femmes) et de 1773 sur les communautés d'hommes.

Le problème de la foi

La pratique religieuse. — Pour rendre la religion plus présente, les curés utilisaient le catéchisme pour les enfants, la prédication pour les fidèles, et des « missions » : par des cérémonies expiatoires et des processions spectaculaires, des prédicateurs comme Louis Grignion de Montfort ravivaient la foi des campagnes. Le baptême devait intervenir dans les vingt-quatre heures qui suivaient la naissance, exigeait la législation royale de 1698, et elle était en gros respectée. La confession était importante et le confessionnal se généralisait. Si la communion était obligatoire à Pâques, elle restait encore peu fréquente le reste de l'année. Quant au mariage, il était souvent environné de coutumes anciennes, comme le charivari pour les mariages mal assortis ou le remariage des veuves. Les derniers sacrements avant la mort, avec le viatique, étaient attendus par les malades. Mais à côté de ces pratiques traditionnelles, subsistaient d'autres habitudes, pour obtenir des guérisons par exemple, qui étaient proches des rites païens dans de petites chapelles ou près de sources miraculeuses, et ces traditions n'étaient pas très éloignées de la magie ou de la superstition.

La question de la déchristianisation. — La question de la déchristianisation a été posée par les historiens. Le repli de la foi a-t-il commencé au XVIIIe siècle ? Les exemples d'irréligion affichée n'étaient pas rares à la cour, chez certains dignitaires de l'Église, dans les grandes villes. Mais les déclarations d'athéisme ou les blasphèmes étaient rares dans le peuple, même si un anticléricalisme se développait en particulier à l'encontre des religieux. « Il est certain que la pratique ne fut jamais plus générale en France qu'entre 1660 et 1789. Mais les travaux les plus récents révèlent des fissures, surtout dans les villes, mais aussi à la campagne » *(P. Loupès)*. Les vocations ecclésiastiques diminuèrent, chez les séculiers, mais aussi chez les réguliers. Et surtout les élites sociales orientaient moins leurs enfants vers l'Église. Dans les bibliothèques, les livres religieux occupaient une moindre place. Dans les testaments, étudiés par Michel Vovelle pour la Provence, par Pierre Chaunu pour Paris, les mots de la dévotion tendaient à s'effacer, les obsèques devenaient plus simples, les messes, demandées pour être célébrées après la mort, passèrent d'une moyenne de 400 à une moyenne de 100 avant la Révolution. L'interprétation de ces données a été contestée : la « laïcisation » du testament ne pourrait-elle pas révéler une foi plus intérieure, qui s'exposait moins et se montrait moins ? Le regard même sur la mort changeait. En 1766, il fut interdit de pratiquer des inhumations dans les églises et, en 1780, le cimetière des Innocents, au cœur de Paris, fut fermé et les ossements déplacés.

Les préceptes de l'Église. — La démographie historique enfin a montré que les préceptes de l'Église étaient moins suivis. La restriction volontaire des naissances, qui était apparue tôt dans les familles ducales pour garantir la fortune du lignage, se répandit dans les campagnes (malgré la condamnation de ces « funestes secrets ») : c'était une forme de mathusianisme avant Malthus (1766-1834). Les naissances illégitimes furent plus nombreuses, tout comme les abandons d'enfants, et les conceptions prénuptiales furent plus communes.

L'évolution de la société

Alors que la puissance française semblait affaiblie à l'extérieur, la question de la noblesse militaire traversa le siècle, car la vocation du second ordre était bien de défendre le royaume et de renforcer sa puissance. Si cette vocation s'étiolait, comment était-il possible de maintenir des privilèges que les nobles défendaient avec acharnement ?

La question de la noblesse militaire

Les premières interrogations. — Au moment de la Régence, les affaires militaires furent confiées à un conseil de la guerre, formé de généraux et de gentilshommes. Ce conseil donna « l'illusion d'une revanche à l'aristocratie militaire qui avait mal supporté sous Louis XIV de voir les généraux asservis aux bureaux de Versailles » *(Jean Chagniot)*. La réaction nobiliaire de la Régence se marqua en 1718 par l'obligation faite à tous les aspirants aux grades d'officiers de fournir des certificats de noblesse. Mais dès 1726, des roturiers furent admis dans les compagnies de cadets et, en 1734, les intendants furent chargés de recruter largement, parmi les jeunes gens nobles ou vivant noblement, en vue d'en faire des officiers. Les compagnies des gardes du corps, où le train de vie était luxueux, accueillirent de nouveau des jeunes gens fortunés. Vers 1750, le tiers des officiers auraient été des hommes de la classe moyenne qui avaient acheté leur régiment ou leur compagnie, ou qui s'étaient élevés dans la hiérarchie.

Le comte d'Argenson voulu, en 1750, résoudre cette contradiction. L'édit du 23 novembre 1750, dit « de la noblesse militaire », prévoyait l'anoblissement de tous les officiers généraux. Un officier, qui avait la croix de Saint-Louis, serait anobli, s'il représentait la troisième génération, ayant obtenu l'exemption viagère de la taille en raison de la durée du service militaire. Il était difficile de réunir les conditions requises, mais l'anoblissement était théoriquement possible, même s'il se limita à quelques vieux généraux.

La place des théoriciens. — Le rôle de la « noblesse militaire » fut une interrogation de tout le XVIIIe siècle. Pour l'historien Émile G. Léonard, c'était la noblesse pauvre qui réclamait un monopole des emplois d'officiers. Elle n'admettait pas de voir des fils de financiers, récemment anoblis, acheter à prix d'or des régiments, et ainsi ralentir la carrière des nobles pauvres, alors que la raison d'être même de la noblesse était de servir le roi, les armes à la main. La noblesse de cour obtenait aussi, facilement et rapidement, les plus hauts postes dans l'armée. Les rancœurs étaient d'autant plus fortes, que la vie aux armées était coûteuse, parce que des habitudes d'un luxe ostentatoire s'y étaient introduites et que seuls les plus riches pouvaient y avoir accès. Les revendications de la noblesse pauvre furent exprimées avec force dans *La noblesse militaire ou le Patriote français*, du chevalier d'Arc (1756), en réponse à *La noblesse commerçante* de l'abbé Coyer, publiée la même année.

La fermeture volontaire. — Le maréchal-duc de Belle-Isle fut secrétaire d'État de la Guerre (voir chap. 24) et une instruction en 1758 rappela l'exigence de certificats, signés de quatre gentilshommes. Il s'agissait d'écarter les roturiers des grades d'officiers, mais rien n'était fait pour récompenser la bravoure. L'idéal du chevalier d'Arc aboutissait à une simple réaction nobiliaire. En revanche, le rôle de l'argent fut combattu, puisqu'en 1762 le roi reprit la propriété de ses régiments et de ses compagnies. Les officiers acceptèrent aussi de ne porter que l'uniforme de leur régiment, avec l'épaulette, la « guenille à Choiseul », comme seul signe de distinction.

À partir de 1776, la vénalité des grades devait disparaître progressivement. À chaque mutation (la reprise d'une charge militaire), le prix serait amputé d'un quart et, en quatre mutations, l'emploi militaire redevenait la propriété du roi. C'était un moyen d'écarter la bourgeoisie riche. Le règlement du 28 mars 1776 visait à donner les grades à la noblesse pauvre, à restaurer la simplicité dans l'armée et à y rétablir la foi et la morale. L'institution des écoles militaires accéléra la réaction nobiliaire, puisque les jeunes nobles se plièrent à ces études *(André Corvisier)*. L'armée devenait plus « professionnelle » et la noblesse fournissait plus nettement les cadres de cette profession.

En 1781, l'édit préparé par Ségur exigeait de fournir des pièces originales, attestant la noblesse, au lieu de certificats douteux. Ce n'était donc pas une innovation, mais ce rappel des règles fit impression. La même année, une grande distinction s'établissait selon la naissance. Pour être colonel, il fallait vingt-cinq ans de service comme capitaine et un passage par l'emploi de major. Mais, pour les nobles de haute naissance, il fallait un âge minimal de 23 ans (ce qui évitait les « colonels à la bavette »), mais seulement huit ans de service comme sous-lieutenant et lieutenant, pour être colonel en second, puis six ans pour être colonel. Dès 1777, il avait été demandé trois cents ans de noblesse pour être lieutenant des gardes du corps. En 1788, des dispositions plus sévères furent prises à l'égard des fils de chevaliers de Saint-Louis. Le grade de brigadier qui, on l'a vu, avait facilité les promotions, fut supprimé. Pour André Corvisier, il y aurait eu 10 % de roturiers parmi les quelque 10 000 officiers de l'armée française à la fin de l'Ancien Régime. Ils étaient 25 % dans les armes savantes. Les jeunes bourgeois devaient se contenter des grades de bas officiers, et l'élite du peuple de celui de caporal : les uns et les autres virent dans la Révolution une chance et une revanche.

Les noblesses

Une réaction féodale ou seigneuriale ? — On a longtemps parlé de réaction féodale ou seigneuriale : les seigneurs auraient recherché de vieux droits féodaux oubliés, se seraient emparés d'une partie des communaux, auraient voulu connaître plus exactement leurs revenus. Une telle réaction n'était pas rare dans l'ancienne France, en particulier après les périodes troublées. Au XVIIIe siècle, les techniques cartographiques s'amélioraient, les géomètres étaient plus efficaces, tout comme les « feudistes », spécialistes du droit féodal et chargés de classer les « terriers » des seigneurs. Cette meilleure connaissance des droits seigneuriaux put apparaître comme une offensive globale de la noblesse.

La diversité des conditions. — Le second ordre, la noblesse, était très diverse : on peut donc parler « des » noblesses. Au sommet de la hiérarchie, il y avait la famille royale et les princes du sang, les ducs et pairs et la noblesse de cour, celle qui a été « présentée » au roi, selon des règles strictes, même si, après la « présentation », certains ne revenaient jamais à la cour. C'était cette noblesse qui était gratifiée des pensions royales, améliorant nettement les revenus de quelques-uns. À cela s'ajoutaient les distinctions de fortune. Quelque 200 familles dominaient par leur luxe l'ensemble de la noblesse, et à ce niveau seuls une cinquantaine de financiers, nobles aussi, pouvaient les égaler, voire les dépasser. Pour 3 500 familles (13 % de la noblesse), c'était la riche noblesse provinciale qui comprenait les membres des cours souveraines. Pour 7 000 familles (25 % de la population noble), c'était l'aisance avec une vie confortable. Pour 11 000 familles (41 % du total), c'était une vie décente à condition d'éviter les dépenses ostentatoires. Enfin pour 5 000 familles, les ressources étaient plus chiches et le mode de vie nobiliaire était difficile à maintenir *(Guy Chaussinand-Nogaret)*.

Dans cette noblesse, celle des parlements occupa, tout au long du siècle, le devant de la scène, utilisant son rôle judiciaire dans une perspective politique. L'accession aux offices parlementaires était souvent le terme d'une ascension sociale sur plusieurs générations et l'ultime étape d'un anoblissement progressif. Mais le poids politique de la noblesse de robe lui permit de parler au nom de tous les nobles, et même de tous les privilégiés.

Noblesses ou élites sociales ? — Ce qui demeurait, c'était une forme de mépris lié à la naissance. « Mépris plus fortement marqué et ressenti que naguère, peut-être, parce que l'atmosphère a changé... » *(Daniel Roche)*. Figaro pourra dire : « Vous vous êtes donné la peine de naître... » Mais il existait aussi dans la noblesse des valeurs communes : le respect des hiérarchies sociales, de la naissance ancienne, du passé, de l'honneur, du service du roi.

La frange brillante de la société du XVIIIe siècle ne se limitait pas à la seule noblesse. Celle-ci était dominée par une haute société qui avait la richesse, le pouvoir, l'éclat, la culture : « Église, épée, robe, finance et talent s'y mêlent ; la noblesse immémoriale y côtoie la plus fraîche ; les roturiers opulents, cultivés ou spirituels y accèdent plus facilement qu'au parlement de Bretagne ou au grade de colonel » *(Daniel Roche)*.

Le tiers état

Une nouvelle bourgeoisie. — Une nouvelle bourgeoisie s'affirmait, composée des avocats, dans le sillage des parlements, des banquiers, des négociants enrichis par le grand commerce, des fermiers généraux... Cultivés et riches, certains cherchaient à entrer dans la noblesse, mais ils supportaient mal la morgue des gentilshommes et ils avaient connu une forme d'égalité au sein des loges maçonniques.

Les tensions dans les campagnes. — Dans les campagnes, les écarts sociaux se sont aussi creusés, surtout dans les grandes plaines céréalières. De riches fermiers s'occupaient des grandes exploitations, des seigneuries, des dîmes, des moulins, et prenaient souvent les manières du seigneur. D'autres avaient su regrouper des parcelles appartenant à de nombreux propriétaires. Cette mince couche supérieure s'attirait la colère des autres paysans qui manquaient de terres à exploiter. Les petits paysans et les journaliers n'avaient sans doute pas profité de la prospérité agricole et de la commercialisation des produits. Ils devaient souvent compléter leurs revenus par des activités de type industriel. À cette tension entre paysans, s'ajoutaient, ainsi, dans l'ouest du royaume, les affrontements entre les paysans et des bourgeois qui régissaient, comme intendants, les grands domaines fonciers de la noblesse. Et, bien sûr, demeuraient les oppositions entre les tenanciers et les seigneurs, souvent réduites à une résistance passive ou à une violence diffuse. Les propriétaires se tournaient alors vers la justice qui leur donnait le plus souvent raison. Certes, depuis Louis XIV, les grandes révoltes rurales avaient peut-être perdu de leur intensité, mais les querelles n'étaient pas absentes du monde paysan avant 1789.

Les conflits virtuels dans les villes. — Dans les villes, les contraintes des jurandes étaient ressenties comme pesantes, pour les compagnons, mais même pour les fils de maîtres. Les concentrations d'ouvriers dans les manufactures transformèrent aussi le monde artisanal : l'artisan allait peu à peu céder la place à l' « ouvrier ». Des grèves et des émeutes éclatèrent à Lyon en 1786. En 1789, les ouvriers de la maison Réveillon, fabrique de papier peint, cessèrent le travail pour protester contre une menace de baisse des salaires. Pour éviter ces désordres, les corporations renforcèrent leur contrôle, en instituant, dès 1775, un livret pour chaque ouvrier qui énumérait ses différents employeurs et qui devait être présenté lors d'une embauche.

La société du XVIIIe siècle restait hiérarchisée avec des distinctions sociales fondées sur la naissance, auxquelles étaient associés des privilèges matériels. Dans la vie quotidienne, ces différences tendaient sans doute à se gommer et elles étaient remplacées par d'autres clivages, fondés sur la richesse, le savoir ou le talent. Néanmoins ces distinctions et ces privilèges, venus du plus lointain passé, étaient défendus avec vigueur, dès qu'ils étaient menacés. Ces droits étaient mal acceptés par ceux qui n'en jouissaient pas, d'autant qu'ils n'étaient plus guère accompagnés des sentiments anciens qui les rendaient supportables : la solidarité entre le suzerain et le vassal qui s'appuyait sur l'amitié, la déférence du paysan à l'égard du seigneur qui lui accordait sa protection en cas de besoin, la crainte et le respect qu'inspiraient une grande puissance et une belle richesse.

L'éducation des Lumières

À partir du XVIIe siècle, l'éducation avait été un enjeu du monde catholique, dans le sillage du concile de Trente, pour lutter contre la Réforme, qui avait fondé son action sur le recours au Livre, à la Bible. Parmi d'autres, deux faits furent favorables : la formation des prêtres fut améliorée grâce aux séminaires – un par diocèse ; des congrégations s'orientèrent dans la voie pédagogique : les jésuites, mais aussi les oratoriens ou les doctrinaires. Un indéniable progrès de la scolarisation en a été la conséquence.

La première éducation ou l'éducation sans l'école

L'historien Philippe Ariès a bien montré que l'enfance a été « inventée » à l'époque moderne. Auparavant, l'enfant n'avait guère sa place – n'oublions pas que la mortalité infantile était forte, le record était solognot au XVIIIe siècle, 374 pour 1 000. L'enfant était souvent séparé de ses parents par la mise en nourrice, surtout lorsque la famille vivait à la ville. Dans les villages, l'enfant commençait son existence parmi les adultes. Dans la noblesse même, il était souvent abandonné aux domestiques et les témoignages abondent de rapports rudes entre enfants et parents. Le XVIIIe siècle vit au contraire s'affirmer un idéal bourgeois où la famille était un lieu du bonheur – la vie du couple était valorisée, une grande importance était donnée à la fidélité conjugale, tout était fait pour protéger l'intimité, pour célébrer les plaisirs de la vie familiale, pour renforcer les liens entre parents et enfants, bref l'amour de la famille et dans la famille naissait.

La famille s'avérait donc le lieu privilégié de l'éducation. Pour les garçons des villages, la culture de la terre s'apprenait auprès du père dont l'autorité n'était jamais mise en cause, c'était l'apprentissage d'un savoir-faire par l'exemple. Pour les filles, la mère enseignait les tâches ménagères et les devoirs d'une bonne épouse. Mais la formation de l'enfant puis de l'adolescent se faisait aussi ailleurs, dans la rue ou dans les champs, avec les gamins de son âge. Auprès du curé, l'enfant apprenait le catéchisme. La connaissance des prières communes – le *Pater* surtout – était la première étape de l'éducation religieuse. Il ne faut pas oublier non plus l'importance des sacrements dans la vie des hommes, et d'abord, pour l'enfant, la préparation de la communion solennelle, ni le poids du sermon dans la vie communautaire de l'ancienne France. Pour les apprentis, la formation se faisait avec le maître. C'était une fonction des corporations que de former les futurs artisans et de les protéger des maîtres trop durs. « Le patron est l'éducateur professionnel et spirituel qui fabrique une économie encore patriarcale » *(E. Labrousse)*. Puis venait parfois pour le compagnon le tour de France pendant lequel il entrait en contact avec des réalités sociales et professionnelles nouvelles.

Dans les familles riches, le préceptorat était de rigueur. Cette éducation n'était pas incompatible avec le collège, puisque le précepteur d'un jeune seigneur accompagnait parfois son élève au collège. Le modèle était l'éducation des princes, et on connaît l'attachement que Louis XV garda pour son précepteur Fleury. Des innovations là aussi pouvaient exister : le duc de Chartres – futur Philippe-Égalité – confia ses fils et ses filles à une femme, et elle eut la double fonction de gouverneur et de précepteur. Songeons que le texte de Rousseau qui a trait à l'éducation, *Émile*, décrit aussi la relation entre un précepteur et son élève.

À la campagne enfin, l'adolescent était parfois intégré dans des groupements de jeunesse – bachellerie, abbaye, jeunesse, liesse, vogue – qui étaient chargés d'organiser les fêtes mais qui préparaient aussi la vie amoureuse de l'adolescent en multipliant les occasions de rencontres.

Les petites écoles

Les villes disposaient d'un patrimoine ancien. À l'ombre de la cathédrale, les manécanteries et les écoles capitulaires formaient des enfants de chœur. Quant aux petites écoles, leur création était décidée par les autorités épiscopales. À Paris, il y avait un véritable quadrillage de la ville avec 166 quartiers scolaires qui avaient chacun un maître et une maîtresse d'école. À Lyon, ils étaient 50. La boutique du maître écrivain existait aussi pour apprendre à écrire et c'était une corporation prestigieuse : entre 1673 et 1775, on ne compta que 465 maîtres reçus à Paris.

Les écoles charitables furent fondées à l'initiative de Charles Démia à Lyon, et surtout grâce à l'Institut des Frères des Écoles chrétiennes, créé par Jean-Baptiste de La Salle à partir des années 1678-1679. Ces écoles gratuites prospérèrent et se multiplièrent grâce à des donations, non sans se heurter à de multiples oppositions. Les Frères étaient formés au noviciat de Saint-Yon (créé en 1705 et reconnu en 1724) à Rouen. L'essentiel de l'essaimage se fit de 1730 à 1750. Ces écoles recrutaient essentiellement leurs élèves chez les artisans et elles contribuèrent largement à l'alphabétisation : 35 000 élèves en 1790 étaient pris en charge par les Frères et selon les villes, de 15 à 40 % des garçons.

Quelle était la situation dans les campagnes ? Les autorités proclamèrent l'obligation scolaire en 1698 : « Voulons que l'on établisse autant qu'il sera possible des maîtres et maîtresses dans toutes les paroisses où il n'y en a point pour instruire tous les enfants », et en 1724, cette volonté royale fut de nouveau exprimée, mais ensuite la législation se tarit. La création d'une école paroissiale était soit la volonté d'une communauté rurale, soit la fondation d'un donateur. Le choix des maîtres n'était pas aisé : dans le Sud-Est avait lieu « une dispute des écoles », puis l'évêque devait envoyer une « lettre d'approbation ». Un contrat fixait les obligations du maître. Souvent le maître était au service du curé et devait accomplir des tâches d'Église : les maîtres constituaient une « sous-cléricature » *(R. Chartier et D. Julia)*. Les maîtres étaient payés par une taxe versée par les parents d'élèves, l'écolage ; ils étaient exemptés du logement des gens de guerre et du tirage au sort de la milice. Leur situation n'était pas toujours favorable et les locaux étaient souvent modestes.

Il fallait former de bons chrétiens grâce au catéchisme, à l'abécédaire pieux, au latin, à l'image dévote, au cantique. Venait ensuite l'apprentissage collectif de la lecture. Chez les Frères, on apprenait à lire en français. L'apprentissage de l'écriture ne venait qu'ultérieurement, à 10 ans chez les Lassaliens. Le « jet » était la méthode commune pour apprendre à calculer : le jeu était intégré dans l'apprentissage du calcul et on comptait d'abord en livres, sols et deniers. Enfin, la « civilité » aidait l'enfant à s'intégrer dans la société, d'après le livre d'Érasme *De civilitate morum puerilium*, supplanté au XVIIIe siècle par *Les règles de la bienséance et de la civilité chrétienne* de La Salle. Ainsi étaient apprises les bonnes manières. Les historiens R. Chartier et D. Julia y ont vu un « refoulement de plus en plus accusé des fonctions naturelles ». Quelques exemples : « Si l'on se mouche avec deux doigts et qu'il tombe de la morve par terre, il faut poser le pied dessus », écrivait Érasme ; « C'est une chose très contraire à la bienséance de se moucher avec deux doigts, et puis de jeter la morve à terre », ripostait deux siècles plus tard La Salle.

Une discipline de fer s'exerçait sur les enfants. Une surveillance étroite était déléguée à des surveillants et les châtiments étaient gradués, dont les verges étaient le point d'aboutissement ; mais La Salle recommanda la modération : la férule (un instrument de bois et de cuir pour frapper les mains) devait être employée rarement.

L'alphabétisation

Pour tenter un bilan de l'alphabétisation, des enquêtes ont été menées grâce à la signature des actes de mariage : c'est un critère précieux, même s'il n'est pas suffisant. À la base, il y a l'enquête du recteur Maggiolo en 1877 qui demanda aux instituteurs de faire une recherche dans les registres paroissiaux pour les périodes 1686-1690, 1786-1790, 1816-1820, 1872-1876 (enquête reprise et cartographiée par F. Furet et J. Ozouf). Quels en sont les résultats ? Les quatre cinquièmes des Français étaient analphabètes vers 1680-1700 et les femmes plus encore que les hommes (71 % hommes, 86 % femmes). Il y avait une opposition entre une France du Nord plus alphabétisée et une France du Sud, du Centre et de l'Ouest, qui l'était moins, avec une ligne de partage Saint-Malo - Genève. Il y avait aussi une opposition entre villes et campagnes, entre Paris et le reste de la France. À Paris, sous Louis XIV, le taux d'alphabétisation était de 75 %, à Rouen, pour les hommes de 57 % ; pour les ruraux normands de 44 %. Enfin il faut noter les oppositions sociales : les élites urbaines et rurales étaient alphabétisées ; au contraire, les journaliers et les manouvriers des campagnes, ceux qui n'avaient que leurs bras pour travailler, mais aussi les travailleurs urbains, modestes ou pauvres, étaient analphabètes. Entre les deux, tout dépendait des obligations professionnelles et sociales.

L'évolution fut nette au XVIIIe siècle : les conjoints incapables de signer passèrent, de 1700 à 1790, de 79 % à 63 %. À la veille de 1789, deux tiers des Français ne savaient ni lire, ni écrire et les chances étaient inégales entre les provinces, les villes, les classes et les milieux. À Paris, 90 % des Parisiens savaient lire et écrire. Une répartition a été proposée par l'historien Daniel Roche : – les analphabètes, surtout dans les campagnes ; puis un entre-deux rural et urbain, avec les gros maîtres artisans et les laboureurs ; venait ensuite le « parfait négociant » ; enfin le cercle des lettrés.

Le français face aux patois

La langue française apparaissait au XVIIIe siècle comme une langue universelle. C'était la langue des princes, des diplomates et des savants de toute l'Europe, et Rivarol écrivit en 1784 le *Discours sur l'universalité de la langue française.* À l'intérieur du territoire, la langue française s'était imposée parce que c'était celle de la monarchie, de l'imprimerie, des élites sociales. À côté du français, subsistaient les langues régionales, ce que nous appelons les patois, et deux tiers des Français parlaient autre chose que le français. En 1780-1789, on évalue à 16 millions les Français parlant la langue d'oïl avec ses variantes (picard, normand, bourguignon) contre 7 à 8 millions pour la langue d'oc (Provençaux, Gascons, Limousins, Auvergnats) ; le reste parlait flamand, breton, alsacien, catalan ou basque.

Sous la Révolution, une grande enquête de l'abbé Grégoire permit de distinguer trois types de villageois : ceux qui voyageaient beaucoup et revenaient en ne parlant que le français, ceux qui partaient régulièrement, et fréquentaient le français, enfin ceux qui ne bougeaient pas et ne connaissaient que le dialecte. La persistance des patois dépendait des usages qu'on faisait de la langue : l'écrit juridique était en français mais les interrogatoires dans les procès étaient en dialecte. À la fin du XVIIIe siècle, les parlers régionaux renaissaient, surtout en terre d'oc, et les élites intellectuelles utilisaient les deux, le français et le patois.

Le collège comme modèle d'éducation

Au XVIIIe siècle, c'était une institution bien en place : 70 % des collèges, tenus par des jésuites, avaient été créés avant 1650 et 60 % de ceux tenus par des oratoriens. Les trois quarts des collèges se trouvaient dans des villes de plus de 5 000 habitants.

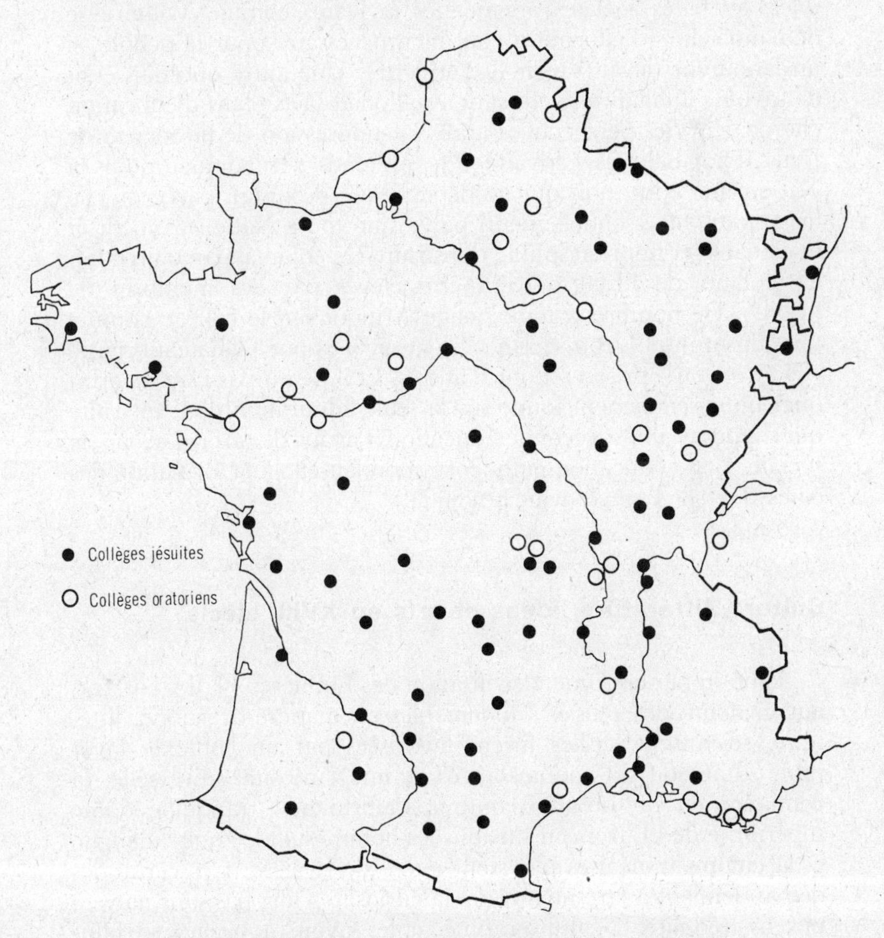

CARTE 11. — Les collèges au début du XVIIIe siècle

(D'après F. de Dainville et P. Costabel), R. Mandrou, *Louis XIV et son temps*, 2e éd., Paris, PUF, 1978.

En 1760, sur 350 établissements, 100 étaient confiés aux jésuites. Ces collèges étaient bien répartis sur le territoire, avec des collèges renommés : comme Louis-le-Grand (ancien collège de Clermont) à Paris, ou Juilly pour l'Oratoire. Les doctrinaires étaient présents dans le Sud-Ouest.

Malgré la réussite indéniable du collège, les interrogations sur l'éducation furent nombreuses au XVIIIe siècle. Les autorités politiques, les élites sociales, même des écrivains comme Voltaire se demandaient si l'éducation était bien nécessaire pour le peuple, si un laboureur devait savoir lire et écrire. Une autre question était de savoir s'il fallait une éducation nationale. Les plans d'éducation cherchaient des perspectives après la suppression de la Société de Jésus. La Chalotais écrivait : « Je prétends revendiquer pour la Nation une éducation qui ne dépend que de l'État, parce qu'elle lui appartient essentiellement, parce que toute Nation a un droit inaliénable et imprescriptible d'instruire ses enfants, parce qu'enfin les enfants de l'État doivent être élevés par des membres de l'État. » De nombreux témoignages critiquaient le collège comme une institution trop fermée : « cage » pour Chateaubriand, « cloître » ou « prison » pour d'autres. Et il ne fut pas rare de critiquer un enseignement fondé sur la seule admiration de l'Antiquité qui supposait une « seconde éducation » avant d'entrer dans la vie sociale. Cette éducation enfin correspondait-elle à la formation des élites dont la France avait besoin ?

Culture, littérature, idées et arts au XVIIIe siècle

Peut-on parler d'une « civilisation des Lumières » ? Il y eut sans aucun doute des réussites indéniables en matière artistique, littéraire, scientifique. Elles furent favorisées par un contexte favorable : une soif de connaissances et une curiosité universelle, la confiance en un progrès continu, l'affirmation tranquille d'une supériorité de l'Européen sur tous les hommes, l'idée que la langue et la culture françaises n'avaient guère de rivales... Ces certitudes demanderaient à être nuancées : la curiosité n'alla pas sans naïveté ni sans crédulité, la culture raffinée et les savoirs nouveaux se diffusaient, mais restaient néanmoins réservés à une frange étroite de la société, le sentiment de supériorité conduisait à ignorer ou à mépriser d'autres cultures.

Culture des élites et culture populaire

Les académies. — Au début du XVIIIe siècle, l'Académie française restait fortement contrôlée par le pouvoir (par Fleury par exemple). Ensuite Fontenelle (1657-1757), l'auteur de l'*Entretien sur la pluralité des mondes* (1686), exerça une influence durable d'autant plus qu'il fut aussi secrétaire de l'Académie des sciences de 1697 à 1740. Mais à l'Académie des sciences, Maupertuis fit souffler contre Fontenelle, partisan du cartésianisme, un vent de newtonisme. Quant à Réaumur, il dirigea une description des arts et métiers qui servit de documentation à l'*Encyclopédie.* D'Alembert, membre de l'Académie des sciences, puis de l'Académie française en 1754, fit triompher l'influence des « philosophes » dans ces institutions.

L'Académie de peinture et de sculpture encouragea des expositions dans le Salon carré du Louvre. Ce fut autour de cette actualité de la création et de ces « Salons » bisannuels, que Diderot développa la critique d'art. L'Académie fut aussi le cadre d'une réflexion esthétique, ainsi autour de Coypel et de la primauté de la couleur sur le dessin.

Les Français furent aussi présents dans les académies étrangères, comme Maupertuis à Berlin auprès de Frédéric II.

Les académies provinciales. — L'exemple des académies parisiennes favorisa la création d'académies provinciales. Elles avaient une triple vocation : le service de l'État, l'unification du royaume par la langue française et la multiplication du savoir. Ces académies existèrent surtout dans des villes qui étaient le siège d'un évêché ou d'une intendance, qui avaient une université ou une cour souveraine, qui étaient des centres d'affaires et de négoce... Sur 32 villes académiques, qui représentaient 1 million d'habitants et 23 000 notables, on comptait selon l'historien Daniel Roche 2 500 académiciens, soit environ 10 % des notables. Le recrutement était essentiellement masculin ; 23 % des académiciens avaient moins de 30 ans, et 1 % moins de 20 ans. Sur 6 000 académiciens recensés de 1715 à 1760, on compte 20 % d'ecclésiastiques, 37 % de nobles, 43 % de roturiers *(Daniel Roche)*. Parmi ces derniers, les médecins ont une place importante. Mais si les négociants étaient moins présents dans les académies, ils furent souvent à l'origine des « musées » (Bordeaux, Metz, Toulouse, Paris), des sociétés littéraires à partir de 1770 ou des chambres de lecture. Les académies provinciales lançaient des concours sur des sujets très variés et couronnaient le meilleur discours : ce fut ainsi que se révéla le talent de Jean-Jacques Rousseau.

Tous les écrivains et tous les créateurs n'avaient pas accès à ces honneurs : les « Rousseau du ruisseau » vivaient mal et enviaient les réputations bien installées. Ils formaient une bohème littéraire, s'efforçaient de se faire connaître par des libelles politiques, vivaient grâce à des ouvrages pornographiques, et parfois ils accueillirent la Révolution comme un temps d'espérance et de succès.

Les formes de la culture populaire. — La culture populaire existe-t-elle ? Cette interrogation a marqué la recherche historique. Longtemps, les historiens ne s'étaient intéressés qu'aux formes élaborées, savantes et raffinées, de la culture. Ils laissaient à d'autres le soin d'étudier les folklores. Aujourd'hui ces traditions sont regardées avec une curiosité nouvelle.

Dans un monde qui consacrait l'essentiel de son temps au travail, et une part non négligeable à la religion, il restait peu de temps pour le loisir. Néanmoins les longues veillées d'hiver étaient des occasions de parler, d'échanger des idées, de raconter des histoires vraies ou des histoires inventées. C'était là d'abord une tradition orale. Elle se complétait par des chansons, transmises de génération en génération : elles s'ajoutaient aux cantiques, qui étaient appris pour la messe. La fête surtout était le moment privilégié du divertissement, pour les mariages par exemple, et la danse était un plaisir qui convenait autant aux paysans qu'aux gentilshommes. Il suffisait d'un ou de quelques instruments traditionnels. Dans les petites villes, et parfois dans les campagnes, passaient aussi des troupes de théâtre itinérantes. Enfin il y avait une timide circulation de livres et surtout d'images. On fabriqua par exemple à Troyes des petits livrets à bon marché : leur couverture bleue les faisait désigner comme la Bibliothèque bleue. Ces contes reprenaient les grands mythes : Gargantua, Till l'Espiègle, ou bien Fortunatus. Mais on comptait aussi beaucoup de livres de piété (recueils de cantiques, catéchismes, vies de saints), des calendriers (le *Grand Compost ou Calendrier des bergers*) et des almanachs (calendriers avec des historiettes ou des conseils pour tous les jours), des livres de médecine et des ouvrages de magie *(Secrets du Grand Albert)*.

Les cadres culturels

L'information, la recherche scientifique et la création artistique restaient sous le contrôle de l'État et de l'Église, car rien ne devait être fait contre Dieu, le roi ou les bonnes mœurs. Le XVIIIe siècle n'en fut pas moins le temps des grandes audaces : les athées ne manquèrent pas dans la littérature ; les libelles furent souvent orduriers à l'égard du souverain ; enfin ouvrages libertins ou pornographiques circulèrent à leur aise.

La censure et l'édition. — Le chancelier surveillait la Librairie. Lamoignon de Blancmesnil imposa son fils Malesherbes comme directeur de 1750 à 1763. Cet ami des philosophes fut bienveillant avec les auteurs aux idées nouvelles et n'hésita pas à prévenir ceux qui étaient menacés par les enquêtes de la police. De 1763 à 1774, ce fut le tour de Sartine qui était en même temps lieutenant général de police. Après 1776, les deux charges furent de nouveau séparées.

Le nombre des censeurs royaux augmenta au XVIIIe siècle : 41 en 1734, 82 en 1751, 119 en 1760, puis 178 en 1789. Le censeur n'avait de comptes à rendre qu'au chancelier. C'était lui-même un homme de lettres, un expert du domaine en question. Ainsi le livre d'Helvétius *De l'esprit* parut en 1758 avec l'accord du censeur Tercier mais ce livre fut condamné par le parlement, le privilège fut révoqué et Tercier rayé de la liste des censeurs.

Le métier d'éditeur n'existait pas encore vraiment : tout reposait sur les libraires et les imprimeurs. La Librairie était organisée autour d'une chambre syndicale et d'un syndic. Il y avait collaboration avec les inspecteurs de la Librairie qui étaient issus de la police. Il s'agissait de découvrir les livres contrefaits – ce qui permettait de défendre la propriété littéraire – mais aussi les livres interdits. Les colporteurs, qui distribuaient les ouvrages, étaient surveillés. Comme la contrebande du livre était active, les importations de livres étrangers n'étaient autorisées que par Paris, Rouen, Nantes, Bordeaux, Marseille, Lyon, Strasbourg, Metz, Amiens, Lille. La répression suivait les aléas de la vie politique et religieuse, en particulier autour de la querelle janséniste. Tous pouvaient être embastillés : les maîtres (imprimeurs, relieurs, libraires), mais aussi les ouvriers du livre, ou bien les distributeurs et les colporteurs ; et bien sûr les auteurs.

Même si la censure était critiquée, il est clair que les censeurs étaient aussi des négociateurs et s'efforçaient de trouver des accommodements avec les auteurs qui, eux-mêmes, ne désiraient pas la liberté totale, de crainte de voir leurs propres œuvres plagiées. Et paradoxalement la Bastille était parfois une excellente publicité pour un livre.

Le souci de défendre l'écrivain et le créateur s'affirmait : en 1777, Beaumarchais obtint que l'auteur dramatique touchât des droits sur les représentations de ses pièces et il fonda, le 3 juillet 1777, la Société des auteurs dramatiques. Mais cet effort n'aboutit qu'en 1791.

Les bibliothèques et la lecture. — Les historiens ont étudié avec soin les bibliothèques. Leur composition est un indice quant aux curiosités intellectuelles du temps. Bien sûr, des livres étaient achetés sans être lus, d'autres livres arrivaient par des héritages et n'avaient pas été choisis. L'historien D. Roche note une double évolution : les noblesses étaient entrées dans le monde de ceux qui ont l'habitude et le goût de lire, elles négligeaient les lectures traditionnelles pour s'orienter vers les belles-lettres avant tout. Parmi les bourgeoisies, celles du talent et de la rente, avaient depuis longtemps des livres, surtout professionnels, mais l'érudition classique laissait aussi la place aux nouveautés (romans, histoire, pièces du répertoire...).

La sociabilité littéraire. — Le XVIIIe siècle a mis en valeur les réunions qui étaient à la fois mondaines et littéraires. Sous la Régence, la duchesse du Maine donna un grand éclat à sa cour de Sceaux avec les fameuses « nuits de Sceaux ». D'autres femmes furent des hôtesses qui surent attirer des écrivains, des savants, mais aussi des courtisans : Mme de Lambert déjà avant 1715 ; Mme de Tencin (1682-1749), rue Saint-Honoré, Mme du Deffand, Julie de Lespinasse avec d'Alembert, plus tard Mme Necker. L'art de la conversation, les paradoxes, les mots d'esprit, les vers amusants, le commentaire des livres, les anecdotes de la cour et de la société faisaient la trame de ces rencontres informelles, mais régulières. Autour de l'abbé de Saint-Pierre, fut fondé en 1724 un Club de l'Entresol, sur le modèle anglais, mais il fut fermé par Fleury en 1731, car la politique française et internationale y était le principal sujet, et cela inquiétait le ministre.

Ainsi le rôle de ces salons peut être discuté. Le conformisme des apparences était concilié avec un refus intellectuel de l'ordre établi.

Ces réunions mondaines et littéraires bénéficiaient sans doute de la complicité de la monarchie, qu'inquiétaient surtout les querelles religieuses et l'opposition parlementaire. Au moment de la Révolution, ceux qui survivaient furent d'ailleurs vite dépassés par les événements.

Mécénat et collections. — Au XVIIIe siècle, le goût de la collection se répandit : ne se limitant plus au monde des princes (pour la peinture) ou des érudits (pour les manuscrits anciens et les monnaies antiques), elle toucha plus largement les milieux financiers. Il y avait là un goût pour l'objet rare et pour le confort, donc pour des objets de la vie quotidienne magnifiés par l'art (orfèvrerie, porcelaines, mobilier...). Il faut reconnaître aussi un besoin de reconnaissance sociale à travers ces objets du luxe, plus qu'un souci de bien investir. Il y avait enfin un désir d'une vie éternelle à travers la collection qui durerait plus qu'une vie d'homme.

Le cas des fermiers généraux permet de montrer cette évolution *(Yves Durand)*. Venue du monde de la finance, Mme de Pompadour montra l'exemple comme protectrice des arts avec son frère Marigny. Les fermiers généraux protégeaient aussi les écrivains comme Rousseau et Diderot. Ils commandaient des portraits aux peintres à la mode (Van Loo, La Tour, Greuze, Nattier, Mme Vigée-Lebrun) et ces portraits étaient exposés au Salon. Certains se consacraient à la création de cabinets de curiosités, comme celui de Savalette de Buchelay avec des minéraux, des fossiles, des pierres fines, des bois pétrifiés, des modèles réduits de charrues et de moulins. Les prestigieuses collections de tableaux s'imposaient aussi.

La pratique de la musique et la protection des musiciens allaient dans le même sens. La Pouplinière protégea Rameau et fit de sa maison « la citadelle du ramisme ». Rameau ne connut le succès qu'à 50 ans en 1733 avec *Hippolyte et Aricie*, qui fut suivi des *Indes galantes* en 1735, de *Castor et Pollux* en 1737, des *Fêtes d'Hébé* en 1739, du *Temple de la Gloire* en 1745. Son riche protecteur offrit donc au compositeur un véritable « laboratoire musical ». D'autres musiciens y essayèrent leurs œuvres comme Stamitz et Gossec.

Le théâtre. — Depuis 1680, la Comédie-Française avait le monopole de la scène qu'elle étendit en 1697, avec l'expulsion des comédiens italiens. Et elle le défendit jusqu'en 1762, malgré une dépression entre 1720 et 1740. Elle permit les triomphes de Voltaire (*Brutus* en 1730) et disposait de brillants acteurs : Baron, Quinault-

Dufresne, Mlle Lecouvreur, et, à partir de 1743, Mlle Clairon. En 1723, les Italiens s'installèrent de nouveau avec Luigi Ricoboni et s'appuyèrent sur le succès de Marivaux. De 1720 à 1750, les œuvres de ce dernier connurent au théâtre un succès égal à celui de Voltaire.

Avec 400 spectateurs par spectacle, il y aurait eu 400 000 à 500 000 entrées annuelles au théâtre. Le parterre restait debout avec des spectateurs qui ne payaient pas toujours ; l'entrée coûtait un peu plus d'une livre (à peu près le revenu quotidien d'un ouvrier). Mais les dimanches et les jours chômés, le théâtre s'ouvrait largement. Il y eut désormais une plus grande discipline dans la salle, malgré une foule bigarrée et bruyante. À cela, il faut ajouter les théâtres dans les châteaux aristocratiques où l'on jouait des opéras ou des tragédies, mais aussi des œuvres légères, ou des « parades » qui, à l'origine, étaient un genre populaire, tournant en ridicule les succès de la scène.

Le théâtre suscita une recherche architecturale savante comme le montra la construction d'une salle moderne pour la Comédie-Française (aujourd'hui l'Odéon). En 1789, 50 villes avaient un théâtre.

L'Opéra. — L'Opéra ou Académie royale de musique fut longtemps marqué par le modèle de Lully et de son librettiste Quinault, la tragédie lyrique, dont Louis XIV lui-même s'était fatigué. L'opéra avait été attaqué par la Sorbonne en 1694 comme plus nuisible que la comédie, et le milieu des chanteuses était accusé de bien des faiblesses. La tragédie lyrique connut un repli de 1723 à 1752. Surtout Versailles s'effaçait devant Paris où se faisaient désormais les succès musicaux.

Pourtant, les œuvres de Rameau, pleines d'originalité et de recherche musicale, s'imposèrent de 1733 à 1763. Et les écrivains étaient heureux de collaborer à des opéras, ainsi Voltaire. Rousseau se fit aussi connaître par l'opéra avec son *Devin de village* (1752). Le monde musical était secoué par de terribles querelles esthétiques qui soulevaient des passions. D'abord éclata la querelle entre les lullistes et les ramistes, les partisans de Lully contre les partisans de Rameau. Puis vint la querelle des bouffons. En 1752, était donnée en effet *La Servante maîtresse* de Pergolèse, modèle de l'opéra bouffe. Deux camps s'affrontaient : le coin du roi, favorable à la tradition française et à Rameau, et le coin de la reine, favorable à la musique italienne, plus brillante, mais finalement moins moderne.

L'opéra-ballet, plus léger et moins mythologique, put renaître à la fin du XVIIe siècle avec l'appui de grands seigneurs et il s'imposa au début du XVIIIe siècle (*Les Éléments* de Destouches en 1725). Philippe d'Orléans a été lui-même l'auteur d'opéras comme *Philomèle*. L'influence italienne réapparut aussi au début du siècle avec le succès de la cantate (grande poésie chantée), succès qui ne se démentit pas. À partir de 1759, les œuvres de Monsigny et Philidor triomphèrent ; c'était l'opéra-comique, qui se moquait de l'opéra sérieux, ainsi le *Tom Jones* de Philidor en 1765.

En 1770, l'Opéra se réinstalla dans une salle nouvelle au Palais-Royal, mais elle brûla en 1781, et il fallut s'installer à la porte Saint-Martin. À Versailles avait été créé l'Opéra royal pour le mariage de Marie-Antoinette. En 1774, Gluck fit une révolution musicale avec *Iphigénie en Aulide*. Gluck avait été formé à l'italienne et influencé par Rousseau. Il tenta une synthèse entre le genre tragique et la musique sans ornement inutile. Il introduisait une ouverture orchestrale en rapport avec le drame, il faisait participer le chœur à l'action, il cherchait à exprimer des passions fortes et choisissait pour cela des sujets mythologiques. Il mettait la musique au service du livret, cherchait à tracer un portrait psychologique des personnages. Ce fut une nouvelle querelle, cette fois, entre gluckistes et piccinnistes, du nom du compositeur Piccinni.

La mode des concerts instrumentaux commença aussi, avec le Concert spirituel à partir de 1725. La musique instrumentale favorisait le piano, la clarinette et le violoncelle.

L'essor de la presse au XVIIIe siècle

La presse bénéficia alors des progrès techniques de l'imprimerie et de la création des cabinets de lecture, mais elle était soumise au code de la Librairie de 1723, à la censure et souffrait de la surveillance du colportage. Des formes traditionnelles survivaient avec les almanachs, les « nouvelles à la main » – des nouvelles recopiées à la main et distribuées dans des lieux très fréquentés, comme le Pont-Neuf ou la galerie du Palais de justice.

Quelques périodiques restaient prépondérants. *La Gazette*, fondée par Renaudot, avait le monopole des nouvelles politiques et, en 1761, elle fut rattachée au secrétariat d'État des Affaires étrangères, ce qui montrait son caractère officiel. Le *Journal des savants* était mensuel et se consacrait aux informations scientifiques, à la théologie et à la religion surtout, et était destiné aux érudits. Il subit la concurrence de l'*Année littéraire* de Fréron ou du *Pour et contre* de l'abbé Prévost. Le *Mercure galant*, fondé en 1672, était devenu le *Mercure de France* : il privilégiait les chroniques littéraires. Quant aux *Mémoires de Trévoux*, c'était un périodique où écrivaient des jésuites, professeurs au collège Louis-le-Grand de Paris. Voltaire et les Encyclopédistes furent leurs cibles privilégiées.

Le siècle vit une floraison de périodiques. Les premiers quotidiens firent leur apparition. Surtout une presse spécialisée naissait avec des journaux littéraires, mais aussi des périodiques sur la philosophie, la politique ou la religion, et, pour les jansénistes, les *Nouvelles ecclésiastiques*. Des journaux techniques paraissaient, une presse physiocratique par exemple *(Les Éphémérides du citoyen)*, mais aussi une presse féminine sur la mode.

Les créations littéraires et l'évolution des idées

Une vie dans le siècle : Voltaire (1694-1778). — Fils d'un notaire parisien, Arouet, dit Voltaire, chercha d'abord fortune dans les milieux politiques et diplomatiques. Il eut très jeune une pension de la cour, mais il connut aussi un embastillement de onze mois, en 1717-1718 pour des vers irrévérencieux. Il tenta la poésie philosophique avec *La Henriade* en 1728 (mais aussi la poésie licencieuse avec sa *Pucelle*) ; il fut un maître de la tragédie, dès *Œdipe* en 1718 : il en ouvrit plus tard les perspectives vers le Moyen Âge ou les contrées exotiques. Il se fit essayiste et « philosophe » avec ses *Lettres philosophiques* de 1734. Ce livre était né d'un séjour en Angleterre où il s'était réfugié : il avait offensé un Rohan, avait été roué de coups par les serviteurs de ce grand seigneur, avait demandé réparation et finalement avait dû prendre la fuite. Le livre connut un succès prodigieux, fut condamné par le parlement comme contraire à la religion, aux bonnes mœurs, au respect dû aux puissances. Voltaire s'y affirmait comme un « anti-Pascal » : il refusait une religion sombre et intolérante. Craignant des poursuites, il se réfugia à Cirey de 1734 à 1744. Il s'y consacra à la vulgarisation scientifique avec sa maîtresse, Mme du Châtelet : les *Éléments de la philosophie de Newton* parurent en 1738. Voltaire utilisa aussi l'humour et l'ironie dans le conte philosophique (*Zadig ou la destinée, 1748, Micromégas,* 1752 ; *Candide ou l'optimisme,* 1759). Il fut aussi un historien du passé proche, habile à glaner des témoignages : *Histoire de Charles XII* (1731), *Le siècle de Louis XIV* (1751), l'*Essai sur les mœurs*. Cette histoire était philosophique, écrite comme un roman, plutôt qu'une philosophie de l'histoire *(B. Didier)*. Voltaire correspondait avec les écrivains mais aussi avec les rois, et son amitié avec Frédéric II de Prusse fut à la fois passionnée, intéressée et orageuse. Finalement, l'écrivain illustre s'installa à la frontière de la Suisse à Ferney en 1760. Il se consacra encore à des affaires judiciaires. D'abord à la réhabilitation de Calas, un protestant de Toulouse, accusé d'avoir tué son fils, et condamné à mort en 1762 : le père supplicié fut réhabilité en 1765. Puis il s'occupa de la cause du chevalier de la Barre : ce jeune homme avait été condamné à mort et exécuté pour sacrilège, en 1766, et un juge avait attaqué l'esprit philosophique, et même Voltaire. L'écrivain ne réussit pas à obtenir une réhabilitation.

La réflexion politique de Montesquieu. — Charles de Secondat, baron de la Brède et de Montesquieu (1689-1755) était issu d'une famille de parlementaires bordelais. En 1716 il hérita de la baronnie de Montesquieu et d'une charge de président à mortier. La même année, il donna une *Dissertation sur la politique des Romains dans la religion* pour l'académie de Bordeaux. Puis en 1721, ce fut l'immense succès des *Lettres persanes*. Montesquieu fit alors des voyages en Europe, publiant les *Considérations sur les causes de la grandeur des Romains et de leur décadence,* en 1734. Il mena une existence mi-parisienne, mi-bordelaise. Finalement, en octobre 1748, paraissait à Genève *L'esprit des lois*. Ce gros ouvrage frappait d'abord par son style précis et vif et par une immense documentation. Montesquieu adoptait une méthode qui supposait qu'un ordre intelligible devait surgir de réalités diverses. Il proposait un classement systématique et définissait trois natures de gouvernement : la république, la monarchie, le despotisme. À ces trois types, correspondaient trois sentiments politiques : la vertu, l'honneur, la crainte ; trois dimensions territoriales : territoire petit, moyen, immense ; trois climats : froid, tempéré, chaud, avec trois tempéraments, l'énergie, l'équilibre, la mollesse ; trois religions : protestantisme, catholicisme, islam. Cette œuvre laissait néanmoins percer une admiration pour le régime politique anglais : « Il y a une nation dans le monde qui a pour objet direct de sa constitution la liberté politique » : c'est l'Angleterre (XI, 5). Autour de ce livre s'engagea une ardente polémique et les attaques vinrent des jansénistes comme des jésuites !

Jean-Jacques Rousseau (1712-1778). — Jean-Jacques Rousseau, fils d'un horloger, né à Genève, mena une existence aventureuse. Il connut tôt le succès dans le domaine de la musique (*Le devin de village,* 1752) et avec des discours sur des sujets académiques : *Discours sur les sciences et les arts* (1750) prix de l'académie de Dijon, puis *Discours sur l'origine de l'inégalité* (1755). Après avoir été l'ami de Diderot, il rompit avec le milieu des Encyclopédistes en publiant sa *Lettre à d'Alembert sur les spectacles* (1758). Il se retira à Montmorency chez le maréchal de Luxembourg et écrivit *La nouvelle Héloïse* (1761), *Du Contrat social* et *Émile* (1762). Les attaques vinrent de partout, des écrivains défenseurs du catholicisme, des protestants et de Voltaire. Rousseau consacra la fin de sa vie à justifier sa vie en écrivant son autobiographie, les *Confessions* et les *Rêveries du promeneur solitaire.*

Rousseau a toujours insisté sur la cohérence de son œuvre qui est une protestation contre les vices et les excès de raffinement de la civilisation au temps de Louis XV. Il se considérait comme un anti-Voltaire – hostile au luxe, favorable à la simplicité des mœurs, un anti-encyclopédiste – peu confiant dans le progrès technique, persuadé que les arts et les sciences corrompent. Il rencontra les aspirations d'une partie de son temps et de certaines couches sociales, influencées par le jansénisme. Il se plaisait à se représenter un état sauvage mythique et il considérait que la propriété était corruptrice.

« L'homme est né libre et partout il est dans les fers. » Une réflexion, théorique plus qu'utopique, était à la base du *Contrat social.* Rousseau aspirait à un nouveau contrat, établi sur la volonté générale, unanime, infaillible, indivisible. Le souverain, c'était le peuple tout entier. Seule, la forme de l'exécutif changeait. C'était un texte anti-monarchique dans son essence : « Tout gouvernement légitime est républicain. » Rousseau attribuait à la souveraineté nationale les traits que les penseurs monarchistes avaient donnés au pouvoir royal, mais, pour lui, le pouvoir gouvernemental ne pouvait être que soumis et révocable. L'éducation publique devait faire oublier au « citoyen » sa propre volonté individuelle. Mais cette religion civile s'accompagnait d'une exclusion des athées ! Rousseau rédigea des projets de constitution pour la Corse en 1765 et pour la Pologne (1770-1772).

Dans *Émile,* Rousseau était très concret : pour le petit enfant, pas de maillot, pas de nourrice. Son élève était un enfant riche et noble, mais un enfant de la nature, sans livres. Rousseau dénonçait même la morale des fables de La Fontaine. Il proposa une religion telle qu'il la décrivait dans la « Profession de foi du vicaire savoyard ». C'était un simple élan vers la divinité, qui fit condamner son auteur en 1762 par le parlement de Paris.

*Une grande entreprise collective : l'*Encyclopédie. — À l'origine, le projet était une traduction de la *Cyclopoedia* de Chambers et le libraire Le Breton reçut un « privilège » pour la publier. En octobre 1747, d'Alembert et Diderot s'imposaient comme les deux maîtres d'œuvre, d'Alembert s'occupait des articles scientifiques, Diderot de tout le reste. En 1750, le *Prospectus* était distribué et en 1751, le premier volume paraissait avec le *Discours préliminaire* de d'Alembert. La polémique s'enfla, car un des collaborateurs, l'abbé de Prades, voyait sa thèse de doctorat condamnée à la Sorbonne et devait prendre la fuite. Les deux premiers volumes de l'*Encyclopédie* étaient à leur tour condamnés, mais ils étaient déjà distribués. L'entreprise bénéficiait, malgré les attaques, de la protection de Mme de Pompadour et de Malesherbes, et elle put continuer. En 1754, d'Alembert fut élu à l'Académie française, ce qui renforçait le prestige de l'œuvre collective. Après l'attentat de Damiens, il y eut une nouvelle vague de pamphlets. L'article « Genève » de d'Alembert en 1757 provoqua la colère des protestants et de Rousseau, et d'Alembert se retira de l'entreprise (1759). Après la condamnation de *De l'esprit,* le parlement s'en prit de nouveau à l'*Encyclopédie* et révoqua le privilège ; mais Malesherbes permit de sauver le projet grâce au *Recueil de mille planches gravées* : cette publication évita de rembourser l'argent des souscripteurs. Au même moment, on apprit la condamnation pontificale de Clément XIII.

En 1760, *Les Philosophes* de Palissot, qui se moquait des Encyclopédistes, étaient joués à la Comédie-Française. Malgré ces difficultés, en 1766, d'un seul coup, les dix derniers volumes du texte parurent ; ils étaient, en apparence, publiés à Neuchâtel ; en réalité une permission tacite avait été accordée par le pouvoir. L'entreprise était terminée en 1772 et elle était largement bénéficiaire.

C'était un dictionnaire collectif, après bien des dictionnaires écrits par un seul auteur. Des noms illustres apparaissaient, parfois pour des participations parfois minimes : Montesquieu pour « Goût », Voltaire, Rousseau, François Quesnay, Turgot, d'Holbach pour des articles de sciences naturelles, d'Alembert avec « Collège » et « Genève », souvent Diderot. Il y avait aussi des obscurs, comme le chevalier de Jaucourt.

L'art de Diderot fut de conserver à chaque article son accent et d'établir un dialogue entre les articles. Le système de renvois permettait de tromper la censure, mais aussi de laisser le lecteur libre de ses choix. Les techniques devaient être montrées avec les machines : le dictionnaire offrait une image lisse, nette et propre de l'artisanat et de la consommation *(Jacques Proust)*. Pour les questions de religion, les articles montraient une méfiance à l'égard de la théocratie, des prêtres, de la superstition, un goût pour des comparaisons entre les religions qui sapaient les dogmes chrétiens, un sensualisme, allié à une forme de déisme – Diderot allant jusqu'au matérialisme. Pour la politique, les lignes essentielles étaient une fidélité au principe monarchique ou la tentation du despotisme éclairé, une confiance dans les réformes pour éviter les révolutions (égalisation de l'impôt, développement de l'agriculture et du commerce, accroissement de la population).

La diffusion. — Cette édition *in folio* était réservée à l'élite de la cour ou de la société – 17 volumes, 11 volumes de planches : 280 livres pour la première souscription, mais le prix fut dépassé et atteignit 980 livres, et peut-être 1 400 livres ; il s'en vendit autour de 4 000 exemplaires. Des réimpressions ou contrefaçons apparurent en Europe : Genève (1771-1776), Lucques (1758-1776), Livourne (1770-1778) ; puis vint le temps des éditions plus accessibles pour la bourgeoisie, grâce à Panckoucke et à la Société typographique de Neuchâtel.

Il y eut bien d'autres entreprises « éditoriales » au XVIIIe siècle, ainsi l'*Histoire naturelle* de Buffon. Intendant du jardin du roi, en 1739, à 32 ans, il dirigea cette grande institution scientifique, chargée de la recherche en sciences naturelles ; il connut un grand succès pour ses livres, fut fait comte de Buffon en 1771, et il était propriétaire de forges à Montbard. Il publia, de 1749 à 1788, 15 volumes sur les quadrupèdes, 9 volumes sur les oiseaux, 5 volumes sur les minéraux. Sa démarche était prudente et chrétienne, mais c'était néanmoins une démarche scientifique qui mettait en valeur la spécificité du vivant ou l'ancienneté de la Terre.

Les Lumières

Le XVIIIe siècle a été présenté comme le temps des Lumières. Le pluriel montrait que c'était une diversité, plutôt qu'une unité de pensée. Ces lumières triomphaient des ténèbres, c'est-à-dire des préjugés, des traditions et du fanatisme, et la franc-maçonnerie développa cette symbolique de l'ombre et de la clarté. L'homme des Lumières, c'était le « philosophe », un sage, plutôt qu'un savant, un homme de la Raison, selon l'*Encyclopédie*.

Les perspectives principales

La science et l'idée de nature. — Mathématiciens et physiciens s'illustrèrent. Il y eut d'abord la génération de d'Alembert et de Maupertuis, puis celle de Lagrange, Laplace, Monge, Bailly, Condorcet. Le newtonisme s'imposa après 1750, avec le principe de l'attraction. Tout le siècle s'interrogea aussi sur la nature de l'électricité et l'on se passionna à propos des expériences de l'abbé Nollet. La curiosité scientifique se répandit et un effort de vulgarisation se développa. Le fermier général Lavoisier fit faire de grands progrès à la chimie en pratiquant l'analyse de l'air (1770) et de l'eau (1783).

La recherche se pencha aussi sur le vivant. Les médecins eurent un rôle social et intellectuel nouveau : la deuxième moitié du XVIIIe siècle marqua peut-être leur apothéose. On étudia les fossiles, on s'interrogea sur l'apparition des formes minérales et sur la disparition des espèces, et c'était toute la Création divine qui désormais était interrogée et mise en cause. La notion de nature fut aussi au centre des discussions car les philosophes cherchaient, ainsi Diderot, à concilier déterminisme physique et dignité humaine.

Les sciences de l'homme et le sensualisme. — L'homme (et non plus Dieu) fut en effet au centre des préoccupations. Mais une vision sensualiste de l'homme s'imposait : toutes les représentations humaines venaient des sens. Condillac exprima ce sensualisme de la manière la plus absolue, mais ce fut en fait une constante des Lumières. Cette vision conduisait à jeter un regard nouveau, scientifique, sur les idées, ouvrant la voie aux sciences de l'homme. Cela conduisait aussi à étudier avec des méthodes originales les phénomènes économiques et sociaux.

L'esthétique des Lumières

La monarchie et l'Église ne furent plus les soutiens essentiels de la production artistique, car l'amateur d'art se recruta dans des cercles plus larges, et l'artiste chercha à plaire à un public, plutôt qu'à un mécène. La place du sensualisme dans la philosophie des Lumières conduisit aussi à justifier un attrait plus grand encore pour l'art.

La primauté maintenue de la peinture. — La peinture d'histoire et la peinture religieuse laissèrent de plus en plus de place aux « petits genres ». Ce fut d'abord l'évocation de la fête galante, à l'aube du siècle. Watteau (1684-1721) marqua ce choix avec, en 1717, *L'embarquement pour Cythère,* mais il évoqua aussi le milieu théâtral (le *Gilles* vers 1718, les *Comédiens italiens* vers 1720). Le rêve et la mélancolie caractérisaient cette peinture. Mais le genre évolua vers la peinture érotique ou libertine, pour l'exaltation de l'amour, du plaisir et de la femme. Ce furent Boucher (1703-1770) avec le *Triomphe de Vénus,* 1740, C. A. Coypel (1694-1752), De Troy (1679-1752) avec *La déclaration d'amour* (1731), Jean-Honoré Fragonard (1732-1806) avec *Les hasards heureux de l'escarpolette.*

Les peintres évoquèrent aussi la vie quotidienne. Ce fut la redécouverte d'un art intimiste avec ses « instants capturés » *(Jean Starobinski)* : Chardin (1699-1779) fut le grand maître avec *Le Bénédicité* (1740), *La Toilette du matin,* vers 1740, *Le faiseur de châteaux de cartes,* vers 1741.

Puis le goût évolua. Hubert Robert (1733-1808) évoqua des ruines antiques dans des paysages italiens, Greuze (1725-1805) réintroduisit le sentiment et la morale dans la peinture. Quant à David (1748-1825), il marqua le retour à l'antique avec son rigoureux *Serment des Horaces* (1784-1785). Enfin un préromantisme s'affirma : ainsi Joseph Vernet (1714-1789) montra un goût nouveau pour les paysages tourmentés (*La tempête,* 1777).

L'architecture. — Le retour au classicisme se marqua dans l'ampleur des formes ou des perspectives, pour les places et les jardins, pour les demeures royales ou privées, pour les édifices d'utilité publique. L'œuvre de Jacques-Ange Gabriel (1698-1782) domina avec l'École militaire en 1751, la place Louis-XV (aujourd'hui de la Concorde), le Petit Trianon de Versailles. Soufflot (1713-1780) travailla à Lyon pour l'Hôtel-Dieu, mais il réalisa aussi l'église Sainte-Geneviève (aujourd'hui le Panthéon). Plus visionnaire, Ledoux (1736-1806) proposa un modèle de ville industrielle avec les Salines d'Arc et Senans, et il éleva les barrières d'octroi de Paris. Une fièvre de construction privée marqua le siècle et les hôtels particuliers rivalisèrent d'élégance, à Paris, mais aussi dans les villes provinciales. Les villes multiplièrent les ensembles grandioses comme à Nancy. Vers la fin du siècle, la mode s'imposa aussi des ermitages, ainsi Bagatelle pour le comte d'Artois ou le Hameau, de Mique (1780), pour Marie-Antoinette.

La décoration intérieure. — Un soin tout particulier marqua la décoration intérieure. D'abord triompha le style rocaille, avec des dorures exubérantes. Puis la simplicité et la ligne droite s'imposèrent avec la redécouverte de l'art antique. Surtout, tout était fait pour assurer un plus grand confort : des cheminées et de hautes fenêtres dans chaque pièce, une multiplication des petits meubles utiles et commodes. Les ébénistes (Oeben, Riesener, Cressent) multiplièrent les chefs-d'œuvre. Et les objets utiles devinrent eux-mêmes des merveilles (pendules, argenterie, vaisselle). Les artisans cherchèrent à plaire à leur clientèle en inventant des formes originales, en utilisant des bois rares, des tissus ou des métaux précieux, en recourant à des techniques complexes et à des ornementations raffinées.

Le visage de la France avait changé. Les conditions de vie s'étaient améliorées : une population plus jeune et plus nombreuse, mieux nourrie, souffrait moins des épidémies et des disettes. L'économie française rattrapait son retard sur l'Angleterre dans le grand commerce comme dans l'industrie, et cette économie s'ouvrait sur le monde entier. La presque totalité des Français restaient attachés à la foi et à la pratique catholiques, ce qui renforçait l'unité du royaume. La création intellectuelle et artistique était florissante et la France proposait même un « art de vivre » comme modèle à l'Europe entière. Les hommes et les idées circulaient plus facilement dans le pays et les contraintes se faisaient plus légères, sur la production de marchandises manufacturées comme sur la production des livres.

Le pays souffrait néanmoins de l'archaïsme de ses institutions. Les traditions politiques ne permettaient pas un dialogue entre les sujets et le roi, qui était contraint de passer par des assemblées sans représentativité, les parlements en premier lieu. Les structures sociales paralysaient l'initiative, car elles multipliaient les vexations à l'égard du plus grand nombre, rendaient difficile la promotion sociale, approfondissaient les distinctions fondées sur la naissance. La monarchie manquait de moyens, car elle n'avait pas pu moderniser sa fiscalité, mais aussi parce qu'elle ne disposait pas d'une organisation financière, capable de lui faire franchir les passes difficiles. Ainsi si la France était plutôt en bonne santé, c'était le régime qui entrait en crise.

27. Redressement à l'extérieur, hésitations à l'intérieur

La mort de Louis XV laissait le royaume dans une situation incertaine. En effet, le roi avait soutenu une large réforme judiciaire qui transformait les institutions en profondeur, donnait à l'État monarchique un élan nouveau, mais ébranlait aussi ses fondements les plus anciens.

Le début du règne de Louis XVI

Le nouveau roi et le nouveau gouvernement

Louis XVI avait 20 ans à son avènement et il n'avait guère été initié aux affaires d'État par son grand-père. Le nouveau roi avait de grandes curiosités intellectuelles, était bon et pieux, mais il manquait de majesté, ne savait pas s'imposer et était faible de caractère.

Son entourage ne l'aida guère. Marie-Antoinette était intelligente et énergique, mais aussi imprudente, frivole et très dépensière. Elle ne sut pas se défendre lorsque la calomnie la frappa. Les deux frères du roi, Monsieur, comte de Provence, et le comte d'Artois, ne cherchèrent pas à épauler leur frère. Le duc d'Orléans, cousin du roi, fut avide de popularité.

Peut-être sous l'influence de sa femme, Louis XVI voulut mettre fin à l'influence de Mme du Barry et des hommes qu'elle avait soutenus, les ministres du triumvirat. Certains conseillers demandaient que Choiseul fût rappelé. Le roi était aussi tenté de rappeler Machault d'Arnouville. Peut-être sous l'influence de ses tantes (les filles de Louis XV), le nouveau roi écarta le premier parce qu'il avait laissé faire l'expulsion des jésuites et le second parce qu'il avait voulu imposer le vingtième au clergé. Le roi fit donc appel à Maurepas, de la lignée des Phélypeaux de Pontchartrain, qui avait 73 ans et avait été renvoyé jadis par Louis XV.

Ce fut Maurepas qui mit en place le nouveau gouvernement. Il remplaça le duc d'Aiguillon par le comte de Vergennes, diplomate de talent et d'expérience. Maurepas prépara le départ de Maupeou, et le président de Miromesnil devint garde des Sceaux, et de Terray, remplacé par Turgot. Malesherbes, qui avait protégé les Encyclopédistes, eut la Maison du roi en 1775 et Sartine, lieutenant général de police, eut la Marine. Le département de la Guerre alla bientôt à un général, le comte de Saint-Germain. Ainsi une équipe brillante se donnait pour principe de réformer la monarchie.

Avec ce nouveau gouvernement, Louis XVI voulut rompre avec la politique de son grand-père, jugée trop rigoureuse et impopulaire. Il voulait une forme de consentement global pour son action. Il rappela les parlements, le Grand Conseil, les cours des aides, abolis par Louis XV, lors d'un lit de justice le 12 novembre 1774. Maupeou conclut : « J'avais fait gagner au roi un procès qui durait depuis trois siècles. S'il veut le perdre encore, il est bien le maître. »

Le souci de réforme et l'échec des réformes

Turgot. — Ce fut Turgot qui incarna la volonté de réforme, même s'il ne resta que jusqu'en mai 1776 au gouvernement.

Turgot (1727-1781) était le fils d'un prévôt des marchands (maire) de Paris. Il avait participé à l'Encyclopédie, était un disciple des physiocrates et un ami des « Philosophes ». Il avait beaucoup travaillé sur les questions économiques et publié plusieurs essais sur ces sujets, comme en 1766, l'*Essai sur la formation et la distribution des richesses.* Maître des requêtes, puis intendant du Limousin, il avait su favoriser l'économie de sa généralité et soulager les charges des sujets.

Il proposa un programme financier simple à Louis XVI : point de banqueroute, même partielle, point d'emprunt, point d'impôt nouveau. Comment trouver alors des ressources pour l'État ? Turgot voulait d'abord faire des économies, et pour donner l'exemple, à la cour même. Les courtisans, et la famille royale en premier lieu, n'acceptèrent pas cette politique : seul Louis XVI fit des efforts sur sa maison personnelle. Le contrôleur général voulait d'autre part réorganiser la fiscalité. Pour cela, il souhaitait remplacer tous les impôts par une subvention territoriale, pesant sur tous les propriétaires sans exception. Il envisageait l'abolition de la dîme et de la plupart des droits féodaux. Il voulait aussi soumettre le clergé à l'impôt, d'où de vives protestations à l'assemblée du clergé de 1775. Faute de temps, les résultats furent bien minces en matière fiscale.

Les réformes de Turgot. — Turgot voulut appliquer ses idées économiques et sociales. C'était un partisan du libéralisme économique : il ne voulait d'entraves ni à la production agricole et industrielle, ni au commerce.

Turgot avait commencé par établir la libre circulation des grains (septembre 1774). Il reprenait ce qui avait été ébauché au temps de L'Averdy puis suspendu par Terray. En théorie, cette décision devait permettre de fournir du blé dans les régions où il manquait, à partir de régions où il était abondant : il n'y avait plus besoin d'autorisation pour faire passer du blé d'une province à l'autre. La liberté devait permettre d'équilibrer naturellement les inégalités de récoltes, et la libre concurrence devait éviter une hausse trop rapide des prix. En fait, il était mis fin à un système où les autorités stockaient du blé pour éviter les disettes. L'opposition à cette pratique fut renforcée par tous ceux qui spéculaient volontiers sur le blé et qui inquiétèrent l'opinion publique. On pensa qu'il serait beaucoup plus facile de faire des trafics sur le blé. Une mauvaise récolte en 1774 provoqua la rareté du pain et la hausse des prix en 1775. Des émeutes éclatèrent. À Versailles même, le roi dut haranguer 8 000 manifestants. Des boulangeries furent pillées. On parla de la « guerre des farines ». Turgot rétablit l'ordre avec fermeté, rassembla des troupes autour de Paris, poursuivit les émeutiers – il y eut deux pendaisons. Les conseillers de Turgot virent dans ce soulèvement le fruit d'une conspiration, mais le mouvement était bien spontané et prouvait que les réformes étaient mal comprises.

Pour encourager la production agricole, un édit du 5 janvier 1776 supprima la corvée royale : les paysans ne devaient plus fournir des services gratuits. La corvée serait remplacée par un impôt qui frapperait les propriétaires fonciers et qui serait versé aux Ponts et Chaussées. La noblesse s'indigna d'être soumise à cet impôt.

Un édit du 5 janvier 1776 supprima les jurandes et maîtrises, donc les corporations. C'était le moyen d'assurer la liberté du travail : chacun était libre d'exercer le métier qu'il voulait, sans contrainte. Cette réforme n'allait pas sans risques. D'une part, les maîtres artisans protestèrent, car ils avaient souvent acheté cher les droits de maîtrise. D'autre part, les corporations étaient aussi des organismes qui protégeaient les compagnons et les ouvriers. En disparaissant, le système laissait démuni celui qui n'avait que sa force de travail à offrir et qui dépendait totalement d'un employeur éventuel.

Turgot avait bien d'autres projets, par exemple pour demander l'avis des sujets sur la politique royale, par l'intermédiaire de « municipalités » à tous les niveaux administratifs, ou pour améliorer l'instruction. Il eut le temps de créer la Caisse d'Escompte, la première banque semi-officielle depuis Law.

Le contrôleur général pourtant mobilisa contre lui toutes les oppositions : celle de Marie-Antoinette et de la cour, celle de tous les privilégiés menacés à terme, celle du parlement à qui un lit de justice imposa pourtant les édits le 12 mars 1776, celle des milieux financiers qui ne croyaient pas en Turgot, celle de Maurepas lui-même, inquiet des bouleversements préparés par le ministre. Louis XVI le soutint longtemps, mais le renvoya le 12 mai 1776.

Turgot avait été un homme d'idées, soutenu par les philosophes, mais il avait voulu imposer ses convictions, sans souci des résistances et des préjugés.

La France était dominée par l'idée d'une revanche contre l'Angleterre, et les projets de réforme furent sacrifiés, lorsque l'occasion se présenta d'un engagement contre Londres. La défaite de Turgot était aussi la victoire politique de Vergennes.

Après le départ de Turgot, son successeur révoqua tous les édits en cinq mois.

Les autres réformes. — Malesherbes avait préparé des mesures qui furent appliquées plus tard pour adoucir le régime des prisons, abolir la torture, ou donner l'état civil aux protestants – ce qui fut fait en 1787. Malesherbes se retira lui aussi en mai 1776.

Saint-Germain voulut imposer le modèle prussien à l'armée française en y imposant une sévère discipline – avec des châtiments corporels –, en y limitant le luxe des officiers et en y introduisant plus de religion. Il tenta de favoriser la petite noblesse dans l'armée, aux dépens de la haute noblesse ; il voulut supprimer progressivement la vénalité des grades militaires, donc le poids de l'argent dans l'armée.

Pendant le ministère de Saint-Germain, 98 ordonnances furent promulguées pour transformer l'organisation militaire. Le royaume fut divisé en seize : chaque « division » eut à sa tête un lieutenant général qui ne dépendait que du ministre, et qui, nommé en temps de paix, conduirait aussi les soldats en temps de guerre. L'autorité traditionnelle des gouverneurs de province était ainsi laminée. Surtout, les inspecteurs des diverses armes étaient supprimés, alors que l'historien Jean Chagniot a vu en eux « les principaux agents des progrès réalisés au XVIIIe siècle dans la gestion, la discipline et l'instruction de l'armée ». Ces inspecteurs furent néanmoins rétablis en 1785.

Saint-Germain s'efforça de réduire la maison militaire du roi, car elle coûtait cher, et elle était inaccessible à la noblesse pauvre, à laquelle le ministre était favorable. En même temps, il mécontentait la haute noblesse de cour. Les économies réalisées permirent pourtant l'augmentation des effectifs dans l'armée, surtout dans les formations légères, comme les dragons et les hussards.

Le 25 mars 1776, une ordonnance décidait la suppression progressive de la vénalité pour les grades d'officiers (voir chap. 26). Les écoles royales militaires complétèrent ce dispositif : Saint-Germain en créa 12 en 1776 pour former les futurs officiers à partir de la petite noblesse.

La politique du ministre fut attaquée de toutes parts. Parce que Saint-Germain avait été novice chez les jésuites, on lui reprocha d'être trop moralisateur : on lui fit grief d'avoir mis de l'ordre à l'Hôtel des Invalides et d'en avoir chassé les indésirables, qui partirent après des scènes mélodramatiques ; on se moqua du bonnet à visière, imposé au soldat ; on s'indigna de la punition du plat de sabre, empruntée à la Prusse. Saint-Germain se retira en 1777, lorsque Louis XVI cessa de le soutenir. Après Saint-Germain, la volonté de réforme se prolongea, mais sans véritable cohérence.

Le mythe Necker

Maurepas conseilla à Louis XVI de faire confiance à un banquier d'origine genevoise, Jacques Necker. Sa femme tenait un salon et il était bien vu du monde parisien. Protestant et étranger, il fut simplement directeur du Trésor royal, puis directeur général des Finances, et non contrôleur général.

Pour assumer la charge financière de la Guerre d'Amérique, il eut recours aux emprunts, sept de 1777 à 1781, car sa réputation de banquier rassurait les prêteurs. Il put ainsi financer la guerre, sans instituer d'impôts nouveaux, mais il créait une lourde dette. Grâce à cette méthode, il fut vite très populaire.

Il tenta quelques réformes administratives. Des assemblées provinciales devaient contrôler l'impôt, à la place de l'intendant. L 'expérience fut tentée en Berry (1778) et en Haute-Guyenne (1780), mais ce fut limité. Le roi nommait une partie des députés qui cooptaient les autres ; les députés du tiers état était deux fois plus nombreux que ceux de chacun des deux autres ordres. Mais, bien vite, cette tentative fut considérée comme dangereuse : on accusa les assemblées de vouloir s'emparer de toute l'administration et le parlement refusa la création d'une nouvelle assemblée en Bourbonnais.

À partir de 1780, le crédit de Necker s'effrita au moment où la guerre se prolongeait. Il publia son *Compte rendu au roi* en février 1781 : c'était la première fois qu'un budget était ainsi soumis à l'opinion publique. Il donnait une image flatteuse et fausse de sa gestion, et révélait les bénéficiaires des pensions et des grâces, d'où la colère des princes et de la cour. On critiqua ses chiffres, et Necker, abandonné par Louis XVI, démissionna le 19 mai 1781. Mais il laissait l'image d'un homme capable de faire des miracles en matière financière, alors qu'il n'avait fait que renvoyer à plus tard les difficultés.

Vers la guerre en Amérique

Les idées politiques de Vergennes

Aux affaires étrangères, Vergennes fut un partisan farouche de l'alliance avec l'Espagne, alors que Maurepas voulait se dégager de toute alliance, qui eût pu être embarrassante. En fait, Vergennes estimait que, seule, l'union des deux flottes permettrait d'égaler la puissance de la *Royal Navy.* Vergennes voulait entretenir l'alliance autrichienne, mais il se méfiait des initiatives de Joseph II, empereur à la mort de son père en 1765, et cela indisposa à son égard la reine Marie-Antoinette, sœur de l'empereur. En revanche, Vergennes avait confiance en la sagesse de Marie-Thérèse qui régnait encore avec son fils sur les domaines héréditaires des Habsbourg. Dans l'esprit du ministre français, la maison d'Autriche et l'empereur établissaient un équilibre des forces en Allemagne face à Frédéric II.

La revanche fut la ligne directrice de la politique étrangère de la France au temps de Vergennes. Le ministre était en cela soutenu par l'opinion publique. Lui-même méprisait le système politique de l'Angleterre. Il n'hésita pas à saisir l'occasion de la révolte des Américains et il apaisa les scrupules de Louis XVI qui répugnait à soutenir des sujets révoltés. Néanmoins, Vergennes n'avait pas de sympathie pour de tels rebelles, d'autant plus que c'étaient des républicains. Ce choix enfin le rassurait car, selon lui, les Américains ne pourraient devenir une grande puissance internationale, mais affaibliraient pour longtemps l'ennemi héréditaire.

Dans l'esprit de Vergennes, l'aide aux révoltés devait servir à rétablir l'équilibre entre la France et l'Angleterre, sur mer et dans les colonies. Cela favoriserait ensuite un rapprochement, tel que l'avait envisagé le duc d'Aiguillon. Une telle politique permettrait de réduire les frais de la marine de guerre, donc libérerait de l'argent pour des opérations continentales. C'était le moyen, avec des armées ou des subsides, de retrouver une influence dans les affaires européennes, face aux combinaisons des trois puissances orientales. L'Angleterre serait alors une partenaire utile *(Jean-François Labourdette).*

La rupture dans les treize colonies et l'aide secrète de la France

Les treize colonies anglaises d'Amérique du Nord supportaient de plus en plus mal la tutelle de la métropole. Les colons critiquaient les impôts fixés à Londres, contestaient les tarifs douaniers qui étaient imposés aux colonies et qui entravaient leur commerce, et ils voulaient participer à la décision politique. Peu à peu ils s'organisèrent et la *Boston Tea Party* (16 décembre 1773) marqua la rupture : de faux Indiens jetèrent à la mer du thé qui arrivait d'Angleterre : Londres voulait en imposer la vente en Amérique alors que les Américains disposaient de thé hollandais de contrebande. Un congrès de députés se réunit à Philadelphie et désigna Washington comme général en chef des Américains (1774). En avril 1775, à Lexington, les premiers incidents meurtriers éclatèrent entre les soldats anglais et les colons.

D'emblée, en France, Vergennes avait compris l'intérêt que la France pouvait tirer de la guerre en Amérique. Cela signifiait que le programme de réforme intérieure et d'économie budgétaire ne serait pas réalisé : le contrôleur général Turgot fut renvoyé le 12 mai 1776, Vergennes avait gagné la partie. Le 2 mai 1776, le dramaturge Beaumarchais avait reçu de Louis XVI l'autorisation de vendre des munitions et de la poudre aux Américains, sous le couvert de Roderigue Hortalez et Compagnie. Beaumarchais, fils d'un horloger parisien, s'était fait connaître par ses talents multiples et ses initiatives audacieuses. Il avait déjà été employé dans des opérations délicates. Il était aussi l'auteur du *Barbier de Séville* (1775). Louis XVI avait offert un million de livres pour cette aide secrète et l'Espagne fit de même.

La déclaration d'indépendance

Le 4 juillet 1776, un projet de déclaration, proposé par Jefferson, était voté par douze délégations : « Lorsque, dans le cours des événements humains, un peuple se voit dans la nécessité de rompre les liens politiques qui l'unissent à un autre, et de prendre parmi les puissances de la terre le rang égal et distinct auquel les lois de la nature lui donnent droit, un juste respect de l'opinion des hommes exige qu'il déclare les causes qui l'ont poussé à cette séparation. » Désormais, les « Colonies unies » ont « plein pouvoir de faire la guerre, de conclure la paix, de contracter des alliances, d'établir des relations commerciales, d'agir et de faire toutes autres choses que les États indépendants sont fondés à faire ».

La victoire américaine de Saratoga contre des forces britanniques, venues du Canada (17 octobre 1777), fut le point tournant de la guerre, car elle provoqua l'entrée de la France dans le conflit.

L'alliance entre la France et les États-Unis

Les négociations avaient commencé avant ces affrontements.

La signature des traités

Le 26 septembre 1776, le Congrès nomma des représentants auprès de la cour de Versailles pour obtenir des munitions et la reconnaissance de l'indépendance américaine. Parmi eux, Benjamin Franklin, l'inventeur du paratonnerre. Sa réputation de savant et de philosophe, sa simplicité et son charme, son habit même lui attirèrent la sympathie des cercles intellectuels et des salons.

Les objectifs diplomatiques n'étaient pas les mêmes à Madrid et à Versailles, car l'Espagne voulait reprendre Gibraltar et Minorque. Les événements en Amérique anglaise satisfaisaient en revanche les deux alliés, car ils affaiblissaient l'ennemie jurée, l'Angleterre. Mais l'Espagne redoutait que cette révolte des colonies ne fût imitée dans ses propres territoires américains. Quant à Vergennes, il craignait que les Anglais ne fussent contraints à reconnaître l'indépendance des colonies, sans que la France pût profiter de ces événements. Il persuada Louis XVI d'agir sans l'allié espagnol. Le 17 décembre 1777, Louis XVI annonçait aux représentants des États-Unis qu'il reconnaissait leur indépendance.

Vergennes proposa de signer un traité d'alliance en plus du traité de commerce proposé par les Américains : ce fut chose faite, le 6 février 1778. Le traité d'amitié et d'alliance accordait des privilèges réciproques au commerce de France et des États-Unis ; le second traité prévoyait une alliance, dès que la guerre éclaterait entre la France et l'Angleterre.

Il fallait aussi tenir compte des événements européens. La France se rapprochait alors discrètement de la Prusse contre l'allié autrichien. Avec l'aide de la Russie, Louis XVI résista à l'offensive politique de l'empereur Joseph II, le frère de Marie-Antoinette, lors de la guerre de succession de Bavière. Un bref conflit eut lieu en 1778-1779, qu'on appela la guerre des patates, parce que les soldats prussiens affamés creusaient la terre pour trouver des pommes de terre. L'affrontement fut terminé par une médiation franco-russe. Vergennes considéra cette paix de Teschen du 13 mai 1779 comme un grand succès diplomatique, qui marquait le retour de la France sur la scène internationale.

L'engagement de la France

La guerre sur mer. — Les Américains n'avaient pas de flotte de guerre. En revanche, la force navale française était plus redoutable.

Après Choiseul, Bourgeois de Boynes avait réalisé des économies qui avaient affaibli la flotte. À l'arrivée de Sartine au secrétariat de la Marine en 1774, la flotte française comptait 60 vaisseaux de ligne, désarmés dans les ports. Le ministre s'employa à les réparer, mais, tant que Turgot fut en place, les dépenses pour la marine demeurèrent secondaires. Dès que l'aide aux Américains fut décidée, Louis XVI demanda de tenir 12 vaisseaux prêts à Brest et 8 à Toulon (1776). Le 27 septembre 1776, Sartine, par 7 ordonnances, réforma l'administration de la marine. Le problème du commandement se posait aussi, car les chefs d'escadre étaient âgés et on manquait en général d'officiers de vaisseaux.

Vergennes, malgré ses compétences limitées en la matière, avait fait les choix stratégiques.

Parti vers l'Amérique au printemps 1778, le comte d'Estaing, qui commandait l'escadre française, ne réussit pas à inquiéter la flotte anglaise sur les côtes américaines. Seules, quelques îles des Antilles purent être prises (1778-1779). Après de difficiles négociations, l'Espagne entra en guerre en juin 1779, non comme alliée des États-Unis, mais comme alliée de la France.

Les difficultés militaires des Américains. — La guerre en Amérique se déplaça vers les États du Sud, Carolines et Virginie. La situation des Américains avait semblé si périlleuse que la France décida, en mai 1780, d'envoyer en Amérique 6 000 hommes sous le commandement de Rochambeau. Déjà, des volontaires français s'étaient portés au secours des insurgés. Un jeune homme de 20 ans, Gilbert de La Fayette, incarna cette aide française dès 1777. Il n'était pas le premier Français à combattre dans les rangs des « Insurgents » (c'était le mot anglais pour les insurgés américains), mais il avait un grand nom, faisait partie du clan des Noailles, il avait un oncle ambassadeur et un oncle gouverneur. Il reçut une défense officielle de quitter le royaume ; son beau-père fit semblant de le retenir ; on parla de lettre de cachet, mais, en réalité, La Fayette bénéficia de la complicité tacite du ministre de la Guerre, le maréchal de Castries. Le jeune homme sut plaire à Washington et s'imposer aux Américains.

Vergennes, quant à lui, s'efforçait de maintenir à tout prix l'isolement diplomatique de l'Angleterre.

Yorktown. — Les combats avaient continué dans le Sud des États-Unis. Au début de 1781, une flotte française, sous le commandement de l'amiral de Grasse, fut envoyée pour coopérer avec l'armée française de Rochambeau et avec celle de Washington. Bientôt la stratégie fut de combattre le général Cornwallis qui faisait campagne en Virginie. De Grasse put arriver sans difficulté, à la fin d'août, dans la baie de la Chesapeake, avec 4 000 soldats pour aider La Fayette : il s'agissait d'empêcher Cornwallis de s'esquiver, car il espérait être évacué par une flotte britannique. Les armées de Rochambeau et de Washington arrivèrent peu après en Virginie, et Cornwallis était pris au piège dans la péninsule de Yorktown. Avec ses 7 000 hommes, il se rendit le 19 octobre 1781, avant l'arrivée des renforts anglais. Cette brillante victoire n'était pas décisive, mais les opérations en Amérique étaient presque terminées.

Les autres horizons. — Les Indes orientales furent impliquées dans le conflit en 1782. Suffren de Saint-Tropez (1729-1788) sut montrer ses exceptionnelles qualités d'homme de mer pendant la guerre américaine. Il multiplia les attaques contre la flotte anglaise dans l'océan Indien et il l'affronta quatre fois en 1782 et une fois en 1783. Il ne détruisit pas la flotte ennemie, mais il menaça la circulation, le long des côtes indiennes, qui était indispensable aux forces anglaises. Les succès de Suffren laissaient espérer une reconquête en Inde. En Méditerranée, Minorque fut prise non sans difficultés, mais dans la mer des Caraïbes, l'amiral de Grasse fut fait prisonnier (bataille des Saintes, 1782).

Du côté français, l'intervention militaire hésita toujours entre l'espace maritime européen, le monde des Caraïbes et le continent américain. L'aide financière de la France fut néanmoins importante et permit de renflouer la trésorerie américaine.

Le traité de paix

La lassitude était forte en Angleterre dont la situation semblait difficile : elle avait perdu treize colonies et ne tenait plus que New York, Savannah, Charlestown et Halifax, ainsi que la Floride orientale. Elle avait perdu Minorque et de nombreuses îles des Antilles, elle n'avait pas un seul allié, et la guerre avait coûté 100 millions de livres sterling, contre 70 pour la guerre précédente.

Vergennes qui dominait la gouvernement français depuis la mort de Maurepas, accueillit, avec empressement, les premiers pourparlers de paix en 1782, et la défaite de l'amiral de Grasse aux Antilles ne les interrompit pas.

Pendant ce temps, les négociations anglo-américaines avançaient. Le 30 novembre 1782, à l'insu de la France, un traité préliminaire fut signé entre les États-Unis et l'Angleterre. L'Angleterre reconnaissait l'indépendance des États-Unis : des sujets révoltés avaient ainsi réussi à échapper au joug de leur roi légitime, et ceci avec l'aide d'un autre roi, Louis XVI. Vergennes connut un moment de découragement. Londres proposa, pour l'Espagne, Minorque et la Floride. En revanche, l'Angleterre exigeait la cession de la Dominique par la France, et Vergennes dut céder, obtenant en échange Tobago, ainsi qu'un agrandissement autour de Pondichéry. Le 20 janvier 1783, les préliminaires étaient signés entre l'Angleterre, l'Espagne et la France. Le 4 février, l'armistice général fut proclamé. La paix de Versailles, le 3 septembre 1783, mit fin à la guerre.

Les frontières des États-Unis étaient fixées. Des Appalaches au Mississipi, un vaste territoire s'offrait à l'expansion américaine. Le Canada restait aux Anglais et la Floride aux Espagnols qui n'obtenaient pas le retour de Gibraltar. Le Sénégal et Tobago étaient accordés à la France.

Le temps des révolutions et des nations

La guerre d'indépendance américaine avait donné une nouvelle dimension géographique aux relations européennes. Bien sûr, des guerres, depuis les grandes découvertes, avaient eu des prolongements en Amérique, en Afrique, en Asie, mais les affrontements militaires se passaient en Europe avant tout. Et il fallait même des semaines et des mois pour que la paix fût annoncée et que la guerre cessât dans les domaines lointains. De 1778 à 1783, le conflit eut lieu en Amérique du Nord et aux Antilles, entre l'Angleterre, la France et l'Espagne. Et c'était pour les Américains, c'est-à-dire des colons anglais qui se séparaient de leur métropole. Cette guerre extra-européenne était donc une guerre coloniale. Elle vit le triomphe des rebelles américains et la défaite du roi anglais. Elle vit aussi la mobilisation, plus ou moins spontanée, des populations, contre les impôts, jugés illégitimes, donc pour les libertés politiques. Elle vit enfin les vieilles querelles européennes, les stratégies traditionnelles, les intérêts anciens interférer avec des interrogations nouvelles et des forces insoupçonnées.

La fin du XVIIIe siècle correspondait à l'émergence d'une nouvelle réalité : la « nation » en armes. Le mot « nation » existait, par exemple la nation picarde dans l'Université, mais il se confondait presque avec la notion de province ou de communauté linguistique. Après le soulèvement américain contre le roi d'Angleterre, et surtout après la naissance des États-Unis, une collectivité, à l'échelle d'un grand pays – et non plus d'une ville comme pour les républiques anciennes –, affirmait son identité et s'organisait en toute indépendance. Elle ne se reconnaissait plus dans le monarque, avec lequel elle avait rompu. La lutte des États-Unis pour l'indépendance avait montré l'exemple d'un peuple qui se dégageait des liens traditionnels et qui rompait avec le passé, incarné par un roi et une organisation politique ancienne.

L'affirmation de la nation passa souvent par des révolutions. Bien sûr, les révoltes, voire des révolutions, comme celles d'Angleterre, avaient existé au XVIIe siècle. Le mot même de « révolution » était plus banal qu'il n'est aujourd'hui et signifiait un changement radical. Mais ces soulèvements n'étaient plus liés à des circonstances ou à des situations particulières, ils dessinaient des ruptures définitives, ils touchaient des sociétés entières, même s'ils échouaient. Surtout, ils se multipliaient. Des troubles éclatèrent ainsi en Irlande vers 1780 et même en Angleterre. Le parti populaire prit aussi le pouvoir à Genève, le 8 avril 1782. Vergennes persuada le roi de France qu'il fallait arrêter cette « maladie épidémique ». Le 2 juillet 1782, les troupes françaises mirent fin à la révolution de Genève. Puis vinrent des mouvements dans les Provinces-Unies, dans les Pays-Bas autrichiens et en France bien sûr.

28. La marche à la Révolution (1783-1787)

Tant que la guerre avait duré, les querelles intérieures avaient été gommées, mais elles refirent surface, d'autant plus que la monarchie s'enfonçait dans les difficultés financières.

L'euphorie d'un après-guerre

Les difficultés financières

Maurepas était mort pendant la guerre, en 1781, et la victoire face à l'Angleterre fit de Vergennes le ministre prépondérant. Mais Vergennes s'occupait essentiellement des affaires étrangères, et au moment où les difficultés financières devenaient graves, Louis XVI manquait de secours. Le ministère Joly de Fleury ne dura que deux ans, de la fin de 1781 à mars 1783, car le contrôleur général des finances devait faire face au mécontentement des ministres qui avaient organisé la guerre, Ségur et Castries. Il créa un troisième vingtième très impopulaire, qui dura jusqu'en 1787, il recréa des offices, il emprunta pour 500 millions. Joly de Fleury, qui avait essayé de se protéger derrière un conseil des finances présidé par Vergennes, fut finalement renvoyé. Puis vint Lefèvre d'Ormesson qui multiplia les maladresses : un premier emprunt provoqua une panique autour de la Caisse d'Escompte, un second emprunt fut très désavantageux pour l'État.

La fuite en avant

Les soutiens de Calonne. — Finalement ce fut un intendant qui fut appelé aux affaires, Calonne, à la fin de 1783. Il ne semble pas avoir eu de politique financière bien déterminée, mais cet administrateur pragmatique faisait confiance en sa propre expérience. Surtout, il pensait que la prospérité économique du royaume et, en général, le progrès viendraient à bout des difficultés. Calonne avait des collaborateurs brillants comme Dupont de Nemours ou l'abbé de Talleyrand-Périgord (le futur ministre de Napoléon). Breteuil, ancien ambassadeur à Vienne, fut nommé secrétaire d'État de la Maison du roi.

Calonne se gagna bien vite des appuis. D'abord chez les fermiers généraux : il rétablit le bail de la Ferme qui avait été supprimé par Lefèvre d'Ormesson et accorda en 1785 la construction d'un mur d'octroi, qui entoura Paris, le « mur des fermiers généraux ». Calonne se rendit populaire auprès des sujets du roi, frappés par un hiver rigoureux, en distribuant 3 millions de livres et en réduisant les impôts dans les provinces sinistrées. Il eut la confiance des rentiers, en décidant des versements, à dates fixes, des rentes sur l'État. Une caisse d'amortissement fut aussi créée pour résorber la dette publique. Enfin, Calonne plut aux membres de la famille royale en multipliant les largesses.

Mais, dès la fin de 1784, Calonne devait recourir à un nouvel emprunt. Néanmoins, il comptait profiter de l'euphorie financière et de l'essor économique.

Le contexte économique. — Une forte spéculation avait marqué l'après-guerre : par exemple autour de la Caisse d'Escompte ou de la Compagnie des Eaux des frères Périer. Des fonds étrangers venaient se placer à Paris. Cette fièvre y était favorisée par la présence de banquiers, surtout étrangers, en particulier des banquiers suisses (Thélusson, Perrégaux, Clavière). Ce fut sans doute eux qui prêtèrent surtout à la monarchie, mais ils voulaient être payés de leurs intérêts, donc attendaient un assainissement des finances publiques.

La spéculation était aussi immobilière, au moment où Paris se transformait vite. Le comte de Provence eut les terrains de Vaugirard et le banquier Laborde ceux de la Chaussée d'Antin. Calonne encourageait aussi les grands travaux dans les villes, ainsi que pour le port de Cherbourg.

Les innovations techniques se multipliaient en Angleterre et des Anglais s'installèrent en France pour les adapter. Il semblait que la France rattrapait l'Angleterre dans son nouveau développement de type industriel.

En matière de commerce, Calonne créa une nouvelle Compagnie des Indes (Compagnie Calonne), entreprise commerciale sans monopole. Il fit signer avec l'Angleterre un traité de commerce, le 26 septembre 1786, mais les premiers effets se révélèrent désastreux en 1787. En effet le traité sembla avant tout favoriser l'arrivée, sur le marché français, de fers et de tissus anglais.

En matière monétaire, Calonne procéda à un aménagement technique de la parité argent/or, mais mal préparée, cette légère dévaluation de fait apparut un moment comme une escroquerie.

Vers la crise politique

L'universelle curiosité. — Les années qui précédèrent la Révolution française furent marquées par une grande curiosité intellectuelle. Le roi lui-même montrait l'exemple par son travail personnel. Mais cette soif de connaissances était parfois dévoyée, comme le montrèrent les expériences de Mesmer sur le magnétisme humain ou les mystifications de Cagliostro.

Les expériences des frères Montgolfier sur le ballon à air chaud furent réalisées à Annonay et au Champ-de-Mars, et renouvelées à Versailles, le 19 septembre 1783. On se prenait à rêver grâce à cette victoire sur la pesanteur.

Louis XVI prépara lui-même les instructions destinées à La Pérouse. Le roi admirait le capitaine anglais Cook et il voulut que des Français l'imitassent par un grand voyage d'exploration dans le Pacifique. Le 1er août 1785, la *Boussole* et l'*Astrolabe* quittaient Brest. La Pérouse devait passer par l'île de Pâques et Tahiti, puis naviguer jusqu'au détroit de Behring, puis aller vers les îles Kouriles, enfin jusqu'aux Philippines. Mais La Pérouse ne revint pas de son périple.

Un voyage triomphal à Cherbourg en juin 1786 permit au roi de se faire mieux connaître et aimer de ses sujets, grâce à sa simplicité et sa bonhomie. Il assista à la mise à l'eau d'un des cônes qui devaient constituer la prodigieuse jetée artificielle du port.

Cette curiosité universelle s'accompagnait d'un goût de la nouveauté, proche parfois de la crédulité. Elle conduisait à dédaigner les idées traditionnelles et les certitudes acquises, elle aiguisait la réflexion et la parole critique.

L'impopularité du régime. — L'opinion publique jouait un rôle grandissant dans les affaires d'État. Il est bien difficile d'en prendre la mesure, mais il est certain qu'elle disposait de relais nouveaux : une vie mondaine et sociale plus libre et plus intense, la circulation plus rapide et plus large de l'écrit, la vitalité des académies et des loges maçonniques, le succès des cafés. Cette opinion publique était changeante : elle faisait et défaisait vite les réputations. Mais désormais elle était écoutée et crainte.

En 1783, Louis XVI interdit d'abord la représentation du *Mariage de Figaro* de Beaumarchais, puis après des changements mineurs apportés par l'auteur et la lecture des censeurs, la pièce fut jouée le 17 avril 1784. Les tirades contre le système social étaient terribles : la noblesse et la bourgeoisie applaudissaient pourtant ensemble.

En janvier 1785, Necker publia un traité sur l'administration des finances où il affirmait qu'il avait laissé les finances en bon état et où il critiquait ses successeurs.

L'opinion publique prit surtout pour cible la reine Marie-Antoinette. Des fantaisies, comme l'achat du domaine de Saint-Cloud en février 1785 pour 6 millions de livres ou la construction du hameau de Trianon, les largesses à l'égard de Rose Bertin, sa modiste, ou la faveur du jeune Suédois Fersen furent jugées avec sévérité par la population parisienne. Maltraitée par les Parisiens, la reine, qui avait donné des enfants au roi, fut choyée plus encore par son mari qui lui laissa prendre un rôle politique.

En 1785 éclata l'affaire du collier. Le cardinal de Rohan, Grand aumônier, était impliqué dans une affaire sordide dans laquelle des aventuriers l'avaient entraîné. Pour gagner la faveur de la reine, il avait acheté un fabuleux collier de diamants et il avait cru le donner à la souveraine. Le roi, averti de cette escroquerie, fit arrêter le prélat, alors qu'il allait célébrer la messe. Un procès s'ouvrit au parlement le 22 mai 1786, mais le 31 mai le cardinal était acquitté, ce qui jetait le soupçon sur la reine. Louis XVI ordonna au cardinal de se dépouiller de sa charge de Grand aumônier et de partir pour son abbaye de La Chaise-Dieu.

L'échec de Calonne

Le déficit du budget. — Calonne dut bientôt avouer que la situation financière était difficile : en trois ans, il avait emprunté 653 millions qui s'ajoutaient aux 597 millions obtenus depuis 1776.

Les dépenses atteignaient, en 1787, 630 millions contre 400 en 1774 : la hausse avait été de 57 %. La part militaire représentait 26 % du budget ; les dépenses de cour, avec les pensions (de retraite) pour les militaires et les agents de l'État atteignaient 8 %. Surtout les intérêts de la dette publique correspondaient à 50 % des dépenses, et, pour les deux tiers, il s'agissait d'emprunts contractés depuis l'avènement de Louis XVI.

Les recettes ne suivaient pas, avec 503 millions de livres, et elles étaient marquées par une certaine stabilité. Certes, le bail de la Ferme (pour les gabelles, les traites, les tabacs et l'octroi de Paris) était passé de 80 millions en 1726 à 152 millions en 1774 et à 150 millions en 1787, soit 30 % des recettes. C'était une conséquence d'une plus grande activité économique, mais aussi de la hausse des prix et de l'accroissement démographique. D'autres impôts indirects s'ajoutaient, comme les aides qui avaient été mises en régie directe en 1780 (10 %). Les domaines équivalaient à 10 % aussi. L'impôt sur la consommation représentait donc plus de 50 % des recettes. L'impôt direct n'était pas quant à lui extensible et n'assurait que 30 % des recettes, avec deux vingtièmes seulement à partir de 1787. Les pays d'État ne contribuaient que pour une part modeste à l'impôt direct.

Cette stabilité des recettes impliquait la recherche d'autres types de prélèvements.

Les projets de Calonne. — Calonne envisagea des réformes pour faire contribuer les plus riches à l'impôt. Il proposait un plafonnement de la taille à 5 % du revenu, et même moins pour les humbles. Les vingtièmes et la capitation seraient supprimés. En revanche une « subvention territoriale » serait levée sur tous les revenus fonciers sans exception : ce serait un impôt en nature comme la dîme, et les taux seraient variables selon la qualité des sols. Dans les projets de Calonne, elle serait répartie par des assemblées de tous les propriétaires, et ce seraient des assemblées élues. La taille et la gabelle seraient moins lourdes, mais le droit de timbre serait augmenté. La corvée serait remplacée par une imposition en argent. L'impôt en nature pourtant faisait peur, car il s'appliquait à tous et parce qu'il permettait de connaître l'ensemble des revenus : ce serait une forme d'inquisition fiscale, un cadastre automatique.

La circulation libre des grains serait établie et les douanes intérieures seraient supprimées. Il était question de créer un marché intérieur unifié, qui paraissait d'autant plus nécessaire que le traité de commerce avec l'Angleterre semblait une menace pour la production nationale. Mais c'était aller contre les intérêts de la Ferme générale qui vivait des douanes intérieures comme des gabelles, c'était aussi menacer les provinces qui ne connaissaient pas la gabelle et qui risquaient de voir monter le prix du sel.

La Caisse d'Escompte serait transformée en banque nationale qui soutiendrait le crédit de l'État.

L'assemblée des notables et la chute de Calonne. — Pour imposer ces mesures draconiennes, Calonne proposa la réunion d'une assemblée des notables comme au temps d'Henri IV, ce qui était un moyen de contourner l'hostilité du parlement et ce que Louis XVI accepta, le 29 décembre 1786.

La réunion eut lieu le 22 février 1787. Vergennes venait de mourir, ce qui priva Louis XVI d'un conseiller écouté.

C'est Calonne qui avait dressé la liste des notables : en principe, ils ne devaient pas être hostiles aux réformes. Ils étaient choisis parmi les princes du sang (7), les prélats (14) les nobles d'épée (36), les membres des cours souveraines (37), les membres du Conseil d'État (12), des représentants des pays d'État (12) et des officiers municipaux (25). Le travail de l'assemblée se fit en bureaux. Les réformes libérales étaient acceptées, mais l'hostilité se focalisa sur la subvention territoriale. Elle menaçait le clergé et les pays d'État, et cet argument permettait de défendre tous les privilégiés que cet impôt universel devait frapper. Calonne tenta de se gagner l'opinion publique en faisant circuler un écrit favorable à son projet, mais cela renforça la défiance des notables. Devant cette hostilité générale, en particulier celle du clergé, relayée par Marie-Antoinette, Louis XVI demanda le 8 avril 1787 la démission de Calonne, mais aussi, par souci d'équité, celle de Miromesnil, garde des Sceaux, qui s'était dressé contre lui. Bouvard de Fourqueux, ami de Calonne, devint contrôleur général et Lamoignon garde des Sceaux.

Vers la réunion des États généraux

La nomination de Loménie de Brienne

Le rôle de l'archevêque de Toulouse, Loménie de Brienne, grandissait, et il s'était signalé par son opposition à Calonne, au sein de l'assemblée des notables. Le roi n'aimait pas ce prélat en raison de son incrédulité et de ses mœurs, mais c'était un homme cultivé et il avait la réputation d'un bon organisateur.

Le nouveau ministère. — Devant l'hostilité des notables, le roi se tourna finalement vers Brienne, le 30 avril 1787, et le nomma chef du conseil royal des finances. Le prélat souhaitait être secondé par Necker, toujours populaire, qui conseillait la réunion des États généraux. Louis XVI et sa femme se récrièrent. Brienne choisit l'intendant de Rouen comme contrôleur général (Villedeuil), qui serait en fait son subordonné, et fit appel au duc de Nivernais et à Malesherbes comme ministres d'État. Lamoignon était garde des Sceaux et Breteuil à la Maison du roi.

La dissolution de l'assemblée des notables. — Brienne reprenait les idées de Calonne. Mais au lieu d'un impôt en nature, il proposa un impôt de 80 millions en argent, donc sans cadastre automatique. L'impôt du timbre serait quadruplé, une taxe remplacerait la capitation.

L'archevêque se chargea de discuter avec les notables, mais ceux-ci demandèrent la création d'un comité pour surveiller le contrôleur général. Lors d'une séance, La Fayette osa demander une « Assemblée vraiment nationale ». Les notables à leur tour réclamèrent des États généraux.

Louis XVI et Loménie décidèrent de dissoudre l'assemblée. Désormais, ils avaient à affronter le parlement, s'ils voulaient trouver des solutions financières. Au parlement, les plus actifs étaient surtout les conseillers aux enquêtes et aux requêtes, plutôt que les présidents ou conseillers de la Grand-Chambre, mais il fallait tenir compte aussi de l'avis des ducs et pairs, voire des princes du sang, comme Philippe d'Orléans.

Le lit de justice de juillet 1787. — Le parlement accepta sans problème la transformation de la corvée en imposition et la libre circulation des grains. Mais le 2 juillet 1787 la résistance commença sur le droit de timbre qui devait quadrupler. À l'initiative du conseiller Le Coigneux, les parlementaires demandèrent à examiner les recettes et les dépenses de la monarchie. Le 24 juillet, des remontrances demandèrent la réunion des États généraux. Le roi furieux convoqua les parlementaires pour un lit de justice à Versailles le 6 août : le garde des Sceaux répéta que le roi était le « seul administrateur du royaume ». Dans la nuit du 14 au 15 août, le parlement fut exilé à Troyes. À la fin d'août 1787, Brienne était déclaré principal ministre. Il poursuivait une large entreprise de réforme.

L'œuvre du ministère Brienne

Tout en affrontant la résistance des notables, puis du parlement, Brienne proposa un vaste programme de réformes. C'était une large réorganisation et Brienne semblait capable de la réaliser, mais la finalité de ces bouleversements n'apparaissait guère. Tantôt les décisions tentaient de simplifier, de clarifier et de faire des économies, voire d'engager un dialogue nouveau avec les sujets du roi, tantôt il s'agissait de sauver les institutions et les privilèges.

L'administration. — Par l'édit du 17 juin 1787, Brienne avait préparé une large réforme administrative du royaume grâce à des assemblées paroissiales et provinciales dans les pays d'élections. Il y aurait une assemblée provinciale par généralité. Le tiers état aurait la moitié des sièges, mais le président serait choisi dans les deux premiers ordres par le roi. Les députés voteraient par tête.

Une hiérarchie s'établissait ensuite avec des départements, constitués eux-mêmes d'arrondissements qui regrouperaient les communautés villageoises. Là où il n'y avait pas de communauté établie, l'assemblée de paroisse serait présidée par le seigneur, avec le curé et un syndic élu. La tutelle seigneuriale était ainsi maintenue.

L'élection serait censitaire : les électeurs devaient payer 10 livres d'impôts, les candidats éligibles 30 livres. Les assemblées étaient réservées aux aisés, mais pas seulement aux propriétaires fonciers. Le seigneur, le curé, le syndic et deux élus participaient à l'élection de l'assemblée départementale, qui participerait à son tour à l'élection de l'assemblée provinciale. Ces assemblées s'occuperaient de l'assiette, de la répartition et de la levée de l'impôt, sous la tutelle de l'intendant.

Tutelle du seigneur, tutelle de l'intendant, suffrage censitaire, nomination du président par le roi : il s'agissait de donner la parole à un plus grand nombre de sujets et de faire évoluer le système sans le détruire. Une vingtaine d'assemblées provinciales commencèrent à se mettre en place, mais elles étaient peu populaires en raison même des cadres stricts qui leur avaient été imposés. En revanche, cette réforme eut une conséquence paradoxale : elle suscita, dans de nombreuses provinces, la nostalgie des États provinciaux lorsqu'ils n'étaient plus convoqués par le roi.

Les finances. — Brienne établit un conseil royal des finances et du commerce que le roi en personne présidait et dont Brienne était le chef. Le principal ministre promettait la publication d'un compte rendu des dépenses et des recettes. Il y avait donc fusion de deux conseils du roi. En même temps les conseils étaient allégés et concentrés. Un bureau de commerce devait travailler sous les ordres du conseil royal.

La justice. — Un édit reprit les idées de Malesherbes et donna l'état civil aux protestants (novembre 1787) : leur mariage serait déclaré devant le juge civil, mais les funérailles devaient être discrètes et dans un cimetière particulier. Ainsi, s'il y avait tolérance, il n'y avait pas de liberté du culte, et les protestants n'avaient pas le droit d'accéder aux charges publiques. Si le parlement de Paris et la plupart des parlements enregistrèrent l'édit, certains le refusèrent. En même temps, le garde des Sceaux Lamoignon s'entoura d'un comité d'avocats et prépara une réforme de la procédure criminelle.

L'armée. — Brienne établit un conseil de guerre en octobre 1787 où entrèrent Gribeauval, le rénovateur de l'artillerie, et le comte de Guibert, un théoricien de la stratégie, admirateur de Frédéric II, qui fut rapporteur du conseil. Une ordonnance du 17 mars 1788 présenta l'ensemble des réformes. Guibert maintint et renforça les dispositions établies par le maréchal de Ségur le 22 mai 1781, pour écarter les roturiers et les nobles récents des grades d'officiers, dans la cavalerie et l'infanterie. Guibert voulait des officiers gentilshommes.

Mais le conseil de guerre procéda également à des économies en supprimant les colonels généraux et en réduisant le nombre des maréchaux. Les civils ne s'occuperaient plus de l'équipement ou des subsistances. La solde des soldats était relevée.

L'affrontement avec les parlements

La recherche d'un compromis. Brienne négocia avec les parlementaires en exil et le parlement put rentrer à Paris en septembre 1787. Le gouvernement proposait d'abandonner la subvention territoriale et d'utiliser les deux vingtièmes, mais en les percevant sur tous les revenus. Il établit un programme d'emprunts associés à des économies, qui permettraient de rétablir la situation en cinq ans et qui déboucheraient sur une réunion des États généraux avant 1792. Le choix était clair : il fallait restaurer la situation financière avant de convoquer les États généraux. C'est ce qu'annonça Louis XVI au parlement lors de la séance royale du 19 novembre 1787.

Le discours de Duval d'Eprémesnil, un des meneurs au parlement, fut très éloquent. Louis XVI ne céda pas et indiqua ce qui avait été décidé. Le duc d'Orléans déclara que c'était illégal et Louis XVI répondit : « C'est légal parce que je le veux. » Le cousin du roi fut exilé à Villers-Cotterêts. Le parlement dénonça comme illégales les formes de la séance royale et protesta contre l'exil du duc d'Orléans. Mais le succès de l'emprunt lancé par Brienne soulagea le gouvernement qui leva les mesures d'exil.

La préparation du coup de majesté. — Loménie de Brienne et Lamoignon préparaient un coup de majesté à la manière de Maupeou pour remplacer le parlement par une cour plénière docile.

Conscients de ces préparatifs, les parlementaires firent traîner l'enregistrement de l'édit sur les protestants et s'en prirent aux lettres de cachet. Le 3 mai 1788, les magistrats votèrent un arrêt où ils appelaient de leurs vœux une monarchie contrôlée et où ils considéraient les projets des ministres comme destructeurs de l'ancienne constitution et des lois fondamentales du royaume. Le roi réaffirma sa volonté et ordonna en mai 1788 de faire arrêter deux des meneurs (Duval d'Eprémesnil et Goislard de Montsabert) qui réussirent à se réfugier au palais de justice.

La réforme Lamoignon. — Le 8 mai 1788, le parlement fut convoqué en lit de justice pour entendre les décisions du roi. Des tribunaux d'appel étaient créés : ces 47 grands bailliages prendraient la place des parlements pour les procès civils et criminels, les parlements ne gardant que les causes des privilégiés. La vénalité des offices n'était pas supprimée et les charges des grands bailliages seraient anoblissantes. Une cour plénière serait installée avec les membres de la Grand-Chambre, jugés plus modérés que ceux des chambres des enquêtes et des requêtes. Elle serait seule habilitée à enregistrer et promulguer les édits et ordonnances. Par sa composition, elle devait refléter l'ensemble du royaume.

Elle était composée du roi, des sept princes du sang, des ducs et pairs, des grands officiers de la couronne, de deux archevêques, deux évêques, deux maréchaux de France, deux gouverneurs, deux lieutenants généraux, six conseillers d'État, quatre maître des requêtes, deux maîtres des comptes, deux membres de la cour des aides de Paris, dix présidents à mortier, les présidents des enquêtes et des requêtes, 37 conseillers de la Grand-Chambre du parlement de Paris, un magistrat de chaque cour provinciale.

Une ordonnance criminelle abolit la torture lors des procès criminels. Lamoignon commençait une simplification de l'organisation judiciaire. Les juges seigneuriaux par exemple n'eurent plus que des fonctions de police ou d'enquête préliminaire.

Les réactions. — Les ducs et pairs, dont le rôle était plus grand dans cette cour plénière, qui ne siégea qu'une fois, le 9 mai, restèrent sur leur réserve. L'édit, affaiblissant les justices seigneuriales, provoqua la colère de la noblesse provinciale. Cette noblesse fut donc souvent solidaire des parlements, car les parlementaires appartenaient à la noblesse. Des troubles éclatèrent à Rennes où des nobles et des étudiants assaillirent les troupes. L'assemblée extraordinaire du clergé, ouverte le 5 mai 1788, fut entraînée par des prélats comme Champion de Cicé et se déclara solidaire des parlements, tout en accordant une somme modeste au roi.

Les parlements de province qui avaient dû enregistrer les édits résistèrent. À Grenoble, les magistrats réclamaient le retour des États provinciaux qui n'étaient plus réunis depuis 1628. Ils furent exilés, mais la population s'opposa à leur départ en jetant des tuiles sur la troupe, le 7 juin. La liesse populaire permit à deux hommes de s'imposer : le juge royal Mounier et l'avocat Barnave qui proposèrent de réunir une assemblée des trois ordres dans le château du grand manufacturier Claude Périer à Vizille. Cette assemblée déclara le rétablissement des États provinciaux du Dauphiné, le tiers état ayant autant de députés que les deux autres ordres réunis et le vote se faisant par tête. Elle demandait la fin des privilèges fiscaux et l'admission des roturiers à toutes les charges. Le retentissement de cet événement fut immense dans le royaume.

Loménie était débordé par ces troubles. Le 5 juillet 1788, il sollicita toute personne instruite d'envoyer des renseignements ou des mémoires pour les États généraux : c'était une façon d'établir la liberté de la presse. Emporté par la vague et devant un Trésor vide, Brienne se résigna à annoncer le 8 août 1788 la réunion des États généraux pour le 1er mai 1789 et la suspension de la cour plénière. Le 16 août, les paiements de l'État étaient suspendus. Le 25 août 1788, Loménie démissionnait et Necker était rappelé.

La politique française en Europe

Un traité de commerce

La guerre d'indépendance américaine avait été un succès pour la France et pour l'Espagne, alliées par le pacte de famille, mais les finances de ces deux puissances étaient désorganisées par la guerre. Vergennes qui, dans ces circonstances, voulait assurer la paix, prépara un rapprochement avec l'Angleterre, qui parachevait ainsi sa politique et qui aboutit en 1786 à un traité de commerce.

L'Angleterre avait vu son prestige atteint par la défaite et le Cabinet britannique se débattait aussi au milieu de problèmes financiers. Mais, en réalité, la perte des colonies américaines n'entama pas les relations commerciales entre l'ancienne métropole et les États-Unis – Turgot avait prévu la force de ces liens économiques, sociaux et culturels et, ainsi, eut a posteriori raison contre Vergennes.

William Pitt, le second Pitt, qui gouvernait l'Angleterre, mena des négociations commerciales avec huit pays européens, mais un seul traité fut signé, avec la France.

La paix de Versailles prévoyait de régler les litiges commerciaux, alors que les échanges entre la France et l'Angleterre avaient été limités au XVIIIe siècle. Vergennes, conseillé par l'économiste Dupont de Nemours, voulait revenir au traité de commerce d'Utrecht qui n'avait jamais été vraiment appliqué. Il chercha donc à forcer la main du gouvernement britannique, car, pour les théoriciens, la liberté du commerce extérieur devait stimuler l'industrie française. Pitt reprit le projet sérieusement en 1785-1786 et négocia au mieux des intérêts anglais (la signature eut lieu le 26 septembre 1786). Des tarifs douaniers furent abolis entre les deux pays, d'autres furent baissés. Les industriels français avaient tenté d'empêcher ce traité. Il semble que les produits manufacturés anglais purent plus facilement entrer en France, alors que le traité de commerce ne favorisa guère l'agriculture française qui espérait exporter ses produits, comme le vin. Comme les étoffes anglaises étaient à la mode, les importations augmentèrent. À court terme, le traité signifia une crise pour les fabriques de cotonnades, de faïence, de quincaillerie.

Les ambitions des despotes éclairés

Le fils de Marie-Thérèse n'avait pas renoncé à ses projets pour étendre son territoire. Lorsque la reine de Hongrie mourut le 24 octobre 1780, Joseph II se sentit plus libre de ses mouvements. Il conserva près de lui Kaunitz dont la connaissance de l'Europe était irremplaçable. Le chancelier se résignait à la fin du système d'alliance avec la France et était lui-même tenté par une guerre contre la Prusse, puisque la disparition prochaine du vieux Fritz affaiblirait sans doute le pays.

Mais Joseph II échoua une fois encore dans sa tentative pour annexer la Bavière et Frédéric II de Prusse avait contribué à maintenir l'équilibre dans le Saint-Empire. La France avait joué le rôle d'arbitre, malgré les efforts de Marie-Antoinette. Il était clair qu'aucune puissance ne pouvait seule acquérir des territoires si les autres pays n'en obtenaient pas à leur tour.

À la fin de 1782, la Crimée était conquise par la Russie, et l'annexion fut proclamée le 19 avril 1783. Catherine avait désormais une base maritime sur la Mer noire et pouvait lancer une attaque contre la capitale ottomane.

La France voulut s'opposer à cette expansion russe, mais Catherine révéla dans l'été 1783 son alliance avec l'Autriche de Joseph II, et Vergennes, qui n'était pas secondé par l'Angleterre, ne put que s'incliner. La Russie montrait sa volonté d'expansion continue.

Les révolutions

Dans les Provinces-Unies, une grave crise opposait les régents qui gouvernaient le pays, les Orangistes qui soutenaient le stathouder Guillaume V et le mouvement des « patriotes » enfin, qui voulait que la bourgeoisie plus modeste pût participer aux affaires publiques. Ce mouvement se développa et prit de la force. En réalité, le gouvernement français était effrayé par le programme radical des patriotes. Vergennes était mort, le 13 février 1787, et le comte de Montmorin lui avait succédé. Il apparut vite que la France, aux prises avec ses difficultés financières et politiques, ne s'engagerait pas dans cette affaire. Pitt laissa faire le nouveau roi de Prusse Frédéric-Guillaume II qui, en septembre 1787, intervint en Hollande. C'était un échec pour la France : la situation intérieure ne lui permettait plus un rôle à l'extérieur.

En revanche Pitt s'efforça de constituer une alliance contre la France avec les Provinces-Unies et la Prusse. C'était aussi une façon de riposter à l'alliance austro-russe. Cette Triple Alliance mettait fin au long isolement de l'Angleterre.

La politique religieuse de Joseph II avait aussi frappé les Pays-Bas et avait heurté la sensibilité des populations, attachées au catholicisme. Et la tension monta à partir de 1786, pour éclater en révolution à l'automne 1789.

Les événements de 1787-1788 : une pré-révolution ?

Ainsi de 1783 à 1789, les événements s'étaient précipités en France. À la base, il y avait une crise financière de la monarchie : elle avait accumulé les dettes pour payer la guerre d'indépendance américaine et elle avait contracté d'autres dettes pour payer les intérêts des précédentes. Ce n'était pas la première fois que la France se trouvait dans cette situation : les après-guerres en 1648 ou en 1714 avaient affronté les mêmes problèmes. Mais, cette fois, la tension était plus forte sur le gouvernement royal. Une des explications avancées tient à l'origine des prêts consentis. Longtemps, la monarchie française s'était appuyée sur un monde de financiers français qui rassemblaient des sommes importantes dans les élites de la société et qui se remboursaient sur les impôts. Pour la survie des prêteurs, il leur fallait éviter la banqueroute royale et quelques chambres de justice dissimulaient à peine des banqueroutes partielles. En cette fin du XVIIIe siècle, le gouvernement se serait tourné plutôt vers des banquiers internationaux à travers la Caisse d'Escompte, et les exigences de ces prêteurs auraient été plus rigoureuses et pressantes. Comme leurs réseaux échappaient à la monarchie française et ne pouvaient être soumis au chantage de la confiscation ou des procès, l'État aurait été condamné à respecter ses engagements. Mais il faut sans doute tenir compte d'un respect plus grand, au sommet de l'État, de la parole donnée qui fit rejeter l'idée même de la banqueroute. Enfin, tout refus de payer aurait mis le feu aux poudres, car les prêteurs étaient nombreux et les rentiers n'auraient pas accepté ce tort que leur aurait fait la monarchie, surtout à un moment où son autorité était faible.

Car cette faiblesse monarchique fut au cœur des événements. Il ne s'agit pas de juger des hommes du passé, mais le gouvernement ne donna pas l'apparence de la détermination. Louis XVI avait cédé dès 1774 en rappelant les parlements et les autres cours : ceux-ci avaient pris la mesure de leur rôle, renforcé tout au long du XVIIIe siècle. Ils bénéficiaient de deux atouts. D'abord, c'étaient les seules institutions qui imposaient un dialogue avec l'autorité royale, c'est-à-dire avec le gouvernement, les ministres et les conseils : ils en avaient l'occasion (à travers les remontrances), les capacités (grâce à la formation intellectuelle des magistrats) et les bases (par les théories de la monarchie contrôlée). Et cette fonction dans le royaume leur donnait le soutien d'une grande partie des sujets qui voyaient en eux les défenseurs du peuple face à un pouvoir, toujours jugé trop autoritaire et arbitraire. Second atout : les parlementaires, par leur origine sociale, par leurs alliances et par leur mode de vie, faisaient partie de la noblesse et ils se faisaient spontanément les gardiens des privilèges : ceux que les deux premiers ordres avaient dans le domaine fiscal ou judiciaire, mais aussi ceux des provinces ou des villes qui échappaient à la règle commune. Le roi ne pouvait qu'utiliser des armes traditionnelles face aux cours supérieures, mais il se heurtait à une mobilisation politique, et peut-être sociale, et à une sensibilité nouvelle de l'opinion publique. Même les notables, choisis pour être dociles, résistèrent à Calonne et contribuèrent à l'affaiblir.

Le gouvernement royal était contraint à trouver de l'argent, mais il fut impuissant à découvrir des ressources nouvelles. La croissance économique ne permit pas d'éponger les dettes, d'autant plus qu'une crise conjoncturelle touchait le royaume. Il restait l'impôt, mais l'idée s'était imposée que la masse des contribuables ne saurait être encore taxée. Or, depuis la fin du règne de Louis XIV, les tentatives avaient été nombreuses pour imposer une contribution qui aurait été payée par tous, quels que fussent la naissance ou le statut social. Les succès avaient été limités. Ce fut pourtant cette solution d'un impôt universel que choisirent Calonne puis Brienne. Ce n'était pas une nouveauté, mais ce fut ressenti comme une réforme de toute la société, comme un grand ébranlement. Peut-être les élites sociales se sentaient-elles plus fortes et ne comptaient pas accepter ce léger sacrifice. Surtout, cette fois, l'attaque était sérieuse et n'était qu'un premier pas vers des remises en cause plus définitives. Peut-être aussi, le gouvernement fut-il trop ambitieux, rassemblant des réformes qui touchaient tour à tour l'administration des provinces, la procédure criminelle, les libertés publiques. L'ensemble de l'édifice politique et social semblait menacé, alors que, dans le détail, le programme de Brienne était très respectueux des institutions et des traditions anciennes. Cette attaque frontale permit aux privilégiés de mobiliser l'ensemble de la société contre le pouvoir monarchique, tout en dissimulant encore des intérêts bien concrets. On retrouvait les solidarités qui avaient marqué tant de révoltes populaires entre le gentilhomme et les paysans face à l'impôt nouveau du roi, mais, en 1788, c'était à l'échelle d'un royaume que le rassemblement des esprits se faisait face au roi, et ce rassemblement ressemblait déjà à une « nation ».

Ainsi, dans cette première phase pré-révolutionnaire, ce furent les notables et les parlementaires qui menèrent l'assaut contre la monarchie. Mais l'ambiguïté était totale, puisque cette révolte nobiliaire ou aristocratique se faisait au nom du peuple, face à une politique royale qui s'efforçait au contraire d'introduire plus de justice sociale. La fin de l'année 1788 et l'année 1789 permirent de résoudre cette ambiguïté.

Le 5 mai 1789, les États généraux s'ouvrirent. Le 14 juillet, la Bastille fut prise. Dans la nuit du 4 août, l'Ancien Régime était balayé.

L'invention de la liberté

La société d'ancien régime donnait leur place aux libertés, pourtant elle fut détruite au nom de la liberté. Les libertés étaient le fruit du passé et des coutumes, la liberté évoquait plutôt un état futur et idéal de la société.

Or cette liberté semblait absente d'un monde où les contraintes dominaient. La naissance, le « sang », fixait les hiérarchies sociales, la vie rurale obéissait à des règles communautaires et s'intégrait dans un système juridique complexe, dont la seigneurie était la base. Même si les dépendances personnelles avaient presque disparu, les contraintes humiliantes étaient mal vécues, par exemple les corvées ou l'interdiction de la chasse pour les paysans. Le travail artisanal s'organisait aussi dans le cadre rigide des corporations et jurandes qui contrôlaient les métiers, la formation technique, la qualité des produits.

Cette société d'ordres était aussi une société d'ordre. Elle imposait une obéissance stricte aux préceptes de l'Église : la nécessaire foi en Dieu, la pratique des sacrements, la piété de la vie quotidienne, le refus de la diversité religieuse et de l'athéisme... C'était une loi qui s'imposait au prince comme aux sujets. À cela s'ajoutait la soumission au roi, dont l'autorité s'était renforcée tout au long des trois derniers siècles. Le souverain accordait en échange sa justice et sa protection. La vie sociale supposait le respect des autorités et des hiérarchies, qui étaient bien marquées, dans les cérémonies à la ville et à la cour, comme dans la plus humble des églises de campagne. Toute création, littéraire ou artistique, et toute innovation étaient surveillées par un faisceau d'institutions et encadrée par des académies officielles. Enfin, une surveillance sociale se faisait spontanément pour veiller aux bonnes mœurs, pour empêcher les pauvres de traîner dans les rues, pour contrôler les marginaux.

Les libertés étaient donc vécues comme des privilèges. C'était le cas pour les deux premiers ordres du royaume, mais aussi pour des provinces ou des villes. L'œuvre de la monarchie visait à restreindre ces libertés : des impôts nouveaux s'imposaient en théorie à tous, la surveillance des provinces et des villes passait par les intendants, le contrôle de la noblesse s'exerçait par le système de cour et celui du clergé par la nomination soigneuse des évêques.

Ainsi s'affirma une quête de la liberté face aux contraintes collectives. Ce fut « l'invention de la liberté » *(Jean Starobinski)*. Une réflexion générale et théorique s'était engagée et cherchait à résister à un « despotisme » toujours menaçant, dans le sillage de Montesquieu, ou à lutter contre l'arbitraire et l'intolérance, à la suite de Voltaire. Les Philosophes se cherchèrent des modèles politiques à l'étranger, à Londres ou à Berlin, avant d'en créer eux-mêmes, comme Rousseau. La défense de la liberté individuelle accompagnait cette réflexion, en s'appuyant sur le modèle théorique anglais. Ainsi furent lancées les critiques à l'égard des lettres de cachet et des prisons d'État : la Bastille aurait été le cadre d'une « inquisition française ».

Le contexte était favorable, en raison d'une remise en cause des valeurs morales qui avaient, pendant des siècles, conduit la vie quotidienne des familles. Les fêtes galantes de la Régence, l'exaltation d'un libertinage mondain, les naissances illégitimes plus nombreuses et la diffusion des « funestes secrets », de la haute noblesse vers le peuple, la célébration de l'audace enfin étaient autant d'indices de cette évolution.

La question de la liberté s'était posée de façon dramatique à propos de la religion et du culte. À la fin du XVIIIe siècle, les protestants se voyaient reconnaître un droit à l'existence, mais bien partiel encore. La grande querelle du jansénisme avait débouché sur une persécution larvée et une agitation permanente. Quant aux « billets de confession », ils avaient mis en jeu le choix de conscience aux portes de la mort. À cela s'ajoutait peut-être une montée de l'incroyance dans les milieux cultivés, et même dans des couches plus larges de la population.

Le XVIIIe siècle fut aussi en quête d'une liberté d'expression. Par exemple la presse clandestine s'était développée autour du jansénisme. Les autorités se montrèrent le plus souvent tolérantes, permettant un développement des périodiques, n'entravant guère une production littéraire abondante et volontiers critique, n'interdisant pas une circulation clandestine d'ouvrages de contrebande. Néanmoins, des rappels à l'ordre, périodiquement, passaient par des poursuites à l'égard des écrivains ou de leurs lecteurs. Toute la vie intellectuelle cherchait ainsi des conditions nouvelles pour s'exprimer, hésitant entre des cadres souples et peu contrôlés, comme les salons, et des réunions discrètes ou secrètes, comme dans les loges maçonniques. La force de l'opinion publique devint alors évidente, surtout dans le monde parisien : les modes et les rumeurs étaient désormais prises en compte par le pouvoir royal, qui fut confronté par exemple à la popularité de Necker ou à l'impopularité de Marie-Antoinette.

À maintes reprises, la monarchie proposa des réformes en matière administrative, en matière judiciaire et en matière fiscale. Ce fut un échec. Le système politique ne réussit pas mieux à intégrer l'exigence de liberté. Ainsi, toute véritable discussion politique demeura impossible. Les parlements se considéraient comme un « corps » uni, qui représentait la nation, ce que refusait la monarchie (seul le roi était la nation). Ils se considéraient comme les défenseurs des libertés du royaume, ce que n'admettait pas le souverain. D'où des ruptures successives : la séance royale de la Flagellation, la querelle de Bretagne entre le parlement et le duc d'Aiguillon, la réforme Maupeou... En même temps, les magistrats confisquaient toute tentative d'expression politique, puisqu'ils étaient regardés comme les pères de la nation, et la monarchie ne sut pas les contourner pour tenter d'autres formes de dialogue. Tout allait changer en quelques mois. L'essor de la presse, à l'appel de Brienne, la formation de groupes d'idées ou d'intérêts qui ressemblaient à des partis, la mobilisation à l'échelle nationale pour la préparation des États généraux, le désir de rassembler toutes les doléances et de ne pas manquer une occasion unique, autant d'éléments qui révélèrent l'archaïsme du conflit entre le roi et les cours souveraines.

L'attitude de la noblesse montra une volonté de conserver les avantages acquis, peut-être même un désir de fermeture sociale, dans le recrutement des officiers, comme dans le choix des évêques. Or la légitimité des distinctions sociales n'apparaissait plus nettement. Dans un pays où la guerre était moins présente, car elle s'éloignait du territoire, le besoin de protection militaire se faisait moins sentir. Les valeurs sociales aussi changeaient : l'orgueil placé dans l'ancienneté d'un lignage, les querelles d'honneur, le luxe ostentatoire n'étaient pas forcément regardés avec bienveillance. L'Antiquité offrait comme modèle la dignité du citoyen romain que l'on crut même retrouver dans le courage des insurgés américains.

La question de la liberté économique fut aussi posée. Les physiocrates vantaient la liberté du commerce et critiquaient les limites à la circulation des marchandises. Des tentatives furent faites mais elles furent vite remises en cause : Terray revint sur les décisions de L'Averdy et Turgot se heurta à la « guerre des farines ». Il fallait tenir compte de la résistance populaire et de l'inquiétude des agents de l'État chargés du ravitaillement des populations. Enfin, les attaques se multiplièrent à propos de l'organisation du travail et conduisirent à la suppression des corporations, mais, là encore, ce fut temporaire.

Ainsi, tout ce que la monarchie avait édifié cessait de compter. Pourtant, cet édifice avait été construit pour assurer la sécurité du territoire et pour limiter la violence entre les hommes, pour rendre la justice et pour éviter famines et épidémies, pour renforcer l'économie nationale et la cohésion sociale. Alexis de Tocqueville a écrit : « ... l'égalité, introduite par le pouvoir absolu et sous l'œil des rois, avait déjà pénétré dans les habitudes des peuples longtemps avant que la liberté fût entrée dans leurs idées ».

Toutes les tentatives d'émancipation avaient échoué. Au nom de l'égalité et de la liberté, la nation allait se détacher de la monarchie.

ORIENTATION BIBLIOGRAPHIQUE

I. Ouvrages sur l'ensemble des trois siècles

A. Lexiques et dictionnaires

Lucien Bély, *Dictionnaire de l'Ancien Régime,* Paris, 1996, rééd. 2002.
François Bluche (sous la dir. de), *Dictionnaire du Grand Siècle,* Paris, 1990.
Guy Cabourdin et Georges Viard, *Lexique historique de la France d'Ancien Régime,* Paris, rééd. 1990.
André Corvisier, *Dictionnaire d'art et d'histoire militaires,* Paris, 1988.
Michel Delon, dir., *Dictionnaire européen des Lumières,* Paris, 1997.
Marcel Lachiver, *Dictionnaire du monde rural. Les mots du passé,* Paris, 1997.
Marcel Marion, *Dictionnaire des institutions de la France aux XVIIe et XVIIIe siècles,* Paris, 1923.
Michel Vergé-Franceschi, *Chronique maritime de la France d'Ancien Régime,* Paris, 1998.

B. Ouvrages généraux

André Burguière et Jacques Revel, *Histoire de la France,* t. 1 : *L'Espace français,* Paris, 1989 ; t. 2 : *L'État et les pouvoirs,* Paris, 1989 ; *La longue durée de l'État,* nouv. éd., 2000.
Pierre Chaunu, *La civilisation de l'Europe classique,* Paris, 1966.
Joël Cornette, dir., *La monarchie française, entre Renaissance et Révolution (1515-1792),* Paris, 2000.
André Corvisier, *Précis d'histoire moderne,* 2e éd., 1981.
André Corvisier, *Histoire militaire de la France,* t. 1 : *Des origines à 1715* (sous la dir. de Philippe Contamine), Paris, 1992 ; t. 2 : *De 1715 à 1871* (sous la dir. de Jean Delmas), Paris, 1992.
Jacques Dupâquier, éd., *Histoire générale de la population française,* t. II : *De la Renaissance à 1789,* Paris, 1988.
Pierre Goubert et Daniel Roche, *Les Français et l'Ancien Régime,* Paris, 1984.

Jean-Louis Harouel, Jean Barbey, Éric Bournazel, Jacqueline Thibaut-Payen, *Histoire des institutions de l'époque franque à la Révolution,* Paris, 1987, nouv. éd., 1993.
Ernest Lavisse, *Histoire de France,* vol. V à IX, Paris, 1903-1911.
Emmanuel Le Roy Ladurie, *L'État royal, 1460-1610,* Paris, 1987.
Emmanuel Le Roy Ladurie, *L'Ancien Régime, 1610-1770,* Paris, 1991.
Robert Mandrou, *Introduction à la France moderne. Essai de psychologie historique, 1500-1640,* Paris, 1961, 1974, nouv. éd., 1998.
Robert Mandrou, *La France aux XVIIe et XVIIIe siècles,* Paris, 1971, nouv. éd., 1997.
Hubert Méthivier, *L'Ancien Régime en France,* Paris, 1981. Cette publication reprenait la série des « Que sais-je ? » de cet auteur : *L'Ancien Régime,* Paris, 1961 ; *Le siècle de Louis XIII,* Paris, 1964 ; *Le siècle de Louis XIV,* Paris, 1966 ; *Le siècle de Louis XV,* Paris, 1968 ; *La fin de l'Ancien Régime,* Paris, 1974. Nombreuses rééditions.
Jean Meyer, *La France moderne, 1515-1789,* Paris, 1985.
Roland Mousnier, *Les institutions de la France sous la monarchie absolue,* 2 vol., Paris, 1974 et 1980, rééd. 1990 et 1992.
Marc Venard, *Le Monde et son histoire,* t. V et VI, Paris, 1967, rééd. 1985.

C. Ouvrages collectifs

Histoire de la France religieuse (sous la dir. de Jacques Le Goff et René Rémond, t. 2 : *Du christianisme flamboyant à l'aube de Lumières (XIVe-XVIIIe siècle),* Paris, 1988. Avec la participation d'Élisabeth Labrousse, François Lebrun, Robert Sauzet, Marc Venard.
Histoire économique et sociale de la France (sous la dir. de F. Braudel et É. Labrousse), t. I : *De 1450 à 1660* ; Pierre Chaunu et Richard Gascon, *L'État et la ville,* Paris, 1977 ; E. Le Roy Ladurie et Michel Morineau, *Paysannerie et croissance,* Paris, 1977.
Histoire de la France rurale (sous la dir. de Georges Duby), t. 2 : *L'âge classique des paysans, 1340-1789,* Paris, 1975.
Histoire de la France urbaine (sous la dir. de Georges Duby), t. 3 : *La Ville classique. De la Renaissance aux Lumières,* Paris, 1981.
Pierre Léon et autres collaborateurs, *Histoire économique et sociale du monde,* t. 1, 2 et 3, Paris, 1978.
Histoire de la vie privée, Philippe Ariès et Roger Chartier, éd., t. 3 : *De la Renaissance aux Lumières,* Paris, 1986.
Histoire culturelle de la France, Jean-Pierre Rioux et Jean-François Sirinelli, dir., t. 2, Alain Croix et Jean Quéniart, *De la Renaissance à l'aube des Lumières,* Paris, 1997.
Georges Duby et Michelle Perrot, *Histoire des femmes en Occident,* III, Natalie Zemon Davis et Arlette Farge, *XVIe-XVIIIe siècle,* Paris, 1991, nouv. éd., 2002.
Marc Venard, dir., *Histoire du christianisme,* t. 8 : *Le temps des confessions, 1530-1620,* Paris, 1992, 1994.
Histoire générale de l'enseignement et de l'éducation en France, H.-L. Parias, dir., François Lebrun, Jean Quéniart, Marc Venard, *De Gutenberg aux Lumières.*
Claude Jolly, dir., *Histoire des bibliothèques françaises,* t. 2 : *Les Bibliothèques sous l'Ancien Régime, 1530-1789,* Paris, 1988.

D. Manuels récents

Bernard Barbiche, *Les institutions de la monarchie française à l'époque moderne,* Paris, 1999.
Françoise Bayard et Philippe Guignet, *L'économie française, aux XVIe-XVIIe-XVIIIe siècles,* Paris, 1991.
Lucien Bély, *Les relations internationales en Europe XVIIe-XVIIIe siècles,* Paris, 1992, 3e éd., 2001.

Katia Béguin, *Histoire politique de la France, XVIe-XVIIIe siècle,* Paris, 2000.

Yves-Marie Bercé, Alain Molinier, Michel Péronnet, *Le XVIIe siècle : de la Contre-Réforme aux Lumières,* rééd. 1991.

Jean-Pierre Bois, *Les guerres en Europe, 1494-1792,* Paris, 1993.

Jean-Pierre Bois, *L'Europe à l'époque moderne. Origines, utopies et réalités de l'idée d'Europe, XVIe-XVIIIe siècle,* Paris, 1999.

Laurent Bourquin, *La noblesse dans la France moderne (XVIe-XVIIIe siècle),* Paris, 2002.

Jean Boutier et autres collaborateurs, *Documents d'histoire moderne,* Bordeaux, 1992.

Anne Bonzon et Marc Venard, *La religion sous l'Ancien Régime,* Paris, 1998.

Jean-Marie Constant, *La société française aux XVIe-XVIIe-XVIIIe siècles,* Paris, 1994.

Monique Cottret, *La vie politique en France aux XVIe-XVIIe-XVIIIe siècles,* Paris, 1991.

Jean-Pierre Duteil, *L'Europe à la découverte du monde du XIIIe au XVIIe siècle,* Paris, 2003.

François-Xavier Emmanuelli, *État et pouvoirs dans la France des XVIe-XVIIIe siècles. La métamorphose inachevée,* Paris, 1992.

Michèle Fogel, *L'État dans la France moderne de la fin du XVe au milieu du XVIIIe siècle,* Paris, 1992.

Benoît Garnot, *La population française aux XVIe, XVIIe, XVIIIe siècles,* Paris, 1988.

Benoît Garnot, *Les villes en France aux XVIe, XVIIe, XVIIIe siècles,* Paris, 1989.

Benoît Garnot, *Société, culture et genres de vie dans la France moderne, XVIe-XVIIIe siècle,* Paris, 1991.

Benoît Garnot, *La culture matérielle en France aux XVIe-XVIIe-XVIIIe siècles,* Paris, 1995.

Benoît Garnot, *Justice et société en France aux XVIe, XVIIe et XVIIIe siècles,* Paris, 2000.

François Lebrun, *La puissance et la guerre, 1661-1715,* Paris, 1997.

Vincent Milliot, *Pouvoirs et société dans la France d'Ancien Régime,* Paris, 1992.

Robert Muchembled, *Société, cultures et mentalités dans la France moderne,* Paris, 1990.

Robert Muchembled, *Les XVIe et XVIIe siècles,* Rosny, 1995 ; *Le XVIIIe siècle (1715-1815),* Rosny, 1994.

Michel Nassiet, *La France du second XVIIe siècle, 1661-1715,* Paris, 1997.

Michel Péronnet, *Le XVIe siècle : des Grandes découvertes à la Contre-Réforme,* rééd. 1991.

Michel Péronnet, *Le XVIIIe siècle : des Lumières à la Sainte-Alliance, 1740-1820,* rééd. 1992.

Philippe Salvadori, *La vie culturelle en France aux XVIe, XVIIe, XVIIIe siècles,* Paris, 1999.

Guy Saupin, *La France à l'époque moderne,* Paris, 2000.

Didier Terrier, *Histoire économique de la France d'Ancien Régime,* Paris, 1998.

E. Pour approfondir (sur toute la période)

Martine Acerra, Jean-Pierre Poussou, Michel Verge-Franceschi, André Zysberg, *État, Marine et Société. Hommage à Jean Meyer,* Paris, 1995.

Martine Acerra, dir., *L'invention du vaisseau de ligne, 1450-1700,* Paris, 1997.

Michel Antoine, *Le dur métier de roi. Études sur la civilisation politique de la France d'Ancien Régime,* Paris, 1986.

Michel Antoine, *Le cœur de l'État. Surintendance, contrôle général et intendances des finances, 1552-1791,* Paris, 2003.

Philippe Ariès, *L'enfant et la vie familiale sous l'Ancien Régime,* Paris, 1960.

Gabriel Audisio, *Les Français d'hier,* t. 1 : *Des paysans, XVe-XIXe siècle,* Paris, 1993 ; t. 2 : *Des croyants, XVe-XIXe siècle,* Paris, 1996.

Rainer Babel, éd., *Frankreich im europäischen Staatensystem der frühen Neuzeit,* Sigmaringen, 1995.

Michel Balard, Jean-Claude Hervé, Nicole Lemaitre, dir., *Paris et ses campagnes sous l'Ancien Régime,* I : *Mélanges offerts à Jean Jacquart,* Paris, 1994.

Bernard Barbiche et Yves-Marie Bercé, dir., *Études sur l'ancienne France, offertes en hommage à Michel Antoine,* Paris, 2003.

Jean-Pierre Bardet, Dominique Dinet, Jean-Pierre Poussou, Marie-Catherine Vignal, *État et société en France aux XVIIe et XVIIIe siècles. Mélanges offerts à Yves Durand,* Paris, 2000.

Françoise Bayard, Joël Felix, Philippe Hamon, *Dictionnaire des surintendants et des contrôleurs généraux des Finances,* Paris, 2000.

Scarlett Beauvallet-Boutouyrie, *La démographie de l'époque moderne,* Paris, 1999.

Scarlett Beauvalet-Boutouyrie, *Être veuve sous l'Ancien Régime,* Paris, 2001.

Lucien Bély, dir. (en collaboration avec Isabelle Richefort), *L'invention de la diplomatie,* Paris, PUF, 1998.

Jean Bérenger et Georges-Henri Soutou, dir., *L'ordre européen du XVIe au XXe siècle,* Paris, 1998.

Richard Bonney, dir., *Systèmes économiques et finances publiques,* Paris, 1996.

Hans Bots et Françoise Waquet, *La République des Lettres,* Paris, 1997.

Robin Briggs, *Communities of Belief. Cultural and Social Tensions in Early Modern France,* Oxford, 1989.

Alain Cabantous, *La Vergue et les fers. Mutins et déserteurs dans la marine de l'ancienne France,* Paris, 1984.

Alain Cabantous, *Le ciel dans la mer. Christianisme et civilisation maritime (XVIe-XIXe siècle),* Paris, 1990.

Alain Cabantous, *Histoire du blasphème en Occident, XVIe-XIXe siècle,* Paris, 1998.

Michel Cassan, dir., *Les officiers « moyens » à l'époque moderne : pouvoir, culture, identité,* Limoges, 1998.

Jean Chagniot, *Guerre et société à l'époque moderne,* Paris, 2001.

Gérald Chaix, dir., *Le Diocèse. Espaces, représentations, pouvoirs France, XVe-XXe siècle,* Paris, 2002.

Roger Chartier, *Les usages de l'imprimé,* Paris, 1987.

Roger Chartier, *Lecteurs et lectures dans la France d'Ancien Régime,* Paris, 1987.

Roger Chartier, Marie-Madeleine Compère, Dominique Julia, *L'éducation en France du XVIe au XVIIIe siècle,* Paris, 1976.

Roger Chartier et Henri-Jean Martin, dir., *Histoire de l'édition française,* t. 1 : *Le Livre conquérant, du Moyen Âge au milieu du XVIIe siècle* ; t. 2 : *Le Livre triomphant, 1660-1830,* 1989-1990.

Louis Chatellier, *Le catholicisme en France,* t. 1 : *Le XVIe siècle* ; t. 2 : *Le XVIIe siècle, 1600-1650,* Paris, 1995.

Pierre Chevallier, *Les régicides. Clément, Ravaillac, Damiens,* Paris, 1989.

Janet Coleman, *L'individu dans la théorie politique et dans la pratique,* Paris, 1996.

Philippe Contamine, dir., *L'État et les aristocraties, XIIe-XVIIe siècle, France, Angleterre, Écosse,* Paris, 1989.

Philippe Contamine, dir., *Guerre et concurrence entre les États européens du XIVe au XVIIIe siècle,* Paris, 1998.

Andrée Corvol, *L'Homme et l'arbre sous l'Ancien Régime,* Paris, 1984.

Andrée Corvol, *L'Homme aux bois. Histoire des relations de l'homme et de la forêt, XVIIe-XXe siècle,* Paris, 1987.

François de Dainville, *L'éducation des jésuites, XVIe-XVIIIe siècle,* Paris, 1978.

Paul Delsalle et André Ferrer, éd., *Les enclaves territoriales aux Temps modernes (XVIe-XVIIe siècles),* Besançon, 2000.

Jean Delumeau, *Naissance et affirmation de la Réforme,* Paris, 1965, nouvelle édition, avec la collaboration de Thierry Wanegffelen, 1997.

Jean Delumeau, *Le catholicisme entre Luther et Voltaire,* Paris, 1971, nouvelle édition, avec la collaboration de Monique Cottret, Paris, 1996.

Jean Delumeau, *La peur en Occident (XIVe-XVIIIe siècle),* Paris, 1978.

Jean Delumeau, *L'aveu et le pardon. Les difficultés de la confession (XIIIe-XVIIIe siècle),* Paris, 1990.

Robert Descimon, Jean-Frédéric Schaub, Bernard Vincent, *Les figures de l'administrateur : institutions, réseaux, pouvoirs en Espagne, en France et au Portugal, XVIe-XIXe siècle,* Paris, 1997.

André Devyver, *Le sang épuré. Les préjugés de race chez les gentilshommes français de l'Ancien Régime,* Bruxelles, 1973.

William Doyle, *La vénalité,* Paris, 2000.

Jean-François Dubost, *La France italienne, XVIe-XVIIe siècles,* Paris, 1997.

Yves Durand, *L'Ordre du monde. Idéal politique et valeurs sociales en France du XVIe au XVIIIe siècle,* Paris, 2001.

Yves Durand, dir., *Hommage à Roland Mousnier : clientèles et fidélités en Europe à l'époque moderne,* Paris, 1981.

Jean-Louis Flandrin, *Les amours paysannes (XVIe-XIXe siècle),* Paris, 1975.

Joël Fouilleron, Guy Le Thiec, Henri Michel, *Sociétés et idéologies des Temps modernes. Mélanges offerts à Arlette Jouanna,* Montpellier, 1997.

Jean Gallet, *Seigneurs et paysans bretons du Moyen Âge à la Révolution,* Rennes, 1992.

Benoît Garnot, dir., *Histoire et criminalité de l'Antiquité au XXe siècle,* Dijon, 1992.

Benoît Garnot, dir., *Ordre moral et délinquance de l'Antiquité au XXe siècle,* Dijon, 1994.

Benoît Garnot, dir., *L'infrajudiciaire du Moyen Âge à l'époque contemporaine,* Dijon, 1996.

Benoît Garnot, dir., *La petite délinquance du Moyen Âge à l'époque contemporaine,* Dijon, 1998.

Charles Giry-Deloison et Roger Mettam, dir., *Patronages et clientélismes, 1550-1750 (France, Angleterre, Espagne, Italie),* Villeneuve d'Ascq, 1995.

Bernard Guenée, *L'Occident aux XIVe et XVe siècles. Les États,* Paris, 1971.

Philippe Guignet, *Vivre à Lille sous l'Ancien Régime,* Paris, 1999.

Jean-Pierre Gutton, *La Société et les pauvres : l'exemple de la généralité de Lyon, 1534-1789,* Paris, 1971.

Jean-Pierre Gutton, *La sociabilité villageoise dans l'ancienne France. Solidarités et voisinages du XVIe au XVIIIe siècle,* Paris, 1979.

Jean-Pierre Gutton, *Domestiques et serviteurs dans la France de l'Ancien Régime,* Paris, 1981.

Jean-Pierre Gutton, *Bruits et sons dans notre histoire,* Paris, 2000.

Jean-Pierre Gutton, dir., *Les administrateurs d'hôpitaux dans la France de l'Ancien Régime,* Lyon, 1999.

Alexandre Y. Haran, *Le lys et le globe. Messianisme dynastique et rêve impérial en France aux XVIe et XVIIe siècles,* Seyssel, 2000.

R. R. Harding, *Anatomy of a Power Elite. The Provincial Governors of Early Modern France,* Yale UP, 1978.

François Hincker, *Les Français devant l'impôt sous l'Ancien Régime,* Paris, 1971.

Bernard Hours, *L'Église et la vie religieuse dans la France moderne, XVIe-XVIIIe siècle,* Paris, 2000.

Arlette Jouanna, *L'idée de race en France au XVIe et au début du XVIIe siècle,* Lille, 1976.

Alain Lottin, *Être et croire à Lille et en Flandre (XVIe-XVIIIe siècle),* Arras, 2000.

Jean Meyer, *Le poids de l'État,* Paris, 1983.

Claude Michaud, *L'Église et l'Argent sous l'Ancien Régime. Les receveurs généraux du clergé de France (XVIe-XVIIe siècles),* Paris, 1991.

Jean-Marc Moriceau, *Les Fermiers de l'Île-de-France, XVe-XVIIIe siècle,* Paris, 1994.

Jean-Marc Moriceau, *Terres mouvantes. Les campagnes françaises, du féodalisme à la mondialisation, XIIe-XIXe siècle,* Paris, 2002.

Roland Mousnier, *La plume, la faucille et le marteau,* Paris, 1970.

Robert Muchembled, *L'invention de l'homme moderne. Monarchie, cultures et société (1500-1660),* Paris, 1988.

Jean Nagle, *La civilisation du cœur : histoire du sentiment politique en France, du XIIe au XIXe siècle,* Paris, 1998.

Jean Nagle, *Le droit de marc d'or des offices : tarifs de 1583, 1704, 1748 : reconnaissance, fidélité, noblesse,* Genève, 1992.
Michel Nassiet, *Noblesse et pauvreté. La petite noblesse en Bretagne, XVe-XVIIIe siècle,* Rennes, 1993.
Michel Nassiet, *Parenté, noblesse et États dynastiques, XV*e*-XVI*e *siècles,* Paris, 2000.
Jean Nicolas, dir., *Mouvements populaires et conscience sociale, XVI*e*-XIX*e *siècle,* Paris, 1985.
Daniel Nordman, *Frontières de France. De l'espace au territoire, XVI*e*-XIX*e *siècle,* Paris, 1998.
Geoffrey Parker, *The Military Revolution. Military Innovation and the Rise of the West (1500-1800),* Cambridge, 1984.
Michel Péronnet, *Les évêques de l'Ancienne France,* Paris, 1977.
M. Pinet, *Histoire de la fonction publique en France,* t. 2 : *Du XVI*e *au XVIII*e *siècle,* Paris, 1993.
Abel Poitrineau, *Ils travaillaient la France. Métiers et mentalités du XVI*e *au XIX*e *siècle,* Paris, 1992.
Jacques Poumarède et Jack Thomas, dir., *Les parlements de province : pouvoirs, justice et société du XV*e *au XVIII*e *siècle,* Toulouse, 1996.
Jean Quéniart, *Les Français et l'écrit, XIII*e*-XIX*e *siècles,* Paris, 1998.
Wolfgang Reinhard, éd., *Les élites du pouvoir et la construction de l'État en Europe,* Paris, 1996.
Denis Richet, *La France moderne : l'esprit des institutions,* Paris, 1973.
Denis Richet, *De la Réforme à la Révolution : études sur la France moderne,* Paris, 1991.
Jean-Frédéric Schaub, *La France espagnole. Les racines hispaniques de l'absolutisme français,* Paris, 2003.
Jean-François Solnon, *La Cour de France,* Paris, 1987.
Jean-François Solnon, dir., *Sources de l'histoire de la France moderne,* Paris, 1994.
Agnès Walch, *Histoire du couple en France, de la Renaissance à nos jours,* Rennes, 2003.
Gaston Zeller, *Aspects de la politique française sous l'Ancien Régime,* Paris, 1964.
Le soldat, la stratégie, la mort. Mélanges André Corvisier, Paris, 1989.

F. Sur le roi et la souveraineté

J. W. Allen, *A History of Political Thought in the Sixteenth Century,* Londres, 1960.
Jean Barbey, *Être roi. Le roi et son gouvernement en France de Clovis à Louis XVI,* Paris, 1992.
Lucien Bély, *La société des princes,* Paris, 1999.
Yves-Marie Bercé, *Le dieu caché. Sauveurs et imposteurs. Mythes politiques populaires dans l'Europe moderne,* Paris, 1990.
Yves-Marie Bercé, *Les monarchies,* Paris, 1997.
Yves-Marie Bercé et E. Fasano Guarini, *Complots et conjurations dans l'Europe moderne,* Rome, 1996.
Marc Bloch, *Les rois thaumaturges,* 1924, rééd., Paris, 1983.
Alain Boureau, *Le simple corps du roi. L'impossible sacralité des souverains français, XV*e*-XVIII*e *siècle,* Paris, 1988.
Elizabeth Brown et Richard Famiglietti, *The Lit de Justice : Semantics, Ceremonial and the Parlement of Paris, 1300-1600,* Sigmaringen, 1994.
L. Bryant, *The King and the City in the Parisian Royal Entry Ceremony. Politics, Ritual and Art in the Renaissance,* Genève, 1986.
N. Bulst, R. Descimon, R. Guerreau, dir., *L'État ou le roi. Les fondations de la modernité monarchique en France (XIV*e*-XVII*e *siècle),* Paris, 1996.
Jean-Marie Carbasse, Guillaume Leyte, Sylvain Soleil, *La monarchie française du milieu du XVI*e *siècle à 1715. L'esprit des institutions,* Paris, 2000.
James Collins, *The State in Early Modern France,* Cambridge, 1995.
Fanny Cosandey, *La reine de France. Symbole et pouvoir, XV*e*-XVIII*e *siècle,* Paris, 2000.

Fanny Cosandey et Isabelle Poutrin, *Monarchies espagnole et française, 1550-1714,* Paris, 2001.

Jeroen Duindam, *Myths of Power, Norbert Elias and the Early Modern European Court,* Amsterdam, 1994.

Michèle Fogel, *Les cérémonies de l'information dans la France du XVIe au XVIIIe siècle,* Paris, 1989.

Madeleine Foisil sous la dir., *Le Journal de Jean Héroard,* Paris, 1989, préface de P. Chaunu.

Ralph E. Giesey, *Le roi ne meurt jamais. Les obsèques royales dans la France de la Renaissance,* Paris, 1987.

Ralph E. Giesey, *Cérémonial et puissance souveraine. France, XVe-XVIIe siècle,* Paris, 1987.

Le sacre des rois. Actes du colloque international de Reims, Paris, 1985.

Mark Greengrass, dir., *Conquest and Coalescence. The Shaping of the State in Early Modern Europe,* Londres, 1991.

Sarah Hanley, *Les lits de justice des rois de France. L'idéologie constitutionnelle dans la légende, le rituel et le discours,* Paris, 1991 (édition américaine, 1983).

R. A. Jackson, *Vivat Rex. Histoire des sacres et couronnements en France, 1364-1825,* Strasbourg, 1984.

Ernst Kantorowicz, *Les deux corps du roi. Essai sur la théologie politique au Moyen Âge,* édition américaine 1957, édition française, Paris, 1989.

Ernst Kantorowicz, « Mystères de l'État. Un concept absolutiste et ses origines médiévales (bas Moyen Âge) », in *Mourir pour la patrie et autres textes,* Paris, PUF, 1984, p. 75-103.

Donald Kelley, *Foundations of Modern Historical Scholarship. Language, Law and History in the French Renaissance,* New York et Londres, 1970.

N. Keohane, *Philosophy and the State in France,* Princeton, 1980.

Jacques Krynen, *L'Empire du Roi. Idées et croyances politiques en France, XIIIe-XVe siècle,* Paris, 1993.

François Laplanche et Chantal Grell, *La monarchie absolutiste et l'histoire en France,* Paris, 1987.

Louis Marin, *Le portrait du roi,* Paris, 1981.

Henri Mechoulan, dir., *L'État baroque. Regards sur la pensée politique de la France du premier XVIIe siècle,* Paris, 1985.

Henri Mechoulan et Joël Cornette, dir., *L'État classique, 1652-1715. Regards sur la pensée politique de la France dans le second XVIIe siècle,* Paris, 1996.

Friedrich Meinecke, *Die Idee der Staatsräson in der neueren Geschichte,* Munich-Berlin, 3e éd., 1936.

Regalia. Les instruments du sacre des rois de France. Les « honneurs de Charlemagne », Danielle Gaborit-Choppin, éd., Paris, 1987.

Herbert H. Rowen, *The King's State. Proprietary Dynasticism in Early Modern France,* Rutgers UP, New Brunswick, New Jersey, 1980.

P.-E. Schramm, *Der König von Frankreich, das Wesen der Monarchie vom 9. zum 16. Jahrhundert...,* Weimar, 1960.

Hendrik Spruyt, *The Sovereign State and Its Competitors,* Princeton, 1994.

Michel Vergé-Franceschi, *Mélanges offerts à Bernard Grosperrin,* Chambéry, 1994.

Frances A. Yates, *Les académies en France au XVIe siècle,* Paris, 1996 (édition originale, Londres, 1947).

Frances A. Yates, *Astraea : The Imperial Theme in the 16th Century,* Londres, 1975, trad. franç. 1989.

Frances A. Yates, *L'art de la mémoire,* Paris, 1975 (éd. originale 1966).

Yves Charles Zarka, dir., *Raison et déraison d'État. Théoriciens et théories de la raison d'État aux XVIe et XVIIe siècles,* Paris, 1994.

De l'État. Fondations juridiques, outils symboliques, Revue de synthèse, juillet-décembre 1991, t. 3-4.
Voir aussi les volumes publiés par l'Association des Historiens modernistes des Universités.
Les Églises et l'argent (1988), 1989.
La Méditerranée occidentale au XVIIe siècle (1989), 1990.
Le sentiment national dans l'Europe moderne (1990), 1991.
Armées et diplomatie dans l'Europe du XVIIe siècle (1991).
Traditions et innovations dans la société française du XVIIIe siècle(1993), 1995.
Société, culture, vie religieuse aux XVIe et XVIIe siècles (1995), 1995.
Histoires de vies (1994), 1996.
Les Européens et les espaces océaniques au XVIIIe siècle (1997), 1997.
La montagne à l'époque moderne (1998), 1998.
La terre et les paysans (1998), 1999.
Les monarchies française et espagnole (milieu du XVIe siècle - début du XVIIIe siècle) (2000), 2001.
L'information à l'époque moderne, Paris, 2001.

II. SUR LE XVIe SIÈCLE

(De nombreux ouvrages vont au-delà de 1600)

A. *Ouvrages généraux*

Bartolomé Bennassar, Jean Jacquart, *Le XVIe siècle,* Paris, 1972.
Laurent Bourquin, *La France au XVIe siècle,* Paris, 1997.
Joël Cornette, *Histoire de la France : l'affirmation de l'État absolu, 1515-1652,* Paris, 1993.
Joël Cornette, *Le Livre et le Glaive. Chronique de la France au XVIe siècle,* Paris, 1999.
Jean Delumeau, *La civilisation de la Renaissance,* Paris, 1967.
Janine Garrisson, *Royaume, Renaissance et Réforme, 1483-1559,* Paris, 1991.
Janine Garrisson, *Guerre civile et compromis (1559-1598),* Paris, 1991.
Janine Garrisson, *La Saint-Barthélemy,* Paris, 1987.
Janine Garrisson, *Tocsin pour un massacre ou la Saison des Saint-Barthélemy,* Paris, 1968.
Arlette Jouanna, *La France du XVIe siècle, 1483-1598,* Paris, 1996.
Arlette Jouanna, Philippe Hamon, Dominique Biloghi, Guy Le Thiec, *La France de la Renaissance. Histoire et dictionnaire,* Paris, 2001.
Arlette Jouanna, Jacqueline Boucher, Philippe Hamon, Dominique Biloghi, Guy Le Thiec, *Histoire et dictionnaire des guerres de religion,* Paris, 1998.
Georges Livet, *Les guerres de religion (1559-1598),* Paris, 1962.
Michel Pernot, *Les guerres de religion en France (1559-1598),* Paris, 1987.
J. H. M. Salmon, *Society in Crisis. France in the Sixteenth Century,* Londres, 1975.

B. *Études biographiques*

Ivan Cloulas, *Catherine de Médicis,* Paris, 1979.
Ivan Cloulas, *Henri II,* Paris, 1985.
Jean-Pierre Babelon, *Henri IV,* Paris, 1982.
Bernard Barbiche et Ségolène de Dainville-Barbiche, *Sully,* Paris, 1997.

B. Basdevant-Gaudemet, *Aux origines de l'État moderne, Charles Loyseau, 1564-1627,* Paris, 1977.
Guy Bedouelle, *Lefèvre d'Étaples et l'intelligence des Écritures,* Genève, 1976.
David Buisseret, *Sully and the Growth of Centralized Government in France, 1598-1610,* Londres, 1968 (en anglais).
David Buisseret, *Henry IV,* Londres, 1984.
Pierre Chevallier, *Henri III,* Paris, 1985.
Anne-Marie Cocula, *Étienne de La Boétie,* Bordeaux, 1995.
Jean-Marie Constant, *Les Guise,* Paris, 1984.
Denis Crouzet, *La sagesse et le malheur. Michel de l'Hospital, chancelier de France,* Seyssel, 1998.
Denis Crouzet, *Jean Calvin. Vies parallèles,* Paris, 2000.
Denis Crouzet, *Charles de Bourbon, connétable de France,* Paris, 2003.
Jean Jacquart, *François Ier,* Paris, 1981.
Robert J. Knecht, *Un prince de la Renaissance. François Ier et son royaume,* Cambridge, 1982, trad. franç., 1998.
Anne-Marie Lecoq, *François Ier imaginaire. Symbolique et politique à l'aube de la Renaissance française,* Paris, 1987.
Jean-François Solnon, *Henri III. Un désir de majesté,* Paris, 2001.
Michel Vergé-Franceschi et Antoine-Marie Graziani, *Sampiero Corso, 1498-1567. Un mercenaire européen au XVIe siècle,* Ajaccio, 1999.

C. *Pour approfondir*

Elie Barnavi, *Le Parti de Dieu. Étude sociale et politique de la Ligue parisienne (1585-1594),* Louvain, 1980.
Elie Barnavi et Robert Descimon, *La Sainte Ligue, le juge et la potence. L'assassinat du président Brisson (15 novembre 1591),* Paris, 1985.
Philip Benedict, *Rouen During the Wars of Religion,* Cambridge, 1980.
François Billacois, *Le duel dans la société française des XVIe-XVIIe siècles. Essai de psychologie historique,* Paris, 1986.
Anne Bonzon, *L'esprit de clocher. Prêtres et paroisses dans le diocèse de Beauvais, 1535-1650,* Paris, 1999.
Jacqueline Boucher, *La Cour de Henri III,* Rennes, 1986.
Jean-Louis Bourgeon, *L'assassinat de Coligny,* Genève, 1992.
Jean-Louis Bourgeon, *Charles IX devant la Saint-Barthélemy,* Genève, 1995.
Laurent Bourquin, *Noblesse seconde et pouvoir en Champagne aux XVIe et XVIIe siècles,* Paris, 1994.
Jean Boutier, Alain Dewerpe et Daniel Nordman, *Un tour de France royal. Le voyage de Charles IX (1564-1566),* Paris, 1984.
Keith Cameron, dir., *From Valois to Bourbon : Dynasty, State and Society in Early Modern France,* Exeter, 1989.
Stéphane Capot, *Justice et religion en Languedoc au temps de l'édit de Nantes. La chambre de l'édit de Castres (1579-1679),* Paris, 1998.
Olivier Christin, *Une révolution symbolique. L'iconoclasme huguenot et la reconstruction catholique,* Paris, 1991.
Olivier Christin, *La paix de religion. L'autonomisation de la raison politique au XVIe siècle,* Paris, 1997.
Jean-Marie Constant, *Nobles et paysans en Beauce aux XVIe et XVIIe siècles,* Villeneuve d'Ascq, 1981.
Jean-Marie Constant, *La Ligue,* Paris, 1996.
Alain Croix, *La Bretagne aux XVIe et XVIIe siècles. La vie, la mort, la foi,* Paris, 1981.

Alain Croix, *L'Âge d'or de la Bretagne, 1532-1675,* Rennes, 1993.
Denis Crouzet, *Les guerriers de Dieu. La violence au temps des troubles de religion vers 1525 - vers 1610,* Paris, 1990.
Denis Crouzet, *La Nuit de la Saint-Barthélemy. Un rêve perdu de la Renaissance,* Paris, 1994.
Denis Crouzet, *La genèse de la Réforme française, 1520-1562,* Paris, 1996.
Hugues Daussy, *Les Huguenots et le roi. Le combat politique de Philippe Duplessis-Mornay (1572-1600),* Genève, 2002.
Natalie Z. Davis, *Les cultures du peuple. Rituels, savoirs et résistances au XVIe siècle,* Paris, 1979.
Robert Descimon, *Qui étaient les Seize ? Mythes et réalités de la Ligue parisienne (1585-1594),* Paris, 1983.
Michel de Waele, *Les relations entre le Parlement de Paris et Henri IV,* Paris, 2000.
Barbara Diefendorf, *Beneath the Cross. Catholics and Huguenots in Sixteenth-Century Paris,* New York et Oxford, 1991.
Claire Dolan, *Entre tours et clochers. Les gens d'Église à Aix-en-Provence au XVIe siècle,* 1981.
H. Drouot, *Mayenne et la Bourgogne : Étude sur la Ligue, 1587-1595,* Paris, 1937.
M. Etchegoury, *Les maîtres des requêtes sous le derniers Valois (1533-1589),* Paris, 1991.
J. K. Farge, *Orthodoxy and Reform in Early Reformation France. The Faculty of Theology of Paris, 1500-1543,* Leyde, 1985.
J. K. Farge, *Le Part conservateur au XVIe siècle. Université et Parlement de Paris à l'époque de la Renaissance et de la Réforme,* Paris, 1992.
Lucien Febvre, *Le problème de l'incroyance au XVIe siècle. La religion de Rabelais,* Paris, 1942 et 1968.
Madeleine Foisil, *Le Sire de Gouberville. Un gentilhomme normand au XVIe siècle,* Paris, 1981, nouvelle édition 1986.
Stéphane Gal, *Grenoble au temps de la Ligue : Étude politique, sociale et religieuse d'une cité en crise (vers 1562 - vers 1598),* Grenoble, 2000.
Richard Gascon, *Grand commerce et vie urbaine au XVIe siècle. Lyon et ses marchands (vers 1520 - vers 1580),* Paris - La Haye, 1971.
Charles Giry-Deloison, dir., *François Ier et Henri VIII. Deux princes de la Renaissance (1515-1547),* Villeneuve d'Ascq, 1996 (?).
Michel Grandjean et Bernard Roussel, dir., *Coexister dans l'intolérance. L'édit de Nantes (1598),* Genève, 1998.
David El Kenz, *Les Bûchers du roi. La culture protestante des martyrs (1523-1572),* Seyssel, 1997.
Philippe Hamon, *L'argent du roi. Les finances sous François Ier,* Paris, 1994.
Philippe Hamon, *« Messieurs des finances ». Les grands officiers de finance dans la France de la Renaissance,* Paris, 1999.
Daniel Hickey, *Le Dauphiné devant la monarchie absolue : le procès des tailles et la perte des libertés provinciales, 1540-1640,* Moncton et Grenoble, 1993 (édition originale, 1986)
Jean Jacquart, *La crise rurale en Île-de-France (1550-1670),* Paris, 1974.
Arlette Jouanna, *Le devoir de révolte. La noblesse française et la gestation de l'État moderne, 1550-1661,* Paris, 1989.
Arlette Jouanna, « La noblesse française et les valeurs guerrières au XVIe siècle », in *L'homme de guerre au XVIe siècle,* Saint-Étienne, 1992.
Arlette Jouanna, « Faveur et favoris. L'exemple des mignons de Henri III », in *Henri III et son temps,* Paris, 1992.
Wolfgang Kayser, *Marseille au temps des troubles. Morphologie sociale et lutte de factions, 1559-1596,* Paris, 1992.
Jean-François Labourdette, Jean-Pierre Poussou et Marie-Catherine Vignal, *Le traité de Vervins,* Paris, 2000.
Henri Lapeyre, *Les monarchies européennes du XVIe siècle. Les relations internationales,* Paris, 1967.

Arlette Lebigre, *La révolution des curés, Paris, 1588-1594,* Paris, 1980.
Nicole Lemaitre, *Le Rouergue flamboyant. Le clergé et les fidèles du diocèse de Rodez, 1417-1563,* Paris, 1988.
Xavier Le Person, *« Practiques » et « Practiqueurs ». La vie politique à la fin du règne de Henri III (1584-1589),* Genève, 2002.
Nicolas Le Roux, *La faveur du roi. Mignons et courtisans au temps des premiers Valois (v. 1547 - v. 1589),* Seyssel, 2001.
Emmanuel Le Roy Ladurie, *Les paysans de Languedoc,* Paris, 1966.
Emmanuel Le Roy Ladurie, *Le Carnaval de Romans. De la chandeleur au mercredi des cendres, 1579-1580,* Paris, 1980.
Maurice Lever, *Les bûchers de Sodome,* Paris, 1985.
Pierre Mesnard, *L'essor de la philosophie politique au XVIe siècle,* Paris, 1969.
Hélène Michaud, *La Grande Chancellerie et les écritures royales au XVIe siècle,* Paris, 1967.
Olivier Poncet, *Pomponne de Bellièvre (1529-1607). Un homme d'État au temps des guerres de religion,* Paris, 1998.
David Potter, *War and Government in the French Provinces, Picardy 1470-1560,* Cambridge, 1993.
David Potter, *History of France, 1460-1560. The Emergence of a Nation State,* Londres, 1995.
Bernard Quilliet, *La France du beau XVIe siècle,* Paris, 1998.
N. L. Roelker, *One King, one Faith. The Parlement of Paris and the Religious Reformations of the Sixteenth Century,* Berkeley, 1996.
Joycelyne Russell, *The Field of Cloth of Gold, Men and Manners in 1520,* Londres, 1979.
Joycelyne Russell, *Diplomats at Work. Three Renaissance Studies,* Phoenix Mill, Stroud, 1992.
J. Russel Major, *Representative Institutions in Renaissance France (1421-1560),* Madison, 1960.
J. Russel Major, *The Monarchy, the Estates and the Aristocracy in Renaissance France,* Londres, 1988.
Robert Sauzet, dir., *Henri III et son temps,* Paris, 1992.
Ellery Schalk, *L'épée et le sang. Une histoire du concept de noblesse (vers 1500 - vers 1650),* Seyssel, 1996.
Quentin Skinner, *Les fondements de la pensée politique moderne,* 1980, trad. franç., Paris, 2001.
René Souriac, *Décentralisation administrative dans l'ancienne France. Autonomie commingeoise et pouvoir d'État, 1540-1630,* Toulouse, 1992.
N. M. Sutherland, *The Massacre of the St Bartholomew and the European Conflict, 1559-1572,* Londres, 1973.
N. M. Sutherland, *The French Secretaries of State in the Age of Catherine de Medicis,* Londres, 1962.
Alain Tallon, *La France et le Concile de Trente (1518-1563),* Rome, 1997.
Alain Tallon, *Conscience nationale et sentiment religieux en France au XVIe siècle,* Paris, 2002.
Étienne Thuau, *Raison d'État et pensée politique à l'époque de Richelieu,* Paris, 1966.
Claudine Vidal et Frédérique Pilleboue, dir., *La paix de Vervins, 1598,* Société archéologique et historique de Vervins et de la Thiérache, 1998.
Thierry Wanegffelen, *Ni Rome, ni Genève. Des fidèles entre deux chaires en France au XVIe siècle,* Paris, 1997.
Thierry Wanegffelen, *L'édit de Nantes. Une histoire européenne de la tolérance,* Paris, 1998.
Thierry Wanegffelen, *Une difficile fidélité. Catholiques malgré le concile en France, XVIe-XVIIe siècles,* Paris, 1999.
Myriam Yardeni, *La conscience nationale en France pendant les guerres de religion (1559-1598),* Paris, 1971.
Gaston Zeller, *Les institutions de la France au XVIe siècle,* Paris, 1948.

III. Sur le XVIIe siècle

A. *Ouvrages généraux*

Annie Antoine, *Terre et paysans en France aux XVIIe et XVIIIe siècles,* Paris, 1998.
Yves-Marie Bercé, *La naissance dramatique de l'absolutisme, 1598-1661,* Paris, 1992.
Yves-Marie Bercé, *Croquants et nu-pieds. Les soulèvements paysans en France du XVIe au XIXe siècle,* Paris, 1974.
Yves-Marie Bercé et Michel Cassan, *Archives de la France, XVIIe siècle,* 2001.
Michel Carmona, *La France de Richelieu,* Paris, 1984.
Joël Cornette, *Absolutisme et Lumières, 1652-1783,* Paris, 1993.
Joël Cornette, *Les années cardinales. Chronique de la France, 1599-1652,* Paris, 2000.
Joël Cornette, *Chronique du règne de Louis XIV,* Paris, 1997.
André Corvisier, *La France de Louis XIV, 1643-1715. Ordre intérieur et place en Europe,* Paris, 1979.
Robert Descimon et Christian Jouhaud, *La France du premier XVIIe siècle, 1594-1661,* Paris, 1996.
Jacques Dupâquier, *La population française aux XVIIe et XVIIIe siècles,* Paris, nouv. éd. 1993.
Pierre Goubert, *Louis XIV et vingt millions de Français,* Paris, 1966.
Ragnhild Hatton, *L'époque de Louis XIV,* éd. franç., Paris, 1970.
Jean-Pierre Jessenne et Philippe Minard, *La France moderne,* t. 2 : *1653-1789,* Paris, 1999.
François Lebrun, *Le XVIIe siècle,* Paris, 1967.
François Lebrun, *La puissance et la guerre, 1661-1715,* Paris, 1997.
Robert Mandrou, *La France aux XVIIe et XVIIIe siècles,* Paris, 1967.
Robert Mandrou, *Louis XIV en son temps,* Paris, 1973.
Hubert Méthivier, *La Fronde,* Paris, 1984.
Claude Michaud, *L'Europe de Louis XIV,* Paris, 1973.
Roland Mousnier, *L'assassinat d'Henri IV, 14 mai 1610,* Paris, 1964.
Roland Mousnier, *Les XVIe et XVIIe siècles,* Paris, rééd. 1993.
Michel Nassiet, *La France du second XVIIe siècle, 1661-1715,* Paris, 1997.
Michel Pernot, *La Fronde,* Paris, 1994.
René et Suzanne Pillorget, *France baroque, France classique, 1589-1715,* Paris, 1996.
Orest Ranum, *La Fronde,* Paris, 1995.
Victor L. Tapié, *La France de Louis XIII et de Richelieu,* Paris, 1967.
Jacques Truchet, dir., *Le XVIIe siècle. Diversité et cohérence,* Paris, 1992.

B. *Études biographiques*

Jean Bérenger, *Turenne,* Paris, 1987.
Joseph Bergin, *Pouvoir et fortune de Richelieu,* Paris, 1987.
Joseph Bergin, *Cardinal de La Rochefoucault. Leadership and Reform in the French Church,* New Haven et Londres, 1987.
Anne Blanchard, *Vauban,* Paris, 1996.
François Bluche, *Louis XIV,* Paris, 1986.
Peter Robert Campbell, *Louis XIV,* New York et Londres, 1993.
Pierre Chevallier, *Louis XIII,* Paris, 1979.
W. Church, *Richelieu and Reason of State,* Princeton, 1972.
Joël Cornette, *La mélancolie du pouvoir. Omer Talon et le procès de la raison d'État,* Paris, 1998.

André Corvisier, *Louvois,* Paris, 1983.
Georges Dethan, *Mazarin, un homme de paix à l'âge baroque,* Paris, 1981.
Hélène Duccini, *Concini,* Paris, 1992.
Claude Dulong, *Mazarin,* Paris, 1999.
Daniel Dessert, *Fouquet,* Paris, 1987.
Madeleine Foisil, *L'enfant Louis XIII. L'éducation d'un roi, 1601-1617,* Paris, 1996.
Pierre Goubert, *Mazarin,* Paris, 1990.
Pierre Goubert, *L'avènement du Roi-Soleil,* Paris, 1967.
Madeleine Laurain-Portemer, *Études mazarines,* t. 1, Paris 1981 ; t. 2, *Une tête à gouverner quatre empires,* Paris, 1997.
Jean Meyer, *Colbert,* Paris, 1981.
Roland Mousnier, *L'homme rouge ou la vie du cardinal de Richelieu (1585-1642),* Paris, 1992.
Inès Murat, *Colbert,* Paris, 1980.
Jean-Christian Petitfils, *Louis XIV,* Paris, 1995.
Jean-Christian Petitfils, *Fouquet,* Paris, nouv. éd., 1998-1999.
David J. Sturdy, *Louis XIV,* Basingstoke et Londres, 1998.
Jean Villain, *La fortune de Colbert,* Paris, 1994.

C. Pour approfondir

Reynald Abad, *Le grand marché. L'approvisionnement alimentaire de Paris sous l'Ancien Régime,* Paris, 2002.
Martine Acerra, *Rochefort et la construction navale française, 1661-1815,* Paris, 1993.
Jean-Marie Apostolides, *Le roi machine : spectacle et politique au temps de Louis XIV,* Paris, 1981.
René Baehrel, *Une croissance : la Basse-Provence rurale de la fin du XVIe siècle à 1789. Essai d'économie historique statistique,* 1961.
Jean-Pierre Bardet, *Rouen aux XVIIe et XVIIIe siècles. Les mutations d'un espace social,* Paris, 1983.
Françoise Bayard, *Le monde des financiers au XVIIe siècle,* Paris, 1988.
Katia Béguin, *Les princes de Condé. Rebelles, courtisans et mécènes dans la France du Grand siècle,* Paris, 1999.
William Beik, *Absolutism and Society in Seventeenth-Century France. State Power and Provincial Aristocracy in Languedoc,* Cambridge, 1985.
William Beik, *Urban Protest in Seventeenth-Century France. The Culture of Retribution,* Cambridge, 1997.
Lucien Bély, *Espions et ambassadeurs au temps de Louis XIV,* Paris, 1990.
Lucien Bély, *Les relations internationales en Europe, XVIIe-XVIIIe siècles,* Paris, 1992.
Lucien Bély (en collaboration avec Isabelle Richefort), *L'Europe des traités de Westphalie. Esprit de la diplomatie et diplomatie de l'esprit,* Paris, 2000.
Lucien Bély, Yves-Marie Bercé, Jean Bérenger, André Corvisier, René Quatrefages, *Guerre et paix en Europe au XVIIe siècle,* 2 vol., Paris, 1991.
Philip Benedict, *The Faith and Fortunes of France's Huguenots, 1600-1685,* Aldershot, 2001.
Yves-Marie Bercé, *Histoire des croquants. Étude des soulèvements populaires au XVIIe siècle dans le sud-ouest de la France,* Paris, 1974.
Joseph Bergin, *The Making of the French Episcopate, 1589-1661,* New Haven et Londres, 1996.
Joseph Bergin et Laurence Brockliss, *Richelieu and his Age,* Oxford, 1992.
Anne Blanchard, *Les ingénieurs du Roy de Louis XIV à Louis XVI. Étude du corps des fortifications,* Montpellier, 1979.
Christophe Blanquié, *Les Présidiaux de Richelieu. Justice et vénalité (1630-1642),* Paris, 2000.

Pierre Blet, *Le clergé de France et la monarchie. Étude sur les Assemblées du clergé de 1615 à 1660,* Rome, 1959.
Pierre Blet, *Les assemblées du clergé et Louis XIV de 1670 à 1693,* Rome, 1972.
Pierre Blet, *Le clergé de France, Louis XIV et le Saint-Siège de 1695 à 1715,* Cité du Vatican, 1989.
Pierre Blet, *Le clergé du Grand Siècle en ses assemblées, 1615-1715,* Paris, 1995.
Pierre Blet, *Les nonces du pape à la cour de Louis XIV,* Paris, 2002.
François Bluche et Jean-François Solnon, *La véritable hiérarchie sociale de l'ancienne France,* Genève, 1983.
Richard Bonney, *L'absolutisme,* Paris, 1989.
Richard Bonney, *Political Change in France under Richelieu and Mazarin, 1624-1661,* Oxford, 1978.
Richard Bonney, *The King's Debts. Finance and Politics in France, 1589-1661,* Oxford, 1981.
Margaret et Richard Bonney, *Jean-Roland Malet, premier historien des finances de la monarchie française,* Paris, 1993.
Jean-Louis Bourgeon, *Les Colbert avant Colbert,* Paris, 1973.
Colette Brossault, *Les Intendants de Franche-Comté, 1674-1790,* Paris, 1999.
Peter Burke, *Louis XIV. Les stratégies de la gloire,* Paris, 1995 (édition originale *The fabrication of Louis XIV,* New Haven - Londres, 1992).
Alain Cabantous, *Dix mille marins face à l'Océan. Les populations maritimes de Dunkerque au havre aux XVIIe et XVIIIe siècles (v. 1660-1794). Étude sociale,* Paris, 1991.
Alain Cabantous, *Les côtes barbares. Pilleurs d'épaves et sociétés littorales en France (1680-1830),* Paris, 1993.
Alain Cabantous, *Les citoyens du large : les identités maritimes en France (XVIIe-XIXe siècle),* Paris, 1995.
Hubert Carrier, *La presse de la Fronde (1648-1653) : les mazarinades,* Genève, 1989-1991, 2 vol.
Michel de Certeau, *La possession de Loudun,* Paris, 1970.
Roger Chartier et Denis Richet, dir., *Représentations et vouloirs politiques. Autour des États généraux de 1614,* Paris, 1982.
Jean-Marie Constant, *Les Conjurateurs. Le premier libéralisme politique sous Richelieu,* Paris, 1987.
Joël Cornette, *Le roi de guerre. Essai sur la souveraineté dans la France du Grand Siècle,* Paris, 1993.
Joël Cornette et Alain Merot, dir., *Histoire artistique de l'Europe. Le XVIIe siècle,* Paris, 1999.
André Corvisier, *La bataille de Malplaquet, 1709. L'effondrement de la France évité,* Paris, 1997.
Monique Cottret, *La Bastille à prendre. Histoire et mythe de la forteresse royale,* Paris, 1996.
J. Dent, *Crisis in Finance : Crown, Financiers and Society in Seventeenth Century France,* New York, 1973.
Daniel Dessert, *Argent, Pouvoir et Société au Grand Siècle,* Paris, 1984.
Daniel Dessert, *Louis XIV prend le pouvoir. Naissance d'un mythe,* Paris, 1989.
Daniel Dessert, *La Royale. Vaisseaux et marins du Roi Soleil,* Paris, 1996.
Pierre Deyon, *Amiens, capitale provinciale. Étude sur la société urbaine au XVIIe siècle,* Paris - La Haye, 1967.
Pierre Deyon, *Le mercantilisme,* Paris, 1969.
Bernard Dompnier, *Le venin de l'hérésie. Image du protestantisme et combat catholique au XVIIe siècle,* Paris, 1985.
François Dornic, *Louis Berryer, agent de Mazarin et de Colbert,* Caen, 1968.
Jean-François Dubost et Peter Sahlins, *Et si on faisait payer les étrangers ? Louis XIV, les immigrés et quelques autres,* Paris, 1999.
John H. Elliott, *Richelieu et Olivarès,* 1984, trad. franç., 1991.

John H. Elliott et Laurence W. B. Brockliss, dir., *The World of the Favourite,* New Haven et Londres, 1999.

Sven Externbrinck, *Le Cœur du monde. Frankreich und die norditalienischen Staaten (Mantoua, Parma, Savoyen) im Zeitalter Richelieus (1624-1635),* Münster, 1999.

René Favier, *Les villes du Dauphiné aux XVIIe et XVIIIe siècles,* Grenoble, 1993.

Isabelle Flandrois, *L'Institution du prince au début du XVIIe siècle,* Paris, 1992.

Madeleine Foisil, *La Révolte des Nu-Pieds et les révoltes normandes de 1639,* Paris, 1970.

Hélène Frehet, dir., *La terre et les paysans en France et en Grande-Bretagne de 1600 à 1800,* Paris, 1998.

Henri Fréville, *L'intendance de Bretagne (1689-1790),* Rennes, 1953.

Linda Frey et Marsha Frey, *The Treaties of the War of the Spanish Succession. An Historical and Critical Dictionary,* Westport, CT, 1995.

Jean Gallet, *Le bon plaisir du baron de Fénétrange,* Nancy, 1990.

Jean Gallet, *Seigneurs et paysans en France, 1600-1793,* Rennes, 1999.

Y. Garlan et Claude Nières, *Les révoltes bretonnes de 1675,* Paris, 1975.

Nelly Girard d'Albissin, *Genèse de la frontière franco-belge : les variations des limites septentrionales de 1659 à 1789,* Paris, 1970.

Richard Golden, *The Godly Rebellion. Parisian Curés and the Religious Fronde, 1652-1662,* Chapel Hill, 1981.

Pierre Goubert, *Beauvais et le Beauvaisis de 1600 à 1730. Contribution à l'histoire sociale de la France du XVIIe siècle,* Paris, 1960.

Maurice Gresset et Jean-Marc Debard, *Le rattachement de la Franche-Comté à la France (1668-1678),* Besançon, 1978.

Albert N. Hamscher, *The Parlement of Paris after the Fronde,* Pittsburgh, 1976.

Gregory Hanlon, *L'univers des gens de bien. Culture et comportements des élites urbaines en Agenais-Condomois au XVIIe siècle,* Presses Universitaires de Bordeaux, 1989.

Ragnhild Hatton, dir., *Louis XIV and Europe,* Londres, 1976.

Françoise Hildesheimer, *Richelieu. Une certaine idée de l'État,* Paris, 1985.

Françoise Hildesheimer, *Relectures de Richelieu,* Paris, 2000.

Christian Huetz de Lemps, *Géographie du commerce de Bordeaux à la fin du règne de Louis XIV,* Paris - La Haye, 1975.

John J. Hurt, *Louis XIV and the Parlements. The Assertion of Royal Authority,* Manchester - New York, 2002.

Christian Jouhaud, *Mazarinades. La Fronde des mots,* Paris, 1988.

Philippe Joutard, *La légende des Camisards. Une sensibilité au passé,* Paris, 1965.

Sharon Kettering, *Patrons, Brokers and Clients in Seventeenth-Century France,* Oxford - New York, 1992.

Joseph Klaits, *Printed Propaganda under Louis XIV, Absolute Monarchy and Public Opinion,* Princeton UP, 1976.

Ernest Kossmann, *La Fronde,* Leyde, 1954.

Jean-Pierre Labatut, *Les ducs et pairs en France au XVIIe siècle,* Paris, 1972.

Elisabeth Labrousse, *La révocation de l'édit de Nantes,* 1985, nouv. éd. 1990.

Marcel Lachiver, *Les années de misère. La famine au temps du Grand Roi,* Paris, 1991.

François Lebrun, *Les hommes et la mort en Anjou aux XVIIe et XVIIIe siècles,* Paris, 1971.

Christophe Levantal, *Ducs et pairs et duchés-paieries laïques à l'époque moderne,* Paris, 1996.

Marie-Laure Legay, *Les États provinciaux dans la construction de l'État moderne aux XVIIe et XVIIIe siècles,* Genève, 2001.

Yann Lignereux, *Lyon et le roi. De la « bonne ville » à l'absolutisme municipal (1594-1654),* Seyssel, 2003.

Emmanuel Le Roy Ladurie (avec la collaboration de Jean-François Fitou), *Saint-Simon ou le système de la Cour,* Paris, 1997.

André Lespagnol, *Messieurs de Saint-Malo. Une élite négociante au temps de Louis XIV, Saint-Malo,* 1990, rééd. 1996, 2 vol.

Georges Livet, *L'intendance d'Alsace sous Louis XIV (1648-1715),* Strasbourg, 1956.

Georges Livet et Nicole Wilsdorf, *Le Conseil souverain d'Alsace au XVIIe siècle. Les traités de Westphalie et les lieux de mémoire,* Société savante d'Alsace, 1997.

A. Lloyd Moote, *The Revolt of the Judges. The Parlement of Paris and the Fronde, 1643-1652,* Princeton, 1971.

John Lynn, *Giant of the Grand Siècle. The French Army, 1610-1715,* Cambridge, 1997.

John Lynn, *The Wars of Louis XIV, 1667-1714,* Londres, 1999.

Andrew Lossky, *Louis XIV and the French Monarchy,* New Brunswick, New Jersey, 1994.

Alain Lottin, *Lille : citadelle de la Contre-Réforme ? 1598-1668,* Dunkerque, 1984.

Alain Lottin, *Vie et mentalité d'un Lillois sous Louis XIV,* Lille, 1968, rééd. sous le titre *Chavatte, ouvrier lillois. Un contemporain de Louis XIV,* Paris, 1979.

Alain Lottin, Annie Crepin, Jean-Marc Guislin, *Intendants et préfets dans le Nord - Pas-de-Calais (XVIIe-XXe siècle),* Arras, 2002.

Philippe Loupès, *Chapitres et chanoines de Guyenne aux XVIIe et XVIIIe siècles,* Paris, 1985.

Herbert Lüthy, *La banque protestante en France, de la révocation de l'édit de Nantes à la Révolution,* Paris, 1959-1961.

Robert Mandrou, *Magistrats et sorciers en France au XVIIe siècle. Une analyse de psychologie historique,* Paris, 1968.

Hubert Méthivier, *La Fronde,* Paris, 1984.

Roger Mettam, *Power and Factions in Louis XIV's France,* Oxford, 1988.

Jean Meuvret, *Études d'histoire économique,* Paris, 1971.

Jean Meuvret, *Le problème des subsistances à l'époque de Louis XIV,* Paris, 1977-1988.

Georges Mongrédien, *La Journée des Dupes, 10 novembre 1630,* Paris, 1961.

Michel Morineau, *Incroyables gazettes et fabuleux métaux,* Paris, 1985.

Stéphane-Marie Morgain, *Pierre de Bérulle et les carmélites en France,* Paris, 1995.

Stéphane-Marie Morgain, *La théologie politique de Pierre de Bérulle (1598-1629),* Paris, 2001.

Roland Mousnier, *La vénalité des offices sous Henri IV et Louis XIII,* rééd. Paris, 1971.

Roland Mousnier, dir., *Un nouveau Colbert,* Paris, 1985.

Robert Muchembled, *Les derniers bûchers. Un village de Flandre et ses sorcières sous Louis XIV,* Paris, 1981.

Jean Nicolas, *La rébellion française. Mouvements populaires et conscience sociale, 1661-1789,* Paris, 2002.

D. Parker, *La Rochelle and the French Monarchy : Conflict and Order in Seventeenth France,* Londres, 1980.

Annick Pardailhé-Galabrun, *La naissance de l'intime. 3 000 foyers parisiens, XVIIe-XVIIIe siècles,* Paris, 1988.

David Parrott, *Richelieu's Army. War, Government and Society in France, 1624-1642,* Cambridge, 2001.

Camille G. Picavet, *La diplomatie française au temps de Louis XIV (1661-1715). Institutions, mœurs et coutumes,* Paris, 1930.

René Pillorget, *Les mouvements insurrectionnels de Provence entre 1596 et 1715,* Paris, 1975.

Boris Porchnev, *Les soulèvements populaires en France de 1623 à 1648,* Paris, 1963, nouv. éd., 1972.

Jean-Pierre Poussou, *La terre et les paysans en France et en Grande-Bretagne aux XVIIe et XVIIIe siècles,* Paris, 1999.

Orest Ranum, *Les créatures de Richelieu. Secrétaires d'État et surintendants des finances, 1635-1642,* Paris, 1966.

Herbert H. Rowen, *The Ambassador Prepares for War : The Dutch Embassy of Arnauld de Pomponne : 1669-1671,* La Haye, 1957.

Guy Rowlands, *The Dynastic State and the Army under Louis XIV: Royal Service and Private Interest, 1661-1701,* Cambridge, 2002.

John C. Rule, éd., *Louis XIV and the Craft of Kingship,* Columbus, 1969.

John C. Rule, « The Enduring Rivalry of France and Spain ca. 1462-1700 », in *Great Power Rivalries,* William R. Thompson ed., University of South California Press, 1999.

Guy Saupin, *Nantes au* XVIIe *siècle : vie politique et société urbaine,* Rennes, 1996.

Robert Sauzet, *Le roi et son notaire. Étienne Borelly (1633-1718). Un Nîmois sous Louis XIV,* Paris, 1998.

Annette Smedley-Weill, *Les intendants de Louis XIV,* Paris, 1995.

Paul Sonnino, *Louis XIV and the Origins of the Dutch War,* Cambridge, 1988.

Paul Sonnino, *The Reign of Louis XIV. Essays Dedicated to Andrew Lossky,* New Jersey, 1991.

Philippe Sueur, *Le Conseil provincial d'Artois (1640-1790),* Arras, 1982.

Anusschka Tischer, *Französiche Diplomatie und Diplomaten auf dem Westfälischen Kongress. Aussenpolitik unter Richelieu und Mazarin,* Münster, 1999.

Guy Thuillier, *La première école d'administration. L'Académie politique de Torcy,* Genève, 1996.

Dirk Van der Cruysse, *Louis XIV et le Siam,* Paris, 1991.

Diego Venturino, *Le ragioni della tradizione. Nobilta e mondo moderno in Boulainvilliers,* Turin, 1993.

Patrick Villiers, *Marine royale, corsaires et trafic dans l'Atlantique de Louis XIV à Louis XVI,* Dunkerque, 1991.

Jörg Wollenberg, *Les trois Richelieu. Servir Dieu, le Roi et la Raison,* Bielefeld, 1977, trad. franç., Paris, 1995.

Abby E. Zanger, *Scenes from the Marriage of Louis XIV. Nuptial Fictions and the Making of Absolutist Power,* Stanford UP, 1997.

André Zysberg, *Les galériens. Vie et destin de 60 000 forçats sur les galères de France, 1680-1748,* Paris, 1987.

La politique étrangère de Louis XIV, XVIIe *siècle,* 46-47, 1960.

Louis XIV et l'Europe, XVIIe *siècle,* 123, 1979.

Louis XIV et la construction de l'État royal (1661-1672), Histoire, Économie et Société, 4e trimestre 2000.

Religion et culture

Philippe Beaussant, *Louis XIV artiste,* Paris, 1999.

L. W. B. Brockliss, *French Higher Education in the Seventeenth and Eighteenth Centuries : A Cultural History,* Oxford, 1987.

Alain Cabantous, *Entre fêtes et clochers. Profane et sacré dans l'Europe moderne,* XVIIe-XVIIIe *siècles,* Paris, 2002.

Michel de Certeau, *La fable mystique,* 1, XVIe-XVIIe *siècles,* Paris, 1982.

Louis Chatellier, *L'Europe des dévots,* Paris, 1987.

Benedetta Craveri, *L'âge de la conversation,* Paris, 2002 (édition originale, 2001).

François-Xavier Cuche, *Une pensée sociale catholique. Fleury, La Bruyère, Fénelon,* Paris, 1991.

Hervé Drevillon, *Lire et écrire l'avenir. L'astrologie dans la France du Grand Siècle (1610-1715),* Seyssel, 1996.

Dominique Dinet, *Vocation et fidélité. Le recrutement des Réguliers dans les diocèses d'Auxerre, Langres et Dijon* (XVIIe-XVIIIe *siècles),* Paris, 1988.

Nicole Ferrier-Caveriviere, *L'image de Louis XIV dans la littérature française de 1660 à 1715,* Paris, 1981.

Gilles Feyel, *L'annonce de la nouvelle. La presse d'information en France sous l'Ancien Régime (1630-1788)*, Oxford, 2000.
Marc Fumaroli, *L'Âge de l'éloquence. Rhétorique et « res literaria » de la Renaissance au seuil de l'époque classique*, 1980, nouv. éd. 1994.
Marc Fumaroli, *Le poète et le roi. Jean de la Fontaine en son siècle*, Paris, 1997.
Marc Fumaroli, Philippe-Joseph Salazar, Emmanuel Bury, *Le loisir lettré à l'âge classique*, Genève, 1996.
Chantal Grell, *Histoire intellectuelle et culturelle de la France du Grand Siècle, 1654-1715*, Paris, 2000.
Chantal Grell et Christian Michel, *L'École des Princes ou Alexandre disgracié*, Paris, 1988.
Stéphane Haffemayer, *L'information dans la France du XVIIe siècle : la Gazette de Renaudot de 1647 à 1663*, Paris, 2002.
François Laplanche, *L'écriture, le sacré et l'histoire. Érudits et politiques protestants devant la Bible en France au XVIIe siècle*, Amsterdam, Lille, Paris, 1986.
Jacques Le Brun, *La spiritualité de Bossuet*, Paris, 1972.
Vincent Maroteaux, *Versailles, le Roi et son Domaine*, Paris, 2000.
Henri-Jean Martin, *Livre, pouvoir et société à Paris, au XVIIe siècle*, Paris, 1969.
Suzanne Mazauric, *Savoirs et philosophie à Paris dans la première moitié du XVIIe siècle. Les conférences du bureau d'adresse de Théophraste Renaudot (1633-1642)*, Paris, 1997.
Alain Mérot, *La peinture française au XVIIe siècle*, Paris, 1994.
Jean Meyer et Jean-Pierre Poussou, *Études sur les villes françaises, milieu du XVIIe siècle à la veille de la Révolution française*, Paris, 1995.
Bruno Neveu, *L'erreur et son juge. Remarques sur les censures doctrinales à l'époque moderne*, Naples, 1993.
Bruno Neveu, *Érudition et religion aux XVIIe et XVIIIe siècles*, Paris, 1994.
Raymond Picard, *La carrière de Jean Racine*, Paris, 1956.
Raymond Pintard, *Le libertinage érudit dans la première moitié du XVIIe siècle*, Paris, 1943.
Michel Prigent, *Le héros et l'État dans la tragédie de Pierre Corneille*, Paris, 1986, nouv. éd., 1988.
Jean-Louis Quantin, *Le catholicisme classique et les Pères de l'Église. Un retour aux sources (1669-1713)*, Paris, 1999.
Orest Ranum, *Artisans of Glory. Writers and Historical Thought in 17th Century France*, Chapel Hill, 1980.
Isabelle Richefort, *Peintre à Paris au XVIIe siècle*, Paris, 1998.
Jean Rohou, *Le XVIIe siècle, une révolution de la condition humaine*, Paris, 2002.
David Lee Rubin, *Sun King. The Ascendancy of French Culture During the Reign of Louis XIV*, Washington, Londres, Toronto, 1992.
Gérard Sabatier, *Versailles ou la figure du roi*, Paris, 1999.
Jean-François Solnon, *Versailles*, Monaco, 1997.
Georges Snyders, *La pédagogie en France aux XVIIe et XVIIIe siècles*, Paris, 1965.
René Taveneaux, *Le catholicisme de la France classique*, Paris, 1980.
Pierre Verlet, *Le château de Versailles*, Paris, 1985.
Alain Tallon, *La Compagnie du Saint-Sacrement*, Paris, 1990.
Steve Uomini, *Cultures historiques dans la France du XVIIe siècle*, Paris, 1998.
Alain Viala, *Les institutions littéraires au XVIIe siècle*, Lille, 1985.
Alain Viala, *Naissance de l'écrivain. Sociologie de la littérature à l'âge classique*, Paris, 1985.
Thierry Wanegffelen, *Une difficile fidélité. Catholiques malgré le concile en France, XVIe-XVIIe siècles*, Paris, 1999.
Jean-Claude Waquet, *La conjuration des dictionnaires. Vérité des mots et vérités de la politique dans la France moderne*, Strasbourg, 2000.
Pierre Zoberman, *Les cérémonies de la parole. L'éloquence d'apparat en France dans le dernier quart du XVIIe siècle*, Paris, 1998.

Sources

Pierre Gouhier, *L'intendance de Caen en 1700. Édition critique des mémoires « pour l'instruction du duc de Bourgogne »*, Paris, 1998. On se reportera aux autres publications de l'enquête, menée sur les intendances, pour l'instruction du duc de Bourgogne.

IV. Sur le XVIIIe siècle

A. Ouvrages généraux

Jean Bérenger, Jean Meyer, *La France dans le monde au XVIIIe siècle*, Paris, 1993.
Paul Butel, *L'économie française au XVIIIe siècle*, Paris, 1993.
Olivier Chaline, *La France au XVIIIe siècle, 1715-1787*, Paris, 1996.
Pierre Chaunu, *La civilisation de l'Europe des Lumières*, Paris, 1971.
Yves Durand, *La société française au XVIIIe siècle. Institutions et société*, Paris, 1992.
Philippe Guignet et René Grevet, *La France et les Français au XVIIIe siècle (1715-1788). Économie et culture*, Paris, 1993.
Philippe Loupès, *La vie religieuse au XVIIIe siècle*, Paris, 1993.
Jean Meyer, Martine Acerra, *La grande époque de la marine à voile*, Rennes, 1988.
Daniel Roche, *La France des Lumières*, Paris, 1993.
Albert Soboul avec Guy Lemarchand, Michèle Fogel, *Le siècle des Lumières*, 2 vol., Paris, 1977.
Jean de Viguerie, *Histoire et dictionnaire du temps des Lumières, 1715-1789*, Paris, 1995.

B. Biographies

Michel Antoine, *Louis XV*, Paris, 1989.
Jean-Pierre Bois, *Maurice de Saxe*, Paris, 1992.
Jean Chagniot, *Le chevalier de Folard. La stratégie de l'incertitude*, 1997.
Jean Egret, *Necker, ministre de Louis XVI*, Paris, 1975.
Jean-François Labourdette, *Vergennes, ministre principal de Louis XVI*, Paris, 1990.
Évelyne Lever, *Louis XVI*, Paris, 1985.
Jean Meyer, *Le Régent*, Paris, 1985.
Jean-Christian Petitfils, *Le Régent*, Paris, 1986.
Jacques Roger, *Buffon*, Paris, 1989.
Marc Vigié, *Dupleix*, Paris, 1993.

C. Manuels

Maurice Bordes, *L'administration provinciale et municipale en France au XVIIIe siècle*, Paris, 1972.
Michel Denis et Noël Blayau, *Le XVIIIe siècle*, Paris, réédition 1990.
Roland Mousnier et Ernest Labrousse, *Le XVIIIe siècle*, Paris, 1959 ; rééd. 1985.

D. Pour approfondir

Sur la Régence

Edgar Faure, *La banqueroute de Law, 17 juillet 1720,* Paris, 1977.
La Régence, colloque d'Aix-en-Provence, 1968, Centre aixois d'études et de recherches sur le XVIIIe siècle, Paris, CNRS, 1970.
Jean Meyer, *La vie quotidienne en France sous la Régence,* Paris, 1979.

Le règne de Louis XV

Michel Antoine, *Le Conseil du Roi sous le règne de Louis XV,* Paris, 1970.
Peter Campbell, *Power and politics in the Old Regime France, 1720-1745,* Londres et New York, 1996.
Rohan Butler, *Choiseul, Father and Son,* Oxford, 1980.
Monique Cubells, *La Provence des Lumières. Les parlementaires d'Aix au XVIIIe siècle,* Paris, 1984.
Yves Durand, *Les fermiers généraux au XVIIIe siècle,* Paris, 1971, nouv. éd. 1996.
Yves Durand, *Finance et mécénat. Les fermiers généraux au XVIIIe siècle,* Paris, 1976.
Guy Chaussinand-Nogaret, *La vie quotidienne des Français sous Louis XV,* Paris, 1979.
Monique Cottret, *La Bastille à prendre, histoire et mythe de la forteresse royale, 1659-1789,* Paris, 1986.
Jean Egret, *Louis XV et l'Opposition parlementaire,* Paris, 1970.
Paul Harsin, *Les doctrines monétaires et financières de la France du XVIe au XVIIIe siècle,* Paris, 1928.
Bernard Hours, *Louis XV et sa Cour. Le roi, l'étiquette et le courtisan,* Paris, 2002.
Steven L. Kaplan, *Le complot de famine : histoire d'une rumeur au XVIIIe siècle,* Paris, 1982.
Steven L. Kaplan, *Le pain, le peuple et le roi. La bataille du libéralisme sous Louis XV,* Paris, 1986.
Lucien Laugier, *Un ministère réformateur sous Louis XV. Le triumvirat (1770-1774),* Paris, 1975.
Arlette Lebigre, *La justice du roi : la vie judiciaire de l'ancienne France,* Paris, 1988.
Françoise Mosser, *Les intendants des finances au XVIIIe siècle. Les Lefevre d'Ormesson et le « département des Impositions » (1715-1777),* Genève-Paris, 1978.
Claude Quétel, *De par le Roy. Essai sur les lettres de cachet,* Toulouse, 1981.
Claude Quétel, *La Bastille. Histoire vraie d'une prison légendaire,* Paris, 1989.
Pierre Retat (sous la dir. de), *L'attentat de Damiens. Discours sur l'événement au XVIIIe siècle,* Paris-Lyon, 1979.
Julian Swann, *Politics and the Parlement of Paris under Louis XV, 1754-1774,* Cambridge, 1995.
Dale Van Kley, *The Damiens Affair and the Unraveling of the Ancien Regime, 1750-1770,* Princeton, 1984.

Le temps de Louis XVI

François Bluche, *La vie quotidienne au temps de Louis XVI,* Paris, 1980.
G. de Diesbach, *Necker ou la faillite de la vertu,* Paris, 1987.
Jean Egret, *La Pré-Révolution française (1787-1788),* Paris, 1962.
Edgar Faure, *La disgrâce de Turgot,* Paris, 1961.
John Hardman, *French Politics, 1774-1789. From the Accession of Louis XVI to the Fall of the Bastille,* Londres et New York, 1995.

Jean-Pierre Jessenne, *Révolution et Empire, 1783-1815,* Paris, 1993.
Pierre Retat, *Le dernier règne. Chronique de la France de Louis XVI (1774-1789),* Paris, 1995.

Études sur les provinces et les villes

Maurice Braure, *Lille et la Flandre wallonne au XVIIIe siècle,* Lille, 1933.
Jean Chagniot, *Nouvelle histoire de Paris. Paris au XVIIIe siècle,* Paris, 1988.
Georges Frêche, *Toulouse et la région Midi-Pyrénées au siècle des Lumières v. 1760-1789,* Paris, 1974.
Philippe Guignet, *Le pouvoir dans la ville au XVIIIe siècle. Pratiques politiques, notabilité et éthique sociale de part et d'autre de la frontière franco-belge,* Paris, 1990.
Jean-Pierre Hirsch, *Les deux rêves du commerce,* Paris, 1991.
Jean-Pierre Jessenne, *Pouvoir au village et Révolution. Artois (1760-1848),* Lille, 1987.
Jean Meyer, *L'armement nantais dans la seconde moitié du XVIIIe siècle,* Paris, 1969.
Georges Minois, *Les religieux en Bretagne sous l'Ancien Régime,* Rennes, 1989.
Alain Molinier, *Stagnations et croissance. Le Vivarais aux XVIIe et XVIIIe siècles,* Paris, 1985.
Jean-Claude Perrot, *Genèse d'une ville moderne : Caen au XVIIIe siècle,* Paris, 1975.
Daniel Roche, *Le peuple de Paris. Essai sur la culture populaire au XVIIIe siècle,* Paris, 1981.
Anne Zink, *L'héritier de la maison. Géographie coutumière du sud-ouest de la France,* Paris, 1993.
Anne Zink, *Clochers et troupeaux. Les communautés rurales dans la France du Sud-Ouest,* Presses Universitaires de Bordeaux, 1997.
Anne Zink, *Pays ou circonscriptions. Les collectivités territoriales de la France du Sud-Ouest sous l'Ancien Régime*, Paris, 2000.

État et société

Keith M. Baker, *Au tribunal de l'opinion. Essais sur l'imaginaire politique au XVIIIe siècle,* Paris, 1993.
Keith M. Baker, dir., *The French Revolution and the Creation of Modern Political Culture,* I : *The Political Culture of the Old Regime*, Oxford, 1987.
Eckhard Buddruss, *Die französische Deutschlandpolitik, 1756-1789,* Mayence, 1789.
Marc Belissa, *Intérêt national et fraternité universelle au siècle des Lumières et pendant la Révolution française (1715-1795),* Paris, 1998.
David Bell, *Lawyers and Citizens. The Making of a French Political Elite in Old Regime France,* Oxford, 1994.
Jean Bérenger et Jean Meyer, *La France dans le monde au XVIIIe siècle,* Paris, 1993.
François Bluche, *Les magistrats du Parlement de Paris au XVIIIe siècle,* 1960, nouv. éd., 1986.
Jean-Michel Boehler, *Une société rurale en milieu rhénan : la paysannerie de la plaine d'Alsace (1648-1789),* Strasbourg, 1995.
Jean-Pierre Bois, *Les anciens soldats dans la société française au XVIIIe siècle,* Paris, 1990.
Gérard Bouchard, *Le village immobile. Sennely en Sologne au XVIIIe siècle,* Paris, 1971.
Eric Brian, *La mesure de l'État. Administrateurs et géomètres au XVIIIe siècle,* Paris, 1994.
Nicole Castan, *Les criminels de Languedoc... (1750-1790),* Paris, 1980.
Guy Chaussinand-Nogaret, *La noblesse au XVIIIe siècle,* Bruxelles, 1990.
Jean Chagniot, *Paris et l'armée au XVIIIe siècle. Étude politique et sociale,* Paris, 1985.
Olivier Chaline, *Godart de Belbeuf. Le Parlement, le roi et les Normands,* Luneray, 1996.
André Corvisier, *L'armée française de la fin du XVIIe siècle au ministère de Choiseul. Le soldat,* Paris, 1964, 2 vol.
Edmond Dziembowski, *Un nouveau patriotisme français, 1750-1770,* Oxford, 1998.
William Doyle, *Venality. The Sale of Offices in Eighteenth Century France,* Oxford, 1996.

Jean Duma, *Les Bourbon-Penthièvre (1678-1793) : une nébuleuse aristocratique au XVIIIe siècle*, Paris, 1995.

Arlette Farge, *Vivre dans la rue au XVIIIe siècle*, Paris, 1979.

Arlette Farge, *Dire et mal dire. L'opinion publique au XVIIIe siècle*, Paris, 1992.

Joël Félix, *Finances et politique au siècle des Lumières. Le ministère L'Averdy, 1763-1768*, Paris, 1999.

Michel Figeac, *Destins de la noblesse bordelaise (1770-1830)*, Bordeaux, 1996.

Michel Figeac, *La douceur des Lumières. Noblesse et art de vivre en Guyenne au XVIIIe siècle*, Bordeaux, 2001.

Michel Figeac, *L'automne des gentilshommes. Noblesse d'Aquitaine, noblesse française au Siècle des Lumières*, Paris, 2002.

Anne Fillon, *Louis Simon, villageois de l'ancienne France*, Rennes, 1996.

Maurice Garden, *Lyon et les Lyonnais au XVIIIe siècle*, Paris, 1970.

François Gorau, *La vénalité des charges militaires en France aux XVIIe et XVIIIe siècles*, Villeneuve d'Ascq, 1996.

René Grevet, *École, pouvoirs et société (fin XVIIe siècle - 1815), Artois, Boulonnais/Pas-de-Calais*, Villeneuve d'Ascq, 1991.

Maurice Gresset, *Gens de justice à Besançon, 1674-1789*, Paris, 1978, vol.

Maurice Gresset, *Une famille nombreuse au XVIIIe siècle*, Toulouse, 1981.

Philippe Guignet, *Mines, manufactures et ouvriers du Valenciennois au XVIIIe siècle*, New York, 1977.

Jean-Pierre Gutton, *L'État et la mendicité dans la première moitié du XVIIIe siècle, Auvergne, Beaujolais, Forez, Lyonnais, Lyon*, Lyon, 1973.

Jean-Pierre Gutton, *La naissance du vieillard*, Paris, 1988.

O. H. Hufton, *The poor of the Eighteenth Century France, 1750-1789*, Oxford, 1974.

Steve L. Kaplan, *La fin des corporations*, Paris, 2001.

Jean Meyer, *La noblesse bretonne au XVIIIe siècle*, Paris, 1966.

Mathieu Marraud, *La noblesse de Paris au XVIIIe siècle*, Paris, 2000.

Arnaud de Maurepas et Antoine Baulant, *Les ministres et les ministères du Siècle des Lumières, 1715-1789. Étude et dictionnaire*, Paris, 1996.

Sarah Maza, *Vies privées, Affaires publiques : les causes célèbres dans la France prérévolutionnaire*, Paris, 1997.

Anne Mézin, *Les consuls de France au siècle des Lumières (1715-1792)*, Paris, 1997.

Philippe Minard, *Typographes des Lumières*, Seyssel, 1989.

Philippe Minard, *La Fortune du colbertisme. État et industrie dans la France des Lumières*, Paris, 1998.

Jacques Peret, *Les paysans de Gâtine au XVIIIe siècle*, La Crèche, 1998.

Abel Poitrineau, *La vie rurale en Basse-Auvergne au XVIIIe siècle*, Aurillac, 1965.

Philippe-Joseph Ruggiu, *Les élites et les villes moyennes en France et en Angleterre (XVIIe-XVIIIe siècle)*, Paris, 1997.

Philippe de Saint-Jacob, *Les paysans de la Bourgogne du Nord au dernier siècle de l'Ancien Régime*, Paris, 1960.

Mireille Touzery, *L'invention de l'impôt sur le revenu. La taille tarifée, 1715-1789*, Paris, 1994.

Michel Vergé-Franceschi, *La marine française au XVIIIe siècle*, Paris, 1996.

Christian Windler, *La diplomatie comme expérience de l'autre. Consuls français au Maghreb (1700-1840)*, Genève, 2002.

Religion et Église

Pierre Chaunu, Madeleine Foisil, Françoise de Noirfontaine, *Le basculement religieux de Paris au XVIIIe siècle*, Paris, 1998.

Pierre Chevallier, *Loménie de Brienne et l'ordre monastique, 1766-1789,* Paris, 1959-1960, 2 vol.
Louis Chatellier, *Tradition chrétienne et renouveau catholique dans l'ancien diocèse de Strasbourg, 1650-1770,* Paris, 1981.
Monique Cottret, *Jansénismes et Lumières. Pour un autre* XVIII*e siècle,* Paris, 1998.
Gilles Deregnaucourt, *De Fénelon à la Révolution : le clergé paroissial de l'archevêché de Cambrai,* Lille, 1991.
Catherine Maire, *De la cause de Dieu à la cause de la nation. Le jansénisme au* XVIII*e siècle,* Paris, 1998.
John Mac Manners, *French Ecclesiastical Society under the Ancien Regime. A Study of Angers in the 18th Century,* Manchester, 1960.
Jean-Pierre Poussou, dir., *L'économie française du* XVIII*e au* XX*e siècle. Perspectives nationales et internationales. Mélanges offerts à François Crouzet,* Paris, 2000.
Jean de Viguerie, *Le catholicisme des Français dans l'ancienne France,* Paris, 1988.
Michel Vovelle, *Piété baroque et déchristianisation en Provence au* XVIII*e siècle,* Paris, 1973.

Commerce et colonies

Serge Daget, *La traite des Noirs, Bastilles négrières et velléités abolitionnistes,* Rennes, 1990.
Jean Meyer, *Esclaves et négriers,* Paris, 1986.
Philippe Haudrère, *La Compagnie française des Indes au* XVIII*e siècle (1719-1795),* Paris, 1989.
Jean Tarrade, *Le commerce colonial de la France à la fin de l'Ancien Régime. L'évolution du régime exclusif de 1763 à 1789,* Paris, 1972.

Économie et société

André Bourde, *Agronomie et agronomes en France au* XVIII*e siècle,* Paris, 1967.
Paul Butel, *Les négociants bordelais, l'Europe et les îles au* XVIII*e siècle,* Paris, 1974.
Paul Butel, *Européens et espaces maritimes (vers 1690 - vers 1790),* Presse Universitaires de Bordeaux, 1997.
Charles Carrière, *Négociants marseillais au* XVIII*e siècle,* Marseille, 1973.
Serge Chassagne, *Oberkampf. Un entrepreneur capitaliste au siècle des Lumières,* Paris, 1980.
Serge Chassagne, *La manufacture des toiles imprimées de Tournemine-les-Angers, 1752-1820,* Paris, 1971.
Guy Chaussinand-Nogaret, *Gens de finances au* XVIII*e siècle,* Paris, 1972.
François Crouzet, *De la supériorité de l'Angleterre sur la France. L'économique et l'imaginaire,* XVII*e*-XX*e siècle,* Paris, 1985.
Serge Daget, *La traite des Noirs. Rennes, 1990.*
François Dornic, *Le fer contre la forêt,* Rennes, 1984.
Liliane Hilaire-Perez, *L'invention technique au siècle des Lumières,* Paris, 2000.
Liliane Hilaire-Perez, *L'expérience de la mer. Les Européens et les espaces maritimes au* XVIII*e siècle,* Paris, 1997.
Steven Kaplan, *Le pain, le peuple et le roi, la bataille du libéralisme sous Louis XV,* Paris, 1986.
Steven Kaplan, *Les ventres de Paris, Pouvoir et approvisionnement dans la France d'Ancien Régime,* Paris, 1988.
Steven Kaplan, *Le Complot de famine : histoire d'une rumeur au* XVIII*e siècle,* Paris, 1982.
Steven Kaplan, *Le Meilleur Pain du monde. Les boulangers de Paris au* XVIII*e siècle,* Paris, 1996.
Ernest Labrousse, *La crise de l'économie française à la fin de l'Ancien Régime et au début de la Révolution,* Paris, 1943.
Bernard Lepetit, *Les villes dans la France moderne (1740-1840),* Paris, 1988.
Claude-Frédéric Lévy, *Capitalistes et pouvoir au siècle des Lumières,* Paris - La Haye, 1969.

Jean-Claude Perrot, *Une histoire intellectuelle de l'économie politique (XVIIe-XVIIIe siècles)*, Paris, 1992.
Olivier Petré-Grenouilleau, *Nantes au temps de la traite des Noirs*, Paris, 1998.
Olivier Petré-Grenouilleau, *L'argent de la traite. Milieu négrier, capitalisme et développement : un modèle*, Paris, 1996.
Christian Pfister-Laganay, *Ports, navires et négociants à Dunkerque (1662-1792)*, Dunkerque, 1985.
Jean-Pierre Poussou, *Bordeaux et le Sud-Ouest au XVIIIe siècle, croissance économique et attraction urbaine*, Paris, 1983.
Dominique Margairaz, *Foires et marchés dans la France pré-industrielle*, Paris, 1988.
Jean-Marc Moriceau et Gilles Postel-Vinay, *Ferme, entreprise, famille, grande exploitation et changements agricoles, XVIIe-XIXe siècles*, Paris, 1992.
Michel Morineau, *Les faux-semblants d'un démarrage économique*, Paris, 1971.
Michel Morineau, *Pour une histoire économique vraie*, Lille, 1985.
Henri Sée, *La France économique et sociale au XVIIIe siècle*, nouv. éd. 1969.

Éducation, culture et arts

Pierre-Yves Beaurepaire, *L'Autre et le Frère. L'Étranger et la Franc-maçonnerie en France au XVIIIe siècle*, Paris, 1998.
Pierre-Yves Beaurepaire, dir., *La plume et la toile. Pouvoirs et réseaux de correspondance dans l'Europe des Lumières*, Arras, 2002.
Claude Bellanger et autres collaborateurs, *Histoire générale de la presse française*, t. I : *Des origines à 1814*, Paris, 1969.
Yves Castan, *Honnêteté et relations sociales en Languedoc (1715-1780)*, Paris, 1974.
Michel de Certeau, Dominique Julia, Jacques Revel, *Une politique de la langue. La Révolution française et les patois*, Paris, 1975.
Roger Chartier, *Les origines culturelles de la Révolution française*, Paris, 1990.
Pierre Chevallier, *Les ducs sous l'Acacia ou les premiers pas de la Franc-Maçonnerie française (1725-1743)*, Paris, 1964.
Robert Darnton, *L'aventure de l'Encyclopédie*, Paris, 1983.
Robert Darnton, *Bohême littéraire et Révolution, le monde des livres au XVIIIe siècle*, Paris, 1983.
Robert Darnton, *Le grand massacre des chats. Attitudes et croyances dans l'ancienne France*, 1984, trad. franç., Paris, 1986.
Béatrice Didier, *Histoire de la littérature française du XVIIIe siècle*, Paris, 1992.
Vincenzo Ferrone et Daniel Roche, dir., *Le monde des Lumières*, Paris, 1999.
François Furet et Jacques Ozouf, *Lire et écrire : l'alphabétisation des Français de Calvin à Jules Ferry*, 2 vol., Paris, 1977.
Chantal Grell, *L'histoire entre érudition et philosophie. Étude sur la connaissance historique à l'âge des Lumières*, Paris, 1993.
Chantal Grell, *Le dix-huitième siècle et l'Antiquité en France, 1680-1789*, Oxford, 1995.
Pierre Grosclaude, *Malesherbes témoin et interprète de son temps*, Paris, 1961.
Bernard Grosperrin, *Les petites écoles sous l'Ancien Régime*, Rennes, 1984.
Ran Halevi, *Les loges maçonniques dans la France d'Ancien Régime. Aux origines de la sociabilité démocratique*, Paris, 1984.
Robert Mandrou, *De la culture populaire aux XVIIe et XVIIIe siècles. La Bibliothèque bleue de Troyes*, Paris, 1964.
François Moureau, *De bonne main. La communication manuscrite au XVIIIe siècle*, Oxford, 1993.
Jacques Proust, *Diderot et l'Encyclopédie*, Paris, 1967.
Dominique Poulot, *Les Lumières*, Paris, 2000.
Krzysztof Pomian, *Collectionneurs, amateurs et curieux. Paris-Venise : XVIe-XVIIIe siècle*, Paris, 1987.

Jean Quéniart, *Culture et société urbaine dans la France de l'Ouest au* XVIIIe *siècle,* Paris, 1978.
Daniel Roche, *Le siècle des Lumières en province. Académies et académiciens provinciaux,* Paris, 1978.
Daniel Roche, *Les Républicains des lettres,* Paris, 1988.
Daniel Roche, *La culture des apparences. Une histoire du vêtement,* XVIIe-XVIIIe *siècles,* Paris, 1989.
Jean Starobinski, *L'invention de la liberté,* Genève, 1964.
Bernard Vogler et Jürgen Voss, *Strasbourg, Schoepflin et l'Europe au* XVIIIe *siècle,* Strasbourg, Bonn, 1996.
Michel Vovelle, dir., *L'Homme des Lumières,* Paris, 1995.

Index des principales notions et institutions

Index des noms de personnes

Sont classés par leur prénom les saints, les papes, comme les rois, les reines et leurs enfants

Cet ouvrage a été mis en pages
par MD Impressions – 73, avenue Ronsard – 41100 Vendôme

Imprimé en France
par France Quercy – Z.A. des Grands Camps
46090 Mercuès

Numéro d'impression : 91132/
Dépôt légal : juillet 2009

Ouvrage imprimé sur papier écologique à base de pâte FSC
Pour plus d'informations, www.fsc.org